PERSPECTIVAS

DEL MOVIMIENTO CRISTIANO MUNDIAL

Selección de Lecturas

Edición preliminar

LIBRO 2

PERSPECTIVAS

DEL MOVIMIENTO CRISTIANO MUNDIAL

Selección de Lecturas

Edición preliminar

LIBRO 2

Editores:

Ralph D. Winter
Fundador
U.S. Center for World Mission

Steven C. Hawthorne
Desarrollo de currículum
Institute of International Studies

Editores asociados:

Darrell R. Dorr
D. Bruce Graham
Bruce A. Koch

WILLIAM CAREY
LIBRARY

1605 East Elizabeth Street
Pasadena, California 91104

Derechos y permisos:
William Carey Library
1605 East Elizabeth Street
Pasadena, California 91104
Phone (626) 720-8210

Publicado por:
William Carey Library
1605 East Elizabeth Street
Pasadena, California 91104

Perspectivas Global Español
Oficina de Servicio
Mission, Texas 78574
www.perspectivasglobal.org
info@perspectivasglobal.org
Teléfono: (305) 647-7466

Traducción al español:
King's Way Center for World Mission
Mission, Texas 78574
www.kingswaycwm.org
info@kingswaycwm.org

Fotos en la portada cortesía de Caleb Resources, International Mission Board and Create International

Contenido

La perspectiva cultural

Comprensión de la cultura

Cultura y comunicación

Identidad en la cultura

La perspectiva estratégica

Estrategias para los movimientos de iglesias

CONTENIDO

La Perspectiva
Cultural

Comprensión de la cultura

Lloyd E. Kwast

¿**Q**ué es la cultura? Para quien comienza sus estudios de antropología, esta pregunta es con frecuencia su primera reacción ante una confusa colección de descripciones, definiciones, comparaciones, modelos, paradigmas, etc. Es probable que no haya otra palabra que, al igual que «cultura», encierre un significado tan amplio, ni un campo más complejo de estudio que el de la antropología cultural. Sin embargo, el requisito previo para cualquier comunicación eficaz de las buenas nuevas de Dios a una etnia distinta, es una comprensión completa de lo que abarca la cultura.

El procedimiento más elemental en el estudio de una cultura consiste en llegar a ser experto en la propia. Todos la tienen, y nadie puede divorciarse de ella. Si bien uno puede aprender a apreciar diferentes culturas, y aun comunicarse con eficacia con más de una, nadie puede pasar por encima de la suya, ni de otras, para ganar una perspectiva verdaderamente supracultural. Por esta razón, aun el estudio de la cultura propia es una tarea difícil. Resulta casi imposible ver con objetividad algo que uno tiene tan integrado en sí mismo.

Un método recomendable para inspeccionar una cultura es tratar de visualizar varias «capas» sucesivas, o niveles de entendimiento, al moverse hacia el verdadero corazón de ella. Al hacer esto, resulta útil la técnica «hombre de Marte». La misma consiste en imaginarse que un individuo llega desde Marte (en su nave) y mira las cosas mediante sus ojos de visitante extraterrestre.

Lo primero que observaría el visitante recién llegado es el *comportamiento* de la gente. Ésta es la más superficial de las capas observadas por el extraterrestre. ¿Qué actividades observaría? ¿Qué se está haciendo? Al entrar en un salón de clases, nuestro visitante podría observar varias cosas interesantes. Un grupo de personas ingresa en un recinto a través de una o más aberturas. Se distribuyen por todo el cuarto en forma aparentemente arbitraria. Otra persona vestida de manera totalmente distinta al resto entra y rápidamente se ubica frente a los demás en un sitio obviamente preparado con

Comportamiento
¿Qué
se hace?

Lloyd E. Kwast enseñó durante ocho años en una escuela de teología en Camerún, África Occidental, bajo la Sociedad Misionera General de los Estados Unidos. Sirvió como presidente del departamento de misiones del Seminario Teológico Talbot. Fue profesor de estudios intraculturales y director del programa de misionología de la Universidad Biola.

anticipación, y empieza a hablar. Al observar todo esto se podría preguntar: «¿Por qué están en un recinto?, ¿por qué el orador viste diferente?, ¿por qué hay tanta gente sentada mientras uno está de pie?». Éstas son preguntas de *significado*. Se generan al observar el comportamiento. Quizá sería interesante preguntarles a algunos de los participantes por qué se comportan de determinada manera. Unos podrán ofrecer cierta explicación y otros una diferente. Pero es probable que con resignación varios digan: «Así hacemos las cosas aquí». Esta última respuesta muestra una importante función de la cultura, la de proveer «un patrón para la manera de hacer las cosas», tal como un grupo de misioneros antropólogos la define. Se puede llamar cultura al pegamento que une a la gente y le da un sentido de identidad y continuidad casi impenetrable. Esta identidad se observa con mayor claridad al observar la manera en que la gente hace las cosas —el comportamiento.

Al observar a los habitantes, el extranjero empieza a darse cuenta de que gran parte del comportamiento es dictado, en apariencia, por elecciones similares que efectúa la gente de esa sociedad, las cuales inevitablemente reflejan su concepto de valores. Casi siempre se relacionan con lo que es «bueno», lo que es «beneficioso» o lo que es «mejor».

Si el hombre de Marte continuara interrogando a los que están en el recinto, podría descubrir que tienen numerosas opciones para pasar el tiempo. Podrían haber estado trabajando o jugando en vez de estudiar. Muchos de ellos escogieron estudiar porque creyeron que sería mejor que jugar o trabajar. Descubrió otras elecciones que habían hecho. La mayoría eligió trasladarse al recinto en vehículos pequeños de cuatro ruedas, porque piensan que es muy beneficioso moverse de forma rápida. Además, observó cómo otros entraron en el recinto con prisa un poco después que el resto y salieron del salón tan pronto como terminó la reunión. Salieron y entraron así porque afirmaron que usar el tiempo con eficiencia era muy importante para ellos. Los valores son decisiones «preestablecidas» que hace una cultura entre opciones comunes. Esto ayuda a que sus integrantes determinen qué «se debe» hacer a fin de acomodarse o conformarse al modelo de vida.

Más allá de preguntas acerca del comportamiento y los valores, enfrentamos una cuestión aún más fundamental en cuanto a la naturaleza de la cultura. Esto nos lleva a un nivel más profundo de entendimiento, al de las *creencias*

Los valores son decisiones preestablecidas que hace una cultura entre opciones comunes. Esto ayuda a que sus integrantes determinen qué se debe hacer a fin de acomodarse o conformarse al modelo de vida.

culturales, las cuales responden a la pregunta: ¿qué es la verdad?

Los valores en la cultura no son seleccionados en forma arbitraria, sino que reflejan invariablemente un sistema fundamental de creencias. Por ejemplo, en la situación del salón de clases se puede descubrir, luego de investigarlo, que la «educación» en ese recinto tiene un significado especial, debido a su imagen de la verdad acerca del hombre, su poder de razonamiento y su capacidad para solucionar problemas. En ese sentido la cultura ha sido definida como «las maneras aprendidas y compartidas de percepción» o como una «orientación cognitiva compartida».

De modo interesante, nuestro interrogador extraterrestre podría descubrir que las distintas personas del recinto, aunque exhiban conductas y valores similares entre ellos, quizá profesen creencias totalmente diferentes unos de otros. Además, podría encontrar que los valores y comportamientos se oponen a las creencias que

supuestamente las producen. Este problema se origina debido a la confusión dentro de la cultura entre creencias operantes (las que afectan los valores y el comportamiento), y las creencias teóricas (credos declarados que tienen poco impacto práctico sobre los valores y el comportamiento).

En el centro del corazón de cualquier cultura está su *cosmovisión*, la que contesta la pregunta más elemental: «¿Qué es real?». Esta zona de la cultura se concentra en las grandes cuestiones «fundamentales» que definen la realidad, las cuales raras veces se expresan. Sin embargo, la cultura les da sus más

importantes respuestas. Entre las personas que nuestro hombre de Marte interroga, pocos son los que han pensado seriamente sobre las más profundas suposiciones de la vida que resultan en su presencia en el salón. ¿Quiénes son? ¿De dónde vinieron? ¿Hay algo o alguien más que ocupa la realidad que deba tomarse en cuenta? ¿Es lo que ellos ven realmente todo lo que hay, o existe algo más? ¿Es este momento el único tiempo que importa? ¿O son los eventos del pasado y del futuro los que afectan su experiencia actual? Cada cultura asume respuestas específicas a estas preguntas, las cuales controlan e integran cada función, aspecto y componente de dicha cultura.

> **En el centro del corazón de cualquier cultura está su *cosmovisión*, la que contesta la pregunta más elemental: «¿Qué es real?».**

Este entendimiento de la cosmovisión como el núcleo de cada cultura, explica la confusión que muchos experimentan en el nivel de las creencias. La cosmovisión propia de cada uno aporta un sistema de creencias que se reflejan en sus valores y comportamiento actual. Algunas veces, un sistema nuevo o competitivo de creencias se introduce, pero la cosmovisión original permanece sin desafiarse o cambiarse, así que los valores y el comportamiento reflejan el antiguo sistema de creencias. Suele ocurrir que quienes comparten el evangelio transculturalmente fallan al no tomar en cuenta el problema de la cosmovisión y, por lo tanto, se desilusionan al no lograr un cambio genuino en la gente, a pesar de sus esfuerzos.

Este modelo de la cultura es quizá demasiado simple para explicar la multitud de complejos componentes y relaciones que existen en cada cultura. Sin embargo, la sencillez del modelo es precisamente lo que lo recomienda como un esquema básico para cualquier estudiante del tema.

Preguntas para reflexionar

1. ¿Cuál es la relación entre las diferentes «capas» de la cultura?
2. ¿Cuál es el valor práctico del modelo de cultura de Kwast para las misiones?

Cultura, cosmovisión y contextualización

Charles H. Kraft

Hay una pregunta clave para los cristianos que trabajan transculturalmente: «¿Cuál es la perspectiva de Dios acerca de la cultura?». Por ejemplo, ¿ha sido la cultura judía creada por Dios y, por lo tanto, debe ser impuesta a todos los que siguen a Dios? ¿O hay alguna indicación en la Biblia de que Dios asume otra posición? Creo que encontramos nuestra respuesta en 1 Corintios 9:19-22, donde Pablo articula su enfoque (y el de Dios) acerca de la diversidad cultural. Pablo dice: «Mientras trabajo con los judíos, vivo como judío», pero «cuando trabajo con los gentiles, vivo como gentil». Su enfoque, entonces, es hacerse «todo para todos, a fin de salvar a algunos por todos los medios posibles».

Los primeros cristianos fueron judíos. Para ellos era natural creer que las formas culturales en las que el evangelio les había llegado eran las correctas para todos. Creían que todos los que iban a Jesús debían convertirse también a la cultura judía, pero Dios usó al apóstol Pablo, él mismo un judío, para enseñar a su generación y a la nuestra un enfoque diferente. En el texto anterior, expresa el enfoque de Dios. Luego, en Hechos 15:2 y el texto que sigue, lo encontramos discutiendo fuertemente contra la posición mayoritaria de la iglesia primitiva y en favor del derecho de los gentiles a seguir a Jesús *dentro* de sus propios contextos socioculturales. Dios mismo había mostrado primero a Pedro (Hch 10) y luego a Pablo y Bernabé que éste era el camino correcto, cuando les concedió el Espíritu Santo a gentiles que no se habían convertido a la cultura judía (Hch 13-14).

Pero la iglesia ha olvidado continuamente la lección de Hechos 15. De manera continua hemos regresado a la suposición de que convertirse en cristiano significa llegar a ser como nosotros culturalmente. Cuando, después de los tiempos del Nuevo Testamento, la iglesia exigía que todos adoptaran la cultura romana, Dios levantó a Lutero para demostrar que él podía aceptar a personas que hablaban alemán y adoraban de formas alemanas. Luego surgió el anglicanismo para mostrar que Dios podía usar el idioma y las costumbres ingleses, y el wesleyanismo, para hacer saber a la gente común de Inglaterra que Dios los aceptaba en su propia cultura. Así que hubo importantes cuestiones culturales en el desarrollo de cada nueva denominación.

Pero, lamentablemente, el problema persiste. Los comunicadores del evangelio continúan imponiendo su propia cultura o denominación a los nuevos conversos. Si tomamos entonces un enfoque bíblico, *debemos adaptarnos nosotros y nuestra presentación del mensaje de Dios*, a la cultura del pueblo receptor, y no dar una falsa impresión de Dios, como hicieron algunos de los primeros cristianos judíos (Hch 15:1), y exigir a los conversos que sean como nosotros para ser aceptables a Dios.

Charles H. Kraft ha sido profesor de antropología y comunicación intercultural en la Escuela de Estudios Interculturales del Fuller Theological Seminary desde 1969. Con su esposa, Marguerite, sirvió como misionero en Nigeria. Enseña y escribe en las áreas de antropología, cosmovisión, contextualización, comunicación transcultural, sanidad interior y guerra espiritual.

Definición de cultura y cosmovisión

El término *cultura* es el rótulo que dan los antropólogos a las costumbres estructuradas y a las suposiciones subyacentes de la cosmovisión que rigen las vidas de las personas. La cultura (incluyendo la cosmovisión) es la forma de vida de un pueblo, su esquema para vivir, su forma de enfrentar su entorno biológico, físico y social. Consiste de suposiciones aprendidas y modeladas (cosmovisión), conceptos y conducta, junto con los artefactos resultantes (cultura material).

La cosmovisión, el nivel profundo de la cultura, es el conjunto de suposiciones construidas por la cultura (incluyendo valores y compromisos/lealtades) que forman la base de la manera en que las personas perciben y responden a la realidad. La cosmovisión *no está separada* de la cultura. Está *incluida* en la cultura, como el nivel más profundo de presuposiciones sobre las cuales las personas basan sus vidas.

Una cultura puede semejarse a un río, con un nivel superficial y un nivel profundo. La superficie es visible. Sin embargo, la mayor parte del río yace debajo de la superficie y en su mayor parte es invisible. Todo lo que ocurre en la superficie del río se ve afectado por fenómenos en el nivel profundo,

cosmovisión, con base en la cual la gente rige su conducta en el nivel de la superficie. Cuando algo afecta la superficie de una cultura, puede cambiar ese nivel. Sin embargo, la naturaleza y el alcance de ese cambio se verán influidos por la estructuración de la cosmovisión en el nivel profundo dentro de la cultura.

La cultura (incluyendo la cosmovisión) es una cuestión de estructura o patrones. La cultura no *hace* nada. La cultura es como el guión que sigue un actor. El guión provee pautas dentro de las cuales los actores funcionan habitualmente, aunque en ocasiones pueden escoger modificar el guión, ya sea porque olvidaron algo o porque otra persona cambió algo.

Hay varios niveles de cultura. Cuanto más «alto» sea el nivel, mayor es la diversidad que incluye. Por ejemplo, podemos hablar de la cultura en un nivel *multinacional,* como una «cultura occidental» (o cosmovisión occidental), o «cultura asiática» o «cultura africana». Estas entidades culturales incluyen un gran número de culturas nacionales bastante distintas. Por ejemplo, dentro de la *cultura occidental* hay variedades que se denominan alemana, francesa, italiana, británica y estadounidense. Dentro de la *cultura asiática* hay variedades que se denominan china, japonesa y coreana. Estas culturas nacionales, entonces, pueden incluir muchas *subculturas.* En los Estados Unidos, por ejemplo, tenemos estadounidenses hispanos, estadounidenses indios, estadounidenses coreanos, etcétera. Dentro de estas subculturas podemos hablar de *culturas comunitarias, culturas familiares* y aun de *culturas individuales.*

Cultura en el nivel superficie

(Patrones de conducta)

Cultura en el nivel profundo

(Suposiciones de cosmovisión)

como la corriente, la limpieza o suciedad del río, otros objetos en el río, etcétera. Lo que ocurre en la superficie de un río es a la vez una respuesta a fenómenos externos y una manifestación de las características del nivel profundo del río.

Lo mismo ocurre con la cultura. Lo que vemos en la superficie de una cultura es la conducta humana modelada. Pero esta conducta modelada o estructurada, por impresionante que sea, es la parte menor de la cultura. En las profundidades se encuentran las suposiciones que denominamos la

Además, el término «cultura» puede designar tipos de estrategias (o mecanismos de afrontamiento) usados por personas de muchas sociedades diferentes. Así, podemos hablar de entidades como *una cultura de la pobreza, una cultura de los sordos, una cultura de los jóvenes, una cultura de los obreros de fábrica, una cultura de conductores de taxi,* incluso de *una cultura de las mujeres.* Identificar a las personas de esta forma, a menudo es útil para diseñar estrategias para su evangelización.

Las personas y la cultura

De manera común, tanto los no especialistas como los especialistas, se refieren a la cultura como si fuera una persona. A menudo escuchamos declaraciones como: «Su cultura los *obliga* a hacerlo» o «Su cosmovisión *determina* su visión de la realidad». Note que en estas afirmaciones los verbos en cursiva dan la impresión de que una cultura se comporta como una persona.

El «poder» que hace que las personas sigan su guión cultural es algo que yace en su interior: el poder del hábito. *La cultura no tiene ningún poder en sí misma.* Con frecuencia las personas modifican viejas costumbres y desarrollan nuevas, si bien los hábitos que producen una gran conformidad son fuertes. Es importante que los testigos transculturales reconozcan tanto la posibilidad de cambio como el lugar y el poder del hábito.

La distinción que estamos haciendo está representada en el contraste entre las palabras *cultura* y *sociedad*. La cultura se refiere a la estructura, mientras que la sociedad se refiere a las personas mismas. Cuando sentimos la presión para conformar, lo que sentimos es la presión de personas (es decir, presión social), y no la presión de la modelación cultural (el guión) misma.

La tabla a continuación resume la distinción entre el comportamiento de las personas y la estructuración cultural de ese comportamiento.

Las culturas y las cosmovisiones deben ser respetadas

La estructuración de la cultura/cosmovisión funciona tanto fuera como dentro de nosotros. Estamos completamente sumergidos en ella, relacionándonos con ella como un pez con el agua. Por lo general somos tan inconscientes de ella como el pez lo es del agua o nosotros del aire que respiramos. Por cierto, muchos de nosotros sólo reparamos en la cultura cuando vamos a otro territorio cultural y observamos costumbres distintas de las nuestras.

Lamentablemente, cuando vemos a otras personas viviendo de acuerdo con modelos culturales y con supuestos de cosmovisiones diferentes de los nuestros, a menudo les tenemos lástima, como si sus formas fueran inferiores a las nuestras. Tal vez busquemos formas de «rescatarlas» de sus costumbres.

Sin embargo, el modo de Jesús es honrar la cultura de un pueblo y la cosmovisión que tiene incorporada, y no arrancárselas. Así como él ingresó en la vida cultural de los judíos para comunicarse con ellos, también nosotros debemos ingresar en la matriz cultural de las personas que deseamos ganar. Siguiendo el ejemplo de Jesús, notemos que trabajar desde dentro involucra un análisis bíblico crítico de la cultura y las suposiciones de la cosmovisión de un pueblo,

Personas (sociedad)	Cultura
Conducta en el nivel superficie Lo que hacemos, pensamos, decimos o sentimos consciente o inconscientemente, en su mayoría habitual, pero también creativamente.	**Estructura a nivel superficie** Los patrones culturales por los cuales habitualmente hacemos, pensamos o sentimos.
Conducta en el nivel profundo Suposiciones, evaluaciones y compromisos mayormente habituales pero también creativos: 1. Con relación a escoger, sentir, razonar, interpretar y evaluar. 2. Con relación a la asignación de significado. 3. Con relación a dar explicaciones, relacionarse con otros, comprometernos, adaptarnos o intentar cambiar lo que nos rodea.	**Estructura a nivel profundo** (Cosmovisión) Patrones por los cuales llevamos a cabo suposiciones, evaluaciones y compromisos del comportamiento a nivel profundo. Patrones para escoger, sentir, razonar, interpretar, valorar, explicar, relacionarnos con otros, comprometernos, adaptarnos o intentar cambiar lo que nos rodea.

además de aceptarlos como puntos de partida. Si deseamos testificar eficazmente, tenemos que hablar y comportarnos de formas que honren la única forma de vida que ellos han conocido jamás. Asimismo, si la iglesia desea ser significativa para los pueblos receptores, necesita ser tan apropiada a sus vidas culturales, como lo fue la iglesia primitiva para las vidas de los pueblos del primer siglo. Llamamos a estas iglesias apropiadas «iglesias de equivalencia dinámica» (Kraft 1979), «iglesias contextualizadas» o «iglesias inculturizadas».

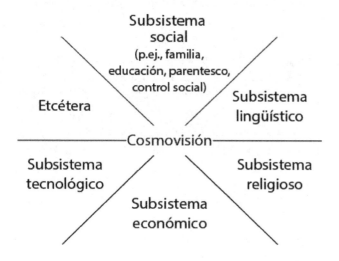

Los subsistemas de la cultura

Con la cosmovisión en el centro, influyendo en toda nuestra cultura, podemos dividir la cultura en el nivel de la superficie en *subsistemas*. Estos subsistemas brindan diversas expresiones conductuales de los supuestos de la cosmovisión.

Los misioneros pueden verse tentados a reemplazar la religión tradicional por las formas religiosas del cristianismo de su cultura. Sin embargo, el testimonio cristiano debe ser dirigido a la cosmovisión de un pueblo, para que influya en cada uno de los subsistemas desde el núcleo mismo de la cultura. Hay muchos subsistemas culturales, algunos de los cuales aparecen diagramados arriba. Las personas verdaderamente convertidas (sea en nuestro país o en otro) necesitan manifestar actitudes y un comportamiento cristianos y bíblicos en toda su vida cultural, y no sólo en sus prácticas religiosas.

Si queremos ganar a las personas para Cristo y verlas reunidas en iglesias que honran a Cristo y afirman la cultura, tendremos que tratarlas dentro de su cultura, de acuerdo con los términos de su cosmovisión. Esperamos que, con un mejor

entendimiento de lo que es la cultura y la cosmovisión, podamos tratarlas más sabiamente.

Cosmovisión y cambio de cultura

Así como cualquier cosa que afecta las raíces de un árbol influye en su fruto, también todo lo que afecta la cosmovisión de un pueblo afectará toda su cultura y, por supuesto, a las personas que operan en términos de esa cultura.

Jesús lo sabía. Cuando quería comunicar puntos importantes, apuntaba al nivel de la cosmovisión. Alguien le preguntó: «¿Quién es mi prójimo?», así que contó una historia, y luego preguntó quién estaba actuando como prójimo (Lc 10:29-37). Los estaba llevando a reconsiderar y, tal vez, cambiar un valor básico en lo profundo de su sistema. En otra ocasión Jesús dijo:

> Ustedes han oído que se dijo: «Ama a tu prójimo y odia a tu enemigo». Pero yo les digo: Amen a sus enemigos y oren por quienes los persiguen... Si alguien te da una bofetada en la mejilla derecha, vuélvele también la otra (Mt 5:39, 43-44).

De nuevo, se estaban plantando las semillas para un cambio en el nivel profundo de la cosmovisión.

El cambio a nivel profundo frecuentemente desequilibra las cosas. Todo desequilibrio en el centro de la cosmovisión de una cultura tiende a causar dificultades en el resto de la cultura. Por ejemplo, los Estados Unidos creían, en el nivel de la cosmovisión, que no podían ser derrotados en una guerra, pero luego no ganó en Vietnam. En los años que siguieron hubo un fuerte sentido de desmoralización que se propagó por toda la sociedad, lo cual contribuyó mucho al desequilibrio de la época.

Las personas bienintencionadas pueden causar serios problemas a la cosmovisión cuando introducen cambios positivos y los aplican en el nivel de la superficie sin prestar la debida atención a los significados de nivel profundo que las personas les adjudican. Por ejemplo, el requisito de los misioneros de que los africanos con más de una esposa divorcien a las «adicionales» antes de poder ser bautizados, lleva a los africanos, tanto cristianos como no cristianos, a ciertos supuestos de cosmovisión con relación al Dios cristiano. Entre éstos, que Dios está en contra de los verdaderos líderes de la sociedad africana, que no está a favor de que las mujeres tengan ayuda y compañía en el hogar, que quiere que los hombres estén esclavizados a una única esposa (como los blancos parecen estarlo) y que está a favor del divorcio, la irresponsabilidad social y aun la prostitución. Ninguna de estas conclusiones es irracional o inverosímil desde el punto de vista de ellos. Si bien creemos que la intención de Dios es que cada hombre tenga una sola esposa, este cambio fue forzado demasiado rápidamente, a diferencia del método paciente de Dios en el Antiguo Testamento, cuando tomó varias generaciones para terminar con la costumbre.

Aun los cambios positivos, si se introducen en forma equivocada, pueden conducir a una degradación cultural o aun a la inmoralidad. Entre el pueblo ibibio del sur de Nigeria, el mensaje del perdón de Dios hizo que muchas personas se volvieran al Dios cristiano porque era considerado más indulgente que su dios tradicional. Los conversos no veían ninguna necesidad de tener una conducta recta, ya que creían que Dios siempre los perdonaría, no importa lo que hicieran. En la Australia

> **El evangelio debe ser plantado como una semilla que brotará dentro del suelo cultural y será alimentado por la lluvia y los nutrientes de los pueblos receptores.**

aborigen, entre el pueblo yir yoront, los misioneros introdujeron hachas de acero para reemplazar a las tradicionales hachas de piedra. Esto tuvo un poderoso efecto perjudicial, simplemente porque se las entregaron a las mujeres y a los jóvenes, que tradicionalmente debían pedirlas a los hombres mayores. Este cambio, si bien brindó una mejor tecnología al pueblo, cuestionó los supuestos de su cosmovisión. Produjo la destrucción de la autoridad de los líderes, una perturbación social generalizada y la casi extinción del pueblo.

Cristianismo contextualizado (apropiado)

El objetivo del testimonio cristiano es lograr que las personas acudan a Cristo y formen grupos, que denominamos iglesias, que sean tanto bíblica como culturalmente apropiadas. El proceso mediante el cual la iglesia se vuelve «inculturizada» en la vida de un pueblo ha sido denominado «indigenización»,

pero ahora se conoce más frecuentemente como «contextualización».

La contextualización del cristianismo es una parte inherente del relato del Nuevo Testamento. Fue el proceso que utilizaron los apóstoles cuando llevaron el mensaje cristiano que les había llegado en el idioma y la cultura arameos para comunicarlo a personas de habla griega. A fin de contextualizar el cristianismo para estas personas, los apóstoles expresaron la verdad cristiana en los patrones mentales de sus receptores. Usaron palabras y conceptos autóctonos (y transformados en su uso) para tratar temas como Dios, iglesia, pecado, conversión, arrepentimiento, ceremonia de iniciación, «Verbo» (*logos*) y la mayoría de las demás áreas de la vida y la práctica cristianas.

Las primeras iglesias griegas corrían el peligro de ser dominadas por las prácticas religiosas judías, porque eran lideradas por judíos. Sin embargo, Dios guió al apóstol Pablo y a otras personas a oponerse a los cristianos judíos y desarrollar un cristianismo contextualizado para los gentiles de habla griega. A fin de hacer esto, Pablo tuvo que librar una batalla sin cuartel con muchos de los líderes de iglesia judíos, que creían que el trabajo de los predicadores cristianos era simplemente imponer los conceptos teológicos judíos a los nuevos conversos (ver Hechos 15). Estos judíos conservadores eran los herejes que Pablo combatió por el derecho de los cristianos de habla griega de tener el evangelio expresado en su idioma y cultura. Concluimos, a partir de pasajes como Hechos 10 y 15, que la intención de Dios es que el cristianismo bíblico sea «reencarnado» en cada idioma y cultura, en cada punto de la historia.

Bíblicamente, la contextualización del cristianismo no es nada más trasmitir un *producto* que ha sido desarrollado de una vez por todas en Europa o los Estados Unidos. Más bien es la imitación de un *proceso* que recorrieron los primeros apóstoles. Volviendo a la analogía del árbol, el cristianismo no debe ser como un árbol que fue alimentado y creció en una sociedad para luego ser trasplantado a un nuevo entorno cultural, con hojas, ramas y fruto que lo marcan indeleblemente como un producto de la sociedad enviadora. El evangelio debe ser *plantado como una semilla* que brotará dentro del suelo cultural y será alimentado por la lluvia y los nutrientes de los pueblos receptores. Lo que brota de la verdadera semilla del evangelio puede tener un aspecto bastante diferente sobre la tierra del que tenía en la sociedad enviadora, pero debajo de la tierra, en el nivel de la cosmovisión, las raíces deben ser iguales, y la vida viene de la misma fuente.

En una iglesia verdaderamente contextualizada, el mensaje esencial no variará y las doctrinas de nuestra fe deberán tener un claro enfoque, dado que están basados en la misma Biblia. Sin embargo, la formulación de ese mensaje y la importancia relativa de muchos de los temas tratados diferirán de una sociedad a otra. Por ejemplo, lo que la Biblia dice acerca de las relaciones familiares, el temor y los espíritus malignos, y el apoyo de la danza y de ritos establecidos será mucho más evidente en el cristianismo africano contextualizado que en los Estados Unidos.

Si bien muchas iglesias no occidentales hoy están dominadas por enfoques occidentales de la doctrina y la adoración, no es bíblico que sigan así. Hay, por supuesto, problemas básicos similares (p.ej., el problema del pecado, la necesidad de una relación con Cristo) que la gente de todas las sociedades necesita encarar, pero esos problemas necesitan ser enfocados de formas diferentes y culturalmente apropiadas para cada grupo cultural. El cristianismo debe ser percibido como apasionadamente relevante para los problemas que enfrentan las personas en sus contextos.

Contextualizar el cristianismo es muy arriesgado

Hay grandes riesgos involucrados cuando intentamos promover un cristianismo que sea culturalmente pertinente y bíblicamente apropiado. El riesgo del *sincretismo* está siempre presente. El sincretismo, mezcla de supuestos cristianos con supuestos de cosmovisiones, son incompatibles con el cristianismo, de modo que el resultado no es un cristianismo bíblico.

Hay sincretismo cada vez que las personas practican ritos cristianos porque piensan que son mágicos o usan la Biblia para hacer maleficios sobre la gente o, como en la India, consideran a Jesús como sólo una de las muchas manifestaciones humanas de una de sus deidades o, como en América Latina, donde algunos grupos étnicos practican la adivinación pagana y la brujería en sus

iglesias, o insisten en que la gente se convierta a una cultura diferente para llegar a ser cristianas. En los Estados Unidos, el cristianismo sincretista y no bíblico es el que considera que «el estilo de vida estadounidense» es idéntico al cristianismo bíblico o supone que, si generamos suficiente fe, podemos presionar a Dios para darnos lo que queramos, o que por amor y tolerancia debemos permitir que la homosexualidad y también el «matrimonio» homosexual sean aceptados, a pesar de que la Biblia los condena con toda claridad.

Hay por lo menos dos caminos hacia el sincretismo. Uno consiste en importar expresiones foráneas de la fe y permitir al pueblo receptor adosar sus propios supuestos de cosmovisión a estas

Si bien el riesgo del sincretismo está siempre presente cuando los cristianos intentan inculturizar el cristianismo, es un riesgo que necesita ser asumido a fin de que la gente experimente el cristianismo del Nuevo Testamento.

prácticas. El resultado es una clase de cristianismo «nativista» o aun, como en América Latina, un «cristopaganismo». Los misioneros católico romanos, en particular, han caído en esta trampa al asumir que, cuando las personas practican supuestos ritos «cristianos» y usan terminología «cristiana», estas conductas tienen los mismos significados que los que le asignan los misioneros.

El otro camino hacia el sincretismo consiste en dominar de tal forma la práctica del cristianismo del pueblo receptor, que las prácticas en el nivel de superficie y las suposiciones de nivel profundo son importadas. El resultado es un tipo de cristianismo completamente foráneo e inadaptado que requiere que las personas adoren y practiquen su fe de acuerdo con modelos extranjeros. Los nuevos creyentes desarrollan un conjunto especial de supuestos de cosmovisión para situaciones de iglesia de los cuales son inconscientes en las demás áreas de sus vidas. Su cosmovisión tradicional permanece prácticamente sin tocar por principios bíblicos. Ésta es la clase de cristianismo que algunos protestantes evangélicos han propiciado, quizá por temor al primer tipo de sincretismo. En muchas situaciones este tipo de cristianismo atrae a alguno de los que occidentalizan. Pero hay muchísimas personas tradicionales que encuentran poco o nada en el cristianismo que supla sus necesidades, por el simple hecho de serles presentado y practicado de formas foráneas con las cuales no se pueden identificar.

Si bien el riesgo del sincretismo está siempre presente cuando los cristianos intentan inculturizar el cristianismo, es un riesgo que necesita ser asumido a fin de que la gente experimente el cristianismo del Nuevo Testamento. Sea en una situación pionera o luego de haberse practicado durante años una versión de fe foránea, la búsqueda de un cristianismo vital, dinámico, bíblico y contextualizado requerirá experimentar con formas nuevas, cultural y bíblicamente apropiadas, de comprender, presentar y practicar «la fe encomendada una vez por todas a los santos» (Jud 3). Requerirá prestar una atención especial a lo que está ocurriendo en el nivel de la cosmovisión. Con este fin, las perspectivas que tienen los antropólogos de la cultura y la cosmovisión pueden ser aprovechadas para permitirnos promover un cristianismo que sea verdaderamente contextualizado, verdaderamente pertinente y verdaderamente significativo.

Entender la cultura ayuda a la contextualización

Los entendimientos de la cultura y de la cosmovisión, como los que presentamos arriba, nos han ayudado mucho en nuestros intentos de entender lo que significa que algo sea bíblica y culturalmente apropiado. Entre los entendimientos que han surgido de dichos estudios están los siguientes:

1. *Dios ama a las personas como son culturalmente.* La Biblia nos muestra que Dios está dispuesto a trabajar dentro de la cultura y el idioma de cualquier persona, sin exigirle que se convierta a otra cultura.

2. *Las culturas y los idiomas de la Biblia no son culturas e idiomas especiales creados por Dios.*

normales, al igual que cualquiera de las más de seis mil culturas e idiomas en nuestro mundo Son culturas e idiomas humanos (aun paganos)hoy. La Biblia demuestra que Dios puede usar cualquier cultura pagana (aun la griega o la estadounidense) con su idioma para transmitir su mensaje a los humanos.

3. *La Biblia muestra que Dios trabajó con su pueblo de formas culturalmente apropiadas.* Tomó costumbres ya en uso y las invistió de un nuevo significado, guiando a las personas para que las usaran para los propósitos divinos, basándose en nuevos entendimientos de la cosmovisión. Entre dichas costumbres está la circuncisión, el bautismo, la adoración en las montañas, el sacrificio, la sinagoga, el templo, la unción y la oración. Dios quiere que las iglesias hoy sean culturalmente apropiadas, utilizando la mayoría de las costumbres de un pueblo, pero agregándoles un nuevo significado al usarlos para los propósitos de Dios. De esta forma, las personas son cambiadas en el nivel de la cosmovisión además del cambio en la superficie.

4. *La obra de Dios dentro de una cultura nunca deja a esa cultura sin cambiar.* Dios cambia a las personas primero, y luego, por medio de ellas, las estructuras culturales. Todo cambio que deba tener lugar debe ser realizado por las personas mismas, basado en su comprensión de la Biblia y el obrar de Dios en su vida, guiadas por el Espíritu Santo y con su poder, sin ser presionadas por alguien externo.

5. *Debemos seguir las Escrituras y arriesgarnos a usar formas de la cultura receptora.* Si bien la contextualización dentro de una nueva cultura corre el riesgo de una forma de sincretismo nativista, un cristianismo dominado por formas culturales foráneas con significados importados es igualmente antibíblico y sincretista.

Referencias

Kraft, Charles H. *Anthropology for Christian Witness*. Maryknoll, NY: Orbis, 1996.

Kraft, Charles H. *Christianity in Culture*. Maryknoll, NY: Orbis, 1979.

Preguntas para reflexionar

1. Describa la diferencia entre *cultura* y *cosmovisión* por medio de la ilustración del río de Kraft.

2. Explique la importancia de la distinción entre *cultura* y *sociedad*.

El defecto del medio excluido

Paul G. Hiebert

Los discípulos de Juan el Bautista le preguntaron a Jesús: «¿Eres tú el que ha de venir, o debemos esperar a otro?» (Lc 7:20). Jesús contestó, no con pruebas físicas, sino con una demostración de poder, sanando enfermos y echando fuera demonios. Hasta aquí, todo está claro. Pero cuando leí el pasaje desde mi perspectiva como misionero en la India y busqué aplicarlo a las misiones de mi tiempo, tuve una sensación de intranquilidad. Como occidental, estaba acostumbrado a presentar a Cristo con base en argumentos racionales, no mediante evidencias de su poder en las vidas de personas enfermas, poseídas e indigentes. En particular, la confrontación con espíritus, que parecía una parte tan natural del ministerio de Cristo, pertenecía, en mi forma de pensar, al mundo remoto de lo milagroso, lejos de las experiencias habituales de la vida cotidiana.

Hubo otra situación, al principio de mi ministerio en la India, que me causó la misma intranquilidad. Un día, mientras enseñaba en la escuela bíblica de Shamshabad, vi a Yellayya parado en la puerta, al fondo del aula. Parecía cansado, porque había caminado varios kilómetros desde Muchintala, donde era un anciano de la iglesia. Asigné una tarea de lectura a la clase y lo acompañé a la oficina. Cuando le pregunté por qué había venido, me dijo que la viruela había llegado a la aldea unas semanas antes, llevándose varios niños. Los médicos formados en la medicina occidental habían intentado detener la plaga, pero sin éxito. Finalmente, en su desesperación, los ancianos de la aldea habían consultado con un adivino, quien les dijo que Maisamma, la diosa de la viruela, estaba enojada con la aldea.

Para satisfacerla y detener la plaga, la aldea debía realizar el sacrificio del búfalo de agua. Los ancianos de la aldea recorrieron cada hogar de la aldea para reunir el dinero para comprar el búfalo. Cuando llegaron a los hogares de los cristianos, éstos no quisieron darles nada, diciendo que iba en contra de sus creencias religiosas. Los líderes estaban enojados, señalando que la diosa no estaría satisfecha hasta que cada hogar diera algo como una ofrenda simbólica; hasta un paisa serviría.[1] Cuando los cristianos se rehusaron, los ancianos les prohibieron sacar agua de los pozos de la aldea y los comerciantes se negaron a venderles comida.

Al final, algunos de los cristianos habían querido detener el hostigamiento entregando el paisa, diciéndole a Dios que no era lo que querían hacer, pero Yellayya se había rehusado a permitirles hacerlo. Ahora una de las niñas cristianas estaba enferma con viruela. Él quería que orara con él para pedir la sanidad de Dios. Mientras me arrodillaba, mi mente era toda confusión. Había aprendido a orar de niño, había estudiado sobre la oración en el seminario, y había predicado sobre la oración como pastor. Pero ahora debía orar por una niña enferma

Paul G. Hiebert fue presidente del departamento de misión y evangelización y profesor de misión y antropología en la Trinity Evangelical Divinity School. Enseñó previamente antropología y estudios surasiáticos en la Escuela de Misión Mundial del Fuller Theological Seminary. Hiebert sirvió como misionero en la India y escribió diez libros con su esposa, Frances. Entre ellos, *Cultural Anthropology, Anthropological Insights for Missionaries* y *Case Studies in Mission*.

De *Anthropological Reflections on Missiological Issues*, 1994. Usado con permiso de Baker Book House, Grand Rapids, MI.

especialmente los que son una amenaza para la vida o tienen que ver con las relaciones, al *sadhu* (santo), una persona de dios que dice sanar mediante la oración. Como el dios lo sabe todo, incluyendo la naturaleza y las causas de la enfermedad, los santos no hacen ninguna pregunta. Además, como son espirituales, no hacen ningún cobro, si bien se espera que las personas sanadas den una ofrenda generosa al dios, entregándosela al santo.

Los aldeanos llevan otros casos a un *mantrakar* o mago, especialmente casos de los cuales sospechan de alguna causa humana o sobrenatural maligna. El mago cura mediante el conocimiento y el control de espíritus y fuerzas sobrenaturales que creen que existen en la tierra. Si, por ejemplo, uno fuera a aventurarse afuera en un día no propicio, cuando las fuerzas malignas de los planetas son particularmente fuertes, la persona puede ser mordida por una víbora. Para curar esto, el mago tendría que pronunciar el siguiente mantra (canto mágico) siete veces, una por cada raya en el dorso de la víbora: *om namo bhagavate. sarva peesachi gruhamulu nanu dzuchi paradzuru. hreem, klem, sam phat, svaha.* Esto combina una poderosa fórmula para contrarrestar las fuerzas malignas con una serie de sonidos poderosos (*hreem, klem, sam, phat, svaha*) que dan aún más poder a la fórmula. A

veces el mago usa símbolos visuales (*yentras*; ejemplos arriba) o amuletos para controlar espíritus y fuerzas en este mundo. Como pueden adivinar, tanto la naturaleza y la causa del mal que aqueja al paciente, no necesitan hacer preguntas y, como los

mientras toda la aldea observaba para ver si el Dios cristiano tenía poder para sanar.

¿A qué se debía mi intranquilidad, tanto en la lectura de la Biblia como en la aldea india? ¿Acaso el problema se debía, por lo menos en parte, a mi propia cosmovisión, a lo que yo suponía como occidental acerca de la naturaleza de la realidad y a la forma en que veía el mundo? Pero, ¿cómo descubre uno sus propias suposiciones, ya que las damos tan por sentadas que rara vez estamos siquiera conscientes de ellas? Una forma es considerar la cosmovisión de otra cultura y contrastarla con la forma en que nosotros vemos el mundo.

Males y remedios en una aldea india

Hay muchas enfermedades en una aldea india. Según la cosmovisión india, las personas se enferman con enfermedades «calientes», como la viruela, y deben ser tratadas con remedios y alimentos «fríos»; o tienen enfermedades «frías», como la malaria, y necesitan alimentos y remedios «calientes». Algunos necesitan tratamientos para forúnculos, cortes y huesos rotos; otros, para enfermedades mentales. Las mujeres pueden ser maldecidas con la esterilidad. Individuos o familias enteras pueden ser acosados por la mala suerte, sufriendo robos constantes o incendios en sus casas. O pueden quedar atrapados por el mal carácter, los celos o el odio. Pueden ser poseídos por espíritus o lastimados por fuerzas planetarias o la magia negra.

Como todas las personas, los aldeanos indios tienen formas tradicionales de tratar tales enfermedades. Llevan los casos serios, santos, reciben las ofrendas de quienes han sido ayudados.

Un tercer tipo de profesional médico son los *vaidyudu* (médicos), que curan a las personas mediante el conocimiento científico basado en los sistemas de la medicina *ayurvédica* o *unani*. Debido a sus habilidades en el diagnóstico, tampoco hacen preguntas. Los aldeanos informan que estos *vaidyudu* palpan sus muñecas, estómagos y cuerpos, y pueden determinar sus enfermedades. Cobran honorarios altos, porque su conocimiento es poderoso, pero dan una garantía: los remedios y servicios se pagan sólo si el paciente es sanado.

Además, hay charlatanes en las aldeas que curan a las personas con remedios populares. Su conocimiento es limitado, así que deben hacer preguntas acerca de la enfermedad: ¿Dónde duele y hace cuánto que siente el dolor? ¿Han estado con alguna persona enferma? ¿Qué han comido? Por esta misma razón cobran honorarios bajos y no dan garantías. Las personas tienen que pagar por los remedios antes de recibirlos. No debe sorprendernos que a menudo equiparen inicialmente a los médicos occidentales con los charlatanes.

¿Qué ocurre con los aldeanos que se convierten en cristianos? La mayoría lleva al ministro o misionero cristiano los problemas que acostumbraban llevarles a los santos. Cristo reemplaza a Krishna o Shivá como el sanador de enfermedades espirituales. Con el tiempo, muchos de ellos se vuelcan a las medicinas alopáticas occidentales para muchas de las enfermedades que habían llevado al médico y al charlatán. Pero, ¿qué pasa con las plagas que curaba el mago? ¿Qué ocurre con la posesión de espíritus, maldiciones, brujería o magia negra? ¿Cuál es la respuesta cristiana a estas cosas?

A menudo el evangelista o médico misionero no tiene respuesta. Dicen que esas cosas no existen realmente. Pero para quienes éstas son experiencias muy reales en sus vidas, debe haber otra respuesta. Así que muchos vuelven al mago para la cura.

Esta subsistencia de la magia entre cristianos no es exclusiva de la India. En muchas partes del mundo el cuadro es el mismo. En Occidente, la magia y la brujería persistieron hasta muy entrado el siglo XVII, más de mil años luego de que llegara el evangelio a estas tierras.

UN MARCO ANALÍTICO

A fin de entender los textos bíblicos, el escenario indio y el fracaso de los misioneros occidentales en cubrir las necesidades suplidas por los magos, necesitamos un marco analítico. Para crear este marco, necesitamos dos dimensiones de análisis (ver el cuadro en la página siguiente).

La dimensión de lo visible-invisible

La primera dimensión es la de la inmanencia-trascendencia. En un extremo está el mundo empírico de nuestros sentidos. Todas las personas están conscientes de este mundo y desarrollan ciencias populares para explicarlo y controlarlo. Desarrollan teorías acerca del mundo natural que las rodea: cómo construir una casa, sembrar un cultivo o navegar una canoa. También tienen teorías acerca de las relaciones humanas: cómo criar un hijo, tratar al cónyuge y tratar con un pariente. Cuando una persona de la tribu naga atribuye la muerte de un ciervo a una flecha, o una esposa karen explica la cocción de una comida en términos del fuego bajo la olla, están usando explicaciones basadas en observaciones y deducciones empíricas. La ciencia occidental, en este sentido, no es única. La ciencia occidental podrá ser más sistemática en la exploración del mundo empírico, pero todas las personas tienen ciencias populares.

Por encima de este nivel (más remoto de la experiencia de los humanos) hay seres y fuerzas que no pueden ser percibidos directamente, pero que se cree que existen en esta tierra. Incluyen a los espíritus, fantasmas, ancestros, demonios y dioses y diosas terrenales que viven en árboles, ríos, montes y aldeas. Éstos viven, no en algún otro mundo o tiempo, sino con humanos y animales de este mundo y tiempo. En la Europa medieval estos seres incluían a troles, gnomos, brownies y hadas, todos los cuales se creían que eran reales. Este nivel incluye también a las fuerzas sobrenaturales, como el maná, las influencias planetarias, el mal de ojo y los poderes de la magia, la hechicería y la brujería.

En el punto más lejano del mundo inmediato de la experiencia humana están los mundos trascendentes más allá de éste: infiernos y cielos, y otros tiempos, como la eternidad. En esta esfera trascendente encajan conceptos africanos como un dios alto y las ideas hindúes de Visnú y Shivá. Aquí se ubica el concepto judío de Jehová, que aparece en un marcado contraste con los baales y astarot de los cananeos, que eran deidades de este mundo, de la zona media. A decir verdad, Jehová ingresó en los asuntos de esta tierra, pero su morada estaba por encima de la tierra. En este nivel, también, están las fuerzas cósmicas trascendentes como el karma y el kismet.

El continuo orgánico-mecánico

Los eruditos han notado que por lo general los humanos usan analogías de la experiencia cotidiana para brindar imágenes de la naturaleza y las operaciones del mundo mayor. Hay dos analogías básicas que se han generalizado en particular:

1. la analogía orgánica: ve las cosas como seres vivos interrelacionados,

2. la analogía mecánica: ve las cosas como objetos que interactúan como los componentes de una máquina.

En la analogía orgánica se considera que los elementos examinados están vivos en cierto sentido, que pasan por procesos similares a la vida humana y se interrelacionan de formas análogas a las relaciones interpersonales. Por ejemplo, al buscar describir civilizaciones humanas, el filósofo Oswald Spengler y el historiador Arnold Toynbee se refieren a ellas en términos de una analogía orgánica: las civilizaciones nacen, maduran y mueren. De forma similar, las personas de las religiones tradicionales ven a muchas enfermedades como causadas por espíritus malignos que están vivos, que pueden ser disgustados y luego pueden ser aplacados mediante la súplica u ofreciéndoles un sacrificio. Los cristianos ven su relación con Dios en términos orgánicos. Dios es una persona y los humanos se relacionan con él de formas análogas a las relaciones humanas.

Las explicaciones orgánicas ven al mundo en términos de seres vivos interrelacionados. Como los humanos y los animales, los objetos pueden iniciar acciones y responder a las acciones de los demás. Se les puede considerar como poseyendo sentimientos, pensamientos y voluntades propias. A menudo son vistos como seres sociales que aman, se casan, tienen descendencia, se pelean, guerrean, duermen, comen, persuaden y se obligan a hacer cosas mutuamente.

Marco para el análisis de los sistemas religiosos

Analogía orgánica
Basada en conceptos de seres vivos que se relacionan unos con otros. Enfatiza vida, personalidad, relaciones, funciones, salud, enfermedad, decisiones, etcétera. Las relaciones son en esencia de carácter moral.

Analogía mecánica
Basada en conceptos de objetos impersonales controlados por fuerzas. Enfatiza la naturaleza impersonal, mecánica y determinista de los eventos. Las fuerzas son en esencia de carácter amoral.

Invisible o sobrenatural
Más allá de la experiencia inmediata y sensorial. Más allá de explicaciones naturales. Conocimiento de esto basado en inferencia o experiencias sobrenaturales.

Religión alta basada en seres cósmicos:
Dioses cósmicos; ángeles; demonios; espíritus de otros mundos.

Religión alta basada en fuerzas cósmicas:
Kismet; destino; Brahmán y karma; fuerzas cósmicas Impersonales.

De otro mundo
Entidades y eventos se perciben como algo que ocurre en otros mundos y otros tiempos.

Religión popular o baja
Dioses y diosas locales, ancestros y fantasmas; espíritus; demonios y espíritus malignos; santos muertos.

Magia y astrología
Maná; fuerzas astrológicas; fetiches, amuletos y ritos mágicos; mal de ojo, mal de lengua.

Visto o empírico
Se observa directamente por los sentidos. Conocimiento basado en experimentación y observación.

Ciencia social popular
Interacción de seres vivos tales como humanos y posiblemente animales y plantas.

Ciencia natural popular
Interacción de objetos naturales basada en fuerzas naturales.

De este mundo
Entidades y eventos se perciben como algo que ocurre dentro de este mundo y universo.

En la analogía mecánica se considera que todas las cosas son partes inanimadas de sistemas mecánicos más grandes. Son controladas por fuerzas impersonales o por leyes de la naturaleza impersonales. Por ejemplo, las ciencias occidentales ven al mundo como constituido por materia inerte que interactúa con base en fuerzas físicas. Cuando la gravedad atrae una roca hacia la tierra, no se debe a que la tierra y la roca desean encontrarse; ni la tierra ni la roca tienen pensamiento alguno sobre el tema. En la ciencia occidental, aun los seres vivos a menudo son considerados como envueltos en un mundo constituido en definitiva por fuerzas impersonales. Así como no tenemos ninguna elección en cuanto a lo que nos ocurre cuando nos caemos de un árbol, también se piensa frecuentemente que no tenemos ningún control sobre las fuerzas en los primeros años de la infancia, considerados como los que nos formaron para ser lo que somos hoy.

Las analogías mecánicas son esencialmente deterministas: en un sistema mecanicista los seres vivos están sujetos a sus fuerzas impersonales. Pero si saben cómo operan estas fuerzas, pueden manipular o controlarlas para su propio beneficio. En cierto sentido, ejercen un control «divino» sobre su propio destino.

Las analogías mecanicistas son básicamente amorales. Las fuerzas no son intrínsecamente ni buenas ni malas. Pueden ser usadas para el bien o para el mal. Por otra parte, las analogías orgánicas se caracterizan por consideraciones éticas. Las acciones de un ser siempre afectan a otros seres.

Muchas de las similitudes entre la ciencia moderna, la magia y la astrología, que han sido señaladas por los antropólogos, se deben al hecho de que las tres disciplinas usan analogías mecanicistas. Así como los científicos saben cómo controlar fuerzas empíricas para lograr sus objetivos, el mago y el astrólogo controlan fuerzas sobrenaturales de este mundo mediante cánticos, amuletos y ritos para llevar a cabo propósitos humanos.

Una de las mayores brechas culturales entre los occidentales y muchas personas de las religiones tradicionales se encuentra a lo largo de esta dimensión. Los primeros se han convencido profundamente de una visión mecánica de este universo y del orden social.[2] Para ellos, la base del mundo es la materia inerte controlada por fuerzas impersonales. Muchas personas de las religiones

tribales consideran que el mundo está vivo. Consideran que no sólo los humanos, sino también los animales, las plantas y aun las rocas, la arena y el agua, tienen personalidad, voluntad y fuerzas vitales. Su mundo es un mundo relacional, no determinista.

El medio excluido

Las razones de mi intranquilidad con las cosmovisiones bíblica e india deberían quedar claras: había excluido de mi propia cosmovisión el nivel medio de los seres y fuerzas sobrenaturales de este mundo. Como científico, había sido entrenado para tratar con el mundo empírico en términos naturalistas. Como teólogo, fui enseñado a contestar preguntas últimas en términos teístas. Para mí, la zona media no existía realmente. A diferencia de los aldeanos indios, había reflexionado poco sobre los espíritus de este mundo, los ancestros locales y los fantasmas, o las almas de los animales. Para mí, estas cosas pertenecían a la esfera de las hadas, los troles y otros seres míticos. En consecuencia, no tenía respuestas para las preguntas que planteaban (ver gráfico abajo).

Perspectiva occidental de dos niveles de la realidad

Religión	fe milagros problemas de otro mundo lo sagrado
Medio excluido	
Ciencia	la vista y la experiencia el orden natural problemas de este mundo lo secular

¿Cómo surgió esta cosmovisión de dos niveles en Occidente? La creencia en el nivel medio comenzó a decaer en los siglos XVII y XVIII con la creciente aceptación del dualismo platónico y de una ciencia basada en el naturalismo materialista.[3] El resultado fue la secularización de la ciencia y la mistificación de la religión. La ciencia trataba con el mundo empírico usando analogías mecanicistas, dejando que la religión manejara los asuntos de otros mundos, a menudo en términos de analogías orgánicas. La ciencia estaba basada en las certezas de la experiencia de los sentidos, la experimentación y las evidencias. A la religión le quedó la fe en visiones, sueños y sentimientos interiores. La ciencia buscaba orden en las leyes naturales. La religión era llamada para tratar con los milagros y las excepciones al orden natural, pero estas cosas decrecían a medida que se ampliaba el conocimiento científico.

Debe ser evidente por qué muchos misioneros entrenados en Occidente no tenían respuestas a los problemas del nivel medio; a menudo ni siquiera veían este nivel. Cuando las personas de las tribus hablaban del temor de espíritus malignos, los misioneros negaban la existencia de los espíritus, en vez de clamar por el poder de Cristo sobre ellos. El resultado, ha argumentado Lesslie Newbigin, es que las misiones cristianas occidentales han sido una de las mayores fuerzas secularizadoras de la historia.[4]

¿Cuáles son las preguntas del nivel medio que a los occidentales les resulta tan difícil contestar, y cómo difieren de las preguntas planteadas por la ciencia y la religión? La ciencia, como sistema de explicación, sea popular o moderno, contesta preguntas acerca de la naturaleza del mundo que se experimenta directamente. Todas las personas tienen teorías sociales acerca de cómo criar hijos y organizar actividades sociales. Todas tienen ideas acerca del mundo natural y cómo controlarlo para su propio beneficio.

La religión, como sistema de explicación, trata con las preguntas últimas sobre el origen, el propósito y el destino de un individuo, una sociedad y el universo. En Occidente, el foco está sobre el individuo; en el Antiguo Testamento, estaba sobre Israel como sociedad.

¿Cuáles son las preguntas del nivel medio? Aquí uno encuentra preguntas sobre la incertidumbre del futuro, las crisis de la vida actual y los elementos desconocidos del pasado. A pesar del conocimiento de hechos como que las semillas, una vez plantadas, crecerán y darán fruto, o que viajar por este río en bote lo llevará a uno a la aldea vecina, el futuro no es totalmente predecible. Los accidentes, las desgracias, la intervención de otras personas y otros sucesos desconocidos pueden frustrar los planes humanos.

¿Cómo puede uno impedir accidentes o garantizar el éxito en el futuro? ¿Cómo puede uno asegurarse de que un matrimonio será fructífero, feliz y duradero? ¿Cómo puede uno evitar subirse a un avión que se estrellará? En Occidente, estas preguntas permanecen sin respuestas. Son accidentes, están sujetos a la suerte o son sucesos imprevisibles, y por lo tanto inexplicables. Pero muchos no se conforman con dejar un conjunto de preguntas tan importantes sin contestar, y las respuestas que dan, a menudo se expresan en términos de ancestros, demonios, brujas o dioses

Hacia una teología holística

Una teología holística de Dios en la historia integra cosmovisiones en la cual se entiende que Dios está involucrado no sólo en la historia cósmica, sino también en la historia humana y natural. Sólo tal teología integrada de la historia nos ayudará a evitar los peligros de utilizar cosmovisiones alternas de animismo espiritista o secularismo.

Historia cósmica ← **Encuentro de verdad** → **Otras religiones**

La historia fundamental del origen, propósito y destino del individuo, la sociedad y el universo.

Dios de la historia cósmica: en la creación, redención y el propósito y destino de todas las cosas.

Historia humana ← **Encuentro de poder** → **Espiritismo animista**

Las incertidumbres del futuro, las crisis del presente y las cosas inexplicables del pasado. El significado de experiencias humanas.

Dios en la historia humana: en los asuntos de naciones, pueblos e individuos. Incluye una teología de la guía, provisión, sanidad; una teología de ancestros, espíritus y poderes invisibles; una teología de sufrimiento, desgracia y muerte.

Historia natural ← **Encuentro empírico** → **Secularismo**

La naturaleza y el orden de los seres humanos y sus relaciones sociales y del mundo natural.

Dios de la historia natural: al crear y sostener el orden natural del universo.

locales, o en términos de magia y astrología.

De forma similar deben ser manejadas las crisis y desgracias de la vida presente: enfermedades y plagas repentinas, sequías prolongadas, terremotos, fracasos comerciales y la pérdida de salud empíricamente inexplicable. ¿Qué hace uno cuando los médicos han hecho todo lo que pueden y un niño se enferma cada vez más, o cuando uno está apostando y las apuestas son elevadas? De nuevo, muchos buscan respuestas en el nivel medio.

Y hay preguntas que uno debe contestar acerca del pasado: ¿Por qué murió mi hijo en la flor de la vida? ¿Quién robó el oro oculto en la casa? Aquí nuevamente las explicaciones transempíricas a menudo brindan una respuesta cuando las empíricas fallan.

Debido a que el mundo occidental ya no brinda explicaciones para las preguntas del nivel medio, muchos misioneros occidentales no tienen respuestas dentro de su cosmovisión cristiana. ¿Qué es una teología cristiana de los ancestros, de animales y plantas, de espíritus locales y posesión de espíritus, y de poderes, autoridades y potestades que dominan este mundo de tinieblas (Ef 6:12)? ¿Qué dice uno cuando los nuevos conversos de una tribu quieren saber cómo el Dios cristiano les dice dónde y cuándo cazar, si deben desposar a esta hija con ese joven, o dónde pueden encontrar el dinero que se perdió? Ante la falta de respuesta vuelven al adivino, quien da respuestas definitivas, porque éstos son los problemas que surgen en toda su magnitud en la vida cotidiana.

IMPLICACIONES PARA LAS MISIONES

La necesidad de una teología holística

¿Qué implicaciones tiene todo esto para las misiones? Primero, señala la necesidad de que los misioneros deben desarrollar teologías holísticas que traten con todas las áreas de la vida (ver diagrama en página 65.6), que eviten el dualismo platónico de Occidente y tomen en serio tanto el cuerpo como el alma.

En el nivel superior, esto incluye una teología de Dios en la historia cósmica: en la creación, la redención, el propósito y destino de todas las cosas. Sólo en la medida en que la historia humana se coloque dentro de un marco cósmico adquiere significado, y sólo cuando la historia tiene significado se vuelve significativa la biografía humana.

En el nivel medio, una teología holística incluye una teología de Dios en la historia humana: en los asuntos de naciones, pueblos e individuos. Esto debe incluir una teología de la guía, la provisión y la sanidad divinas, una teología de los ancestros, los espíritus y los poderes invisibles de este mundo, y una teología del sufrimiento, la desgracia y la muerte.

En este nivel, algunas secciones de la iglesia han recurrido a doctrinas que tienen a santos como intermediarios entre Dios y los humanos. Otros han recurrido a doctrinas del Espíritu Santo para mostrar la participación activa de Dios en los sucesos de la historia humana. No es ninguna coincidencia que muchas de las misiones más exitosas hayan provisto alguna forma de respuesta cristiana a las preguntas del nivel medio.

En el nivel inferior, una teología holística incluye una conciencia de Dios en la historia natural, sosteniendo el orden natural de las cosas. Mientras el misionero venga con una cosmovisión de dos niveles, con Dios confinado a lo sobrenatural y el mundo natural operando en los efectos prácticos según leyes científicas autónomas, el cristianismo continuará siendo una fuerza secularizadora en el mundo. Sólo en la medida en que Dios sea traído de vuelta al medio de nuestra comprensión científica de la naturaleza podremos detener la marea del secularismo occidental.

Dos peligros al tratar con el nivel medio

Existen dos peligros de los que debemos cuidarnos cuando formulamos una teología que trata con preguntas planteadas en el nivel medio. Estas preguntas del nivel medio incluyen el significado de la vida y la muerte para los vivos, el bienestar y las amenazas de enfermedad, sequía, inundación y fracaso, y la guía en un mundo de cosas desconocidas. El primer peligro es el secularismo. Esto es negar la realidad del mundo espiritual en los sucesos de la vida humana, y reducir la realidad de este mundo a explicaciones puramente materialistas. Ésta es la respuesta que ofrece la ciencia moderna.

El segundo peligro es volver a una forma cristianizada de animismo, donde los espíritus y la magia se usan para explicarlo todo. En el espiritismo, los espíritus dominan la realidad, y los humanos deben constantemente combatirlos o apaciguarlos para sobrevivir. En la magia, los humanos buscan controlar poderes sobrenaturales por medio de ritos y fórmulas para lograr sus propios deseos personales. Tanto el espiritismo como la magia son humanos y centrados en el ego: una persona puede obtener lo que desea al manipular los espíritus y controlar las fuerzas. Ambos rechazan una visión de la realidad centrada en Dios, y ambos rechazan la adoración, la obediencia y la sumisión como la respuesta humana a la voluntad de Dios. La iglesia primitiva luchó contra las cosmovisiones animistas que la rodeaban. Hoy existe el peligro de volver a un animismo cristiano en reacción al secularismo de la cosmovisión moderna.

Una teología holística centrada en Dios

La Biblia nos ofrece una tercera cosmovisión, que no es ni secular ni animista. Toma muy en serio las realidades espirituales. En contraste con los escritos seculares, está llena de referencias a Dios, los ángeles, Satanás y los demonios. Sin embargo, toma muy en serio al mundo natural y a los humanos. En contraste con las mitologías griega y romana, y otros grandes textos religiosos como el Avesta y Mahabharata, la Biblia no enfoca su atención principal en las actividades del mundo de los espíritus.[5] Más bien, es la historia de Dios y de los humanos y su relación mutua. Los humanos son responsabilizados por sus acciones. Son tentados y escogen pecar. Dios los llama a la salvación, y deben responder a su llamado. La Biblia también presenta a la creación como un mundo ordenado que opera de acuerdo con principios ordenados divinamente.

Al decir esto no quiero negar la necesidad de tratar con el mundo de los espíritus y los temas relacionados. Pero debemos centrar nuestra teología en Dios y en sus actos y no, como hace el secularismo moderno y el animismo, en los seres humanos y sus deseos. Debemos centrarnos en la adoración y en nuestra relación con Dios, y no en formas de controlar a Dios para nuestros propios propósitos mediante cánticos y fórmulas.

La línea entre adoración y control es sutil, como aprendí en el caso de Muchintala. Una semana después de nuestra reunión de oración, Yellayya volvió para decir que la niña había muerto. Me sentí completamente derrotado. ¿Cómo podía ser un misionero si no podía orar por sanidad y recibir una respuesta positiva? Unas semanas después volvió con una sensación de triunfo. «¿Cómo puedes estar tan contento después de la muerte de una niña?», pregunté.

«La aldea habría reconocido el poder de nuestro Dios si hubiera sanado a la niña», dijo Yellayya, «pero sabían que al final tendría que morir. Cuando en el funeral vieron nuestra esperanza en la resurrección y en nuestro encuentro en el cielo, vieron una victoria aún mayor —sobre la muerte misma— y han comenzado a preguntar acerca del camino cristiano».

Comencé a darme cuenta, de una nueva forma, que las verdaderas respuestas a las oraciones son las que dan la mayor gloria a Dios, y no las que satisfacen mis deseos inmediatos. Es demasiado fácil hacer del cristianismo una nueva magia en la que nosotros, como dioses, podemos hacer que Dios siga nuestros antojos.

Habiendo formulado una respuesta teológica a los problemas de la zona media, es importante que probemos las creencias de las personas que servimos. Algunas cosas como los relámpagos, la viruela y los fracasos comerciales, que ellos pueden atribuir a espíritus de la naturaleza, pueden explicarse mejor por medio del orden de la creación bajo la superintendencia de Dios. Otras cosas son ciertamente manifestaciones de Satanás y los demás ángeles caídos. Pero gran parte del trabajo de Satanás permanece oculto a las personas, y nosotros debemos discernirlo y oponernos a su obra.

Al confrontar cosmovisiones animistas, nuestro mensaje central debe enfocarse siempre en la grandeza, la santidad y el poder de Dios, y en su obra en vidas humanas. Es él quien nos libra del poder del maligno y nos da el poder para vivir vidas cristianas libres y victoriosas.

Notas

1. El paisa es la moneda más pequeña de la India, y vale actualmente 0,03 de un penique.

2. Peter L. Berger, Brigitte Berger, and Hansfried Kellner, *The Homeless Mind: Modernization and Consciousness* (New York: Random House, 1973).

3. Roger K. Bufford, *The Human Reflex: Behavioral Psychology in Biblical Perspective* (San Francisco: Harper and Row, 1981), p. 30.

4. Lesslie Newbigin, *Honest Religion for Secular Man* (Philadelphia: Westminster, 1966).

5. Esto se refleja en un simple conteo de palabras en la Biblia. En la versión inglesa King James, la palabra Dios se usa 3.594 veces, Jehová 4 veces, Cristo 522 veces, Jesús 942 veces, y Espíritu de Dios 26 veces. Muchas otras referencias a señor y espíritu también se refieren a Dios. Hay 362 referencias a ángeles y querubines, y 158 a Satanás, Lucifer, el maligno y los demonios. Hay 4.324 referencias a humanos.

Preguntas para reflexionar

1. Según Hiebert, ¿por qué es necesario que los misioneros occidentales recuperen «el medio excluido»?

2. ¿Qué clase de capacitación sería mejor para volver a infundir en los occidentales una visión holística de los temas del «nivel medio»?

3. Hiebert advierte acerca de dos peligros. ¿Cuáles son? Luego ofrece una tercera cosmovisión centrada en Dios y en sus actos. ¿Cuál es la respuesta de usted a la pregunta de Hiebert: «¿Qué implicaciones tiene todo esto para las misiones?».

¿Será Dios daltónico o creativo?
El evangelio, la globalización y la etnicidad

Miriam Adeney

Miriam Adeney es profesora en la
Seattle Pacific University. Desde
2002 imparte cursos cortos en
catorce países de Asia,
América Latina, Europa, Medio
Oriente y Norteamérica. Ha sido
oradora distinguida en asuntos
globales en muchos seminarios y
universidades cristianas en los
Estados Unidos, y es autora de
cuatro libros y de más de ciento
cincuenta artículos.

Adaptado de *One World or Many?
The Impact of Globalization on
Mission,* editado por Richard
Tiplady, 2003. Usado con
permiso de William Carey Library,
Pasadena, CA.

Isabell Ides tenía ciento un años de edad cuando murió en junio de 2002. India makah y miembro de una etnia de cazadores de ballenas, vivía en la última casa de la última carretera en la punta más lejana del noroeste de los Estados Unidos. Isabell era bien conocida porque amaba y enseñaba la cultura y la lengua makah. Cientos de personas aprendieron a tejer cestas con ella. Con sus labios enseñó a varias generaciones las palabras de su idioma. Las madres jóvenes le llevaban sus salmones ahumados en madera de aliso y, después de masticarlo un rato, podía decir si la leña estaba demasiado seca. Los arqueólogos le llevaban cestas recién halladas en excavaciones, las cuales tenían tres mil años de antigüedad, y ella podía identificar qué eran, cómo fueron hechas y cómo se habían usado. «Es como perder una biblioteca», dijo un antropólogo en su funeral.

Isabell también enseñaba en la escuela dominical de la iglesia de las Asambleas de Dios en la reserva. Atribuía su larga vida a su fe cristiana.

¿Le importaba a Dios el arte que tenía Isabell tejiendo cestas así como que enseñase en la escuela dominical? ¿Qué importancia tenía su herencia étnica en el panorama del reino? Esta pregunta retumba a medida que exploramos la globalización.[1]

Destrucción creativa

Durante la primavera del año 2001, se reunieron en Quebec representantes de treinta y cuatro naciones para discutir un acuerdo de libre comercio que abarcaría a todas las Américas. Hubo muchas preocupaciones: ¿Cómo van a poder operar al mismo nivel naciones como los Estados Unidos, o Canadá, y Honduras o Bolivia algunos de los países más ricos y algunos de los más pobres del planeta? ¿No serían engullidos los más pequeños? Incluso Brasil, la economía más grande de Latinoamérica, estaba nervioso.

En medio de este debate, Alan Greenspan, presidente de la economía federal de los Estados Unidos, dejó caer la frase «destrucción creativa». Sí, dijo, tener un comercio global más abierto implica más «destrucción creativa». Habrá negocios que cerrarán, y se perderán trabajos. «No hay duda», declaró Greenspan (como se cita en Workers, 2001) «que esta transición hacia la nueva economía de la alta tecnología, de la que es parte el comercio creciente, está demostrando ser difícil para un gran segmento de nuestra fuerza laboral... El proceso de ajuste es desgarrador para una fuerza laboral ya existente, que sufre las reducciones de plantilla sin ser ellos los culpables de que esto suceda». Pero ese trauma es parte del precio que tiene el progreso. Como suele decirse, no se puede hacer un omelette sin romper los huevos. No se puede tener un jardín sin podarlo. No se puede usar una computadora sin usar la tecla de borrar de vez en cuando. Uno no puede entrenarse como atleta sin desprenderse de los malos hábitos. Poner a punto, a0filar, arrancar malezas, recortar... todos son términos positivos. Así habló Greenspan de la «destrucción creativa» inherente en la globalización. Pero, añadió: «La historia nos dice que no sólo es falta de sabiduría intentar detener la innovación; es imposible».

La etnicidad es un campo de destrucción. En el sistema global de hoy en día se están pisoteando los valores étnicos locales. Los valores culturales son más que comodidades; son parte de herencias a las que no podemos poner precio. Sin embargo, los valores culturales se están viendo amenazados como especies en peligro de extinción. ¿Cómo deberíamos responder nosotros cuando la globalización ahoga a la etnicidad?

Un lugar en la historia

¿Qué visión tiene Dios de la etnicidad? Dios nos creó a su imagen, nos dio creatividad y nos puso en un mundo de posibilidades y retos. Al aplicar nuestra creatividad dada por Dios hemos desarrollado las culturas del mundo.

En el principio Dios afirmó que no era bueno que los humanos estuviesen solos. Los humanos fuimos creados para vivir en comunidades significativas, así que Dios les dio su bendición a las áreas culturales, tales como la familia, el estado, el trabajo, la adoración, las artes, la educación, e incluso los festivales. Él puso atención a leyes que preservaban una ecología equilibrada, reglamentó las relaciones sociales, estableció leyes sanitarias y protegió los derechos de los débiles, de los ciegos, de los sordos, las viudas, los huérfanos, los extranjeros, los pobres y los deudores.

Él afirmó el mundo físico, del cual se desarrolla la cultura material. Se deleitó en el mismo suelo y los ríos que le dio a su pueblo: «El SEÑOR su Dios es quien la cuida; los ojos del SEÑOR su Dios están sobre ella todo el año, de principio a fin» (Dt 11:12). Conociendo los deleites materiales de su pueblo, Dios los puso en:

- Una tierra buena: tierra de arroyos y de fuentes de agua, con manantiales que fluyen en los valles y en las colinas.
- Una tierra de trigo y de cebada; de viñas, higueras y granados.
- Una tierra de miel y de olivares.
- Una tierra donde no escaseará el pan y donde nada te faltará.
- Una tierra donde las rocas son de hierro y de cuyas colinas sacarás cobre. (Dt 8:7-9).

En el lenguaje visual del Antiguo Testamento, Dios le dio a la gente aceite para hacer brillar sus rostros, vino para alegrar sus corazones, amigos como hierro para que los afilasen, esposas como viñas que dan fruto, e hijos como flechas para lanzar con sus arcos. Los patrones económicos, sociales y artísticos se combinan para formar una cultura. Éste es el contexto en el que vivimos; es donde deberíamos vivir. Los sistemas globales nos pueden sumergir en realidades *virtuales* (multimedia, música empaquetada, la bolsa de valores, resultados deportivos y avances informativos) donde las grandes tragedias están

PISOTEANDO LOS VALORES ÉTNICOS *Sembene Ousmane*

Tómeme como ejemplo a mí, padre de familia, y a otros como yo: Ya no somos ejemplos típicos y vivientes para nuestros hijos. Ahora los canales para las nuevas culturas y los nuevos valores son el cine, la televisión y la multimedia. Nosotros, la generación mayor, estamos ausentes en nuestras propias familias.

Yo nací en la era colonial. Fui testigo de toda la humillación y degradación que tuvo que soportar mi padre para poder sobrevivir; pero por las noches, cuando regresábamos a casa, a nuestra choza, volvíamos a descubrir nuestra cultura. Era nuestro refugio; volvíamos a ser nosotros; éramos libres. Hoy en día la televisión se encuentra ahí, en medio de la choza en la que el padre, la madre y la tía solían tener la mayor influencia, y la abuela contaba sus historias y leyendas. Aun ahora se nos ha quitado ese tiempo, y nos hemos quedado con una sociedad cada vez más pobre, más vacía de sustancia creativa, y que cada vez se vuelca más en los valores que no ha creado.

Seleccionado de «If I Were a Woman, I'd Never Marry an African» de Firinne Ni Chreachain, *African Affairs* vol. 91, p. 244.

yuxtapuestas a la publicidad de la cerveza. Pero si somos absorbidos por el nivel global o virtual, nos perderemos los verdaderos ritmos de la naturaleza y de la sociedad: la siembra y la cosecha, la salud de nuestra tierra, de nuestros árboles y de nuestra agua; la amistad, el cortejo, el matrimonio, la paternidad, la vejez y el morir; la creación, el uso, el mantenimiento y la reparación. Vivir en el mundo de Dios tiene ritmos, y éstos se expresan de manera local, por medio de patrones culturales específicos. Conocerlos nos ayuda a conocernos a nosotros mismos, a conocer nuestro potencial y nuestros límites, y los recursos y secuencias que forman el tejido de las elecciones felices. Éstos no pueden conocerse a un nivel abstracto y global. Por ejemplo, disciplinar a un hijo no es algo virtual, ser despedido de un trabajo no es una experiencia multimedia, tener un bebé no es un juego, enfrentarse con el cáncer no es abstracto.

Cuando viví en las Filipinas vi familias fuertes, una hospitalidad acogedora, mucho tiempo invertido en los niños, amistades duraderas, una herencia de libertad económica para las mujeres, la capacidad de vivir contento con poco dinero, salsas que hacían multiplicar cantidades pequeñas de carne para mucha gente, un deleite en el compartir, experiencia en el arte de la relajación, cuerpos ágiles, la capacidad de disfrutar el estar continuamente rodeado de grupos grandes de gente. Ya que toda buena dádiva desciende de lo alto (Stg 1:17), y que todos los tesoros de la sabiduría y del conocimiento provienen de Jesucristo (Col 2:3), tales cualidades hermosas en la cultura filipina deben verse como regalos de Dios. Nuestro Creador se deleita en los colores; él genera los olores, desde la cebolla hasta la rosa; él forma cada copo de nieve, él crea billones de personalidades únicas. ¿Es de sorprender que él nos programe con la capacidad de crear un caleidoscopio sorprendente de culturas para enriquecer este mundo?

Como descubriremos en la siguiente sección, las culturas contienen pecado y deben ser juzgadas. Pero el orgullo étnico no necesariamente tiene que verse como pecado. Es como la alegría que sienten los padres en la graduación de su hijo: su hijo marcha por la plataforma y un sentir de orgullo golpea en su corazón. Este orgullo no es a expensas de su vecino, cuyo rostro también brilla al graduarse su hijo. No, su corazón se ensancha porque usted conoce las historias de su hijo, los dolores que ha sufrido y los dones que han brotado en él como flores que se abren al sol. Usted mismo ha llorado y reído y ha entregado años de su vida dándoles forma a algunas de esas historias.

La etnicidad es una expansión de este buen orgullo familiar. La etnicidad es un sentido de identificación con la gente que comparte una cultura y una historia, con su sufrimiento y sus éxitos, con sus héroes y mártires. Igual que la membresía en la familia, la etnicidad no es algo que se gana; es un derecho de nacimiento, que se recibe, lo quieras o no.

Los seres humanos fueron creados para vivir en comunidad. En el mundo de hoy en día, todavía sentimos esa necesidad. Según el antropólogo Clifford Geertz (1964, p. 70), «Aun cuando nuestras necesidades materiales han sido suplidas, nuestra motivación… resistencia emocional… y fuerza moral, deben venir de algún lugar, de alguna visión de propósito público anclado en una imagen convincente de una realidad social». Ser ciudadano del mundo hace que uno se sienta insignificante.

Creados para crear cultura   *Erich Sauer*

Las palabras de Dios a Adán llaman a la humanidad a un crecimiento progresivo en la cultura. Lejos de ser algo que está en conflicto con Dios, los logros culturales son un atributo esencial de la nobleza que los humanos poseyeron en el Paraíso. Los inventos y los descubrimientos, las ciencias y las artes, el refinamiento y el ennoblecimiento, en resumen, el avance de la mente humana, son por completo la voluntad de Dios. Son la toma de posesión de la tierra por la regia raza humana, el desempeño de una comisión. Los humanos tienen una posición de autoridad, bajo dios y sobre el resto de la creación… Se espera que encuentren las potencialidades de la tierra, el aire y el mar, que usen la naturaleza y sus recursos… En esto podemos ver el presagio de la empresa científica, cuyo objetivo es entender y clasificar el mundo natural. He aquí la concesión divina para una inmensa variedad de actividades humanas: agricultura, tecnología, industria, oficios y arte. Éstos, de acuerdo con el cristianismo, son los dones de Dios para el enriquecimiento de la vida humana.

Extraído de *The King of the Earth: The Nobility of Man According to the Bible and Science* de Erich Sauer, (Grand Rapids: Eerdmans, 1962).

Aun la ciudadanía nacional puede generar apatía, pero cuando usted es miembro de un grupo étnico, tiene celebraciones que dan entusiasmo, valores que ofrecen un marco cognitivo, patrones de acción que le dan dirección a sus días, y lazos de asociación que lo arraigan en un contexto humano. Tiene un lugar en el tiempo del universo, una base para la convicción de ser parte de la continuidad de la vida que fluye del pasado, y que lo empuja a uno al futuro. Usted está en la historia.

Cuando la etnicidad se convierte en ídolo

Dios estableció la cultura, pero las costumbres que glorifican a Dios no son la única realidad que observamos a nuestro alrededor. En vez de encanto, creatividad armoniosa y autoridad admirable, solemos ver fragmentación, enajenación, lujuria, corrupción, egoísmo, injusticia y violencia, cultivadas por nuestra cultura. Ninguna de sus partes se conservan puras. La ciencia tiende a servir al militarismo o al hedonismo, ignorando la moral. El arte suele convertirse en adoración sin Dios. Los medios están llenos de prostitución verbal, la gente de negocios hace tratos cuestionables, los políticos se llenan sus propios bolsillos, los trabajadores hacen trabajos de mala calidad, los esposos engañan a sus esposas, las esposas manipulan a sus esposos y los niños ignoran a sus padres como personas.

No sólo hemos sido creados a la imagen de Dios, también somos pecadores. Al separarnos de Dios, las culturas que creamos apestan por la maldad. Somos llamados, entonces, no sólo a gozarnos en los patrones de la sabiduría, belleza y bondad de nuestra cultura, sino también a confrontar y a juzgar los patrones de idolatría y explotación.

A veces la etnicidad se vuelve un ídolo. Así como otros ídolos de la sociedad moderna —dinero, sexo y poder, por ejemplo— la etnicidad no es mala en sí misma; sin embargo, cuando la exaltamos como si fuese el bien más grande, la etnicidad se convierte en maldad, y como resultado surgen el racismo, los feudos, las guerras y la «limpieza étnica». Cuando la etnicidad se convierte en ídolo, ésta debe ser confrontada y juzgada.

Implicaciones para la misión

La etnicidad contrarresta las inclinaciones deshumanizantes de la globalización. Incluso en su mejor aspecto, la globalización económica tiende a tratar los valores culturales como comodidades. La etnicidad nos recuerda que debemos mantenernos en la fe, con nuestros abuelos y con nuestras comunidades humanas. Es un contrapeso vital. ¿Qué significa la etnicidad para la misión? Sugeriremos cuatro aplicaciones.

1. Afirmar lo local

En primer lugar, la misión debería afirmar las culturas locales. Nosotros no hacemos esto sin una mirada crítica. Al trabajar con y bajo cristianos locales, juzgamos patrones de idolatría y de explotación, tal como se explicó anteriormente; pero aun así, amamos la cultura local, la recibimos como un regalo de Dios y, mientras vivimos en ese lugar, nos adaptamos de buena voluntad a esas dimensiones de valores locales que son sanos.

Hablamos el idioma local. A todos los lugares adonde van los cristianos, traducen la Biblia. Esto ha sido señalado por Lamin Sanneh, un cristiano de trasfondo musulmán que enseña historia en la universidad de Yale. Los musulmanes insisten en que la gente aprenda el árabe, porque dicen que ése es el idioma de Dios; pero los cristianos dicen: «Dios habla su idioma».

También nos hacemos clientes habituales de hombres y mujeres de negocios locales; fomentamos a los artistas, músicos y escritores locales en lugar de importar libros extranjeros o traducirlos; nos hospedamos en hoteles y hogares de dueños locales; aprendemos las costumbres de herboristas locales; protegemos los bosques locales; aprendemos los deportes y los juegos locales; hacemos un esfuerzo por estar presentes en las fiestas y funerales locales; simpatizamos con los reformadores sociales locales. Si somos misioneros, disciplinamos nuestros pensamientos para no preocuparnos por los patrones culturales de nuestra patria. Los patrimonios específicos importan. Incluso la novela épica del siglo XX, *El Señor de los anillos (Tolkien, 1954),* reafirma lo local. El columnista Mike Hickerson (2002), observa lo siguiente:

> *El Señor de los anillos* sugiere que la victoria de Dios en la tierra (o la media tierra), está incompleta a menos y hasta que la victoria llene los «espacios pequeños». …La batalla final entre el bien y el mal no es una batalla histórica gigante —como la destrucción de la Estrella de la Muerte—, sino más bien una pequeña pelea

seguida de una pequeña reconstrucción de un lugar muy pequeño. Las buenas nuevas llenan cada valle… A su regreso a la Comarca, los hobbits continuaron su misión hasta su conclusión debida. Sin su humilde trabajo entre sus humildes compañeros, el mal habría mantenido una fortaleza en la media tierra. Lo global es importante, y también lo local.

En los programas de entrenamiento misionero debe hacerse énfasis en esto. Existe una tendencia de que los misioneros de culturas dominantes vean su patrimonio étnico como si fuese el patrón de Dios para todo el mundo. Los misioneros occidentales hacen esto; los misioneros chinos y coreanos lo hacen en el sureste y en el centro de Asia, y los latinos lo hacen en comunidades indígenas.

Incluso dentro de su misma nación, a los misioneros pertenecientes a la población mayoritaria les puede faltar aprecio por las culturas minoritarias y tratarlas con menosprecio. Considere una invitación que recibí esta mañana por correo electrónico. El mensaje dice:

Cuando venga, ¿podría dar un taller de teología de la cultura? En nuestro país también tenemos muchos grupos étnicos, y los prejuicios son impresionantes, así que podemos tener gente de un grupo étnico trabajando en un poblado con múltiples grupos étnicos, pero tienden a trabajar solamente con los suyos, e inventan todo tipo de razones para no trabajar con los demás.

A lo largo de la historia, algunos misioneros han igualado su herencia cultural con la manera de actuar que Dios prefiere. Es fácil criticarlos en retrospectiva, pero no nos atrevemos a decir demasiado en su contra. Mientras que la teología de la cultura de los primeros misioneros pudo haber sido pobre, su práctica solía ser robusta. Aprendieron los idiomas locales, y fueron fuentes principales de información cultural para los primeros antropólogos. Como no tenían aviones, se quedaron atrapados en medio de guerras, epidemias, sequías e inundaciones; y sus esposas e hijos fueron enterrados en suelo local.

En contraste, a los misioneros de hoy les encanta hablar de contextualización, pero, ¿tenemos tiempo de vivirla? Jesús pasó treinta y tres años inmerso en una cultura local.

2. Ser peregrinos

Mucha gente tiene diferentes identidades étnicas. Considere esta situación: En la costa Oeste de los Estados Unidos, las primeras generaciones de asiáticos tenían prohibido casarse con caucásicos. Algunos inmigrantes filipinos se casaron con indios americanos. Imagínate tres niños adultos en una familia así hoy en día. Uno se identifica principalmente como filipino, el segundo como indio americano, y el tercero como estadounidense, pero los tres cambian de identidad de vez en cuando.

Diez maneras de construir puentes multiétnicos entre las iglesias

1. **Recibir**. Debemos recibir a la gente de otras culturas que quieran unirse a nuestra iglesia y, si lo desean, ayudarlas a crear lugares donde puedan adorar sintiéndose en formas familiares.
2. **Enseñar**. Debemos enseñar, una y otra vez, las diferentes verdades bíblicas de la unidad y la creatividad.
3. **Orar**. Debemos orar con personas de otras culturas de forma regular.
4. **Evangelizar**. Debemos trabajar juntos en el evangelismo local de manera que es culturalmente relevante.
5. **Nutrir**. Debemos trabajar con las iglesias étnicas de nuestra comunidad para nutrir a los jóvenes, al mismo tiempo que los animamos a mantener el orgullo de su patrimonio cultural.
6. **Arrepentirnos**. Debemos arrepentirnos del dominio hegemónico o la negligencia por un lado, y del resentimiento o la dependencia por el otro.
7. **Crear vínculos**. Debemos designar un miembro para que sea un «puente cultural», que vincule nuestra congregación con iglesias específicas de otras culturas en nuestra comunidad, y que mantenga a los miembros de la iglesia responsables de mantener relaciones fieles, profundas y sustanciosas.
8. **Invertir**. Debemos invertir tiempo y dinero de manera sacrificada, y arriesgarnos emocionalmente en alianzas fuertes y patrones de intercambio.
9. **Formar líderes**. Debemos trabajar juntos en el entrenamiento del liderazgo en formas que sean culturalmente relevantes, y en la publicación de material útil.
10. **Aprender**. Debemos estar preparados para aprender unos de otros, convencidos de que la Palabra del Señor puede venir a nuestra vida por medio de personas muy distintas a nosotros.

Pero además las culturas cambian de continuo, y en el proceso emergen nuevas combinaciones de identidades. El famoso museo Wing Luke volvió a abrir sus puertas esta semana en mi ciudad: Seattle, Washington. Decían que era el único museo pan-asiático-pacífico-americano en los Estados Unidos. ¿Qué es un asiático-pacífico-americano? Según Jack Broom, que escribió en el *Seattle Times:* «No es una raza, un grupo étnico, ni una nacionalidad. Es una categoría de censo que, a modo histórico, combinaba a la gente de más de cuarenta países que formaban una gran proporción del mundo, de Tahití a Pakistán, Japón a Indonesia, Hawái a la India». (2008, p. A16).

El catorce por ciento de la población de mi país es asiático-pacífico-americana. A pesar de la renuncia de responsabilidad del *Seattle Times*, ésta es una categoría étnica significativa, un grupo mesurable con suficiente identidad como para respaldar un museo tan notable. En una jerarquía de identidades étnicas que se anidan, esto constituye un nivel. El artículo del *Times* sigue diciendo que los altos números «reflejan la posición privilegiada del noroeste sobre la cuenca del Pacífico».

No es extraño tener múltiples identidades. La población de habla española en los Estados Unidos creció un 50% de 1980 a 1990; ahora forma el 30% de la población de la ciudad de Nueva York. La mayoría también habla inglés. En la misma década, el número de personas de habla china en los Estados Unidos aumentó en un 98%. Cuatro de cada cinco de estas personas prefieren hablar chino en casa, aunque la mayoría hable inglés.

En su esencia, la identidad étnica descansa en declararse miembro de una cultura compartida, una comunidad compartida, una herencia compartida. En una sociedad multiétnica, puede que usted no vea gran diferencia entre los patrones económicos, sociales y de cosmovisión de personas cuyos padres llegaron de distintos países. Ellos pueden comprar en las mismas tiendas y hacer bromas de los mismos eventos deportivos.

Lo que importa no es la profundidad de la diferencia que se puede observar, sino la profundidad de la identificación con comunidades características. La historia de una etnia, por ejemplo, es propiedad privada. Los judíos tienen su historia, los chinos tienen la suya, los afroamericanos tienen su historia... nadie se la puede quitar; es su patrimonio. Cuando la historia involucra sufrimiento, y cuando los héroes se han levantado en medio de tal sufrimiento, los lazos comunes se fortalecen aún más.

El patrimonio cultural importa, pero mucha gente tiene más de uno, y están en varios puntos de una identidad continua. Algunos equilibran varias identidades.

> **Es importante respetar la manera en que las personas se identifican a sí mismas en cierto momento en particular; sin embargo, hacerlo puede derrumbar nuestras categorías o listas de etnias.**

Puede que las personas no sepan cómo ponerlo en palabras, o pensar en ello de forma consciente, pero se dan cuenta cuando se sienten incómodas, cuando se sienten aplastadas en categorías inapropiadas, en lugares donde no encajan. Es importante respetar la manera en que las personas se identifican a sí mismas en cierto momento en particular; sin embargo, hacerlo puede derrumbar nuestras categorías o listas de etnias. Puede que individuos de un mismo linaje, incluso hermanos, elijan identificarse de manera diferente. ¿Cuál es la identidad del inmigrante refugiado, del niño de doble raza, del navajo que se pregunta si su hogar es la reserva o la ciudad, de los cosmopolitas y de los jóvenes que compran y usan bienes de todo el mundo y que leen, escuchan y ven multimedia de todas partes? ¿Quiénes son su gente? ¿Están destinados a ser nómadas globales?

Dondequiera que estén, el evangelio les ofrece un hogar. Dios no tiene estereotipos con nosotros. Él se encuentra con cada uno de nosotros como la excepción que somos, con nuestras identidades múltiples y solapadas, con nuestros peregrinajes únicos y con nuestras singularidades. Dios no nos encasilla; sea que hayamos perdido nuestra comunidad de forma permanente, que estemos lejos temporalmente o tengamos parches de varios patrimonios diferentes, Dios nos da la bienvenida para formar parte de su pueblo. El evangelio nos ofrece un hogar más allá de las estructuras de este mundo.

Las culturas locales son regalos de Dios, pero éstas nunca son suficientes. Sí, igual que Jeremías buscamos «el bienestar de la ciudad» donde nos encontramos (Jer 29:7); sin embargo, así como Abraham, sabemos que éste no es nuestro lugar final de reposo; seguimos como peregrinos, buscando la ciudad «de la cual Dios es arquitecto y constructor» (Heb 11:8-10).

3. Construir puentes

En 1964, cuando tenía catorce años, Zia entró en una escuela para ciegos en Afganistán y se convirtió en un cristiano gozoso. En el transcurso de los años siguientes aprendió a hablar los idiomas dari, pastún, árabe, inglés, alemán, ruso y urdu, y a leerlos donde hubiese escritura en braille disponible. Durante la ocupación rusa de Afganistán, Zia fue puesto a cargo de la escuela de ciegos. Más tarde, como no se unió al partido comunista, fue encarcelado. Escapó a Pakistán disfrazado de mendigo ciego, que era su verdadero estado.

Como Zia estaba traduciendo el Antiguo Testamento en Pakistán, le ofrecieron una beca para ir a los Estados Unidos a estudiar hebreo, pero rechazó la oportunidad. ¿Por qué? Porque estaba demasiado ocupado ministrando localmente. Aunque pensaba que no tenía tiempo para dedicarse a estudiar hebreo, aprendió urdu como séptimo idioma para poder alcanzar a los pakistanís. Al final murió como mártir.

Zia representa a millones de cristianos que, a lo largo de los siglos, han descubierto y testificado que el evangelio nos vincula con el mundo. Se inicia de forma local, pero no termina ahí.

El mundo de hoy necesita a gente como Zia desesperadamente. La globalización económica y tecnológica nos conecta a niveles superficiales, pero las sociedades deben tener personas que puedan conectarse de forma más profunda. Thomas Friedman (1999) explora esta idea en su contundente libro, *The Lexus and the Olive Tree (El Lexus y el olivo)*, en el que el Lexus representa a la economía global y el olivo representa las tradiciones locales. Clifford Geertz (1973) escribe acerca de la tensión entre el epocalismo y el esencialismo, entre la necesidad de ser parte de la época contemporánea y la de mantener nuestras identidades esenciales, conocer quiénes somos. En *The Rise of the Networked Society*, Manuel Castells (1996, p. 459) argumenta que, aunque un mundo unido por una red supone una integración de poder, esto ocurre a un nivel más y más divorciado de nuestras vidas personales. Lo llama «esquizofrenia estructural», y advierte de que, «a menos que se

construyan puentes culturales, políticos y físicos de manera deliberada… podríamos estar dirigiéndonos hacia la vida en universos paralelos cuyos tiempos no se encuentran».

¿Quién puede construir puentes? ¿Qué movimiento abarca naciones, razas, géneros, *ethne*, ricos y pobres, analfabetos y gente con doctorado? Es algo maravilloso el darse cuenta de que rara vez hay personas más dotadas para conectarse interculturalmente que la iglesia universal.

Cuando se rompen los vínculos civiles, suelen

> Las iglesias étnicas tienen un gran valor en este contexto. Como un mosaico, como un caleidoscopio, la gama complet de culturas (e iglesias étnicas), enriquecen el mundo de Dio

ser los creyentes los que guían a las sociedades a cruzar los puentes de la reconciliación, esforzándose por tomar la mano de hermanos y hermanas de ambos bandos. Nuestras lealtades no finalizan al borde de nuestra cultura; somos peregrinos; podemos entrar en los márgenes. De hecho, ése siempre ha sido el mandato cristiano. Abraham fue llamado a ser bendición para todas las familias de la tierra (Gn 12:1-3). David cantó: «Oh Dios… que *todos* los pueblos te alaben» (Sal 67:3, 5). Pablo fue impulsado por una pasión por las etnias no alcanzadas (Ro 15:20-21). Juan vibró ante una visión de pueblos, tribus y naciones reunidos alrededor del trono de Dios al final de los tiempos (Ap 4-5).

Lograr conexiones transculturales ha sido nuestro mandato desde el principio. Nuestro involucramiento en la globalización no se arraiga en la economía, sino en el amor de Dios por su mundo. No podemos vivir aislados y conformes en nuestros capullos; el amor de Dios nos impulsa a salir de nuestros límites. Donde hay conflicto, nosotros actuamos como pacificadores. Donde el evangelio no es conocido, actuamos como testigos. Las conexiones globales también hacen posible que nos atrevamos a servir a la iglesia mundial de Jesucristo de manera más ágil y comprensiva que nunca antes.

A quien mucho le ha sido dado, mucho se le pide. ¿Estamos construyendo puentes?

4. Nutrir iglesias étnicas

Finalmente, debemos considerar las distintas iglesias étnicas en nuestras propias comunidades.

Algunos preguntan: «Si los domingos las once de la mañana es la hora más segregada en los Estados Unidos, ¿no son racistas las iglesias étnicas? Ciertamente fomentan el evangelismo y la comunión, pero sólo porque algo tenga éxito no quiere decir que sea correcto. El diablo también tiene mucho éxito».[2]

¿Cómo podemos contestar? En este capítulo hemos colocado el fundamento para exponer que las iglesias étnicas están justificadas, no sólo por razones pragmáticas (porque funcionan), sino también porque están arraigadas en la doctrina de la creación. A la imagen de Dios, expresando la creatividad dada por Dios, las personas han desarrollado culturas diferentes, y estas culturas ofrecen rasgos complementarios de belleza y verdad, y críticas complementarias de maldad.

Cada iglesia debe darle la bienvenida a la gente de toda raza y cultura. Algunas personas florecen en iglesias multiculturales; otras atesoran su propia tradición porque su cultura sigue siendo importante en la adoración. Oran en el idioma de su corazón, con gestos significativos, ululatos y postraciones. Su cultura afecta su manera de evangelizar, discipular, enseñar, administrar, aconsejar, administrar las finanzas, trabajar con los jóvenes, entrenar a los líderes, disciplinar, desarrollar planes de estudios, ayuda humanitaria y abogacía. Sus teólogos complementan la comprensión de la Biblia por las otras culturas.

Las congregaciones separadas no son malas; lo malo es la falta de amor. Esta falta de amor se encuentra demasiado en las iglesias donde la mayoría de los miembros son de la subcultura que está en la cima de la jerarquía. Las iglesias más ricas y poderosas tienen obligaciones especiales. Si nuestros hermanos y hermanas no tienen los servicios médicos que necesitan, buenas escuelas o calles seguras (o si les faltan comentarios bíblicos en su idioma, o dinero para que sus pastores puedan estudiar en la escuela bíblica), no podemos simplemente sonreír y pasar de largo. Como escribió Santiago:

> Hermanos míos, ¿de qué le sirve a uno alegar que tiene fe, si no tiene obras? ¿Acaso podrá salvarlo esa fe? Supongamos que un hermano o una hermana no tienen con qué vestirse y carecen del alimento diario, y uno de ustedes les dice: «Que les vaya bien; abríguense y coman hasta saciarse», pero no les da lo necesario para el cuerpo. ¿De qué servirá eso? (Stg 2:14-16).

Las iglesias étnicas tienen un gran valor en este contexto. Como un mosaico, como un caleidoscopio, la gama completa de culturas (e iglesias étnicas), enriquecen el mundo de Dios. Así como las familias fuertes y saludables son ladrillos que construyen comunidades fuertes y saludables, las iglesias étnicas fuertes son ladrillos que construyen fraternidades multiculturales fuertes. Cuando aprendemos el compromiso y la cooperación en el hogar, entonces estamos preparados para practicar bien esas habilidades en la comunidad en general.

Las iglesias étnicas también son un buen lugar para comenzar la obra de la misión global. Podemos asociarnos con cristianos internacionales que vivan en nuestras propias ciudades (estudiantes, hombres de negocios, visitantes temporales, refugiados, inmigrantes...). Muchos representan etnias relativamente «no alcanzadas»; muchos suelen regresar a su tierra natal para ayudar a cavar pozos, construir clínicas, enseñar en escuelas bíblicas, publicar himnarios y libros de entrenamiento, etc. Podemos orar con ellos, ayudarles a crecer y madurar como discípulos de Cristo, y juntos alcanzar a sus etnias.

Cuando se atesora la etnicidad como a un regalo, pero no se adora como a un ídolo, el mundo de Dios es bendecido y disfrutamos un anticipo del cielo. Mantengamos esa visión delante de nosotros.

Notas

1. ¿Qué es la etnicidad? El criterio más fundamental de la etnicidad es la atribución propia como miembro de una cultura compartida. La atribución de los demás limita esto, pero es secundario. Los componentes de la identidad étnica pueden incluir o no lo siguiente: una tierra ancestral (sea que en el presente esté habitada o no por miembros del grupo), un idioma ancestral (sea que en el presente lo hablen o no los miembros del grupo), una historia compartida (especialmente si incluye sufrimiento y héroes), la comida, el humor y el comportamiento apropiado entre los familiares cercanos. Las características compartidas pueden ser triviales, pero lo significativo es la auto-clasificación. Lo que significa una cierta etnicidad se va transformando de continuo. Para una mayor exposición de la etnicidad, véase Williams (2001).

2. Para un argumento en contra de las iglesias étnicas, véase Padilla (1983).

Referencias

Broom, J. (2008, mayo). «A New Wing Luke». *Seattle Times*, p. A16.

Castells, M. (1996). *The Rise of the Networked Society*. London, UK: Blackwell Publishers.

Friedman, T.L. (1999). *The Lexus and the Olive Tree*. New York, NY: Farrar, Straus, Giroux.

Geertz, C. (1964). «Ideology as a Cultural System». En D. Apter (Ed.), *Ideology and Discontent* (pp. 47-56). New York, NY: Macmillan Publishing Company.

Hickerson, M. (2002, invierno). Nota del editor. *Et Cetera: Newsletter of Regent College Students.* Vancouver, British Columbia, Canada.

Padilla, R. (1983). «The Unity of the Church and the Homogenous Unit Principle». En W. Shenk (Ed.), *Exploring Church Growth*. Grand Rapids, MI: Wm. B. Eerdmans Publishing Company.

Robert, D. (2002, abril). «The First Globalization: The Internationalization of the Protestant Missionary Movement Between the Wars». *International Bulletin of Missionary Research*, 26:2, pp. 50-66.

Williams, D. (2001). *Castrating Culture: A Christian Perspective on Ethnic Identity from the Margins*. Cumbria, UK: Paternoster Press.

Preguntas para reflexionar

1. ¿Cómo describe Adeney el valor de la etnicidad?

2. ¿Cuándo se convierte en ídolo la etnicidad? ¿Cómo confrontamos esto?

3. Adeney escribe acerca de cuatro maneras en que la misión debería «contrarrestar las inclinaciones deshumanizantes de la globalización». ¿Cuáles son?

Limpio y sucio:
Malentendidos transculturales en la India
Paul G. Hiebert

Paul G. Hiebert fue presidente del departamento de misión y evangelización y profesor de misión y antropología en la Trinity Evangelical Divinity School. Enseñó previamente antropología y estudios surasiáticos en la Escuela de Misión Mundial de Fuller Theological Seminary. Hiebert sirvió como misionero en la India y escribió diez libros junto con su esposa Frances. Entre ellos, *Cultural Anthropology*, *Anthropological Insights for Missionaries* y *Case Studies in Mission*.

Usado con permiso de "Clean and Dirty: Cross-Cultural Misunderstandings in India," *Evangelical Missions Quarterly*, 44:1 (January 2008), publicado por EMIS, PO Box 794, Wheaton, IL 60187.

Hay pocas experiencias en nuestros primeros encuentros transculturales que nos impresionen más que nuestra sensación de la suciedad y la limpieza. Es algo que sin lugar a dudas ocurre cuando vamos a la India. Cuando salimos a la calle nos sentimos apabullados por una sobrecarga sensorial: gente por todas partes, colores vívidos, templos y películas, música estridente de altoparlantes y los llamados a la oración musulmanes. Los olores —perfumes, incienso, comidas, excremento de vacas y humanos— nos abruman y confunden, pero lo que primero atrae nuestra atención es la mugre.

Para muchos estadounidenses, las primeras impresiones de la India tienen que ver con la suciedad: basura descomponiéndose a un lado del camino, bolsas de plástico tiradas sobre arbustos, cloacas putrefactas abiertas, excremento en la calle, y tierra y polvo por doquier. El caos se extiende al tránsito, con camiones, autobuses, apisonadoras, tractores, coches, rikshas motorizados, bicicletas, carros con bueyes, personas, vacas, búfalos de agua, ovejas y perros callejeros que se abren camino con escasa preocupación aparente por las «normas de tráfico». El resultado es una fuerte impresión de caos: la sensación de que la vida no tiene ningún orden, que está fuera de control y es sucia.

Los indios también tienen sus primeras impresiones de los Estados Unidos y de los estadounidenses. Les impresiona la limpieza pública. Los céspedes están podados, los edificios están recién pintados, las calles están limpias y las cloacas están enterradas. Las personas manejan coches lustrosos sin abolladuras, conducen por carriles bien señalizados, se detienen en los semáforos y esperan que el tráfico que viene de frente pase antes de girar. Sin embargo, se horrorizan por la suciedad personal de los estadounidenses. En las escuelas públicas, en las tiendas, en los cines y en los autobuses, usan jeans viejos, sucios y raídos, pantalones muy cortos que no cubren nada, camisetas llenas de publicidad y zapatillas chillonas sin lustrar. Parece ropa de mendigos. Las mujeres usan la misma ropa insulsa que los hombres. No se quitan el calzado cuando entran en las casas, ni en las iglesias, cuando entran en la presencia de Dios. Está claro que pueden comprar ropa más decorosa, así que, ¿por qué cuidan mejor sus calles, jardines y coches que a sí mismos?

Los estadounidenses comen con tenedores y cucharas que han estado en las bocas de otras personas. No se lavan las manos antes de comer con sus dedos. Usan sus manos derechas en los baños y usan papel para limpiarse. Los indios comen con sus dedos, que no han estado en las bocas de otras personas, y sólo usan la mano derecha, porque la mano izquierda se guarda para actividades sucias. Los estadounidenses comen carne, incluso de vaca, que los contamina, y les da un fuerte olor corporal que los vegetarianos pueden oler. Se tocan al saludarse, y por lo tanto quedan contaminados por los que estaban ritualmente más impuros que ellos.

Después del impacto inicial cuando visitan la India, los estadounidenses deben detenerse y reflexionar más profundamente lo que están experimentando. Encuentran una paradoja. Más que cualquier otra cultura, la cultura india está basada en profundas creencias acerca de la pureza y la contaminación que tocan todas las áreas de la vida. Tal vez la India sea famosa por su suciedad pública, pero los indios son obsesivos en cuanto a la limpieza personal. Los hombres salen de pequeñas chozas vistiendo sus mejores camisas, corbatas y pantalones, lavados y planchados, con zapatos recién lustrados. Las mujeres visten ropa femenina limpia y de colores brillantes. Cuando conducen motocicletas o viajan sentadas de costado detrás de sus esposos, sus bufandas de seda y sus saris se agitan en el viento. Los restaurantes tienen piletas públicas para que la gente se lave las manos antes de comer. Las casas se mantienen limpias barriéndolas a diario, y las vías de entrada exteriores se recubren con una capa fresca de tierra y estiércol de vaca, lo que las mantiene limpias. Los jardines están decorados con flores, con diseños trazados con polvo blanco. La gente se cepilla los dientes y el cabello casi obsesivamente. Lo hacen en público y quieren que los demás vean su preocupación por la limpieza y la dignidad pública.

La preocupación de la India por la pureza y su disgusto por la contaminación van más profundamente que la tierra superficial, que puede ser lavada. A las personas les preocupa la contaminación profunda, interior, la contaminación del yo. El trabajo manual, como rebuscar entre la basura, el curtido, enterrar a los muertos y cortar el cabello, involucra tocar objetos muertos, y es sumamente contaminante. Lavar la ropa, limpiar la casa y barrer el jardín y las calles, son contaminantes porque las personas que lo realizan deben manipular desechos. Esta contaminación basada en las castas es permanente y hereditaria, transmitida de los padres a los hijos. La única liberación de esta contaminación es la esperanza de que en la próxima vida uno nazca como un brahmán puro u otra persona de una casta alta.

Uno puede también contaminarse personalmente si toca cosas contaminadas. Si individuos de castas altas tocan a personas de castas bajas, se contaminarán. Para limpiarse, estas personas de castas altas deben pasar por un extenso rito que limpia su ser interior. En consecuencia, tienen saludos rituales, como nuestros apretones de manos,

que no involucran tocarse. Las relaciones sexuales y los matrimonios entre personas de diferentes castas son muy contaminantes, en particular para los niños que nacen de esa unión.

Cuando vamos a la India tenemos que aprender a entender cómo ven la pureza y la contaminación los indios, y reexaminar nuestras propias creencias acerca de lo «limpio» y lo «sucio». Tenga en mente que la India es reconocida por su limpieza personal y su suciedad pública, y los Estados Unidos por su limpieza pública y su suciedad personal.

También tenemos que evitar juzgar las creencias indias; en cambio, debemos examinar tanto nuestras creencias como las creencias indias a la luz del evangelio. Para comenzar, debemos evitar ser insensibles culturalmente. Aquí van algunas recomendaciones preliminares.

1. **Ropa**. Los hombres deben dejar sus jeans, viejas camisetas y zapatillas de tenis llamativas en casa. Las mujeres deben dejar sus faldas cortas y pantalones cortos. Usarlos en público insulta a sus anfitriones y los avergüenza entre sus pares. Recuerde que cuando se viste para usted se viste para su comodidad. Cuando se viste para honrar a otros, se viste con decoro. Muestre respeto por sus anfitriones vistiéndose bien cuando esté en público. En particular, vístase bien cuando vaya a la iglesia. Ésta es una señal de que está honrando a Dios.

2. **Actos públicos**. Haga muestras públicas de su limpieza. Lávese las manos en la pileta en el restaurante antes de comer, cepíllese los dientes en público luego de comer y, por sobre todo, no toque su comida con la mano izquierda, porque se considera asqueroso.

3. **Cabello**. Mantenga su cabello pulcro y recortado. El cabello desalineado es una señal de hábitos personales sucios.

4. **Comida**. Tanto como le sea posible, evite comer carne en público, sobre todo carne de vaca.

Por encima de todo, aprenda de sus anfitriones. Al inicio tal vez titubeen en hacerle una observación a usted, pero a medida que usted cree confianza, ellos lo pueden ayudar a ser visto como una persona limpia y respetable en las aldeas y ciudades de la India.

El papel de la cultura en la comunicación

David J. Hesselgrave

David J. Hesselgrave es profesor emérito de misiones en la Escuela de Misión Mundial y Evangelización de la Trinity Evangelical Divinity School, en Deerfield, Illinois. Es el fundador y ex director de la Evangelical Missiological Society y sirvió doce años en Japón bajo la Evangelical Free Church. Entre sus obras publicadas se encuentran *Planting Churches Cross-Culturally*, *Scripture and Strategy* y *Paradigms in Conflict*.

De *Communicating Christ Cross-Culturally*, 1978. Usado con permiso de Zondervan Publishing, Grand Rapids, MI.

Hubo un tiempo en la historia cuando las barreras insalvables entre los pueblos de la tierra parecían ser principalmente físicas. El problema era transportar personas, mensajes y objetos materiales a través de mares peligrosos, imponentes montañas y desiertos intransitables. Los misioneros sabían demasiado bien cuán formidables eran aquellos desafíos. Hoy, gracias a los aviones jumbo, los gigantescos transatlánticos y las enormes antenas, aquellos antiguos problemas han sido resueltos en su mayoría. Podemos llevar a un hombre, una Biblia o una máquina de coser casi a cualquier parte sobre la faz de la tierra en cuestión de horas. Podemos transmitir un mensaje por medios electrónicos en segundos.

Sin embargo, existe el peligro muy real de que, a medida que nuestra tecnología avanza y nos permite cruzar fronteras geográficas y nacionales con mucha facilidad y frecuencia creciente, podamos olvidarnos de que las más formidables barreras son las culturales. La brecha entre nuestros avances tecnológicos y nuestras habilidades de comunicación es uno de los aspectos más desafiantes de la civilización moderna. Los diplomáticos occidentales han llegado a darse cuenta de que necesitan mucho más que un conocimiento de su mensaje y un buen intérprete o lugareño que hable inglés. Muchos educadores han llegado a la posición de que la comunicación transcultural es esencial para la ciudadanía de este nuevo mundo. Los misioneros ahora entienden que hace falta mucho más que un micrófono y un mayor volumen para penetrar las barreras culturales.

Una proposición compleja

Lamentablemente, la comunicación intercultural es tan compleja como la suma total de las diferencias humanas. La palabra «cultura» es un término muy inclusivo. Toma en cuenta las diferencias lingüísticas, políticas, económicas, sociales, psicológicas, religiosas, nacionales, raciales y otras. Louis Luzbetak escribe:

La cultura es un diseño para vivir. Es un plan según el cual la sociedad se adapta a su entorno físico, social e ideacional. Un plan para afrontar el entorno físico incluiría cuestiones como la producción de alimentos y todo conocimiento y habilidad tecnológicos. Los sistemas políticos, los parentescos y la organización familiar, y la ley, son ejemplos de adaptación social, un plan según el cual uno debe interactuar con sus compañeros. El hombre afronta este entorno ideacional a través del conocimiento, el arte, la magia, la ciencia, la filosofía y la religión. Las culturas son meras respuestas diferentes a esencialmente los mismos problemas humanos.[1]

Los misioneros deben llegar a una realización aún mayor de la importancia de la cultura para comunicar a Cristo. En última instancia, podrán comunicarse eficazmente con las personas de cualquier cultura dada sólo en la medida en que entiendan todos los aspectos de esa cultura.

Antes de ir por primera vez a otro país, a menudo los misioneros piensan en la gran distancia que deben recorrer para llegar a su campo de labor. Pero una vez que llegan al campo, el mayor problema que deben enfrentar está a breve distancia. ¡Qué impacto! El misionero ha estudiado durante muchos años. Ha viajado miles de kilómetros para comunicar el evangelio de Cristo, ¡Pero ahora se encuentra cara a cara con las personas de su cultura respondedora y no puede comunicar el mensaje más sencillo! Si usted les preguntara a misioneros experimentados acerca de sus experiencias frustrantes en el campo, la mayoría responderá contando sus problemas de comunicación.

Los misioneros deben prepararse para esta frustración. Han estado preocupados por su mensaje. Al creerlo fueron salvos, y al estudiarlo han sido fortalecidos. Ahora quieren predicarlo a quienes no lo han oído, ya que eso es una parte importante de lo que significa ser misionero. Pero antes de que puedan hacerlo eficazmente, deben volver a estudiar, no sólo el idioma, sino también al público. Deben aprender antes de poder enseñar. Deben escuchar antes de poder hablar. No sólo necesitan conocer el mensaje para el mundo, sino que también necesitan conocer el mundo al cual el mensaje debe ser comunicado.

Un modelo de comunicación misionera de tres culturas

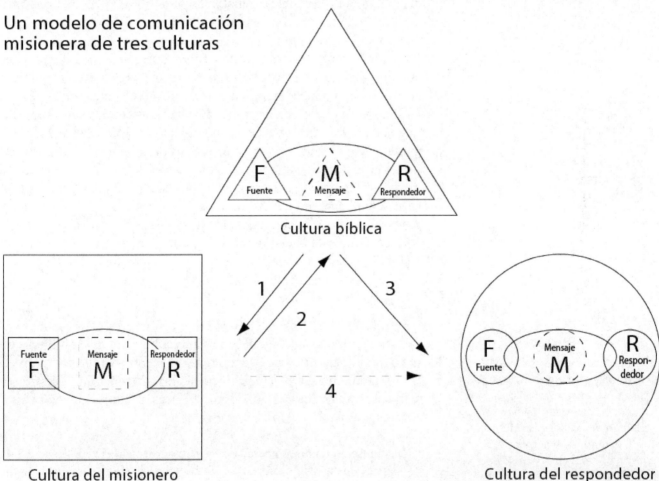

Cultura bíblica

Cultura del misionero

Cultura del respondedor

1. El mensaje cristiano surge de «la cultura de la Biblia» y viene al misionero en el idioma y las formas apropiados de «la cultura del misionero».

2. La primera tarea del misionero es volver al texto bíblico e interpretarlo a la luz del idioma y las formas del contexto en el cual se escribió originalmente (decodificar).

3. La siguiente tarea del misionero es traducir y comunicar el mensaje bíblico (de hecho, la misma Biblia), en el idioma y las formas que sean comprensibles a los oyentes y lectores de «la cultura del respondedor» (codificar).

4. Esta última tarea debe llevarse a cabo con el objetivo de minimizar las incursiones de «la cultura del misionero» hasta donde sea posible.

Un modelo de tres culturas

Eugene Nida, de la Sociedad Bíblica Americana, ha hecho importantes aportes a la comprensión de los problemas de comunicación del misionero. En su capítulo sobre «La estructura de la comunicación», la discusión y el diagrama brindan la base para nuestra consideración de un modelo de comunicación misionera de tres culturas.[2] El lector sacará mucho provecho de una lectura del texto original de Nida, ya que hemos hecho modificaciones aquí para nuestros propósitos.

Como comunicador, el misionero debe considerar dos culturas aparte de la propia (ver diagrama). En primer lugar, considera la Biblia. El mensaje no es realmente suyo. Él no lo originó. No estuvo allí cuando fue dado, ni forma parte de la cultura en la cual se comunicó el mensaje. Sabe que debe ser diligente para presentarse «como obrero que no tiene de qué avergonzarse y que interpreta rectamente la palabra de verdad» (2Ti 2:15). Con respecto al mensaje bíblico, el misionero es simplemente un mensajero, un embajador, una fuente secundaria, nunca primaria.

En segundo lugar, el misionero considera a las personas a las que ha sido enviado. Si tan sólo pudieran entender, ser persuadidos para arrepentirse, ser instruidos en las verdades de la Palabra de Dios, y pusieran su fe en un Salvador y Señor. Cuando considera a la cultura respondedora, se da cuenta de que él nunca será una fuente autóctona. Siempre estará limitado en su capacidad de contextualizar el mensaje bíblico. La cultura respondedora siempre será la cultura adoptada por él, nunca su cultura nativa.

Este papel intermediario, entre la cultura de la Biblia y la cultura objetivo del misionero, es el que constituye la oportunidad inusual del misionero como embajador de Cristo. Es un desafío especial por la naturaleza integral y exigente de la tarea.

El mensaje misionero es el mensaje de la Biblia. Fue dado por Dios por medio de los apóstoles y profetas en los idiomas y contextos culturales de la Biblia. En aras de la simplificación, diremos que la «cultura de la Biblia» incluye todos los contextos culturales en los cuales el mensaje de la Biblia fue dado originalmente, sea en Judá en el tiempo de Esdras, en Jerusalén en el tiempo de Cristo, o en Atenas en el tiempo de Pablo. En esos contextos culturales hubo fuentes (Esdras, nuestro Señor Jesucristo o Pablo), mensajes y respondedores. Las *fuentes* codificaron los *mensajes* en formas que eran comprensibles para los *respondedores* que eran miembros de esas culturas.

El misionero es producto de una cultura que tal vez sea muy diferente, no importa si vive en Guadalajara, Chicago o Seúl. Ha sido criado en su propia cultura y educado en su idioma, cosmovisión y sistema de valores. Ha recibido el mensaje cristiano en el contexto de su propia cultura, tal como fue comunicado por fuentes que, con toda certeza, fueron también productos de esa cultura. Rotularemos esa cultura como la «cultura del misionero».

Luego están las personas en otra cultura aún, con sus propias fuentes, mensajes y respondedores. Rotularemos a esta tercera cultura como la «cultura respondedora» (o «cultura objetivo»). Con relación a esta cultura respondedora, el misionero tiene objetivos inmediatos y últimos. Primero, desea comunicar a Cristo de tal forma que las personas entiendan, se arrepientan y crean el evangelio. Segundo, quiere entregarles el mensaje a «creyentes dignos de confianza, que a su vez estén capacitados para enseñar a otros» (2Ti 2:2) en términos culturalmente pertinentes que sólo los líderes autóctonos pueden dominar por completo.

El contexto de la cultura de la Biblia

Ahora la tarea misionera puede verse en una perspectiva más clara. El misionero debe cruzar fronteras culturales en dos sentidos. El primer desafío es *decodificar* de manera correcta el mensaje bíblico de acuerdo con las reglas reconocidas de la interpretación bíblica. Debe estudiar la Biblia, en los idiomas originales de ser posible, pero siempre en términos del contexto de la «cultura de la Biblia». Todo sistema sólido de hermenéutica debe tener en cuenta el contexto cultural en el cual el mensaje fue comunicado originalmente, el trasfondo, sintaxis y estilo, las características del público, y las circunstancias especiales en las cuales fue dado el mensaje. Este proceso es esencial para la exégesis bíblica. El intérprete de la Biblia debe estar atento de modo permanente a su tendencia de proyectar los significados de su propio trasfondo cultural en el proceso exegético, haciendo que el significado original se pierda o se pervierta. Esta tendencia es realzada por el hecho de que en su mayor parte todos aprendemos nuestra propia cultura de un modo bastante inconsciente y acrítico.

Un amigo mío fue a una excursión a Tierra Santa. Mientras caminaba bajo un árbol en el valle del Jordán, el guía extendió la mano, tomó un fruto, le quitó la cáscara y lo comió. Mientras comía, se volvió al grupo y dijo: «Según la Biblia, la dieta de Juan el Bautista consistía en este fruto y miel silvestre. Ésta es la langosta». El asombro del grupo fue casi unánime. ¡Siempre habían supuesto que las langostas mencionadas en Mateo y Marcos eran saltamontes! De hecho, pueden haber tenido razón. El punto es que no habían considerado esta segunda posibilidad, porque en su propia cultura las «langostas saltamontes» predominan, mientras que la «fruta langosta» no.

> **La meta última del misionero es desarrollar fuentes efectivas del mensaje cristiano desde el interior de la cultura respondedora.**

El contexto de la cultura respondedora

Sin embargo, una exégesis adecuada es sólo el principio de la responsabilidad misionera. Ahora el misionero debe mirar en otra dirección, la de la «cultura respondedora», con su propia cosmovisión, sistema de valores y códigos de comunicación. Debe recordar que los respondedores de esa cultura han absorbido profundamente las ideas y valores de su propia cultura tal y como él se ha impregnado de los suyos. Es posible que sepan menos de la «cultura de la Biblia» que los no creyentes de donde es la «cultura misionera». Y exhibirán la misma tendencia de generalizar y proyectar sus propias comprensiones culturales en el mensaje de la «cultura de la Biblia».

Por lo tanto, el segundo desafío para el misionero es *codificar* el mensaje bíblico en el idioma y las formas que son significativos para las personas de la «cultura respondedora». La meta es comunicar lo más posible del mensaje bíblico, con la *mínima invasión* posible de influencias de su propia cultura.

Ésta no es la tarea sencilla que muchos han supuesto. Considere los elementos involucrados en la traducción de Apocalipsis 3:20, en términos significativos para el pueblo zanaki de África. Uno no podría decirle al pueblo zanaki, que vive a lo largo de las sinuosas costas del extenso lago Victoria: «Mira que estoy a la puerta y toco [griego e inglés]» (Ap 3:20). Esto significaría que Cristo se está anunciando como un ladrón, porque los ladrones en la tierra de los zanaki acostumbran tocar a la puerta de la choza que esperan robar. Si escuchan algún movimiento adentro salen disparados hacia la oscuridad. Un hombre honesto vendría a la casa y pronunciaría en voz alta el nombre de la persona adentro, identificándose con su voz. En consecuencia, en la traducción zanaki fue necesario decir: «Mira que estoy a la puerta y llamo [a alguien]». Esta forma podría parecerles a algunos algo extraña, pero el significado es el mismo. En cada caso, Cristo está pidiendo a las personas que abran la puerta. Él no es ningún ladrón, y no forzará la entrada. Cuando viene a nosotros «toca a la puerta», pero en zanaki «llama a alguien». En todo caso, la expresión zanaki es un poco más personal que la nuestra [en inglés].[3]

Queda aún otro aspecto importante de la comunicación misionera en el contexto de la «cultura respondedora». Hemos dicho que la meta última del misionero es desarrollar fuentes efectivas del mensaje cristiano desde el interior de la cultura objetivo. La comunicación misionera que no mantiene esta meta en mente es miope. La misión mundial de la iglesia ha sido muy debilitada por la falta de visión en este punto. Los misioneros y maestros occidentales han sido muy precipitados en alentar (a menudo inconscientemente) a los líderes nacionales a convertirse en occidentales en su pensamiento y enfoque. Luego de un curso de comunicación transcultural, un pastor asiático confesó que a lo largo de sus años de ministerio había predicado «sermones occidentales» a públicos asiáticos. Después de todo, había aprendido el evangelio de misioneros estadounidenses y había estudiado teología, homilética y evangelización de libros de texto ingleses y alemanes. Un gran porcentaje de su capacitación cristiana había sido en el idioma y patrones de la cultura occidental. No era de extrañar que su comunicación cristiana careciera de pertinencia cultural respondedora aun cuando, en su caso, la cultura respondedora era la propia.

Además, en su mayor parte los misioneros no han comunicado la preocupación de Cristo por otros pueblos más allá de la «cultura respondedora». Como resultado, muchos cristianos en Hong Kong tienen escasa visión por Indonesia y muchos cristianos en Venezuela muestran poca preocupación por los incrédulos de Perú. Cuando nace una visión misionera (y ha nacido en muchas iglesias del «campo misionero»), rara vez surge como resultado del ministerio del misionero «occidental». Si bien el estado de situación es irónico y deplorable, es comprensible. La preocupación misionera del misionero mismo ha sido expresada en términos de su cultura objetivo. A menos que vea a todo el mundo como objeto del amor de Dios, y lo comunique a los cristianos del lugar, ¡la visión de ellos tenderá a estar limitada por la propia visión del misionero!

Notas

1. Louis J. Luzbetak, *The Church and Cultures* (Techny, IL.: Divine Word, 1963), pp. 60-61.
2. Eugene A. Nida, *Message and Mission: The Communication of the Christian Faith* (New York: Harper and Row, 1960), pp. 33-58.
3. Eugene A. Nida, *God's Word in Man's Language* (New York: Harper and Row, 1952), pp. 45-46.

Preguntas para reflexionar

1. Newbigin hace una advertencia para que no se confunda el reino de Dios con los movimientos políticos. ¿Qué le preocupa, y cuál, según él, debe ser el carácter de la protesta cristiana contra la corrupción del poder político?
2. Según Newbigin, ¿qué es el quietismo y por qué la iglesia no ha de ser quietista? Explique la importancia de la «fe que se rebela», como la ilustra Newbigin en el ministerio de Jesús.

Analogía redentora

Don Richardson

Cuando un misionero penetra en otra cultura es notablemente extranjero. Cabe esperar que esto sea así, pero a menudo también se coloca la etiqueta de extranjero al evangelio. ¿Cómo se puede explicar éste para que resulte correcto de una manera cultural?

El Nuevo Testamento establece su comunicación mediante *analogías redentoras*. Considere estos ejemplos:

- El pueblo judío practicó el sacrificio del cordero pascual. Juan el Bautista proclamó que Jesús era el perfecto cumplimiento de este sacrificio, diciendo: «¡Aquí tienen al *Cordero de Dios*, que quita el pecado del mundo!». Ésta es una *analogía redentora*.

- Cuando Jesús habló con Nicodemo, maestro judío, ambos sabían que Moisés había levantado una serpiente de bronce en un asta para que los judíos, a punto de morir por la mordedura de serpientes, miraran a ella y fueran sanados. Jesús le dijo a Nicodemo que «como levantó Moisés la serpiente en el desierto, así también tiene que ser levantado el Hijo del hombre, para que todo el que crea en él tenga vida eterna». También ésta es una *analogía redentora*.

- Una multitud judía, recordando que Moisés había provisto maná milagroso en el desierto seis días por semana, insinuó que Jesús debía repetir el milagro de los panes y los peces, observando la misma agenda. Jesús les contestó: «No fue Moisés el que les dio el pan del cielo… El pan de Dios es el que baja del cielo y da vida al mundo…Yo soy el pan de vida». Una vez más, aparece una *analogía redentora*.

Cuando alguien acusó al cristianismo de destruir la cultura judía, el autor de la Epístola a los Hebreos probó cómo realmente el cristianismo cumplía todos los elementos principales de esta cultura —el sacerdocio, el tabernáculo, los sacrificios, e incluso el reposo sabático—. Llamamos a estos elementos «analogías redentoras» porque facilitan la comprensión humana de la redención. El propósito que Dios les otorga es preparar la mente humana de una manera culturalmente significativa para reconocer a Jesús como el Mesías. Parece que, fuera de las Escrituras, la revelación general de Dios es la fuente de las analogías redentoras que hay alrededor del mundo (véase Sal 19:1-4 y Jn 1:9).

Una gran estrategia para el presente

Esta estrategia puede ser aplicada hoy por los misioneros para discernir la analogía redentora particular de cada cultura. Considere la ventaja:

Don Richardson hizo obra pionera para World Team (anteriormente RBMU International) en la tribu sawi de Irian Jaya (actualmente Papúa, Nueva Guinea, Indonesia) de 1962 a 1977. Desde entonces ha servido como ministro en misiones especiales para World Team. Es autor de *Hijo de paz, Señores de la tierra* y *Eternidad en sus corazones*, y a menudo pronuncia conferencias en eventos misioneros y en los cursos de Perspectivas.

Cuando la analogía redentora facilita la conversión, la gente despierta a una percepción espiritual que ha permanecido aletargada en su propia cultura. De este modo, los conversos no niegan su trasfondo cultural. Al contrario, experimentan un mayor discernimiento de las Escrituras y de su propia herencia cultural, por lo cual están mejor preparados para hablar significativamente de Cristo con otros miembros de la sociedad a la que pertenecen.

El hallazgo y uso de analogías redentoras

El «hijo de paz» de los sawi

Como relaté en mi libro *Hijo de paz*, mi esposa y yo sufrimos una conmoción al enterarnos de que la tribu sawi otorgaba a la traición el rango de virtud. Por consiguiente, veían en Judas Iscariote un héroe del evangelio. No obstante, en la cultura sawi, una manera de hacer la paz exigía que un padre le confiara uno de sus hijos a otro padre enemigo para que lo criara. Este niño era llamado «hijo de paz». En una grave coyuntura de conflicto tribal pudimos presentar a Cristo como «el Hijo de paz» de Dios. Los sawi comprendieron en seguida la historia redentora de Dios como el gran Padre que entregó a su Hijo para reconciliar a gentes que se distanciaron. Actualmente, el setenta por ciento de los sawi profesan la fe de Jesús.

Los damal y el *hai*

La sawi no es la única tribu que cuenta con una analogía redentora sorprendente. Hace menos de una generación, el damal, pueblo de Irian Jaya, vivía como en la Edad de Piedra. Como tribu sometida vivían bajo la sombra del pueblo dani, políticamente más poderoso. Los damal hablaban de un concepto llamado *hai*. *Hai* es una palabra damal que designa una edad dorada largamente anticipada, una utopía ancestral según la cual cesarían las guerras, no habría opresión entre los hombres, y la enfermedad sería cosa rara.

Mugumenday, líder damal, anhelaba ver el advenimiento de *hai*. Al final de su vida llamó a su hijo Dem junto a su lecho, y le dijo: «Hijo mío, *hai* no ha venido en mi vida. Pero debes esperarla. Quizá llegue antes de que tú mueras».

Años después, varios matrimonios misioneros llegaron al valle donde vivía Dem. Después de desentrañar el idioma damal, comenzaron a explicarle el evangelio. La gente, incluido Dem, escuchaba cortésmente. Un día Dem, siendo ya adulto, se puso de pie y dijo: «Oh pueblo mío, ¡nuestros antepasados esperaron a *hai* por tiempo inmemorial! ¡Qué triste es que mi padre muriera sin verla! ¿No comprenden que estos forasteros nos la han traído? Debemos creer sus palabras, o perderemos el cumplimiento de nuestra antigua esperanza».

Prácticamente toda la población recibió el evangelio. En pocos años se formaron congregaciones en casi todas las aldeas damal, pero eso no fue todo.

Los dani y *nabelan-kabelan*

Los dani, soberbios señores de los damal, estaban perplejos ante el entusiasmo que bullía en las aldeas damal. Sintiendo curiosidad, enviaron a unos dani que hablaban damal para investigar. Al conocer que éstos se regocijaban en el cumplimiento de su antigua esperanza, los dani se asombraron. Ellos también habían esperado el cumplimiento de algo que llamaban *nabelan-kabelan*. Es decir, la creencia de que un día la inmortalidad volvería a la humanidad.

¿Era posible que el mensaje *hai* de los damal fuera también el *nabelan-kabelan* de los dani? Por aquel entonces uno de los matrimonios misioneros, Gordon y Peggy Larson, fueron asignados para trabajar entre los dani. Los guerreros dani notaron que a menudo mencionaban a un hombre llamado Jesús que pudo resucitar a los muertos y también a sí mismo. De pronto, las cosas encajaron para los dani, como también para los damal. La noticia se propagó. En un valle tras otro, la una vez bárbara tribu dani escuchó la palabra de vida, y nació una iglesia.

Los asmat y el «nuevo nacimiento»

El concepto de «nuevo nacimiento» tiene antecedentes en una tribu de Irian Jaya de la Edad de Piedra por medio de otra analogía redentora. A Nicodemo, erudito judío, le costó entender lo que Jesús quería decir cuando le declaró que las personas tenían que nacer de nuevo. Nicodemo preguntó: «¿Cómo puede uno nacer de nuevo siendo ya viejo?... ¿Acaso puede entrar por segunda vez en el vientre de su madre y volver a nacer?». Sin embargo, la tribu asmat de Irian Jaya entendió el significado del nuevo nacimiento del evangelio. Su forma de hacer la paz consiste en ceder niños de dos aldeas en guerra, haciéndolos pasar a través de un canal simbólico de nacimiento formado por los cuerpos de varios hombres y mujeres de ambas aldeas. Los que pasan por el canal son considerados *renacidos* en el sistema de parentesco de la aldea enemiga. Se les mece, se les canta canciones de cuna, se les arropa y se les mima como a recién nacidos; llegando a ser motivo de gozosa celebración. A partir de entonces pueden viajar con libertad entre las dos aldeas antes en conflicto, y sirven como vínculos vivos de paz. Esta costumbre ha inculcado durante siglos un concepto vital en la mentalidad asmat: ¡La verdadera paz sólo puede venir por medio de una experiencia de nuevo nacimiento!

Suponga que Dios lo ha llamado a usted a comunicar el evangelio al pueblo asmat. ¿Cuál sería su punto de partida lógico? Asumamos que ha aprendido su lengua y ha adquirido suficiente competencia como para debatir con ellos las cosas que más estiman en su corazón. Un día usted visita a un asmat típico —llamémosle Erypit— en su casa comunal. Primero conversa con él acerca del tiempo de guerra y de la transacción que puso fin a la misma. Luego anuncia: «Erypit, yo también estoy muy interesado en el nuevo nacimiento; yo también estaba en guerra con un enemigo llamado Dios. Mientras estuve en guerra con él la vida era siniestra, lo mismo que para ustedes y sus enemigos. Pero un día, mi enemigo Dios se acercó a mí y me dijo: "He preparado un nuevo nacimiento por el cual yo puedo nacer en ti y tú puedes nacer de nuevo en mí, para que estemos en paz…"».

Entonces Erypit se inclina hacia adelante sobre su alfombrilla y le pregunta: «¿Usted y su pueblo también saben del nuevo nacimiento?» Se sorprende al enterarse que usted, un forastero, es lo bastante sofisticado como para *pensar* en términos del nuevo nacimiento, y, ¡no digamos *experimentarlo*!

—Sí —responde usted.

—¿Es como el nuestro?

—Bueno, tiene algunas similitudes y algunas diferencias —responde usted—. Se las voy a explicar… —y Erypit las entiende.

¿Qué diferencia hay entre la pregunta de Erypit y la de Nicodemo? La mente de Erypit ya está preparada por la analogía redentora de los asmat al reconocer la necesidad de un nuevo nacimiento del hombre. Su labor consiste en convencerlo de que necesita un renacimiento *espiritual*.

¿Ocurren este tipo de analogías redentoras o son mera coincidencia? No lo son, porque su utilización estratégica es anunciada en el Nuevo Testamento, y porque están tan extendidas, podemos discernir que es la gracia de Dios en acción. Al fin y al cabo, nuestro Dios es más que soberano como para dejar las cosas al azar.

> **Un número sorprendente de culturas paganas tiene un concepto asombrosamente claro acerca de un Dios supremo, Creador de todas las cosas.**

Los yali y la *osuwa*

¿Se ha descubierto alguna cultura que carezca de conceptos que formen analogías redentoras? Una formidable candidata a esta lúgubre distinción era la cultura caníbal yali, de Irian Jaya, descrita en el libro *Señores de la tierra*. Si ha habido una tribu que necesitara creer en una analogía que prefigurara a Cristo, de la que los misioneros pudieran echar mano, es la de los yali. En 1966, misioneros de la Regions Beyond Missionary Union (actualmente World Team) lograron ganar una veintena de ellos para Cristo. Los sacerdotes del dios yali, Kembu, asesinaron en seguida a un par de ellos. Dos años más tarde asesinaron a los misioneros Stan Dale y Phillip Masters, clavándoles unas cien flechas a cada uno. Entonces el gobierno indonesio, al verse también amenazado por los yali, intervino para sofocar futuras sublevaciones. Intimidados por el poder del estado, los yali decidieron que era preferible la presencia de los misioneros a la de los soldados, pero los misioneros no podían encontrar en esa cultura una analogía que les aclarara el evangelio.

Otro misionero y yo llevamos a cabo un «sondeo cultural» bastante tardío, para conocer mejor las costumbres y las creencias de los yali. Un día, un joven yali llamado Erariek nos compartió un incidente que había acaecido. Nos dijo: «Hace mucho mi hermano Sunahan y un amigo suyo, Kahalek, sufrieron una emboscada que les tendieron unos enemigos del otro lado del río. Kahalek fue asesinado, pero Sunahan logró huir y refugiarse detrás de una pared circular de piedra que había en las inmediaciones. Saltó al interior, se desnudó el pecho delante de sus enemigos y se burló de ellos. Los enemigos bajaron inmediatamente las armas y se marcharon a toda prisa».

Casi se me cayó el bolígrafo. «¿Por qué no lo mataron?», le pregunté.

Erariek sonrió. «Si ellos hubieran derramado una gota de sangre de mi hermano estando dentro de aquella pared de piedra —que llamamos *osuwa*— su propia gente los habría matado».

Los pastores yali y los misioneros que trabajan con ellos ahora cuentan con una nueva herramienta evangelística. Cristo es el *osuwa* espiritual, el lugar perfecto de refugio. La cultura yali imita instintivamente la enseñanza cristiana de que el hombre necesita un lugar de refugio. Años antes ellos habían establecido una red *osuwa* en zonas donde tenían lugar la mayor parte de sus batallas. Los misioneros habían visto las paredes de piedra, pero no habían descubierto su pleno significado.

El uso de nombres autóctonos para designar a Dios

Otra categoría especial de analogías redentoras tiene que ver con los nombres que se usan para designar a Dios —en lugar de Elohim— en miles de lenguas de todo el mundo. Los cristianos yerran cuando asumen de manera precipitada que los paganos no saben nada de Dios. A decir verdad, sorprende el número de culturas paganas que tienen un concepto asombrosamente claro acerca de un Dios supremo, Creador de todas las cosas. La Escritura nos informa que debemos esperar esto debido a la revelación general de Dios por medio de la creación y de la conciencia. Por ejemplo:

1. El apóstol Pablo escribió: «Porque desde la creación del mundo las cualidades invisibles de Dios, es decir, su eterno poder y su naturaleza divina, se perciben claramente a través de lo que él creó, de modo que nadie tiene excusa» (Ro 1:20). Esta creencia, que los hombres ya tienen algún conocimiento de Dios incluso antes de oír la ley judía o el evangelio de Cristo, fue una piedra angular de la teología evangelística de Pablo. La expresó en la ciudad licaonia de Listra, proclamando que «en épocas pasadas él (Dios) permitió que todas las naciones siguieran su propio camino. Sin embargo, no ha dejado de dar testimonio de sí mismo haciendo el bien, dándoles lluvias del cielo y estaciones fructíferas, proporcionándoles comida y alegría de corazón», etcétera. (Hch 14:16-17).

2. En su famosa carta a los cristianos de Roma, Pablo escribió que «cuando los gentiles, que no tienen la ley, cumplen por naturaleza lo que la ley exige, ellos son ley para sí mismos… muestran que llevan escrito en el corazón lo que la ley exige» (Ro 2:14-15).

3. El apóstol Juan declaró que Jesucristo es la «luz verdadera, la que alumbra a todo ser humano» (Jn 1:9). Y el rey Salomón dijo que Dios «ha puesto eternidad en el corazón» de la humanidad. Y añadió la cláusula preventiva «sin que alcance el hombre a entender la obra que ha hecho Dios desde el principio hasta el fin» (Ec 3:11, RVR60). Según el hebraísta Gleason Archer, la frase de Salomón significa que la humanidad tiene una capacidad que Dios le ha dado para captar la noción de eternidad, con todas las perturbadoras implicaciones que ello acarrea para los seres morales.[1]

4. El padre de Salomón, el rey David, expresó un elocuente reconocimiento del testimonio universal que Dios da de sí mismo por medio de la creación, diciendo: «Los cielos cuentan la gloria de Dios, el firmamento proclama la obra de sus manos. Un día comparte al otro la noticia, una noche a la otra se lo hace saber. Sin palabras, sin lenguaje, sin una voz perceptible, por toda la tierra resuena su eco, ¡sus palabras llegan hasta los confines del mundo! Dios ha plantado en los cielos un pabellón para el sol» (Sal 19:1-4). Luego David se fija en el sol, y lo describe como: «novio que sale de la cámara nupcial» que «se apresta, cual atleta a recorrer el camino» (Sal 19:5-6). Tal vez no haya otro pasaje en las Escrituras que introduzca al rey Pachacutec de manera más idónea.

La mini reforma de Pachacutec

La historia de Pachacutec bien podría ofrecer el mejor ejemplo de la historia de lo que Pablo, Juan, Salomón y David, quisieron manifestar en las anteriores citas. Pachacutec fue un inca que vivió entre 1400 y 1448 d.C.[2] También fue el emprendedor que diseñó y construyó Machu Picchu, seguramente el primer centro turístico de montaña del Nuevo Mundo. Después de la invasión española del Perú, Machu Picchu llegó a ser el último santuario de la clase alta inca.

Pachacutec y su pueblo adoraban al sol, al que llamaban Inti. Pero Pachacutec empezó a sospechar de sus credenciales. Lo mismo que el rey David, el rey Pachacutec estudió el sol. Nunca hacía nada, que Pachacutec supiera, excepto alzarse, brillar, cruzar el cenit y ocultarse. Al día siguiente lo mismo: alzarse, brillar, cruzar el cenit y ocultarse. A diferencia de David, que comparó el sol con un novio o un atleta, Pachacutec dijo: «Inti se asemeja a un trabajador que se ve obligado a ejecutar las mismas faenas cada día. Y si sólo es un trabajador, ¡a buen seguro no puede ser Dios! Si Inti fuera Dios, ¡haría algo original de vez en cuando!».

Volvió a pensar y observó: «Un poco de niebla oscurece la luz de Inti. Ciertamente, si Inti fuera Dios, ¡nada podría empañar su luz!». De este modo, hizo un tremendo descubrimiento —¡había estado adorando una simple *cosa* como si fuera el Creador!

Pero si Inti no era Dios, ¿a quién se podía volver Pachacutec? Entonces se acordó de un nombre que su padre había una vez exaltado —¡*Viracocha!*—. Según su padre, Viracocha era el Dios que había creado *todas las cosas*. ¡Entre todas ellas figuraba Inti! Pachacutec tomó una decisión enérgica. ¡Este sinsentido de Inti en-lugar-de-Dios había llegado demasiado lejos! Convocó a una asamblea de sacerdotes del sol, un equivalente

asamblea, Pachacutec explicó su razonamiento acerca de la supremacía de Viracocha. Y ordenó que de ahí en adelante sólo se dirigieran a Inti como «pariente». La oración —enfatizó— debe ir dirigida a Viracocha, el Dios supremo.

Si bien por lo general han ignorado a Pachacutec, los eruditos han aclamado a Akenatón, rey egipcio (1379-1361 a.C.), como hombre de genio singular porque intentó reemplazar la crasa y confusa idolatría del antiguo Egipto con la más pura y simple adoración del sol como dios único.[3] No obstante, Pachacutec llevaba leguas de ventaja a Akenatón, por cuanto comprendió que el sol, que sólo podía *cegar* los ojos humanos, no era rival para un Dios demasiado grande para ser visto por el ojo del hombre. Si el culto al sol de Akenatón ascendía un peldaño por encima de la idolatría, ¡la elección de Pachacutec de un Dios invisible era un salto hacia la estratosfera!

¿Por qué los eruditos modernos, tanto religiosos como seglares, ignoran prácticamente a este hombre admirable? Quizá fue porque Pachacutec no pudo alcanzar lo que hubiera sido su gran logro. Una medida importante del genio de un hombre es su capacidad para comunicar su intuición a gente

«común». Grandes líderes religiosos, como Moisés, Buda, Pablo y Lutero, alcanzaron la excelencia en esta destreza. Pachacutec ni siquiera lo intentó. Al estimar que las masas de su pueblo eran demasiado ignorantes para apreciar el valor de un Dios invisible, decidió deliberadamente dejarlas sumidas en las tinieblas tocante a la realidad de Viracocha. La reforma de Pachacutec, por sorprendente que fuera, sólo llegó a ser una mini reforma, limitada a la clase alta. Las clases altas son, de manera notable, un fenómeno social de vida corta. Menos de un siglo después de la muerte de Pachacutec, despiadados conquistadores borraron la clase alta del imperio de Pachacutec y pusieron fin a su reforma.

¿Era Viracocha el Dios verdadero, el Dios de la creación? ¿O era sólo un producto de la imaginación de Pachacutec, un impostor? Si el apóstol Pablo hubiera vivido en los días de Pachacutec, y si uno de sus viajes misioneros lo hubiera llevado hasta el Perú, ¿habría denunciado que la perspicacia de Pachacutec no era sino alucinación? ¿O habría aceptado que «el nombre de Yavé en esa tierra era Viracocha»? No resulta difícil deducir cuál habría sido la actitud de Pablo tocante a este asunto. Cuando les predicó el evangelio a las gentes de habla griega no les impuso un nombre judío para designar a Dios —Jehová, Yavé, Elohim, Adonai o El Shaddai—, sino que respaldó con su sello apostólico la decisión que los traductores de la versión Septuaginta del Antiguo Testamento habían madurado a lo largo de dos siglos. Dieron al Dios de los judíos un nombre completamente griego — *Theos*—. Pablo hizo lo mismo.

Es curioso, pero los traductores de la Septuaginta no intentaron equiparar al dios griego Zeus con Yavé. Tampoco lo hizo Pablo. Aunque los griegos consideraban a Zeus «rey de los dioses», éste a su vez era prole de otros dos dioses, Crono y Rea. De aquí que el nombre de Zeus no pudiera servir como seudónimo de Yavé, el increado. Más adelante, el cognado latino de *Theos* —*Deus*— ¡sería aceptado como equivalente de Yavé por los cristianos de Roma!

Y cuando Pablo predicó el evangelio en Atenas equiparó audazmente a Yavé con «UN DIOS DESCONOCIDO», mencionado en cierto altar en la ciudad. Pablo dijo: «¡Eso que ustedes adoran como algo desconocido es lo que yo les anuncio!».

Una oportunidad para el evangelio

Surge un principio. En contra de las creencias de los Testigos de Jehová, no hay nada inherentemente sagrado en una combinación de sonidos y letras para designar al Todopoderoso. Puede tener diez mil seudónimos, si es necesario, en diez mil lenguas. Es imposible hablar de un Creador increado sin referirse a Dios. ¡Cualquiera que se atreva a protestar que «faltan algunos de sus

> **No hay nada inherentemente sagrado en un nombre para designar al Todopoderoso. Puede tener diez mil seudónimos, si es necesario, en diez mil lenguas.**

atributos» es responsable de añadirlos! Cualquier vacío teológico en torno a algún concepto cultural de Dios no es un obstáculo para el evangelio —¡es una oportunidad!

Desde los tiempos de Pablo, el cristianismo se ha extendido por todo el mundo confirmando la noción de un Dios supremo en miles de culturas humanas:

- Cuando los misioneros celtas evangelizaron a los anglosajones del norte de Europa, no les impusieron nombres judíos o griegos que designaran a la Deidad, sino que recurrieron a palabras anglosajonas como «Gött», «God» o «Gut».

- En 1828 los misioneros bautistas estadounidenses, George y Sarah Boardman, descubrieron que el pueblo karen del sur de Birmania creía que un gran Dios llamado *Y'wa* (sombras de Yavé) ¡había entregado un libro sagrado a sus antepasados hacía mucho tiempo! Pero, ¡ay!, sus antepasados fueron traviesos, ¡y lo perdieron! No obstante, se había conservado una tradición karen persistente, según la cual un día un hermano blanco devolvería el libro perdido al pueblo karen, y restauraría su comunión con *Y'wa*. La tradición predecía que el mensajero aparecería llevando un objeto negro bajo el brazo. George Boardman, quien acostumbraba sujetar su Biblia de piel negra bajo el brazo, fue ese hermano blanco, y a raíz de ello, en pocas décadas, ¡se bautizaron en la fe de Cristo cien mil karen!

- En 1867 el misionero luterano noruego, Lars Skrefsrud, descubrió que miles de individuos del pueblo santal de la India lamentaban melancólicamente el rechazo de sus antepasados a *Thakur Jiu*, el Dios verdadero. Skrefsrud proclamó que el Hijo de *Thakur Jiu* había venido a la tierra para reconciliar a una humanidad alejada consigo mismo. Como consecuencia, en pocas décadas, ¡más de cien mil santal recibieron a Jesucristo como su Salvador!

- Los pioneros presbiterianos en Corea encontraron un nombre coreano para Dios: *Hananim*, el Grandioso. En vez de descartar el nombre de *Hananim* e imponer uno extranjero para designar a Dios, proclamaron que Jesucristo era el Hijo de *Hananim*. En el espacio de unos ochenta años, ¡más de dos millones y medio de coreanos se convirtieron en seguidores de Jesucristo!

- En la década de 1940, Albert Brant, de la Misión al Interior del Sudán, descubrió que miles de miembros de la tribu gedeo de Etiopía creían que *Magano*, el Creador, enviaría un día a un mensajero que iba a acampar debajo de un árbol sicómoro. Sin sospechar nada, Albert acampó debajo de ese árbol, y hubo una imponente respuesta al evangelio, lo que provocó el nacimiento de doscientas iglesias en menos de tres décadas.

Estas historias de avances se pueden multiplicar centenares de veces en la historia de las misiones. En verdad, ¡Pablo, Juan, Salomón y David, tenían razón! Dios no ha dejado de dar testimonio de sí mismo por medio de su revelación general. ¡Cuán trágico es que las generaciones precedentes no se apresuraran a obedecer la Gran Comisión! ¿Qué habría sucedido si los mensajeros del evangelio hubieran ayudado a Pachacutec a encontrar en Jesucristo el cumplimiento de lo que él sabía que era verdad, gracias a la eternidad inscrita en su corazón?

¿Cuántos otros Pachacutec morirán sin recibir confirmación? ¿Cuántas generaciones de Pachacutecs se levantarán en el juicio, con Nínive y la reina del Sur, y avergonzarán a creyentes indiferentes (Lc 11:31-32)? ¡Esforcémonos en ser —para nuestra generación— los Boardman, los Skrefsrud, los Brant, que se preocupan lo necesario como para ir y proclamar las buenas nuevas!

En nuestra generación, la elección de nombres para designar a Dios es un asunto crucial. Por ejemplo, algunos cristianos creen que el nombre árabe de *Alá*, que usa el islam para designar a Dios, no se debe aceptar como sinónimo viable para Elohim. Debe saberse que millones de cristianos en Indonesia usan *Alá* para designar a Dios y *Tuhan Alá*, para Dios el Señor. Tal vez debido a esto, los cristianos indonesios han sido mucho más eficaces en ganar musulmanes para Cristo que otros cristianos. También debe saberse que los musulmanes de algunos países islámicos, conscientes del acceso que el nombre de *Alá* brinda al corazón musulmán, están promulgando leyes que les prohíben a los cristianos usarlo en relación con el evangelio de Cristo.

Conceptos como el Hijo de paz sawi, el *hai damal*, el *nabelan-kabelan* dani, el nuevo nacimiento asmat y el *osuwa* yali, están en el corazón de las culturas humanas. Cuando los mensajeros del evangelio ignoran, desacreditan o eliminan distintivos como éstos, la resistencia al evangelio puede endurecerse en forma de concreto cultural. Pero cuando la analogía redentora identifica y confirma los componentes culturales que resultan de la influencia divina en la revelación general, la Biblia, la revelación divina especial, puede ser honrada como revelación consumada de Dios, y para Dios.

Aún quedan centenares de regiones donde la respuesta al evangelio ha sido insuficiente, o incluso inexistente. En esas regiones, una investigación cultural, sensible, puede descubrir posibilidades maravillosas para la penetración del evangelio por medio de analogías redentoras.

Notas

1. De una entrevista personal con Gleason Archer.
2. *Indians of the Americas* (Wash., D.C.: National Geographic Society, 1955), pp. 293-307.
3. *The Horizon Book of Lost Worlds* (New York: American Heritage Publishing, 1962), p. 115.

Preguntas para reflexionar

1. Imagine que usted es un nuevo misionero. ¿Cómo aplicaría la estrategia de buscar una analogía redentora entre el pueblo con el que trabaja?
2. ¿Cómo afecta el concepto de revelación general la manera en que los misioneros les presentan la verdad bíblica a otras culturas?
3. ¿Cómo pueden los nombres autóctonos que designan a Dios ayudar a comunicar la verdad revelada del nombre de Dios tal como aparece en la Escritura?

Hacer discípulos de aprendices orales

Red de Oralidad Internacional

Desde el tiempo de la Biblia de Gutenberg, el cristianismo «ha caminado sobre pies alfabetizados» y ha exigido, directa o indirectamente, el alfabetismo de los demás. Sin embargo, las dos terceras partes de todas las personas del mundo son comunicadores orales: personas que no aprenden, no pueden aprender o no quieren aprender mediante métodos literales. Es irónico, pero se estima que el noventa por ciento de los obreros cristianos del mundo que presentan el evangelio usan estilos de comunicación fuertemente literales.

Hacer discípulos de aprendices orales requiere formas de comunicación que sean conocidas dentro de la cultura: cuentos, proverbios, dramatizaciones, canciones, cánticos y poesía. Los métodos literales utilizan listas, bosquejos, estudios de palabras, páginas impresas y exposiciones analíticas de la palabra de Dios. Eso hace que sea difícil, si no imposible, que los aprendices orales escuchen y entiendan el mensaje y lo comuniquen a otras personas.

Cómo tiene lugar el aprendizaje y la comunicación en culturas orales

Cuando hablamos de «aprendices orales», nos referimos a personas que aprenden mejor y cuyas vidas más probablemente sean transformadas cuando la instrucción les llega en formas orales. Las culturas orales tienden a ser sociedades cara a cara y altamente relacionales. Las culturas orales transmiten sus creencias, su herencia, sus valores y demás información importante mediante cuentos, proverbios, poesía, cánticos, música, danzas, ceremonias y ritos de iniciación. La palabra hablada, cantada o salmodiada, asociada con estas actividades, a menudo consiste en formas de comunicación floridas y elaboradas.

La diferencia entre el aprendizaje oral y el literal va mucho más allá de formas o estilos de comunicación superficiales. La forma misma en que los aprendices orales procesan la información es diferente. Estas formas incluyen conceptos concretos (más que abstractos), expresiones de sucesos secuenciales (más que aleatorios) y contextos relacionales (en oposición a individuales).

Quienes han crecido en sociedades altamente literales tienden a concebir el alfabetismo como la norma, y a la comunicación oral como una desviación. No es así. Todas las sociedades, incluyendo las que tienen un segmento de alto nivel literal, tienen la comunicación oral en su núcleo. La comunicación oral es la función básica en la que se basa la escritura y el alfabetismo. Cuando el alfabetismo persiste en una cultura durante generaciones, comienza a modificar la forma de pensar, de actuar y de comunicarse de la gente, al punto que los integrantes de esa sociedad alfabetizada tal vez no se den cuenta siquiera de cuán diferente

La Red de Oralidad Internacional (ION, por sus siglas en inglés) es una red de organizaciones que trabajan juntas para influir en organizaciones misioneras, iglesias y personas para que hagan discípulos de todos los aprendices orales por medio de la narración de historias de la Biblia y otras formas de comunicación culturalmente apropiadas. Promueve la provisión de la Palabra de Dios a todos los comunicadores orales, incluyendo etnias no alcanzadas, para facilitar movimientos de fundación de iglesias en todas partes.

De *Making Disciples of Oral Learners*, un libro de un grupo de estudio en la consulta 2004 LCWE en Pattaya, Tailandia, publicado conjuntamente por ION y el Comité de Lausana para la Evangelización Mundial.

Artículo 70

son sus estilos de comunicación de los de la mayoría del mundo, que son comunicadores orales.

Sin embargo, a los aprendices orales les resulta difícil seguir presentaciones basadas en un estilo literal, aun cuando sean hechas oralmente. No basta con tomar materiales creados para alfabetizados y simplemente leerlos y volcarlos en un formato grabado. Convertir algo en audible no lo convierte por ese solo hecho en un estilo de comunicación «oral». No todo lo que está en un CD o una cinta de audio es «oral». Algunas cosas son a todas luces literales en su estilo, aun cuando sean habladas o audibles. Lo mismo ocurre con otros productos para medios de comunicación creados para públicos literales. Pueden tener rasgos estilísticos literales que confunden a aprendices orales.

Hacer discípulos en culturas orales

Para hacer discípulos de aprendices orales, es crítico que nos enfoquemos en cinco aspectos importantes de la comunicación del evangelio en culturas orales.

1. Usar estrategias orales apropiadas para proveer la Palabra de Dios

Nos gustaría que todos los pueblos tuvieran una traducción escrita de la Biblia en su lengua materna. Pero los analfabetos no pueden acceder a la Biblia escrita aun cuando esté disponible en su propio idioma. Por otra parte, un programa de traducción de la Biblia que comienza por la presentación oral de la Biblia por medio de la narración de historias y luego continúa con un programa de traducción y alfabetización, es la estrategia más integral para comunicar la palabra de Dios en su lengua materna. Ofrece una posibilidad viable de hacer discípulos de los aprendices orales, a la vez que brinda simultáneamente todo el consejo de Dios.

Un enfoque sistemático y secuencial, con una sociedad de comunicadores mayormente orales, podría comenzar por la narración oral de historias de la Biblia. Tal vez luego podría incluir presentaciones en audio y radiales de esas mismas historias orales. También podrían usarse otros productos de audio y radiales de una serie más amplia basada en material bíblico traducido.[1] En algunos casos, algunas formas visuales primarias, como ilustraciones que describen escenas de historias de la Biblia, podrían ser un apoyo. Por supuesto, las películas y los videos pueden ser un complemento importante de una «Biblia oral».

2. Usar patrones de comunicación orales para transmitir el mensaje del evangelio

Piense en cómo se puede ayudar a comunidades enteras de aprendices orales a escuchar el mensaje del evangelio para que entiendan con toda claridad, respondan profundamente y transmitan con facilidad el mensaje a otros. En casi cualquier cultura oral, transmitir las historias de la Biblia en un patrón oral y secuencial ayuda a que la gente las entienda, las recuerde, y las vuelva a contar. Esta forma de comunicar historias ha llegado a denominarse «narración cronológica de historias bíblicas».

Un enfoque de «narración de historias» del ministerio involucra seleccionar y preparar historias bíblicas con la ayuda de líderes locales. Las historias son fieles al texto bíblico, y al mismo tiempo son narradas de una forma natural y convincente en la lengua materna que resuena con la cosmovisión de la sociedad receptora. Cuando la narración cronológica de historias bíblicas se hace correctamente, los diversos relatos se expresan de maneras que la sociedad receptora considera como verdaderas y valiosas. A menudo, la forma en que se transmiten las historias involucra a los oyentes, quienes las procesan de una forma culturalmente pertinente mientras interactúan con el narrador y las comentan entre ellos.

3. Equipar a comunicadores relacionales-narrativos para que hagan discípulos

Muchos aceptan la idea de que un enfoque oral, como la narración cronológica de historias bíblicas, puede ser apropiado para la evangelización inicial, pero se preguntan si un enfoque de narración de historias es viable para un movimiento sostenido de fundación de iglesias liderado en forma autóctona. ¿Es adecuado para un discipulado sostenido entre la segunda, la tercera y las sucesivas generaciones y para el desarrollo de los líderes en la iglesia? Los que trabajan en sociedades relacionales que funcionan cara a cara han encontrado que la

> **Las dos terceras partes de todas las personas del mundo son comunicadores orales: personas que no aprenden, no pueden aprender o no quieren aprender mediante métodos literales.**

narración de historias no sólo es un enfoque viable para suplir estas necesidades, sino que es el enfoque preferido para asegurar la reproducibilidad. Todo lo que es reproducible, por lo general es sostenible en movimientos de fundación de iglesias liderados en forma autóctona. Los nuevos creyentes pueden compartir el evangelio, fundar nuevas iglesias y discipular a nuevos creyentes fácilmente, de la misma forma en que ellos mismos fueron alcanzados y discipulados.

> **Es crítico encontrar formas de ayudar a aprendices orales a escuchar el mensaje del evangelio para que entiendan con toda claridad, respondan profundamente y transmitan con facilidad el mensaje a otros.**

4. Usar medios orales para hacer discípulos a fin de evitar el sincretismo

Si la iglesia desea evitar el sincretismo, entonces el evangelio debe ser comunicado en la lengua materna del pueblo que estamos intentando alcanzar. Tanto los materiales evangelísticos, como de discipulado, no pueden ser genéricos, sino que necesitarán ser desarrollados con la cosmovisión del público al que apuntan. Las historias escogidas y la forma en que son comunicadas tendrán que transformar la cosmovisión de las personas que las ven o escuchan. Una Biblia oral grabada ayudará a servir como norma para garantizar que la transmisión de las historias mantenga la precisión. Estos métodos ayudarán a garantizar que la iglesia permanezca fiel a las creencias históricas del cristianismo y no mezcle creencias tradicionales paganas en sus doctrinas o prácticas.

5. Usar métodos orientados hacia la oralidad para alcanzar a los «aprendices orales secundarios»

Hay millones de personas que optan por aprender y comunicarse mediante métodos orales en vez de literales a pesar de su alfabetismo. Estas personas se denominan *aprendices orales secundarios*. Los aprendices orales secundarios son personas que se han vuelto literales por su trabajo o educación, pero prefieren ser entretenidos, aprender y comunicarse mediante medios orales.

Las estrategias orales también son necesarias para alcanzar a personas cuya oralidad está ligada a los medios electrónicos. El crecimiento explosivo de estos medios ha contribuido al surgimiento global de la oralidad secundaria, es decir, la oralidad que depende de los medios electrónicos. A medida que medios no impresos como la radio, las películas y la televisión se vuelven ampliamente disponibles, las sociedades orales pueden convertirse en medios multimediales. Sus vidas continúan siendo muy influidas por las historias que aprenden y las canciones que escuchan. Sin embargo cada vez más, esas historias y canciones, provienen más de medios electrónicos que de la tradicional comunicación cara a cara. Los aldeanos pasan, de escuchar a los ancianos que cuentan historias alrededor de un fuego parpadeante, a observar historias en la pantalla parpadeante de un televisor. «El analfabetismo funcional sigue siendo importante aquí», dice Muniz Sodré, profesor de comunicaciones de la Universidad Federal de Río de Janeiro. «En muchos sentidos, Brasil fue directamente de la cultura oral a la era electrónica, pasando de largo frente a la palabra escrita. La televisión llena el vacío».

La oralidad secundaria es también una influencia significativa en culturas con una fuerte tradición de alfabetismo. Hay millones de personas que tal vez puedan leer bien, pero obtienen la mayor parte de su información importante (incluyendo creencias y valores) por historias y música que reciben a través de la radio, la televisión, las películas, internet y otros medios electrónicos. Este fenómeno está haciendo que muchos piensen, se comuniquen, procesen información y tomen decisiones, cada vez más, como pueblos orales. Las estrategias orales son una parte esencial en la generación de movimientos evangelísticos en este segmento de la población mundial.

NOTAS

1. Algunos ejemplos de estas clases de presentaciones de audio y radio en idiomas locales son los diversos recursos bíblicos de Global Recordings Network, las versiones en audio de la película *JESÚS*, las versiones en audio de *Vidas de los Profetas*, *Vida de Jesús* y *Vidas de los Apóstoles*, las grabaciones dramatizadas del Nuevo Testamento de *La Fe Viene por el Oír*, y la *Biblia Radial*, que consiste en 365 transmisiones de 15 minutos de historias del Antiguo y el Nuevo Testamento.

Preguntas para reflexionar

1. Según este artículo, ¿cuáles son los cinco aspectos importantes de la comunicación del evangelio en culturas orales?

2. ¿Por qué es importante identificar a un pueblo/sociedad como aprendices literales u orales?

¿Por qué comunicar el evangelio narrando historias?

Tom A. Steffen

Creí que por fin había aprendido suficiente del idioma ifugao y de su cultura (Filipinas) para poder hacer un poco de evangelismo público. Desarrollé unas lecciones bíblicas que seguían el bosquejo tópico que recibimos durante el adiestramiento antes de llegar al campo misionero: la Biblia, Dios, Satanás, la humanidad, el pecado, el juicio y Jesucristo. Para empezar, introduje a mis oyentes ifugao en la base de autoridad (la Biblia). Luego seguí rápidamente a la segunda parte del bosquejo (Dios), y así, hasta llegar a Jesucristo. Presenté las lecciones con un formato tópico y sistemático. Mi meta no sólo era comunicar el evangelio, sino también hacerlo de manera que el pueblo ifugao pudiera comunicarlo con eficacia a otros.

Pero mientras enseñaba, pronto comprendí que a los ifugao se les dificultaba seguir las presentaciones tópicas y les era aún más difícil explicar el contenido a otros. Quedé confundido.

Algo tenía que cambiar, así que agregué una serie de historias del Antiguo Testamento para ilustrar los conceptos abstractos (teóricos) en las lecciones, por medio de personajes y objetos pictóricos (concretos). Conté historias acerca de la creación, la caída, Caín y Abel, el diluvio, la salida de Egipto, la entrega de los Diez Mandamientos, el tabernáculo, Elías y Baal, historias que proveerían fundamento para la historia de Jesús. Su respuesta fue fantástica. Las sesiones evangelísticas cobraron vida, los oyentes se convirtieron en evangelistas instantáneos, contando con eficacia y entusiasmo las historias a sus amigos. Desde ese entonces he integrado historias en todos mis esfuerzos evangelísticos.

De vuelta al poder del narrativo

Después de que el pueblo ifugao me reintrodujo al poder del narrativo, empecé a investigar el tema.[1] Pronto descubrí que muchas disciplinas, incluyendo la administración, la salud mental y física, la apologética, la teología y antropología, se apoyan mucho en narrar historias.

Desafortunadamente, muchos obreros cristianos han perdido el arte de relatar historias con respecto al evangelismo. Pocos presentan el evangelio mediante historias del Antiguo Testamento para establecer un sólido fundamento y tener un mejor entendimiento de la vida de Cristo o vincular estas historias de esperanza con la historia de desaliento de la audiencia. Más bien, muchos prefieren hacer un bosquejo de cuatro o cinco leyes espirituales y probar la validez de cada una mediante un refinado argumento.

Algunos de los mitos sin fundamento que afectan la preferencia en contra de la narración o los relatos en el evangelismo, son: (1) las historias son para niños; (2) las historias son para el entretenimiento;

Tom A. Steffen es profesor de estudios interculturales y director del programa de doctorado de misionología en la Escuela de Estudios Interculturales, en Biola University, La Mirada, California. Sirvió durante veinte años en New Tribes Mission, quince de ellos en las Filipinas.

De *Reconnecting God's Story to Ministry: Crosscultural Storytelling at Home and Abroad*, 2005. Usado con permiso de William Carey Library, Pasadena, CA.

(3) los adultos prefieren pensamientos sofisticados, objetivos, oproposicionales; (4) el carácter se deriva de dogmas, credos y teología; (5) la narración de relatos es una pérdida de tiempo porque falla en comunicar los temas de más peso. Como resultado de estos y otros mitos relacionados, muchos obreros cristianos han hecho a un lado la narración de historias. Para ayudar a reconectar la historia de Dios con el evangelismo y discipulado, recalcaré siete razones de por qué la narración de historias debería convertirse en una destreza practicada por todos los que comunican el evangelio.

1. La narración de relatos es una forma universal de comunicación

No importa adónde viaje en el mundo, se dará cuenta de que a la gente le encanta escuchar y contar historias. Niños pequeños, jóvenes y ancianos, a todos les gusta entrar en las experiencias de vida de otros por medio de historias.

Cualquiera que sea el tema a conversar, las historias forman parte integral del diálogo. Las historias se usan para argumentar, expresar el sentido del humor, ilustrar un pensamiento clave, consolar a un amigo abatido, retar al campeón, o simplemente pasar el tiempo. Cualquiera que sea su uso, las historias tienen su manera única de entrar en la conversación.

Las historias se escuchan en cualquier parte. Son apropiadas en la iglesia, en la cárcel, camino a casa y alrededor de la fogata.

La gente no sólo cuenta historias, sino que tiene la necesidad de hacerlo. Esto nos lleva a la segunda razón para narrar historias.

2. Más de la mitad de la población mundial prefiere el modo concreto de aprendizaje

La gente analfabeta, y semi analfabeta en el mundo, probablemente supera al número de personas que pueden leer.[2] La gente de tal origen tiende a expresarse más por medio de formas concretas (historias y símbolos) que por conceptos abstractos (pensamiento proposicional y filosofía).

Un creciente número de estadounidenses prefieren el modo concreto de comunicación. Esto se debe, al menos en parte, a un gran cambio en la preferencia de comunicación. Una de las razones para este cambio (y la caída del índice de alfabetismo) es la televisión. Con fragmentos de

entrevista cuyo promedio es de trece segundos, e imágenes que duran un promedio de menos de tres segundos (a menudo sin lógica lineal), no es de sorprenderse que quienes están bajo esta influencia todos los días, tengan poco tiempo o deseo de leer. En consecuencia, las compañías de periódicos continúan decayendo, mientras que las de producción de video proliferan. Si los obreros cristianos se basan más que nada en un fundamento literario abstracto para el evangelismo y la enseñanza, dos tercios del mundo podrían volver su atención a otro lado.[3]

3. Las historias se asocian con nuestra imaginación y emociones

La comunicación efectiva no sólo impresiona la mente, sino que también alcanza lo profundo de las emociones, el corazón. A diferencia de los principios, preceptos y proposiciones, las historias nos llevan por una travesía sin fin que afecta a la persona en su totalidad.

Además de proveer fechas, horas, lugares, nombres, cronologías, al mismo tiempo las historias provocan lágrimas, ovación, temor, enojo, confianza, convicción, sarcasmo, desesperación y esperanza. Las historias llevan a los oyentes a la vida de los personajes. Los oyentes (participantes) no sólo escuchan lo que les pasó a dichos personajes; por medio de su imaginación ellos entran indirectamente en la experiencia. Herbert Schneidau expresa con elocuencia el meollo al decir: «Las historias tienen la habilidad de despertar sentimientos que habitualmente anestesiamos».[4]

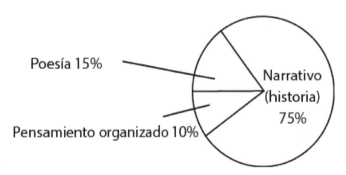

Principales estilos literarios de la Biblia

Poesía 15%

Narrativo (historia) 75%

Pensamiento organizado 10%

La gente aprecia las historias porque reflejan sus propias vidas, entretejiendo realidad con sentimiento. Las historias desencadenan la imaginación, convirtiendo el aprendizaje en una experiencia emocionante y transformadora.

4. Casi el setenta y cinco por ciento de la Biblia es narrativo

Tres estilos de literatura básicos dominan el panorama de las Escrituras, el narrativo, la poesía y el formato de pensamiento organizado, pero predomina el narrativo (véase la figura de arriba).

A través de los siglos, los escritores de la Biblia documentaron gran cantidad de personajes: desde reyes hasta esclavos, los que siguieron a Dios y quienes buscaron su ganancia personal. Tales historias sirven como espejos que reflejan nuestra propia perspectiva de la vida y, aún más importante, la de Dios. Charles Koller destaca con agudeza:

> La Biblia no fue dada para revelar la vida de Abraham, Isaac y Jacob, sino para revelar *la mano de Dios* en las vidas de Abraham, Isaac y Jacob; ni como revelación de María, Marta y Lázaro, sino más bien para revelar al *Salvador* de María, Marta y Lázaro.[5]

La poesía abarca casi el quince por ciento de la Biblia. Cantos, lamentos y proverbios proveen al lector una variedad de vías para expresar y experimentar profundas emociones. Estas porciones de la Biblia exponen el lado sentimental de la gente, y también iluminan los sentimientos de Dios.

El diez por ciento restante se compone de un formato de pensamiento organizado. La influencia griega en los escritos del apóstol Pablo se encuentran bajo esta categoría, donde el pensamiento lógico y lineal tiende a dominar. Muchos occidentales que han estudiado de acuerdo con la tradición griega, incluyéndome a mí mismo, prefieren pasar la mayor parte del tiempo en el estilo literario bíblico más pequeño. Sin embargo, si Dios comunicó la mayoría de su mensaje al mundo por medio de historias, ¿qué sugiere eso a los obreros cristianos?

5. Todas las religiones principales usan las narraciones para socializar a los pequeños, convertir a posibles seguidores y adoctrinar a sus miembros

El budismo, islam, hinduismo, judaísmo y el cristianismo, se valen de historias para expandir (y limitar) su membrecía a fin de asegurar una continua unión generacional. Se valen de

---

Transformar cosmovisiones por medio de la historia bíblica

D. Bruce Graham

La Biblia revela una historia. Sus primeros capítulos recorren la historia del pueblo de Israel; fue escrita para ayudarlo a entender su identidad y sus propósitos únicos como pueblo. Su identidad estaba arraigada en la primera familia humana y en el Dios de la creación, que estaba cumpliendo un propósito en la tierra por medio de ellos. Pero Israel no es único en este sentido.

Toda nación necesita entender su historia y sus orígenes. Las personas cuentan y vuelven a contar sus historias, que dan forma a su cosmovisión e identidad como pueblo. Pero una historia de un pueblo que esté desconectada de la historia de Dios permanecerá desprovista de esperanza y de un propósito perdurable. La gente necesita encontrar su lugar y propósito en la tierra como resultado de la historia de Dios entre las naciones.

Las personas filtran la información nueva a través del sistema de referencia de su cosmovisión, y la evalúan consecuentemente. Al principio de la película *Los dioses deben estar locos*, una botella de vidrio de Coca Cola cae desde un pequeño avión que sobrevuela el desierto de Kalahari. La botella cae entre los bosquimanos sho, un pueblo del desierto, y despierta una fuerte curiosidad. Se preguntan por qué los dioses habrían enviado esta extraña herramienta y dedican varios días a evaluar su utilidad. Finalmente, los ancianos llegan a la conclusión de que esta cosa nueva no es algo bueno para ellos, y se disponen a deshacerse de ella.

La historia bíblica es procesada de una forma similar por las personas que la escuchan por primera vez. Se preguntan: «¿Esto es bueno para nosotros? ¿Nos brinda una mejor forma de enfrentar nuestro mundo, de encontrarle sentido? ¿Encaja esta historia con la realidad, tal como la conocemos? ¿Da esperanza a nuestro pueblo?». Para que la historia bíblica sea recibida y creída por un pueblo, deberá encontrar un lugar y una conexión con la cosmovisión que tiene. Si se la percibe como una historia que tiene respuestas para su pueblo, como una historia que satisface los anhelos y esperanzas de su pueblo, se convierte en una buena noticia para ellos. Pueden verse conectados de una forma nueva con un Dios antiguo y santo que está muy interesado en ellos. Él se ha revelado a ellos en su Hijo, que cumple antiguas promesas y esperanzas para cada nación. Seguirlo restaura la identidad y el propósito de ellos en la tierra. Se convierten en parte de la historia de Dios.

Esta clase de transformación de la cosmovisión requiere narradores de historias que comprendan toda la historia bíblica y puedan comunicarla significativamente a un pueblo. Esto va mucho más allá de darle a la gente una nueva «religión». Es mucho más que una

D. Bruce Graham es un director general asociado de Frontier Mission Fellowship, y ha trabajado en el Centro Estadounidense para la Misión Mundial durante 16 años. Asistió y luego actuó como líder en las primeras clases de *Perspectives* en Wheaton, IL y Pasadena, CA. Él y su esposa, Christy, trabajaron en la India doce años, equipando a indios para el ministerio transcultural.

narraciones para diferenciar miembros falsos de los verdaderos, el comportamiento aceptable del que no lo es. Las historias forman comunidades comprometidas.

Ya fuera que Pablo estuviese evangelizando judíos o gentiles, la audiencia escuchaba historias relevantes. Los judíos incrédulos escucharon acerca de los héroes culturales, tales como Abraham, Moisés y David. (Hch 13:13-43). Los gentiles incrédulos escucharon acerca del poderoso Dios detrás de la historia de la creación (Hch 14:8-18; 17:16-34). Los creyentes maduros escucharon las historias con otro énfasis.

¿Podría ser que una de las razones de esto es que las historias brindan una manera inofensiva y segura de desafiar las creencias básicas y el comportamiento de uno?

6. Las historias crean evangelistas instantáneos

A la gente se le facilita repetir una buena historia. Ya sea que la historia se centre alrededor de un buen chisme o del evangelio de Jesús, algo dentro de nosotros quiere escuchar y contar historias.

Reprimir una buena historia es como sostener una jarra llena de sus galletas favoritas. Tarde o temprano el impulso es tan fuerte que uno se come la galleta, la historia es contada. Las historias relatadas son repetidas de nuevo.

Ya que mis amigos ifugao podían identificarse bien con las experiencias de vida de los personajes bíblicos, no sólo aplicaron las historias a su vida, sino que también se las contaron inmediatamente a

---

forma de «hacer que la gente se salve». No extrae a un pueblo para llevarlo hacia una comunidad foránea. Un hábil narrador de historias bíblicas involucra a la gente en un proceso de descubrimiento que no hace caso omiso de su propia historia, sino más bien les da una nueva perspectiva y un nuevo propósito en conexión con el propósito de Dios.

Cuando trabajaba en la India como maestro de candidatos a misioneros observé a alumnos que aprendían la Biblia memorizando sus detalles: autores, fechas, nombres de personas y lugares, etc. Aprendían hechos acerca de la Biblia y podían enseñar verdades bíblicas. Si bien a veces la gente respondía, sin un cimiento en la historia bíblica, fácilmente se volvían a otra enseñanza o a otro dios si recibían algo más interesante que parecía satisfacer su necesidad percibida.

Pero cuando comenzamos a recorrer toda la historia bíblica, algo nuevo comenzó a desarrollarse entre mis alumnos. Nos acercamos a ella bajo el método inductivo, buscando descubrir el mensaje de Dios dentro de cada relato. ¿Cómo estaban conectados los

relatos? ¿Qué había en el corazón de la historia completa? La cosmovisión y la perspectiva de ellos comenzaron a cambiar. Se sentían parte de lo que llamamos la «misión del hombre-semilla» (término usado para describir el corazón del relato de Génesis 3:15). Se sintieron revitalizados y parte de algo significativo.

Pero conocer la historia no los convertía necesariamente en buenos narradores de relatos. Tenían que practicar contar el relato. Y tenían que entender a las personas que querían alcanzar a fin de comunicar eficazmente la historia bíblica. Más que leer libros acerca de las personas (por lo general escritos por personas que no eran del lugar), alentamos a los estudiantes a estudiar a la gente bajo el método inductivo. Pasaban tiempo en tiendas de té y en hogares, descubriendo las inquietudes y los intereses de los lugareños. Participaban de sus celebraciones y de sus tradiciones, siempre pidiendo a Dios entendimiento y sabiduría que los ayudara a contar la historia bíblica de la manera más eficaz.

Esto llevó a formas creativas de comunicar la historia: por medio de

cantos, dramatizaciones, dibujos o simples relatos de historias, formas comunes de expresión entre los indios. Un alumno hizo dibujos de distintas historias a lo largo de la Biblia, una página por historia, y los colgó en la pared de su sala. Otro invitó a amigos a su casa para tener estudios semanales y con el tiempo acudieron líderes religiosos que recorrieron la historia bíblica completa. Una mujer pasó meses, incluso años, escuchando las historias y preocupaciones de las mujeres musulmanas entre las que trabajaba. Por último, cuando se abrieron ante ella, tenía tantas historias bíblicas para compartir, que capturaron su interés. Ellas querían oír más.

Así que multipliquemos los narradores de historias que entiendan la historia completa. Ayudémoslos a internalizarla inductivamente, para que esta historia se convierta en la historia de ellos. Alentémoslos a dedicar tiempo a conocer a los lugareños y sus historias, para que puedan vincular de manera significativa la historia de ese pueblo con la historia de Dios. Esto transformará la cosmovisión de un pueblo.

---

sus parientes y amigos, aun antes de cambiar de afiliación de fe a Jesucristo. Las historias crean cuentacuentos.

7. Jesús enseñó teología por medio de historias

Jesús nunca escribió un libro sobre teología sistemática, sin embargo enseñó teología por dondequiera que fue. Como pensador holístico, Jesús le habló en parábolas a su audiencia a fin de provocar la reflexión acerca de nuevas maneras de pensar con respecto a la vida.

Los oyentes de Jesús lucharon con los nuevos conceptos que él introdujo por medio de parábolas, pues fueron desafiados a examinar sus tradiciones, y a formar nuevas imágenes de Dios y transformar su comportamiento. Las historias animan a la gente a encontrarse con Dios y cambiar. No fue fácil aceptar el reto que presentaban las historias de Jesús: bajarse de un bote, darle la espalda a su familia, extenderle misericordia a otros, buscar objetos escondidos y donar posesiones materiales y riquezas a los pobres. Nada de eso era tentador. Pero las historias habían ofrecido posibilidades abiertas que hacían difícil permanecer satisfecho llevando la misma vida. En cualquier dirección que mirara el oyente, no había una posición intermedia. Ellos habían conocido a Dios. Las historias de Jesús, llenas de teología, tendieron un encuentro entre la razón, la imaginación y las emociones, demandando un cambio de afiliación.

Conclusión

La Biblia inicia con la narración de la creación y termina con la visión de la nueva creación de Dios.

Dispersadas ampliamente, entre *alfa* y *omega*, hay una gran cantidad de historias. Aunque las historias predominan en las Escrituras, rara vez llegan a formar parte de las estrategias de los obreros cristianos. Leland Ryken pregunta categóricamente:

> ¿Por qué la Biblia tiene tantas historias? ¿Será posible que las historias revelen algunas verdades y experiencias como ninguna otra forma literaria podría hacerlo? Y si es así, ¿cuáles son? ¿Cuál es la diferencia en nuestra idea de Dios cuando leemos historias en las que Dios actúa, en comparación con declaraciones teológicas acerca de la naturaleza de Dios? ¿Qué comunica la Biblia por medio de la imaginación que no haga mediante la razón? Si la Biblia usa la imaginación como una vía para comunicar verdad, ¿no deberíamos mostrar igual confianza en el poder de la imaginación para transmitir la verdad espiritual? De ser así, ¿no sería un buen punto de partida empezar a respetar la naturaleza narrativa de la Biblia cuando la expongamos?[6]

Estoy convencido de que es hora de que los obreros cristianos revitalicen el relato de historias como una de las formas de arte más antiguas del mundo, por ser universal y convincente. También creo que los obreros cristianos, con capacitación y práctica, pueden comunicar con eficacia la concluida historia de Jesucristo y vincularla con la historia sin concluir de la audiencia. Al presentar una perspectiva general de las historias del Antiguo y Nuevo Testamento, que revelan la historia de redención, se recalcará para el oyente la trama (Jesucristo) del sagrado libro de historias (la Biblia). De esta manera, el evangelio será entendido con mucha más facilidad y será comunicado a familiares y amigos con más frecuencia.

Notas

1. Para mayor información véase el capítulo 11 en mi escrito *Passing the Baton: Church Planting That Empowers* (1993), que se enfoca en el modelo de enseñanza cronológica, y también *Reconnecting God's Story for Ministry: Crosscultural Storytelling at Home and Abroad* (1996), ambos disponibles en William Carey Library.

2. Barrett, David B., "Annual Statistical Table on Global Mission: 1997," *International Bulletin of Missionary Research*, 1997, 21(1):24-25.

3. Klem, Herbert V., *Oral Communication of the Scripture: Insights From African Oral Art* (Pasadena CA: William Carey Library), 1982.

4. Schneidau, Herbert N., "Biblical Narrative and Modern Consciousness," Frank McConnell, ed., *In The Bible and the Narrative Tradition* (New York: Oxford University Press), 1986, p. 136.

5. Koller, Charles W., *Expository Preaching Without Notes* (Grand Rapids, MI: Baker Book House), 1962, p. 32.

6. Ryken, Leland, "The Bible: God's Story-book," *Christianity Today*, 1979, 23(23): 38.

Preguntas para reflexionar

1. Si Dios transmitió al mundo la mayoría del mensaje bíblico por medio de historias, ¿qué le sugiere esto a los obreros cristianos?

2. ¿Por qué la narración es efectiva en la comunicación intercultural?

Tres encuentros en el testimonio cristiano

Charles H. Kraft

Charles H. Kraft ha sido profesor de antropología y comunicación intercultural en la Escuela de Estudios Interculturales del Fuller Theological Seminary desde 1969. Con su esposa, Marguerite, sirvió como misionero en Nigeria. Enseña y escribe en las áreas de antropología, cosmovisión, contextualización, comunicación transcultural, sanidad interior y guerra espiritual.

Revisado de "What kind of encounters do we need in our Christian witness?" *Evangelical Missions Quarterly*, 27:3 (July 1991), publicado por EMIS, P.O. Box 794, Wheaton, IL 60187. Usado con permiso.

En estos días escuchamos más acerca de encuentros de poder entre no carismáticos y no pentecostales. Estamos más abiertos al poder espiritual y le tememos menos que antes. Varias instituciones de capacitación misionera ahora incluyen cursos sobre encuentros de poder. Pero debemos evitar ciertos extremos. Mi tarea en este artículo es ofrecer un enfoque al encuentro de poder que esté bíblicamente balanceado con otros dos encuentros que los evangélicos siempre han enfatizado.

El concepto básico

El término «encuentro de poder» viene del antropólogo misionero Alan Tippett. En su libro del año 1971, *People Movements in Southern Polynesia*, Tippett observó que en el Pacífico Sur la primera aceptación del evangelio ocurría por lo general cuando había un «encuentro» que demostraba que el poder de Dios era mayor que el de la deidad local. Por lo general esto iba acompañado por una profanación del símbolo o los símbolos de la deidad tradicional por su sacerdote o sacerdotisa, que luego declaraba que rechazaba el poder de la deidad, juraba lealtad al verdadero Dios y prometía depender sólo de Dios para tener protección y poder espiritual.

En ese momento, el sacerdote o la sacerdotisa comía el animal totémico (p.ej., una tortuga sagrada) y pedía la protección de Jesús. Al ver que el sacerdote o la sacerdotisa no sufría ningún daño, la gente se abría al evangelio.[1] Estas confrontaciones, junto con los encuentros de poder bíblicos clásicos (p.ej., Moisés vs. Faraón, Éx 7-12, Elías vs. los profetas de Baal, 1R 18) formaban la perspectiva de Tippett del encuentro de poder.

Más recientemente, el término ha sido usado en un sentido más amplio para incluir sanidades, liberaciones y cualquier otra «demostración visible y práctica de que Jesucristo es más poderoso que los espíritus, los poderes o falsos dioses adorados o temidos por los miembros de una etnia dada».[2] El concepto de «tomar territorio» del enemigo para el reino de Dios es considerado básico para esta clase de encuentros.

De acuerdo con este punto de vista, todo el ministerio de Jesús fue una gigantesca confrontación de poder entre Dios y el enemigo. En las generaciones subsiguientes se consideró el ministerio de los apóstoles y la iglesia como el ejercicio continuo del «poder y autoridad para expulsar a todos los demonios y para sanar enfermedades» que Jesús dio a sus seguidores (Lc 9:1). Las historias contemporáneas acerca de esta clase de encuentros provienen de la China, Argentina, Europa, el mundo musulmán y prácticamente en todo lugar donde la iglesia está creciendo rápidamente.

Artículo 72

Tippett observó que la mayoría de los pueblos del mundo están orientados hacia el poder y responden a Cristo con mayor facilidad mediante demostraciones de poder.[3] Los mensajes del evangelio acerca de la fe, el amor, el perdón y demás hechos del cristianismo, no tienen la misma probabilidad de hacer un impacto sobre esta gente como las demostraciones de poder espiritual. Mi propia experiencia confirma la tesis de Tippett. Por lo tanto, los obreros transculturales deberían aprender lo más posible acerca del lugar del encuentro de poder en el ministerio de Jesús y el nuestro.

Jesucristo confronta a Satanás

Es claro que los misioneros enfrentan varias preguntas acerca de los encuentros de poder. Una de las básicas es cómo relacionar las preocupaciones y enfoques de la gente en cuanto al poder con nuestros énfasis tradicionales sobre la verdad y la salvación. Permítame sugerir que necesitamos usar un método de tres partes para nuestro testimonio.

Jesús luchó con Satanás en un frente más amplio que meros encuentros de poder. Si queremos ser justos y equilibrados bíblicamente, debemos prestar la misma atención a otros dos encuentros: los encuentros de lealtad y los encuentros de verdad. Debemos enfocarnos en la estrecha relación entre estos tres encuentros en el Nuevo Testamento. He aquí un bosquejo que será útil:

1. *Jesús confronta a Satanás con relación al poder.* Esto produce encuentros de poder para liberar a personas del cautiverio satánico llevándolas a la libertad en Jesucristo.

2. *Jesús confronta a Satanás con relación a la lealtad.* Esto produce encuentros de lealtad o compromiso para rescatar a personas del mal y llevarlas a una relación con Jesucristo.

3. *Jesús confronta a Satanás con relación a la verdad.* Esto produce encuentros de verdad para contrarrestar la ignorancia o error y llevar a personas a entendimientos correctos acerca de Jesucristo.

En todo el mundo muchos cristianos que se han comprometido con Jesucristo, y han aceptado muchas verdades cristianas, no han renunciado a su compromiso precristiano con lo que llamamos poder espiritual, ni con la práctica de este poder. Los poderes de oscuridad que siguieron previamente no han sido confrontados y derrotados por el poder de Jesús. Así que viven con una «doble lealtad» y una comprensión sincretista de la verdad.

Éste es el error de quienes creen que si confrontan a las personas con campañas de sanidad y liberación para mostrarles el poder de Cristo se volverán a él en masa. Suponen que quienes experimentan el poder sanador de Dios se comprometerán automáticamente con la fuente de ese poder.

Sin embargo, conozco algunas campañas de esta clase que han producido pocas o ninguna conversión duradera. ¿Por qué no? Porque dedicaron poco esfuerzo a guiar a las personas desde una experiencia del poder de Jesús a un compromiso con él. Estas personas están acostumbradas a aceptar poder de cualquier fuente. Por lo tanto, no ven ninguna mayor obligación de comprometerse con Jesús, que con cualquiera de las otras fuentes de poder que consultan regularmente.

Creo que Jesús espera que las demostraciones de poder sean tan cruciales para nuestros ministerios como lo fueron para el suyo (Lc 9:1-2). Sin embargo, todo enfoque que promueva un encuentro de poder sin prestar la atención adecuada a los otros dos encuentros —lealtad y verdad— no está bíblicamente equilibrado. Muchas personas que vieron o experimentaron hechos de poder durante el ministerio de Jesús no se volvieron a él en fe. Esto debería alertarnos en cuanto a lo inadecuado de las demostraciones de poder por sí solas como una estrategia evangelística total.

Un equilibrio de encuentros

Podemos ver los tres tipos de encuentros descritos anteriormente en el ministerio de Jesús. Por lo general empezaba enseñando, seguido por una demostración de poder, y luego volvía a la enseñanza, por lo menos para los discípulos (p.ej., Lc 4:31ss; 5:1ss; 5:17ss; 6:6ss; 6:17ss, etc.). Las apelaciones de lealtad al Padre o a él aparecen tanto implícita como explícitamente a lo largo de su enseñanza. Da la impresión de que Jesús usó más demostraciones de poder cuando interactuaba con personas que aún no se habían convertido en sus seguidores, centrándose más en la enseñanza de la verdad con quienes ya se habían comprometido con él.

Su apelación a la lealtad, por lo menos a los primeros cinco apóstoles (Pedro, Andrés, Jacobo, Juan, en Lucas 5:1-11, y Leví, en Lucas 5:27-28), ocurrió luego de decisivas demostraciones de poder. Una vez que sus seguidores superaron exitosamente su encuentro de lealtad, su crecimiento posterior fue sobre todo una cuestión de aprender y practicar más verdad.

Los judíos del primer siglo, como la mayoría de las personas hoy, estaban muy preocupados por el poder espiritual. Pablo dijo que buscaban señales milagrosas (1Co 1:22). La práctica habitual de Jesús de sanar y liberar de los demonios apenas ingresaba en una zona nueva (p.ej., Lc 4:33-35, 39; 5:13-15; 6:6-10,18-19, etc.) que podría conside rarse como su forma de aproximarse a las personas en el punto de su preocupación. Cuando envió a sus seguidores a los pueblos circundantes para preparar el camino para él, les ordenó que usaran el mismo método (Lc 9:1-6; 10:19).

La reticencia de Jesús a hacer obras milagrosas simplemente para satisfacer a los que querían que demostrara quién era (Mt 12:38-42; 16:1-4) parecería indicar, sin embargo, que sus demostraciones de poder buscaban apuntar a algo más allá de la mera demostración del poder de Dios. Creo que al menos tenía otras dos metas importantes. Primero, Jesús quería demostrar la naturaleza de Dios exhibiendo su amor. Como le dijo a Felipe: «El que me ha visto a mí, ha visto al Padre» (Jn 14:9). Sanó, liberó y bendijo gratuitamente a quienes acudían a él y no les quitó lo que les había dado, aun cuando no regresaran a darle las gracias (Lc 17:11-19). Usó el poder de Dios para mostrar su amor.

Segundo, Jesús quería guiar a las personas al encuentro más importante, el encuentro de lealtad. Esto está claro a partir de su desafío a los fariseos cuando exigían un milagro, diciéndoles que el pueblo de Nínive que se arrepintió acusaría al pueblo del tiempo de Jesús que no hizo lo propio (Mt 12:41). Experimentar el poder de Dios puede ser agradable e impresionante, pero sólo la lealtad a Dios por medio de Cristo salva realmente.

La naturaleza y los objetivos de los tres encuentros

Los tres encuentros —verdad, lealtad y poder— no son lo mismo, pero cada uno busca iniciar un proceso que es crucial para la experiencia cristiana, dirigido a una meta específica.

1. La preocupación del encuentro de verdad es la comprensión. El vehículo de ese encuentro es la enseñanza.

2. La preocupación del encuentro de lealtad es la relación. El vehículo de ese encuentro es el testimonio.

3. La preocupación del encuentro de poder es la libertad. Su vehículo es la guerra espiritual.

La verdad y la comprensión tienen mucho que ver con la mente; la lealtad y la relación se apoyan principalmente en la voluntad, y la libertad se experimenta sobre todo en las emociones.

1. Encuentros de verdad

Los encuentros de verdad en los que la mente es ejercitada y la voluntad es desafiada, parecen proveer el contexto dentro del cual los demás encuentros pueden tener lugar y pueden ser interpretados. Jesús enseñó verdad constantemente para llevar a sus oyentes a entendimientos aún mayores acerca de la persona y el plan de Dios. Para enseñar verdad aumentó el conocimiento de ellos. Sin embargo, en la Biblia el conocimiento está fundado en la relación y la experiencia; no es simplemente filosófico y académico. El encuentro de verdad, como los otros dos, es personal y experiencial, no meramente una cuestión de palabras y conocimiento intelectual.

Encuentros de verdad

Inicio →	Proceso →	Meta
Conciencia	Se dirige al conocimiento	Comprensió de la verdad

Cuando nos centramos en el conocimiento y la verdad, permitimos a las personas obtener el entendimiento suficiente como para poder interpretar correctamente los otros dos encuentros. Por ejemplo, una demostración de poder tiene poca significación, o una significación errónea, a menos que esté relacionada con la verdad. El conocimiento de la fuente de poder y la razón del poder son esenciales para la interpretación correcta de un hecho de poder. La necesidad de este conocimiento es probablemente la razón por la cual Jesús usó sus demostraciones de poder en el contexto de la enseñanza a sus discípulos.

2. Encuentros de lealtad

Los encuentros de lealtad, que involucran el ejercicio de la voluntad en compromiso y obediencia al Señor, son los encuentros más importantes. Porque sin compromiso con Jesús y obediencia a él, no existe vida espiritual.

Encuentros de lealtad

Inicio →	Proceso →	Meta
Compromiso con Jesús	Crecimiento en la relación	Carácter de Cristo Jesús

El encuentro de lealtad inicial lleva a una persona a una relación con Dios. A través de encuentros sucesivos entre nuestra voluntad y la de Dios, crecemos en intimidad con él y en similitud con él, al someternos a su voluntad y al practicar una asociación íntima con él. La lealtad inicial y la relación que procede de ella están vinculadas estrechamente con la verdad, tanto porque están desarrolladas dentro del encuentro de verdad, como porque la relación con Dios es la verdadera razón de la existencia humana.

En el encuentro de lealtad va implícito el cultivo de los frutos del Espíritu Santo, en particular el amor hacia Dios y al hombre. Debemos volvernos del amor al mundo o del compromiso con el mundo, que está bajo el control del maligno (1Jn 5:19), a Dios, que amó al mundo y se entregó por él. Al crecer en nuestra relación con él, nos volvemos más como él, transformándonos más a la imagen de Cristo (Ro 8:29).

3. Encuentros de poder

Los encuentros de poder aportan una dimensión diferente a la experiencia cristiana. Se centran en la libertad del cautiverio del enemigo. Satanás es el que ciega (2Co 4:4), restringe, obstaculiza, paraliza; es el enemigo que intenta alejar a las personas de la lealtad a Dios y la verdad. Si bien él trabaja sobre todas las facultades humanas, el enemigo parece estar interesado en particular en paralizar a las personas emocionalmente. Si las personas han de avanzar hacia un compromiso con Cristo, necesitan libertad emocional.

Encuentros de poder

Inicio →	Proceso →	Meta
Sanidad, liberación, etc.	Aumentar la libertad, etc.	Victoria sobre Satanás

Para la persona que es sanada, liberada, bendecida o hecha libre de alguna otra forma de las garras del enemigo, el mayor beneficio es la libertad. Sin embargo, quizá para un observador el impacto sea bastante diferente. Interpretado correctamente, el encuentro comunica verdades básicas acerca del poder y el amor de Dios. El observador ve que Dios es digno de su confianza porque está dispuesto a liberar a las personas del poder destructivo de Satanás, y puede hacerlo.

Encuentros de poder - Perspectiva de un observador

Inicio →	Proceso →	Meta
Atraer la atención	Demostración	Confianza en Dios

Si bien no los llamamos encuentros de poder, nuestras demostraciones de amor, aceptación, perdón y paz en tiempos difíciles —además de otras virtudes cristianas— juegan el mismo papel de atraer atención de las personas y llevarlas a confiar en Dios. Todas estas cosas dan testimonio de la presencia de un Dios amoroso dispuesto a dar vida abundante y a liberar del enemigo.

Los encuentros trabajan juntos

Nuestro testimonio misionero necesita usar los tres encuentros juntos, no por separado, como podemos ver en este círculo de tres partes:

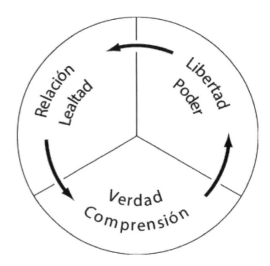

Las personas necesitan libertad del enemigo para (1) abrir sus mentes para recibir y entender la verdad (2Co 4:4), y (2) liberar sus voluntades para que puedan comprometerse con Dios. Sin embargo, no pueden entender y aplicar la verdad cristiana, ni pueden ejercer poder sin un compromiso continuo con Dios. Tampoco pueden mantener la verdad y su lealtad sin la libertad del enemigo, obtenida por medio de continuos encuentros de poder. Necesitamos constantemente cada una de estas dimensiones en nuestras vidas.

El diagrama abajo muestra las interacciones de estos tres aspectos de la vida y testimonio cristianos con más detalle.

Hay tres etapas en el proceso, la tercera de las cuales produce el testimonio a quienes inician la Etapa 1. Al principio (Etapa 1), las personas están bajo el cautiverio satánico, en ignorancia y error, y están comprometidas con alguna lealtad no cristiana. Por medio de encuentros de poder, obtienen libertad de ese cautiverio, yendo de la ceguera y el debilitamiento de la voluntad del enemigo hacia la apertura a la verdad. Por medio de encuentros de verdad y lealtad, reciben suficiente comprensión para actuar, además del suficiente desafío para inducirlas a comprometerse con Cristo.

En la segunda etapa, habiendo entregado su lealtad a Jesús, las personas necesitan continuar en la guerra espiritual para lograr una mayor libertad de los continuos esfuerzos del enemigo para hostigarlos o paralizarlos. También necesitan enseñanza y desafíos continuos para lograr un mayor compromiso y obediencia. Crecen en su relación con Dios y su pueblo por medio de encuentros continuos en cada una de las tres áreas.

En la tercera etapa, esta relación creciente produce encuentros de poder por medio de la oración para romper el poder del enemigo para engañar, hostigar, causar enfermedad, endemoniar y cosas similares. Estos encuentros van acompañados de encuentros de verdad y lealtad, de modo que los creyentes se ven desafiados a un mayor compromiso y obediencia, en particular con el testimonio a los de la primera etapa.

Más allá de nuestro propio crecimiento cristiano se encuentra nuestro testimonio. Al final de su ministerio Jesús enseñó mucho acerca de su relación con sus seguidores y de la relación entre ellos (p.ej., Jn 14 al 16), así como de la autoridad y del poder que él les daría (Hch 1:8). Relacionó cuidadosamente el poder y la autoridad con el testimonio (p.ej., Mt 28:19-20; Mr 16:15-18; Hch 1:8).

Les dijo a los discípulos que esperaran a recibir poder espiritual antes de dedicarse a testificar (Lc 24:49; Hch 1:4), así como Jesús mismo había esperado ser investido de poder en su propio bautismo (Lc 3:21-22). No estamos plenamente equipados para testificar sin el poder del Espíritu Santo, que da libertad y revela verdad (Hch 1:8).

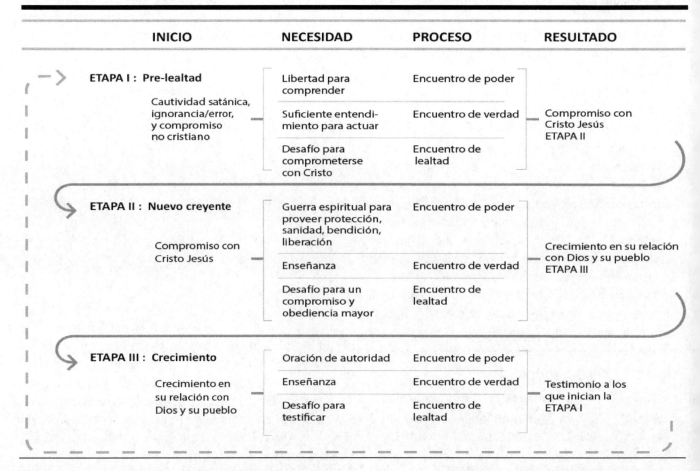

INICIO	NECESIDAD	PROCESO	RESULTADO
ETAPA I : Pre-lealtad Cautividad satánica, ignorancia/error, y compromiso no cristiano	Libertad para comprender	Encuentro de poder	Compromiso con Cristo Jesús ETAPA II
	Suficiente entendimiento para actuar	Encuentro de verdad	
	Desafío para comprometerse con Cristo	Encuentro de lealtad	
ETAPA II : Nuevo creyente Compromiso con Cristo Jesús	Guerra espiritual para proveer protección, sanidad, bendición, liberación	Encuentro de poder	Crecimiento en su relación con Dios y su pueblo ETAPA III
	Enseñanza	Encuentro de verdad	
	Desafío para un compromiso y obediencia mayor	Encuentro de lealtad	
ETAPA III : Crecimiento Crecimiento en su relación con Dios y su pueblo	Oración de autoridad	Encuentro de poder	Testimonio a los que inician la ETAPA I
	Enseñanza	Encuentro de verdad	
	Desafío para testificar	Encuentro de lealtad	

Algunas pautas para los evangélicos

Dado que Satanás es un maestro en el engaño y la falsificación, debemos enfrentarlo o confrontarlo, más que simplemente ignorarlo. Sabemos que cuando lo hacemos, el que está en nosotros es más poderoso que el que está en el mundo (1Jn 4:4), y le agradecemos a Dios que Jesús haya «desarmado a los poderes y a las potestades» (Col 2:15). Pero seguimos en guerra, y se nos ordena que nos pongamos toda la armadura y luchemos contra «fuerzas espirituales malignas en las regiones celestiales» (Ef 6:11-12). Así que, aunque sabemos cómo finalizará esta guerra, quedan muchas batallas por delante y debemos conocer a nuestro enemigo y saber cómo combatirlo.

Cuando miramos los campos de misión del mundo, vemos muchos lugares donde los cristianos aún tienen dobles lealtades. Muchos creyentes, incluyendo a pastores, aún acuden a chamanes, sacerdotes y otros médiums espirituales. Al mismo tiempo, iglesias carismáticas y pentecostales que se especializan en la evangelización y testimonio mediante encuentros de poder están creciendo rápidamente en la mayoría de las partes del mundo.

Muchos evangélicos han crecido con una versión del cristianismo centrada en el conocimiento y la verdad, que presta poca o ninguna atención a los encuentros de poder. Pero salimos a testificar y evangelizar entre pueblos que han crecido en sociedades orientadas hacia el espíritu y a menudo encontramos que las conversiones sólidas y duraderas a Cristo son difíciles de conseguir con nuestro enfoque del conocimiento y la verdad sola.

Satanás falsifica la verdad, inspira lealtades dañinas y brinda poder. Tiene, por así decirlo, tres flechas en su alforja. Sin embargo, por lo general los misioneros evangélicos sólo tienen dos, así que con frecuencia su trabajo tropieza con las rocas de la doble lealtad y el nominalismo.

Enfrentamos la lealtad a otros dioses y espíritus con el desafío del compromiso con Jesucristo. Pero cuando las personas necesitan sanidad o buscan fertilidad, o cuando no hay suficiente lluvia o hay inundaciones, demasiado a menudo nuestra respuesta es el hospital, la escuela y la agricultura moderna. Brindamos respuestas seculares a lo que para ellos (y la Biblia) son temas básicamente espirituales.

Hemos enfrentado las «verdades» falsificadas de Satanás con las verdades apasionantes del cristianismo, pero a menudo de una forma tan abstracta que nuestros oyentes han visto poca verificación de esa verdad en nuestras vidas. En la mayoría de los casos, tanto los misioneros como los cristianos del lugar están más impresionados por la verdad científica que por la verdad bíblica.

El elemento faltante para ellos y para nosotros es la «tercera flecha», el auténtico poder del Nuevo Testamento, la experiencia continua de la presencia de Dios, quien cada día hace cosas que el mundo llama milagros. Debemos confrontar el poder falso de Satanás con el poder de Dios. La verdad y el compromiso solos no alcanzan. Necesitamos los tres tipos de encuentros bíblicos si queremos tener éxito en nuestra misión mundial.

Notas

1. Alan Tippett, *People Movements in Southern Polynesia* (Chicago: Moody Press, 1971), p. 206.
2. C. Peter Wagner, *How to Have a Healing Ministry* (Ventura, CA.: Regal Books, 1988), p. 150. Ver también John Wimber, *Power Evangelism* (New York: Harper-Row, 1985), pp. 29-32, y Charles Kraft, *Christianity With Power* (Ann Arbor: Servant, 1989).
3. Tippett, op. cit., p. 81.

Preguntas para reflexionar

1. De acuerdo con su experiencia, ¿qué «encuentro» fue más enfatizado cuando recibió su formación cristiana: verdad, compromiso o poder? ¿Cuál fue enfatizado menos?
2. ¿Estos encuentros son independientes o interdependientes? ¿El crecimiento en un área afecta a las demás?

Encontrar un lugar y servir a movimientos dentro de la sociedad

Paul G. Hiebert

Las personas son seres sociales que nacen, se crían, se casan y generalmente son enterradas junto a otras personas. Forman grupos, instituciones y sociedades. La estructura social es la forma en que organizan sus relaciones mutuas y construyen sociedades.

Las sociedades pueden ser estudiadas en dos niveles: el de las relaciones interpersonales y el de la sociedad como un todo. Un estudio de misiones en cada uno de estos niveles puede ayudarnos muchísimo a entender cómo crecen las iglesias.

Encontrar un lugar en la sociedad

Cuando los misioneros se asientan en otra cultura, sea cual fuere su tarea específica, participan en relaciones con muchísimas personas. ¿Cuáles son las características de estas diversas relaciones?

Formar un puente bicultural

Una de las relaciones más importantes es la que existe entre el misionero y unos cuantos miembros de la comunidad local que se vinculan con él o ella más significativamente que los demás, ya sea como amigos o colegas. A esto se le ha denominado a veces «puente bicultural». En esta coyuntura relacional, ambos lados se van familiarizando cada vez más con la otra cultura. Las personas del lugar, que forman parte de este puente interpretan el idioma, las costumbres y las nuevas expresiones culturales para el misionero. También ayudan a que su comunidad entienda y acepte a los extranjeros. Dado que ambas partes se vuelven biculturales en cierta medida, se abre el camino para que el misionero aprenda la cultura y encuentre un lugar en la nueva sociedad.

Pero un puente bicultural es mucho más que un medio para la comunicación. Es en sí mismo una nueva cultura. Los misioneros establecerán viviendas, instituciones y formas de hacer las cosas que reflejen las características de su cultura de origen pero, en parte, adaptados a la cultura en la que se encuentran. El fenómeno de creación de un puente bicultural funciona en ambos sentidos. Los que de la comunidad anfitriona forman el puente también aprenden aspectos de la cultura de los misioneros. Tal vez la cuestión más importante que surge es identificar y funcionar dentro de papeles culturalmente entendidos.

Percepción de papeles

«¿Quién es usted?». Esta pregunta se le hace repetidas veces a una persona que se muda a una nueva cultura. Lo que la gente realmente quiere saber es: «¿Qué es usted?». Quieren saber cómo relacionarse con el recién llegado: qué estatus y papeles ocupa la persona. Si el misionero contesta: «Soy misionero», está denominando un estatus, con sus

Paul G. Hiebert fue presidente del departamento de misión y evangelización y profesor de misión y antropología en la Trinity Evangelical Divinity School. Enseñó previamente antropología y estudios surasiáticos en la Escuela de Misión Mundial del Fuller Theological Seminary. Hiebert sirvió como misionero en la India y escribió diez libros con su esposa, Frances.

Adaptado de *Incarnational Ministry: Planting Churches in Band, Tribal, Peasant, and Urban Societies*, de Paul G. Hiebert y Eloise Hiebert Meneses, 1995. Usado con permiso de Baker Book House. Adaptado también de *Crucial Dimensions in World Evangelization*, de Arthur F. Glasser, et al., 1976. Usado con permiso de William Carey Library, Pasadena, CA.

papeles asociados que son claros para él o ella. Pero en muchos contextos en todo el mundo, la palabra «misionero» no tiene ningún significado, o tiene un significado muy negativo para las personas del lugar.

Así como los idiomas difieren, también difieren los papeles de una cultura de los que se encuentran en otra. Cuando los misioneros aparecen en una nueva cultura, las personas tienen que observarlos para intentar deducir, a partir de su comportamiento, en cuáles de sus papeles encajan. Luego llegan a la conclusión de qué clase de persona son y esperan que se comporten de acuerdo con ese papel. Nosotros haríamos lo mismo si un extranjero llegara y anunciara que es un «*sannyasin*». A partir de su aspecto podríamos concluir que es un hippie cuando, en la mente y cultura de él, es un santo hindú.

En la India, a los misioneros varones se los llamó «*dora*», palabra usada para granjeros ricos y reyes de poca importancia. Estos gobernantes menores compraban grandes terrenos, levantaban muros para complejos, construían chalés y tenían sirvientes. También erigían chalés aparte para sus segundas y terceras esposas. Cuando llegaron los misioneros varones, compraron grandes terrenos, erigieron muros para complejos, construyeron chalés y tuvieron sirvientes. Ellos también erigieron chalés aparte, pero para las misioneras solteras asentadas en el mismo complejo.

A las esposas de los misioneros se las llamó «*dorasani*», término usado, no para la esposa de un *dora*, porque ella debe mantenerse aislada, lejos de la vista pública, sino para su amante, que a menudo llevaba con él en su carreta o coche.

El problema aquí es de un malentendido transcultural. El misionero se veía como un «misionero», sin darse cuenta de que no existe tal cosa en la sociedad india tradicional. A fin de relacionarse con él, la gente tuvo que encontrar un

Choque cultural: Comenzar de nuevo *Paul G. Hiebert*

Fue emocionante la partida para irse de misionero. Era el centro del escenario en una gran despedida en su iglesia. Estaba la separación emocionante y triste en el aeropuerto, y luego el largo vuelo. Los amigos que lo recibieron atenuaban la zozobra de estar repentinamente en un país extraño, pero en pocas horas las cosas comenzaron a complicarse. Como no podía leer el menú en el restaurante, se arriesgó con algo que no reconocía. Reconocía la mitad de la comida en el plato, pero la otra mitad parecía incomible. ¿Eran insectos asados o las vísceras de una cabra? Luego fue al mercado para comprar naranjas, pero la mujer no entendía ni una sola palabra. Hubo que pagarle, pero todo lo que pudo hacer fue sostener un puñado de monedas extrañas para que ella tomara las que quisiera. Estuvo seguro de que lo estafó. Se subió a un autobús para cruzar el pueblo y se perdió. Se imaginó pasando los próximos diez años viajando en autobús intentando llegar a casa. Se enfermó y estaba seguro de que el médico no sabía tratar sus enfermedades. Ahora está sentado en su cama, queriendo volver al lugar de donde vino. Después de todo, ¿cómo se metió en esto, y qué le diría a su iglesia luego de unas cuantas semanas de «misiones» en el extranjero? «¿La tarea está cumplida?». «¿No lo soporto?».

Su reacción es perfectamente normal. Todos experimentan una tensión cultural cuando ingresan en una nueva cultura. Los turistas no experimentan realmente un choque cultural porque vuelven a la comodidad de sus hoteles luego de su recorrido turístico. El choque cultural no es una reacción a la pobreza o a la falta de higiene. Para los extranjeros que vienen a su país, la experiencia es la misma. El choque cultural es la desorientación de descubrir que todos los patrones culturales que hemos aprendido ahora no tienen sentido. Sabemos menos acerca de vivir aquí que los niños. Debemos volver a comenzar de cero para aprender las cosas elementales de la vida: cómo hablar, comer, comprar, viajar y miles de otras cosas. El choque cultural se instaura realmente cuando nos damos cuenta de que esto se convertirá ahora en nuestra vida y en nuestro hogar.

Atravesar el choque cultural

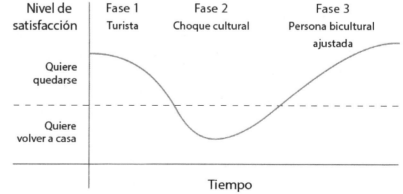

El choque cultural es el sentir de desorientación cultural en una sociedad diferente.

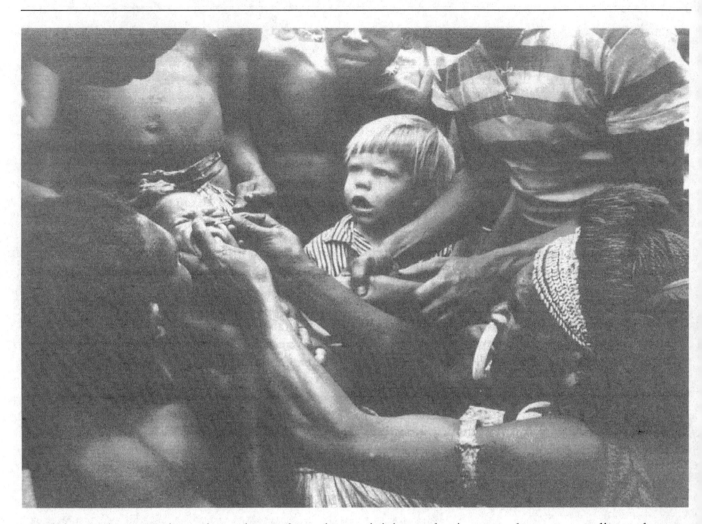

papel dentro de su propio conjunto de papeles, y lo hicieron. Lamentablemente, los misioneros no eran conscientes de cómo los percibía la gente.

Un segundo papel en el que la gente acostumbraba clasificar a los misioneros varones en el pasado, era el de «gobernante colonial». Por lo general eran blancos, como los gobernantes coloniales, y a veces se aprovechaban de eso. Podían obtener boletos de tren sin esperar en la fila como las personas del lugar, y podían influir en los funcionarios. A decir verdad, a menudo se valían de estos privilegios para ayudar a los pobres u oprimidos, pero al ejercerlos, quedaban identificados con los gobernantes coloniales.

El problema es que ninguno de estos papeles, de terrateniente rico o gobernante colonial, les permitía una comunicación personal o una amistad cercana que hubiera sido más eficaz para compartir el evangelio. A menudo sus papeles mantenían a los misioneros distantes de la gente.

Pero, ¿qué papeles podrían haber asumido los misioneros? No hay una respuesta sencilla para esto, porque los papeles deben ser escogidos de entre los papeles en la cultura a la que llegan. Al inicio pueden ir como alumnos, y pedir que la gente les enseñe sus costumbres. Al aprender los papeles de su sociedad, pueden escoger uno que les permita comunicar el evangelio eficazmente. Pero cuando escogen un papel, deben recordar que la gente los juzgará de acuerdo con lo bien que cumplan con las expectativas de ese papel.

Papeles y relaciones con cristianos del lugar

Al interactuar los misioneros con los cristianos del lugar, estas relaciones pueden, tanto simplificar, como complicar la construcción del puente bicultural. Como colegas cristianos, hay un cuerpo de creencias y comprensión compartido en común, que facilita la comunicación. Sin embargo, las expectativas de los creyentes del lugar pueden incluir relaciones verticales como padre/hijo, maestro/alumno o benefactor/receptor. Éstos son pares de papeles en el que se espera que el misionero esté a cargo. A menudo el aspecto más difícil de esto es que los misioneros tal vez se esfuercen por encontrar un papel de siervo, pero terminen frustrados por las expectativas de su pueblo anfitrión.

Desde una perspectiva estructural, los papeles verticales, en los cuales la comunicación procede de arriba hacia abajo, no son los mejores para una comunicación eficaz, pues hay escasa realimentación de abajo hacia arriba. Las personas de abajo cumplen las órdenes de arriba, pero a menudo no internalizan el mensaje ni se lo apropian. Desde una perspectiva cristiana, este papel no encaja con el ejemplo de Cristo. Por el contrario, puede conducir a una explotación de los demás para beneficio propio.

¿Qué papeles puede asumir el misionero? ¿Y qué lugar tendrá en la estructura social? Aquí podemos recurrir a un modelo bíblico: el de siervo. Debemos hacer énfasis en la igualdad con nuestros hermanos y hermanas del lugar. No debe haber ninguna separación en dos clases de personas, «nosotros» y «ellos». Entre los creyentes confiamos tanto en las personas del lugar, así como confiamos en nuestros colegas misioneros, y estamos dispuestos a aceptarlos como colegas y administradores sobre nosotros.

Existe liderazgo en la iglesia, como debe existir en cualquier institución humana para que funcione. Las asignaciones de liderazgo no se basan en cultura, raza o aun poder financiero. Se asigna de acuerdo con dones y habilidades dados por Dios. El concepto bíblico de liderazgo se caracteriza por el servicio. Los líderes son los que buscan el bienestar de los demás y no el de sí mismos (Mt 20:26-28). Son prescindibles, y en este sentido los misioneros son los más prescindibles de todos, porque su tarea es plantar la iglesia y seguir adelante cuando su presencia empieza a obstaculizar su crecimiento.

Estructura social y movimientos de iglesia

Los siervos transculturales deben estar conscientes de las estructuras, los grupos y las instituciones dentro de una sociedad dada. ¿Cómo se estructuran las sociedades y cómo se relacionan los grupos sociales entre sí cuando el evangelio comienza a florecer y producir cambios en la sociedad? Aquí, de nuevo, dos o tres ilustraciones pueden mostrar mejor la aplicación y la utilidad del concepto.

Sociedades tribales

En muchas tribus, los grupos sociales juegan un papel importante en la vida de una persona, más de lo que ocurre en la sociedad occidental, con su fuerte énfasis en el individualismo y la libertad. En una tribu, una persona nace y se cría dentro de un gran grupo de parentesco o linaje constituido por todos los descendientes varones de algún ancestro remoto, además de todas las familias de estos varones.

Para tener alguna idea de esta clase de sociedad, imagínese viviendo junto con todos sus parientes que comparten su apellido. Todos los hombres de una generación mayor que usted serían sus «padres», responsables de disciplinarlo cuando

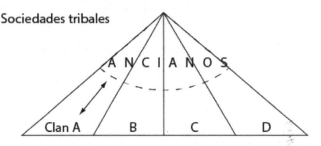

Sociedades tribales

A N C I A N O S

Clan A   B   C   D

- Énfasis en parentesco como base de los vínculos sociales
- Orientación fuerte hacia el grupo con responsabilidad mutua y procesos de la toma de decisiones como grupo
- Mínima jerarquía social
- Comunicación vertical

se desvíe de las reglas y costumbres familiares. Todas las mujeres de esa generación serían sus «madres», que lo cuidan. Todas las personas de su linaje de su misma edad serían sus «hermanos» y «hermanas», y todos los hijos de todos sus «hermanos» serían sus «hijos» e «hijas».

En una tribu los grupos de fuerte parentesco brindan al individuo muchísima seguridad. Lo mantienen cuando está enfermo o sin comida, lo sostienen cuando va a la escuela, contribuyen a la compra de un campo o para conseguir una esposa, y pelean por él cuando es atacado. A cambio, el grupo le hace muchas demandas. Sus tierras y su tiempo no son estrictamente suyos. Se espera que los comparta con los de su linaje que los necesiten.

Por lo general, en estas tribus las decisiones importantes las toman los ancianos, los hombres mayores con muchísima experiencia en la vida. Esto ocurre en particular en una de las decisiones más importantes de la vida, a saber, el matrimonio. A diferencia de nuestra sociedad, en las que los jóvenes se apresuran a casarse cuando «se enamoran», sin probar con cuidado las condiciones sociales, económicas, mentales y espirituales de la otra persona, en la mayoría de las tribus los matrimonios son arreglados por los padres. A partir de su larga experiencia, conocen los peligros y escollos del matrimonio. Se dejan llevar menos por los vínculos emocionales del presente. Los padres forman la pareja sólo después de un largo y cuidadoso análisis de todas las parejas potenciales. El amor crece en estos matrimonios, como en cualquier matrimonio, al aprender cada integrante a vivir con el otro y a amarlo.

Las decisiones de linaje y tribales también son tomadas por los ancianos. Los jefes de familia pueden opinar, pero deben cumplir con las decisiones de los líderes si desean seguir perteneciendo a la tribu.

Esta clase de organización social plantea serias cuestiones para la evangelización cristiana. Tome, por ejemplo, la experiencia de Lin Barney. Lin estaba en Borneo cuando fue invitado a presentar el evangelio a una tribu de una aldea asentada en lo alto de las montañas. Luego de una difícil travesía llegó a la aldea y se le pidió que les hablara a los hombres reunidos en la casa comunal. Compartió el mensaje del «camino de Jesús» hasta bien entrada la noche, y al final los ancianos anunciaron que

tomarían una decisión acerca de este nuevo camino. Los miembros del linaje se reunieron en grupos pequeños para discutir el asunto y luego los líderes del linaje se reunieron para tomar la decisión final. Al final decidieron convertirse en cristianos todos. La decisión fue por consenso general.

¿Qué deben hacer los misioneros ahora? ¿Deben traerlos al punto de partida y hacer que lleguen a una decisión individualmente? Debemos recordar que en estas sociedades nadie pensaría en tomar una decisión tan importante como el matrimonio sin tomar en cuanta a los ancianos. ¿Es realista, entonces, esperar a que tomen una decisión aun más importante con respecto a su religión, por su cuenta? ¿Deben los misioneros aceptarlos a todos como nacidos de nuevo? Después de todo, tal vez algunos no hayan querido convertirse en cristianos y seguirán adorando a los dioses de su pasado.

Las decisiones grupales no significan que todos los miembros del grupo se han convertido en cristianos, pero sí significan que el grupo está abierto a recibir instrucción bíblica adicional. La tarea del misionero no ha concluido —apenas comienza— porque ahora debe enseñarles toda la

Cerrando la brecha   *Donald N. Larson*

A menudo hay una amplia brecha entre cómo se concibe al misionero acerca del papel que juega y cómo lo perciben en su comunidad adoptiva. Para cerrar la brecha entre misioneros y miembros de la comunidad local se exige rediseñar viejos papeles de conducta y diseñar nuevos. Quizá los misioneros tengan que aprender a ser extranjeros por primera vez en su vida y encontrar nuevas maneras de ser amigos o vecinos. Cerrar la brecha implica que los misioneros deberán medir su efectividad de acuerdo con el estándar de su anfitrión, en vez del suyo.

Hace algunos años, durante un taller de lenguaje y cultura en el este de África, una misionera me preguntó si sabía algo acerca de los elefantes. Cuando respondí que no, me preguntó específicamente si sabía lo que pasaba cuando una manada de elefantes se acercaba a un pozo de agua que está rodeado por otra manada. Le contesté

que no sabía. Me explicó que el elefante líder de la segunda manada se da la vuelta, y se acerca al agua caminando hacia atrás. En cuanto los dos elefantes que están junto al agua sienten la parte trasera del elefante, le abren campo haciéndose a un lado. Ésa es la señal que indica a los otros elefantes que la primera manada está lista para abrirles paso alrededor del pozo. Cuando le pregunté qué me quería decir, simple y convincentemente me dijo: «nosotros no entramos de espalda». En la actualidad, el continuo movimiento de misiones en el mundo podría requerir que los misioneros aprendan a «entrar de espalda» en sus comunidades anfitrionas.

Como misionero, ¿qué significa «entrar de espaldas»? Desde su posición como extranjero, si el misionero espera influir en la gente, debe encontrar la manera de ser reconocido y aceptado dentro de la sociedad. Algunos

papeles podrían ayudarlo a lograr objetivo. Otros no. Su prioridad identificar los más apropiados efectivos. Los residentes locales debe sentirse bien con su compañía en comunidad.

De manera inevitable el misione comprende que para ser aceptado l miembros de la comunidad loc primero deben ver que está dispuesto aprender. Jugar el papel de alumn abre un acceso especialmente útil. dependencia y vulnerabilidad de s alumno expresa de manera humilde l mensajes de identificación reconciliación explícitos en el evangeli Al entrar en una nueva comunid: como un alumno sincero (de lenguaje cultura, para empezar), el misionero acerca a los residentes locales cc humildad, mostrando dignidad a gente de quien aprende. Un alumno alguien que «entra de espaldas».

Donald N. Larson fue el asesor principal de Cross-Cultural Living and Learning, de Link Care Center. También fue professor de Antropología y Lingüística en Bethel College, St. Paul, Minnesota, y anteriormente sirvió como director del Institute of Linguistics de Toronto durante veinticinco años.

Biblia.

Esta clase de movimientos de pueblos no son aislados. De hecho, en el pasado gran parte del crecimiento de la iglesia ha ocurrido por medio de ellos, incluyendo a muchos de los primeros ancestros cristianos de la mayoría de los lectores de este libro.

Sociedades campesinas

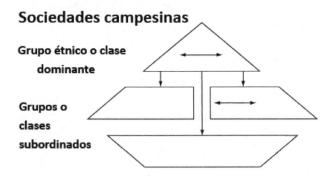

Grupo étnico o clase dominante

Grupos o clases subordinados

- Énfasis en parentesco como base de los vínculos sociales
- Orientación fuerte hacia el grupo con procesos de la toma de decisiones como grupo
- Jerarquía intergrupal
- Comunicación horizontal dentro de los grupos y vertical entre los grupos

Sociedades campesinas

En sociedades campesinas, vemos con frecuencia clases sociales, grupos y castas, como un rasgo más destacado de la organización y la interacción social, que los vínculos de parentesco extendido. A menudo el poder está concentrado en las manos de una élite que está lejos de quienes son considerados plebeyos.

Las sociedades campesinas están constituidas por diferentes grupos de personas, a menudo con diferentes clases, culturas e idiomas (heterogéneos, formados por diferentes grupos), mientras que la mayoría de las tribus son homogéneas (formadas por un grupo).

La presencia de varios grupos en la misma aldea tiene implicaciones significativas para la fundación de iglesias, pues suscita cuestiones importantes. En primer lugar, está el tema de la unidad de la iglesia. Si fundamos una iglesia en un grupo, tal vez las personas de otros grupos no quieran asistir, o no tengan permiso para asistir. Las distancias sociales son tan importantes como las geográficas. Las personas podrán vivir a metros de distancia, pero estar a una distancia de cientos de kilómetros socialmente.

Podemos recurrir a la India para ilustrar esto. Las aldeas están divididas en una gran cantidad de *jatis*

o castas. Muchos de éstos, como los sacerdotes, los carpinteros, los herreros, los barberos, los lavadores, los alfareros y los tejedores, están asociados con ciertos monopolios de trabajos.

Las castas también se pueden agrupar en castas limpias y los intocables. Los últimos son ritualmente contaminantes y, en el pasado, ser tocados por ellos contaminaba a personas de castas limpias, que tenían que recibir un baño de purificación para restablecer su pureza. En consecuencia, los intocables debían vivir en pequeñas aldeas separadas de las aldeas principales y tenían prohibido ingresar en los templos hindúes.

Cuando llegó el evangelio, tendió a moverse en uno u otro grupo de castas, pero no en ambos. Algunos de los primeros conversos eran de la casta limpia, pero cuando muchos de los intocables aceptaron a Cristo, las personas de la casta limpia objetaron. No querían asociarse con los intocables. Los misioneros continuaron aceptando a todos los que venían y requerían que se unieran a la misma iglesia. En consecuencia, muchas personas de la casta limpia regresaron al hinduismo.

El problema aquí no es simplemente teológico. Muchos de los conversos de la casta alta creyeron sinceramente en el evangelio, y aún hoy muchos son creyentes secretos. Es un problema social. Las personas son muy diversas en la escala social, les cuesta asociarse de manera cercana, y casarse con personas que son notablemente distintas de ellas. ¿Podemos esperar que las personas cambien sus formas sociales profundamente arraigadas al momento de su conversión? En otras palabras, ¿debemos esperar que se unan a la misma iglesia? ¿Cambiar nuestras costumbres sociales forma parte del crecimiento cristiano?, ¿O debemos permitir que formen iglesias diferentes con la esperanza de que con más enseñanza se convertirán en una sola?

Ha habido personas en la India que han sostenido que la salvación de las personas no está atada a que se unan a una única iglesia y, por lo tanto, han comenzado diferentes iglesias para las castas limpias y los intocables. Han tenido un éxito mucho mayor en ganar personas de las castas limpias, pero han enfrentado también muchas críticas. Otros sostienen que esto es contrario a la voluntad de Dios. Preguntan si debemos dividir a las iglesias con base en estructuras sociales humanas caídas como la clase y la casta. ¿Dónde está la unidad de la iglesia y la unidad del evangelio y el Espíritu Santo? Aducen que si desde el inicio no se construyen puentes de comunión entre grupos, la iglesia quedará presa de los sistemas sociales y contribuirá a la segregación y opresión que caracterizan a estos sistemas.

¿Ir arriba o abajo?

Hay un segundo dilema que enfrentamos cuando tratamos con sociedades formadas por grupos ordenados por una jerarquía de prestigio y poder. ¿A quiénes debemos ir primero, a la élite dominante, a los plebeyos de la clase media, o a los intocables, los siervos, los pobres y demás pueblos marginales en el fondo de la sociedad?

Muchos misioneros han sostenido que primero debemos ir al grupo dominante. Si los líderes comunitarios se convierten en cristianos, sostienen, los demás seguirán, porque la élite sirve como su ejemplo. Sin embargo, esta estrategia ha encontrado un éxito limitado en sociedades campesinas. Primero, porque las élites campesinas han sido más resistentes al evangelio que las clases y castas inferiores. Y, además, aun cuando las personas del grupo dominante se conviertan en cristianos, rara vez están dispuestas a asociarse con las clases inferiores y a evangelizarlas. Otros misioneros han ido primero a los pobres y oprimidos, como ha ocurrido frecuentemente, no como resultado de una planificación consciente, sino debido a la respuesta generalizada de los oprimidos, para quienes el evangelio tiene una atracción especial.

Muchas sociedades campesinas no tienen clase media, por lo menos no en el sentido contemporáneo del término. Sin embargo, con la difusión de la modernidad en muchas comunidades rurales han comenzado a surgir personas educadas y relativamente independientes de clase media. En años recientes los evangélicos han ido cada vez más a ellas para fundar iglesias porque están abiertas al cambio.

Sociedades urbanas

El mero tamaño y la complejidad de las ciudades modernas hacen que nos resulte difícil entenderlas. Necesitamos usar enfoques tanto macro como micro —tanto una perspectiva de helicóptero como de nivel de calle— para ayudarnos a entender esta cosa grande, compleja y confusa que llamamos ciudad.

La perspectiva macro

Las ciudades varían mucho, dependiendo de sus historias, culturas y ubicación. También varían en razón de su existencia, sea como centros de gobierno (Washington D.C.), centros religiosos (La Meca), centros de negocios y/o comerciales (Mumbai) o centros turísticos (Acapulco). Sin embargo, a pesar de la gran variedad, se pueden hacer algunas generalizaciones que se aplican, si no a la mayoría, a todas las ciudades.

Para entender a las ciudades debemos considerar el efecto del tamaño sobre la organización humana. Es imposible que diez o veinte millones de personas vivan juntas sin sistemas sociales, económicos y políticos muy complejos que hacen posible su vida en comunidad. Las personas pertenecen a familias, asociaciones y vecindades que se relacionan con las estructuras de gobierno de la ciudad que, a su vez, forman parte de las estructuras mayores del estado y nacionales.

Las ciudades son centros de poder, riqueza, conocimiento y pericia. Dominan y dependen simultáneamente de las comunidades rurales y tribales que las rodean, las cuales les brindan alimentos y otras materias primas. Como centros, atraen tanto a los ricos como a los pobres. Las masas de personas atraen a más personas.

El simple tamaño y la complejidad de las ciudades, así como su centralización de poder, dan origen a una jerarquía interna. La distancia entre los ricos y los pobres, los poderosos y los que no tienen poder, los de condición alta y baja, es casi incomprensible. ¡Los directores de las corporaciones modernas pueden ganar más durante un juego de golf con otros ejecutivos que lo que pueden ganar sus obreros de menores ingresos en dos o tres años de duro trabajo!

Otra característica importante de las ciudades es su diversidad. Atraen a diferentes clases de personas que forman sus propias comunidades culturales. La gente tiende a relacionarse estrechamente con los de sus propios grupos, y sólo de manera superficial con otros en la ciudad.

La perspectiva micro

Esto nos lleva a la perspectiva micro, o de nivel de calle, de las ciudades. Las comunidades surgen con base en sus diferencias étnicas, de clase, culturales y residenciales, muchas de las cuales mantienen sus propios idiomas y culturas. Los Ángeles tiene más de setenta y cinco diferentes comunidades étnicas y enseña clases en escuelas públicas en más de setenta idiomas.

Si bien en las aldeas de campesinos surgen clases, en la ciudad explotan en muchísimos enclaves de estilos de vida diferentes, conformados por personas que comparten prácticas culturales, valores e intereses similares. Además de las variables económicas, existen subculturas que surgen en el entorno de los trabajos, religiones o intereses especiales como autos, artes, deportes, etcétera. Las clases difieren de los grupos étnicos de una forma importante: sus fronteras son porosas, y es posible moverse a una clase superior o inferior.

No todos los habitantes de la ciudad tienen una mentalidad urbana. Muchos son campesinos que visitan o se mudan a la ciudad pero mantienen actitudes rurales. Forman pequeños enclaves aldeanos, donde buscan mantener la vida tal como la conocieron en el campo. Con el tiempo se convierten en verdaderos citadinos, pero es algo que puede llevar generaciones.

Organización social urbana

Después de haber considerado algunas de las características generales de las sociedades urbanas, necesitamos examinar con mayor detalle algunas de las dimensiones de su organización social.

Papeles

En las sociedades campesinas la mayoría de las relaciones son múltiplex en su naturaleza. Las de entornos urbanos son simplex.

Las relaciones múltiplex existen cuando las personas se encuentran en muchas ocasiones y en muchos papeles diferentes. La fortaleza de las relaciones múltiplex es que las personas aprenden a conocerse íntimamente, de una manera plena. Las relaciones tienden a ser más duraderas. Conducen a un fuerte sentido de comunidad.

Cuando las personas se relacionan entre sí en relaciones simplex, se ven unas a otras principalmente en términos del único papel en el que se encuentran, ya sea como colega de trabajo, familiar, médico, vecino, etcétera. Estas relaciones son menos duraderas, más superficiales y funcionales, y dejan a las personas con un sentido de alienación.

Familias

Por lo general hay una tendencia a enfatizar la familia nuclear, más que la familia extendida en las ciudades. La movilidad urbana, el individualismo y la libertad, erosionan la estabilidad familiar. El divorcio y el nuevo matrimonio son más frecuentes que en las sociedades campesinas. El resultado es familias monoparentales y familias combinadas. No obstante, las familias siguen jugando un papel dominante en el sector privado de la vida de la ciudad.

Redes

Las redes son una forma importante de organización social de nivel medio en las ciudades. Las noticias pueden difundirse rápidamente a través de las redes. La mayoría de las personas de la ciudad desarrollan redes básicas formadas por personas con las que les gusta vincularse, discutir problemas personales y compartir la recreación social. Mientras que en las sociedades campesinas esta similitud está basada en el parentesco, en los entornos urbanos la gente tiende a asociarse con personas que no son

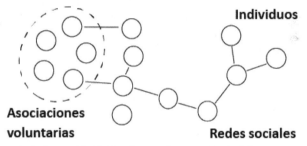

Sociedades urbanas individualistas

Individuos

Asociaciones voluntarias

Redes sociales

- Énfasis en el individualismo y la toma de decisiones individuales y personales
- Organizaciones con base en asociaciones voluntarias, redes y agrupaciones geográficas
- Heterogeneidad y jerarquía
- Uso de medios masivos además de redes

parientes, que comparten ocupaciones, intereses, clases y grupos étnicos similares.

Asociaciones e instituciones

Las estructuras sociales dominantes en la vida pública de las ciudades son las asociaciones y las instituciones. Son flexibles y capaces de organizar grandes cantidades de personas diversas, lo que las hace mucho más funcionales que los grupos de parentesco en una sociedad compleja.

Las asociaciones son grupos de personas organizadas informalmente alrededor de un interés o causa comunes. Pueden estar basadas en amistades, género, edad, interés común, una tarea o meta, prestigio, etcétera. Las asociaciones voluntarias crean símbolos para expresar su identidad y reforzar el sentido de pertenencia de sus miembros. Coordinan tareas y formulan papeles (como presidente, tesorero). Desarrollan sus propias culturas y normas, que hacen cumplir mediante diversos grados de presión social.

Las asociaciones informales pueden evolucionar hacia instituciones formales, que se convierten en la principal forma de organización social en el sector público de la mayoría de las ciudades. Incluyen gobiernos, bancos, escuelas, iglesias, negocios, hospitales, etcétera. Dentro de las instituciones, los miembros encuentran idioma, papeles, redes, jerarquías sociales, estructuras de poder, recursos económicos, sistemas de creencia, símbolos y cosmovisiones. En resumen, cada una opera como una comunidad subcultural.

Iglesias en la ciudad

No podemos analizar exhaustivamente los métodos de fundación de iglesias en entornos urbanos. Nuestro propósito aquí es cobrar conciencia de la necesidad de estudiar y entender el entorno urbano específico en el cual ministramos y ser sensibles a la forma en que los contextos sociales y culturales de las personas influyen en las formas en que escuchan y creen el evangelio.

Las iglesias y la diversidad

En la ciudad se necesitan muchísimas congregaciones para alcanzar a diversos grupos. Debido al rápido crecimiento de las ciudades, es fácil que comunidades y grupos humanos enteros en una ciudad no tengan ninguna iglesia. Las iglesias existentes tienden a servir a su propia clase de gente, pero alguien tiene que mirar a la ciudad como un todo para identificar dónde se necesitan nuevas iglesias urgentemente.

La fundación de iglesias debe comenzar por

Comunidades tribales y campesinas en las ciudades

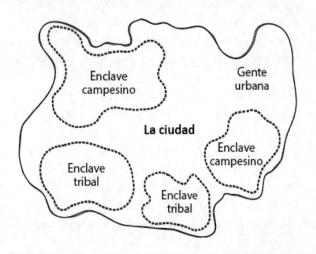

una ubicación y una comunidad específicas. Debe hacerse una investigación etnográfica de la comunidad seleccionada. Parte del proceso de investigación y preparación es el examen de nuestros propios preconceptos acerca de las personas y el trabajo. Con frecuencia, nuestras una investigación cuidadosa. En caso contrario, permaneceremos ciegos a muchas de las fuerzas sociales y culturales que pueden ayudar o entorpecer nuestro trabajo. Los estudios demográficos de la ciudad nos llevarán a escoger actitudes más profundas son las mayores barreras para la fundación efectiva de iglesias en la ciudad.

Uno de los mayores obstáculos para la fundación efectiva de iglesias en la ciudad son nuestros propios preconceptos de lo que constituye una iglesia. A menudo creemos que debe tener características de las iglesias rurales y suburbanas con las que estamos familiarizados. Demasiado a menudo somos campesinos buscando fundar iglesias rurales en entornos urbanos. Debemos romper con nuestros estereotipos de iglesia si queremos ser eficaces en la ciudad.

No hay una sola forma de iglesia que sirva como modelo para todas las demás. La iglesia asumirá diferentes formas en diferentes comunidades. Las megaiglesias son atractivas sobre todo a personas de clase media y alta que buscan múltiples ministerios. Las iglesias en locales de negocios y las misiones llegan a los pobres y a los que viven en la calle, mientras que las iglesias pequeñas y las reuniones de hogar llegan a quienes buscan un fuerte sentido de comunidad.

Muchas iglesias urbanas están descubriendo la necesidad de incorporar la diversidad en la iglesia local misma. Los ejemplos incluyen a diferentes grupos étnicos que forman congregaciones que trabajan juntas y usan las mismas instalaciones o a las iglesias urbanas multiétnicas que tienen varias congregaciones que se entrecruzan. Cada grupo necesita un lugar y una voz en la vida de la iglesia, y cada grupo necesita ser cuidado y alimentado en su propio ambiente.

Movimientos de iglesias entre los pobres

Hoy las iglesias entre los pobres están fundando otras iglesias. Los líderes locales son esenciales para esta clase de movimientos. Los líderes más efectivos son quienes surgen en el contexto de la vida cotidiana y tienen la visión, el celo y los dones para organizar y guiar a las personas. La mayoría de ellos debe ganar su propio sustento y ministrar a partir de su pasión por Cristo. Necesitan capacitación bíblica, pero pueden obtenerla por medio del discipulado personal, cursos nocturnos o seminarios continuos o series de conferencias.

Muchos movimientos de iglesia entre los pobres han estado acompañados por un énfasis en los milagros de Dios. Las personas buscan demostraciones visibles del poder transformador de Dios. Necesitamos demostrar el poder de la oración y de la sanidad y provisión extraordinarias de Dios. Todas las sanidades son sanidades de Dios y son milagrosas. Algunas parecen más comunes que otras, pero debemos esperarlas y afirmarlas todas.

Construir comunidad

La ciudad es un lugar alienante. Los habitantes de la ciudad se encuentran con muchas personas, pero se sienten cada vez menos parte de comunidades íntimas. Las iglesias pueden brindar un sentido de comunidad en medio del sistema despersonalizante de la ciudad.

Pero las iglesias en la ciudad corren peligro de convertirse en clubes religiosos, y a menudo las grandes iglesias urbanas toman la forma de una corporación. ¿Es posible que las iglesias locales sean en verdad comunidades del pacto en un entorno urbano? La iglesia primitiva lo fue, y atrajo a los solitarios y perdidos a su regazo. Si la iglesia hoy pierde su batalla para evitar ser un club religioso o una corporación, será o corre peligro de ser sólo una organización humana más, cautiva de sus tiempos. Si la iglesia quiere alcanzar a la ciudad, debe ser primero la iglesia en el sentido bíblico de ese término, un lugar donde Cristo está en el centro y el Espíritu Santo está presente en santidad y poder.

La comunicación y estructura social

Eugene A. Nida

Eugene A. Nida, lingüista, antropólogo y erudito bíblico, comenzó su asociación con la Sociedad Bíblica Americana en 1943. Fue coordinador de investigación en traducciones para las Sociedades Bíblicas Unidas entre 1970 y 1980. Después continuó su trabajo como consultor de las Sociedades Bíblicas y con otras investigaciones, dando conferencias en Europa y Asia. Escribió veintidós libros sobre traducción y misiones.

De *Message and Mission*, Revised Edition, by Eugene A. Nida, 1990. Usado con permiso de William Carey Library, Pasadena, CA.

La comunicación nunca ocurre en un vacío social, sino siempre entre individuos que forman parte de un contexto social total. Los participantes del suceso comunicativo se encuentran en una relación mutua definida; por ejemplo, como jefe y empleado, hijo y padre, policía y ofensor o niño y niñera. Además, en cada sociedad hay reglas claras acerca de qué clase de personas dice qué clase de cosas a ciertas clases de personas. Lo que es totalmente correcto que diga una clase podría ser impropio para otra, y aun los mismos comentarios dichos por diferentes personas pueden ser interpretados de formas bastante diferentes. El mismo comportamiento interpretado como arrogancia ofensiva en un subordinado puede ser considerado una simpática despreocupación de parte del jefe, y lo considerado como sumisión ciega en la clase media inferior puede ser interpretada como una encantadora modestia en la clase superior.[1] Todo lo que dicen las diferentes clases de personas está inevitablemente influido por sus respectivas posiciones en la sociedad. Porque el hombre es mucho más que un individuo: es un miembro de una «familia» muy grande, sea un clan, una tribu o una nación, y siempre hay reglas importantes, aunque generalmente no formuladas, que se aplican a toda comunicación interpersonal.

Este aspecto de la comunicación dentro de la estructura social es particularmente importante desde el punto de vista religioso. Donde hay dioses tribales o nacionales, estas deidades ocupan posiciones de importancia especial en la estructura social, ya sea como ancestros míticos o como guardianes de los patrones y costumbres del pueblo. Por esta razón, a menudo la religión se opone a cualquier rompimiento con el pasado, a toda ruptura de los individuos con la «fe» y a todo supuesto socavamiento del liderazgo tradicional. Por lo general, un nuevo converso al cristianismo en una sociedad predominantemente pagana se sentirá de forma muy similar a un indígena hopi que volvió a su propia aldea luego de haber estado en una escuela extranjera, donde fue bautizado como cristiano. El primer día de su retorno, todos los aldeanos fueron a un baile y lo dejaron sentado a la sombra del muro de la misión. Se sintió, como lo describió más tarde, «como un hombre sin país».

Lamentablemente, algunas estrategias misioneras hacia los no cristianos han involucrado la creación de una casta o subcultura cristiana. Antes de la independencia de la India, algunos misioneros bienintencionados sintieron casi de manera inconsciente que para que los nuevos conversos indios se hicieran verdaderamente cristianos y permanecieran fieles a su nueva postura, necesitaban una plena identificación con los misioneros y la comunidad extranjera. En algunos casos, el resultado fue el desarrollo de un entorno de «invernadero» completamente artificial, en el cual los conversos cristianos podrían ser

Artículo 74

protegidos, pero en realidad nunca podrían crecer. En un sentido se les estaba enseñando que fueran clavijas cuadradas en agujeros redondos.

En ocasiones el trabajo misionero bienintencionado no ha logrado comunicar el evangelio porque la fuente adoptó un papel completamente incompatible con cualquier identificación efectiva con las personas que buscaban alcanzar. En una misión a indígenas de Sudamérica, el papel de los comunicadores es el de terratenientes ricos. Esta clase de persona puede lograr muchísimo con base en su prestigio. Sin embargo, no puede relacionar las Buenas Nuevas con las personas que quiere alcanzar porque los papeles de los participantes en la comunicación bloquean la comprensión efectiva. Dados los papeles de terrateniente y peón, no hay nunca un tráfico de dos sentidos de comunicación significativa acerca de los verdaderos temas de la vida, y sin una comunicación de dos sentidos no puede haber ninguna identificación.

Estructuras sociales y comunicación interpersonal

Las estructuras sociales, junto con las redes de comunicación que representan, son muy diversas. No intentaremos un análisis detallado de todos los distintos tipos de estructuras sociales, ni una discusión de los muchos factores que dan origen a diferentes patrones de vida social. Aquí nos interesa sólo un aspecto específico de la estructura social; a saber, lo que es significativo en términos de la comunicación interpersonal. Con este propósito podemos diferenciar dos tipos primarios de distinciones que se intersectan en varios niveles. Primero, debemos distinguir entre los tipos de estructuras urbanas (o la denominada sociedad «metropolitana») y rurales (o sociedad «cara a cara»). Segundo, debemos analizar estos tipos de estructuras en términos de su carácter homogéneo o heterogéneo. La sociedad urbana es característica del típico morador de ciudad en los grandes centros urbanos, sea en Nueva York, Londres o Calcuta, y la sociedad rural es característica de la comunidad

campesina, sea una aldea indígena cerca de la Ciudad de México o una aldea en las montañas del norte de Tailandia.

Cuando hablamos de sociedad homogénea nos referimos a una sociedad en la cual la mayoría o todas las personas participan en la vida en común más o menos de la misma forma. Esta clase de grupos pueden tener diferencias de clase o distinciones de liderazgo y de posiciones de autoridad, pero la sociedad, no obstante, es un todo integrado que comparte prácticamente el mismo sistema de valores. No es un mero agregado de subculturas que operan a lo largo de líneas bastante diferentes. Suecia, por ejemplo, puede ser considerada como una sociedad más o menos homogénea, en contraste con los Estados Unidos, con su gran población heterogénea en diversos grados de «asimilación». Puede ser contrastada también con un país como Perú, que mantiene una cultura iberoamericana en sus ciudades, pero tiene una cultura claramente diferente en las aldeas del altiplano y la selva oriental.

Modelos de estructura social

A fin de entender con mayor claridad algunas de las características esenciales de la estructura social, es conveniente diagramar estos patrones sociales usando como base general una figura de joya de diamante «invertida».

En este diagrama generalizado y esquemático indicamos no sólo las posiciones y tamaños relativos de las diferentes clases —superior, media e inferior—, sino también algo de la configuración

total. Esta configuración da a entender que la clase superior va disminuyendo hacia un número relativamente limitado de líderes máximos y que la clase inferior (que podría denominarse la sección indigente de la población) por lo general está formada por una cantidad menor muy por abajo de los que están algo más arriba en la estructura social.

Hemos escogido arbitrariamente representar la

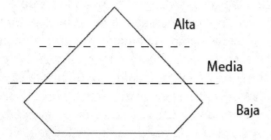

estructura social en tres clases. Sin embargo, en algunas sociedades es necesario reconocer cuatro, cinco, seis o aun más clases. En tal caso es habitual hablar de estas distinciones como clase superior superior, superior inferior, medio superior, medio inferior, inferior superior e inferior inferior. Las figuras de estos diagramas no están basadas en datos estadísticos, porque tales datos no están disponibles en términos de criterios de clases. Están basadas obviamente en impresiones, pero son muy útiles.

Cabe señalar, por ejemplo, que en la sociedad haitiana la clase superior constituye un grupo muy angosto y estratificado, mientras que la sociedad muestra una especie de protuberancia en la base. En el diagrama de Dinamarca la clase superior no sobresale proporcionalmente tanto por encima del resto de la estructura, la clase media es más bien grande y la inferior va disminuyendo hacia una base indigente muy restringida. México, por otra parte, representa una estructura algo «típica», con una clase media creciente, una clase superior algo atenuada y el grueso de la sociedad en la clase inferior, si bien no con la concentración proporcionalmente fuerte en el fondo, característico de Haití.

Comunicación dentro de las estructuras sociales

La importancia de la estructura social para la comunicación puede resumirse en dos principios básicos: (1) las personas se comunican más con personas de su propia clase; es decir, la comunicación interpersonal de carácter recíproco es en esencia horizontal; y (2) la comunicación prestigiosa desciende de las clases superiores a las clases inferiores; esta comunicación vertical es ante todo en un sentido, y tiende a ser mayormente entre grupos adyacentes.

1. La comunicación interpersonal es horizontal y recíproca

Sin embargo, la comunicación realmente eficaz no es unidireccional. Debe haber reciprocidad en la comunicación (que podemos denominar «retroalimentación social»); si no, los resultados pueden ser muy poco satisfactorios. En la guerra, por ejemplo, el general no sólo debe saber dar órdenes a las tropas; también debe saber con precisión cómo están las tropas, para que sus órdenes no conduzcan a tragedias negligentes, como el colapso de Francia en la Segunda Guerra Mundial. Así como un general debe saber dónde están los hombres y el tipo de resistencia que están enfrentando, en toda comunicación organizacional con una fuente de comunicación centralizada las órdenes deben salir, pero la información debe ser realimentada continuamente.

2. La comunicación prestigiosa es vertical y unidireccional

Cuando, por ejemplo, un africano insiste en usar un pesado e incómodo abrigo en un día caluroso simplemente para demostrar que ha recibido esa prenda de un funcionario blanco, y por lo tanto ha adquirido cierta medida de estatus local, debe ser evidente para el observador que lo que desciende de

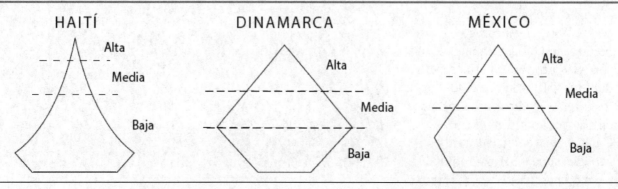

arriba conlleva una tremenda cantidad de prestigio. Tanto en el ministerio, como en el trabajo misionero, lo usual es que el profesional religioso sea quien dé la mayor parte del discurso. Ha salido para decirle a la gente la verdad, no para escuchar ideas de otras personas acerca de la verdad. Llevado a un extremo, esta actitud hace irrelevante el mensaje.

Método comunicativo en una sociedad cara a cara

Para la estructura de las sociedades urbanas, las sociedades rurales, campesinas y primitivas cara a cara, presentan ciertos contrastes marcados. Hay, por supuesto, muchas diferencias importantes entre, por ejemplo, una pequeña comunidad rural de las montañas de Kentucky y una aldea en el norte de Zaire. Sin embargo, ciertos rasgos significativos son especialmente pertinentes para los problemas de la comunicación.

Por lo general hay dos tipos principales de sociedades cara a cara: (1) populares y (2) primitivas. La primera es un tipo de sociedad dependiente que mira hacia el centro urbano, deriva considerables beneficios de él y también le aporta mucho, especialmente con respecto a materias primas. Por otra parte, la sociedad primitiva es también un agrupamiento en sentido estricto cara a cara que puede estar organizado en forma precisa o imprecisa, pero su economía y orientación son casi completamente independientes de influencias exteriores. Esta clase de grupo, con sus propias leyes, es bastante homogéneo, con escasa división de trabajo, excepto entre los sexos. En realidad, los grupos estrictamente primitivos —en el sentido del término— son escasos ahora, y se están volviendo dependientes con mucha rapidez, si bien en la actualidad pueden estar en un estado de transición.

En contraste con la estructura de diamante invertido, con una división horizontal de clases, típica de las culturas urbanas, las sociedades populares y, en cierta medida las sociedades primitivas, pueden ser descritas con diagramas piramidales de base amplia con divisiones aproximadamente paralelas más que transversales:

En este caso la pirámide tiene una base bastante amplia, porque por lo general las diferencias entre los que conducen y los conducidos no son grandes. A la vez, no hay clases superiores, medias e inferiores simples o elaboraciones de estas distinciones. Más bien, la estructura de la sociedad se divide esencialmente en grupos familiares relacionados por nacimiento o matrimonio consistentes en clanes, pequeñas tribus, fratrías y fracciones («moieties»), dependiendo de la forma concreta que pueda asumir cualquier estructura social específica.

La cima del diagrama indica el liderazgo de un grupo pequeño, los ancianos de la sociedad. Estos líderes constituyen un control oligárquico, pero representan también individualmente sus afiliaciones familiares, según lo sugerido por las líneas punteadas. Esta clase de sociedad tiene un fuerte sentido de cohesión y presenta un frente más o menos uniforme contra la intrusión. Debe ser conservadora en su orientación a fin de preservarse. En la mayoría de los casos toma decisiones colectivas, no mediante ninguna técnica parlamentaria formal, sino por la clase de discusión e intercambio informales que caracterizan a la mayoría de los tipos de «decisiones familiares». En esta clase de sociedad la difusión efectiva de información no se puede describir a lo largo de ejes horizontales o verticales (como en nuestros diagramas anteriores), sino más bien principalmente a lo largo de líneas familiares y de clanes. McGavran señala la necesidad de usar estos canales de comunicación eficaces como los «puentes de Dios».[2]

Método comunicativo en una sociedad heterogénea o urbana

En lo fundamental, las sociedades heterogéneas son de dos tipos: (1) sociedades urbanas que contienen grupos minoritarios estructurados en forma urbana y (2) sociedades urbanas que incluyen subsociedades cara a cara.

En el primer tipo uno debe reconocer tres factores: (1) las diferencias básicas que significan que uno no puede, por más idealista que sea, usar de manera idéntica las mismas estrategias para grupos diferentes; (2) el inmenso diferencial de prestigio, que significa que las personas de los grupos de menos prestigio intentan seguir, o piensan que están siguiendo, las normas del grupo superior; y (3) la prioridad de la comunicación intragrupal, si se desea obtener una comunicación efectiva.

En el segundo tipo principal de sociedad heterogénea, la estructura urbana dominante incluye un grupo minoritario que tiene un tipo de sociedad cara a cara. Cuando una única estructura social involucra no sólo un grupo dominante, sino también incluye un grupo cara a cara, es esencial reconocer no sólo sus diferencias de estructura, sino también sus interrelaciones. Uno de los errores más serios en el trabajo misionero ha sido imaginar que ciertos grupos autóctonos deben ser alcanzados como un grupo destinatario aparte, desarrollados como una comunidad aislada, mientras siguen dependiendo en alto grado del centro urbano. Sin embargo, es igualmente posible que el esfuerzo misionero no reconozca la necesidad de diseñar estrategias diferentes para la sociedad urbana y popular, sino que los englobe sin tener en cuenta la diferencia de sus estructuras. En una sociedad heterogénea con una cultura popular incluida, siempre existe el agudo problema de tratar con personas en un estado de transición. ¿Deben ser ministradas en términos de sus circunstancias rurales o dentro de su entorno de ciudad? En un sentido, todo depende de dónde se encuentran y cómo se ven a sí mismas. Las personas mismas están cumpliendo dos papeles.

Si un misionero desea tener éxito en la comunicación, debe reconocer las diferencias existentes entre las distintas clases de personas y hacer que su mensaje sea aplicable a las circunstancias de ellas y que sea transmisible mediante las redes de comunicación tradicionales que tienen. Cada clase o subcultura debe ser alcanzada dentro de los contextos de su propia vida.

Método comunicativo para cualquier sociedad

Una vez que hemos reconocido la estructura fundamental de una sociedad, podemos ver que los métodos que han demostrado ser más exitosos en ellas son los que hacen un uso óptimo del flujo natural de la comunicación. En esta clase de método se tienen cuatro principios básicos: (1) la comunicación eficaz debe estar basada en la amistad personal; (2) el enfoque inicial debe ser hacia quienes pueden transmitir eficazmente la información dentro de su propio grupo familiar; (3) debe darse tiempo para la difusión interna de nuevas ideas; (4) el desafío para cualquier cambio de creencia o acción debe ser dirigido a las personas o grupos socialmente capaces de tomar esta clase de decisiones.

No debemos dar la impresión de que sólo la clase de personas que hemos descrito como útiles son indispensables para los esfuerzos evangelísticos. Pero cuando analizamos los desarrollos a lo largo de todo el ámbito del trabajo, se hace evidente que las cualidades sociales y personales de las personas ganadas inicialmente a la nueva fe son de mucha importancia para evaluar la eficacia probable de la comunicación y su extensión a los demás. Parece más que evidente el hecho de que la comunicación eficaz dentro de cualquier contexto social debe seguir de manera inevitable la estructura social. Las personas son una parte tan integral de la estructura social en la que viven, que sólo en y a través de esta estructura pueden ser alcanzadas y pueden vivir su fe.

Notas

1. Davis Riesman, *Individualism Reconsidered* (Garden City, N.Y.: Doubleday & Co., Inc., 1954), p. 46.
2. Donald A. McGavran, *The Bridges of God* (London: World Dominion Press, 1955), p. 120.

Preguntas para reflexionar

1. Nida identifica dos principios de comunicación básicos dentro de cualquier estructura social dada. ¿Cuáles son y por qué son importantes?

2. ¿Qué consejos ofrece Nida a quienes trabajan en una sociedad urbana heterogénea que incluye una sociedad popular?

3. ¿Cómo aplicaría usted los cuatro principios básicos de Nida para optimizar el flujo de comunicación natural para llevar el evangelio a una sociedad cara a cara o a una sociedad urbana heterogénea?

La diferencia que crea la vinculación

Elizabeth S. y E. Thomas Brewster

Elizabeth S. Brewster (conocida como «Betty Sue»), y el fallecido E. Thomas Brewster, sirvieron como matrimonio en equipo, especializándose en ayudar a misioneros a desarrollar técnicas efectivas en el aprendizaje de cualquier idioma y a adaptarse a la amplia cultura de la cual es parte el idioma. Su libro, *Language Acquisition Made Practical* (LAMP), ha sido reconocido por su innovador acercamiento y creatividad pedagógica. Betty Sue continúa enseñando en el Fuller Theological Seminary y en conferencias por todo el mundo.

Adaptado de *Bonding and the Missionary Task*, 1982, Lingua House. Usado con el permiso de los autores.

Y el Verbo se hizo hombre y habitó entre nosotros. —Juan 1:14

Tenemos un nuevo bebé varón que nació en nuestro hogar hace pocos meses. En preparación para su nacimiento aprendimos por primera vez acerca del concepto de vinculación. Después de su nacimiento, la constitución psicológica y fisiológica de un recién nacido lo prepara de forma inmediata para crear lazos afectivos con sus padres.[1] Si los padres y el bebé están juntos durante ese tiempo, se formará un fuerte vínculo que podrá resistir subsecuentes separaciones. Por cierto, la emoción y los niveles de adrenalina, tanto del infante como de los padres, están en su más alto nivel. Los sentidos del infante son estimulados por una multitud de nuevas sensaciones. En esencia, su nacimiento es la entrada en una nueva cultura donde todo es nuevo: vista, sonidos, olores, posiciones, ambiente, y nuevas maneras de ser cargado. Aun así, durante ese tiempo específico, él o ella son equipados con una extraordinaria habilidad para responder a estas circunstancias desconocidas y nuevos estímulos.

Los pediatras han observado que un bebé dado a luz sin administración de fármacos, a menudo está más alerta durante el primer día, que en las siguientes dos semanas. Estas horas facilitan la formación temprana del vínculo. Cuando un bebé está aturdido por los medicamentos aplicados a su madre durante el parto, ni el bebé ni la madre pueden aprovechar de este período dado por Dios. Incluso cuando el bebé es llevado a la soledad del cunero, también podría perderse un tiempo valioso de aguda percepción.

La analogía para el misionero

Hay importantes paralelos entre la llegada de un infante a su primera cultura y la entrada de un adulto en una nueva y ajena cultura. En esta situación, los sentidos del adulto también son bombardeados por una enormidad de nuevas sensaciones, cosas que ver y oler. Y a veces él o ella puede responder a estas experiencias de manera excepcional, —incluso disfrutarlas. Después de meses, o años de planeación y preparación, la emoción, anticipación, y adrenalina están en su más alto nivel. El misionero recién llegado está en un inusual estado de disposición, tanto fisiológica como psicológicamente, para formar un vínculo —de «pertenencia» con la gente a quien él o ella ha sido llamado a compartir las buenas nuevas.

Establecer un sentido de pertenencia

El momento puede ser crítico, dado que el vínculo se establece mejor cuando los participantes están excepcionalmente preparados para la experiencia. Pero si de inmediato se llevan al misionero recién llegado a las comodidades familiares esperadas por él, entonces se pierde una

Artículo 75

oportunidad crucial de preparación.

Si el misionero ha de establecer un sentido de pertenencia con la gente a quien es llamado a servir, la manera en que pase las primeras semanas podría tener una importancia crítica. Es bien sabido que un bebé que pasa tiempo en la cuna de un hospital forma un vínculo emocional con el personal en vez de hacerlo con sus padres. Los nuevos misioneros también podrían satisfacer su necesidad de pertenencia al tejer un vínculo con la comunidad de extranjeros.

Si establece un sentido de pertenencia con otros extranjeros, el nuevo misionero tiene más posibilidades de llevar a cabo su ministerio con el método de «incursión». El misionero podría vivir aislado de la gente local, quizá en un «complejo misionero», salir a la comunidad local unas cuantas veces por semana, y regresar siempre a la seguridad de la comunidad de extranjeros.

Si el misionero no se siente acogido en el contexto de la cultura local, tal vez evite tejer relaciones profundas con la comunidad como una forma de vida. Esta falta de vinculación puede reflejarse en declaraciones de frustración, como: «¡Esta gente! ¿Por qué siempre tienen que hacer las cosas de *esta* manera?» o «¿Cuándo van a aprender?».

Las implicaciones de la vinculación con la tarea del misionero

El misionero es el que va al mundo para darle a la gente la oportunidad de pertenecer a la familia de Dios. Va porque forma parte de la relación del más alto significado. Su vida debe proclamar: «Pertenezco a Jesús, quien me ha dado una nueva forma de vivir. Al pasar yo a pertenecer aquí contigo, Dios te invita a través de mí a pertenecer a él».

Visto así, el trabajo del misionero corre paralelo al modelo establecido por Jesús, quien dejó el cielo al cual pertenecía, para pertenecer a la raza humana a fin de llevar a la gente a una relación de pertenencia con Dios.

Cómo pertenecer

El misionero que de inmediato se sumerge en la comunidad local tiene muchas ventajas. Si el recién llegado vive con una familia local puede aprender cómo organizan su vida, cómo consiguen sus alimentos y hacen sus compras, y cómo viajan en transporte público. Hay mucho que aprender durante los primeros meses acerca de la actitud de los locales y sus opiniones en cuanto a la manera de vivir de los extranjeros. Mientras el recién llegado experimenta un estilo de vida alterno, puede evaluar el valor de adoptar el estilo local. Por otro lado, el misionero cuya prioridad es establecerse, sólo podrá hacerlo en una manera que le resulte familiar. Ya que no ha vivido nada distinto, ninguna otra opción es posible. En cuanto el misionero se establece de manera confortable en su viejo estilo de vida, virtualmente se encierra en un patrón ajeno a la gente local.

En nuestra primera cultura es natural hacer las cosas de manera que funcionen. Sabemos hacia dónde mirar antes de cruzar la calle, cómo hacer que el transporte público pare, cuánto pagar por ciertos servicios o productos, dónde encontrar la información que necesitamos y dónde buscar ayuda. Pero en una nueva cultura parece impredecible la manera de hacer las cosas. Esto causa tal desorientación, que puede terminar en un choque cultural. Si a un nuevo misionero se le facilita la entrada en una nueva cultura por otros misioneros extranjeros, con quienes primero establece un sentido de pertenencia, experimenta una especie de protección. En el pasado prevalecía la idea de que esa protección era importante para la adaptación del recién llegado. A menudo la llegada de un nuevo misionero se planeaba de manera que coincidiera con una asamblea de campo. Nos gustaría sugerir, sin embargo, que esa «protección» podría ser una desafortunada injusticia.

A semejanza del primer día de la vida de un infante, las primeras dos o tres semanas de un recién llegado son de crucial importancia. Los primeros suspiros de vida en un nuevo ambiente posibilitan el sentido de pertenencia. Durante este tiempo la persona podría estar más dispuesta a afrontar las situaciones impredecibles de la nueva cultura, y la «protección» es *lo último* que necesita.

Quien espera entrar en otra cultura de manera gradual, enfrenta obstáculos más grandes; de hecho, podría perderse disfrutar la experiencia de pertenecer a la gente. Es mejor entrar de lleno y experimentar la vida desde la perspectiva de los locales. Vivir con ellos, ir de compras con ellos, usar el transporte público con ellos, y adorar con ellos hasta donde sea apropiado.

Es importante, desde el primer día, tejer múltiples relaciones con la gente local. El recién llegado debe comunicar desde el inicio, sus necesidades y su deseo de aprender. La gente ayuda a quienes a todas luces lo necesitan. Cuando se presenten situaciones potencialmente estresantes, el nuevo misionero puede, como alumno, asegurarse de recibir ayuda, respuestas o consejos de los locales. En la misma situación, si quien está siendo «protegido» recibe respuestas de los extranjeros acerca de situaciones entre los locales, el distanciamiento y alienación de esa persona se podría perpetuar.

Una pareja que optó por aislarse de la gente de su propia cultura durante sus primeros meses en un contexto musulmán, escribió acerca de sus victorias:

> Antes de irnos sabíamos que viviríamos distintos tipos de ajustes. Como esposa sabía que para mí el tiempo más difícil sería al principio, y él pensaba que lo más difícil para él sería después de haber estado allí un tiempo, y así ha sido. Para mí fue difícil dejar a mi familia. Pero después de empezar a salir con la gente de aquí, mi añoranza se disipó. La comunidad local nos ha recibido cálidamente. Para Navidad, ciento veinticinco de nuestros amigos vinieron a nuestra celebración navideña. Para ese entonces, nos sorprendió la cercanía de nuestras relaciones interpersonales.

> No estoy segura del porqué recientemente mi esposo pasó por una depresión. Para nosotros la Navidad fue distinta, porque además él estuvo en cama una semana por una gripe. Durante ese tiempo, él anheló cosas familiares. Dice estar harto de intentar ser siempre sensible de lo que dice y cómo es percibido. Sin embargo Dios ha bendecido nuestro trabajo aquí, y la conversión de dos musulmanes que él está discipulando es lo que le ha ayudado a superar esto. En realidad hemos estado solos en muchas maneras. Nos hemos apoyado uno al otro, pero a veces la carga parece ser mucha y no teníamos a nadie más con quien hablar a pedir consejo. Quizá por eso mismo tenemos tan buenos amigos nacionales.

Para el recién llegado, la vinculación es el factor que hace posible pertenecer a tantos «buenos amigos locales». Por supuesto, habrá situaciones estresantes, pero con vínculos, el recién llegado experimenta la maravilla de las relaciones cercanas, y puede obtener apoyo de la red de amistades locales que haya cultivado. Como resultado, esto facilita adquirir la forma de vida de los locales y le da el sentimiento de estar en casa. Aquel que se siente en casa podría desanimarse o incluso sentir melancolía por un tiempo, y también un poco de estrés cultural, que es de esperarse, pero al mismo tiempo podría evitarle experimentar un choque cultural severo o prolongado.

Aprender el idioma

Vivir con una familia no sólo facilita la formación del vínculo, sino que también facilita el aprendizaje

En esencia, la adquisición del idioma es una actividad social, no académica. Aumentar el conocimiento del idioma es un reto, pero es normal para una persona comprometida con tener amistades en la nueva sociedad.

del idioma. Los recién llegados aprenden el idioma mejor cuando se sumergen en relaciones con la gente local. Es similar a la manera de aprender su lengua natal: escuchar, imitar y experimentar activamente con el idioma. Tomar clases puede ser útil, pero no puede reemplazar conversaciones genuinas, de cara a cara con los locales.

Para iniciar relaciones duraderas es necesario aprender sólo un mínimo del idioma. «Lo mejor que me ha pasado, fue el primer día cuando usted nos retó a practicar lo poco que sabíamos decir, e ir a hablar con cincuenta personas», nos escribió una misionera. «No hablé con cincuenta, sólo hablé con cuarenta y cuatro, pero *hablé* con cuarenta y cuatro». El «texto» que ella pudo decir el primer día se limitaba a un saludo, y una expresión de su deseo por aprender el idioma, luego ella podía decirle a la gente que no sabía decir nada más, pero que los volvería a ver. Cerraba su conversación con un agradecimiento y una despedida. Rompió el hielo desde su primer día y de allí en adelante pudo empezar a sentirse en casa en su nueva comunidad. Desde ese momento continuó como empezó: aprendía un poquito, pero lo usaba mucho.

En esencia, la adquisición del idioma es una actividad social, no académica. Aumentar la habilidad del uso del idioma es un reto, pero es normal para una persona comprometida con tener amistades en la nueva sociedad. A menudo el estudio del idioma es una carga y frustración para quienes mantienen sus relaciones principales con extranjeros. De allí la importancia de facilitar oportunidades para que los nuevos misioneros formen lazos con (y por lo tanto pertenezcan a) su nueva comunidad. Los misioneros nuevos deben ser desafiados con el objetivo de tejer vínculos, y preparados para responder a la oportunidad de llegar a pertenecer.

Desde el primer día, los recién llegados deben ser animados a sumergirse totalmente en la vida de la nueva comunidad. Es esencial, si un recién llegado quiere establecerse con éxito y pertenecer a la comunidad, que decida con anticipación hacer el compromiso de vivir con una familia local y aprender de las relaciones que establezca en la comunidad. Sin dicho compromiso previo, por lo general no se logra.

Hemos encontrado útil la previa preparación de la perspectiva y expectativas, además de la capacitación en cómo desarrollar habilidades de aprendizaje del idioma. Cuando aconsejamos a la gente, les recomendamos aceptar nuestras cuatro condiciones para las primeras semanas:

1. Estar dispuesto a vivir con una familia local.

2. Limitar sus pertenencias personales a veinte kilos.

3. Usar sólo transporte público.

4. Llevar a cabo aprendizaje del lenguaje en el contexto de sus relaciones, las cuales el alumno tiene la responsabilidad de desarrollar y mantener.

La disposición de aceptar estas condiciones dice mucho acerca de la actitud y flexibilidad del individuo. Con una mentalidad preparada, un recién llegado es libre para responder creativamente a las oportunidades de aprendizaje y tejido de vínculos que lo rodean.

Por lo general el nuevo misionero —soltero, casado, o con hijos— puede tener éxito en vivir con una familia local a su llegada. En algunas situaciones, miembros del equipo, personal de la agencia misionera, o contactos locales, pueden encontrar una familia. Pero a menudo los recién llegados encuentran su propia familia diciendo: «Quiero aprender su idioma. Me gustaría encontrar una familia con quien vivir unos tres meses, y pagaré mis gastos. ¿Sabe de alguna familia?». Sería inusual decirles esto a unas cincuenta personas sin recibir al menos una respuesta positiva, o por lo menos encontrar un mediador que ayude con la búsqueda.

Quienes logran tejer vínculos y llevan a cabo su aprendizaje del idioma en el contexto de las relaciones en la nueva comunidad, también tienen la oportunidad de empezar a desarrollar su nuevo ministerio desde los primeros días. Hace unos años, los autores supervisaron el aprendizaje del idioma inicial de un equipo de once personas recién llegadas a Bolivia:

Más de treinta personas conocieron a Cristo como resultado de la participación en el ministerio que estos nuevos aprendices del idioma tuvieron durante esos primeros tres meses. Muchos de ellos eran miembros de familias con las cuales vivían, o eran oyentes regulares que estaban en su ruta diaria. En ambos casos, como resultado de las relaciones personales que habían desarrollado, pudieron darles seguimiento y discipular a los nuevos creyentes. No cabe duda de que ésa fue una satisfactoria experiencia para esos nuevos alumnos de idioma.[2]

El mejor riesgo de la vinculación

Hay pocos momentos en la vida con tanto estrés y peligro como el nacimiento. Sería un error insinuar que la inmersión total e inmediata en una nueva cultura carece de riesgos. Sin embargo, es probable que incluso los componentes de riesgo y estrés sean esenciales para la formación

del ambiente único que hace posible la formación de vínculos. Hay otro factor en el asunto del riesgo. Si un nuevo misionero no corre el riesgo inicial y busca sentirse tan cómodo como sea posible en la nueva sociedad, él o ella podrían estar optando por un riesgo de largo plazo. El problema del fracaso entre misioneros sugiere que hay un alto precio que deben pagar quienes fallan en convertirse en «pertenecientes», y muchos de ellos no regresan por una segunda jornada de servicio. No es sencillo vivir con una familia, formar amistades con extraños y aprender un nuevo idioma, pero tampoco es fácil continuar como extraños, vivir sin tener buenos amigos locales ni entender su cultura.

¿Es posible formar vínculos después de haber pasado los primeros meses? ¿Es posible que un misionero establecido experimente una vinculación tardía? La respuesta es sí. Es un proceso humano normal para establecer relaciones de pertenencia. Un misionero establecido que ve el potencial de tener una relación significativa con la gente local puede aplicar el compromiso al adoptar el papel de alumno y mudarse con una familia local por unas semanas o unos meses.

El concepto de vinculación implica un individuo bicultural, con una buena autoestima. Vincularse y convertirse en nativo no es lo mismo. Convertirse en nativo implica rechazar su primera cultura. Casi nunca se ve esta reacción entre misioneros, y es poco probable entre adultos normales y estables emocionalmente. Ser bicultural tampoco es lo mismo que tener doble personalidad. Una persona con doble personalidad tiene una imagen propia fragmentada y dañada. Una persona bicultural desarrolla una nueva expresión de su personalidad dada por Dios. La persona con esta nueva expresión es libre para comportarse, a veces infantilmente, ignorando la necesidad de mantener una imagen. Esta persona es libre para cometer errores e intentarlo una y otra vez. Para el misionero cristiano, el proceso de convertirse en bicultural empieza con el reconocimiento de que Dios, en su soberanía no comete errores en crearnos dentro de nuestra primera cultura; sin embargo, él, en su soberanía, nos toca el hombro y nos llama a pertenecer a un grupo de gente de distinta cultura a fin de ser las buenas nuevas para ellos.

Y el Verbo se hizo carne, y habitó entre nosotros.
—Juan 1:14

Notas

1. *Maternal-Infant Bonding*, Marshall H. Klaus & John H. Kennell, C V Mosby Co., St. Louis, MO, 1976.
2. Brewster & Brewster, "I Have Never Been So Fulfilled," *Evangelical Missions Quarterly*, April 1978, p. 103.

Preguntas para reflexionar

1. ¿Por qué es importante, especialmente para un nuevo misionero, formar vínculos con su anfitrión? ¿Es posible formar vínculos más tarde y por qué?
2. ¿Por qué aprender el idioma de la nueva comunidad es más fácil para los misioneros que se esfuerzan por integrarse a ella?
3. ¿Por qué los Brewster recomiendan limitar las pertenencias personales y vivir con una familia local?

La identificación en la obra misionera

William D. Reyburn

William D. Reyburn sirvió a las Sociedades Bíblicas Unidas como consultor de traducción en América del Sur y América Central, África Occidental, Europa y Medio Oriente. Prestó servicios como coordinador global de traducciones y estuvo destacado en Londres, Inglaterra, de 1968 a 1972.

Adaptado de *Lecturas en antropología misionera II*, editado por William A. Smalley, 1978. Usado con permiso de William Carey Library, Pasadena, CA.

Había caído un fuerte aguacero desde la tarde hasta bien entrada la noche. Un asno pequeño, seguido de dos hombres, descendía lentamente por la orilla resbaladiza de una senda lodosa que serpenteaba hasta la soñolienta localidad de Baños, situada en los Andes ecuatorianos.

Nadie pareció prestar atención cuando las dos figuras crespas detuvieron el borrico delante de un ruinoso hotel indio. El más alto de los dos varones franqueó la puerta y encontró un grupo de hombres sentados a una mesa pequeña, bebiendo *chicha* a la luz de una vela. Tan pronto como el forastero entró en la pieza saludó una voz detrás del mostrador: «*Buenas noches, míster*».

El hombre con el poncho empapado se volvió en seguida hacia la mujer de cara rolliza que estaba de pie, medio escondida detrás del mostrador. «*Buenas noches, señora*», repuso él, levantando ligeramente su sombrero. Después de intercambiar breves palabras, el hombre y la camarera salieron y por una pequeña puerta metieron al asno al establo hecho de adobe. Los dos hombres se aliviaron el peso de la carga y la transportaron hasta un cuarto contiguo, a modo de cuadra, en donde habrían a pasar la noche.

Me senté en la paja y me despojé de la ropa mojada. En el oído todavía me zumbaba la palabra *míster*, que había llegado a aborrecer intensamente. ¿Por qué esa graciosa mujercilla, en la penumbra de aquel bar, se había dirigido a mí llamándome *míster*? Me miré la ropa. El sombrero era el *cholo* más barato que se vende en Ecuador. Los pantalones no eran más que un conjunto de remiendos revueltos y sujetos por más remiendos. Llevaba los pies manchados de barro y calzaba *alpargatas* de goma, lo mismo que cualquier otro indio o *cholo*. Mi poncho rojo no era tejido de clase alta tipo Otavalo. Era el de un hombre pobre confeccionado en Salcedo. No tenía borla de adorno y, según la genuina usanza del *cholo*, fragmentos de paja colgaban de su extremo inferior, indicando que yo era un hombre que dormía con su burro en las posadas. Entonces, ¿por qué me llamó ella *míster*, término reservado para los estadounidenses y los europeos? Al menos pudo haberme llamado *señor*; pero no, tenía que ser *míster*.

Me sentí como si me hubieran despojado de un disfraz cautelosamente dispuesto con la mera mención de esa palabra. Seguí dándole vueltas en la cabeza. No fue porque ella detectara un acento extranjero, porque yo aún no había abierto la boca. Me volví a mi viejo compañero indio quechua, Carlos Bawa, del lago Colta. «Carlos, la señora supo que soy un *míster*. ¿Cómo cree que lo descubrió, Carlitos?».

Mi amigo se acurrucó en un rincón del cuarto con sus piernas y brazos plegados bajo dos ponchos. «No lo sé, *patroncito*». Mirando de pronto a Carlos le dije: «Carlos, por tres días le he estado pidiendo que no me llame *patroncito*. Si me llama así, la gente sabrá que no soy *cholo*».

Entonces sacó un dedo por el cuello del poncho de lana y, tocándose el borde del sombrero, respondió sumisamente: «Sigo olvidándolo, *mistercito*».

Disgustado y dolorido, con la piel aún humedecida por la lluvia, me sentí como el tonto que debía parecer. Permanecí sentado en silencio ante la vela parpadeante mientras Carlos se quedaba dormido en su rincón. Seguía viendo las caras de la gente con la que nos habíamos cruzado por el camino en los últimos tres días. Luego veía la cara de esta mujer de Baños que me había despojado de lo que me parecía un disfraz perfecto. Me pregunté entonces si no habría sido tomado por europeo incluso antes. Me sentí ofendido, decepcionado, desilusionado y, para colmo, tenía un hambre espantosa. Metí la mano en el morral, saqué una bolsita de harina de *machica* que mi esposa nos había preparado, eché un poco de agua, removí la mezcla de azúcar marrón y cebada con el dedo y me la tragué. La lluvia iba cediendo, y a través de un ventanuco en la parte superior del cuarto vi que las nubes cruzaban el cielo a la luz de la luna. Un rasgueo de guitarra sonaba dulcemente en la calle, y en la cuadra contigua media docena de indígenas acababan de salir del establo y discutían los asuntos de su jornada.

Soplé la vela, me recosté sobre la áspera pared de tablas y escuché su conversación hasta que por fin me quedé dormido. Algunas horas más tarde me sobresaltó el chirrido de la puerta al abrirse. Me levanté de un salto y me puse detrás de la puerta, a la expectativa de qué podría suceder. La puerta se cerró y oí el gemido de Carlos al echarse sobre su esterilla para volverse a dormir. Había salido a hacer sus necesidades. Mi compañero me había advertido que los indígenas suelen robarse unos a otros, y que siempre debía dormir con un sueño ligero y estar alerta. El mundo guardaba un silencio sepulcral. No tenía idea de qué hora era, ya que el reloj no se adecuaba a mi vestimenta de *cholo*. Yacía en el suelo pensando en el sentido de la identificación. Me preguntaba una y otra vez qué sentido tenía el identificarme con este viejo quechua que estaba tan lejos del mundo real en el que yo vivía.

Yo viajaba a los mercados indígenas de los Andes ecuatorianos para conocer lo que subyace escondido en el corazón de estos indígenas quechua y *cholos* de habla española. ¿Cuál era el auténtico anhelo de su corazón para poder colmarlo? Quería saber qué trataba de satisfacer la embriaguez.

¿Tenía el quechua realmente la personalidad hosca y retraída que aparentaba delante de su *patrón*? ¿Era tan adaptable a las circunstancias de la vida? ¿Tenía una actitud capaz de afrontar casi cualquier conflicto sin importunarlo gravemente? ¿Era realmente un buen católico, un pagano, o qué tipo de mezcla? ¿Por qué se oponía interiormente al cambio exterior? ¿De qué hablaba o se preocupaba cuando se recogía por la noche y buscaba refugio en la seguridad de su pequeño grupo? Yo iba en pos de las raíces subyacentes a los signos externos que pudieran responder a las demandas de Cristo. La respuesta a preguntas como ésta sentaría las bases de una teología de la misión, de una comunicación relevante para las vidas de estas gentes. Yo no veía sentido en presentar una proposición cristiana delante de un hombre a menos que lo hiciera de tal manera que lo forzara a combatir con ella en términos de rendición a la demanda más básica y esencial que se le puede hacer. Para descubrir lo que había que conmover, para tocar la fibra en lo más hondo de su ser, tenía que profundizarme a través de lo que estaba convencido que sólo eran apariencias externas de una necesidad más profunda en su corazón.

Un aspecto importante de la tarea misionera es la búsqueda de lo que en alemán se llama *der Anknüpfungspunkt*, conexión o punto de contacto. La proclamación del evangelio fuera de ese punto de contacto es una proclamación que evade la responsabilidad misionera. Es sencillamente el proceso mediante el cual el que proclama las buenas nuevas hace todo lo posible por conectarse con su oyente. El corazón del hombre no es una pizarra limpia a la que se le acerca el evangelio y en la que escribe por primera vez. Es una tabla compleja, garabateada y cincelada profundamente desde que nace hasta que muere. La hechura de un creyente siempre comienza con un incrédulo. Obviamente ésta es la labor del Espíritu Santo. No obstante, esto no exime al hombre de su posición de responsabilidad. El hombre que oye y entiende racionalmente es el que se despierta para creer. Es la conquista del engaño básico del hombre lo que permite al Espíritu Santo reclamarle y hacer de él una nueva criatura. Un hombre debe ser consciente de que se opone a la llamada de Dios antes de ser aprehendido por su amor. Antes de que un enemigo sea tomado cautivo, primero debe ser considerado enemigo.

Formas de identificación

La identificación misionera puede adoptar diversas formas. Puede ser romántica o insulsa, convincente o fingida. El punto clave es que la identificación no es un fin en sí misma. Es el camino para cumplir la tarea de proclamar el evangelio. Del mismo modo, el corazón del controvertido asunto de la identificación misionera no consiste en cuán lejos

La identificación no es un fin en sí misma. Es el camino que lleva a la proclamación del evangelio.

puede uno llegar, sino más bien qué hace uno con los frutos de la identificación. Hacerse pasar por nativo no es una virtud especial. Muchos misioneros en la monótona rutina diaria de una escuela u hospital han despertado el corazón de los hombres a las demandas del evangelio.

Parte de la denominada identificación está confundida y tiende a crear la impresión de que vivir en una aldea nativa o aprender la lengua indígena es automáticamente el «ábrete sésamo» del corazón nativo. Lo que cuenta no es la magnitud de identificación, sino la calidad intencional que concibe al hombre como ser responsable que procura estar en contacto con su realidad. Las limitaciones para descubrir cuál sea esta realidad de contacto son enormes. Son muchos los obstáculos concretos de la identificación misionera. En las siguientes páginas intentaremos bosquejar algunos —ya que los hemos experimentado—, y evaluaremos los efectos que derivan de la falta de identificación y participación misionera.

La fuerza de un hábito inconsciente

Sin duda, la naturaleza del obstáculo para la identificación es el hecho de que uno ha aprendido tan bien su propio estilo de vida que lo practica en su mayor parte sin reflexión consciente. En el caso descrito arriba, el viejo quechua Carlos Bawa, el asno y yo habíamos estado viajando por la meseta de los Andes, pasando los días en los mercados y las noches apretados en pequeños cuartos de alquiler para indígenas itinerantes y *cholos* por unos diez centavos de dólar. Habíamos viajado de Riobamba a Baños, una caminata de tres días por carretera, y nadie, excepto algún perro, pareció percibir que no todo era normal. Nadie me tomó por extranjero hasta entrar en el bar de la posada de

Baños, iluminado con una vela (al menos eso creí). Sospecho que me molestaba mucho porque por algunos días me había forjado la ilusión de que por fin me encontraba dentro del mundo indígena *cholo,* observando y sin llamar la más mínima atención. Cuando la posadera me llamó *míster*, tuve la impresión de ser groseramente expulsado del precario mundo en el que por fin creía haberme instalado.

Al día siguiente acudí a la posadera y me senté en el bar. «Dígame señora» —comencé diciendo—, «¿cómo supo usted que yo era un *míster* y no un señor local o un *cholo* de Riobamba?». Los ojos de la señora regordeta se iluminaron mientras soltaba una risita ahogada. «No lo sé muy bien», repuso. Yo le supliqué que intentara dar con la respuesta, porque me sentía completamente confundido al respecto. Insistí. «Suponga que es una detective, señora, y le dijeran que tiene que atrapar a un europeo vestido como un sencillo comerciante *cholo*. ¿Cómo lo reconocería si él entrara en su posada?». Se rascó la cabeza y se inclinó sobre el mostrador. «Salga un momento y vuelva a entrar como lo hizo anoche». Tomé mi viejo sombrero, me lo calé y fui hacia la puerta. Antes de salir a la calle ella me interpeló: «Espere señor, ya sé lo que es». Di media vuelta. «Es la manera en que camina». En ese momento soltó una buena carcajada y dijo: «Nunca he visto por aquí a nadie que camine así. Los europeos mueven las manos como si nunca hubieran llevado una carga sobre la espalda». Le di las gracias a la buena mujer por su lección, y salí a la calle a estudiar cómo caminaba la gente del lugar. Efectivamente, los pasos eran cortos y agitados, el tronco ligeramente inclinado hacia adelante y los brazos apenas se movían debajo de sus grandes ponchos.

Los límites de la identificación

Tal vez, el ejemplo más sobresaliente que me hizo recordar los límites de la identificación ocurrió mientras vivíamos en una cabaña de barro y cañas cerca de Tabacundo, Ecuador. Nos habíamos trasladado a un pequeño asentamiento agrícola disperso, cerca del río Pisque, como a un kilómetro de la Misión Andina Unida, para la que hacíamos una investigación. Mi esposa y yo habíamos acordado que para llevar a cabo algo en la MAU teníamos que establecernos entre el pueblo y de alguna manera provocar que nos aceptaran o nos rechazaran. Finalmente fuimos aceptados, pero siempre con reservas. Sólo vestíamos ropa indígena y comíamos su misma comida. No teníamos muebles, salvo una cama de tallos de planta del siglo, cubiertos con una esterilla tejida, exactamente como las demás casas indígenas. Es más, como no teníamos aperos agrícolas, telar ni granero, nuestra casa, de una sola pieza, era, con mucho, la más vacía del vecindario. A pesar de esta reducción material a cero, los hombres me llamaban *patroncito*. Cuando les objeté que yo no era un patrón porque no poseía terreno alguno, ellos me recordaron que calzaba zapatos de piel. Me los cambié rápidamente por un par de *alpargatas* de fabricación local, con suela de cáñamo y tejido de algodón. Después de algún tiempo noté que pese al cambio de calzado no había conseguido deshacerme del apodo *patroncito*. Cuando volví a preguntarles lo mismo, los hombres me contestaron que yo me asociaba con la gente hispana de Tabacundo. Al hacerlo, obviamente me estaba identificando con la clase de los patrones. Hice todo lo que pude por un tiempo para evitar a la gente de la ciudad, pero el término patroncito seguía tan arraigado como el día en que nos trasladamos a aquella comunidad.

El comisario local les había pedido a los hombres que repararan un camino intransitable que unía a la comunidad con Tabacundo. Yo me sumé a la obra, y a los indígenas, hasta que se terminara dos meses después. Tenía las manos endurecidas y encallecidas. Un día, con orgullo les enseñé las manos a un grupo de hombres mientras consumían el último trago de una jarra de *chicha* fermentada. «Ya no pueden decir que no trabajo con ustedes. ¿Por qué me siguen llamando *patroncito*?» Esta vez la verdad estaba a flor de piel, forzada por la desinhibición que provoca el alcohol. Vicente Cuzco, líder del grupo, tomó la iniciativa, me echó el brazo por encima del hombro y me susurró: «Le llamamos *patroncito* porque usted no nació de madre indígena». No hicieron falta más explicaciones.

La propiedad de una arma

Vivir en una aldea africana nos hizo ser conscientes del efecto de otras actitudes adquiridas en el pasado. Una de éstas, en particular, fue la noción de la propiedad personal. Vivíamos en Aloum, aldea del sur de Camerún, con los bulu, para aprender su idioma. Fuimos recibidos amablemente desde el primer día y nos ofrecieron una cálida hospitalidad.

Nos pusieron nombres familiares bulu; la aldea danzó varias noches y nos regalaron una cabra y toda clase de fruta tropical.

Habíamos sido invitados a vivir en Aloum y no estábamos preparados psicológicamente para comprender cómo concebía tal adopción la mentalidad bulu. Poco a poco llegamos a entender que nuestras posesiones no eran propiedad privada, sino que debían estar disponibles para el uso colectivo del subclan que nos había adoptado. Pudimos adaptarnos a esta manera de actuar porque teníamos más o menos la misma posición material que los otros aldeanos. Su derecho a nuestras cosas no era comparable con su generosa hospitalidad, que nos suministraba casi todos nuestros alimentos.

Pero una noche capté una visión de lo que implicaba nuestra relación con el pueblo de Aloum. Un forastero llegó a la aldea y nos enteramos de que el hermano de su madre era de allí. Era el caso de un sobrino en la aldea de su tío materno, una relación social muy interesante en las sociedades africanas de linaje patriarcal. Después de anochecer, cuando los líderes de la aldea se reunieron en la casa utilizada para reuniones de hombres, me acerqué y me senté con ellos para escuchar sus conversaciones. Los fuegos proyectaban danzarinas sombras en las paredes de barro.

Finalmente, el silencio se instaló en sus conversaciones, y el jefe de la aldea se levantó y empezó a hablar en tono muy bajo. Varios jóvenes se pusieron de pie y salieron a vigilar que ninguna persona no invitada se enterara de los asuntos tratados en esta importante reunión. El jefe le dio la bienvenida a su sobrino y le garantizó una estancia segura. Cuando acabaron todas las formalidades introductorias, el jefe comenzó a alabar las cualidades de su sobrino como gran cazador de elefantes. Yo seguía ignorando por completo en qué me afectaba todo aquello.

Escuché mientras el jefe ensalzaba las virtudes de su sobrino como hábil cazador. Cuando acabó, otro anciano se levantó y siguió relatando incidentes de la vida del sobrino en los que había desplegado extraordinaria bravura frente a los peligros de la jungla. Uno tras otro repitieron historias hasta que de nuevo el jefe se puso de pie. Noté que sus ojos se fijaban en mí. El fuego proyectaba sombras diminutas que se deslizaban sobre su rostro y su cuerpo oscuros. «Obam Nna», me dijo, exhibiendo una amplia sonrisa y una dentadura brillante.

«Vamos a presentar nuestro rifle a mi sobrino ahora. Vaya a buscarlo».

Dudé un instante, pero me levanté y crucé la explanada bajo la luna llena hasta nuestra cabaña con techumbre de cañas, donde Marie y algunas mujeres de la aldea conversaban sentadas. En mis oídos resonaba: «Vamos a presentar nuestro rifle…nuestro rifle…» como si fuera casi un disco rayado justo en el pronombre posesivo plural. Siguió rezando en mis oídos: «*ngale jangan…ngale jangan…*». Antes de llegar a casa se me ocurrieron media docena de buenas razones por las cuales debía decir que no. Sin embargo, tomé el rifle y algunos casquillos, y volví a la casa de la palabra. Al entrar en el lugar de reunión volví a captar la concepción del mundo de Obam Nna. Para ser Obam Nna tenía que dejar de ser William Reyburn. Para ser Obam Nna tenía que crucificar a William Reyburn casi todos los días. En el mundo de Obam Nna yo ya no era dueño del arma como en el mundo de William Reyburn. Entregué el arma al jefe y, aunque él lo ignorara, con ella le rendí una idea muy mezquina de propiedad privada.

Valor simbólico de la comida

Otro problema de participación en la vida de la aldea es el asunto de la comida y el agua. Yo había ido a la aldea de Lolo para llevar a cabo algunos estudios relacionados con la traducción del libro de los Hechos y no me había provisto de alimentos europeos: estaba resuelto a descubrir cuáles serían los efectos de una prolongada dieta kaka. Hallé que la simple mezcla de harina de mandioca y agua caliente para preparar unas gachas era una excelente dieta nutritiva. En cierta ocasión, después de un período de seis semanas a base de esta dieta, no perdí peso, no tuve diarrea y no sufrí ningún efecto negativo. Esta comida la preparaban las mujeres de la aldea y yo normalmente comía sentado en el suelo, con los hombres, dondequiera que me encontrara cuando una mujer servía la comida. Varias veces, al no encontrarme en el lugar y el momento oportunos, tuve que acostarme con el estómago vacío. Evité, con mucha cautela, pedirles a las mujeres que me prepararan comida, ya que esto implicaba una connotación sexual que yo no quería provocar.

Una vez había estado hablando casi toda la tarde con un grupo de hombres y niños kaka acerca de los alimentos que come la gente en otras partes del mundo. Uno de los jóvenes tomó su Biblia en bulu, y leyó en el capítulo 10 de Hechos la visión de Pedro, quien fue instruido a matar y comer «toda clase de cuadrúpedos, como también reptiles y aves». Este joven kaka que había estado en una escuela de misión por un poco de tiempo me dijo: «Los hausa no creen esto porque no están dispuestos a comer cerdo. Creo que los misioneros tampoco, porque rehúsan comer parte de nuestra comida». Yo le aseguré confiadamente que un misionero comería lo mismo que él.

Esa misma noche me llamaron a ir a la puerta de la casa del padre de ese joven, donde el anciano estaba sentado en el suelo. Delante de él había dos cazuelas esmaltadas cubiertas con sendas tapas. Me miró y me invitó a sentarme. Su esposa trajo una calabaza con agua que vertió para que nos laváramos las manos. Luego, moviendo los dedos para secárselos un poco, el anciano levantó la tapa de una cazuela. De una masa redonda de pasta de mandioca ascendió vapor. Luego levantó la otra tapa y atisbé su contenido. Después levanté los ojos y me topé con la mirada seria del joven que aquella misma tarde había leído el relato de la visión de Pedro. La cazuela estaba llena de orugas chamuscadas. Tragué saliva y recapacité que, o bien me tragaba esas orugas, o bien me tragaba mis propias palabras, y de ese modo les demostraba una

vez más que los europeos sólo han adoptado el cristianismo para adaptarlo a su egoísta estilo de vida. Esperé mientras mi anfitrión metía sus dedos a modo de paleta en la pasta, y presionaba suavemente la bola de masa en la cazuela de orugas. Cuando se la llevó a la boca vi las quemadas y vellosas criaturas, algunas aplastadas en la masa, y otras colgando, colarse entre sus dientes.

Mi anfitrión demostró la seguridad de su alimento tomando la primera porción. Esto era garantía de que no me estaba dando a comer veneno. Metí mis dedos en la masa, pero tenía los ojos puestos en las orugas. Me pregunté qué sensación producirían en la boca. Tomé con rapidez algunos de esos gusanos que se arrastran, y me introduje la masa en la boca. Al masticar y saborear la suave parte interior me sorprendí de que tuviera un sabor a carne salada que parecía proporcionar a la insípida mandioca el ingrediente que le faltaba.

Nos sentamos a comer en silencio. No hay tiempo para conversar en la «mesa» kaka, ya que tan pronto como el dueño ha probado el primer bocado, acuden numerosas manos y la comida desaparece. Mientras comíamos rápidamente, las tres esposas y las hijas de aquel hombre nos observaban desde las puertas de las cocinas. Levantaban las manos y susurraban animadamente «Hombre blanco kaka come orugas. En verdad tiene corazón negro». Las cazuelas se quedaron vacías. Todos se llenaron la boca de agua, se la enjuagaron y escupieron a un lado, eructaron ruidosamente y dijeron «Gracias, Ndjambie» (Dios), se levantaron y se fueron frente a los últimos rayos del atardecer. En las notas que escribí aquella noche, figura esta línea: «Una cazuela vacía de orugas es más convincente que todas las metáforas de amor vacías que los misioneros son propensos a desembolsar a los paganos».

Aislamiento ideológico

Hay otros obstáculos que se oponen a la participación del misionero en la vida nativa que surgen de su pasado y de la tradición cristiana local. No le lleva mucho tiempo a un pueblo primitivo juzgar la distancia que lo separa del misionero. En algunos casos esta distancia es despreciable, pero en otros es toda una sima entre mundos distintos. Los misioneros de tradición pietista son propensos a sospechar que todo lo que hace el pueblo nativo es malo y que, por tanto, para poder salvarlos deben arrancarlos y establecerlos en otra clase de vida opuesta a la original. Este proceso rara vez funciona, y cuando lo hace, crea una sociedad de almas convertidas, pero no de vidas convertidas. Bajo estas circunstancias, el misionero toma la senda más fácil, se mantiene intacto del mundo y, por supuesto, no entra en contacto con él para poder salvarlo.

Libertad para testificar

La iglesia cristiana, cerrada herméticamente al mundo, llega a ser ininteligible para el mundo que

La obra misionera requiere sacrificio. No ya el sacrificio de dejar amigos y vida cómoda en casa, sino el de reexaminar las propias suposiciones culturales.

pretende alcanzar. Es como el padre que nunca recuerda cómo son los niños y es considerado como un extraño por sus propios hijos. La participación e identificación misionera no se consiguen estudiando antropología, sino siendo libres con la libertad que da el Espíritu Santo para ser testigos de la verdad del evangelio en el mundo.

Mi experiencia de las orugas ilustra la importancia de la identificación. Pero la identificación no es un fin en sí misma. Es el camino que lleva a la proclamación del evangelio.

El cristianismo llama a los hombres a una hermandad en Cristo, pero al mismo tiempo los cristianos suelen negar esa llamada con mecanismos divisores que cubren, desde los tabúes de la comida, hasta los temores raciales. El evangelio cristiano es bastante extraño a la concepción humana egocéntrica del universo. No obstante, antes de poder corregir esta concepción errada del yo, hay una barrera que traspasar. En terminología cristiana, la cruz es lo que conduce al hombre desde su yo amurallado a la libertad a la que fue destinado.

Hay aún otra extrañeza que debe ser vencida mediante el sacrificio de la propia manera de pensar y actuar. El cristianismo no se puede comprometer con una expresión de civilización o cultura. La obra misionera requiere sacrificio. No ya el sacrificio de dejar amigos y vida cómoda en casa, sino el de reexaminar las propias suposiciones culturales y hacerse inteligible a un mundo que no hay que asumir que sea capaz de hacer lo propio.

Una teología misionera se plantea la siguiente pregunta: «¿En qué punto el Espíritu Santo desafía al corazón de este hombre a rendirse?». La tarea misionera consiste en desentrañar este punto de contacto mediante la identificación con él. La base de la identificación misionera no consiste en hacer que el «nativo» se sienta más cómodo delante de un extranjero, ni aplacar la conciencia materialista del misionero, sino crear una *comunicación* y una *comunión* en las que conjuntamente puedan buscar lo que San Pablo, en 2 Corintios 10:5, llama «argumentos y altiveces»: —«Destruimos argumentos y toda altivez que se levanta contra el conocimiento de Dios, y llevamos cautivo todo pensamiento para que se someta a Cristo». Ésta es - a base de la ciencia misionera, el fundamento bíblico de la teología de la misión y la *raison d'être* del llamamiento misionero en el que uno, pese a sus profundas limitaciones, procura identificarse con la creación de nuevas criaturas en comunión regenerada.

Preguntas para reflexionar

1. Explique la necesidad y las limitaciones de la identificación para la comunicación misionera.

2. Una cazuela vacía de orugas es más convincente que todas las metáforas de amor vacías que los misioneros son propensos a desembolsar a los paganos». ¿Puede Vd. sugerir otras pruebas similares a la de las «orugas» que reten al misionero en un contexto transcultural?

Identidad con integridad:

El ministerio apostólico en el siglo XXI

Rick Love

Sentado frente al televisor, observé atónito los devastadores ataques terroristas del 11 de septiembre de 2001 («9/11»). Como muchos otros, me sentía paralizado y enojado. Como muchos otros, he seguido reflexionando y orando desde entonces. ¿Quién puede dudar que sea hora de repensar nuestros modelos de ministerio «apostólico» para el siglo XXI? Note que uso el término «apostólico», en vez de la terminología más amplia y cargada de «misión». Defino el término «apóstol» como un hacedor de discípulos transcultural que sirve en un contexto pionero, un «enviado» que ayuda a formar comunidades de seguidores de Jesús donde Cristo aún no es nombrado.[1]

Servir en un mundo pos 11 de septiembre: Aterrorizado, globalizado, pluralizado

Hay tres tendencias globales generalizadas que han cambiado profundamente nuestro mundo: el terrorismo, la globalización y el pluralismo. Afectan de manera radical la forma en que vivimos, pensamos y nos comunicamos en el siglo XXI.[2] También cuestionan nuestras formas tradicionales de hacer el ministerio apostólico internacionalmente.

Los horrendos ataques terroristas del 11 de septiembre han marcado profundamente a esta generación. Hasta entonces, pocas personas fuera de los círculos eclesiásticos estaban interesadas en saber qué hacían los cristianos en el mundo musulmán. Pero ahora cualquier persona que vive o trabaja entre musulmanes cobra interés; ya sea por su papel como constructora de puentes culturales o porque puede ser percibida como una agitadora que amenaza los intereses nacionales. Los medios internacionales tienen curiosidad sobre su participación en el supuesto «choque de civilizaciones» entre los musulmanes y Occidente.[3]

El terrorismo no es lo único que hace que el ministerio apostólico sea más desafiante. Vivimos en un mundo interconectado y globalizado.[4] Tal vez el ejemplo más poderoso y pertinente de esto es «Google», el motor de búsqueda en Internet. Escriba unas palabras acerca de cualquier cosa y podrá obtener una serie de artículos e información en segundos. En este mundo «googlizado», cada vez que describimos quiénes somos, o qué hacemos, o por qué lo hacemos, nuestras palabras se desplazan rápidamente más allá del público meta para ingresar en el enorme mercado global de las ideas.

La tercera tendencia, el pluralismo, se refiere a la convergencia de diferentes trasfondos étnicos, religiosos o políticos dentro de una sociedad. Términos como «Eurabia» o «Londonistán» subrayan la afluencia de culturas musulmanas hacia las sociedades occidentales. En un pasado no muy lejano, el mundo estaba dividido prolijamente en

Rick Love ha servido más de veinticinco años entre los musulmanes. Se especializa en desarrollo de liderazgo, entrenando a organizaciones basadas en la fe en comunicación transcultural, y en relaciones cristiano-musulmanas. Es autor de dos libros y numerosos artículos.

Adaptado de "Blessing the Nations in the 21st Century: A 3D Approach to Apostolic Ministry," *International Journal of Frontier Missiology* 25:1 (Spring 2008), publicado por William Carey International University Press, Pasadena, CA.

países enviadores y «campos de misión». Esto ya no es así. Hay poblaciones significativas de cada bloque importante de pueblos no alcanzados viviendo ahora en las naciones que han sido históricamente países enviadores de misioneros. Por supuesto, la cercanía del mundo no alcanzado presenta una maravillosa oportunidad para exponerle a un pueblo no alcanzado el evangelio. Pero esa misma proximidad significa que las dobles identidades de los trabajadores transculturales —reconocidos como misioneros por las iglesias enviadoras en el país de origen, pero por sus identidades bivocacionales en otras tierras— a menudo quedan expuestos por las nuevas realidades globales.

He aquí algunos ejemplos del desafío que enfrentan los enviados transculturales en un mundo pos-11 de septiembre:

- Un seminario acerca del islamismo en una iglesia australiana alienta a los miembros de la iglesia a amar a los musulmanes y a acercarse a ellos en amistad. Se leen algunos versículos del Corán que describen cómo se instruye a los musulmanes a tratar a las mujeres y a los infieles. Asisten recientes conversos australianos al islamismo. Presentan una demanda judicial contra los líderes de la iglesia bajo las nuevas leyes de «expresiones de odio». Los pastores son declarados culpables de «vilipendiar al islamismo».

- Un líder de una organización basada en la fe que sirve entre los musulmanes le permite a un periodista independiente asistir a un curso de un seminario que está impartiendo. El resultado es un artículo negativo e incendiario. El artículo es traducido y publicado en todo el mundo musulmán. El líder es invitado a responder al artículo en lugares como *The Washington Post*, *The New York Times*, *CNN* y *60 Minutes*, pero no está preparado para una atención mediática de un perfil tan alto. Como resultado, una ONG de desarrollo comunitario en un país islámico es denunciada por tener vínculos con esta misma organización basada en la fe.

- Una familia que sirve en un país musulmán vuelve a su hogar por una temporada. Asiste a un evento para estudiantes internacionales patrocinado por su iglesia madre. En el evento, estudiantes del mismo país musulmán fueron presentados con gran entusiasmo por un miembro del «comité de misiones»: «¡Quisiéramos presentarles a nuestros misioneros en su país!».

Transparencia a prueba de Google   *L. Mak*

Mientras enseñaba en una universidad en un país de «acceso restringido», una amiga no creyente se reunió con mi esposa para tener estudios bíblicos durante un período de dos años. Al final de este tiempo nos dijo: «Mis amigos me dicen que ustedes son misioneros, pero yo les sigo diciendo que no es así». Intrigado, le pregunté por qué pensaba esto. Su respuesta nos sorprendió: «Ustedes no pueden ser misioneros porque aman a Dios y aman a la gente».

¿Por qué estaba tan segura de que no éramos misioneros? ¿Sería que en ese ambiente a los misioneros se les percibía como personas que corrompían a los niños, además de destruir la cultura local y estructura social?

Por ese mismo tiempo, un amigo de casa me urgió a buscar mi nombre en «Google». Me sorprendió encontrar mi nombre descrito como misionero en más de un lugar en internet. Un joven que me había escuchado predicar en una iglesia lo había escrito en su diario web. Una iglesia con buenas intenciones donde yo había hablado una vez, también lo puso en su sitio web.

Al principio pensé que perdería mi trabajo. Pero lo que más me preocupó fue lo siguiente: si mis amigos, alumnos y colegas me ven descrito como «misionero» en internet, ¿los acercaría más a Jesús? ¿O levantaría sospechas y los alejaría? Esto refleja cómo nuestro mundo interconectado puede expresar nuestra identidad en maneras que podrían debilitar la credibilidad de nuestro mensaje.

La mayoría estará de acuerdo en que el internet irá cobrando más poder. Habrá mayor información disponible para la gente en todas partes. ¿Cómo responderemos? Quizá las iglesias y agencias tendrán que usar nuevas palabras para describir a los misioneros que envían. Será más difícil mantener identidades bivocacionales. Es crucial establecer credibilidad como personas que amamos a Dios y a la gente. Es de crítica importancia integrar o singularizar la identidad de una persona como un educador o negociante, etc., que está centrado en Cristo, especialmente ante nuestra cultura de origen y la cultura anfitriona. Espero que esto resulte en la proclamación de Cristo en palabra y hecho, mientras reflejamos su gloria por medio de la excelencia en nuestra vocación.

L. Mak (pseudónimo) es de nacionalidad china, nacido en Hong Kong. Sirvió durante diez años enseñando en una universidad, en un país de acceso restringido. Ha trabajado en Asia Oriental, América del Norte, África y Europa. Ahora sirve como maestro de otros obreros transculturales y como consejero de iglesias y agencias de misiones en temas de identidad e interreligiosos.

Identidad verdadera con un público triple

La interconexión de nuestro mundo globalizado significa que, cada vez más, nos vemos desafiados a hacer tres cosas simultáneamente: presentar el evangelio (en nuestro entorno principal, a la comunidad no alcanzada), defender el evangelio (ante el mundo secular que está escuchando) y reclutar para el evangelio (dentro de la iglesia). En un mundo pos-11 de septiembre, cada vez parece más imposible comunicarnos con uno de estos públicos específicos por separado. Lo que decimos en un entorno terminará por escucharse y leerse en todo el mundo. Tal vez en el pasado tal vez hayamos podido restringir nuestro mensaje a un público específico, pero ya no. Lo que se habla en un público es escuchado por los demás. Dado que ya no podemos presentar un mensaje o un personaje para cada público diferente, debemos tener el mismo mensaje y la misma identidad, como si tuviésemos un único público combinado. Hay tres preguntas que nos ayudarán a tratar con la complejidad de múltiples públicos en nuestro mundo globalizado: ¿Como enmarcaremos nuestro mensaje? ¿Cómo expresaremos nuestras intenciones? y ¿Cómo presentaremos nuestras identidades?

Un mensaje central

Al decir «mensaje central», me refiero al irreducible mensaje del evangelio transmitido a los tres públicos: a las personas no evangelizadas, a un mundo secular desconfiado que observa y, al mismo tiempo, a las iglesias enviadoras. Comunicaremos invariablemente aplicaciones contextualizadas de nuestro mensaje central a cada público respectivo, pero nuestros mensajes contextualizados siempre harán referencia a nuestro mensaje central. Necesitamos identificar y ser claros acerca de este mensaje central.

Una de las mejores formas que usted tiene para discernir el mensaje central de su vida es contestar esta pregunta: ¿Por qué mensaje estoy dispuesto a morir? En mi caso, preferiría no morir por estar afiliado a una agencia de misión o por la política exterior de mi país. Francamente, no estoy dispuesto a morir por el cristianismo. Pero, por la

Desconocidos, pero conocidos:
Nos acreditamos como servidores   *Bob Blincoe*

Me mudé al norte de Irak, «Kurdistán», en 1991, después de la guerra del golfo. Nos recibieron en un vecindario kurdo como si hubiéramos sido liberadores. Empezamos a hacer lo que podíamos para mejorar la vida de los kurdos. Eso pronto se convirtió en vacunar a las ovejas y cabras que seguían vivas después de la revuelta. Pero desde Bagdad el gobierno iraquí planeó hacer que nos arrepintiéramos de haber salido de los Estados Unidos. Sadam Hussein cortó la electricidad durante los siguientes cuatro años. Luego escondieron explosivos en oficinas de las Naciones Unidas. ¿Sería hora de salir? Una noche, Samir, uno de los empleados iraquís, no regresó a casa. Su trabajo era viajar por carro a Mosul, a través de los puntos de revisión de Sadam Hussein para comprar vacunas que necesitábamos para el ganado. La esposa de Samir vino a decirme que la policía secreta de Irak lo había encarcelado y amenazaba con matarlo si no aceptaba plantar una bomba en mi casa. Él le dijo a la policía: «No lo haré, soy cristiano». La policía le dijo que no tenía opción y le dieron un dispositivo explosivo. Samir fue directo a mí, blanco como un fantasma, y me contó todo. Debido a que su vida estaba en peligro por mi causa, hice arreglos para que él y su familia salieran de Irak y se mudaran a Australia.

¿Qué haríamos ahora? Llamé a una reunión a los hombres de mi vecindario. Les abrí mi corazón, y les dije: «Quizá les estoy poniendo en peligro. ¿Quieren que me vaya?». Ellos protestaron con determinación, porque querían que nos quedáramos y nos dijeron que nos protegerían. Me conmovió profundamente. Desde ese día, hombres locales empezaron a patrullar nuestra calle. Desde ese entonces el resultado que más deseábamos, oportunidades para proclamar el reino de palabra y hecho, se multiplicaron. Contratamos a cien veterinarios kurdos y los enviamos de dos en dos. Ellos empezaron a vacunar a más de cinco mil animales al día. Las manadas y rebaños aumentaron por todo Kurdistán. La leche, el queso y la carne se volvieron parte de la dieta otra vez. Junto con otras personas motivadas por el avance del reino, estuvimos presentes durante la «creación» de la iglesia kurda. Por ejemplo, un día bajamos al río con un tambor y música para ver al primer grupo de creyentes en un pueblo bautizar una docena más. A veces Dios quiere vernos maravillados porque él hace más de lo que pedimos o esperamos.

La comunidad kurda nos rodeó con su protección porque sentían que nos conocían bien. Nuestro trabajo entre ellos había probado que nuestras intenciones eran realmente buscar el bienestar de la gente kurda. Puesto que siempre habíamos sido transparentes en cuanto a nuestra identidad como siervos de Jesucristo, el movimiento kurdo que siguió a Cristo no fue de gran sorpresa para la comunidad, pues se dio a conocer gradualmente. En el lenguaje de Pablo en 2 Corintios 6: «nos acreditamos como servidores de Dios... conocidos, pero tenidos por desconocidos» (2Co 6:4, 9). Fuimos «desconocidos» para los del régimen de Sadam que querían matarnos, pero para nuestros amigos kurdos, que nos recibieron, fuimos «conocidos».

Bob Blincoe es el director de Frontiers de los Estados Unidos. Se mudó al norte de Irak después de la Guerra del golfo Pérsico en 1991 y es el autor de *Ethnic Realities and the Church: Lessons from Kurdistan*.

gracia de Dios, estaría dispuesto a morir por Cristo y por el derecho de todos a conocer el amor de Cristo.

Nuestro mensaje central puede ser expresado de diversas formas. Por ejemplo, Jesús adaptó su mensaje del reino de Dios de diferentes maneras para sus diferentes públicos. Jesús pudo decir de su mensaje: «Yo he hablado abiertamente al mundo... En secreto no he dicho nada» (Jn 18:20). De igual modo, nosotros podemos adaptarnos a nuestro público, siempre que todo lo que digamos encaje con nuestro mensaje central.

Si bien es difícil, es posible, y creo que es necesario en el siglo XXI. Recientemente hablé en una iglesia acerca de lo que Dios está haciendo en el mundo musulmán. Aun cuando mi principal objetivo era alentar y desafiar a cristianos, hice mi mejor esfuerzo por comunicarme de una forma que fuera sensible a un público secular o musulmán. Luego de mi mensaje, un musulmán que casualmente estaba de visita en la iglesia, se me acercó y me dijo: «Muchas gracias por su palabra esta mañana. ¡Este mensaje necesita ser escuchado en todo Estados Unidos!». Esa experiencia y muchas más me han ayudado a desarrollar una conciencia de que estoy, en cualquier momento, dirigiéndome a múltiples públicos.

Un mandato central

Las misiones modernas han tendido a centrarse en metáforas militares y lemas triunfales para describir el mandato global de la iglesia. Estas metáforas y lemas modelan la forma de ver a las personas a quienes somos enviados. ¿Son realmente «objetivos»? ¿Acaso nuestra simbología guerrera no nos lleva a percibir subconscientemente a las etnias no alcanzadas como el «enemigo»?

Cada vez más, los apóstoles modernos evitan usar términos preciados en otros tiempos, como «cristianos», «misiones», «misionero» y «fundación de iglesias». Estos términos han acumulado significados negativos y, como resultado, en nuestros intentos de llevar bendición a las naciones, hemos sido malentendidos. En nuestro celo por cumplir la Gran Comisión, a menudo hemos distorsionado el camino de la cruz. Hemos despersonalizado el ministerio de la reconciliación. No hemos ejemplificado el camino pacífico de Jesús.[5]

Creo que el tema bíblico de «bendecir a las naciones» podría ser la mejor forma de describir

nuestro mandato apostólico central.[6] Tal vez encontremos que esta frase, o algo similar, podría reemplazar el término «misiones».

El mandato de bendecir a las naciones comenzó con Abraham. La promesa de bendecir a todas las naciones a través de Abraham (Gn 12:1-3; 18:18; 22:18; 26:4; 28:14) brinda el fundamento bíblico y la actitud de corazón correcta para el ministerio. Aquí encontramos el amoroso propósito de Dios de bendecir a todas las naciones. Aquí vemos los propósitos globales de Dios para la humanidad.

En el Antiguo Testamento, la palabra «bendición» se refiere al favor y poder que Dios otorga por gracia a quienes responden a él mediante la fe (Gn 15:6; Sal 67). La bendición de su favor nos lleva a una relación con él, y esto produce paz, bienestar y salvación. La bendición de su poder afecta las realidades prácticas de cada dimensión de la vida. Por lo tanto, la bendición es tanto un término relacional como un término de poder.

Esta bendición prometida encuentra su cumplimiento en Cristo.[7] En Cristo, encontramos la plenitud del favor amoroso de Dios. En Cristo, descubrimos la demostración del poder liberador de Dios. Pablo subraya las dimensiones relacionales y poderosas de la bendición en Cristo más explícitamente en Gálatas (Gá 3:5, 8, 9, 14).

Creo que encontramos implícito en la bendición abrahámica tanto nuestro mandato como nuestro mensaje. Pablo lo deja en claro en Gálatas 3:8: «La Escritura, habiendo previsto que Dios justificaría por la fe a las naciones, anunció de antemano el evangelio a Abraham: "Por medio de ti serán bendecidas todas las naciones"». Por lo tanto, nuestro mensaje central de la bendición que está en Cristo se alinea con nuestro mandato central de llevar la bendición de Cristo a todas las naciones.

Una identidad central

Toda persona involucrada en esfuerzos apostólicos enfrenta cuestiones de identidad, especialmente aquellos que trabajan en contextos hostiles a la fe cristiana. En el pasado, muchos de nosotros sentíamos que podíamos vivir satisfactoriamente en dos mundos con dos identidades. Para nuestras iglesias enviadoras somos conocidos generalmente como misioneros, pero en el contexto del ministerio transcultural somos empresarios, educadores, socorristas o trabajadores bivocacionales de algún tipo. La tensión de mantener esta doble identidad ha el cual vivimos.

Un ejemplo destacado: Dos mujeres estadounidenses fueron secuestradas en Afganistán en 2001. Luego de una liberación dramática, dijeron a un periodista de la televisión que eran socorristas, pero los medios globales inmediatamente transmitieron una tarjeta de oración que las identificaba como misioneras. Los dos mundos chocaron.

Esta doble identidad produce una ansiedad de poco valor para algunos, que sienten como si estuvieran ocultando su verdadera identidad a fin de declarar la verdad acerca de Cristo. Los persistentes temores de parecer deshonestos pueden confundir la conciencia de cualquier persona y erosionar gradualmente la osadía para compartir el evangelio. Una doble identidad refleja no sólo una personalidad dividida sino una espiritualidad dividida, un entendimiento falso de que los aspectos espirituales de nuestra vida o trabajo son más importantes que las partes prácticas de la vida.

Cualquiera que sea el papel que asuman los apóstoles a fin de bendecir a las comunidades donde viven, necesitan ser capaces de cumplir ese papel con una integridad de todo corazón: «Soy un maestro de inglés y un apóstol para la gloria de Dios». «Soy un empresario y un apóstol para la gloria de Dios». «Soy una socorrista y una apóstol para la gloria de Dios». Sus identidades se mantienen iguales entre los tres públicos.

Una identidad integrada por la cual valga la pena vivir significa que tenemos una alineación entre nuestra motivación, nuestro papel bivocacional, nuestros dones personales y nuestro llamado apostólico. En otras palabras, movidos por el amor de Cristo, buscamos formas de vivir y servir que encajen con nosotros, con la persona que Dios ha hecho, y que nos permitan llevar adelante nuestro llamado apostólico con plena integridad. ¡Pero se requiere sabiduría, igualmente! «Compórtense sabiamente con los que no creen en Cristo, aprovechando al máximo cada momento oportuno. Que su conversación sea siempre amena y de buen gusto. Así sabrán cómo responder a cada uno» (Col 4:5-6).

¿Dónde se encuentra la línea que divide la integridad de la discreción? Se necesita la sabiduría de Dios para discernir esto. Jesús tenía un mensaje central por el cual estaba dispuesto a morir: el reino de Dios. Sin embargo, la forma en que se describía a sí mismo y su trabajo variaba. Dependía del contexto y de las personas a las que se dirigía. Siguiendo su ejemplo y prestando atención a su exhortación, debemos ser astutos como serpientes pero sencillos como palomas (Mt 10:16). Andar en integridad no requiere que revelemos cada aspecto de nuestra vida a cada persona que encontremos. Pero, al final, debemos recordar que Jesús llegó a morir por este mensaje.

El tipo de identidad central que acabamos de mencionar ha eludido a muchos apóstoles modernos por múltiples razones. Los anticuados paradigmas misioneros, los puntos de vista dualistas sobre la vida espiritual, las visiones distorsionadas del trabajo bivocacional y la capacitación inadecuada son los obstáculos más obvios. Todas estas cosas necesitan una reflexión y atención cuidadosas.

Cambios por delante

Desde el 11 de septiembre he sufrido algunos cambios al paso de los años. Aprender a comunicar un mensaje central y un mandato central de una forma similar a Cristo a cualquiera de los tres públicos en todo momento es todo un desafío. He encontrado que exige cambios, no sólo en mi léxico sino también en mi ser. Mi organización hizo algunos cambios significativos también, mucho más allá de los cambios obvios en el vocabulario en el sitio web. Vamos a requerir una nueva teología y una nueva organización para el trabajo apostólico en el siglo XXI.

Notas

1. Vea en Sinclair 2005, pp. 1-14 un excelente resumen del apostolado.

2. Dos tendencias globales generalizadas adicionales que afectan la expansión del reino de Dios exceden el alcance de este artículo: el surgimiento de la iglesia en el sur global y la posmodernidad.

3. Vea *The Clash of Civilizations and the Remaking of World Order,* de Samuel P. Huntington, Viking Publications, 1997. No concuerdo con muchos puntos del libro de Huntington, pero su pensamiento es influyente y digno de tomar en cuenta.

4. Dos de los mejores libros disponibles sobre la globalización son *The Lexus and the Olive Tree* y *The World is Flat* de Thomas Friedman.

5. Vea en Love 2001 un resumen de estos importantes temas.

6. Vea Love y Taylor 2007.

7. El Nuevo Testamento describe el evangelio en términos de bendición en cinco pasajes: Hch 3:25-26, Ro 4:6-8, Gá 3:8, 13 y Ef 1:3.

Bibliografía

Love, Rick. 2001, "Muslims and Military Metaphors." *Evangelical Missions Quarterly*, January 2001.

Love, Rick y Glen Taylor. 2007, "Blessing the Nations and Apostolic Calling in the 21st Century." Un artículo disponible a través de Frontiers.

Sinclair, Daniel. 2005, *A Vision of the Possible: Pioneer Church Planting in Teams*. Authentic Media: Waynesboro, GA.

Las misiones y el dinero

Phil Parshall

Gary, un destacado y joven misionero en un país del sur de Asia, estaba entusiasmado por haber contribuido significativamente en guiar a tres hombres de mediana edad a Cristo. Estos esforzados campesinos de bajos ingresos con un trasfondo musulmán disfrutaban de la oportunidad de pasar tiempo cada semana tomando té dulce y hablando de su nueva fe con Gary. Fue una maravillosa afirmación del llamado de Gary tener comunión con estos tres primeros creyentes en un distrito de varios millones de musulmanes.

Una nublada tarde de enero, los hombres llegaron a la pequeña casa alquilada de Gary con un pedido urgente. Se quejaron de los gélidos vientos que atravesaban implacablemente las rendijas de sus chozas. Si bien Gary había adoptado con deliberación un estilo de vida sencillo, seguía siendo obvio para los creyentes que sus dos jóvenes hijas estaban confortablemente envueltas en cálida ropa. El portavoz del grupo le preguntó a Gary si podría compartir algunas frazadas y ropa que ya no usara, para ayudar a los hijos de ellos a combatir los vientos helados que soplaban por sus casas cada noche.

¿Cómo respondería usted a estos pedidos aparentemente legítimos? ¿Cuáles son las cuestiones que hacen que la respuesta se complique? Más adelante en este artículo usted encontrará la respuesta de Gary a los hombres.

Perspectivas bíblicas

Reflexione sobre estas exhortaciones:

Lucas 6:30: «Dale a todo el que te pida, y si alguien se lleva lo que es tuyo, no se lo reclames».

Lucas 12:33: «Vendan sus bienes y den a los pobres».

1 Juan 3:17: «Si alguien que posee bienes materiales ve que su hermano está pasando necesidad, y no tiene compasión de él, ¿cómo se puede decir que el amor de Dios habita en él?».

Santiago 2:15-17, más específico para el dilema de Gary: «Supongamos que un hermano o una hermana no tienen con qué vestirse y carecen del alimento diario, y uno de ustedes les dice: "Que les vaya bien; abríguense y coman hasta saciarse", pero no les da lo necesario para el cuerpo. ¿De qué servirá eso? Así también la fe por sí sola, si no tiene obras, está muerta».

Éstas son escrituras poderosas que se suelen encarar con explicaciones que debilitan el sencillo significado del texto. Yo también me declaro culpable. Si hubiera seguido estas exhortaciones hasta su

Phil Parshall ha servido como misionero con Sirviendo en la Misión (SIM, por sus siglas en inglés) durante cuarenta y cuatro años en Bangladés y Filipinas. Es autor de nueve libros sobre el islamismo, incluyendo *The Cross and the Crescent: Understanding the Muslim Heart and Mind, Bridges To Islam: A Christian Perspective on Folk Islam* y *Muslim Evangelism: Contemporary Approaches to Contextualization*.

conclusión literal en Bangladés, ¡habría terminado desnudo en un campo abierto!

Un misionero relativamente acomodado que vivía en un país indigente de Asia, intentó tener una actitud literalista. Cada mañana, una enorme multitud de mendigos revoltosos y mal vestidos esperaba impacientemente a su puerta para su asignación diaria de rupias. Aun así, el dinero que recibían sólo les alcanzaba para comprar una comida básica, pero ciertamente no para comprar ropa cálida para sus cuerpos temblorosos. Un día sucedió que los mendigos llegaron y se encontraron con una casa vacía. El misionero se había dado por vencido y había vuelto a su país de origen donde ya no tendría que enfrentar esta clase de dilema hermenéutico. En cuanto a los mendigos, su reacción emocional a la repentina privación fue más de ira que de aprecio por la ayuda que habían recibido durante los últimos años.

Habrá variaciones sobre el tema del dinero y las misiones, como por ejemplo, ¿quiénes son los «occidentales»? ¿Son personas de corto plazo o personas que se comprometen por muchos años en el campo? Los trabajadores bivocacionales enfrentan una serie de problemas únicos. Pueden ser considerados como sumamente ricos, además de excelentes medios para conseguir un empleo provechoso. La vida urbana, en comparación con la rural, colocará al occidental en una relación diferente con el grupo de personas que son su objetivo. Ministrar entre los ricos reduce las probabilidades de dificultades económicas, mientras que los pobres agravan la posibilidad de suscitar conflictos.

El dinero construye y el dinero destruye. Del lado positivo, los fondos de Occidente han ayudado a innumerables proyectos evangelísticos y sociales a lo largo de la historia. Los pobres se han beneficiado física y espiritualmente de esta clase de actos de compasión tangible. Sin embargo, el lado negativo es el deslizamiento insidioso hacia la dependencia de parte del receptor. Aún no he visto una relación dependiente de este tipo con la cual me sienta a gusto.

Durante muchos años en Bangladés, fui el «jefe» de diez trabajadores administrativos en nuestra gran oficina de escuela por correspondencia en la ciudad capital, Daca. También estuve involucrado en varios esfuerzos de asistencia social que ayudaron a literalmente miles de personas pobres en nuestro atribulado país. El resultado final de esta interacción con quienes de alguna manera eran mis subordinados, fue que me llamaran «*Boro Sahib*», equivalente a «persona muy importante» (V.I.P.).

Para mí, ésta era una designación incómoda, porque significaba dominación, además de distancia relacional. Para los bengalíes indicaba que era una persona de poder, de quien podían obtenerse muchas cosas buenas. Luego de algunos años, mi

---

Distintas perspectivas en cuanto a las relaciones y el dinero

Joseph Cumming

Las perspectivas musulmanas y occidentales en cuanto al dinero pueden ser muy diferentes. Estas observaciones no sólo se aplican a culturas musulmanas, sino también a muchos lugares del mundo no occidental.

Musulmán	Occidental
Todas las amistades verdaderas involucran un elemento financiero.	Las amistades más saludables y felices son aquellas en quienes el dinero no cambia de manos.
La manera de rehusarse a dar no debería implicar un «no» a secas. El rechazo debe ser indirecto, para que el que pidió no pase una vergüenza.	Es apropiado ser honesto y decir: «No».
Las reglas deben honrarse, pero mostrar misericordia es más importante debido a la importancia de mantener buenas relaciones.	Las reglas son reglas. Punto.
Cuando usted pida y reciba asistencia financiera o ayuda con un trabajo, o pida que se ejerza influencia a su favor dentro de la burocracia gubernamental, esto implicaría cierta obligación. Debe convertirse en un leal partidario de su patrón.	Uno se hace partidario sólo dentro de los límites éticos y morales.
Si una persona necesitada recibe regalos para satisfacer cierta necesidad y luego se presenta otra necesidad más apremiante, entonces es legítimo usar esos regalos para la mayor necesidad.	Esto es incorrecto moralmente a menos que sea explícitamente autorizado por el donador.

De un artículo de Joseph Cumming de la Universidad de Yale, inspirado por el libro de David Maranz, *African Friends and Money Matters*. Cumming ha vivido quince años en un país musulmán.

esposa y yo fuimos a vivir a una casa alquilada en un pequeño pueblo lejos de Daca. Desde el día en que esta pareja extranjera llegó, hasta que partimos, sólo me llamaban «*Bhai*» o «hermano». Sin empleados y sin ningún símbolo de ostentación, esta «persona de poder» había dejado atrás todos los vestigios de distinción. Ahora estaba mucho más unido al pueblo musulmán donde había venido a encarnarme. Había sido acogido a la hermandad. ¡Qué hermosa sensación!

Posibles soluciones

De ninguna forma espero dar respuestas definitivas a este enorme problema en los párrafos que siguen. Sólo espero dar algunas sugerencias que podrían ser útiles para alguien.

Cuestiones de estilos de vida

Éste es un problema que se rehúsa a desaparecer. Aun al extranjero más dedicado le resulta sumamente difícil reducir su estándar de vida al nivel del grupo de personas que son su objetivo dentro de un contexto de pobre. A menudo quienes lo intentan con sinceridad encuentran que la experiencia emocional y física es más de lo que

pueden soportar. Cuando llegan a este punto, o se trasladan a una gran ciudad, con las comodidades que ofrece, o vuelven a su país de origen.

Para algunos, las instalaciones de la misión que quedó de los días coloniales ofrecen una alternativa apartada. Un alojamiento cómodo y seguro es un oasis en el desierto (literalmente, a veces). Pero nunca me he sentido a gusto con este tipo de solución. Somos llamados a ser luz en la comunidad. A veces, la paradoja de esto puede verse en las casas iluminadas por generadores de los extranjeros, mientras los lugareños se sientan en una semioscuridad alrededor de una pequeña lámpara de queroseno. Aun cuando sea conveniente económicamente ocupar un complejo habitacional de este tipo, siento que es hora de reubicar a nuestra gente en viviendas dentro de la comunidad objetivo. Durante nuestra carrera misionera, mi familia ha tenido el privilegio de no haber vivido nunca en una comunidad cristiana enclaustrada.

¿Quién es nuestro público objetivo? Si son los ricos, entonces la compatibilidad de estilo con ellos prácticamente desaparece como problema. Pero un ministerio a los pobres agrava la complejidad del proceso de identificación. A mí me parece prudente entrar en nuestra área de ministerio con un perfil

---

El papel del rico justo   *Jonathan J. Bonk*

¿Cómo deben los misioneros vivir «cristianamente» en el contexto de pobreza? Al tratar de establecerse en su nueva comunidad, a menudo los misioneros se clasificarían como adinerados, una posición para la cual tienen muy poca o ninguna preparación. En su libro, Jonathan J. Bonk, «Missions and Money: Affluence as a Western Missionary Problem» resume este dilema.

Su propia experiencia en Etiopía le ayudó a entender por qué los ricos no se atreven a «vivir en cercanía social ni física con los pobres, y por qué, cuando las circunstancias los obligan a hacerlo, se deben proteger a sí mismos y sus pertenencias con murallas, portones, barras, perros, guardias armados, asociarse con otros privilegiados y hasta la violencia letal o guerra, si es necesario».

Inevitablemente y sin saberlo, los recién llegados a una sociedad se comportan de una manera que los distingue como pertenecientes a cierto estatus social. Cuando los misioneros cumplen con sólo parte del comportamiento social asociado con ese estatus, la gente se podría sentir profundamente engañada o enojada. Por ejemplo, muchos misioneros, para tratar de ayudar

económicamente a otros, asumen sin querer, el papel de patrón o jefe. Pero si luego se rehúsan a cumplir con las obligaciones asociadas con ese papel, todo acabará en confusión, frustración y hasta enojo. Y se cuestiona la sinceridad y honestidad de tales misioneros.

Mi modesta propuesta es que los cristianos occidentales en general, incluyendo misioneros, si anticipan

o descubren que su estilo de vida es más alto, de acuerdo con el parámetro de las personas a su alrededor, adopten la posición de «rico justo» y aprendan a jugar un papel culturalmente apropiado y bíblicamente disciplinado. Las expectativas varían de una cultura a otra, pero por lo general la gente hace una distinción clara entre gente rica que es *buena* y gente rica que es *mala*. Los misioneros deben aspirar a estar en la parte *buena* del espectro delineado por la cultura. A su vez, estos ideales y estatus, definidos por la cultura, y sus papeles correspondientes deben de ser formados por la Biblia para asegurarse de que la vida del misionero o la misionera calce con su enseñanza.

Jonathan J. Bonk es el director ejecutivo del Overseas Ministries Study Center y editor del *International Bulletin of Missionary Research*. Tomado de «Missions and Money: Affluence as a Western Missionary Problem… Revisited», *International Bulletin of Missionary Research* 31:4, (Octubre de 2007), publicado por Overseas Ministries Study Center, New Haven, CT. Usado con permiso.

económico lo más bajo posible. Luego, de acuerdo con las necesidades, subir. Quienes entran en un nivel superior rara vez descienden, pero la estabilidad emocional y el bienestar físico son de suma importancia. He conocido misioneros que se han aferrado tenazmente a la extrema sencillez sólo para verse forzados a volver a sus hogares destruidos en mente y cuerpo. Esta clase de situación no beneficia a nadie.

Apoyo de ministros locales

A menudo los occidentales son personas orientadas hacia los resultados. Sostienen que puede lograrse mucho más en un ministerio de fundación de iglesias con lugareños asalariados, porque ellos son quienes conocen a su gente, dominan su idioma, pueden vivir en forma sencilla y están dispuestos a realizar las tareas que les asignan sus benefactores económicos. Más por menos. ¿Qué podría ser mejor?

Bueno... varias cosas podrían ser mejores. La dependencia (mientras dura el dinero) está en su nivel más alto. Puedo dar muchas ilustraciones de nacionales airados que han maldecido a un extranjero cuando cerró la válvula de financiación del extranjero. Luego está la forma en que la población local no cristiana percibe al ministro, es decir el público objetivo. Subestiman al propagador de una «religión foránea», que es sólo un vendedor pagado, que hace lo que le dice un expatriado con mucho dinero.

Los problemas son intimidantes. En mi propia experiencia de misión, mi equipo encontró varias formas de abordar este tema. Un paso adelante en nuestro equipo fue pedir prestado un creyente con trasfondo musulmán (CTM) de Operación Movilización (OM). Este evangelizador calificado conocía el islamismo y conocía a su gente, incluyendo su folclore. Él y su familia vivían de una manera muy sencilla, como los misioneros también buscábamos vivir. Y, lo mejor de todo, éramos colegas en el ministerio. OM proveía a la familia un estipendio con un origen de fondos más indirecto. Debido a su capacidad, nunca escuchamos que los musulmanes lo llamaran «vendedor». En esa zona geográfica nunca un musulmán se había entregado a Cristo. Hoy hay más de seiscientos CTM. Este creyente nacional fue el detonante de todo lo que ocurrió.

En las Filipinas tuvimos el privilegio de trabajar con iglesias que estaban dispuestas a participar en la fundación de iglesias entre los resistentes. Fue emocionante ver a cristianos filipinos involucrados, no sólo yendo sino también apoyando. Fue de particular emoción ver a la iglesia filipina china asumiendo la responsabilidad económica de los evangelistas no chinos.

Otros temas

Pero, ¿qué ocurre con los implacables pedidos de préstamos en algunos países muy pobres? Durante años cedí a esas súplicas. Lamentablemente perdí dinero y «amigos». Al final, decidí dejar de dar préstamos y sólo dar donaciones. Los montos eran decididos con base en la necesidad, el consejo de otros y, por último, pero no menos importante, la oración. En la medida de lo posible intenté mantenerme a tono con lo que la comunidad circundante estaba dando... además de un poco más, ¡ya que soy, después de todo, el extranjero rico!

Y, finalmente, volvamos a Gary. Al enfrentar a los nuevos creyentes, entendió que, si les regalaba ropa, haría tres cosas: 1) mantendría a los hijos de ellos abrigados; 2) sería una señal a los musulmanes que observaban, que estos tres hombres habían traicionado a su religión y a su sociedad a cambio de un beneficio material; 3) activaría un síndrome de dependencia que no sólo ahogaría la vida espiritual de estos hombres, sino que también obstaculizaría, o aun impediría, un movimiento futuro hacia Cristo en la zona.

Gary les comunicó todo esto con toda humildad a los expectantes hombres parados frente a él. Les aseguró que Dios podía contestar sus oraciones y suplir sus necesidades. Sin demasiado entusiasmo, volvieron a su aldea, a unos cinco kilómetros de distancia.

Gary oró mucho durante la semana siguiente. Cuando volvieron los hombres, le contaron con sumo gozo cómo el Señor había suplido sus necesidades y que ahora todo estaba bien. En las siguientes décadas estos tres hombres se convirtieron en el fundamento de un grupo que hoy excede quinientos creyentes bautizados. En esa zona, la dependencia de fondos del extranjero ha sido mínima.

No hay una única solución. Hará falta mucha experimentación y adaptación en cada contexto. Pero estoy convencido de que éste debería ser una prioridad en nuestras discusiones misionológicas. Nuestro enfoque determina si estamos edificando nuestro fundamento sobre la roca o la arena.

¿Destruyen culturas los misioneros?

Don Richardson

Don Richardson hizo obra pionera para World Team (anteriormente RBMU International) en la tribu sawi de Irian Jaya (actualmente Papúa, Indonesia) de 1962 a 1977. Desde entonces, ha servido como ministro en misiones especiales para World Team. Es autor de *Hijo de paz, Señores de la tierra* y *Eternidad en sus corazones*, y a menudo imparte conferencias en eventos misioneros y en los cursos de *Perspectivas*.

El austero misionero Abner Hale, personaje de la novela *Hawaii* de James Michener, y protagonista en la película del mismo título, se ha convertido en arquetipo de un odioso fanático. En la novela, Hale esputa atronadores sermones llenos de fuego del infierno contra las «viles abominaciones» de los paganos hawaianos. Incluso les prohíbe a las comadronas hawaianas ayudar a una misionera que está pariendo y va a dar a luz un «niño cristiano». Como consecuencia, la madre muere. Hale les prohíbe a las hawaianas que le ayuden a su esposa en las labores del hogar, para evitar que sus hijos aprendan la «lengua nativa pagana»; su esposa se gana, con sus duras faenas, una tumba temprana. Y cuando los chinos budistas se establecen en las islas, Michener hace que Hale irrumpa en sus templos y destroce sus ídolos.

Ésta es una trama interesante, pero por desgracia «Abner Hale» llegó a ser sinónimo de «misionero» para muchos estadounidenses —y los misioneros lo han llevado sobre sus espaldas desde entonces—. El antropólogo Alan Tippet, de la Escuela de Misión Mundial del Seminario Fuller investigó en cierta ocasión cientos de sermones misioneros tempranos recogidos en los archivos de Honolulú. Ninguno de ellos contiene el estilo delirante que, según Michener, era típico de aquella época.

Nos será útil examinar los verdaderos hechos en vez de hacer circular estereotipos distorsionados. Es verdad que se han presentado ocasiones en las cuales los misioneros fueron responsables de una innecesaria destrucción de la cultura. Cuando fray Diego de Landa, misionero católico que acompañó a las tropas españolas en el Nuevo Mundo, descubrió bien abastecidas bibliotecas mayas, supo lo que tenía que hacer: las quemó todas, evento que, según él mismo dice, los mayas «lamentaron en sumo grado, y les causó mucha aflicción». En su opinión, los libros no contenían más que «supersticiones y mentiras del diablo». De modo que en 1562, toda la poesía, la historia, la literatura, las matemáticas y la astronomía de toda una civilización fueron reducidas a columnas de humo. Sólo tres documentos sobrevivieron al celo mal orientado de fray de Landa.

Este incidente, y muchos otros, muestran que a veces los misioneros han provocado la destrucción de culturas. Ya sea por medio de una errónea interpretación de la Gran Comisión, orgullo, choque cultural o simple incapacidad para comprender valores ajenos, nos hemos opuesto innecesariamente a costumbres que no entendíamos. ¡Si las hubiéramos entendido, algunas podrían habernos servido como signos clave para comunicar el evangelio!

Las críticas parecen sugerir que si los misioneros se hubieran quedado en casa, los pueblos primitivos habrían vivido tranquilos y felices, experimentado «el mito del buen salvaje» de Rousseau. En realidad, David Livingstone fue precedido por mercaderes árabes de esclavos; y Amy Carmichael, por verdugos que arrastraban niños y niñas al terror de la prostitución idolátrica en los templos. A veces este tipo de fuerzas malignas ha destruido pueblos enteros. En América del Norte, los yahi de California, y también los huron —y posiblemente otras veinte tribus indígenas— fueron empujados hacia su exterminio por colonizadores ávidos de tierra. En cierta ocasión los pioneros enviaron regalos a una tribu: cargamentos de mantas infectadas de viruela.

En Brasil, de una población original estimada en cuatro millones, sólo sobreviven doscientos mil indígenas. En los últimos setenta y cinco años ha desaparecido más de una tribu por año. La gente puede asumir que las tribus ausentes han sido absorbidas por la sociedad, pero no es éste el caso. Miles han sido brutalmente envenenados, ametrallados o dinamitados desde avionetas que vuelan a baja altura. Otros miles han sucumbido a una muerte más lenta, más agonizante: la muerte por apatía. Se sabe que los indígenas han provocado el aborto. Puesto que la invasión ha causado la desintegración de sus culturas, se rehúsan a traer niños a un mundo que ya no entienden.

Tragedias similares se extienden por todo el mundo. Hay una preocupación generalizada por las especies de animales en peligro de extinción, y bien justificada, pero cientos de etnias de nuestra propia especie humana corren aún mayor peligro. Podríamos quedarnos cortos si dijéramos que cada año se pierden cinco o seis tribus lingüísticamente diferenciadas.

Es obvio que la política «ilustrada» de «dejarlos tranquilos» no funciona. Entonces, ¿qué puede detener la marcha de las culturas tribales hacia su extinción? Las cesiones de tierra y los planes seculares de bienestar social pueden ayudar en el terreno físico, pero tales programas dejan intacto el mayor peligro que se cierne sobre los pueblos tribales. Su mayor peligro es la pérdida de su sentido de una relación «correcta» con lo sobrenatural. Toda cultura aborigen reconoce lo sobrenatural y cuenta con procedimientos estrictos para mantener una «justa relación» con ese ámbito. Cuando forasteros arrogantes ridiculizan las creencias de la tribu —o hacen añicos sus

mecanismos para mantener esa buena relación—, se infiltra en su medio una grave desorientación. Cuando creen que son maldecidos por abandonar costumbres antiguas, los pueblos tribales se vuelven pesimistas y apáticos. Si creen que están condenados a morir como pueblo, cumplen en sí mismos esta profecía.

Los trabajadores sociales y los científicos materialistas no pueden ayudarles a estas gentes. Los pueblos tribales perciben incluso una negativa tácita de lo sobrenatural que los sume aún más en la depresión. ¿Quién puede, pues, prestarles un mejor servicio a esas gentes como defensor espiritual del pueblo? Nadie más que la persona a quien el mito popular ha calumniado como su principal enemigo: el misionero bíblico que honra a Cristo.

Un caso histórico

Según Robert Bell, de la Unevangelized Fields Mission (UFM), la tribu wai wai de Brasil quedó reducida a sesenta miembros hace menos de una generación, debido sobre todo a enfermedades foráneas y a la costumbre wai wai de sacrificar recién nacidos a los demonios para intentar prevenir tales enfermedades. Entonces un puñado de misioneros de la UFM se identificó con la tribu, aprendió su idioma, creó un alfabeto, tradujo la Palabra de Dios, alfabetizó a los wai wai, y les proporcionó asistencia médica moderna.

Lejos de negar el mundo sobrenatural, los misioneros enseñaron a los wai wai que un Dios de amor reina soberano y ha preparado una manera de

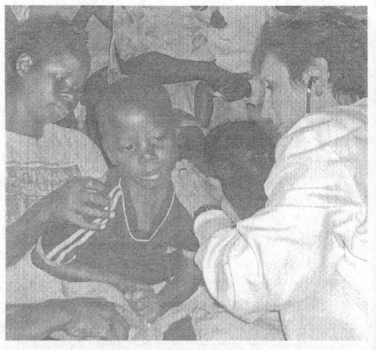

«mantener una relación correcta», a un nivel más profundo de lo que jamás hubieran soñado. Ahora los wai wai disponen de una base racional, e incluso

Arriesgamos nuestra vida para ser los primeros en llegar a ellos porque creemos que somos agentes de cambio más benévolos que los comerciantes codiciosos de ganancias.

deleitable, para no sacrificar sus bebés a los demonios. La tribu comenzó a multiplicarse y está empezando a ser una de las tribus más estables de Brasil. Ahora los cristianos wai wai les enseñan a otros grupos menguantes de indígenas a afrontar el siglo XXI apoyados en la fe en Jesucristo.

Los misioneros introdujeron cambios culturales, pero no arbitrarios ni impuestos por la fuerza. Sólo promovieron los cambios exigidos por la ética del Nuevo Testamento y la supervivencia del pueblo. Ambas exigencias suelen solaparse.

En cierta ocasión un reportero me reprendió, tal vez chistosamente, por persuadir a la tribu sawi de Indonesia a renunciar al canibalismo. «¿Qué hay de malo en el canibalismo? —me interpeló—. Los sawi lo han practicado por miles de años. ¿Por qué habrían de renunciar a ella ahora?».

«¿Puede un pueblo que practica el canibalismo sobrevivir en el mundo actual? —repliqué—. No, no puede. Los sawi son ahora ciudadanos de la República de Indonesia. La República de Indonesia no permite que sus ciudadanos coman personas. Por lo tanto, parte de mi tarea consistió en proporcionar a los sawi una base racional para renunciar de manera voluntaria al canibalismo, antes de que las armas policiacas tomaran cartas en el asunto».

La sawi es una de las cuatrocientas tribus melanesias de piel oscura, en Irian Jaya, que está saliendo de la Edad de Piedra. Hace algunos años los Países Bajos cedieron la colonia, antes llamada Nueva Guinea, a Indonesia. Actualmente, unos cien mil indonesios han emigrado a Irian Jaya. ¿Estará la tribu preparada para competir con sus vecinos inmigrantes más emprendedores? ¿O se extinguirá?

Esparcidos por Irian Jaya, más de doscientos cincuenta misioneros evangélicos (demasiado pocos) ministran el evangelio a las dos razas. Entendedores del indonesio, y de muchas de las cuatrocientas lenguas tribales, les ayudan a los miembros de culturas encontradas a comprenderse

mutuamente. Con el beneplácito del gobierno indonesio, los misioneros aspiran a prevenir grandes confrontaciones culturales. Gracias a la fe en Cristo, decenas de miles de irianeses han iniciado una suave transición al siglo XXI. Desde luego, las crisis étnicas de esta magnitud son demasiado sensibles como para ser dejadas a la dudosa merced de intereses puramente comerciales. Los misioneros, cuyos corazones rebosan el amor de Cristo, son imprescindibles.

¿Son imperialistas culturales los misioneros? Usted decide.

Considere las acusaciones de un periodista contra los misioneros. Cuando Hamish McDonald visitó Irian Jaya para cubrir los efectos provocados por un grave terremoto ocurrido en junio de 1976, miró hacia otro lado, a lo que él creyó observar en la relación entre las tribus y los misioneros. El artículo resultante fue publicado en el *Washington Post* el 3 de agosto de 1976:

JAYAPURA, Irian Jaya: Misioneros cristianos fundamentalistas provocan reacciones hostiles y ocasionalmente homicidas en las tribus de las zonas montañosas al sur de donde nos encontramos. En uno de los incidentes recientes más salvajes, hace unos dieciocho meses, trece ayudantes locales de una misión fueron asesinados y comidos tan pronto como el misionero europeo partió de permiso.

Los misioneros también están siendo acusados por los antropólogos y otros observadores de intentar destruir casi por completo las culturas indígenas en las zonas que evangelizan. Se considera que ésta sería la causa básica de los recientes brotes de violencia, y se contrasta con las normas de conducta más adaptables de los católicos romanos y los grupos misioneros protestantes más tradicionales.

Los fundamentalistas trabajan en las remotas montañas de Jayawijaya, donde han asumido la parte más difícil de las labores de socorro, después de los fuertes terremotos que asolaran la región, y que, según se estima, han matado a mil personas.

En los últimos años se han establecido varias misiones en las montañas de Jayawijaya, una zona inexplorada y poco conocida que tuvo su primer contacto con el exterior hace sólo unos veinte años. Hace poco el pueblo melanesio que habita en la región ha descubierto el uso del metal. Consumen batatas, caña de azúcar y plátanos, que complementan con el cerdo y, de forma ocasional, con pequeños marsupiales o pájaros que cazan con arcos y flechas.

Los hombres sólo usan el *koteka*, una jícara que cubre el pene, y las mujeres pequeños penachos de hierbas por delante y por detrás. Divididos por un terreno escarpado y un lenguaje diferente al de sus vecinos más cercanos, pelean periódicamente y libran confrontaciones bien calculadas.

Pero muchos misioneros parecen considerar que el evangelio es totalmente incompatible con la cultura tradicional, en la cual no encuentran valores profundos. Un misionero de la región fronteriza de Papúa Nueva Guinea, comentó que los ancianos que se mantenían apartados de su misión «no se interesaban por las cosas espirituales». Lo primero que hizo un misionero que vivió una temporada en el valle X fue repartirles camisas a los hombres de la tribu. En la misión Nalca han convencido a las mujeres para que alarguen sus faldas de hierbas hasta la rodilla, al parecer para acomodarse y satisfacer la modestia de los misioneros.

Fumar está condenado y prohibido como pecaminoso. Hasta hace poco, el servicio aéreo misionero inspeccionaba las bolsas y rehusaba transportar a todo aquel que llevara tabaco o alcohol.

En 1968, dos misioneros occidentales fueron asesinados en la ladera sur de la cordillera Jayawijaya. Hace tres meses un misionero estadounidense fue prácticamente expulsado del valle Fa-Malinkele por causa de su proceder.

El incidente del canibalismo ocurrió en una misión denominada Nipsan, donde el misionero holandés se había valido de ayudantes irianeses de la zona ya evangelizada, cercana a Wamena, más al oeste. Cuando el misionero partió de tiempo sabático, los miembros de la tribu se volvieron contra quince ayudantes, matando y comiéndose a trece. Dos huyeron a la jungla. Una unidad del ejército indonesio acudió de inmediato, pero descartó el asunto debido a problemas peliagudos relacionados con la ley.

El misionero holandés hizo de inmediato un tour por Europa y América del Norte para recaudar fondos, adquirir un helicóptero y evangelizar desde el aire usando un altavoz. Luego nos enteramos de que la primera vez que lo intentó, hace un mes, el predicador con púlpito volante fue saludado con una lluvia de flechas.

Los fundamentalistas son comparados desfavorablemente con los misioneros católicorromanos que operan en la parte sur de Irian Jaya bajo una organización territorial establecida por los holandeses y mantenida por los indonesios después de la transferencia de administración acaecida en 1963.

«La diferencia entre ellos es bastante sencilla —declaró cierta fuente en Jayapura—. Los protestantes intentan destruir la cultura. Los católicos intentan preservarla».

En una misión denominada Jaosakor, cerca de la costa sur, los católicos consagraron recientemente una iglesia diseñada casi en su totalidad por los nativos y adornada con esculturas típicas de los asmat. El obispo Alphonse Sowada, de la orden Crosier, cuya base está en Nebraska, celebró una ceremonia ataviado de su ropaje episcopal, acompañado de líderes locales adornados de sus diversos distintivos y emblemas tradicionales: pinturas, collares dentados y huesos en la nariz. La dedicación fue con esparcimiento y rociado de cal (hecha de conchas de moluscos quemadas), utilizando vasijas de bambú, sobre suelos, paredes y altares al estilo en que el pueblo asmat suele inaugurar todos sus centros comunales.

A casi todos los misioneros católicos de Irian Jaya se les exige algún título en antropología antes de comenzar su llamado. Muchos han publicado artículos y trabajos acerca de los pueblos nativos. «La base de nuestro enfoque es que creemos que Dios ya está actuando en la cultura aborigen, lo cual se desprende de nuestra fe en que Dios es el creador de todas las cosas y está presente en todas ellas», comentó un sacerdote.

El 21 de septiembre de 1976, envié una carta al *Post*. Nunca apareció en la columna de «cartas al director», ni, que yo sepa, se usó para ofrecer ninguna clase de contrapeso a las aseveraciones de Hamish McDonald tocante a lo que él pensaba que había observado en Irian Jaya. No obstante, ha pasado a ser un capítulo del libro de texto de antropología de John H. Bodley, de considerable difusión: *Tribal Peoples and Development Issues: A Global Overview* (Mayfield Publishing, Mountain View, CA, 1988, pp. 116-21). He aquí, ligeramente condensada, mi carta abierta:

Estimados señores:

Hace algunas semanas llegó a Irian Jaya el

periodista Hamish McDonald para informar del terremoto que hace poco devastó una región montañosa del país. Al menos, eso fue lo que él dijo a los misioneros, cuya ayuda él necesitaba para acceder a la región.

El terremoto acaparaba un interés especial porque sacudió el hábitat de las últimas tribus que quedan de la Edad de Piedra, algunas de las cuales aún practican el canibalismo. El temblor desencadenó literalmente miles de aludes, barrió quince aldeas tribales, mató a más de un millar de personas y dejó quince mil sobrevivientes y sólo el quince por ciento de sus tierras de cultivo. Los misioneros, a los que McDonald se acercó, se apresuraban para hacer un envío urgente de alimentos mediante un puente aéreo. Con todo, le ofrecieron amablemente un hueco en uno de sus sobrecargados vuelos de socorro, de Jayapura al interior.

Puede que el mundo no se hubiera enterado de que estas tribus existían, ni las agencias de socorro de sus apuros, de no haber sido por una docena, o más, de misioneros protestantes que exploraran su montañoso hábitat en los últimos quince años. Arriesgando sus vidas, los evangélicos lograron hacerse amigos de varias tribus que suman algunos miles de miembros bastante suspicaces e impredecibles. Los misioneros aprendieron y analizaron meticulosamente sus lenguas indígenas, sin alfabeto, tarea muy penosa a la que otros individuos menos motivados no le hubieran dedicado tiempo. También allanaron y limpiaron las cuatro pistas de aterrizaje que hacían posible las operaciones de socorro que, dicho sea de paso, permitieron a McDonald llevar a cabo su asignación en la zona.

La avioneta de la misión que transportaba la ayuda rodó por la pista y se detuvo. McDonald saltó de la avioneta y comenzó a tomar fotos…

Hay razones para explicar que los misioneros acudieran a zonas aisladas como Irian Jaya tan pronto como pudieron. La historia muestra que incluso las culturas minoritarias más aisladas acabarán siendo abrumadas por la expansión política y comercial de los pueblos mayoritarios. Los académicos ingenuos, desde sus torres de marfil, podrán alegar que las pocas culturas primitivas que aún quedan en el mundo no deberían ser molestadas, pero los granjeros, madereros, especuladores de terreno, mineros, jefes militares, constructores de carreteras, anticuarios de arte,

turistas y traficantes de droga, hacen oídos sordos.

Éstos van de todos modos. Muchas veces para destruir, estafar, explotar, vejar o corromper, para apoderarse de sus cosas y darles a cambio poco más que enfermedades a las que los primitivos no son inmunes ni pueden combatir.

Los misioneros no deseamos que las magníficas tribus de Irian Jaya corran esta suerte. Arriesgamos nuestra vida para ser los primeros en llegar a ellos porque creemos que somos agentes de cambio más benévolos que los comerciantes codiciosos de ganancias. Como nuestros colegas en Brasil, que hace sólo una generación salvaron a los wai wai de una suerte semejante, creemos que sabemos cómo lograr que las tribus de Irian Jaya sobrevivan en el mundo moderno. La cuestión «¿debería ir alguien?» —es a todas luces obsoleta, porque obviamente alguien *irá*—.

Ésta ha sido sustituida por una cuestión más práctica: «¿Llegarán antes las personas más comprensivas?» Para facilitar al máximo la salida de la Edad de Piedra, conseguir que las tribus adopten nuevos ideales para reemplazar los que deben perder para poder sobrevivir, y enseñarles la lengua nacional para poder defenderse en sus disputas con los «civilizados»; más aún, para producir literatura en su propio idioma, y éste no caiga en el olvido, así como enseñarles el valor del dinero y evitar que mercaderes sin escrúpulos los estafen vilmente; todavía mejor, para que algunos establezcan negocios y eviten que el comercio caiga enteramente en manos extranjeras y cuidar de ellos cuando las epidemias sobrevengan y los terremotos causen estragos. Mejor todavía, para instruir a algunos de ellos como médicos y enfermeros para que se queden cuando nosotros nos hayamos marchado. Vamos como defensores del pueblo que ayudan al entendimiento de culturas encontradas.

Los misioneros no sólo somos abogados de verdades espirituales, sino también de la supervivencia física. Y hemos obtenido asombroso éxito en Irian Jaya y en todas partes. En las tribus ekari, damal, dani, ndugwa, y otras, más de cien mil representantes de la Edad de Piedra recibieron nuestro evangelio como culminación de lo que sus culturas respectivas habían esperado por siglos. Los ekari lo llaman *aji*, los damal, *hai*, los dani, *nabelan-kabelan*, un mensaje inmortal que un día pondrá fin a las guerras tribales y aliviará el sufrimiento humano.

¿Qué efecto se produjo? La realización cultural más profunda posible y una puerta abierta a la fe en Jesucristo para decenas de miles de personas.

En 1968, dos colegas nuestros, Phil Masters y Stan Dale, murieron cuando exploraban una nueva zona de la tribu yali. Pero luego, Kusaho, anciano yali, reprendió a los jóvenes que los habían asesinado, diciéndoles: «Ninguno de estos hombres nos han hecho nunca daño, ni siquiera los resistieron cuando fueron muertos. A buen seguro vinieron en son de paz y ustedes han cometido un error terrible. Si vuelve a llegar a nuestro valle algún hombre de esta clase, debemos recibirlo».

De esta manera se abrió una puerta de aceptación a costa de las muertes de nuestros amigos. Sin duda la victoria fue costosa. Las viudas de Stan y Phil tuvieron que criar cinco hijos cada una. Sin embargo, no culparon a nadie de la muerte de sus maridos, y una de ellas todaví--a sirve con nosotros en Irian Jaya.

Esgrimiendo el cliché «fundamentalista» con obvia intención de estigmatizarnos y hacernos rabiar, McDonald lanzó un ataque mordaz, sin fundamento alguno, que apareció como artículo de fondo en el *Washington Post* y fue difundido por cable a cientos de periódicos del mundo. Al mencionar la matanza de Phil y Stan, acaecida hace ocho años, nos acusó de manera absurda de «provocar una reacción hostil y ocasionalmente homicida en las tribus primitivas». Sigue diciendo: «Los misioneros están siendo también acusados por los antropólogos y otros observadores de perpetrar la destrucción casi total de las culturas…».

¿Quiénes son esos antropólogos y otros observadores? En nuestras filas hay hombres titulados en antropología, y en los últimos veinte años hemos colaborado con varios antropólogos en Irian Jaya y disfrutado de un buen entendimiento mutuo.

Tal vez McDonald se refiera a los tres miembros restantes de un equipo científico alemán que conoció en una de sus escalas en helicóptero, en el interior. Según parece, algunos de ellos nos critican, no fundados en un amplio conocimiento de nuestra labor, sino por causa de los prejuicios contra los misioneros que ya tenían cuando llegaron a Irian Jaya.

Un cambio dirigido es justo lo que estamos practicando. Es más, los misioneros son prácticamente las únicas personas que lo hacen. Los antropólogos no se quedan con las tribus suficiente tiempo, y los humanistas no están lo suficientemente motivados. ¿Qué evidencias presenta McDonald para probar su acusación de que estamos «perpetrando la destrucción casi total de las culturas de Irian Jaya?».

Asegura que: «La primera actuación de un misionero… en el valle X, no hace mucho, fue repartirles camisas a los hombres de la tribu». Gran parte de los hombres a los que se refería habían perdido sus casas a causa del terremoto. Las autoridades indonesias habían proporcionado camisas para ayudarles a pasar la noche en sus toscos refugios temporales, a más de kilómetro y medio de altitud. Nadie deseaba que una erupción de casos de neumonía complicara la operación de socorro. Johnny Benzel, el misionero, colaboraba con la directiva del gobierno en repartir las camisas.

En ninguna parte hemos suministrado ropa de estilo indonesio u occidental hasta que las tribus mismas la reclamaron. Esto normalmente requería entre siete y quince años. Los ancianos de la iglesia tribal predicaban al aire libre o bajo techados de hierba, cubriéndose el pene con sólo una jícara, y a todo el mundo le parecía lo más normal. Incluso hoy la inmensa mayoría de los hombres se siguen cubriendo el pene con jícaras y las mujeres usan faldas de hierbas.

Con la *Operación Koteka*, es el gobierno indonesio, no los misioneros, quien procura que las tribus cambien las jícaras y las faldas de hierbas por pantalones cortos y vestidos. Pero lo hace por un motivo razonable. Desea que las tribus se integren en la sociedad indonesia lo antes posible, que encuentren trabajo, etcétera.

En Nalca, McDonald tomó una foto de un nativo en cuyo tabique nasal tenía atorado un bolígrafo. Esta fotografía apareció en algunos periódicos con el ridículo pie: «Bolígrafo de punta sustituye hueso nasal; predicadores fundamentalistas destruyen cultura». La realidad es otra: Un nativo escarba en la papelera de Johnny Benzel, saca un bolígrafo gastado, se lo clava en la nariz, y, ¡zas! Johnny es acusado de destruir culturas. Lindo truco, McDonald.

Entonces, ¿aprobamos todas las costumbres asimiladas en las culturas nativas? No, no las aprobamos, como tampoco nadie que pertenezca a la cultura occidental aprueba automáticamente todo lo que se hace en ella.

Proponemos acabar con el canibalismo, pero el gobierno indonesio propone lo mismo. La diferencia radica en que nosotros apelamos a la persuasión moral. Si fallamos, el gobierno recurrirá en última instancia a la fuerza física.

También deseamos erradicar la guerra inter-tribal que ha estado en vigor durante siglos. En vista de todo lo que han de experimentar en los próximos cincuenta años, es imprescindible que las tribus cesen de matarse y herirse *hoy*. A veces logramos detener la lucha haciendo hincapié en mecanismos de pacificación ya existentes en las propias culturas pero escasamente utilizados. O sencillamente facilitamos la presencia de una tercera persona, que les permita a los antagonistas abordar sus problemas bajo una nueva perspectiva.

Estamos contra la hechicería, cuyas sospechas son una de las principales causas que incitan a la guerra. Matar por brujería es contrario al concepto cristiano de bondad, pero también a la concepción humanista, ¿no es cierto?

Estamos en contra de la promiscuidad sexual, y no sólo por motivos religiosos. En 1903, mercaderes chinos en busca de plumas de ave del paraíso desembarcaron en la costa sur de Irian Jaya. Introdujeron la enfermedad venérea denominada *lymphogranuloma venereum* entre los cien mil miembros de las tribus merind. Dado que el sexo grupal estaba bastante extendido, la enfermedad se propagó como fuego. Segó noventa mil vidas en diez años. Si los misioneros hubieran introducido otra ética sexual antes de la llegada de los comerciantes chinos, se hubieran podido salvar muchas vidas.

McDonald intenta contrariarnos aún más comparando nuestros métodos y hallándolos desfavorables con «la política más adaptable de los católicos romanos y de los grupos protestantes más tradicionales».

Que sepamos, los misioneros católicos romanos no han sido heridos ni asesinados por las tribus de Irian Jaya. Esto se debe, no a «planes de actuación más adaptables», sino al hecho de que han restringido su labor principalmente a áreas bien controladas por el gobierno. Con esto no pretendemos avergonzarlos, ya que ellos han contado sus mártires al otro lado de la frontera, en Papúa Nueva Guinea.

Si McDonald se hubiese molestado en visitar las áreas de operación de los católicos romanos y los protestantes, para compararlas, habría descubierto que el grado de cambio cultural es al menos tan grande, si no mayor, en las áreas católicas. Por ejemplo, en todas las zonas primitivas católicorromanas se espera que los indígenas renuncien a sus nombres tribales y adopten nombres latinos, como Pío o Constancio, mientras que en las protestantes evangélicas, se siguen usando nombres típicos irianeses, como Isai o Yana. Pero, repetimos, si es un cambio relacionado con la supervivencia, no se puede achacar a razones antropológicas.

McDonald sigue diciendo: «A casi todos los misioneros católicorromanos que hay en Irian Jaya se les exige licenciaturas en antropología». En realidad, el porcentaje de misioneros católicorromanos y protestantes evangélicos titulados en antropología es aproximadamente equivalente, y en cuanto al ánimo para aprender dialectos tribales, los evangélicos llevan mucha ventaja. La mayoría de los sacerdotes católicorromanos enseñan en indonesio, incluso donde no se entiende.

McDonald describe la dedicación con rociada de cal de una nueva iglesia católica en Jaosakor. Ciertamente, si éste es el límite de su penetración cultural, nuestros amigos católicos no deben sentirse muy satisfechos. La penetración cultural, para ser efectiva, debe ir mucho más allá de cosas superficiales como el rociado de cal. Hasta que no se abordan a fondo conceptos como los de la categoría *aji* de la tribu ekari, o *nabelan-kabelan,* de la tribu dani, es imposible acercarse al corazón de un pueblo. Como uno de nuestros colegas dijo a McDonald: «Buscamos las claves culturales…». McDonald citó estas palabras, pero no supo en absoluto apreciarlas.

Otro punto del artículo de McDonald exige ser refutado: el misionero holandés recabó fondos para adquirir un helicóptero que prestara un servicio general a todos los pueblos tribales de Irian Jaya, no para practicar un «evangelismo aéreo». Es más, este mismo helicóptero llegó justo a tiempo para ayudar

> **Pero a medida que crecemos en experiencia y en sabiduría divina, no debemos destruir las culturas —ni tampoco lo haremos.**

en la operación de socorro y fue el que transportó a McDonald para cumplir su misión informativa.

McDonald, su artículo es erróneo, inapropiado e irresponsable. Usted se ha puesto muy pesado. Tanto usted como el *Washington Post* deben pedirnos una disculpa impresa.

Sinceramente suyo,

Don Richardson

¿Destruyen culturas los misioneros? Es cierto que nosotros destruimos algunos aspectos de la cultura, al igual que los médicos se ven a veces obligados a extirpar ciertas partes del cuerpo humano para que los pacientes puedan sobrevivir.

Pero a medida que crecemos en experiencia y en sabiduría divina, no debemos destruir las culturas —ni tampoco lo haremos.

Preguntas para reflexionar

1. ¿Qué variaciones de las críticas de McDonald ha leído u oído? ¿Cree usted que estas críticas a los misioneros están justificadas o no? ¿Por qué?

2. ¿Responde Richardson adecuadamente a las críticas de McDonald? ¿Qué añadiría usted o restaría a la respuesta de Richardson?

3. ¿Cree usted que hay un mejor plan de actuación que el cambio dirigido en las sociedades tribales? ¿Por qué sí o por qué no?

Descubrir la obra del Espíritu Santo en una comunidad

T. Wayne Dye

Pete es misionero en una comunidad tribal. Ha estado profundamente preocupado por los problemas de la poligamia, la masticación de la nuez de betel y el fumar. Pero los lugareños no están demasiado preocupados por estas cosas. Les interesa más evitar las discordias en la aldea. Desobedecer a los esposos, rehusar la hospitalidad, ignorar a los líderes, desconocer las obligaciones del clan, y demostrar ira, son pecados mucho más serios a sus ojos.

Pete está frustrado. Está convencido de que está ante una seria falta de obediencia a Dios entre los nuevos creyentes. Según lo que ha visto, varios han caído incluso en pecados sexuales. Su razonamiento es que, dado que él no ve la evidencia de arrepentimiento que él espera, no tiene la seguridad de que puedan escuchar al Espíritu de Dios hablándoles.

El problema de Pete surge de una perspectiva que comenzó mucho antes que llegara a esta aldea. Pete era una especie de profeta en su lugar de origen. Su liderazgo era valorado entre sus compañeros. En la mayoría de las situaciones había fungido como juez entre lo correcto y lo incorrecto. Había aprendido a discernir las raíces espirituales detrás de los problemas y a exhortar eficazmente a sus compañeros a seguir los caminos de Dios.

Pete vive ahora en una comunidad que tiene una cosmovisión diferente y reconoce diferentes prioridades acerca de lo correcto y lo incorrecto, pero no lo entiende. Percibiéndose como la persona más capacitada y «espiritual» del lugar, siente que debe confiar en la intuición espiritual que ha desarrollado en su cultura de origen, y predicar y enseñar en contra de los pecados de la nueva cultura.

Pete está trabajando bajo suposiciones acerca de cómo el Espíritu de Dios obra con los pecados de individuos y comunidades, suposiciones que probablemente debilitarán más, en vez de fortalecer a la nueva comunidad de creyentes. Sin embargo, su tarea (de hecho, la tarea de todo misionero) es confiar en que el Espíritu Santo ya está obrando en las vidas de las personas, observar cuidadosamente, entender la forma en que está trabajando y cooperar con él.

El papel del Espíritu Santo

Los misioneros deben entender cómo el Espíritu de Dios implanta su patrón, su camino de santidad en el corazón de una comunidad. Deben aprender a escuchar fielmente la Palabra de Dios. Cuando lo hacen, el Espíritu de Dios los ilumina. «Sean transformados mediante la renovación de su mente. Así podrán comprobar cuál es la voluntad de Dios, buena, agradable y perfecta» (Ro 12:2). El Espíritu usa la Palabra de esta forma para llevar a individuos y comunidades a la madurez cristiana. El misionero debe entrenarse para reconocer este proceso

T. Wayne Dye enseña en el Graduate Institute of Applied Linguistics en Dallas, Texas. Trabajó como traductor de la Biblia en Papúa Nueva Guinea durante veintiséis años y sirvió como apoyo académico para traductores en Kenia durante cinco años. Fue consultor de traductores y pastores nacionales desde 1974 hasta 2003.

Adaptado de *Missiology: An International Review*, editado por Arthur F. Glasser, Vol. 4, No. 1, Jan. 1976. Usado con permiso.

mediante el cual el Espíritu obra, y a tener paciencia.

El papel de la comunidad

Toda comunidad tiene un patrón de lo que está bien y lo que está mal. Dependiendo de su cosmovisión, las creencias y los valores en la cultura, este patrón puede estar más cerca o más lejos de lo que enseña la Biblia. Sin embargo, hay evidencia de que algunos conceptos fundamentales de lo correcto y lo incorrecto son ciertamente universales y se encuentran en los valores de comunidades que nunca han escuchado la enseñanza judeocristiana. Las prohibiciones contra mentir, robar, el asesinato y el adulterio, son prácticamente universales, si bien la definición precisa de cada pecado varía de una comunidad a otra. Vimos esto en partes de Papúa Nueva Guinea y las Filipinas, que aún no habían sido tocadas por la enseñanza cristiana. Alan Beals describió una serie similar de normas morales en una aldea hindú de la India.[1] En los tres lugares las reglas ancestrales eran similares a los Diez Mandamientos.

Vemos el papel de la cultura y la comunidad en el condicionamiento de nuestra comprensión del pecado en Romanos 14. En la iglesia romana algunas personas eran vegetarianas porque previamente habían comido carne sacrificada en su adoración a los ídolos. Otros eran judíos cristianos que comían carne, pero insistían en guardar los días sagrados judíos. Sus diferentes trasfondos culturales produjeron desacuerdos acerca del comportamiento en estos temas.

Pablo respondió que no es el acto mismo lo importante, sino el carácter fundamental de la relación de una persona con Dios (v. 17). Uno debe hacer lo que considera que es agradable a Dios (vv. 12, 18, 22-23). Diferentes personas escogerán realizar acciones diferentes y aun opuestas para agradar a Dios (v. 2-3, 5-6). Por esta razón Pablo enseñaba que está mal tener una actitud despectiva hacia quienes siguen reglas que nos parecen irrelevantes; no debemos sentirnos más espirituales que los que no siguen nuestros propios ideales del comportamiento cristiano (v. 10). Expresado de otra forma, cada uno de nosotros deberá responder ante Dios. Sólo el amo sabe lo que quiere que haga cada siervo.

Todo esto suena a relativismo moral, pero en realidad es muy diferente. El relativismo moral permite que cada persona escoja lo que está bien y lo que está mal por sí misma o basada en la pragmática o la simple preferencia. En contraste, la Biblia contiene principios universales que apuntan a modelar nuestras conciencias; las personas no pueden decidir sus propias reglas morales.

Los males en una comunidad específica pueden ser evidentes para un nuevo misionero, pero no para los miembros de esa comunidad. Tal vez se preocupen demasiado por seguir ciertos comportamientos, pero no otros. Tal vez incluso traten cuestiones morales como asuntos civiles o personales que no les conciernen espiritualmente. En una comunidad así, el estado de la conciencia de la gente puede ser un pobre reflejo de la meta última de Dios para ellos. Pero cuando responden a Dios, él puede revolucionar su entendimiento de lo que está bien y lo que está mal.

Convicción y cambio progresivos

Todo el que haya seguido a Cristo por un tiempo ha experimentado la convicción del Espíritu Santo en un comportamiento que no había considerado como pecaminoso. Ésta no es una experiencia única. Dios guía repetida y progresivamente a las personas a través de un proceso de transformación para hacerlas cada vez más como Cristo. De forma similar, Dios se mueve por medio de su Espíritu y de pecados específicos en una secuencia diferente habla por su Palabra para generar cambios graduales en una comunidad de creyentes. Encontramos que el Espíritu Santo trae convicción de una persona a otra.

Cuando el Espíritu Santo convence y enseña a

Absolutos bíblicos vs. relativismo moral

	Absolutos bíblicos / universales	Relativismo moral
Autoridad final	Dios	Individuos
Propósito de las Escrituras	Obedecerlas	Tomarlas como consejos
Fuente de instrucción moral	La Biblia	La comunidad

individuos y comunidades, sociedades enteras terminan por cambiar, logrando más justicia, misericordia y rectitud moral. A lo largo de la historia hubo reformas en la sociedad instigadas por muchos cristianos que respondían a la Palabra de Dios juntos. Un ejemplo de esto es cómo Dios se movió para exponer el comercio de esclavos como un pecado entre el pueblo británico. John Newton es conocido como el autor del himno «Sublime gracia». Durante años fue capitán cristiano de un barco de esclavos y no reconocía que la esclavitud fuera algo inherentemente malo. Fue mucho tiempo después de su conversión que admitió que su participación en el comercio de esclavos estaba mal. Entonces ayudó a William Wilberforce en su trabajo para abolir la esclavitud.

Pete estaba intentando corregir pecados acerca de los cuales Dios aún no le había dado convicción a la comunidad local. Pasó por alto otros pecados que eran verdaderos problemas para ellos. De hecho, Pete estaba asumiendo involuntariamente el papel del Espíritu Santo sobre estas personas. Habría sido mucho más eficaz si se hubiera esforzado por escuchar cómo el Espíritu Santo estaba convenciendo a la gente, y hubiera cooperado en el trabajo que estaba haciendo en las vidas de los individuos y en toda la etnia.

Si bien algunos respondieron a la predicación de Pete, no dejaron de enfrentar problemas difíciles. Como lo que escucharon de Pete no concordaba con lo que sentían que estaban escuchando de Dios, se desconcertaron y enfrentaron una larga lucha para aprender lo que Dios quería de ellos. Hay comunidades que intentan obedecer ciegamente todo lo que el misionero sugiere, que podría incluir cepillarse los dientes y poner flores en la mesa del comedor. La acción cristiana separada del contexto del entendimiento local de lo que está bien y mal impide que el Espíritu Santo desarrolle la capacidad de los nuevos creyentes para escuchar y obedecer su voz.

Esta confusión demora el desarrollo de una iglesia autóctona. Un pastor destacado de Yaundé, Camerún, explicó una vez algunos temas morales difíciles que enfrentaba su iglesia. Los cristianos de Camerún disentían profundamente con los cristianos occidentales acerca de las normas de la vida cristiana. Como resultado de estos desacuerdos sobre cuestiones culturales, algunos africanos dejaron la iglesia y formaron sus propios movimientos independientes. Peor aún, otros cameruneses, decididos a seguir al misionero, respondieron de formas que en realidad violaban su sentido interior de lo correcto e incorrecto. Perdieron la vitalidad de su fe.

Señalar la Biblia a las personas

Los nuevos creyentes necesitan que se les presente todo el alcance de la Biblia. Deben aprender a considerar a la Biblia como su autoridad final.

La enseñanza necesita enfatizar los principios que Dios quiere que la gente siga acerca de amar a su prójimo, perdonarse unos a otros, la interacción

Mientras el Espíritu Santo actúa para transformar...

1. Aprenda el sistema ético de la comunidad a la que ha sido enviado. Ahonde bajo la superficie y averigüe significados y escalas de valores. Descubra la escala de valores de lo que es correcto o incorrecto en esa comunidad.

2. Compare sus hallazgos con su propia comunidad. Compare luego ambas comunidades con la Biblia. Sea sensible a las virtudes y defectos de ambas comunidades. Esto le ayudará a vencer puntos ciegos y su etnocentrismo.

3. Sin lastimar su propia conciencia, aprenda a amar respetando las normas culturales de la gente entre la cual sirve. Viva de tal manera que todos aprueben su conducta.

4. Anime a los creyentes a responder siempre que el Espíritu Santo les dé convicción. Enseñe pacientemente normas divinas en cosas que, aunque sean culturales, son contrarias a la Biblia. Pida en oración que Dios le ayude a aceptar los aspectos comunitarios que, aunque le molesten, no son incompatibles con la fe cristiana.

5. Espere que el Espíritu Santo abra progresivamente los ojos de los creyentes y en definitiva transforme su comunidad. Siga recabando noticias de la comunidad de creyentes acerca de cómo el Espíritu está actuando en sus vidas. Aprenda a confiar en el discernimiento que reciben cuando escuchan a Dios.

6. Enseñe a los nuevos creyentes a obedecer y confiar en el Espíritu Santo. Enséñeles a mantener una conciencia limpia para que el Espíritu Santo siga enseñándoles nuevas verdades. Confróntelos con la Biblia; no los limite a la Biblia «premasticada» compartida por usted. Enséñeles a descubrir por sí mismos principios bíblicos para hallar respuestas sabias y verdaderamente cristianas.

pacífica y el respeto en la familia. En vez de enseñar estos principios, la tendencia humana es reemplazarlos por reglas acerca de la comida, ceremonias, ritos, tiempos y lugares. Pablo declara el principio con toda claridad en Romanos 14:17-18:

> Porque el reino de Dios no es cuestión de comidas o bebidas sino de justicia, paz y alegría en el Espíritu Santo. El que de esta manera sirve a Cristo, agrada a Dios y es aprobado por sus semejantes.

Lo que observamos en la iglesia de los bahinemo hizo que este pasaje cobrara vida. Luego de que la mayoría de la gente de la aldea de Wagu se entregara a Cristo, los instamos a acudir a Dios para tener sabiduría y dirección en cuanto a cómo deberían actuar, qué debían y no debían hacer, qué ceremonias debían mantenerse y cuáles descartarse, cómo tratar con el pecado, etc. Les enseñamos a orar y a recurrir a la Palabra de Dios. Reunimos pasajes que aún no estaban traducidos sobre temas para los cuales estaban buscando respuestas. Tendíamos a ser impacientes acerca de algunas actividades que sabíamos no agradaban a Dios, pero evitamos cuidadosamente darles nuestra opinión. Queríamos que los líderes y todas las personas desarrollaran una relación con Dios y aprendieran a escuchar su voz, más que seguirnos a nosotros.

Se centraron en amarse unos a otros y en hacer la paz con sus hermanos. Consideraron diferentes aspectos de sus ceremonias y quitaron los ritos que causaban dolor o podían asociarse con cualquier espíritu. Mantuvieron los aspectos de las ceremonias que traían unidad, belleza, gozo y paz. Revivieron el arte perdido de los tribunales de aldea para resolver conflictos en vez de gritar y pelear por los problemas. No pudieron encontrar ninguna escritura contra la poligamia, pero decidieron que era egoísta que los hombres mayores tuvieran varias esposas cuando los hombres de menos de treinta años no tenían ninguna. No exigieron que nadie se divorciara (esto era algo inaudito en el grupo), pero prohibieron que alguien se casara con una segunda esposa si había un hombre soltero sin esposa. Esta regla redujo drásticamente el nivel de adulterio y promiscuidad en la aldea. Después de quince años, todos los hombres jóvenes tenían esposa y la mayor parte de la poligamia había desaparecido por el proceso natural de la muerte.

Un misionero debe ser un aprendiz en la comunidad que sirve. Debe estudiar los valores éticos y espirituales de su comunidad anfitriona y compararlos con la Biblia y también con los valores de su propia cultura. Esto lo sensibilizará en cuanto a la forma en que el Espíritu está convenciendo y enseñando a esta nueva comunidad, de modo que refuerce dicha obra del Espíritu. A medida que cada vez más personas se convierten en creyentes, el misionero puede ayudarlas como grupo a descubrir la voluntad de Dios para ellas. Al dirigir a nuevos creyentes a la Palabra de Dios, podrán llevar a cabo su salvación «con temor y temblor» (Fil 2:12).

Nota

1. Beals, Alan, *Gopalpur: A South Indian Village* (New York: Holt, Rinehart and Winston, 1962), pp. 50-52.

Preguntas para reflexionar

1. Resuma el problema de Pete, y qué debería modificar.

2. ¿Cuál es la diferencia entre el relativismo moral y los absolutos bíblicos con relación a la convicción de pecado?

3. Usando la ilustración de Dye de su trabajo con la iglesia de los bahinemo, describe cómo un misionero debería ayudar a los nuevos creyentes a aprender a considerar a la Biblia como su autoridad final.

Implicaciones culturales de una iglesia autóctona

William A. Smalley

William A. Smalley trabajó veintitrés años para las Sociedades Bíblicas Unidas y como consultor de las Sociedades Bíblicas después de su jubilación. También participó activamente en la formación del Toronto Institute of Linguistics y fue profesor emérito de lingüística en el Bethel College, en St. Paul, Minnesota. Fue editor de la revista *Practical Anthropology* de 1955 a 1968.

Adaptado de *Readings in Missionary Anthropology II,* editado por William A. Smalley, 1978. Usado con permiso de William Carey Library, Pasadena, CA.

Parece haberse convertido en axioma de buena parte del pensamiento misionero que una iglesia caracterizada por su «autogobierno, autosostenimiento y autopropagación» es, por definición, una «iglesia autóctona». Esta forma de pensar de muchos parece deducir que tal iglesia autóctona (así definida) sea la meta de las misiones modernas. No obstante, se pueden hacer objeciones muy serias a este punto de vista, que puede ser muy engañoso, ya que moldea las normas de conducta para el desarrollo de la iglesia, si atendemos a algunas de sus implicaciones culturales.

Antes que nada, a mí me parece que los criterios de «autogobierno, autosostenimiento y autopropagación» no son necesariamente diagnósticos de un movimiento autóctono. La definición de tal movimiento ha de buscarse en alguna otra parte, y aunque estos tres elementos estén presentes en dicho movimiento, en esencia son variables independientes. Estos tres «autos» parecen haberse convertido en consignas a esgrimir, sin distinguir en particular una iglesia de otra. Pero si se examinan los hechos, resulta evidente que en absoluto sean necesariamente relevantes.

Falsa interpretación del autogobierno

Puede ser muy fácil tener una iglesia autogobernada que no sea autóctona. En la actualidad muchas iglesias autogobernadas no lo son. Lo único que hace falta es inculcar en algunos líderes pautas occidentales de gobierno eclesiástico, y que asuman las riendas. Resultará una iglesia gobernada de una manera servilmente extranjera (aunque tal vez modificada en algunos puntos según el patrón del gobierno local), pero ni con un esfuerzo de la imaginación se le puede llamar iglesia autóctona.

También es posible que un movimiento cristiano genuinamente autóctono sea «gobernado» hasta cierto punto por extranjeros. Incluso en los movimientos de gran escala hacia Cristo que han tenido lugar en el mundo, movimientos tan extensos que el cuerpo extranjero ha tenido más dificultad en controlarlos que en controlar gran parte de su obra misionera, el cuerpo de misión ha solido ejercer influencia de gobierno sobre la clase social más alta, al menos, cuando estaba relacionada de alguna manera con el movimiento. Esto pudo haberse debido a la acción directa de los misioneros, o a la acción de los líderes de la iglesia que fueron instruidos en las pautas de gobierno extranjeras. Aunque tal gobierno haya sido desafortunado en muchos casos, no resta en lo más mínimo a la naturaleza autóctona del movimiento hacia Cristo de un grupo de personas.

Mal uso del autosostenimiento

Es improbable que hubiera desacuerdo en cuanto a la idea de que la iglesia de Jerusalén del primer siglo fuera una iglesia autóctona. Los cristianos de Jerusalén tenían actitudes judías tan arraigadas que se ofendían por la conversión de los gentiles, a no ser que éstos se sumaran a la observación ritualista de la ley. Sin embargo, esa iglesia, en su tiempo de necesidad, recibió donativos de fuera, de Europa —en terminología actual, de Occidente—. El propio Pablo llevó algunos donativos a Jerusalén. Nadie argüiría que la recepción de tales regalos usurpara la naturaleza autóctona de la iglesia judía.

Creo que tampoco nadie puede afirmar que la recepción de tales donativos por las actuales iglesias jóvenes usurparía necesariamente su carácter autóctono. Esto es cierto a pesar del peligro muy real que se corre cuando los cuerpos de misión subsidian a las iglesias más jóvenes.

Fui misionero en Indochina durante algunos años de la guerra civil. En aquellos días todo el país estaba muy convulsionado, y a las congregaciones e iglesias les podían cortar el cordón umbilical de la misión con pocas horas de aviso, a medida que la línea del frente de batalla se desplazaba, de tal manera que los grupos subsidiados por la misión podían perder su ayuda súbitamente y quedar en una situación económica lamentable. Junto con muchos de mis colegas sufrí la tremenda debilidad de un plan misionero basado en la financiación exterior de los obreros nacionales. En tal tiempo de crisis nos esforzábamos por conseguir que la iglesia se afirmara con autosostenimiento.

Siempre que sea posible, el autosostenimiento es en realidad el mejor método para la economía eclesial. Es sano para la iglesia y para la misión, pero es verdad que se dan situaciones en las que no es posible, o no es aconsejable, en las que el autosostenimiento pueda suponer que el crecimiento de la iglesia sea casi imposible, y en tales situaciones su ejercicio no implica necesariamente que no haya iglesia autóctona. Es una variable independiente en el modelo de misión y de iglesia. Depende de cómo se abordan los problemas, y de cómo el cuerpo de misión resiste la tentación de controlar la vida de la iglesia mediante la manipulación de fondos. Si se administran fondos extranjeros de manera autóctona, aún pueden correrse peligros, pero éstos no impedirán que haya una iglesia autóctona.

Ejemplos de ámbitos en los que por lo general no cabe esperar que las iglesias jóvenes se autosostengan, son: publicación, traducción bíblica, educación, salud, medicina y muchos otros campos totalmente fuera de la órbita de su economía. Éstas no son actividades autóctonas, pero son muy valiosas para muchas iglesias del mundo moderno. El hecho de que tales cosas pertenezcan a la vida de la iglesia a «la manera autóctona», depende por completo del modo en que se produzcan los cambios, no de la fuente de ingresos.

El malentendido de la autopropagación

A mí me parece que de los tres «autos», el de la autopropagación es el diagnóstico más cercano a una iglesia autóctona, pero la correlación tampoco es aquí, en modo alguno, completa. En algunos lugares del mundo puede ser precisamente el aspecto extranjero de la iglesia la fuente de atracción para los incrédulos. Hay lugares del mundo en los cuales la gente aspira a identificarse con el fuerte y poderoso Occidente, y donde la iglesia proporciona esta posibilidad de identificación.[1] En ese caso, la autopropagación podría ser sólo un camino hacia una relación no autóctona.

La naturaleza de la iglesia autóctona

Sospecho firmemente que los tres «autos» son, en realidad, proyección de la escala de valores estadounidenses en una iglesia ideal, que en su propia naturaleza son conceptos occidentales basados en las nociones de individualismo y poder. Al imponerlos sobre otras gentes, se pudo haber impedido que desarrollaran un verdadero modelo autóctono. Hemos occidentalizado, aunque usando un lenguaje que pretende respetar los valores autóctonos.

¿Qué es, entonces, una iglesia autóctona? Es un grupo de creyentes que vive —incluso su actividad cristiana social— según el modelo de la sociedad local, para quienes cualquier transformación de esa sociedad procede de las necesidades percibidas bajo la guía del Espíritu Santo y las Escrituras. Hay varios elementos básicos en esta formulación tentativa. Por algo la iglesia es una sociedad. Como sociedad, tiene sus pautas de interacción entre las personas. Si es una sociedad autóctona, una iglesia autóctona, esas pautas de reacción se basarán en patrones existentes en la sociedad local. Esto es así simplemente porque la gente aprende a reaccionar entre sí según su proceso normal de culturización, de crecimiento, y esos hábitos normales se llevan a la estructura de la iglesia. Si los misioneros llegasen a imponer otros patrones sobre una iglesia, consciente o inconscientemente, esa iglesia no sería autóctona.

No obstante, la presencia del Espíritu Santo es otro factor básico en una iglesia autóctona, ya que su presencia implica transformación de las personas y de la sociedad. Pero, como he intentado señalar en otro artículo sobre la naturaleza del cambio de cultura,[2] tal transformación ocurre de distinta manera en sociedades diferentes, en función del sentido que la gente adscribe a su conducta y a las necesidades que sienten en sus vidas. Por lo general los misioneros aprueban y se esfuerzan por un cambio de cultura que hace que la gente se asemeje más a ellos en la forma (y esto es verdad aun cuando pasen por alto el sentido de dicha forma). Una iglesia autóctona es aquella cuyos cambios tienen lugar bajo la dirección del Espíritu Santo, cubren las necesidades y cumplen los propósitos de esa sociedad y no los de un grupo foráneo.

Muchos han dicho cosas como ésta, y tal declaración debería y podría desarrollarse considerablemente para proporcionar una descripción más adecuada de la naturaleza de la iglesia autóctona. A veces, en pos del entendimiento de la naturaleza de la iglesia, nos volvemos al Nuevo Testamento (como debemos hacer) para investigar al respecto. Pero no hallamos respuesta en la estructura formal y el funcionamiento de las iglesias del Nuevo Testamento. A decir verdad, la iglesia de Jerusalén fue, al parecer, distinta en cuestiones de funcionamiento a las iglesias europeas, y fue ciertamente distinta desde el punto de vista de los asuntos culturales, que eran tan importantes para los judíos. En el Nuevo Testamento aparece el retrato de una iglesia autóctona. Es una iglesia en la que el Espíritu Santo ha llevado a cabo una transformación en la sociedad. Y donde una sociedad difiere de otra (como el mundo griego es distinto del mundo judío) la iglesia resultante es distinta.

A los misioneros no les gusta

Pero habiendo dicho esto, ahora me gustaría destacar algunas cosas que implica una «iglesia autóctona», cosas que a menudo no han sido comprendidas. Una de ellas es que a los misioneros no les suele gustar el producto. A menudo una iglesia verdaderamente autóctona es fuente de preocupación y pena para el cuerpo misionero en la zona.

Podría servir el ejemplo del pueblo toba, como informó el doctor William D. Reyburn.[3] La misión se sintió molesta y descontenta de que la iglesia autóctona se extendiera rápidamente en el seno del pueblo toba porque iba adquiriendo una forma muy distinta de la del grupo misionero. Sólo cuando vieron algo de la naturaleza de la iglesia en el sentido que a quí estamos comentando, y la operación del Espíritu Santo en sociedades distintas a la suya, los misioneros se reconciliaron con la existencia de la iglesia autóctona; y no sólo eso,

> **Una iglesia autóctona es aquella cuyos cambios tienen lugar bajo la dirección del Espíritu Santo, cubren las necesidades y cumplen los propósitos de esa sociedad y no los de un grupo foráneo.**

sino que procuraron armonizar su programa con ella, para fortalecimiento de esa iglesia y para mayor gloria de Dios.

Ha habido movimientos autóctonos que los misioneros han aprobado. Esta aprobación se dio a veces gracias al inusitado discernimiento y percepción de los misioneros que intuyeron más allá de las limitaciones de sus propias formas culturales y reconocieron el movimiento del Espíritu Santo en medio de otros. Otras veces, la escala general de valores del grupo de la nueva iglesia coincidió tanto con la de los misioneros, que resultó una iglesia que fue el reflejo de muchas cosas que estimaban muy valiosas. Movimientos en la China, como la Familia de Jesús, desplegaron notables cualidades personales de frugalidad, limpieza, economía y otras virtudes muy apreciadas en la sociedad occidental, considerados frutos del movimiento cristiano. No obstante, éstos son ideales presentes en la sociedad china no cristiana. En tal caso, una vida transformada perfecciona la escala de valores ya existente en la cultura. Pero ése no fue el caso entre los toba, ya que el repartimiento de posesiones, el compartir con familiares y vecinos, y participar en expresiones emocionales religiosas caracterizaban al grupo porque sus valores se expresaban de esa manera.

No obstante, como manifestó el doctor William D. Reyburn hace algún tiempo, muchos queremos formar parte del jurado mientras Dios lleva a cabo sus juicios sobre pueblos y culturas, cuando ni siquiera entendemos el significado del proceso. Nos precipitamos en evaluar y decidir rápidamente el curso que la nueva iglesia debe seguir, o la senda que un nuevo cristiano debe tomar, pero ni somos competentes, ni estamos cualificados para tomar tales decisiones al tener escaso o ningún conocimiento del trasfondo cultural de un pueblo o individuo.

Nuestra tarea, antes que nada, consiste en contemplar la Biblia desde su perspectiva cultural, para ver cómo trata Dios con los hombres en distintas situaciones culturales. Nuestra responsabilidad es ver cómo cambia Dios su trato con las personas a medida que la historia cultural de los judíos cambia, reconocer que Dios en todo tiempo y lugar trata con las personas en términos de su cultura. Después, tenemos la responsabilidad de conducir a los nuevos creyentes a la Biblia y ayudarles a ver cómo interactúa Dios en ella con otras personas, personas cuyas emociones y problemas fueron muy similares a los suyos, por lo que respecta a su naturaleza fundamental, pero también, a veces, muy distintos en su propósito específico o forma de vivir su vida. Nuestra responsabilidad es conducirlos en oración para que descubran lo que Dios quiere que hagan mientras estudian su Palabra y buscan la interpretación y el liderazgo del Espíritu Santo.

La tarea del misionero consiste en, si es que cree en el «principio autóctono», predicar que Dios, en Cristo Jesús, está reconciliando al mundo consigo mismo. Este mensaje es supracultural. Se aplica a toda cultura y lugar. La fe que engendra es supracultural, pero el medio de comunicación y el desarrollo de esa fe en la vida de los individuos no son supraculturales; están ligados a los valores y costumbres de cada pueblo. El misionero ha sido llamado a entregar el mismo mensaje que trastornó y sigue trastornando al mundo.

Además, es responsabilidad del misionero ser fuente de alternativas culturales para que la gente decida si las quiere y las necesita. Los misioneros que conocen la historia, entiende las Escrituras y conocen la iglesia en su propio país y en otras áreas misioneras, normalmente pueden sugerir a los grupos locales maneras de resolver su dilema, y mejores maneras de vivir en Cristo que las que actualmente conocen. Ésta es, por cierto, una función misionera legítima de su papel en el cambio cultural. Pero para que tenga lugar un cambio genuino, la decisión —la selección— tiene que ser adoptada por la propia gente, para que la iglesia sea autóctona, y sabemos que la selección se hará a la luz de las necesidades, problemas, valores y puntos de vista de esas personas.

Es la iglesia quien tendrá que decidir si hervir el agua, abstenerse del alcohol, llevar o no la ropa y la monogamia son expresiones adecuadas del cristiano en esa sociedad. La iglesia, dirigida por el Espíritu Santo tendrá que determinar la mejor manera de impulsar su crecimiento, extender su testimonio y apoyar su propio liderazgo formal (si es que debe tener algún tipo de liderazgo formal).

Como ya hemos sugerido, el problema que implica la iglesia autóctona es tan antiguo como el de los judaizantes de Jerusalén. Aquellos judaizantes vieron al cristianismo griego con ojos hebreos. Se asemejan a muchos misioneros que en caso de alegrarse de la conversión de algún gentil contemplan su conversión a la luz de su semejanza a un molde formal.

No obstante, el Nuevo Testamento repudió claramente esa actitud y estableció a la iglesia como un grupo de creyentes dentro de su propia sociedad, llevando a cabo un proceso químico en

ella, como la sal en un plato, en vez de cortarla en pedazos como harían los judaizantes. Con esto no pretendemos contradecir la exclusividad del cristianismo. La iglesia es un grupo separado, pero apartado en su naturaleza espiritual, en su relación con Dios. La relación entre el Espíritu Santo y la sociedad se desarrolla en la iglesia autóctona. Ésta es la iglesia del Nuevo Testamento.

Los conversos de un movimiento autóctono no son necesariamente más limpios que sus vecinos, ni más sanos a fuerzas, ni mejor educados. Además a menudo resulta que al mejorar en los aspectos de limpieza, salud y educación, es cuando surge la barrera que tal vez dificulte la interacción autóctona con los vecinos y el crecimiento del movimiento empiece a desvanecerse. Como ha señalado el doctor McGavran en su libro extraordinariamente importante *The Bridges of God* (Los puentes de Dios), las misiones han invertido de manera tradicional sus fondos, no en los movimientos de pueblos, sino en iglesias de la estación misionera, en grandes recintos misioneros, en iglesias satélites, en vez de fomentar el desarrollo y crecimiento de las bases y elementos populares de una bochornosa iglesia autóctona.

A muchos misioneros no sólo no les gustan algunos de los ejemplos más notables de movimientos de iglesias autóctonos, sino que, incluso en mayor medida, las organizaciones que los apoyan en su país de origen probablemente tampoco los aprueben. Nuestros valores culturales aplicados a nuestras iglesias son tan fuertes, que sentimos que una estructura corporativa, un motivo ventajoso, el individualismo y la economía, son *ipso facto* expresiones de cristianismo. Es inconcebible, para muchos de nosotros, que Dios actúe en formas distintas a las nuestras.

Creo que uno de los aspectos que implica la iglesia autóctona, no bien recibido por muchos misioneros, es que éstos no pueden tomar decisiones culturales por los cristianos. Con esto no quiero decir que el misionero no haga juicios de valor. Como individuos, los misioneros no pueden evitar hacerlo, ni deberían desear no hacerlo. Sus juicios de valor, para que sean dignos, han de tener una proyección transcultural, pero estarán ahí. Tampoco quiero decir con esto que los misioneros no puedan ejercer un papel importante de dirección y de sugerencia sobre la iglesia joven para desempeñar su función de enseñanza, predicación y, en muchos aspectos, consejo.

Una iglesia autóctona no puede ser «fundada»

La siguiente implicación, que no ha solido ser bien comprendida por los misioneros que debaten sobre el tema de los movimientos autóctonos, es que es imposible «fundar» una iglesia autóctona. La imagen bíblica de siembra y cosecha es mucho más realista que nuestra imagen occidental basada en nuestros valores occidentales expresados en la idea del «establecimiento» o «fundación» de una iglesia.

No, las iglesias autóctonas no se pueden fundar. Sólo se pueden plantar, y la misión se suele sorprender por las semillas que crecen. Con frecuencia se tiene la tendencia a considerar las semillas que crecen prolíficamente (como la mala hierba) como un fastidio o un estorbo en su jardín de misión cultivado con esmero; mientras tanto, las raíces de las plantas del invernadero cultivadas con todo cuidado por la iglesia «fundada» por la misión son incapaces de extenderse y extraer nutrimento del suelo de su propia vida o de la Palabra de Dios, por estar confinadas en las macetas de la organización y la cultura de la misión.

Las iglesias autóctonas nacen separadas de las misiones

Otra implicación que encierra la idea de una iglesia autóctona es que los grandes movimientos autóctonos no suelen resultar de la obra extranjera de manera directa. A veces son resultado del testimonio de alguien convertido gracias al esfuerzo de los misioneros extranjeros, pero normalmente no es el testimonio del misionero extranjero lo que acarrea el establecimiento o el inicio de un movimiento autóctono. San Pablo no fue un extranjero en el mundo griego. Fue un individuo bicultural que se sentía cómodo, tanto en mundo griego como en el judío, y cuya predicación llevó al mundo griego el mensaje que le llegó a él de los cristianos del mundo hebreo.

El profeta Harris, que recorrió la costa occidental de África anunciando que un día llegarían ciertos hombres con un libro, no fue un misionero extranjero. Los hombres de cuyos labios los toba oyeron el evangelio en su forma pentecostal no eran extranjeros. En verdad, no eran tobas, sino latinoamericanos de clase humilde, mezclados con habitantes hispano-indígenas de las áreas donde ellos vivían. En buena medida formaban parte del marco cultural donde se movían los toba, pero no eran misioneros extranjeros. Los movimientos de pueblos en la China fueron normalmente consecuencia de la obra fiel y enérgica de algún cristiano chino, no del evangelismo misionero extranjero, salvo que algún nativo se hubiera convertido por medio de los misioneros.

El movimiento hmong, descrito por G. Linwood Barney, no se levantó a raíz de la predicación de un misionero, sino de la colaboración de un chamán hmong que se había convertido (por medio de un misionero) y que llevó consigo a otro hombre de una tribu, bien conocido de los hmong de la zona, predicando de aldea en aldea y de ciudad en ciudad. Nuestra distancia de la mayoría de las culturas es tan grande, la especialización cultural de Occidente es tan extrema, que casi no hay avenidas de aproximación por las que la obra que hacemos produzca normalmente algo de naturaleza autóctona. Resulta irónico que Occidente, preocupado tanto por esparcir el cristianismo en el mundo hoy, y económicamente el más capaz de emprender la tarea de la evangelización global, esté menos capacitado culturalmente para cumplir esta tarea debido a la intensidad de su especialización, hasta tal punto que le resulta muy difícil comprender de manera adecuada a otros pueblos.

Conclusión

Hasta que no estemos dispuestos a que la iglesia se manifieste de manera distinta en diferentes culturas —en vez de exportar los modelos de las denominaciones enraizadas en nuestra historia y a menudo irrelevantes en el resto del mundo— no tendremos iglesias autóctonas. No importa que logren tener «autogobierno, autosostenimiento y autopropagación». Hasta que no estemos dispuestos a dejar que las iglesias crezcan no habremos aprendido a confiar la sociedad al Espíritu Santo. Tratamos al Espíritu Santo como a un niño pequeño con un nuevo juguete demasiado complicado y peligroso de manipular. Nuestro paternalismo no es sólo paternalismo para con otros pueblos; es también paternalismo para con Dios.

Notas

1. McGavran, Donald, *The Bridges of God* (London: World Dominion Press, 1955).
2. Smalley, William A., "The Missionary and Culture Change," *Practical Anthropology*, Vol. 4:5 (1957), pp. 231-237.
3. Reyburn, William D., "Conflicts and Contradictions in African Christianity," *Practical Anthropolgy*, Vol. 4:5 (1957), pp. 161-169.

Preguntas para reflexionar

1. ¿Qué constituye una iglesia «autóctona», según Smalley?
2. ¿Por qué no puede «fundar» el misionero una iglesia autóctona?
3. ¿Por qué dice Smalley que a los misioneros no les gustan las verdaderas iglesias autóctonas? ¿Qué relación tiene esto con su conclusión acerca de lo que los misioneros están dispuestos a aceptar?

El papel del misionero en el cambio cultural

Dale W. Kietzman y William A. Smalley

Dale W. Kietzman es presidente de Latin American Indian Ministries y previamente fue profesor de comunicación intercultural en la William Carey International University. Se convirtió en miembro de Wycliffe Traductores de la Biblia en 1946, trabajando con los amahuaca de Perú, y fue el fundador de Wycliffe Associates. Sirvió también como presidente de Cruzada Mundial de Literatura/Testimonio Cristiano a Cada Hogar.

William A. Smalley trabajó veintitrés años para las Sociedades Bíblicas Unidas y como consultor de las Sociedades Bíblicas después de su jubilación. También participó activamente en la formación del Toronto Institute of Linguistics y fue profesor emérito de lingüística en el Bethel College, en St. Paul, Minnesota. Fue editor de la revista *Practical Anthropology* de 1955 a 1968.

Adaptado de *Readings in Missionary Anthropology II,* editado por William A. Smalley, 1978. Usado con permiso de William Carey Library, Pasadena, CA.

Ninguna persona informada y pensante negaría que los misioneros hayan sido históricamente agentes de cambio cultural en sociedades no occidentales. Sin embargo, a menudo su papel en la iniciación del cambio cultural ha sido malinterpretado seriamente en varios sentidos por los misioneros mismos, sus defensores y sus detractores. Las actitudes básicas de los misioneros en esta cuestión y la política misionera fundamental en una zona con respecto a este tema tendrán, inevitablemente, una profunda influencia sobre la comunicación exitosa del evangelio y el posible desarrollo de una expresión «autóctona» del cristianismo.

Algunos críticos de la tarea misionera han exagerado burdamente la influencia misionera, llegando a condenar la «violación» de culturas no occidentales junto con la destrucción de valores, la destribalización, la apatía o el conflicto. Sin duda ha habido algunos casos directos de perturbación cultural innecesaria y perjudicial en la historia misionera, pero en su mayor parte el papel del misionero ha sido muy leve en relación con el impacto de los negocios, la política y la educación occidentales, sin hablar de las frecuentemente desagradables influencias de las películas y materiales impresos. También se han dado algunos casos destacados en los cuales el evangelio y el cambio cultural resultante han brindado una oportunidad para la reintegración de un segmento de una cultura que ya experimentaba cambios rápidos.

Por otra parte, muchos de los que apoyan a las misiones cristianas han medido el éxito de todo su programa en términos de algunas clases de cambios culturales manifiestas y simbólicas. Estos cambios podrían ir desde la monogamia a los cortes de cabello, desde asistir a la iglesia hasta la desaparición de la escarificación. Pero los misioneros los ven como señales de que su ministerio está teniendo efecto. Las misiones y los misioneros que dicen que no se proponen introducir la cultura occidental, sino sólo predicar el evangelio, no se diferencian en nada, en este aspecto, de aquellos con los que se comparan. Lo que generalmente rechazan mediante esta clase de declaraciones es el institucionalismo (la hospitalización, la educación, la misión agrícola, etc.), y no en realidad sus papeles como agentes de la occidentalización. También se entusiasman cuando Ay Blah aprende a bañarse con marcas conocidas de jabón, usa crema dental para cepillarse los dientes, y se corta el cabello de una forma «civilizada». Y si Ta Plooy no renuncia a su segunda y tercera esposa, o no contribuye a la tesorería de la iglesia, es una cuestión de honda preocupación, porque Ta Plooy obviamente no está siguiendo la «enseñanza del evangelio» que ha estado recibiendo.

La motivación necesaria para un cambio cultural

El cambio cultural viene sólo como una expresión de una necesidad percibida de individuos dentro de una sociedad. Las personas no cambian su conducta a menos que sientan la necesidad de hacerlo. La necesidad puede ser trivial, como la de alguna nueva emoción o entretenimiento, o puede ser profunda, como de seguridad en un mundo en

La iglesia es el verdadero agente del Espíritu Santo para el cambio cultural en cualquier sociedad.

proceso de desintegración. Por lo general, es relativamente inconsciente. Las personas no la han analizado ni le han dado un nombre, pero motiva su conducta. El misionero que percibe un cambio cultural nunca debería olvidar que la necesidad que está siendo satisfecha por un cambio podría no ser la necesidad observada casualmente por los demás.

Entre algunos de los pueblos tribales de Laos y Vietnam, por ejemplo, el misionero ve la necesidad de vestimenta. Muchos misioneros podrían sentir que la gente necesita ropa por cuestiones de pudor (como en casos en que las mujeres acostumbran a no usar ropa por arriba de la cintura) o para abrigarse en la temporada fría. Otra necesidad es la sentida por las personas mismas en cierto grado, pero eclipsada fuertemente por las demás necesidades que sienten y que serán comentadas en unos instantes. La necesidad de usar ropa adicional por pudor no es algo que sientan de ninguna forma, porque las personas consideran que se visten de manera correcta desde su punto de vista.

Cuando les llega a los misioneros un barril de ropa usada y se reparte, o cuando el misionero regala una camisa vieja, o cuando una persona compra una nueva prenda de vestir, ¿qué necesidades está supliendo? Una es la necesidad de presentarse en forma respetable a la vista de los de afuera, la necesidad de ser aceptado por personas que tienen prestigio. Por esta razón a menudo las mujeres no usan blusas en la aldea, pero las usan en el pueblo o se las ponen cuando se presenta el misionero. Así que la vestimenta puede ser un símbolo de aceptación, de estatus y prestigio con relación a ellos. Otra razón es el deseo de lucir bien entre sus pares, de vestir algo difícil de conseguir,

algo que el vecino no puede comprar.

Por ejemplo, un predicador de una de las tribus del sudeste de Asia había recibido un abrigo del barril que les llegó a los misioneros. Éste era el único abrigo en el lote; era el único hombre de la tribu que tenía un abrigo. Nunca hacía tanto frío en la zona como para que un misionero tuviera que usar un abrigo, si bien un traje de lana resultaba cómodo por la noche durante dos o tres meses del año. En un viaje a través de una jungla algo escabrosa y montañosa, mientras las personas en camisetas y pantalones de algodón traspiraban abundantemente por el calor, nuestro amigo tenía puesto el abrigo. ¿De qué otra forma podría verlo la gente con un abrigo si no lo usaba? Luego estaba el caso de la mujer que no usaba nada arriba de la cintura, más que un gran sostén rosado...

Un hombre que comienza a lavar su ropa después de su conversión quizá no lo haga porque ame a Cristo, aun cuando eso le parezca al misionero una reivindicación de la idea de que la limpieza y la piedad van de la mano. ¿Qué necesidades se expresan al cambiar de la poligamia a la monogamia, al asistir a la iglesia, en el gobierno de la iglesia, en aprender a leer, o al enviar a los hijos a la escuela? Seríamos los últimos en decir que la necesidad que el hombre tiene de Dios nunca está involucrada con algunas de estas cosas, en algunos lugares. Pero aun así, como en todas las situaciones humanas, los motivos están mezclados.

Es obvio que la típica reacción misionera al cambio cultural es aprobar lo que hace a las otras personas más como ellos, en los aspectos exteriores de la conducta, independientemente de que el significado de la conducta sea el mismo o no. Es muy posible alentar el desarrollo de una forma que exprese un significado y supla una necesidad que el misionero desaprobaría con determinación.

El papel de la iglesia en el cambio cultural

La cultura cambia constantemente, y lo que es crítico para nuestro propósito, es que ese cambio constante sea desde adentro. Si bien se dice y se escribe bastante acerca de la aculturación, rara vez se ha descrito el papel del innovador, del no conformista o el rebelde. Pero todas las sociedades los tienen, y tienen su lugar en generar un cambio constante, característico de la cultura. Lo importante es que el misionero note que el cambio casi siempre es iniciado por alguien desde el interior de la comunidad cultural. Aun cuando la idea pudo haber sido desencadenada por el contacto con otra cultura, igualmente debe ser diseminada desde su interior para ser aceptada. La alternativa a este esquema es un cambio forzado sobre un pueblo por una fuerza superior, sea moral o física. Éste es el tipo de cambio del cual a menudo las misiones han sido responsables, y que ha producido reacciones desafortunadas.

La iglesia (el cuerpo de creyentes) es el verdadero agente del Espíritu Santo para el cambio cultural en cualquier sociedad (*no* necesariamente la iglesia organizada de ninguna denominación específica). La iglesia es la sal que actúa en todo el plato. Es la parte de la sociedad que tiene una nueva relación con Dios, pero reacciona en términos de las actitudes y presuposiciones de esa sociedad. El cuerpo de Cristo entiende los motivos y significados intuitivos y no analizados de una forma que el misionero no puede hacerlo. La iglesia debe tomar las decisiones.

El papel del misionero

¿Qué pueden hacer entonces los misioneros acerca del cambio cultural? ¿Sólo deben ser evangelistas que predican un evangelio no cultural sin emitir juicios de valor? Esto es una imposibilidad, aun cuando sería deseable. No puede haber predicación excepto en términos culturales, y ningún ser humano puede ni debería intentar eludir los juicios de valor. Los misioneros no pueden forzar o implementar legítimamente ningún cambio cultural. Tampoco tienen una base adecuada para promover cambios específicos en una cultura, a menos que tengan un profundo conocimiento de esa cultura.

Sin embargo, lo que los misioneros sí tienen es una función de suma importancia en la presentación prudente, reflexiva y seria de formas alternativas de conducta social a los cristianos de una sociedad.

Con base en su conocimiento de la historia, su entendimiento de la iglesia en otras partes y, sobre todo, su conocimiento de las formas tremendamente variadas en las que Dios trata con las personas, según se presentan en la Biblia, pueden dejarles en claro que hay formas alternativas de comportamiento. Pueden ayudarlos a orar, a estudiar y a experimentar las formas culturales que serían la mejor expresión para la relación de los cristianos con Dios en su cultura.

La responsabilidad básica del misionero es brindar el material con el cual el cristiano y la iglesia nativos pueden crecer. Al crecer «en la gracia y en el conocimiento», pueden tomar decisiones confiables y basadas en la Biblia con respecto a su propia conducta dentro de la cultura existente. Esto involucra una plena libertad de acceso a la Palabra de Dios. Con esta clase de aliento, instrucción y guía para su uso, el resultado probable será una comunidad cristiana saludable y en crecimiento.

El papel del misionero en el cambio cultural, entonces, es el de un catalizador y de una fuente de nuevas ideas y nueva información. Es la voz de la experiencia, pero una experiencia basada en su propia cultura en su mayor parte que, por lo tanto, deberá ser usada sólo con cuidado y comprensión. Parte del valor del estudio de la antropología, por supuesto, es que brinda al menos una experiencia vicaria en más de un entorno cultural. Mediante sus estudios en este campo, los misioneros pueden tomar conciencia de una más amplia opción de alternativas que la facilitada por su propia cultura.

La iglesia es la agencia legítima donde debería trabajar el misionero. Son las personas quienes deben tomar las decisiones basándose en las nuevas ideas que han recibido. Son ellas quienes deben reinterpretar viejas necesidades y expresiones, examinadas ahora a la luz de su relación con Dios y con sus prójimos en Cristo Jesús.

Notas

1. McGavran, Donald, *The Bridges of God* (London: World Dominion Press, 1955).
2. Smalley, William A., "The Missionary and Culture Change," *Practical Anthropology*, Vol. 4:5 (1957), pp. 231-237.
3. Reyburn, William D., "Conflicts and Contradictions in African Christianity," *Practical Anthropolgy*, Vol. 4:5 (1957), pp. 161-169.

Preguntas para reflexionar

1. ¿Qué constituye una iglesia «autóctona», según Smalley?
2. ¿Por qué no puede «fundar» el misionero una iglesia autóctona?
3. ¿Por qué dice Smalley que a los misioneros no les gustan las verdaderas iglesias autóctonas? ¿Qué relación tiene esto con su conclusión acerca de lo que los misioneros están dispuestos a aceptar?

El informe Willowbank

El Comité de Lausana para la Evangelización Mundial

«El informe Willowbank» es el producto de una consulta realizada en enero de 1978 sobre «Evangelio y cultura», patrocinada por el Comité de Lausana para la Evangelización Mundial, en Willowbank, Somerset Bridge, Bermudas. Asistieron unos treinta y tres teólogos, antropólogos, lingüistas, misioneros y pastores. El informe refleja el contenido de diecisiete escritos circulados previamente, sus resúmenes y las reacciones causadas durante la consulta, junto con los puntos de vista expresados en discusiones en plenarias y grupales.

1. La base bíblica de la cultura

« Debido a que los hombres y las mujeres son criaturas de Dios, parte de su cultura es rica en belleza y bondad. Sin embargo, debido a su condición de caídos, toda su cultura está contaminada de pecado, y parte de ella es demoníaca.» (Pacto de Lausana, párrafo diez).

Dios creó a la humanidad, hombre y mujer, a su propia imagen, dotándolos de facultades humanas distintivas: racionales, morales, sociales, creativas y espirituales. También les dijo que tuvieran hijos, qu llenaran la tierra y la sometieran (Gn 1:26-28). Estos mandamientos divinos son el origen de la cultura humana. Porque para la cultura es fundamental nuestro control de la naturaleza (es decir, de nuestro entorno) y nuestro desarrollo de formas de organización social. En la medida que usemos nuestros poderes creativos para obedecer los mandamientos de Dios, glorificamos a Dios, servimos a los demás, y cumplimos una parte importante de nuestro destino en la tierra.

Sin embargo, ahora estamos caídos. Todo nuestro trabajo está acompañado de sudor y lucha (Gn 3:17-19) y desfigurado por el egoísmo. Así que nada de nuestra cultura es perfecto en verdad, belleza bondad. En el corazón de toda cultura —sea que identifiquemos este corazón como religión o cosmovisión— existe un elemento de egocentrismo, de la adoración del hombre por sí mismo. Por lo tanto, un cultura no puede ser puesta bajo el señorío de Cristo sin un cambio de lealtad radical.

A pesar de todo esto, por más que la imagen divina haya sido distorsionada por el pecado, la afirmación de que estamos hechos a la imagen de Dios sigue siendo válida (Gn 9:6; Stg 3:9). Dios todavía espera que ejerzamos la mayordomía de la tierra y de sus criaturas (Gn 9:1-3, 7) y, en su gracia común, hace que todas las personas sean inventivas, ingeniosas y fructíferas en sus esfuerzos. Por lo tanto, si bien Génesis 3 registra la caída de la humanidad y Génesis 4 el asesinato de Abel por parte de Caín, son los descendientes de Caín los que surgen como los innovadores culturales que construyen ciudades, crían ganado fabrican instrumentos musicales y herramientas metálicas (Gn 4:17-22).

Dondequiera los seres humanos desarrollan su organización social, arte y ciencia, agricultura y tecnología, su creatividad refleja la de su Creador.

En el pasado muchos cristianos evangélicos hemos tenido una actitud muy negativa hacia la cultura. No nos olvidamos de la condición humana, caída y perdida, que requiere la salvación en Cristo. Sin embargo, deseamos comenzar este Informe con una afirmación positiva de la dignidad humana y de los logros culturales humanos. Dondequiera los seres humanos desarrollan su organización social, arte y ciencia, agricultura y tecnología, su creatividad refleja la de su Creador.

2. Una definición de cultura

El término «cultura» no se presta fácilmente a la definición. En el sentido más amplio, significa simplemente la forma estructurada en que las personas hacen cosas juntas. Si ha de haber alguna vida común y acción corporativa, debe haber acuerdo, verbal o no, acerca de muchísimas cosas. Pero por lo general el término no se usa a menos que la unidad involucrada sea mayor que la familia, unitaria o extendida.

La cultura implica un grado de homogeneidad. Pero si la unidad es mayor que el clan o la pequeña tribu, una cultura incluirá en su interior varias subculturas, y subculturas de subculturas, dentro de las cuales es posible una amplia variedad y diversidad. Si las variaciones van más allá de cierto límite, habrá surgido una contracultura, y esto podría demostrar ser un proceso destructivo.

La cultura mantiene a las personas unidas durante un período de tiempo. Es recibida del pasado, pero no por ningún proceso de herencia natural. Debe ser aprendida de nuevo por cada generación. Esto ocurre a grandes rasgos mediante un proceso de absorción del entorno social, especialmente en el hogar. En muchas sociedades, ciertos elementos de la cultura se comunican directamente en ritos de iniciación y mediante muchas otras formas de instrucción deliberada. Por lo general la acción concordante con la cultura se encuentra en el nivel subconsciente.

Esto significa que una cultura aceptada cubre todo en la vida humana.

En su centro hay una cosmovisión, es decir, un entendimiento general de la naturaleza del universo y del lugar que uno ocupa en él. Ésta puede ser «religiosa» (acerca de Dios, o dioses y espíritus, y nuestra relación con ellos) o puede expresar un concepto «secular» de la realidad, como en una sociedad marxista.

De esta cosmovisión básica fluyen tanto las normas de juicio o valores (de lo que es bueno, en el sentido de deseable, o lo que es aceptable, de acuerdo con la voluntad general de la comunidad, y de los contrarios) como las normas de conducta (vinculadas con las relaciones entre individuos, entre los sexos y las generaciones, con la comunidad y con los de afuera de la comunidad).

La cultura está íntimamente vinculada con el idioma, y se expresa en proverbios, mitos, cuentos populares y diversas formas de arte, que se convierte en parte del moblaje mental de todos los miembros del grupo. Rige las acciones realizadas en la comunidad: actos de adoración o de bienestar general, las leyes y la administración de la ley, las actividades sociales, como danzas y juegos, unidades de acción menores, como clubes y sociedades, y las asociaciones para una inmensa variedad de propósitos comunes.

Las culturas nunca son estáticas; existe un continuo proceso de cambio. Pero esto debe ser tan gradual como para tener lugar dentro de las normas aceptadas; en caso contrario, la cultura se desestabiliza. La peor penalidad que puede recibir un rebelde es la exclusión de la comunidad social culturalmente definida.

Los hombres y las mujeres necesitan una existencia unificada. La participación en una cultura es uno de los factores que les brinda un sentido de pertenencia. Otorga un sentido de seguridad, de identidad, de dignidad, de formar parte de un todo mayor, y de compartir tanto la vida de las generaciones anteriores, como la expectativa que tiene la sociedad de su propio futuro.

Los indicios bíblicos para comprender la cultura humana se encuentran en la triple dimensión de pueblo, tierra e historia en la que el Antiguo Testamento centra su atención. Lo étnico, lo territorial y lo histórico (quiénes somos, dónde estamos y de dónde venimos) aparecen aquí como la triple fuente de las formas económicas, ecológicas, sociales y artísticas de la vida humana en Israel, de las formas de trabajo y producción, y en consecuencia de la riqueza y el bienestar. Este modelo brinda una perspectiva para interpretar todas las culturas.

Podríamos intentar condensar estos diversos significados de la siguiente forma: la cultura es un sistema integrado de creencias (acerca de Dios, la realidad o el significado último), de valores (acerca de lo que es verdadero, bueno, hermoso y normativo), de costumbres (cómo nos comportamos, nos relacionamos con los demás, hablamos, oramos, vestimos, trabajamos, jugamos, comerciamos, cultivamos, comem os, etc.) y de instituciones que expresan estas creencias, valores y costumbres (gobierno, tribunales de justicia, templos o iglesias, familia, escuelas, hospitales, fábricas, tiendas, sindicatos, clubes, etc.), que vinculan a la sociedad y le da un sentido de identidad, dignidad, seguridad y continuidad.

3. La cultura en la revelación bíblica

La autorrevelación personal de Dios en la Biblia fue dada en términos de la propia cultura de los oyentes. Así que nos hemos preguntado qué luz arroja sobre nuestra tarea de comunicación transcultural hoy.

> **Hay una amplia distinción de forma entre la obra de los profetas, que reciben visiones y palabras del Señor, y los historiadores y escritores de cartas. Sin embargo, el mismo Espíritu los inspiró a todos de forma única.**

Los escritores de la Biblia hicieron un uso crítico de todo el material cultural que tenían a su disposición para expresar su mensaje. Por ejemplo, el Antiguo Testamento se refiere varias veces al monstruo marino babilonio como «Leviatán», mientras que la forma del «pacto» de Dios con su pueblo se asemeja al «tratado» del antiguo monarca hitita con sus vasallos. Los escritores hicieron uso incidental también de la simbología conceptual del universo «de tres niveles», si bien con eso no afirmaban la cosmología pre-copernicana. Nosotros hacemos algo similar cuando hablamos del sol que «sale» y «se pone».

De forma similar, el lenguaje y las formas de pensamiento del Nuevo Testamento están imbuidos tanto de la cultura judía como de la helénica, y Pablo parece haber usado el vocabulario de la filosofía griega. Pero el proceso mediante el cual los autores de la Biblia tomaron prestadas palabras e imágenes de su entorno cultural, y las usaron creativamente, fue controlado por el Espíritu Santo, de modo que las purgaron de implicaciones falsas o dañinas, transformándolas así en vehículos de verdad y bondad. Estos datos indubitables plantean una serie de preguntas con las que hemos luchado. Mencionamos cinco:

La naturaleza de la inspiración bíblica

El uso por el autor de palabras e ideas tomadas de su propia cultura, ¿es incompatible con la inspiración divina? No. Hemos tomado nota de los diferentes géneros de la Biblia, y de las distintas formas del proceso de inspiración que implican. Por ejemplo, hay una amplia distinción de forma entre la obra de los profetas, que reciben visiones y palabras del Señor, y los historiadores y escritores de cartas. Sin embargo, el mismo Espíritu los inspiró a todos de forma única. Dios usó el conocimiento, la experiencia y el trasfondo cultural de los autores (si bien su revelación los trascendió constantemente), y en cada caso el resultado fue el mismo, a saber, la palabra de Dios por medio de palabras humanas.

Forma y significado

Toda comunicación tiene tanto un significado (lo que queremos decir) como una forma (cómo lo decimos). Las dos cosas —forma y significado— siempre van juntas, en la Biblia así como en otros libros y expresiones. ¿Cómo debe ser, entonces, traducido un mensaje de un idioma a otro?

Una traducción «literal» de la forma («correspondencia formal») puede ocultar o distorsionar el significado. En tales casos, lo mejor es encontrar en el otro idioma una expresión que haga un impacto equivalente sobre los oyentes de hoy tal como lo hizo en los oyentes originales. Esto puede involucrar cambiar la forma a fin de preservar el significado. Esto se denomina «equivalencia dinámica». Considere, por ejemplo, las traducciones de la LBLA y la RVR60 de Romanos 1:17, que dice que en el evangelio «da justicia de Dios se revela por fe y para fe». Ésta es una traducción palabra por palabra del original griego, o sea una «correspondencia formal». Pero deja poco claro el significado de las expresiones griegas «justicia» y «por fe y para fe». Una traducción como NTV —«Esa Buena Noticia nos revela cómo Dios nos hace justos ante sus ojos, lo cual se logra del principio al fin por medio de la fe»— deja de lado el principio de correspondencia uno a uno entre las palabras griegas y españolas, pero expresa el significado de la oración original de un modo más adecuado. El intento de producir esta clase de traducción de «equivalencia dinámica» bien podría llevar al traductor a una comprensión más profunda de la Biblia, además de hacer que el texto sea más significativo para personas de otro idioma.

Sin embargo, algunas de las formas bíblicas (palabras, imágenes, metáforas) deben mantenerse, porque son símbolos recurrentes importantes en la Biblia (p.ej., cruz, cordero o copa). Mientras retienen la forma, los traductores intentarán extraer el significado. Por ejemplo, en la traducción NTV de Marcos 14:36 —«Te pido que quites esta copa de sufrimiento de mí»—, la forma (es decir, la imagen de la «copa») se retiene, pero se agregan las palabras «de sufrimiento» para aclarar el significado.

Al escribir en griego, los autores del Nuevo Testamento usaron palabras que tenían una larga historia en el mundo secular, pero las invistieron de significados cristianos, como cuando Juan se refiere a Jesús como «el *Logos*». Era un procedimiento peligroso, porque «logos» tenía varios significados en la literatura y la filosofía griega, y quedaban adheridas indudablemente asociaciones no cristianas a la palabra. Así que Juan fijó el título dentro de un contexto de enseñanza, afirmando que el *Logos* era desde el principio, estaba con Dios, era Dios, fue el agente de la creación, era la luz y la vida de los hombres, y se convirtió en un ser humano (Jn 1:1-14). De forma similar, algunos cristianos indios han asumido el riesgo de tomar prestada la palabra sánscrita «*avatar*» (descenso), usado en el hinduismo para las supuestas «encarnaciones» de Visnú, y la aplicaron, con cuidadosas salvaguardas explicativas, a la encarnación única de Dios en Jesucristo. Pero otros se han rehusado a hacerlo, basándose en que no existen salvaguardas adecuadas para impedir una interpretación errónea.

La naturaleza normativa de la Biblia

El Pacto de Lausana declara que las Escrituras son «sin error en todo lo que afirma» (párrafo dos). Esto nos deja la seria tarea exegética de discernir exactamente lo que asevera la Biblia. El significado esencial del mensaje bíblico debe ser retenido a toda costa. Si bien algunas de las formas originales en las que este significado fue expresado podrán cambiar en aras de la comunicación transcultural, creemos que ellas también tienen cierta cualidad normativa, porque Dios mismo las escogió como vehículos totalmente apropiados de su revelación. Así que cada formulación y explicación fresca en cada generación y cultura deben ser verificadas en cuanto a su fidelidad mediante una consulta con el original.

El condicionamiento cultural de la Biblia

No hemos podido dedicar el tiempo que hubiésemos querido al problema del condicionamiento cultural de la Biblia. Estamos de acuerdo en que algunos mandamientos bíblicos (p.ej., relacionados con el velo de la mujer en público y lavarse los pies mutuamente) se refieren a costumbres culturales que hoy son obsoletas en muchas partes del mundo. Cuando nos enfrentamos con esta clase de textos, creemos que la respuesta adecuada no es ni una obediencia ciegamente literal, ni un desprecio irresponsable, sino más bien primero un discernimiento crítico del significado interior del texto, y luego una traducción a nuestra propia cultura. Por ejemplo, el significado interior del mandamiento de lavarse los pies unos a otros es que el amor mutuo debe expresarse en servicio humilde. Así que tal vez, en cambio, en algunas culturas nos limpiemos los zapatos unos a otros. Tenemos en claro que el propósito de esta «transposición cultural» no es evitar la obediencia, sino más bien convertirla en contemporánea y auténtica.

El tema polémico de la posición de las mujeres no fue debatido en nuestra consulta, pero reconocemos la necesidad de buscar un entendimiento que intente hacer justicia con integridad a la enseñanza bíblica, y que vea las relaciones entre hombres y mujeres como arraigadas, tanto en el orden creado, como maravillosamente transformadas por el nuevo orden que introdujo Jesús.

El trabajo continuo del Espíritu Santo

¿Significa nuestro énfasis en el carácter definitivo y la normatividad permanente de la Biblia que creemos que el Espíritu Santo ha dejado de operar ahora? No, por cierto. Pero la naturaleza de su ministerio de enseñanza ha cambiado. Creemos que su obra de «inspiración» ha concluido, en el sentido de que el canon bíblico está cerrado, pero que su obra de «iluminación» continúa, tanto en cada conversión (p.ej., 2Co 4:6) como en la vida del cristiano y la iglesia. Así que necesitamos orar constantemente pidiendo que él ilumine los ojos de nuestros corazones para que podamos conocer la plenitud del propósito de Dios para nosotros (Ef

1:17ss), y no seamos pusilánimes, sino valientes en tomar decisiones y asumir nuevas tareas hoy.

Hemos tomado conciencia de que la experiencia del Espíritu Santo, revelando la aplicación de la verdad de Dios a la vida personal y de iglesia, a menudo es menos vívida que lo que debería ser. Todos debemos tener una apertura más sensible en este punto.

Preguntas para reflexionar

1. A veces los mandamientos de Génesis 1:26-28 se denominan como «el mandato cultural» que Dios le dio a la humanidad. ¿Qué tan responsablemente está siendo cumplido hoy?
2. A la luz de la definición de cultura arriba, ¿cuáles son los principales elementos distintivos de su propia cultura?
3. Si usted conoce dos idiomas, haga una oración en uno y luego intente encontrar una traducción de «equivalencia dinámica» en el otro.
4. Dé otros ejemplos de «transposición cultural» que preserven el «significado interior» del texto bíblico, pero transpóngalos a su propia cultura.

4. Entender la Palabra de Dios hoy

El factor cultural está presente no sólo en la autorrevelación de Dios en la Biblia, sino también en nuestra interpretación de ella. Nos abocamos a este tema ahora. A todos los cristianos les interesa entender la Palabra de Dios, pero hay diferentes formas de intentar hacerlo.

Enfoques tradicionales

La forma más común es ir directamente a las palabras del texto bíblico y estudiarlas sin ninguna conciencia de que el contexto cultural del escritor difiere del contexto del lector. El lector interpreta el texto como si hubiera sido escrito en su propio idioma, cultura y tiempo.

Reconocemos que gran parte de la Biblia puede ser leída y entendida de esta forma, sobre todo si la traducción es buena, porque la intención de Dios era que fuera para las personas comunes. No debe ser considerada como algo reservado para los eruditos, puesto que las verdades centrales de la salvación están claramente a la vista de todos. La Biblia es «útil para enseñar, para reprender, para corregir y para instruir en la justicia» (2Ti 3:16), y el Espíritu Santo nos ha sido dado como nuestro maestro.

Sin embargo, la debilidad de este enfoque «popular» es que no intenta entender primero el texto en su contexto original, y, por lo tanto, corre el riesgo de pasar por alto el verdadero significado que Dios desea y sustituirlo por otro.

Un segundo enfoque toma con la debida seriedad el contexto histórico y cultural original. Busca también descubrir lo que el texto quería decir en su idioma original, y cómo se relaciona con el resto de la Biblia. Todo esto es una disciplina esencial, porque Dios habló su Palabra a un pueblo específico, en un contexto y tiempo específico. Así que nuestra comprensión del mensaje de Dios crecerá cuando escudriñemos más profundamente estos temas.

Sin embargo, la debilidad de este enfoque «histórico» es que no considera lo que la Biblia puede estar diciéndole al lector contemporáneo. Se queda con el significado de la Biblia en su propio tiempo y cultura. Por lo tanto, es posible analizar el texto sin aplicarlo, y adquirir conocimiento académico sin obediencia. El intérprete podrá también tender a exagerar la posibilidad de una objetividad completa e ignorar sus propias presuposiciones culturales.

El enfoque contextual

Un tercer enfoque comienza por combinar los elementos positivos, tanto del enfoque «popular» como del «histórico». Del «histórico» toma la necesidad de estudiar el contexto y el idioma original, y del «popular» la necesidad de escuchar la Palabra de Dios y obedecerla. Pero va más lejos que esto. Toma en serio el contexto cultural de los lectores contemporáneos, así como del texto bíblico, y reconoce que entre ambos debe desarrollarse un diálogo.

Lo que queremos enfatizar es la necesidad de este juego dinámico entre el texto y los intérpretes. Los lectores de hoy no pueden llegar al texto en un vacío personal, y no deberían intentarlo. En cambio, deberían venir con una conciencia de las inquietudes que surgen de su trasfondo cultural, situación personal y responsabilidad hacia los demás. Estas inquietudes influirán en las preguntas que le planteen a la Biblia. Sin embargo, lo que recibirán no serán sólo respuestas, sino más preguntas. Al abordar la Biblia, la Biblia nos aborda a nosotros. Encontramos que nuestras presuposiciones culturalmente condicionadas están siendo cuestionadas y nuestras preguntas, corregidas. De hecho, nos vemos obligados a reformular nuestras preguntas anteriores y formular nuevas. Así se produce una interacción viva.

En este proceso de interacción nuestro conocimiento de Dios y nuestra respuesta a su voluntad están siendo profundizados constantemente. Cuanto más llegamos a conocerlo, mayor se vuelve nuestra responsabilidad de obedecerlo en nuestra propia situación, y cuanto más respondemos en obediencia, más se hace conocer él.

Este continuo crecimiento en conocimiento, amor y obediencia es el propósito y la ventaja del enfoque «contextual». Del contexto en el cual la Palabra fue dada originalmente, escuchamos a Dios hablándonos en nuestro contexto contemporáneo, y encontramos que es una experiencia transformadora. Este proceso es una especie de espiral ascendente en el cual la Biblia permanece siempre central y normativa.

La comunidad que aprende

Deseamos enfatizar que la tarea de entender la Biblia no pertenece sólo a algunos individuos, sino a toda la comunidad cristiana, vista tanto como una comunión contemporánea como histórica.

Hay muchas formas en las que la iglesia local o regional puede llegar a discernir la voluntad de Dios en su propia cultura hoy. Cristo aún designa pastores y maestros en su iglesia. Y en respuesta a la oración expectante, habla a su pueblo, en particular por medio de la predicación de su Palabra en el contexto de la adoración. Además, hay un lugar para «instruirse y aconsejarse» (Col 3:16), tanto en estudios bíblicos grupales y en iglesias hermanas de consulta como en el escuchar silencioso de la voz de Dios en la Biblia, que es un elemento indispensable en la vida cristiana del creyente.

La iglesia es, además, una comunión histórica que ha recibido del pasado una rica herencia de teología, liturgia y devoción cristianas. Ningún grupo de creyentes puede desestimar esta herencia sin correr el riesgo de empobrecimiento espiritual. Al mismo tiempo, esta tradición no debe ser recibida sin crítica, sea que venga en la forma de elementos denominacionales o de cualquier otra forma, sino más bien debe ser probada por la Biblia que afirma explicar. Tampoco debe ser impuesta a ninguna iglesia, sino más bien puesta a disposición de quienes pueden usarla como un recurso valioso, como un contrapeso al espíritu de independencia, y como un vínculo con la iglesia universal.

De esta forma, el Espíritu Santo instruye a su pueblo por medio de una variedad de maestros, tanto del pasado como del presente. Nos necesitamos unos a otros. Es sólo «con todos los santos» que podemos comenzar a comprender las dimensiones completas del amor de Dios (Ef 3:18-19). El Espíritu «ilumina las mentes de quienes forman parte del pueblo de Dios en cada cultura, para que perciban su verdad de manera fresca a través de sus propios ojos, revelándole así a toda la iglesia cada vez más de la sabiduría multicolor de Dios» (Pacto de Lausana, párrafo dos, haciéndose eco de Ef 3:10).

Los silencios de la Biblia

Hemos considerado también el problema de los silencios de la Biblia, es decir, aquellas áreas de doctrina y ética sobre las cuales la Biblia no dice nada explícito. Escrita en el antiguo mundo judío y grecorromano, la Biblia no se dirige directamente, por ejemplo, al hinduismo, al budismo o al islamismo hoy, a la teoría socioeconómica marxista o a la tecnología moderna. No obstante, creemos que está bien que la iglesia, guiada por el Espíritu Santo, escudriñe la Biblia en busca de precedentes y principios que le permitan desarrollar la mente de Cristo el Señor, para poder tomar decisiones auténticamente cristianas. Este proceso continuará más fructíferamente dentro de la comunidad creyente al adorar a Dios y participar en la obediencia activa en el mundo. Repetimos que la obediencia cristiana es tanto un preludio de la comprensión, como una consecuencia de ella.

Preguntas para reflexionar

1. ¿Puede recordar algún ejemplo de cómo alguno de los dos «enfoques tradicionales» de la lectura de la Biblia lo ha desviado?
2. Escoja un texto muy conocido, como Mateo 6:24-34 (ansiedad y ambición) o Lucas 10:25-37 (El buen samaritano) y use el «enfoque contextual» al estudiarlo. Deje que se desarrolle un diálogo entre usted y el texto, al interrogarlo y ser interrogado por él. Escriba las etapas de la interacción.
3. Discuta algunas formas prácticas de buscar la guía del Espíritu Santo hoy.

5. El contenido y la comunicación del evangelio

Habiendo reflexionado sobre la comunicación de Dios del evangelio a nosotros en la Escritura, ahora vamos al corazón mismo de nuestra preocupación: nuestra responsabilidad de comunicarlo a los demás, es decir, de evangelizar. Pero antes de considerar la comunicación del evangelio, debemos considerar el contenido del evangelio que se comunicará. Porque «evangelizar es difundir la buena noticia...» (Pacto de Lausana, párrafo cuatro). Por lo tanto, no puede haber evangelización sin el evangelio.

La Biblia y el evangelio

El evangelio se encuentra en la Biblia. De hecho, en un sentido toda la Biblia es el evangelio, desde Génesis hasta Apocalipsis. Porque su objetivo primordial es dar testimonio de Cristo, proclamar las buenas nuevas de que él es el Dador de Vida y Señor, y persuadir a las personas a confiar en él (p.ej., Jn 5:39-40; 20:31; 2Ti 3:15).

La Biblia proclama la historia del evangelio de muchas formas. El evangelio es como un diamante de varias caras, con diferentes aspectos que apelan a diferentes personas en diferentes culturas. Tiene profundidades que no hemos sondeado. Desafía todo intento de reducirlo a una formulación concisa.

El corazón del evangelio

No obstante, es importante identificar lo que está en el corazón del evangelio. Reconocemos como centrales los temas de Dios como creador, la universalidad del pecado, Jesucristo como Hijo de Dios, Señor de todos y Salvador por medio de su muerte expiatoria y vida resucitada, la necesidad de la conversión, la venida del Espíritu Santo y su poder transformador, la comunión y la misión de la iglesia cristiana y la esperanza del retorno de Cristo.

Si bien éstos son elementos básicos del evangelio, es necesario agregar que ninguna declaración teológica está libre de la cultura. Por lo tanto, todas las formulaciones teológicas deben ser juzgadas por la Biblia misma, que se encuentra por encima de todas. El valor de las formulaciones debe ser juzgado por su fidelidad a la Biblia, así como por la pertinencia con la que aplican su mensaje a sus propias culturas.

En nuestro deseo de comunicar el evangelio con eficacia, a menudo tomamos conciencia de los elementos que desagradan a la gente. Por ejemplo, la cruz ha sido siempre tanto una ofensa para los orgullosos, como una necedad para los sabios. Pero Pablo no la eliminó por este motivo de su mensaje.

Por el contrario, continuó proclamándola, con fidelidad y a riesgo de ser perseguido, confiado en que Cristo crucificado es la sabiduría y el poder de Dios. Nosotros también, si bien podemos preocuparnos por contextualizar nuestro mensaje y quitar de él toda ofensa innecesaria, debemos resistir la tentación de acomodarlo al orgullo y el prejuicio humano. Es algo que nos ha sido dado. Nuestra responsabilidad no es editarlo, sino proclamarlo.

Barreras culturales a la comunicación del evangelio

Ningún testigo cristiano puede esperar comunicar el evangelio si ignora el factor cultural. Esto se cumple particularmente en el caso de los misioneros. Porque ellos mismos son el producto de una cultura y van a personas que son el producto de otra. Así que de manera inevitable están involucrados en la comunicación transcultural, con todo su desafío emocionante y dura exigencia. Ellos enfrentan dos problemas principales.

A veces las personas pueden resistir el evangelio, no porque consideren que sea falso, sino porque lo perciben como una amenaza para su cultura, especialmente para el tejido de su sociedad, y su solidaridad nacional o tribal. En cierta medida esto es inevitable. Jesucristo es un perturbador además de un pacificador. Él es Señor, y exige nuestra lealtad total. Así que algunos judíos del primer siglo consideraron que el evangelio socavaba al judaísmo y acusaron a Pablo de «enseñar a toda la gente contra nuestro pueblo, nuestra ley y este lugar», es decir, el templo (Hch 21:28). De forma similar, algunos romanos del primer siglo temían por la estabilidad de su estado, dado que desde su punto de vista los misioneros cristianos, al decir «hay otro rey, Jesús», estaban siendo desleales al César y promoviendo costumbres ilegales para los romanos (Hch 16:21; 17:7). Aun hoy Jesús desafía muchas de las creencias y costumbres preciadas de cada cultura y sociedad.

Al mismo tiempo, en cada cultura hay rasgos que no son incompatibles con el señorío de Cristo, y por lo tanto no necesitan ser amenazados o descartados, sino más bien preservados y transformados. Los mensajeros del evangelio necesitan desarrollar una comprensión profunda de la cultura local y un aprecio genuino de ella. Sólo entonces podrán percibir si la resistencia es a algún desafío inevitable de Jesucristo o a alguna amenaza a la cultura que, imaginaria o real, no es necesaria.

El otro problema es que a menudo el evangelio se les presenta a las personas en formas culturales foráneas. Como consecuencia, los misioneros son resistidos y su mensaje rechazado porque su obra no es vista como un intento de evangelizar, sino como un intento de imponer sus propias costumbres y forma de vida. Cuando los misioneros lleven consigo formas foráneas de pensar y comportarse, o actitudes de superioridad racial, paternalismo o preocupación por cosas materiales, la comunicación efectiva se verá impedida.

A veces estos dos errores culturales se cometen juntos, y los mensajeros del evangelio son culpables de un imperialismo cultural que socava la cultura local innecesariamente, mientras busca imponer una cultura extraña en su reemplazo. Algunos de los misioneros que acompañaron a los conquistadores católicos de América Latina, y a los colonizadores protestantes de África y Asia, son ejemplos históricos de este doble error. En contraste, el apóstol Pablo permanece como el ejemplo supremo de alguien a quien Jesús primero quitó el orgullo de sus propios privilegios culturales (Fil 3:4-9) y luego le enseñó a adaptarse a las culturas de los demás, haciéndose esclavo de ellos y convirtiéndose en «todo para todos» a fin de salvar a algunos por todos los medios (1Co 9:19-23).

Sensibilidad cultural al comunicar el evangelio

Los testigos transculturales sensibles no llegarán a su esfera de servicio con un evangelio preenvasado. Deben tener una clara comprensión de la verdad «dada» del evangelio. Pero no se comunicarán exitosamente si intentan imponerla a las personas sin tener una clara referencia de su propia situación cultural y de la de las personas a las que son enviados. Sólo por medio de un involucramiento activo y amoroso con las personas del lugar, pensando según sus esquemas mentales, entendiendo su cosmovisión, escuchando sus preguntas y sintiendo sus cargas, podrá toda la comunidad de fe (de la cual forma parte el misionero) responder a la necesidad de ellos. Mediante la oración, el pensamiento y la búsqueda interior conjunta, en dependencia del Espíritu Santo, los creyentes extranjeros y locales podrán aprender juntos cómo presentar a Cristo y contextualizar el evangelio con un mismo grado de fidelidad y

relevancia. No estamos diciendo que será fácil, aunque algunas culturas del tercer mundo tienen una afinidad natural con la cultura bíblica. Pero sí creemos que surgen entendimientos creativos frescos cuando la comunidad creyente, guiada por el Espíritu, escucha y reacciona de manera sensible tanto a la verdad de la Biblia, como a las necesidades del mundo.

El testimonio cristiano en el mundo islámico

Se expresó preocupación porque en nuestra consulta se había prestado una atención insuficiente a los problemas distintivos de la misión cristiana en el mundo islámico, aunque hay aproximadamente 600 millones de musulmanes hoy *[Nota del editor: más de 1.600 millones en 2010]*. Por un lado, está ocurriendo un resurgimiento de la fe y la misión islámicas en muchos países; por otro, hay una nueva apertura al evangelio en varias comunidades que está debilitando sus vínculos con la cultura islámica tradicional.

Existe la necesidad de reconocer los rasgos distintivos del islamismo que brindan una oportunidad única de testimonio cristiano. Si bien en el islamismo hay elementos que son incompatibles con el evangelio, también hay elementos con un grado de lo que se ha denominado «convertibilidad». Por ejemplo, nuestra

comprensión cristiana de Dios, expresada en la gran declaración de Lutero relacionada con la justificación, «Que Dios sea Dios», bien podría servir como una definición inclusiva del islamismo. La fe islámica en la unidad divina, el énfasis en la obligación del hombre de dar a Dios una adoración correcta, y el rechazo completo de la idolatría podrían ser considerados también como alineados con el propósito de Dios para la vida humana según se revela en Jesucristo. Los testigos cristianos contemporáneos deben aprender humilde y expectantemente a identificar, apreciar e iluminar éstos y otros valores. También deben luchar por la transformación —y, donde sea posible, la integración— de todo lo que es pertinente en la adoración, oración, ayuno, arte, arquitectura y caligrafía islámicos.

Todo esto procede sólo dentro de una apreciación realista de la situación presente de los países islámicos, caracterizada por el desarrollo tecnológico y la secularización. Las responsabilidades sociales de la nueva riqueza y la pobreza tradicional, las tensiones de la independencia política y la trágica dispersión y frustración palestina, todas estas ofrecen áreas para el testimonio cristiano pertinente. La última ha dado origen a mucha poesía apasionada, en la que una nota es el paradigma del Jesús sufriente. Éstos y otros elementos exigen una nueva sensibilidad cristiana y una verdadera conciencia de los hábitos de introversión bajo los cuales la iglesia ha trabajado durante tanto tiempo en el Medio Oriente. En otras partes, incluyendo el África subsahariana, las actitudes son más flexibles y las posibilidades son más fluidas.

A fin de cumplir más adecuadamente con el desafío misionero, se requieren nuevos intentos para desarrollar formas de asociación de creyentes y personas interesadas, de ser necesario fuera de las formas tradicionales de la iglesia. El punto crucial de un sentido de responsabilidad vivo y evangelizador hacia los musulmanes será siempre la cualidad del discipulado personal y corporativo cristiano, junto con el amor de Cristo que nos constriñe.

Una expectativa de resultados

Los mensajeros del evangelio que han demostrado en su propia experiencia que es «poder de Dios para la salvación» (Ro 1:16) esperan legítimamente que lo sea también en la experiencia de los demás.

Confesamos que, a veces, así como la fe del centurión expuso la incredulidad de Israel en el tiempo de Jesús (Mt 8:10), a veces también hoy la expectativa de fe de cristianos en otras culturas muestra la falta de fe del misionero. Así que recordamos las promesas de Dios por medio de la posteridad de Abraham de bendecir a todas las familias de la tierra, y por medio del evangelio salvar a los que creen (Gn 12:1-4; 1Co 1:21). Es con base en éstas y muchas otras promesas que recordamos a todos los mensajeros del evangelio, incluyéndonos a nosotros, a mirar a Dios para salvar a las personas y para edificar su iglesia.

Al mismo tiempo, no olvidamos las advertencias de nuestro Señor de que tendríamos oposición y sufrimiento. Los corazones humanos son duros. La gente no siempre abraza el evangelio, aun cuando la comunicación sea impecable en técnica y el comunicador en carácter. Nuestro Señor mismo estaba plenamente a sus anchas en la cultura donde predicaba, pero él y su mensaje fueron despreciados y rechazados, y su parábola del sembrador parece advertirnos de que la mayor parte de la buena semilla que sembremos no dará fruto. Hay un misterio aquí que no podemos comprender. «El viento [o Espíritu] sopla por donde quiere» (Jn 3:8). Mientras buscamos comunicar el evangelio con cuidado, fidelidad y celo, dejamos los resultados a Dios en humildad.

Preguntas para reflexionar

1. En el texto anterior, el Informe se rehúsa a dar una «formulación concisa» del evangelio, pero identifica su «corazón». ¿Quisiera usted agregar algo a estos «temas centrales», quitar algo o ampliarlos?
2. Aclare los «dos errores culturales». ¿Puede pensar en ejemplos? ¿Cómo pueden evitarse este tipo de errores?
3. Piense en la situación cultural de las personas que usted quiere ganar para Cristo. ¿Qué significa «sensibilidad cultural» en el caso suyo?

6. Se buscan: ¡Mensajeros humildes del evangelio!

Creemos que la principal clave para la comunicación cristiana persuasiva se encuentra en los comunicadores mismos y en el tipo de personas que son. Debería ser obvio que necesitan ser personas de fe, amor y santidad cristianas. Es decir, deben tener una experiencia personal y creciente del poder transformador del Espíritu Santo, para que la imagen de Jesucristo se vea cada vez más claramente en su carácter y en sus actitudes.

Por sobre todo, deseamos ver en ellas, y especialmente en nosotros, «la ternura y la bondad de Cristo» (2Co 10:1); en otras palabras, la humilde sensibilidad del amor de Cristo. Tan importante creemos que es esto que estamos dedicando toda una sección de nuestro Informe al tema. Además, dado que no tenemos ningún deseo de apuntar con el dedo a otros que no seamos nosotros, usaremos la primera persona plural todo el tiempo. Primero, damos un análisis de la humildad cristiana en una situación misionera; y, segundo, nos volvemos a la Encarnación de Dios en Jesucristo como el modelo que deseamos seguir por su gracia.

Un análisis de la humildad misionera

En primer lugar, está la humildad de reconocer el problema que presenta la cultura, y no evitarlo ni simplificarlo excesivamente. Como hemos visto, diferentes culturas han influido en la revelación bíblica, en nosotros y en las personas a las que vamos. Como resultado, tenemos varias limitaciones personales al comunicar el evangelio. Porque somos prisioneros (consciente o inconscientemente) de nuestra propia cultura, y nuestra comprensión de las culturas, tanto de la Biblia como del país en el que servimos, es muy imperfecta. Es la interacción entre todas estas culturas que constituye el problema de la comunicación; humilla a todos los que luchan con él.

En segundo lugar, está la humildad de tomarnos el trabajo de entender y apreciar la cultura de las personas a las que vamos. Es este deseo que lleva naturalmente al verdadero diálogo «cuyo propósito es escuchar con sensibilidad a fin de entender» (Pacto de Lausana, párrafo cuatro). Nos arrepentimos de la ignorancia que supone que tenemos todas las respuestas y que nuestro único papel es enseñar. Tenemos muchísimo que aprender. Nos arrepentimos también de las actitudes de juicio. Sabemos que nunca debemos condenar o despreciar a otra cultura, sino más bien respetarla. No propiciamos ni la arrogancia que impone nuestra cultura sobre las demás, ni el sincretismo que mezcla el evangelio con elementos culturales incompatibles con él, sino más bien un compartir humilde de las buenas nuevas, posibilitado por el respeto mutuo de una auténtica amistad.

En tercer lugar, está la humildad de comenzar nuestra comunicación donde las personas están en la realidad y no donde nos gustaría que estén. Esto es lo que vemos hacer a Jesús, y deseamos seguir su ejemplo. Demasiado frecuentemente hemos ignorado los temores y las frustraciones de las personas, sus dolores y sus preocupaciones, y su hambre, pobreza, privación u opresión, de hecho sus «necesidades percibidas», y hemos sido demasiado lentos en regocijarnos o llorar con ellas. Reconocemos que estas «necesidades percibidas» pueden a veces ser síntomas de necesidades más profundas que no son percibidas o reconocidas inmediatamente por las personas. Un médico no acepta necesariamente el autodiagnóstico de un paciente. No obstante, vemos la necesidad de comenzar donde están las personas, pero sin detenernos allí. Aceptamos nuestra responsabilidad de guiarlas amable y pacientemente para verse ellas, como nos vemos nosotros, como rebeldes a quienes el evangelio habla directamente con un mensaje de perdón y esperanza. Comenzar donde las personas no están es compartir un mensaje irrelevante; quedarnos donde están las personas y nunca guiarlas a la plenitud de las buenas nuevas de Dios es compartir un evangelio trunco. La humilde sensibilidad del amor evitará ambos errores.

En cuarto lugar, está la humildad de reconocer que aun el misionero con más dones, dedicación y experiencia rara vez puede comunicar el evangelio en otro idioma o cultura tan eficazmente como un cristiano capacitado del lugar. Este hecho ha sido reconocido en años recientes por las Sociedades Bíblicas, cuya política ha cambiado, de publicar traducciones de misioneros (con ayuda de personas del lugar) a capacitar a especialistas en la lengua madre para hacer la traducción. Sólo los cristianos del lugar pueden contestar las preguntas: «Dios, ¿cómo dirías esto en nuestro idioma?» y «Dios, ¿qué significará la obediencia a ti en nuestra cultura?». Por lo tanto, sea que estemos traduciendo la Biblia o comunicando el evangelio, los cristianos del lugar son indispensables. Son ellos quienes deben asumir la responsabilidad de contextualizar el evangelio en sus propios idiomas y culturas. Los potenciales testigos transculturales no son por este motivo necesariamente superfluos; pero seremos bienvenidos sólo si somos lo suficientemente humildes como para ver la buena comunicación como una tarea de equipo, en la que todos los creyentes colaboran como socios.

En quinto lugar, está la humildad de confiar en el Espíritu Santo de Dios, quien es siempre el principal comunicador, que es el único que abre los ojos de los ciegos y lleva a las personas a un nuevo nacimiento. «Sin su testimonio, el nuestro es en vano» (Pacto de Lausana, párrafo catorce).

La encarnación como modelo para el testimonio cristiano

Nos hemos reunido para nuestra consulta a pocos días de Navidad, que podría llamarse la instancia más espectacular de identificación cultural de la historia de la humanidad, dado que mediante su Encarnación, el Hijo se convirtió en un judío galileo del primer siglo.

Hemos recordado también que Jesús quería que la misión de su pueblo al mundo siguiera el modelo de su propia misión. «Como el Padre me envió a mí, así yo los envío a ustedes» (Jn 20:21; cf. 17:18). Por

Una prueba profunda de identificación es hasta dónde sentimos que pertenecemos al pueblo y, aún más, hasta dónde creen ellos que pertenecemos a ellos.

lo tanto, nos hemos preguntado acerca de las implicaciones de la Encarnación para todos nosotros. La cuestión es de interés especial para los testigos transculturales, no importa el país al que se dirijan, si bien hemos pensado especialmente en las personas de Occidente que sirven en el tercer mundo.

Al meditar en Filipenses 2, hemos visto que la autohumillación de Cristo comenzó en su mente: «no consideró el ser igual a Dios como algo a qué aferrarse». Así que somos ordenados a dejar que su mente esté en nosotros, y en humildad de mente a «considerar» a los demás como mejores o más importantes que nosotros. Esta «mente» o «perspectiva» de Cristo es un reconocimiento del valor infinito de los seres humanos y del privilegio que significa servirlos. Los testigos que tienen la mente de Cristo tendrán un respeto profundo por las personas que sirven, y por sus culturas.

Hay dos verbos que indican luego la acción a la que la mente de Cristo lo guió: «se despojó... se humilló...» (LBLA). El primero habla de sacrificio (a lo que renunció) y el segundo de servicio, aun esclavitud (cómo se identificó con nosotros y se puso a nuestra disposición). Hemos intentado pensar lo que significaron estas dos acciones para

él, y lo que podrían significar para los testigos transculturales.

Comenzamos por su renuncia. Primero, la renuncia del estatus: «Has tu majestad dejado» hemos estado cantando en Navidad. Como no podemos concebir cómo era su gloria eterna, es imposible comprender la grandeza de este autovaciado. Pero sin duda renunció a los derechos, los privilegios y los poderes que disfrutaba como Hijo de Dios. El «estatus» y los «símbolos de estatus» significan mucho en el mundo moderno, pero son incongruentes en los misioneros. Creemos que dondequiera haya misioneros no deben estar al control de la obra solos, sino siempre con —y preferentemente bajo— cristianos del lugar, que puedan aconsejarlos y aun dirigirlos. Y sea cual fuere la responsabilidad de los misioneros, deben expresar actitudes «en términos de servicio y no de dominación» (Pacto de Lausana, párrafo once).

Luego, la renuncia a la independencia. Hemos visto a Jesús pidiendo agua a una mujer samaritana, viviendo en los hogares de otras personas y con el dinero de otras personas porque no tenía nada propio, al que le prestaron un bote, un asno, un aposento alto, y aun siendo enterrado en una tumba prestada. De forma similar, los mensajeros transculturales, especialmente durante sus primeros años de servicio, necesitan aprender a depender de los demás.

En tercer lugar, la renuncia a la inmunidad. Jesús se expuso a la tentación, a la tristeza, a la limitación, a la necesidad económica y al dolor. Así que el misionero debe esperar volverse vulnerable a nuevas tentaciones, peligros y enfermedades, a un clima extraño, a una soledad desacostumbrada y posiblemente a la muerte.

Cuando pasamos del tema de la renuncia al de la identificación, nos hemos vuelto a maravillar por lo completo de la identificación de nuestro Salvador con nosotros, especialmente como aparece en la Carta a los Hebreos. Él compartió nuestra «naturaleza humana», fue tentado como nosotros, aprendió obediencia a través de su sufrimiento y saboreó la muerte por nosotros (Heb 2:14-18; 4:15; 5:8). Durante su ministerio público Jesús se hizo amigo de los pobres y los que no tenían poder, sanó a los enfermos, alimentó a los hambrientos, tocó a los intocables y arriesgó su reputación asociándose con los que la sociedad rechazaba.

El grado en el que nos identificamos con las personas a las que vamos es un tema polémico. Ciertamente debe incluir dominar su idioma, sumergirnos en su cultura, aprender a pensar como piensan, sentir como sienten, hacer como hacen. En el nivel socio-económico no creemos que debemos «hacernos los nativos», principalmente porque el intento de un extranjero de hacer esto podría verse no como auténtico sino como una parodia. Pero tampoco pensamos que debería haber una disparidad conspicua entre nuestro estilo de vida y el de las personas que nos rodean. Entre estos extremos, vemos la posibilidad de desarrollar un nivel de vida que exprese el tipo de amor que se interesa y comparte, y que encuentra natural intercambiar hospitalidad con otros en base a la reciprocidad, sin vergüenza. Una prueba profunda de identificación es hasta dónde sentimos que pertenecemos al pueblo y, aún más, hasta dónde creen ellos que pertenecemos a ellos. ¿Participamos naturalmente de sus días de agradecimiento o dolor nacional o tribal? ¿Gemimos con ellos en la opresión que sufren y nos unimos a ellos en su búsqueda de justicia y libertad? Si el país es azotado por un terremoto o queda inmerso en una guerra civil, ¿nuestro instinto es quedarnos y sufrir con el pueblo que amamos, o volar de vuelta a casa?

Si bien Jesús se identificó completamente con nosotros, no perdió su propia identidad. Siguió siendo él. «Descendió del cielo... y se hizo hombre» (Credo Niceno-Constantinopolitano); sin embargo, al convertirse en uno de nosotros no dejó de ser Dios. En consecuencia, «los evangelistas de Cristo deben buscar, con humildad, vaciarse de todo, excepto de su autenticidad personal» (Pacto de Lausana, párrafo diez). La Encarnación enseña identificación sin pérdida de identidad. Creemos que el verdadero autosacrificio conduce al verdadero autodescubrimiento. En el servicio humilde hay abundante gozo.

Preguntas para reflexionar

1. Si la principal clave para la comunicación yace en los comunicadores, ¿qué clase de personas deben ser?
2. Dé su propio análisis de la humildad que todos los testigos cristianos deberían tener. ¿Dónde pondría usted su énfasis?
3. Dado que la encarnación involucró tanto «renuncia» como «identificación», obviamente fue muy costosa para Jesús. ¿Cuál sería el costo de la «evangelización encarnacional» hoy?

7. Conversión y cultura

Hemos pensado en la relación entre conversión y cultura de dos formas. Primero, ¿qué efecto tiene la conversión sobre la situación cultural de los conversos, las formas en que piensan y actúan, y sus actitudes hacia su entorno social? Segundo, ¿qué efecto ha tenido nuestra cultura sobre nuestra propia comprensión de la conversión? Ambas preguntas son importantes, pero queremos decir de inmediato que hay elementos en nuestra visión evangélica tradicional de la conversión que son más culturales que bíblicos, y deben ser cuestionados. Con mucha frecuencia hemos pensado en la conversión como una crisis, en vez de concebirla como un proceso también; o hemos visto a la conversión como una experiencia mayormente privada, olvidándonos de sus responsabilidades públicas y sociales resultantes.

La naturaleza radical de la conversión

Estamos convencidos de que la naturaleza radical de la conversión a Jesucristo necesita ser reafirmada en la iglesia contemporánea, porque siempre corremos el riesgo de trivializarla, como si no fuera más que un mero cambio superficial, y una autorreforma, para colmo. Pero los autores del Nuevo Testamento escriben acerca de ella como la expresión exterior de una regeneración o nuevo nacimiento por el Espíritu de Dios, una recreación y una resurrección de la muerte espiritual. El concepto de resurrección parece ser especialmente importante. La resurrección de Jesucristo de la muerte fue el principio de la nueva creación de Dios y, por la gracia de Dios, por medio de la unión con Cristo, hemos compartido esta resurrección. Hemos ingresado, en consecuencia, a la nueva era, y ya hemos saboreado sus poderes y sus gozos. Ésta es la dimensión escatológica de la conversión cristiana. La conversión es una parte integral de la Gran Renovación que Dios ha comenzado, y que será llevada a una culminación triunfante cuando Cristo venga en su gloria.

La conversión involucra también un corte con el pasado tan completo, que se describe en términos de muerte. Hemos sido crucificados con Cristo. Por medio de su cruz hemos muerto al mundo impío, sus puntos de vista y sus normas. Nos hemos «quitado», como una ropa sucia, al viejo Adán, nuestra humanidad anterior y caída. Jesús nos advirtió que este alejamiento del pasado puede involucrar sacrificios dolorosos, y aun la pérdida de familiares y posesiones (p.ej., Lc 14:25ss).

Es vital mantener juntos estos aspectos negativos y positivos de la conversión, la muerte y la resurrección, quitar lo viejo y revestirse de lo nuevo. Porque los que hemos muerto estamos vivos nuevamente, pero vivos ahora con una nueva vida vivida en, para y bajo Cristo.

El señorío de Jesucristo

Nos queda claro que el significado fundamental de la conversión es un cambio de lealtad. Otros dioses y señores —cada uno de ellos idolatrías— nos gobernaban antes. Pero ahora Jesucristo es Señor. El principio rector de la persona convertida es que ahora vive bajo el señorío de Cristo o (porque significa lo mismo) en el reino de Dios. Su autoridad sobre nosotros es total. Así que esta nueva y liberadora lealtad lleva inevitablemente a una reevaluación de cada aspecto de nuestra vida y en particular de nuestra cosmovisión, nuestro comportamiento y nuestras relaciones.

Primero, nuestra cosmovisión. Estamos de acuerdo con que el corazón de cada cultura es una «religión» de algún tipo, aun cuando sea una religión irreligiosa como el marxismo. «La cultura es la religión hecha visible» (J. H. Bavinck). Y la «religión» es todo un racimo de creencias y valores básicos, que es la razón para que, de acuerdo con nuestros propósitos, estemos usando «cosmovisión» como una expresión equivalente. Por lo tanto, la verdadera conversión a Cristo terminará por llegar al meollo de nuestra herencia cultural. Jesucristo insiste en desalojar del centro de nuestro mundo cualquier ídolo que haya reinado previamente allí, y en ocupar el trono él mismo. Éste es el cambio de lealtad radical que constituye la conversión, o al menos su comienzo. Luego, una vez que Cristo ha asumido su lugar legítimo, todo lo demás comienza a desplazarse. Las ondas de choque fluyen del centro hacia la circunferencia. El converso debe repensar sus convicciones fundamentales. Esto es *metanoia*, «arrepentimiento», visto como un cambio de mente, el reemplazo de «la mente de la carne» por «la mente de Cristo». Por supuesto, el desarrollo de una cosmovisión cristiana integrada puede llevar toda una vida, pero se encuentra en esencia desde el inicio. Si crece, las consecuencias explosivas son impredecibles.

Segundo, nuestro comportamiento. El señorío de Jesús cuestiona nuestras normas morales y todo nuestro estilo de vida ético. Hablando estrictamente, esto no es «arrepentimiento» sino más bien «frutos que demuestran arrepentimiento» (Mt 3:8), el cambio de conducta que surge de un cambio de perspectiva. Tanto nuestras mentes como nuestras voluntades deben someterse a la obediencia a Cristo (cf. 2Co 10:5; Mt 11:29-30; Jn 13:13).

Al escuchar estudios de casos de conversión nos impresiona la primacía del amor en la experiencia del nuevo converso. La conversión libera tanto de la introspección que está demasiado preocupada por uno mismo, como para ocuparse de otras personas, y del fatalismo que considera que es imposible ayudarlas. La conversión es espuria si no nos libera para amar.

En tercer lugar, nuestras relaciones. Si bien el converso debe esforzarse al máximo para evitar cortar con su nación, tribu y familia, a veces surgen conflictos dolorosos. Es claro también que la conversión involucra una transferencia de una comunidad a otra, es decir de la humanidad caída a la nueva humanidad de Dios. Ocurrió desde el principio, en el día de Pentecostés: «¡Sálvense de esta generación perversa!», apeló Pedro. Así que quienes recibieron su mensaje y fueron bautizados en la nueva sociedad, se dedicaron a la nueva comunidad, y encontraron que el Señor continuó añadiendo gente al grupo cada día (Hch 2:40-47). Al mismo tiempo, su «transferencia» de un grupo a otro significaba que eran espiritualmente distintos, más que socialmente segregados. No abandonaron el mundo. Por el contrario, adquirieron un nuevo compromiso con él, y salieron a él para testificar y servir.

Todos debemos albergar grandes ambiciones de esta clase de conversiones radicales en nuestro tiempo, involucrando a conversos en una nueva mente, una nueva forma de vida, una nueva comunidad, todo bajo el señorío de Cristo. Sin embargo, sentimos la necesidad de hacer varias salvedades ahora.

El converso y su cultura

La conversión no debería «desculturizar» a un converso. Es cierto que, como hemos visto, el Señor Jesús ahora tiene su lealtad, y todo en el contexto cultural debe quedar bajo el escrutinio de su Señor. Esto se aplica a toda cultura, y no sólo a las personas de culturas hindúes, budistas, musulmanas o animistas, sino también a la cultura cada vez más materialista de Occidente. La crítica puede conducir a una colisión, al quedar elementos de una cultura bajo el juicio de Cristo y que deben ser rechazados. En este punto, por efecto de rebote, el converso podría tratar de adoptar la cultura del evangelista en reemplazo, pero este intento debe ser resistido firme y amablemente.

Se debe alentar al converso a ver su relación con el pasado como una combinación de ruptura y continuidad. No importa cuánto sientan los nuevos conversos que necesitan renunciar en bien de Cristo, siguen siendo las mismas personas, con la misma herencia y la misma familia. «La conversión no deshace; rehace». Sin embargo, siempre es trágico, aunque en algunos casos inevitable, cuando la conversión de una persona a Cristo es interpretada por otros como una traición a sus propios orígenes culturales. De ser posible, a pesar de los conflictos con su cultura, los nuevos conversos deben buscar identificarse con las alegrías, las esperanzas, los dolores y las luchas de su cultura.

Las historias de casos muestran que a menudo los conversos pasan por tres etapas: (1) «rechazo» (cuando se ven como «nuevas personas en Cristo» y repudian todo lo que está asociado con su pasado); (2) «acomodamiento» (cuando descubren su herencia étnica y cultural, con la tentación de transigir en la fe cristiana recién encontrada con respecto a su herencia); y (3) «el restablecimiento de la identidad» (cuando puede crecer el rechazo del pasado o el acomodamiento a él o, preferentemente, puede crecer hacia una autoconciencia equilibrada en Cristo y en la cultura).

Encuentro de poder

«Jesús es el Señor» significa más que él sea Señor de la cosmovisión, las normas y las relaciones del converso individual, y más aún que él sea el Señor de la cultura. Significa que es Señor de los poderes, habiendo sido exaltado por el Padre a la soberanía universal; las autoridades y los poderes han sido sometidos a él (1P 3:22). Varios de nosotros, especialmente quienes venimos de Asia, África y América Latina, hemos hablado tanto de la realidad de los poderes malignos, como de la necesidad de demostrar la supremacía de Jesús sobre ellos. Porque la conversión involucra un encuentro de poder. Las personas dan su lealtad a Cristo cuando ven que su poder es superior a la magia y al vudú, a las maldiciones y bendiciones de los brujos, y a la malevolencia de los espíritus malignos, y que su salvación es una verdadera liberación del poder del mal y de la muerte.

Por supuesto, hay quienes cuestionan hoy si la creencia en espíritus es compatible con nuestra moderna comprensión científica del universo. Por lo tanto, deseamos afirmar, contra el mito mecanicista sobre el cual se apoya la cosmovisión occidental, la realidad de inteligencias demoníacas que se ocupan por todos los medios, abiertos y ocultos, de desacreditar a Jesucristo y evitar que las personas acudan a él. Consideramos que es vital, en la evangelización de todas las culturas, enseñar la realidad y la hostilidad de los poderes demoníacos, y proclamar que Dios ha exaltado a Cristo como Señor de todos y que Cristo, que realmente posee todo poder, no importa cuánto dejemos de reconocerlo, puede (al proclamarlo a él) penetrar toda cosmovisión en cualquier mente y hacer conocer su señorío y lograr un cambio radical de corazón y perspectiva.

Deseamos enfatizar que el poder le pertenece a Cristo. El poder en manos humanas siempre es peligroso. Hemos evocado el tema recurrente de las dos cartas de Pablo a los corintios: que el poder de Dios, que se ve claramente en la cruz de Cristo, opera por medio de la debilidad humana (p.ej., 1Co 1:18-2:5; 2Co 4:7; 12:9-10). Las personas mundanas adoran el poder; los cristianos que lo tienen conocen sus peligros. Es mejor ser débil, porque entonces somos fuertes. Honramos especialmente a los mártires recientes (p.ej., en África Oriental) que han renunciado al camino del poder, y han seguido el camino de la cruz.

Conversiones individuales y grupales

La conversión no debe ser concebida como algo que es invariable y exclusivamente una experiencia individual, si bien éste ha sido el patrón de la expectativa occidental durante muchos años. Por el contrario, el tema del pacto del Antiguo Testamento y los bautismos de hogares del Nuevo deben llevarnos a desear, trabajar para, y esperar, tanto conversiones familiares como grupales. Se ha realizado mucha investigación importante en años recientes sobre los «movimientos de pueblos», tanto desde perspectivas teológicas como sociológicas. Teológicamente reconocemos el énfasis bíblico en la solidaridad de cada etnia, es decir, nación o pueblo. Sociológicamente, reconocemos que cada sociedad está compuesta por diversos subgrupos, subculturas o unidades homogéneas. Es evidente que las personas reciben el evangelio con mayor facilidad cuando se lo presentamos de una forma que es apropiada —no extraña— a su cultura, y cuando pueden responder al evangelio con y entre su propio pueblo. Diferentes sociedades tienen diferentes procedimientos para tomar decisiones grupales; por ejemplo, por consenso, por el jefe de familia, o por un grupo de ancianos. Reconocemos la validez de la dimensión corporativa de la conversión como parte del proceso total, así como la necesidad de que cada miembro del grupo termine compartiéndolo personalmente.

¿Es repentina o gradual la conversión?

Con frecuencia la conversión es más gradual de lo que ha permitido la enseñanza evangélica tradicional. Es cierto que esto puede ser sólo una disputa sobre palabras. La justificación y la regeneración, donde una otorga una nueva condición y la otra una nueva vida, son obras de Dios e instantáneas, si bien no estamos necesariamente conscientes de cuándo ocurren. Por otra parte, la conversión, es nuestra propia acción (movida por la gracia de Dios) de volvernos a Dios en penitencia y fe. Si bien puede incluir una crisis consciente, a menudo es lenta y a veces laboriosa. Vista contra el trasfondo del vocabulario hebreo y griego, la conversión es esencialmente un volverse a Dios, que continúa a medida que todas las áreas de la vida son llevadas en formas cada vez más radicales bajo el señorío de Cristo. La conversión involucra la transformación completa del cristiano y la renovación total de la mente y carácter de acuerdo con la imagen de Cristo (Ro 12:1-2).

Sin embargo, este progreso no siempre ocurre. Hemos dedicado alguna reflexión a los tristes fenómenos de la «recaída» (un silencioso alejamiento de Cristo) y la «apostasía» (un abierto repudio de él). Éstas tienen varias causas. Algunas personas se alejan de Cristo cuando se desencantan de la iglesia; otras capitulan ante las presiones del secularismo o de su cultura anterior. Estos hechos nos desafían a proclamar un evangelio completo y también a ser más conscientes en el cuidado de los conversos en la fe y en capacitarlos para el servicio.

Un miembro de nuestra consulta ha descrito su experiencia en términos de volverse primero a Cristo (recibiendo su salvación y reconociendo su señorío), en segundo lugar a su cultura (redescubriendo sus orígenes e identidad naturales)

y en tercer lugar al mundo (aceptando la misión a la que Cristo lo envía). Estamos de acuerdo en que a veces la conversión es una experiencia compleja, y que el lenguaje bíblico de «volverse» se usa de diferentes formas y en diferentes contextos. Al mismo tiempo, todos enfatizamos que el compromiso personal con Jesucristo es fundamental. Sólo en él encontramos salvación, nueva vida e identidad personal. La conversión también debe producir nuevas actitudes y relaciones, y conducir a una participación responsable en nuestra iglesia, nuestra cultura y nuestro mundo. Por último, la conversión es un viaje y un peregrinaje, con desafíos y decisiones siempre nuevas, y retornos al Señor como el punto de referencia constante, hasta que vuelva.

Preguntas para reflexionar

1. Distinga entre «regeneración» y «conversión», según el Nuevo Testamento.
2. «Jesús es el Señor». ¿Qué significa para usted en su propia cultura? ¿Cuáles son los elementos de su herencia cultural a los que considera que (a) usted debe y (b) usted no necesita renunciar por el bien de Cristo?
3. ¿Qué es repentino y qué es (o puede ser) gradual en la conversión cristiana?

8. Iglesia y cultura

En el proceso de la formación de la iglesia, así como en la comunicación y recepción del evangelio, la cuestión de la cultura es vital. Si el evangelio debe ser contextualizado, la iglesia también debe serlo. Por cierto, el subtítulo de nuestra consulta ha sido «La contextualización de la Palabra y de la iglesia en una situación misionera».

Enfoques tradicionales anteriores

Durante la expansión misionera de la primera parte del siglo XIX, se suponía en general que las iglesias «en el campo misionero» serían modeladas de acuerdo con las iglesias «de casa». La tendencia era producir réplicas casi exactas. La arquitectura gótica, las liturgias del libro de oración, la vestimenta clerical, los instrumentos musicales, los himnos y las melodías, los procesos de toma de decisión, los sínodos y comités, superintendentes y archidiáconos, todos fueron exportados e introducidos con escasa imaginación a las nuevas iglesias fundadas por las misiones. Cabe agregar que estos patrones fueron adoptados también ávidamente por los nuevos cristianos, que se habían propuesto no quedarse relegados en ningún punto de sus amigos occidentales, cuyos hábitos y formas de adoración habían estado observando atentamente. Pero todo esto estaba basado en las falsas suposiciones de que la Biblia daba instrucciones específicas acerca de esta clase de cuestiones y que el patrón de gobierno, adoración, ministerio y vida de las iglesias de origen eran en sí mismos ejemplares.

En reacción a este sistema de exportación monocultural, pensadores misioneros pioneros como Henry Venn y Rufus Anderson, a mediados del siglo XIX, y Roland Allen, a principios del siglo XX, popularizaron el concepto de iglesias «autóctonas», que se «autogobernarían, autosustentarían y autopropagarían». Defendieron bien su postura. Señalaron que la política del apóstol Pablo era fundar iglesias, no fundar estaciones de misión. También agregaron argumentos pragmáticos a los bíblicos, a saber que el carácter autóctono era indispensable para el crecimiento de la iglesia en madurez y misión. Henry Venn miraba confiadamente hacia adelante, al día cuando las misiones entregarían la responsabilidad a las iglesias nacionales, y luego tendría lugar lo que él denominó «la eutanasia de la misión». Estos puntos de vista obtuvieron una amplia aceptación y fueron tremendamente influyentes.

La prueba de éste o cualquier otro modelo para ayudar a las iglesias a desarrollarse adecuadamente, es si se le puede permitir al pueblo de Dios capturar en sus corazones y sus mentes el gran diseño del cual su iglesia debe ser la expresión local.

Sin embargo, en nuestro día están siendo criticados, no por el ideal mismo, sino por la forma en que con frecuencia ha sido aplicado. Algunas misiones, por ejemplo, han aceptado la necesidad de un liderazgo autóctono y luego han salido a reclutar y capacitar a líderes locales, adoctrinándolos (la palabra es dura, pero no injusta) en formas de pensamiento y procedimiento occidentales. Estos líderes locales occidentalizados han preservado entonces una iglesia de aspecto muy occidental, y la orientación foránea ha persistido, sólo apenas disimulada por la apariencia de autoctonía.

Ahora, por lo tanto, necesita desarrollarse un concepto más radical de la vida de iglesia autóctona, mediante el cual cada iglesia pueda descubrir y expresar su propia identidad como el cuerpo de Cristo dentro de su propia cultura.

El modelo de equivalencia dinámica

Usando las distinciones entre «forma» y «significado», y entre «correspondencia formal» y «equivalencia dinámica», que han sido desarrolladas en la teoría de la traducción que hemos comentado, se sugiere que puede hacerse una analogía entre la traducción de la Biblia y la formación de la iglesia. Una «correspondencia formal» habla de una imitación ciega, sea en traducir una palabra a otro idioma o en exportar un modelo de iglesia a otra cultura. Así como una traducción de «equivalencia dinámica» busca transmitir a lectores contemporáneos significados equivalentes a los transmitidos a los lectores originales, usando formas culturales apropiadas, lo mismo ocurriría con una iglesia de «equivalencia dinámica». Miraría en su cultura como una buena traducción de la Biblia mira en su idioma. Preservaría los significados y funciones esenciales que el Nuevo Testamento propiciaba para la iglesia, buscaría expresarlos en formas equivalentes a los originales, pero apropiadas a la cultura local.

A todos nos resultó útil y sugestivo este modelo, y afirmamos categóricamente los ideales que busca expresar. Rechaza de manera legítima importaciones e imitaciones foráneas, y estructuras rígidas. Busca legítimamente en el Nuevo Testamento los principios de la formación de la iglesia, más que en la tradición o la cultura, y con la misma legitimidad busca en la cultura local las formas apropiadas en las que estos principios deben ser expresados. Todos nosotros (incluso quienes vemos limitaciones en el modelo) compartimos la visión que está intentando describir.

Así que el Nuevo Testamento indica que la iglesia siempre es una comunidad que adora, «un sacerdocio santo, para ofrecer sacrificios espirituales que Dios acepta por medio de Jesucristo» (1P 2:5), pero las formas de adoración (incluyendo la presencia o ausencia de diferentes tipos de liturgias, ceremonias, música, color, teatralizaciones, etc.) serán desarrolladas por la iglesia de acuerdo con la cultura autóctona. De forma similar, la iglesia es siempre una comunidad que testifica y sirve, pero sus métodos de evangelización y su programa de participación social variarán. De nuevo, Dios desea que todas las iglesias tengan supervisión pastoral, pero las formas de gobierno y ministerio pueden diferir ampliamente, y la selección, capacitación, ordenación, servicio, vestimenta, pago y responsabilidad de los pastores, serán determinados por la iglesia para concordar con principios bíblicos y adecuarse a la cultura local.

Las preguntas que se están formulando acerca del modelo de «equivalencia dinámica» son si es suficientemente grande y dinámico por sí mismo como para brindar toda la orientación que se necesita. La analogía entre la traducción de la Biblia y la formación de la iglesia no es exacta. En el primer caso, el traductor controla el trabajo, y cuando la tarea está completada es posible hacer una comparación entre los dos textos. En el segundo caso, sin embargo, el original del cual se busca un equivalente no es un texto detallado, sino una serie de atisbos de la iglesia primitiva en operación, lo cual dificulta la comparación, y en vez de un traductor que controla debe involucrarse toda la comunidad de fe. Además, un traductor apunta a la objetividad personal, pero cuando la iglesia local está buscando relacionarse de manera adecuada con la cultura local, encuentra que la objetividad es prácticamente imposible. En muchas situaciones se encuentra atrapada en «un encuentro entre dos civilizaciones» (la de su propia sociedad y la de los misioneros). Además, puede tener una gran dificultad para responder a las voces encontradas de la comunidad local. Algunos piden cambios (en términos de alfabetismo, educación, tecnología, medicina moderna, industrialización, etc.) mientras que otros insisten en la conservación de la vieja cultura y resisten la llegada de un nuevo día. La pregunta es si el modelo de «equivalencia dinámica» es lo suficientemente dinámico como para enfrentar este tipo de desafío.

La prueba de éste o cualquier otro modelo para ayudar a las iglesias a desarrollarse adecuadamente, es si puede permitirle al pueblo de Dios capturar en sus corazones y sus mentes el gran diseño del cual su iglesia debe ser la expresión local. Todo modelo presenta sólo un cuadro parcial. En última instancia las iglesias locales necesitan depender de la presión dinámica del Señor viviente de la historia. Porque es él quien guiará a su pueblo en todas las erasa

desarrollar su vida de iglesia de forma tal de obedecer las instrucciones que ha dado en la Biblia y reflejar los buenos elementos de su cultura local.

La libertad de la iglesia

Si cada iglesia ha de desarrollarse creativamente de modo que pueda encontrarse y expresarse, debe estar libre para hacerlo. Éste es su derecho inalienable. Porque cada iglesia es la iglesia de Dios. Unida a Cristo, es un lugar de morada de Dios por medio de su Espíritu (Ef 2:22). Algunas misiones y misioneros han sido lentos en reconocer esto y aceptar sus implicaciones en la dirección de formas autóctonas y un ministerio de todos los miembros. Éste es uno de los muchos casos que han llevado a la formación de iglesias independientes, notablemente en África, que están buscando nuevas formas de autoexpresión en términos de la cultura local.

Si bien en ocasiones los líderes de la iglesia local han impedido el desarrollo autóctono, la culpa principal está en otro lado. No sería justo generalizar. La situación ha sido siempre diversa. En generaciones anteriores hubo misiones que nunca manifestaron un espíritu de dominación. En este siglo han surgido algunas iglesias que nunca han estado bajo control misionero, habiendo disfrutado del autogobierno desde el inicio. En otros casos, las misiones han renunciado por completo a su poder anterior, de tal forma que ahora algunas iglesias fundadas por misiones son completamente autónomas, y muchas misiones trabajan en una genuina asociación con las iglesias.

Sin embargo, éste no es el cuadro completo. Otras iglesias siguen estando casi completamente inhibidas de desarrollar su propia identidad y programa por políticas establecidas desde lejos, por la introducción y continuación de tradiciones foráneas, por el uso de un liderazgo expatriado, por procesos de toma de decisión de extraños y en especial por el poder manipulador del dinero. Quienes mantienen dicho control pueden actuar auténticamente inconscientes de la forma en que sus acciones son consideradas y experimentadas por otros. Pueden ser consideradas por las iglesias involucradas como una tiranía. El hecho de que esto no es buscado ni percibido ilustra perfectamente cómo todos nosotros (sepámoslo o no) estamos involucrados en la cultura que nos ha hecho lo que somos. Nos oponemos con firmeza a esta clase de «foraneidad», dondequiera que exista, como un serio obstáculo a la madurez y a la misión, y un apagar del Espíritu Santo de Dios.

Fue en protesta contra la continuación del control foráneo que unos años atrás se hizo el llamado de retirar a todos los misioneros. En este debate algunos queremos evitar usar la palabra «moratoria», porque se ha vuelo un término emotivo y a veces trasunta un resentimiento contra el concepto mismo de «misioneros». Otros queremos retener la palabra a fin de enfatizar la verdad que expresa. Para nosotros significa, no un rechazo del personal o el dinero misionero en sí mismos, sino sólo su uso equivocado de modo que sofoca toda iniciativa local. Todos estamos de acuerdo con la afirmación del Pacto de Lausana de que «a fin de facilitar el crecimiento de la iglesia nacional en autosuficiencia… podrá ser necesaria una reducción de misioneros y dinero extranjeros…» (párrafo nueve).

Estructuras de poder y misión

Lo que acabamos de escribir forma parte de un problema mucho más amplio, que en nuestra consideración no podemos ignorar. El mundo contemporáneo no consiste en sociedades atómicas aisladas, sino en un sistema global interrelacionado de macroestructuras económicas, políticas, tecnológicas e ideológicas que producen indudablemente mucha explotación y opresión.

¿Qué tiene que ver esto con la misión? ¿Y por qué lo planteamos aquí? En parte, porque es el contexto en el cual el evangelio debe ser predicado a todas las naciones hoy. En parte también porque casi todos nosotros pertenecemos al tercer mundo, o vivimos y trabajamos allí, o lo hemos hecho, o hemos visitado algunos países allí. Así que hemos visto con nuestros propios ojos la pobreza de las masas, sentimos compasión por ellas y con ellas, y tenemos alguna comprensión de que su situación difícil se debe parcialmente a un sistema económico controlado en su mayor parte por los países del Atlántico Norte (si bien ahora también hay otros involucrados). Quienes somos ciudadanos de países de América del Norte o Europa no podemos evitar algún sentimiento de incomodidad y vergüenza, por motivo de la opresión en la que nuestros países han participado en diversos grados. Por supuesto, sabemos que hay opresión en muchos países hoy, y la resistimos en todas partes. Pero ahora estamos hablando de nosotros, de nuestros propios países y

nuestra responsabilidad como cristianos. A menudo la mayoría de los misioneros del mundo y el dinero misionero viene de estos países, con un gran sacrificio personal. Sin embargo, debemos confesar que algunos misioneros mismos reflejan una actitud neocolonial e incluso la defienden, junto con puestos de avanzada de poder y explotación occidental, como África del Sur.

¿Qué debemos hacer, entonces? La única respuesta honesta es decir que no lo sabemos. La crítica a la ligera suena a hipocresía. No tenemos ninguna solución prefabricada para ofrecer a este problema mundial. Por cierto, nosotros mismos nos sentimos víctimas del sistema. Y sin embargo, formamos parte de él también. Así que nos sentimos en condiciones de hacer sólo estos comentarios.

Primero, con frecuencia Jesús mismo se identificó con los pobres y los débiles. Aceptamos la obligación de seguir sus pasos en este tema como en todos los demás. Como mínimo, mediante el amor que ora y da, queremos fortalecer nuestra solidaridad con ellos.

Sin embargo, Jesús no se limitó a identificarse. En su enseñanza y en la de los apóstoles el corolario de las buenas nuevas a los oprimidos era una palabra de juicio al opresor (p.ej., Lc 6:24-26; Stg 5:1-6). Confesamos que, en situaciones económicas complejas, no es fácil identificar a los opresores a fin de denunciarlos sin recurrir a una estridente retórica, que ni cuesta ni logra nada. No obstante, aceptamos que habrá ocasiones cuando nuestro deber cristiano será pronunciarnos en contra de la injusticia en el nombre del Señor, que es Dios de justicia, así como de justificación. Buscaremos de él la valentía y la sabiduría para hacerlo.

En tercer lugar, esta consulta ha expresado su preocupación por el sincretismo en iglesias del tercer mundo. Pero no nos hemos olvidado de que las iglesias occidentales son víctimas del mismo pecado. Por cierto, tal vez la forma actual más insidiosa de sincretismo sea el intento de mezclar un evangelio privatizado de perdón personal con una actitud mundana (incluso demoníaca) hacia la riqueza y el poder. Nosotros mismos no estamos libres de culpa en este asunto. Sin embargo, deseamos ser cristianos integrados para quienes Jesús es verdaderamente Señor de todo. Así que nosotros, que pertenecemos a Occidente o venimos de él, nos examinaremos y buscaremos purgarnos del sincretismo de estilo occidental. Estamos de acuerdo en que «la salvación que afirmamos debe estar transformándonos en la totalidad de nuesra responsabilidades personales y sociales. La fe sin obras está muerta» (Pacto de Lausana, párrafo cinco).

El peligro del provincialismo

Hemos enfatizado que debe permitírsele a la iglesia volverse autóctona, y a «celebrar, cantar y danzar» el evangelio en su propio medio cultural. Al mismo tiempo, deseamos estar alertas a los peligros de este proceso. Algunas iglesias, en cada uno de los seis continentes, van más allá de un descubrimiento gozoso y agradecido de su herencia cultural local, y se vuelven orgullosos y asertivos al respecto (una forma de chauvinismo) o incluso la absolutizan (una forma de idolatría). Sin embargo, más frecuente que cualquiera de estos extremos es el «provincialismo», es decir, un repliegue tan grande en su propia cultura, que los separa del resto de la iglesia y del mundo más amplio. Ésta es una postura frecuente en las iglesias occidentales y también en el tercer mundo. Niega al Dios de la creación y la redención. Es proclamar la libertad propia, sólo para ingresar a otra esclavitud. Llamamos la atención a las tres principales razones por las cuales pensamos que debe evitarse esta actitud.

Primero, cada iglesia forma parte de la iglesia universal. El pueblo de Dios es por su gracia una comunidad multirracial, multinacional y multicultural. Esta comunidad es la nueva creación de Dios, su nueva humanidad, en la que Cristo ha abolido todas las barreras (ver Ef 2 y 3). Por lo tanto, no hay lugar para el racismo en la sociedad cristiana, o para el tribalismo, sea en su forma africana, en la forma de las clases sociales europeas, o del sistema de castas indio. A pesar de los fracasos de la iglesia, esta visión de una comunidad de amor supraétnica no es un ideal romántico, sino un mandamiento del Señor. Por lo tanto, mientras nos regocijamos en nuestra herencia cultural y desarrollamos nuestras propias formas autóctonas, debemos recordar siempre que nuestra principal identidad como cristianos no está en nuestras culturas específicas, sino en el único Señor y su único cuerpo (Ef 4:3-6).

En segundo lugar, cada iglesia adora al Dios vivo de la diversidad cultural. Si le agradecemos por nuestra herencia cultural, debemos agradecerle por las de los demás también. Nuestra iglesia nunca debe volverse tan atada a la cultura que los visitantes de otra cultura no se sientan cómodos. Por cierto, creemos que es enriquecedor para los cristianos si tienen la oportunidad de desarrollar una existencia bicultural y aun multicultural, como el apóstol Pablo, que al mismo tiempo era hebreo de hebreos, un erudito del idioma griego, y un ciudadano romano.

En tercer lugar, cada iglesia debe «compartir... en cuestión de dar y recibir» (Fil 4:15, LBLA). Ninguna iglesia es, ni debería intentar ser autosuficiente. Así que las iglesias deben desarrollar entre sí relaciones de oración, comunión, intercambio de ministerios y cooperación. Siempre que compartamos las mismas verdades centrales (incluyendo el señorío supremo de Cristo, la autoridad de la Biblia, la necesidad de la conversión, la confianza en el poder del Espíritu Santo y las obligaciones de santidad y testimonio), deberíamos ser extrovertidos y no tímidos en la búsqueda de comunión; y deberíamos compartir nuestros dones espirituales y ministerios, conocimiento, habilidades, experiencia y recursos económicos. El mismo principio se aplica a las culturas. Una iglesia debe tener la libertad de rechazar formas culturales foráneas y desarrollar las propias; también debería tener la libertad de pedir prestado de otros. Éste es el camino de la madurez.

Un ejemplo de esto tiene que ver con la teología. Los testigos transculturales no deben intentar imponer una tradición teológica prefabricada en la iglesia donde sirven, ya sea por enseñanza personal, por literatura o por el control de los programas de estudio de los seminarios e institutos bíblicos. Porque toda tradición teológica contiene elementos, tanto bíblicamente cuestionables como eclesiásticamente divisivos, además de omitir elementos que, si bien tal vez no tengan mayor importancia en el país donde se originaron, pueden ser de inmensa importancia en otros contextos. Al mismo tiempo, si bien los misioneros no deben imponerles sus propias tradiciones a los demás, tampoco deben negarles el acceso a ellas (en la forma de libros, confesiones, catecismo, liturgias e himnos), dado que representan de modo indudable una rica herencia de fe. Más aún, aunque las controversias teológicas de las iglesias más antiguas no deben ser exportadas a las iglesias más jóvenes, aún así una comprensión de los temas y de la obra del Espíritu Santo en el desarrollo de la historia de la doctrina cristiana debería ayudar a protegerlas de la repetición improductiva de las mismas batallas.

Por lo tanto, con el mismo cuidado debemos

buscar evitar el imperialismo teológico y el provincialismo teológico. La teología de una iglesia debe ser desarrollada por la comunidad de fe a partir de la Biblia en interacción con otras teologías del pasado y el presente, y con la cultura local y sus necesidades.

El peligro del sincretismo

En cuanto la iglesia intenta expresar su vida en formas culturales locales, pronto tiene que enfrentar

La iglesia, siendo ante todo un siervo de Jesucristo, debe aprender a escudriñar toda cultura, tanto extranjera como local, a la luz de señorío y la revelación de Dios.

el problema de elementos culturales que son malos o tienen asociaciones con la maldad. ¿Cómo debería reaccionar la iglesia a estos elementos? Los elementos que son intrínsecamente falsos, o malos a todas luces, no pueden ser asimilados al cristianismo sin caer en el sincretismo. Esto es un peligro para todas las iglesias, en todas las culturas. Sin embargo, si el mal está sólo en la asociación, creemos que es correcto «bautizarlo» en Cristo. Es el principio con el cual operó William Booth cuando puso palabras cristianas a la música popular, preguntándose por qué el diablo debía tener todas las mejores melodías. Así, muchas iglesias africanas usan ahora tambores para llamar a las personas al culto, aunque antes eran inaceptables porque los asociaban con danzas de guerra y ritos de médiums.

Sin embargo, este principio plantea problemas. En una reacción correcta contra los extranjeros, a veces se produce un coqueteo impropio con el elemento demoníaco de la cultura local. Así que la iglesia, siendo ante todo un siervo de Jesucristo, debe aprender a escudriñar toda cultura, tanto extranjera como local, a la luz del señorío y la revelación de Dios. Por lo tanto, ¿según qué pautas acepta o rechaza una iglesia rasgos de la cultura en el proceso de contextualización? ¿Cómo impide o detecta y elimina la herejía (enseñanza errónea) y el sincretismo (restos dañinos de la vieja forma de vida)? ¿Cómo se protege de volverse una «iglesia popular» en la que la iglesia y la sociedad son virtualmente sinónimas?

Un modelo concreto que hemos estudiado es el de la iglesia de Bali, Indonesia, que tiene ahora unos cuarenta años. Su experiencia ha brindado las siguientes pautas:

La comunidad de creyentes escudriñó primero la Biblia y aprendió de ella muchas verdades bíblicas importantes. Luego observaron que otras iglesias (p.ej., alrededor del Mediterráneo) usaban la arquitectura para simbolizar la verdad cristiana. Esto era importante, porque los balineses son un pueblo muy «visual» y valora las señales visibles. Así que se decidió, por ejemplo, expresar su afirmación de la fe en la trinidad mediante un techo de tres niveles al estilo balinés para sus edificios de iglesia. El símbolo fue considerado primero por el concejo de ancianos que, luego de estudiar tanto los factores bíblicos como culturales, lo recomendaron a las congregaciones locales.

La detección y eliminación de herejías siguió un patrón similar. Cuando los creyentes sospechaban de un error en la vida o la enseñanza, lo informaban a un anciano, que lo llevaba al concejo de ancianos. Después de considerar el asunto, ellos a su vez pasaban sus recomendaciones a las iglesias locales, que tenían la palabra final.

¿Cuál fue la salvaguarda más importante de la iglesia? A esta pregunta, la respuesta fue: «Creemos que Jesucristo es Señor y Amo de todos los poderes». Al predicar su poder, «el mismo ayer y hoy y por los siglos», al insistir en todo momento en la naturaleza normativa de la Biblia, al confiar a ancianos la obligación de reflexionar sobre la Biblia y la cultura, al romper toda barrera a la comunión, y al incorporar en las estructuras el catecismo, las formas artísticas, las teatralizaciones, etc., recordatorios constantes de la posición exaltada de Jesucristo, su iglesia ha sido preservada en verdad y santidad.

A veces, en diferentes partes del mundo podrá adoptarse un elemento cultural que perturba profundamente conciencias demasiado sensibles, especialmente las de nuevos conversos. Éste es el problema del hermano más «débil» de quien escribe Pablo con relación a la carne ofrecida a ídolos. Dado que los ídolos no eran nada, Pablo mismo tenía la libertad de conciencia para comer esta carne. Pero, por el bien de los cristianos más «débiles», cuya conciencia está menos entrenada, que se ofenderían al verlo comer, se refrenó, por lo menos en situaciones específicas en la que podría causar esta ofensa. El principio sigue vigente hoy. La Biblia toma en serio la conciencia, y nos dice que no debemos violarla. Debe ser educada para ser «fuerte», pero mientras permanece «débil» debe ser respetada. Una conciencia fuerte nos dará libertad; pero el amor limita la libertad.

La influencia de la iglesia sobre la cultura

Deploramos el pesimismo que lleva a algunos cristianos a desaprobar la participación cultural activa en el mundo y el derrotismo que persuade a otros de que de todos modos no podrían hacer nada bueno allí, así que deben esperar, inactivos a que Cristo enderece las cosas cuando venga. Podrían darse muchos ejemplos históricos, tomados de diferentes edades y países, de la poderosa influencia que —bajo Dios— la iglesia ha ejercido sobre la cultura predominante, purgándola, reclamándola y embelleciéndola para Cristo. Si bien todos estos intentos han tenido defectos, no demuestran que el esfuerzo haya sido erróneo.

Preferimos, sin embargo, basar la responsabilidad cultural de la iglesia en la Biblia antes que en la historia. Hemos recordado que hombres y mujeres están hechos a la imagen de Dios y que se nos ordena honrar, amar y servirlos en cada esfera de la vida. A este argumento de la creación de Dios agregamos otro de su reino, el cual irrumpió en el mundo por medio de Jesucristo. Toda autoridad pertenece a Cristo. Él es Señor, tanto del universo como de la iglesia, y nos ha enviado al mundo para ser su sal y su luz. Como su nueva comunidad, espera que permeemos la sociedad.

Por lo tanto, debemos cuestionar lo malo y afirmar lo bueno; acoger y buscar promover todo lo que sea sano y enriquecedor en el arte, la ciencia, la tecnología, la agricultura, la industria, la educación, el desarrollo comunitario y el bienestar social; denunciar la injusticia y apoyar a los que no tienen poder y a los oprimidos; difundir las buenas nuevas de Jesucristo, que es la fuerza más liberadora y humanizadora del mundo, e involucrarnos activamente en buenas obras de amor. Si bien, tanto en la actividad social y cultural como en la evangelizadora debemos dejar los resultados a Dios, estamos confiados en que él bendecirá nuestros esfuerzos y los usará para desarrollar en nuestra comunidad una nueva conciencia de «todo lo verdadero, todo lo respetable, todo lo justo, todo lo puro, todo lo amable, todo lo digno de admiración» (Fil 4:8). Por supuesto, la iglesia no puede imponer normas cristianas a una sociedad no dispuesta, pero puede exaltarlas, tanto con argumentos, como con

ejemplos. Todo esto dará gloria a Dios y brindará mayores oportunidades de un trato humano para con otro ser humano creado por Dios y a quien él ama. Como lo expresa el Pacto de Lausana, «las iglesias deben buscar transformar y enriquecer la cultura, y todo para la gloria de Dios» (párrafo diez).

No obstante, el optimismo ingenuo es tan necio como el pesimismo sombrío. En lugar de ambos, buscamos un sobrio realismo cristiano. Por un lado, Jesucristo reina. Por otro, aún no ha destruido a las fuerzas del mal, que siguen arrasando. Así que en cada cultura los cristianos se encuentran en una situación de conflicto y a menudo de sufrimiento. Somos llamados a combatir las «potestades que dominan este mundo de tinieblas» (Ef 6:12). Así que nos necesitamos mutuamente. Debemos ponernos toda la armadura de Dios, especialmente la poderosa arma de la oración de fe. También recordamos las advertencias de Cristo y sus apóstoles, de que antes del fin habrá un brote de maldad y violencia sin precedentes. Algunos acontecimientos y desarrollos en nuestro mundo contemporáneo indican que el espíritu del anticristo venidero ya está obrando, no sólo en el mundo no cristiano, sino en nuestras sociedades parcialmente cristianizadas y en las iglesias mismas. «Por lo tanto, rechazamos como un sueño orgulloso y autoconfiado la idea de que las personas puedan construir alguna vez una utopía en la tierra» (Pacto de Lausana, párrafo quince), y como una fantasía sin fundamento, que la sociedad evolucionará hacia la perfección.

En cambio, mientras trabajamos enérgicamente en la tierra, esperamos con gozosa anticipación el retorno de Cristo, y los nuevos cielos y la nueva tierra donde morará la justicia. Porque entonces no sólo la cultura será transformada, cuando las naciones traigan sus riquezas a la Nueva Jerusalén (Ap 21:24-26), sino que toda la creación será liberada de su cautividad actual de futilidad, decadencia y dolor, para poder compartir la gloriosa libertad de los hijos de Dios (Ro 8:18-25). Luego, al final, toda rodilla se doblará ante Cristo y toda lengua confesará que Jesucristo es Señor, para gloria de Dios Padre (Fil 2:9-11).

Preguntas para reflexionar

1. Su iglesia local, ¿tiene «libertad» para desarrollar su propia identidad? De no ser así, ¿qué fuerzas se lo impiden?
2. En este texto se han dicho algunas cosas duras acerca

de «las estructuras de poder». ¿Está de acuerdo? Si es así, ¿puede hacer algo al respecto?

3. Tanto el «provincialismo» como el «sincretismo» son errores de una iglesia que está intentando expresar su identidad en formas culturales locales. ¿Está su iglesia cometiendo alguno de estos errores? ¿Cómo pueden ser evitados sin repudiar la cultura autóctona?

4. ¿En su país la iglesia debería estar haciendo más para «transformar y enriquecer» su cultura nacional? De ser así, ¿de qué forma?

9. Cultura, ética cristiana y estilo de vida

Habiendo considerado algunos de los factores culturales en la conversión cristiana, llegamos finalmente a las relaciones entre la cultura y el comportamiento ético cristiano. Porque la nueva vida que Cristo le da a su pueblo tenderá a producir un nuevo estilo de vida.

Centrados en Cristo y similares a Cristo

Uno de los temas que recorrió toda nuestra consulta fue el del señorío supremo de Jesucristo. Él es Señor del universo y de la iglesia, y también es el Señor del creyente individual. Nos encontramos atrapados por el amor de Cristo. Nos rodea y nos deja sin escapatoria. Porque disfrutamos de nueva vida por medio de su muerte por nosotros, no tenemos más alternativa (y no deseamos tenerla) que vivir por quien murió por nosotros y resucitó (2Co 5:14-15). Nuestra primera lealtad es a él; buscar agradarlo, vivir una vida digna de él y obedecerlo. Esto requiere renunciar a lealtades menores. Se nos prohíbe conformarnos a las normas de este mundo; es decir, a toda cultura predominante que no honre a Dios, y en cambio se nos ordena ser transformados en nuestra conducta mediante mentes renovadas que perciban la voluntad de Dios.

La voluntad de Dios fue obedecida perfectamente por Jesús. Por lo tanto, «lo más destacado del cristiano debería ser, no su cultura, sino su parecido a Cristo». Como lo expresa la *Carta a*

Diogneto, a mediados del siglo II: «Los cristianos no se distinguen de los demás de la humanidad, ni por el lugar donde viven, ni por su lenguaje, ni por sus costumbres... siguen las costumbres de los habitantes del país, tanto en el vestir y la comida como en todo su estilo de vida y, sin embargo, la condición de la ciudadanía que demuestran es maravillosa... Para decirlo en pocas palabras: los cristianos son en el mundo lo que el alma es en el cuerpo».

Normas morales y prácticas culturales

La cultura nunca es estática. Varía de lugar en lugar y de tiempo en tiempo. Y durante toda la larga historia de la iglesia en diferentes países, el cristianismo, en cierta medida, ha destruido la cultura, la ha preservado y al final ha creado una nueva cultura en reemplazo de la anterior. Así que en todas partes los cristianos necesitan pensar seriamente en cómo su nueva vida en Cristo debería relacionarse con la cultura contemporánea.

En los artículos preliminares de nuestra consulta se nos presentaron dos modelos bastante similares. Uno sugería que hay varias categorías de costumbres que necesitan ser distinguidas. La primera incluye las prácticas de las cuales se espera que el converso renuncie de inmediato porque son totalmente incompatibles con el evangelio cristiano (p.ej., idolatría, la posesión de esclavos, brujería y hechicería, caza de cabezas, venganzas de sangre, prostitución ritual y toda discriminación personal basada en raza, color, clase o casta). Una segunda

categoría incluiría costumbres institucionalizadas que podrían ser toleradas por un tiempo, pero que deberían desaparecer gradualmente (p.ej., sistemas de castas, esclavitud y poligamia). Una tercera categoría podría relacionarse con tradiciones matrimoniales, en particular cuestiones de consanguinidad, en las que las iglesias están divididas, mientras que en una cuarta categoría se pondrían las «cuestiones indiferentes», relacionadas sólo con las costumbres y no con la moral, y por lo tanto pueden ser preservadas sin ninguna transigencia (p.ej., costumbres relacionadas con la comida y el baño, formas de saludar públicamente al otro sexo, estilos de cabellos y vestimenta, etcétera).

El segundo modelo que hemos considerado distingue entre encuentros «directos» e «indirectos» entre Cristo y la cultura, que corresponden aproximadamente a la primera y segunda categoría del otro modelo. Aplicado al país de Fiyi en el siglo XIX, en el estudio de caso que se nos presentó se supuso que habría un «encuentro directo» con prácticas tan inhumanas como el canibalismo, el estrangulamiento de viudas, el infanticidio y el parricidio, y que se esperaría que los conversos abandonaran estas costumbres al convertirse. Sin embargo, ocurriría un encuentro «indirecto» cuando el tema moral no fuera tan claro (p.ej., algunas costumbres matrimoniales, ritos de iniciación, festivales y celebraciones musicales que involucran cantos, danzas e instrumentos) o cuando se vuelve aparente sólo después de que el converso ha comenzado a demostrar su nueva fe en la vida cristiana aplicada. Algunas de estas prácticas no necesitarán ser descartadas, sino más bien purgadas de elementos impuros e investidos de un significado cristiano. A las antiguas costumbres se les puede dar un nuevo simbolismo, las viejas danzas pueden celebrar nuevas bendiciones y las viejas artesanías pueden servir para nuevos propósitos. Tomando prestada una expresión del Antiguo Testamento, se pueden convertir en azadones las espadas y en hoces las lanzas.

El Pacto de Lausana decía: «El evangelio no presupone la superioridad de una cultura sobre otra, sino que evalúa a todas las culturas de acuerdo con sus propios criterios de verdad y rectitud, e insiste en los absolutos morales en cada cultura» (párrafo diez). Deseamos refrendar esto, y enfatizar que aún en esta presente edad de relatividad, los absolutos morales permanecen. Por cierto, las iglesias que estudian la Biblia no deben encontrar dificultad en discernir lo que pertenece a la primera categoría, o de «encuentro directo». Los principios bíblicos bajo la guía del Espíritu Santo también las guiarán con respecto a la categoría del «encuentro indirecto». Una prueba adicional propone preguntar si una práctica mejora o disminuye la vida humana.

Se verá que nuestros estudios se centran principalmente en situaciones donde iglesias más jóvenes han asumido una postura moral contra ciertos males. Pero se nos ha recordado que la iglesia también necesita confrontar el mal en la cultura occidental. A veces en el Occidente del siglo XX hay ejemplos más complejos pero no menos horribles de los males que fueron confrontados en Fiyi en el siglo XIX. Paralelos al canibalismo encontramos la injusticia social, que «come» a los pobres; al estrangulamiento de viudas, la opresión de mujeres; al infanticidio, el aborto; al parricidio, el abandono criminal de los ancianos; guerras tribales, como la Primera y Segunda Guerra Mundial; y a la prostitución ritual, la promiscuidad sexual. Al considerar este paralelismo es necesario recordar tanto la culpa agregada que corresponde a los países nominalmente cristianos como la valiente protesta cristiana contra esta clase de males, y los inmensos aunque incompletos éxitos que han sido obtenidos en la mitigación de tales males. El mal asume muchas formas, pero es universal, y dondequiera que aparezca, los cristianos deben confrontarlo y repudiarlo.

El proceso de cambio cultural

No basta con que los conversos hagan una renuncia personal de los males de su cultura; toda la iglesia necesita trabajar para su eliminación. De aquí la importancia de preguntar cómo cambian las culturas bajo la influencia del evangelio. Por supuesto que el mal y lo demoníaco están profundamente arraigados en la mayoría de las culturas y, sin embargo, la Biblia exige el arrepentimiento y la reforma nacionales, y la historia registra numerosos casos de cambio cultural para mejorar. De hecho, en algunos casos la cultura no es tan resistente al cambio necesario como pareciera. Sin embargo, se requiere mucho cuidado al intentar iniciarlo.

Primero, «la gente cambia como y cuando quiere hacerlo». Esto parece ser axiomático. Además, quiere cambiar sólo cuando percibe los beneficios positivos que el cambio le dará. Éstos deberán ser argumentados con sumo cuidado y demostrados pacientemente, sea que los cristianos estén promoviendo en un país en desarrollo los beneficios del alfabetismo o el valor del agua limpia, o en un país occidental la importancia de un matrimonio y vida familiar estable.

Segundo, en el tercer mundo los testigos transculturales deben tener respeto por los mecanismos incorporados de cambio social en general, y por los «procedimientos de innovación correctos» en cada cultura específica.

Tercero, es importante recordar que prácticamente todas las costumbres cumplen funciones importantes dentro de la cultura, y que aun prácticas socialmente indeseables pueden cumplir funciones «constructivas». Siendo así, una costumbre nunca debe ser abolida sin discernir primero su función y luego sustituirla por otra costumbre que realice la misma función. Por ejemplo, puede ser correcto desear ver la abolición de algunos de los ritos de iniciación asociados con la circuncisión de adolescentes y algunas de las formas de educación sexual que los acompañan. Esto no significa negar que haya mucho valor en los procesos de iniciación; debe tenerse mucho cuidado en ver que se brinden sustitutos adecuados para los ritos y las formas de iniciación que la conciencia cristiana desea ver abolida.

Cuarto, es esencial reconocer que algunas prácticas culturales tienen un sustento teológico. Cuando ocurre esto, la cultura cambiará sólo cuando cambie la teología. Por lo tanto, si matan a las viudas para que sus esposos no ingresen al otro mundo desatendidos, o si a las personas mayores les quitan la vida antes de que la senilidad las alcance, para que en el próximo mundo puedan ser lo suficientemente fuertes como para luchar y cazar, entonces estas muertes, porque están fundadas en una falsa escatología, serán abandonadas sólo cuando una mejor alternativa, la esperanza cristiana, sea aceptada en su lugar.

Preguntas para reflexionar

1. ¿Puede reconocerse el «parecido a Cristo» en cada cultura? ¿Cuáles son sus ingredientes?
2. En su propia cultura, ¿a qué esperaría que un nuevo converso renunciara inmediatamente?
3. Tome alguna «costumbre institucionalizada» de su país que los cristianos esperan que «desaparezca gradualmente» (p.ej., poligamia, sistema de castas, divorcio fácil o alguna forma de opresión). ¿Qué pasos activos deben estar dando los cristianos para trabajar para el cambio?

Conclusión

Nuestra consulta nos ha dejado sin ninguna duda acerca de la dominante importancia de la cultura. La escritura y la lectura de la Biblia, la presentación del evangelio, la conversión, la iglesia y la conducta, están todas influidas por la cultura. Por lo tanto, es esencial que todas las iglesias contextualicen el evangelio a fin de compartirlo eficazmente en sus propias culturas. Para esta tarea de evangelización todos conocemos nuestra urgente necesidad del ministerio del Espíritu Santo. Él es el Espíritu de verdad que puede enseñarle a cada iglesia a relacionarse con la cultura que la rodea. Es también el Espíritu de amor, y el amor es «el idioma que es entendido en toda cultura del hombre». Así que, ¡quiera Dios llenarnos con su Espíritu! Luego, viviendo la verdad con amor, creceremos hasta ser en todo como aquel que es la cabeza del cuerpo, para la gloria eterna de Dios (Ef 4:15).

NOTA: Las citas sin atribuciones en este informe han sido tomadas de varios artículos presentados en esta consulta.

La Perspectiva
Estratégica

La tarea final:
El reto de las etnias no alcanzadas

Ralph D. Winter y Bruce A. Koch

Ralph D. Winter fue director general de Frontier Mission Fellowship (FMF) en Pasadena, CA. Después de prestar diez años de servicio misionero entre los mayas en las tierras altas de Guatemala, fue llamado a ser profesor de misiones en la Escuela de Misión Mundial del Fuller Theological Seminary. Diez años después, él y su finada esposa, Roberta, fundaron la sociedad misionera denominada Frontier Mission Fellowship. Ésta, a su vez, dio a luz al Centro Estadounidense para la Misión Mundial y la William Carey International University, los cuales sirven a los obreros que laboran en misiones pioneras.

Bruce A. Koch ha prestado servicio a la Frontier Mission Fellowship desde 1988, y fue editor asociado de la 3ª y 4ª edición del currículo de *Perspectivas* en inglés. En 1991 participó en el estudio etnográfico de una gran urbe no evangelizada. Actualmente es moderador internacional de Perspectives Global Network.

¡Miren a las naciones! ¡Contémplenlas y quédense asombrados! Estoy por hacer en estos días cosas tan sorprendentes que no las creerán aunque alguien se las explique. —Habacuc 1:5

La promesa de Dios de bendecir a todas las «familias de la tierra», hecha a Abraham hace cuatro mil años, se está cumpliendo a una velocidad que no creerán. Aunque algunos se enzarcen en ciertos detalles, la tendencia general es indiscutible. La fe bíblica crece y se propaga hasta los confines de la tierra como nunca antes en la historia.

El asombroso progreso del evangelio

Uno de cada ocho habitantes del planeta es cristiano practicante y activo en la fe. El número de creyentes en lo que solía ser «campo misionero» sobrepasa actualmente al número de creyentes en los países desde los cuales los misioneros fueron enviados. De hecho, más misioneros se envían desde las iglesias no occidentales que desde las bases tradicionalmente misioneras de Occidente. La tasa de expansión protestante en América Latina excede más de tres veces a la de su crecimiento biológico. Los protestantes chinos aumentaron de un millón

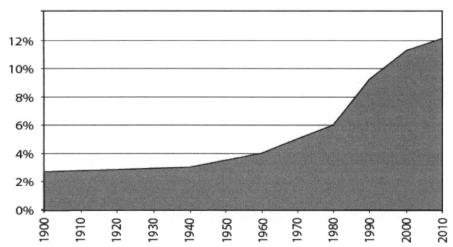

Porcentaje de cristianos practicantes con respecto a la población total del mundo desde 1900

Tomó 18 siglos para que los cristianos practicantes[1] aumentaran de 0% a 2,5% de la población mundial para el año 1900, sólo 70 años para aumentar del 2,5% al 5% para 1970, y sólo 40 años para crecer de 5% a 12% para el año 2010. Hoy, a nivel mundial, hay un cristiano practicante por cada siete personas que son o cristianos nominales o personas inconversas.

a más de ochenta millones en menos de cincuenta años, y la mayor parte de ese crecimiento ha tenido lugar en las últimas décadas. En la década de los ochenta, Nepal seguía siendo un hermético reino hinduista con una pequeña iglesia perseguida. En la actualidad hay centenares de miles de creyentes, y se han fundado iglesias en cada una de sus más de cien etnias.

Trágica realidad: Dos mil millones aún apartados

Aunque este asombroso progreso del evangelio es un gran motivo de regocijo, esconde una realidad trágica. ¿Cómo puede ser esto? El hecho es que el evangelio suele expandirse en una comunidad, pero no suele «saltar» barreras culturales entre pueblos, especialmente las levantadas por el odio o el prejuicio. Los creyentes pueden influir en seguida en sus «vecinos cercanos» cuya lengua y cultura comprenden, pero la religión suele estar estrechamente ligada a la identidad cultural. Por tanto, las creencias religiosas no se transfieren con facilidad de un grupo a otro.

Podemos considerar que los creyentes que evangelizan a sus amigos, familiares u otros miembros de su propia cultura practican un evangelismo E1. (Véase la gráfica de la Escala-E.) Éste es el evangelismo más eficaz. Pero aunque todos los miembros de todas las iglesias del mundo trajeran a todos sus amigos y familiares de su propia cultura a la obediencia de la fe de Cristo, y éstos, a su vez, fueran capaces de traer a todos sus amigos y familiares a Cristo, y así sucesivamente, no importa cuánto tiempo se conceda, todavía seguiría habiendo miles de millones apartados del evangelio. Estarían excluidos por barreras de prejuicio y cultura.

La iglesia no puede crecer en los pueblos donde no hay iglesias relevantes. El cuarenta por ciento de los habitantes del mundo viven en pueblos sin iglesia. No están más espiritualmente «perdidos» que su primo que nunca ha asistido a la iglesia, pero, a diferencia de su primo, no disponen de iglesia formada por personas como ellos con quienes puedan tener comunión. (Véase P2 y P3 en la gráfica.) Tales personas viven en pueblos que denominamos «no alcanzados». Sus poblaciones aún no han sido efectivamente alcanzadas con el evangelio.

Así pues, aunque sigue habiendo decenas de millones de personas que nunca han oído el nombre de «Jesús», hay otros centenares de millones que pueden haber oído hablar de él, e incluso tenerlo en alta estima, pero no ven la manera de ser sus discípulos y permanecer en su comunidad natural. Delante de ellos se levantan barreras que abarcan desde cosas relativamente triviales hasta cosas aparentemente insuperables, muchas de las cuales escapan a las demandas del evangelio

Escala-E

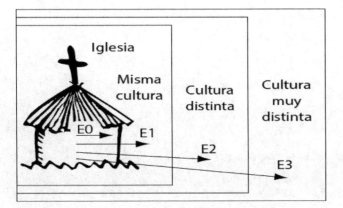

La Escala-E compara las distancias culturales que los cristianos tienen que recorrer para poder comunicar el evangelio. E0 indica evangelismo a cristianos que asisten a la iglesia. E1 indica evangelismo en la propia cultura a través de la barrera cultural de la iglesia. E2 indica evangelismo transcultural en una cultura similar, pero distinta. El evangelismo E3 consiste en llevar el evangelio a una cultura muy diferente de la del mensajero.

Escala-P

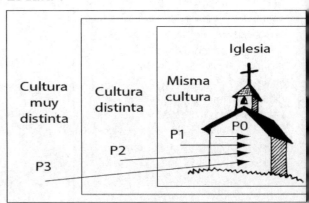

La Escala-P ayuda a comparar las distancias culturales que los creyentes potenciales tienen que recorrer para poder incorporarse a la iglesia más cercana. Un pueblo P1 cuenta con una iglesia culturalmente relevante. Un pueblo P2 está en contacto con culturas similares en las que existen iglesias culturalmente relevantes. Las únicas iglesias con las que un pueblo P3 tiene contacto, en caso de tenerlo, son sensiblemente extranjeras y están compuestas de gente muy diferente.

Cornelio, en Hechos 10, habría tenido que cruzar la barrera de la circuncisión como adulto —un alto precio a pagar para ser plenamente aceptado en la fraternidad de los creyentes judíos de su tiempo—. Un musulmán turco afronta hoy similares obstáculos si desea hacerse «cristiano». Toda su vida ha oído decir: «Ser turco es ser musulmán». Para él, el cristianismo es la religión de los bárbaros cruzados «infieles» que asolaron la tierra y los pueblos de Turquía, tanto musulmanes como cristianos. Hacerse cristiano es hacerse traidor, darle la espalda a su familia, su comunidad y a su país.

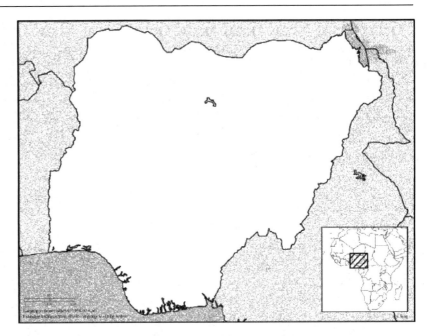

Nigeria: Límites políticos

«Testimonio a todas las naciones»

Jesús dijo: «Y este evangelio del reino se predicará en todo el mundo como testimonio *a todas las naciones*, y entonces vendrá el fin» (Mt 24:14).

Una detenida ojeada a la parte final de este versículo dice mucho acerca de lo que deberíamos esperar y por lo cual trabajar en esta era. Jesús afirma que antes de que llegue el fin habrá un «testimonio a todas las naciones».

Las «naciones» a las que Jesús se refería no son países o naciones-estado. La palabra que él escogió (en griego *ethne*) hace referencia a las etnias, las lenguas y las familias extendidas que constituyen los pueblos de la tierra.

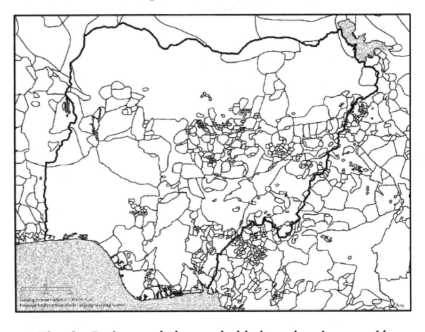

Nigeria: Etnias por la lengua hablada en la misma región

¿Quiénes son estos pueblos? Jesús no facilitó una lista de pueblos. No definió la idea de «pueblo» con detalles precisos. Lo que más importa no es que los pueblos o etnias puedan ser definitivamente identificados y *enumerados*, sino que Dios nos ha confiado una tarea que se puede *cumplir*.

Por «testimonio» Jesús quiso decir que el «evangelio del reino» será proclamado abiertamente a través de comunidades enteras. El evangelio del reino es la victoria de Cristo sobre el mal, la liberación de las personas para que puedan vivir libre y obedientemente bajo su señorío y su bendición. Dios desea un despliegue persuasivo de ese reino victorioso exhibido en todo pueblo. ¿Qué mejor exhibición del reino de Dios que una comunidad de personas que viven sometidas a la autoridad de Cristo? Por eso debemos procurar que haya en todo pueblo comunidades de creyentes obedientes que hagan discípulos. Aunque no es la única manera de glorificar a Dios, nada exhibe el señorío de Cristo como una comunidad de personas dedicadas a seguirlo a él y hacen retroceder de forma efectiva el dominio de las tinieblas.

Mateo 24:14 deja claro que nuestra prioridad debe ser que toda etnia tenga un testimonio vivo del evangelio del reino.

CUATRO FORMAS DE CONCEBIR UNA ETNIA

Para poder trabajar conjunta y estratégicamente, los líderes de la misión han refinado el concepto de «etnias» o «pueblos» como medida preliminar de progreso para completar la tarea. Hay cuatro maneras útiles de abordar la idea de las etnias: *bloques de pueblos, pueblos etnolingüísticos, sociopueblos* y *pueblos unimax*. Las dos primeras son especialmente útiles para resumir toda la tarea y desarrollar estrategias y alianzas para acercarse a los pueblos conocidos. Las dos últimas son más útiles para los que trabajan en el campo de misión y para fundar iglesias. Cada una de ellas es muy valiosa y corresponde a aspectos distintos del pensamiento estratégico. Sólo una nos permite hablar de clausura de la tarea misionera esencial en el sentido de que toda persona tenga una oportunidad razonable de responder al evangelio.

1. Bloques de pueblos para perspectivas y estrategias a nivel global

Los bloques de pueblos son un número limitado de categorías concisas en las que podemos clasificar a los pueblos para poder analizarlos.

Principales bloques culturales: Hemos agrupado a los pueblos, en particular a los «no alcanzados», de acuerdo con sus principales características culturales con respecto a su religión predominante. Los principales bloques culturales de pueblos no alcanzados son musulmán, hinduista, budista, religiones étnicas, no religiosos y otros. Este modelo nos permite resumir la tarea restante en relación con el potencial de la fuerza misionera.

Bloques afines: Patrick Johnstone ha sugerido otro modelo que combina conjuntos de grupos etnolingüísticos en «agrupaciones de pueblos» y luego combina las agrupaciones de pueblos en «bloques afines» basándose en la lengua, la historia, cultura, etcétera. Los doce bloques que comprenden la mayoría de los pueblos menos evangelizados son: Sahel africano, cusita (cuerno de África), mundo árabe, iraní, turco, surasiático, tibetano, asiático oriental, sudeste asiático, malayo y euroasiático. La combinación de grupos, según estas pautas, les permite a las organizaciones misioneras comenzar a explorar maneras de establecer alianzas estratégicas para evangelizar a estos pueblos.

2. Pueblos etnolingüísticos para la movilización y la preparación

Un pueblo etnolingüístico es un grupo étnico que se distingue por su identificación con tradiciones como descendencia común, historia, lengua y costumbres.

El pueblo laz de la región turca del mar Negro, por ejemplo, es fácilmente identificable por otros turcos por sus distintivos rasgos faciales y su singular pronunciación «romántica» del turco.

Lo que inicialmente parece ser un grupo etnolingüístico unificado resulta ser varios grupos más pequeños. Cameron Townsend, fundador de los Traductores Bíblicos Wycliffe, comenzó su trabajo de traducción con los cakchiquel de Guatemala. Los traductores que lo siguieron descubrieron que los cakchiquel no podían ser evangelizados con una sola traducción; de hecho, necesitaban traducciones para seis dialectos con distinta escritura. Y si producían cintas grabadas en vez de traducciones escritas, tenían que sortear incluso más diferencias

Cuatro formas de concebir una etnia o pueblo

Tipos de pueblos	Principales bloques culturales	Pueblos etnolingüísticos	Sociopueblos	Pueblos unimax
Composición	categorías amplias de etnias	a menudo una agrupación de pueblos unimax	asociación de semejantes	redes de familias que comparten una identidad
Qué define a un grupo	esferas religioso-cultural	límites lingüísticos, étnicos y políticos	actividades o intereses	prejuicios sociales y culturales
Cómo se identifica	datos publicados disponibles	datos publicados disponibles	descubiertos en el campo de misión	descubiertos en el campo de misión
Importancia estratégica	visión panorámica global	movilización y estrategia	evangelismo en grupos pequeños	fundación de iglesias
Cantidad	7 bloques culturales principales	aprox. 4.500 «menos alcanzados»	número desconocido	unos 8.000 «no alcanzados»

dialectales. A veces las diferencias de pronunciación son causa de que la gente no esté dispuesta a oír un mensaje emitido por un miembro de un grupo relacionado aunque las palabras sean iguales sobre la página impresa.

Los recientes esfuerzos de colaboración de investigadores misioneros han producido listas bastante completas de pueblos etnolingüísticos. Estas listas han dado un gran impulso a la causa de las misiones pioneras. Gran parte de la información se está usando para confeccionar perfiles y hacer que otra información relevante esté ampliamente disponible a través de los medios impresos e internet.[2]

Los bloques de pueblos y las listas etnolingüísticas nos proporcionan una manera de identificar a tales pueblos y de hacer que el cuerpo general de Cristo esté consciente de su existencia y de la necesidad de alcanzarlos. Ambos enfoques estimulan la oración y la planificación inicial para etnias específicas, lo cual conduce a serios esfuerzos estratégicos para evangelizarlas.

3. Sociopueblos y evangelización preliminar

Un sociopueblo es una asociación relativamente pequeña de semejantes que tienen afinidad unos con otros, basada en intereses, actividades u ocupaciones comunes.

Una vez que se envían misioneros a largo plazo a un campo de misión pionero, tienen que aprender muchas cosas para poder sobrevivir, comunicarse y comprender mejor al pueblo que pretenden alcanzar. Después de la fase inicial de aprendizaje y adaptación cultural, sigue en pie la cuestión de cómo establecer una iglesia en ese pueblo.

Muy a menudo podemos evangelizar efectivamente a individuos iniciando un estudio bíblico o un grupo pequeño de oración en estos grupos especializados. El grupo puede ser de mujeres que lavan en el río, taxistas, estudiantes universitarios en residencias, o nuevos inquilinos en la gran ciudad procedentes de cierto grupo rural. Hay oportunidades potenciales prácticamente ilimitadas para este tipo de evangelismo de grupos en el mundo actual. Por lo que respecta a la misión, podemos trabajar con sociopueblos para una evangelización preliminar, como puente intermedio, con objeto de plantar iglesias a largo plazo.

De este modo, el acercamiento a un grupo sociológico puede ser estratégico, dando un enfoque al ministerio en un subconjunto específico de una sociedad más grande como primer paso para una auténtica fundación de iglesias. Algunas especies de grupos pueden resultar ser bastante útiles para establecer iglesias, mientras que otras pueden obstaculizar el proceso. Los líderes naturales y maestros bíblicos de futuras iglesias se pueden descubrir evangelizando antes a los maestros o a los empresarios. El esfuerzo por alcanzar a líderes religiosos, como monjes budistas y mulás islámicos, puede ser particularmente eficaz porque ya son reconocidos como líderes espirituales. Por otra parte, elegir al grupo equivocado puede causar problemas. Por ejemplo, centrarse en el ministerio de niños para comenzar a evangelizar a un pueblo no alcanzado puede ser interpretado como una amenaza por sus familias naturales.

4. Pueblos unimax para movimientos de pueblos a Cristo

Un pueblo unimax es uno de máximo tamaño, suficientemente unificado para ser objeto de un movimiento a Cristo, dándose a entender con «unificado» el hecho de que no existen barreras importantes de entendimiento o aceptación para frenar la extensión del evangelio.

Líderes de misión acuñaron en 1982 una definición útil para «etnia». Por lo que respecta a la evangelización, [una etnia] es *«el grupo más grande en el cual el evangelio se puede extender como movimiento fundador de iglesias sin toparse con barreras que impidan su entendimiento o aceptación».* (Véase la página siguiente).

La expresión «etnias no alcanzadas» (o «pueblos no alcanzados») se usa hoy ampliamente para referirse a pueblos etnolingüísticos, basados en otros criterios, y por lo general de tamaño más grande que los grupos incluidos en la definición de 1982. Para evitar confusión y ayudar a clarificar la tarea misionológica que tenemos por delante, podemos usar el término *pueblos unimax* para distinguir la clase de grupo étnico designado por la definición de 1982.

Las tribus de la selva y otros pueblos pequeños, geográficamente remotos, son casi siempre grupos unimax. Descubrir las realidades unimax en pueblos etnolingüísticos más grandes y sociedades complejas supone mayor desafío.

Aunque el idioma suele ser uno de los principales medios por los que una persona percibe su identidad cultural, debemos considerar otros factores que separan a los pueblos. Religión, distinciones de clase, educación, convicciones políticas e ideológicas, enemistad histórica entre clanes o tribus, costumbres y conductas, etc., tienen todos ellos potencial para desarrollar fuertes barreras socioculturales en las agrupaciones etnolingüísticas de los pueblos unimax. Este hecho por sí solo ayuda a explicar las variaciones en el número de «pueblos no alcanzados».

Por ejemplo, la India no puede ser abordada sólo desde una base etnolingüística. Además de tener mil seiscientos idiomas y dialectos principales, la India se divide también por religión, casta y otras barreras socioculturales. Un estudio sociológico realizado en 1991 identificó cuatro mil seiscientos treinta y cinco pueblos sólo en este país.[3]

Es triste, pero a veces los grupos vecinos se odian y temen entre sí. Por eso, en las fases tempranas de su evangelización tales grupos pueden rehusar tener comunión unos con otros. Las rivalidades entre los principales clanes del pueblo somalí musulmán han sido tan profundas, que casi han arrastrado a todo el país a la ruina. En las primeras fases del evangelismo y fundación de iglesias, esas hostilidades hirvientes significarán quizá que tales grupos deban ser abordados más efectivamente con el mensaje del evangelio por separado. La brillante esperanza del evangelio estriba, por supuesto, en que en tales circunstancias de refriega, nuevos movimientos seguidores de Cristo actúen para sanar la enemistad entre los pueblos.

Por cierto, la historia demuestra que una vez que pequeños grupos hostiles comienzan a ir en pos de Cristo, a menudo se funden en grupos más grandes. Por ejemplo, cuando la fe cristiana comenzó a penetrar en Escandinavia, cientos de tribus hostiles habitaban la región. Las actuales esferas noruega, sueca y danesa son resultado de una generalizada reconciliación y consecuente unificación resultante de la adopción de la fe cristiana por muchos grupos tribales más pequeños antes en guerra.

Los primeros tres enfoques de la concepción de las etnias —como bloques, pueblos etnolingüísticos y sociopueblos— son útiles para entender y responder a la tarea que Cristo nos ha encomendado. Con todo, de una u otra manera, señalan el camino hacia el principio. Esta cuarta (unimax) manera de contemplar a los pueblos tiene más que ver con la finalización, no en el sentido de que no quede nada por hacer, sino en el de que el primer paso esencial para que el evangelio florezca en un pueblo se ha cumplido. El enfoque unimax de los pueblos nos puede ayudar a proseguir hacia la clausura: *terminar* corporativamente lo realizable del mandato misionero de Cristo.

El valor del enfoque unimax estriba en su manera de identificar las barreras que obstruyen el flujo del evangelio, mientras que al mismo tiempo pone fin a la ambición de dedicados cristianos de evangelizar a todo pueblo separado por barreras de prejuicios, lo que no deja a grupo pequeño aislado dentro de un grupo más grande.

¿Pueden ser contados?

Estas barreras *socioculturales,* a menudo sutiles

Líderes de misión acuerdan definiciones estratégicas

En marzo de 1982, un grupo de líderes de misión se reunieron en Chicago para celebrar un encuentro auspiciado por el Grupo de Trabajo Estratégico de Lausana y la Fraternidad Evangélica de Agencias Misioneras. Tuvo por objeto ayudar a clarificar y definir la tarea misionera restante. Nunca antes ni después de este encuentro se ha congregado un grupo tan grande, o tan representativo, por dos días para enfocarse específicamente en las definiciones necesarias para una estrategia encaminada a alcanzar a los pueblos no alcanzados. En dicho encuentro se adoptaron dos definiciones básica

1. **Etnia o pueblo** es «un grupo de individuos significativamente grande que percibe su afinidad por compartir la misr lengua, religión, etnicidad, residencia, ocupación, clase o casta, situación, etcétera, o combinaciones de éstas». Por que respecta al propósito de la evangelización es «el grupo más grande en el cual el evangelio se puede extender co movimiento de fundación de iglesias sin toparse con barreras que impidan su entendimiento o aceptación».

2. **Etnia no alcanzada** es «aquel en el cual no hay comunidad autóctona de creyentes capaces de evangelizarlo».

pero sólidas, existen en grupos que suelen parecer unificados a observadores externos. Algunos han desechado la utilidad del concepto unimax porque las barreras de prejuicios culturales no son fáciles de identificar o precisamente cuantificables.

La definición de pueblos unimax nunca tuvo la intención de ser usada para cuantificar de forma precisa la tarea restante de la misión pionera. Más bien nos hace sensibles a las realidades culturales que hemos de tener en cuenta para tomarnos en serio la finalización de la tarea. La conciencia de etnias ayuda a los obreros en el campo a identificar pueblos olvidados donde la obra de hacer discípulos aún no ha comenzado.

Una aproximación cautelosa a los pueblos

Cada uno de los cuatro enfoques de las diversas clases de pueblos puede ser adecuado y valioso. Los *bloques* ayudan a resumir la tarea. El enfoque *etnolingüístico* ayuda a movilizarse. Los *sociopueblos* ayudan a comenzar a evangelizar. No obstante, guárdese de tomar demasiado en serio las listas etnolingüísticas. Son una buena manera para concebir estrategias para fundar iglesias, pero los obreros que trabajan en otras culturas deben estar preparados para hacer descubrimientos sorprendentes cuando se enfrenten a la realidad cultural del campo de misión.

A veces la misma etnia está repetida debido a que se halla a ambos lados de una frontera política, cuando en realidad se trata del mismo pueblo. Bien pudiera necesitar un solo esfuerzo de fundación de iglesia que supere la barrera política. Por ejemplo, se sabe que hay grupos uzbekos en veinte países además de Uzbekistán.

Por otra parte, el país de Uzbekistán comprende a cincuenta y seis grupos que no hablan el uzbeko y sólo uno (muy grande, de quince millones) que sí lo habla. Es casi seguro que este grupo grande represente a varios grupos unimax que necesitan ser alcanzados por separado.

El uso de fronteras políticas para distinguir etnias es como cortar con un cortador de masa la distribución geográfica de una etnia y después dar a las piezas cortadas nombres de distintas masas. Es cierto que en muchos casos de separación distante, los grupos se tornan distintos —especialmente cuando cesa la inmigración—, pero no suelen ser antagonistas. En buena parte del mundo en desarrollo, el concepto de separación política es bastante artificial, ya que las fronteras suelen ser bastante permeables.

Considere el reto de los kurdos. Este pueblo ferozmente independiente habita un territorio que se extiende por cinco países: Turquía, Irán, Iraq, Siria y Azerbaiyán. Por lo que respecta a la estrategia misionera, no son por cierto una sola etnia. Ni siquiera son cinco grupos. Además de componerse de cuatro subgrupos lingüísticos principales antiguos, las rivalidades tradicionales alimentan luchas internas, aunque cabría esperar que se uniesen para combatir contra los que no son kurdos y aspiraran a un territorio propio.

Los misioneros necesitan estar conscientes de la posibilidad, como en el caso de los kurdos, de que los pueblos no estén necesariamente unificados, aun cuando millones de ellos vivan en un mismo país. Sin embargo, pequeñas poblaciones de kurdos, distribuidas de manera significativa por trece países fuera del «Kurdistán», son potencialmente «puentes» de población estratégica para evangelizar grupos en su propia tierra natal. Además, los que están desplazados de su tierra natal suelen estar más abiertos al evangelio. Una vez que un segmento de un grupo remoto acepta a Cristo, puede ser un puente eficaz para alcanzar a su pueblo en su tierra natal. Las fronteras políticas no suelen limitar la propagación del evangelio. Por supuesto, la información «específica sobre un país» puede resultar muy útil para planear estrategias y formar sociedades para llegar a miembros bastante esparcidos de etnias específicas.

A medida que la historia avanza y las migraciones aumentan, cada vez se dispersan más etnias por todo el mundo. Atender a este fenómeno se denomina actualmente «misionología de la diáspora». No muchas agencias toman nota del valor estratégico que supone alcanzar a los fragmentos más accesibles de estos «pueblos globales». La nueva Red Global de Estructuras de Misión (www.gnms.net) se propone ayudar a las agencias a hacer precisamente eso.

Otra razón para ser cauto al aplicar el concepto de etnia es la realidad de que fuerzas poderosas como la urbanización, la migración, la asimilación y la globalización, actúan y cambian en todo tiempo la composición y la identidad de las etnias. La complejidad de los pueblos del mundo no se puede reducir mañosamente a conjuntos cerrados, distintos, no coincidentes, de individuos, con fronteras permanentes impermeables. Los miembros de toda comunidad mantienen relaciones complejas y tienen identidades y lealtades múltiples. Esas identidades y lealtades están sujetas a cambios en el tiempo.

El concepto de etnia es una conciencia estratégica valiosa cuando los individuos mantienen una fuerte identidad de grupo y sus vidas cotidianas se ven fuertemente influidas por una cultura específica compartida.

LA TAREA MISIONERA ESENCIAL

Toda etnia necesita que el evangelio comience a moverse en ella con un poder tan irresistible y vivificador, que las iglesias resultantes puedan por sí mismas acabar de predicar el evangelio a todas las personas que la componen.

Buenos objetivos, aunque inferiores, pueden retrasarnos o distraernos. La evangelización de vendedores ambulantes o estudiantes puede conducir a discipular grupos de crecimiento personal e incluso a más evangelismo. Pero, ¿por qué detenerse en algo que no sea el retoño de un movimiento de seguidores de Cristo caracterizado por familias enteras? ¿Por qué no creer que Dios sea capaz de atraer a su Hijo un movimiento sustancial que se extienda rápida, espontánea y completamente a pueblos enteros?

La *tarea misionera esencial* consiste en establecer un *movimiento de fundación de iglesias autóctono y viable* que tenga potencial para renovar familias extensas y transformar sociedades enteras. Es *viable* por cuanto puede crecer por sí mismo; *autóctono*, es decir, no se percibe como extranjero; y *movimiento fundador de iglesias* porque reproduce comunidades intergeneracionales capaces de evangelizar al resto de la etnia. Al logro que supone echar a andar un movimiento autóctono fundador de iglesias muchos lo llaman *avance misionológico*.

La tarea ha sido cumplida cuando los individuos que forman una sociedad (incluso los que están

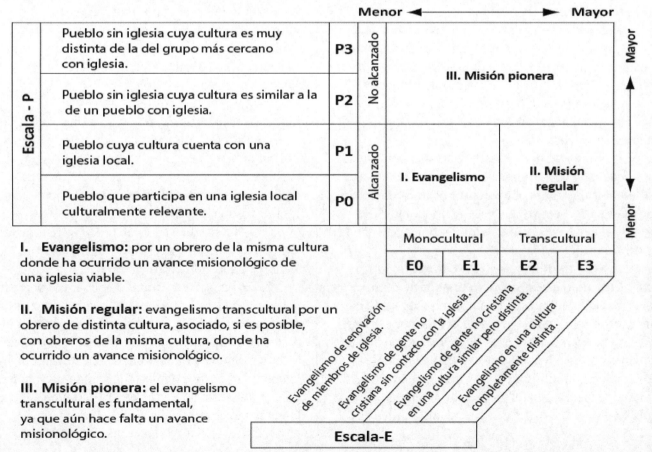

Misiones regulares y misiones pioneras

Escala-E: Distancia cultural del evangelista a su converso potencial

I. Evangelismo: por un obrero de la misma cultura donde ha ocurrido un avance misionológico de una iglesia viable.

II. Misión regular: evangelismo transcultural por un obrero de distinta cultura, asociado, si es posible, con obreros de la misma cultura, donde ha ocurrido un avance misionológico.

III. Misión pionera: el evangelismo transcultural es fundamental, ya que aún hace falta un avance misionológico.

fuera de la iglesia) reconocen que el movimiento pertenece a su sociedad. Sólo cuando se logre este nivel de adaptación cultural podrá el dinámico y transformador amor de Jesús moverse libremente en la etnia. Donald McGavran hizo referencia a una forma de avance misionológico con el término «movimientos de etnias hacia Cristo». Podemos definir esta meta como el logro mínimo a alcanzar en cada etnia para dar una oportunidad realista a todos los que la componen de responder «sí» a Cristo Jesús y a su reino, sin añadir barreras culturales a las demandas espirituales ya exigentes del evangelio. Jesús no nos encomendó cumplir nada menos. Y no debemos conformarnos con menos.

Clausura misionológica: Un avance en cada pueblo

La palabra «clausura» alude simplemente a la idea de finalizar. En la década de los setenta, el Señor comenzó a abrir los ojos de muchos al hecho de que la misión esencial, irreductible, en toda etnia, era también una tarea realizable. En realidad, es la única tarea encomendada a su pueblo que tiene realmente una dimensión de finalización.

Por ese tiempo, más de la mitad de la población mundial se repartía en etnias no alcanzadas. Pese a ello, un pequeño grupo de activistas misioneros tuvieron fe para creer que, si se podía impulsar un movimiento que dedicara atención a los pueblos no alcanzados, que por un tiempo se llamarían «pueblos escondidos», entonces, la tarea misionera esencial se podía completar en unas cuantas décadas. Por fe, acuñaron la frase «Una iglesia para todo pueblo para el año dos mil», para captar la esencia de la naturaleza factible del mandato misionero. Aunque nadie predijo nunca que *se fuera a completar* para fines del año dos mil, ellos confiaban en que era posible. La frase acertó y encendió fuego en el corazón de muchos miles de apasionados que anhelaban que Cristo fuera honrado, adorado y obedecido en cada pueblo. Dios estaba actuando de forma similar en medio de otros, y así nació un movimiento global que fijó su atención en las etnias no alcanzadas. Hoy estamos viendo el cumplimiento de una visión que muy pocos se atrevieron a soñar hace sólo dos décadas.

Es irrazonable siquiera hablar de evangelizar a toda persona, ya que cada día nacen cientos de miles de niños. Por el contrario, la idea de «Una iglesia para todo pueblo» es una aproximación posible y razonable de lo que puede significar la Gran Comisión.

Podemos hablar con confianza de clausura de la misión a los pueblos no alcanzados. En 1976 se estimaba que había diecisiete mil etnias no alcanzadas. En la actualidad se estima que hay sólo ocho mil pueblos no alcanzados (unimax), y funciona a pleno rendimiento un movimiento global dinámico entregado a conseguir que Cristo sea adorado y obedecido en cada uno de ellos.

Alcanzados o no alcanzados: Verificación de la presencia de un movimiento viable de iglesias

Establecer un movimiento viable, autóctono, de fundación de iglesias, es un proceso. Un grupo no se puede calificar como «no alcanzado» un día, y de repente, al día siguiente, como «alcanzado». Patrick Johnstone ha usado el Indicador de Fundación de Iglesias para clasificar el progreso en un grupo étnico particular:

0–Sin creyentes conocidos
1–Sin iglesias, algunos creyentes
2–Una iglesia conocida
3–Grupo de iglesias
4–Movimiento reproductor de iglesias
5–Muchas iglesias establecidas y discipuladas

No obstante, no siempre se dispone de fuentes fidedignas de observación directa para confirmar el progreso de la fundación de iglesias en una etnia particular. Sin embargo, es posible hacer conjeturas bien documentadas de la presencia o ausencia de un movimiento de iglesias a partir de datos cuantificables. El Proyecto Josúe ha desarrollado una escala que integra datos de diversas fuentes para clasificar a toda etnia en una de cuatro categorías siguientes:

Sin alcanzar/poco alcanzada
Iglesia formativa o nominal
Iglesia emergente
Iglesia creciente

Aunque este nivel para compartir información y acceder a los datos es muy útil, se recopila principalmente a nivel etnolingüístico y no siempre refleja realidades unimax.

¿Qué sucede si un pueblo etnolingüístico es

El globo de un vistazo

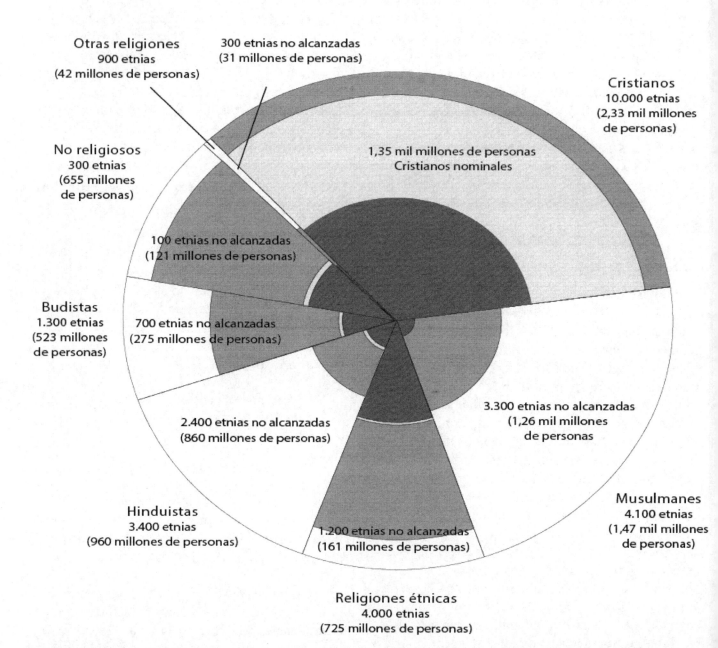

Otras religiones
900 etnias
(42 millones de personas)

300 etnias no alcanzadas
(31 millones de personas)

Cristianos
10.000 etnias
(2,33 mil millones
de personas)

1,35 mil millones de personas
Cristianos nominales

No religiosos
300 etnias
(655 millones
de personas)

100 etnias no alcanzadas
(121 millones de personas)

Budistas
1.300 etnias
(523 millones
de personas)

700 etnias no alcanzadas
(275 millones de personas)

3.300 etnias no alcanzadas
(1,26 mil millones
de personas

2.400 etnias no alcanzadas
(860 millones de personas)

Hinduistas
3.400 etnias
(960 millones de personas)

1.200 etnias no alcanzadas
(161 millones de personas)

Musulmanes
4.100 etnias
(1,47 mil millones
de personas)

Religiones étnicas
4.000 etnias
(725 millones de personas)

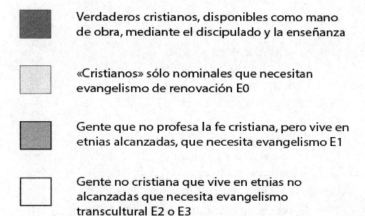

Verdaderos cristianos, disponibles como mano de obra, mediante el discipulado y la enseñanza

«Cristianos» sólo nominales que necesitan evangelismo de renovación E0

Gente que no profesa la fe cristiana, pero vive en etnias alcanzadas, que necesita evangelismo E1

Gente no cristiana que vive en etnias no alcanzadas que necesita evangelismo transcultural E2 o E3

El diagrama está dividido por la religión predominante de cada pueblo unimax.* («pueblos» = «etnias») Todos los seres humanos están incluidos en este diagrama. Se considera a la religión como parte de la identidad cultural del grupo en su totalidad. Por ejemplo, cuando en un pueblo budista se establece un movimiento de iglesias que procura evangelizar al resto de sus miembros, el grupo se considera «alcanzado», pero sigue estando dentro del bloque cultural budista.

* Pueblo unimax: Pueblo de MÁXimo tamaño, suficientemente UNIficado para ser objeto de un solo movimiento autóctono de plantación de iglesias.

Toda la humanidad bajo la perspectiva misionera en el año 2008 d.C.

Religión predominante entre etnias culturalmente definidas

		Suma	Cristianismo	Budismo	Religiones étnicas	Hinduismo	Islam	No religiosos	Otras religiones
Misión pionera — Etnias menos evangelizadas y no alcanzadas — Individuales (por millones)	Etnias BPJ (base de datos Proyecto Josué)	4.253	-	227	704	1.843	1.344	15	120
	Estimado de pueblos unimax no alcanzados	8.000	-	700	1.200	2.400	3.300	100	300
	Cristianos practicantes	5,3	-	0,4	1,2	0,4	1	2	0,3
	Inconversos (P2): E2 a E3	1.551	-	122	68	783	432	119	27
	Inconversos (P2.5): E2.5 a E3	1.077	-	135	70	60	808	0	4
	Inconversos (P3): E3	71	-	18	22	17	14	0	0
	Total	2.704	-	275	161	860	1.255	121	31
	Misioneros evangélicos a nivel mundial	24.300	-	3.700	9.600	1.600	7.500	1.400	500
Evangelismo y misiones domésticas — Etnias más evangelizadas y alcanzadas — Individuales (por millones)	Etnias BPJ	5.725	3.543	35	1.652	146	317	18	14
	Estimado de pueblos unimax no alcanzados	16.000	10.000	600	2.800	1.000	800	200	600
	Cristianos practicantes	796	570	20	120	12	5	65	4
	Cristianos nominales (P0, P.5): E0 a E3	1.372	1.350	3	6	3	1	9	0
	Inconversos (P1): E1 a E3	1.830	410	225	438	85	205	460	7
	Total	3.998	2.330	248	564	100	211	534	11
	Misioneros evangélicos a nivel mundial	228.700	185.000	3.700	18.000	3.400	7.500	8.600	2.500
Totales Mundiales	Etnias BPJ	9.978	3.543	262	2.356	1.989	1.661	33	134
	Estimado de pueblos unimax	24.000	10.000	1.300	4.000	3.400	4.100	300	900
	Total (por millones)	6.702	2.330	523	725	960	1.466	655	42
	Total de misioneros	253.000	185.000	7.400	27.600	5.000	15.000	10.000	3.000

Esta tabla se generó por el departamento de investigación del Centro Estadounidense para la Misión Mundial utilizando información de la Global Mission Database (www.uscwm.info/gmd), la base de datos Proyecto Josué (www.joshuaproject.org), y la World Christian Database (www.worldchristiandatabase.org), y resumido sin divisiones geopolíticas. Etnias no alcanzadas: estimado de pueblos unimax (definición de 1982) sin un movimiento viable de fundación de iglesias o una iglesia viable, autóctona y evangelizadora. El número de pueblos unimax (definición de 1982) son estimaciones. Pistas fueron tomadas de factores lingüísticos y sociales (por ejemplo, agrupaciones de idiomas y castas). Etnias alcanzadas: estimado de pueblos unimax (definición de 1982) con una iglesia viable. Esto incluye todas las etnias que son en su mayoría cristianas. Cristianos practicantes: cristianos de convicción evangélica quienes se están discipulando o pueden estar discipulados para obedecer la Gran Comisión. Misioneros evangélicos a nivel mundial, incluyen misioneros al extranjero, misioneros trabajando en su propio país (con culturas muy distintas y poco distintas), misioneros bivocacionales y personal en el país de origen, clasificado como misioneros, que apoya a misioneros en el campo.

realmente una agrupación de pueblos unimax, y mientras una de sus etnias experimenta una explosión de fundación de iglesias en otras del mismo grupo poco o nada ocurre? Las pueblos unimax no alcanzados pueden incluso resistir tenazmente el movimiento hacia Cristo registrado en la etnia relacionada a causa de alguna animosidad histórica. El crecimiento de la iglesia en ese pueblo unimax puede desviar la atención misionera de las necesidades de otras etnias que componen el grupo.

EL MANDATO ES MÁS QUE CLAUSURA

Dios hará siempre más de lo que él nos ha encomendado hacer. Nos ha dado una meta clara y sencilla que cumplir: que Cristo sea adorado y obedecido en todos los pueblos. Ésta es la tarea misionera esencial. Debemos realizar esta tarea con la máxima concentración y pasión hasta alcanzar su cumplimiento. Pero aún queda más por hacer. El avance misionológico es sólo el principio de lo que Dios se propone hacer con todos los pueblos. Dios seguirá cumpliendo su promesa para deshacer las obras de Satanás y extender la bendición de Abraham a todos los pueblos.

La declaración de su gloria por odas las naciones

Jesús les enseñó a sus discípulos a orar «venga tu reino, hágase tu voluntad en la tierra como en el cielo». El deseo de Dios de alcanzar a todos los pueblos y personas es obviamente parte del propósito de la venida de su reino a la tierra. Otros versículos afirman que él espera el momento en que todas las naciones del mundo declararán su gloria (Is 66:19).

Así pues, aguardamos con confianza el tiempo en el que «el reino del mundo ha pasado a ser de nuestro Señor y de su Cristo, y él reinará por los siglos de los siglos» (Ap 11:15). Es una certeza que Dios va a subyugar a «las potestades que dominan este mundo de tinieblas» (Ef 6:12).

En un futuro no muy distante no quedará ni un solo «reino de este mundo» en el que su nombre no sea glorificado. Es indispensable lograr un avance espiritual en todo pueblo para que el evangelio esté disponible para toda persona que habita sobre la tierra. Satanás mantiene a pueblos enteros bajo esclavitud. Nosotros no podemos rescatar una sola alma de sus manos sin retar su autoridad sobre determinada etnia. En cada etnia en la que aún no se ha conseguido un avance habrá «encuentros de poder» entre los ejércitos de Dios y los poderes de las tinieblas. La conquista de los «reinos de este mundo» exige que la gloria de Dios invada cada pueblo.

El apóstol Pablo fue enviado a los pueblos no judíos con este encargo: «Para que les abras los ojos y se conviertan de las tinieblas a la luz, y del poder de Satanás a Dios, a fin de que, por la fe en mí reciban el perdón de los pecados y la herencia entre los santificados» (Hch 26:17-18). ¿Es posible que estemos tan ocupados con medir el éxito de evangelismo, reforma social y crecimiento económico que hayamos olvidado que Dios está principalmente interesado en expandir el dominio de su reino y en derrotar a Satanás?

Ésta es principalmente una batalla espiritual que no significa, desde luego, que podamos dejar de lado la esmerada planificación del evangelismo pionero y la fundación de iglesias. No podemos sentarnos y orar que Dios vaya y haga su obra. «Nuestra lucha no es contra seres humanos, sino contra poderes, contra autoridades, contra potestades que dominan este mundo de tinieblas, contra fuerzas espirituales malignas en las regiones celestiales» (Ef 6:12).

Sabemos que también es nuestra pelea, no sólo la de Dios, y que nos unimos a él en su batalla contra el maligno. Sabemos que en cualquier lugar de la tierra la clave no va a ser sólo cuestión de sabiduría, ni siquiera de trabajo duro. Será todo esto y además su poder soberano que derriba las fortalezas de sus enemigos para llevar su gloria hasta el extremo de la tierra.

Jesús nos dio un claro mandato basado en su autoridad suprema de «discipular a todos los pueblos». Podemos y debemos trabajar con todas nuestras fuerzas y obedecerlo. Ciertamente deberíamos tomarnos en serio nuestras medidas de evangelización, pero no como parámetros definitivos del plan de Dios. Debemos presionar hacia la meta, sabiendo que él puede evaluar las cosas con medidas que no podemos comprender del todo. Sus pensamientos son más altos que los nuestros.

Todo lo que puede y debe hacerse no se puede englobar en un simple plan humano; pero requiere nuestro mejor esfuerzo de planificación, enfoque creativo y todo el sacrificio que podamos dedicar.

Sabemos que todas nuestras medidas y estimaciones —de pueblos y personas— no son más que medios para un fin. Lo más importante es que estemos con él y él con nosotros. Las misiones siguen siendo un acto de fe y de obediencia que nos conduce a cumplir lo que él nos ha encomendado.

UN EXAMEN GRÁFICO DE LA TAREA

Aunque el mundo sea grande y complejo, hay métodos útiles de cuantificar el progreso realizado hacia la clausura de la tarea misionera esencial. Los investigadores modernos son ahora capaces de recoger, gestionar y resumir vastas cantidades de datos mediante el uso de computadoras. Debemos mucho a los que intentan rastrear la mano de Dios en cumplir su promesa a todos los pueblos.[4] Todas nuestras tablas y gráficos globales dependen hasta la fecha de la investigación de otros, así como de nuestras propias estimaciones cuando no hay datos concluyentes disponibles. No obstante, lo único que puede hacer una base de datos es aproximarse a la realidad dinámica del mundo.

Al echar un vistazo a los gráficos que aparecen en este capítulo, es necesario entender que usamos la religión predominante de una etnia como rasgo cultural distintivo para etiquetar el grupo en su totalidad. Esto no significa que toda persona del grupo étnico sea miembro de esa religión. De este modo, podemos tener una etnia musulmana «alcanzada» si se da un movimiento de iglesias en ella, aun cuando siga siendo predominantemente musulmana.

Todas las gráficas de este capítulo derivan de los datos de la gráfica *Toda la humanidad bajo la perspectiva misionera*. (p. 84.11).

El gran desequilibrio

Examinando *El globo de un vistazo* (p. 84.10), uno puede observar fácilmente que el grosor de *los individuos* que viven en etnias no alcanzadas (áreas blancas) pertenece a los bloques musulmán, religiones étnicas, hinduista y budista. Estos bloques deben ser prioritarios si nos vamos a tomar la Gran Comisión en serio.

Ha habido avances muy alentadores en los pueblos hinduistas, budistas y musulmanes en los últimos años. Aunque estos tres bloques suelen ser considerados los más resistentes, estamos descubriendo que la aparente «resistencia» de un pueblo puede significar simplemente que nuestro enfoque no ha sido efectivo.

¿Estamos dando prioridad a los pueblos no alcanzados? Sólo veinticuatro mil misioneros de una fuerza misionera evangélica global[5] de doscientos cincuenta y tres mil trabajan con las ocho mil estimadas etnias no alcanzadas. Esto significa que la proporción de misioneros en el extranjero dedicados a los pueblos alcanzados es nueve veces mayor que la de los que desempeñan la más difícil labor de establecer avances en los pueblos no alcanzados. ¡Qué desequilibrio! (véase la gráfica *El gran desequilibrio*) ¡Sólo el 10% de la fuerza misionera evangélica está haciendo misión

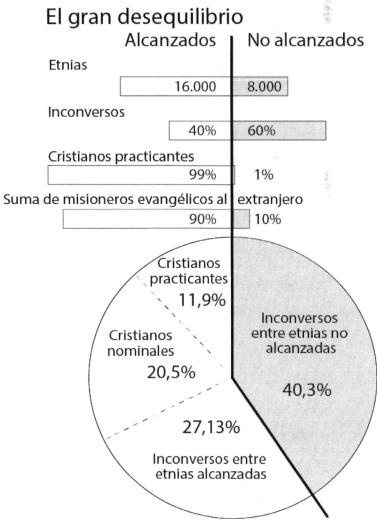

El gran desequilibrio

	Alcanzados	No alcanzados
Etnias	16.000	8.000
Inconversos	40%	60%
Cristianos practicantes	99%	1%
Suma de misioneros evangélicos al extranjero	90%	10%

Cristianos practicantes 11,9%

Cristianos nominales 20,5%

Inconversos entre etnias no alcanzadas 40,3%

Inconversos entre etnias alcanzadas 27,13%

Fuente: Bruce Koch, basado en Toda la humanidad bajo la perspectiva misionera en el año 2008 d.C.

pionera en las etnias no alcanzadas!

Después de transcurrir casi dos mil años desde que Jesús comisionara a sus seguidores a que hicieran discípulos de todos los pueblos, unos ocho mil pueblos unimax, que comprenden más de dos mil setecientos millones de personas, siguen estando más allá del alcance de una iglesia local relevante. ¿Hay alguna razón para esperar que se cumpla pronto la promesa de Dios de bendecir a todos los pueblos?

Gran impulso

Aunque el hacer referencia a miles de millones de personas pueda parecer abrumador, se sigue produciendo un progreso asombroso. En 1974 nos conmovimos al descubrir que cuatro de cada cinco no cristianos en el mundo estaban más allá del alcance de un evangelismo en la misma cultura. En las últimas tres décadas, ese número se ha reducido a tres de cada cinco no cristianos. Más abajo, en la gráfica *El gran desequilibrio,* se aprecia una nueva perspectiva, fácil de recordar, que a grandes rasgos divide al mundo en tres tercios significativos. Al menos un tercio alega ser cristiano; un tercio serían no cristianos en pueblos alcanzados; y el último tercio serían no cristianos en pueblos no alcanzados. En 1974 más del 60% de la población mundial pertenecía a etnias no alcanzadas. Este porcentaje se ha reducido hoy al 40%. Esto ha sucedido tan sólo en unas pocas décadas porque los misioneros se han concentrado en establecer movimientos de iglesia en miles de pueblos previamente inalcanzados. Aunque esto supone un progreso significativo, aún queda mucho por hacer.

Nos encontramos en la era final de la misión pionera. Si no dudamos de nuestras convicciones ni apartamos la atención de la tarea misionera esencial, podemos esperar razonablemente que a lo largo de nuestra vida el cuerpo de Cristo se establezca y se desarrolle en el idioma y la estructura social de cada etnia que habita la tierra.

Dios se está moviendo a través de su Cuerpo global para cumplir su promesa a las naciones en formas y maneras que ni siquiera imaginábamos hace veinticinco años. Miles de nuevos misioneros ya no proceden sólo de Occidente, sino también de Asia, África y Latinoamérica. En esos lugares, el fruto del movimiento misionero está abrazando sinceramente el reto de la Gran Comisión a los pueblos. Más que nunca antes, la misión es un movimiento universal y cooperativo. Tenemos que prepararnos para nuevas colaboraciones, perspectivas y enfoques a emprender por estructuras misioneras no occidentales. Al mismo tiempo necesitamos reconocer que la historia de la actividad misionera occidental ofrece un caudal de experiencia que puede servir a los movimientos misioneros del mundo mayoritario de rápido crecimiento.

La tarea que tenemos por delante es grande, pero relativamente pequeña para el enorme cuerpo de creyentes alrededor del mundo. ¡Ya hay alrededor de mil iglesias en el mundo por cada etnia unimax no alcanzada! Como hemos visto en las últimas tres décadas, un pequeño porcentaje de creyentes movilizados y equipados pueden provocar una diferencia importante. Afrontar la tarea restante en términos de mano de obra potencial hace que sea relativamente pequeña y realizable en comparación con el imponente panorama que tuvieron por delante nuestros antepasados.

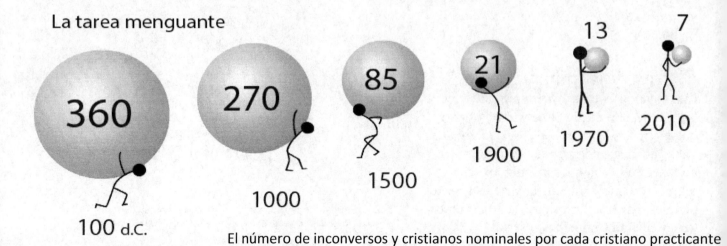

La tarea menguante

El número de inconversos y cristianos nominales por cada cristiano practicante

Note también cuánto más factible es la tarea misionera cuando nos centramos en penetrar en las etnias. En vez de tratar de evangelizar a cuatro mil millones de individuos no salvos, podemos hablar de *comenzar* en aproximadamente cuatro mil quinientos grupos etnolingüísticos *menos evangelizados,* y a medida que descubrimos prejuicios culturales significativos por el camino, *acabar* en quizá ocho mil etnias unimax no alcanzadas. Prácticamente los tres mil grupos etnolingüísticos menos evangelizados han sido compromiso de alguna estructura de envío misionero al mundo.

La tarea de identificar y penetrar en los restantes pueblos unimax no alcanzados —el gran reto de «enseñar a todas las naciones»— aún está ante nosotros. Pero la Escritura nos asegura que Dios *será* adorado por «una gran multitud tomada de todas las naciones, tribus, pueblos y lenguas… tan grande que nadie podía contarla». Tenemos la posibilidad de penetrar e todo pueblo sobre el planeta con la luz del evangelio con más impulso que nunca en la historia. Forme parte de ello, busque un lugar de importancia histórica declarando «¡su gloria entre las naciones!».

La primera tabla describe gráficamente la distribución global de los misioneros evangélicos[5] entre las poblaciones alcanzadas y no alcanzadas del mundo. De los doscientos cincuenta y tres mil misioneros contabilizados en *Toda la humanidad bajo perspectiva misionera* (pág. 84.11), sólo veinticuatro mil trescientos (9,6%) hacen trabajo pionero en los pueblos no alcanzados. La segunda tabla muestra que con más de mil iglesias por cada pueblo no alcanzado, la iglesia tiene, a nivel global, recursos más que suficientes para cumplir la tarea de levantar seguidores de Cristo en todo pueblo. ¡Sólo necesita consciencia y movilización!

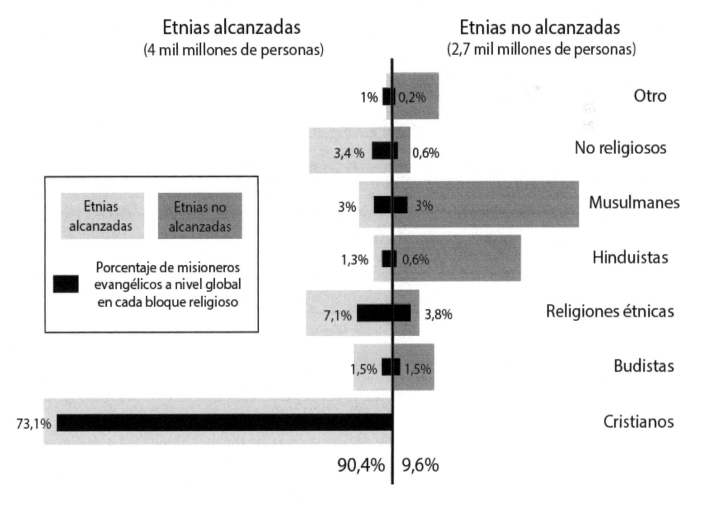

Distribución de misioneros en proporción a la población mundial

Etnias alcanzadas
(4 mil millones de personas)

Etnias no alcanzadas
(2,7 mil millones de personas)

Etnias alcanzadas | Etnias no alcanzadas

Porcentaje de misioneros evangélicos a nivel global en cada bloque religioso

	Otro
1% / 0,2%	
3,4% / 0,6%	No religiosos
3% / 3%	Musulmanes
1,3% / 0,6%	Hinduistas
7,1% / 3,8%	Religiones étnicas
1,5% / 1,5%	Budistas
73,1%	Cristianos

90,4% | 9,6%

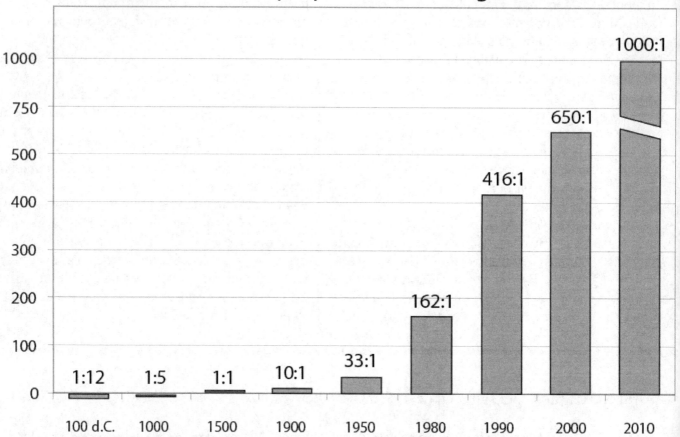

El crecimiento de la proporción de las iglesias a las etnias

Notas

1. Cristianos practicantes hace referencia a todo tipo de cristianos y asociaciones, incluidos católicos romanos, ortodoxos, protestantes, anglicanos, independientes y marginales, que no son meramente nominales.

2. Comience en www.joshuaproject.net o busque en la web «unreached people profiles».

3. Resumen de la India, *Operación Mundo*. Edición Siglo XXI

4. Actualmente poseemos una imagen más clara de la tarea restante que en toda la historia. Las primeras listas de pueblos no alcanzados comenzaron a compilarse hace unos treinta años, siguiendo las estimaciones iniciales propuestas en Lausana, 197 (ésta fue la primera vez en la historia que se hizo un esfuerzo para resumir la tarea inacabada, global, desde la perspectiva de las etnias). Aquellas primeras listas eran fragmentarias en el mejor de los casos. Desde aquel entonces, se ha hecho mucha investigación. Además de los parámetros lingüísticos, los investigadores de la misión han empezado a documentar otras realidades etnoculturales y sociológicas que restringen el acceso de los pueblos al evangelio. Las brechas de datos que afecta a la misión se siguen acortando.

   Como en el pasado, nos hemos apoyado en diversas fuentes expertas para obtener cifras y estimaciones para la gráfica *Toda la humanidad bajo la perspectiva misionera*. Esta gráfica refleja una comparación e interpretación de datos de diversas fuentes, integradas en la Global Mission Database. Utilizamos la base de datos del Proyecto Josué como fuente para los pueb etnoculturales, ya que esta organización mantiene el compromiso de que su lista refleje lo más fielmente posible la observaci del campo de misión. En el sitio web joshuaproject.net se puede encontrar una vasta cantidad de información, fácilmente accesible, relativa a las etnias.

   Cambios en la anterior versión (2000 d.C.) de la gráfica *Toda la humanidad bajo perspectiva misionera*: 1) Religiones de ba predominantemente étnica como el judaísmo, religiones populares chinas, zoroastrismo, animismo tribal, etc., se han agrupa bajo una nueva categoría denominada «religión étnica». 2) Las estadísticas etnolingüísticas de la base de datos World Christi han sido sustituidas por las estadísticas de la base de datos del Proyecto Josué, que es etnolingüística y etnocultural. Los tota de la BDJP no incluyen divisiones geopolíticas de las etnias (es decir, si un grupo étnico se extiende por más de un país, se cue una sola vez). 3) Los totales misioneros sólo incluyen estimaciones de evangélicos y, en la actualidad, también misioneros domésticos, mientras que en la versión anterior los recuentos se limitaban a misioneros extranjeros y se incluían todas las tradiciones cristianas. La distribución de misioneros entre los pueblos alcanzados y no alcanzados se ha extrapolado de otras estimaciones de la base de datos de la World Christian.

5. En Misioneros evangélicos en el mundo se incluyen misioneros extranjeros, misioneros que trabajan en su propio país (tanto a nivel transcultural como en culturas cercanas), misioneros bivocacionales, y personal de apoyo en el país de origen a los misioneros evangélicos en el campo de misión. El término «evangélico» se usa en relación con los grupos cristianos que enfatizan lo siguiente:

    a. El Señor Jesucristo como única fuente de salvación.

    b. La fe personal, la conversión y la regeneración por el Espíritu Santo.

    c. Reconocimiento de la Palabra inspirada de Dios como base única de la fe y la vida cristiana.

    d. Compromiso con el testimonio bíblico, la evangelización y la misión que trata de acercar a otros a la fe de Cristo.

Preguntas para reflexionar

1. ¿Cómo se define un pueblo unimax? ¿Qué valor tiene esta definición?

2. Según los autores, ¿cuál es la tarea misionera esencial?

Hasta cubrir la tierra

Patrick Johnstone

Tenemos sobrados motivos para animarnos por causa de lo que Dios está haciendo en el mundo. Pero ello debe compensarse con la solemne realidad de que aún queda mucho por hacer y las fuerzas que se nos oponen son formidables. La meta de la evangelización de mundo está a la vista, pero hay enormes barreras por superar y fortalezas que derribar antes del fin y del regreso de Jesús. Isaías predijo la gran cosecha espiritual con una promesa:

> Porque a derecha y a izquierda te extenderás; tu descendencia desalojará naciones[1] y poblará ciudades desoladas.

Este versículo contiene tres frases que señalan tres importantes retos para completar la tarea. Éstos tres son el reto **geográfico** (alcanzar a toda zona habitada del mundo), **étnico** (alcanzar a todo pueblo) y **urbano** (alcanzar a todas las ciudades).

1. El reto geográfico

La promesa asegura que el pueblo de Dios se extenderá a derecha y a izquierda (de igual modo podríamos decir al norte y al sur, al este y al oeste). Toda parte habitada del mundo debe estar expuesta a la luz del evangelio del Señor Jesucristo. A menudo pensamos que los desafíos geográficos significan barreras físicas. Pero para la misión de la iglesia no debe haber:

- **valle demasiado aislado** —como el reino remoto, no evangelizado, de Mustang, en la frontera norte de Nepal,

- **isla demasiado distante** —como las islas inalcanzadas de Maldivas e el océano Índico,

- **selva demasiado tupida** —como las selvas del Congo donde habitan los pigmeos,

- **montaña demasiado inaccesible** —como la árida y remota meseta tibetana de Asia Central,

- **ciudad demasiado fortificada** —como La Meca, donde no se permit poner pie a ningún cristiano, y

- **desierto demasiado hostil** —como los oasis argelinos del Sahara donde habitan los pueblos bereberes mzab.

La Ventana 10/40

Pero desde 1990, otro tipo de desafío geográfico ha retado a la iglesia. Grandes fajas de superficie terrestre están aún sin testimonio cristiano autóctono significativo. Los mapas que siguen dan la

Patrick Johnstone fue director de investigación para WEC International de 1980 a 2004. Aunque dedicó muchos años a servir como misionero en África, comenzó a preparar materiales para que los cristianos dispusieran de información para interceder por la evangelización del mundo. Fruto de ello fue el manual *Operación Mundo*, usado en todo el orbe como herramienta para orar por los no alcanzados. Actualmente reside en el Reino Unido, escribe libros, da conferencias y tutora líderes.

Tomado de *The Church is Bigger Than You Think*, 1998. Usado con permiso de Christian Focus Publications, Scotland, UK.

Artículo 85

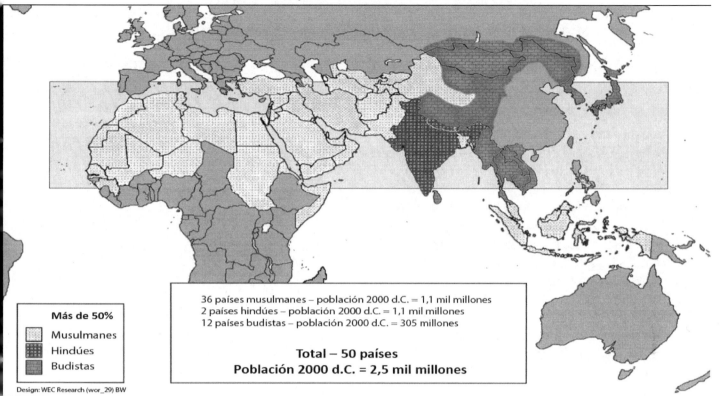

El Cinturón Resistente y la Ventana 10/40
Países con una mayoría de musulmanes, hindúes o budistas

Más de 50%

- Musulmanes
- Hindúes
- Budistas

36 países musulmanes – población 2000 d.C. = 1,1 mil millones
2 países hindúes – población 2000 d.C. = 1,1 mil millones
12 países budistas – población 2000 d.C. = 305 millones

Total – 50 países
Población 2000 d.C. = 2,5 mil millones

Design: WEC Research (wor_29) BW

medida del territorio por donde no se ha extendido el evangelio. Esto ocurre predominantemente en Asia y el norte de África, donde por lo general el islam, el hinduismo y el budismo son las religiones dominantes. El mapa de arriba resalta el desafío que representa esta parte del mundo. Ésta debe ser el área de énfasis principal para la misión pionera en la próxima década o más. Sin embargo, ha sido el área más abandonada hasta hace poco.

Durante años lo llamé el *Cinturón Resistente*. Desde 1990 se ha divulgado ampliamente la expresión «Ventana 10/40», acuñada por Luis Bush, del Movimiento AD2000[2]. Ésta es el área comprendida entre las latitudes 10° y 40° norte del ecuador y entre los océanos Atlántico y Pacífico. El concepto es bueno y el impacto publicitario brillante —aunque este rectángulo sólo se aproxime a las áreas de mayor desafío espiritual—.[3] Los países subevangelizados, dentro o cerca de la Ventana 10/40, abarcan sólo el 35% de la superficie del planeta, pero el 65% de su población. El mapa de arriba refleja el concepto de la Ventana 10/40 con un rectángulo y el Cinturón Resistente sombreado.

El número total de personas que habitan en la zona cubierta por la ventana es intimidante. De los 6.700 millones de personas que vivían en 2008,

estimo que entre 1.200 y 1.400 millones nunca han tenido oportunidad de oír el evangelio, y más del 95% de ellas residen en el área de la ventana. ¿Cómo ignorar de manera complaciente un número tan elevado de seres humanos que afrontan una eternidad sin Cristo, sin la oportunidad de oír las buenas nuevas y sin experimentar el amor de Dios revelado en el Señor Jesús? ¡Qué desafío a la fe, la intercesión y la acción! Estamos obligados a *hacer* algo al respecto, porque el amor de Cristo nos constriñe (2Co 5:14-15).

Para agrandar el desafío, más del 90% de los pobres y necesitados, los niños que más abuso sufren y los analfabetos del mundo, viven en la zona demarcada por la ventana. Ahí es donde enfermedades como el SIDA, la tuberculosis y la malaria, embisten mayormente sin estorbo y sin tratamiento. Esta zona también es la menos accesible a cualquier esfuerzo misionero manifiesto debido a sus sistemas políticos y religiosos, geografía y estilos de vida antagonistas. Por ejemplo, casi todos los nómadas del mundo viven ahí. Aún tenemos por delante el mayor reto que presenta la evangelización del mundo. La marea del evangelio ha subido y cubierto dos tercios de la tierra, y está lamiendo el otro tercio, en el que los últimos bastiones y baluartes del reino de Satanás aún tienen que ser destruidos. No minimicemos el tamaño de la tarea restante, pero tampoco nos desanimemos ante su magnitud.

La gráfica que aparece más abajo muestra el número y proporción de cristianos, el de no cristianos con oportunidad de oír el evangelio y el de no cristianos sin evangelizar en la Ventana 10/40 y en el resto del mundo.

2. El reto étnico

Con toda claridad Jesús enfatizó que debemos hacer discípulos de todas las naciones, en su gran declaración de Mateo 28:19. No basta con tener presencia cristiana en todo *país*; debe haber seguidores de Jesús en todo *pueblo*. Hemos examinado el imponente progreso realizado para alcanzar a los pueblos del mundo.[4] Soñamos con discipular a todos los pueblos y realmente podríamos ver cumplido este sueño en nuestros días. Hay varios ministerios importantes que deben ser fortalecidos para que este discipulado sea efectivo y duradero.

Investigación

Tenemos que conocer los hechos para poder discipular a todos los pueblos. Por tanto, es vital investigar y recabar información. Se ha hecho investigación a lo largo del siglo XX. El ímpetu investigador sobre los pueblos del mundo se ha acelerado en los últimos veinte años. Tenemos que saber quiénes son los pueblos no alcanzados, dónde viven y su posición respecto a la evangelización. La Consulta Global sobre la Evangelización del Mundo (GCOWE, por sus siglas en inglés) celebrada en Pretoria, en junio de 1997, presentó una visión general bastante completa de las etnias no alcanzadas a fines del siglo XX.

En los meses que precedieron a ese encuentro se trabajó mucho confeccionando la lista de pueblos del mundo. Años antes se había decidido que para los últimos años del milenio hacía falta limitar de forma estratégica la lista de pueblos, reduciéndola a aquellos cuya población sobrepasara los 10.000 y no alcanzara el 5% de cristianos o el 2% de evangélicos. La lista también se limitó a pueblos definidos por su idioma o etnicidad.[5] Los parámetros eran razonables, pero arbitrarios. La dificultad para obtener información precisa acerca de los pueblos más pequeños suponía una cuestión importante. Esto redujo de unos 3.000 a 1.500 el número de pueblos en la categoría estratégica de «menos alcanzados». Nuevas investigaciones sobre pueblos específicos de esta lista, con los que se comprometieron las agencias misioneras, revelaron que sólo 500, de los 1.500 pueblos, carecían de actividad evangelizadora conocida. Esto no toma en cuenta el número de pueblos con alguna evangelización o misión conocida, de los cuales no hemos recibido cuestionarios con respuestas.

También nos dimos cuenta de que una larga lista de 1.500 pueblos es un reto amedrentador que implica leer, entender y actuar de manera significativa. Por tanto, agrupamos a los pueblos en dos categorías: bloques afines y agrupaciones de pueblos.

Bloques afines

Se definieron doce bloques afines en los que se agruparon los 1.500 pueblos. En la página siguiente aparece un mapa con once de ellos.[6] El duodécimo bloque corresponde a los judíos, que están repartidos por todo el mundo, y por tanto no fueron representados en este mapa. El grupo decimotercero apenas es «bloque», más bien es una categoría para incluir a todos los pueblos del mundo, no relacionados, que no encajaban en los otros doce bloques. Estos once bloques regionales están agrupados por afinidades lingüísticas, históricas, culturales, etcétera. Los once están ubicados dentro o cerca de la Ventana 10/40. Es interesante notar que casi todos los pueblos menos alcanzados en otros lugares del mundo son en realidad,

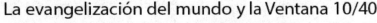

La evangelización del mundo y la Ventana 10/40

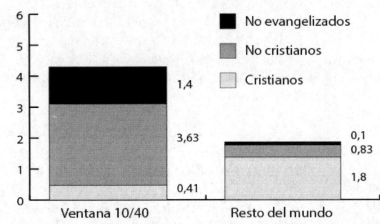

Población en miles de millones

- No evangelizados
- No cristianos
- Cristianos

Ventana 10/40: 1,4 · 3,63 · 0,41
Resto del mundo: 0,1 · 0,83 · 1,8

Principales bloques afines y la Ventana 10/40

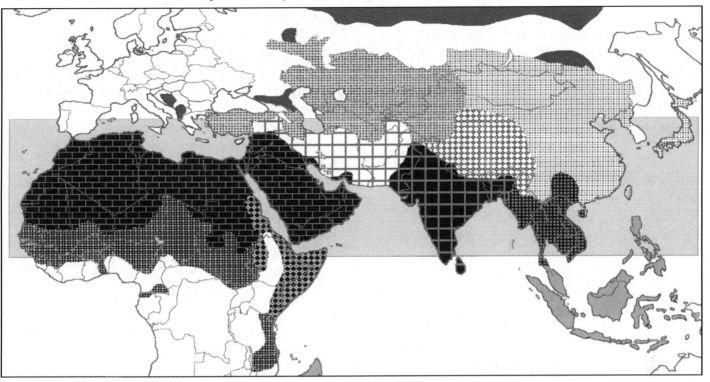

Los pueblos menos evangelizados del mundo agrupados para propósitos estratégicos en once bloques afines por rasgos comunes lingüísticos, culturales, económicos o políticos.

 Árabe (280 pueblos)

 Cuerno de África (40 pueblos)

Subsahariano (400 pueblos)

 Túrquico (260 pueblos)

Indo-iraní (180 pueblos)

Indo-ario (450 pueblos)

Tai/Dai (130 pueblos)

Tibetano (80 pueblos)

 Sínico (60 pueblos)

Malayo (180 pueblos)

Euroasiático (100 pueblos)

Diseño: WEC Research (wor_35) Fuentes: Patrick Johnstone, AD2000 and Beyond Movement, GMI

emigrantes salidos de estos once bloques, que actualmente viven en Europa, las dos Américas y Australasia.

Agrupaciones de pueblos

En cada uno de estos bloques afines hay otros grupos más pequeños de pueblos, a menudo bajo el mismo nombre o identidad, pero divididos por fronteras políticas, diferencias dialectales, etcétera. Hemos identificado unas 150 agrupaciones de pueblos, que incluyen a casi el 80% de los 1.500 pueblos de la lista del Proyecto Josué.[7] En la página siguiente aparecen los 50 ejemplos mejor conocidos de las agrupaciones de pueblos menos evangelizados en los bloques afines.

Para octubre de 1997 se preparó el libro *Oración a través de la Ventana III*,[8] que contiene una breve descripción y temas de oración para 128 agrupaciones de pueblos.[9] Se estima que unos 50 millones de creyentes por todo el mundo usaron estos materiales para orar durante un mes —probablemente la mayor iniciativa de oración habida en el mundo—. ¡Dios abrirá puertas de acceso a estos pueblos que parecen tan difíciles de alcanzar!

Por primera vez en la historia contamos con una lista razonablemente completa de los pueblos del mundo y en qué medida han sido evangelizados. Por eso es posible entrar en la próxima fase de fundación de iglesias.

Fundación de iglesias

¿Pueden realmente emprenderse iniciativas de fundación de iglesias en todos los pueblos en nuestra generación? Puede que algunos se lo cuestionen. Para responder a esta pregunta, comentaré las conclusiones de GCOWE '97.

Luis Bush, director del Movimiento AD2000, hizo un gran esfuerzo durante el GCOWE para animar a las agencias misioneras representadas y a las diferentes delegaciones nacionales para que se comprometieran a alcanzar los 500 pueblos restantes. Al concluir el GCOWE sólo quedaron 172 sin un compromiso de adopción por parte de los presentes. No obstante, debe añadirse que conocemos muchos pueblos más pequeños (posiblemente en torno a 1.000) con poblaciones inferiores a 10.000, que son también dignos de atención, y a quienes Jesús mandó discipular, que no están incluidos en la suma total.

Las implicaciones de esto son inmensas y emocionantes. Significa que se están acabando los pueblos donde todavía no hay obra pionera o planes para iniciarla. ¡Haber alcanzado este punto supone un momento muy especial en la historia de la misión! También subraya la necesidad de una sabia colaboración y asociación con otros para garantizar que se adopte la manera más eficaz de conseguir esta meta.

Plantar una congregación de creyentes en una pequeña tribu de 1.000 personas puede ser significativo, pero una iglesia entre 6 millones de tibetanos, o unas cuantas iglesias entre los 200 millones de bengalíes, es menos que una gota en el océano. Nuestro objetivo debe ser fundar al menos una iglesia en cada pueblo, pero esto es sólo el principio. Aquí es donde resulta muy valiosa la visión de Jim Montgomery, *Discipular a una Nación Entera* (DAWN, por sus siglas en inglés). Debemos asegurarnos de que haya un grupo vital de creyentes adoradores, al que puedan acceder fácilmente todo hombre, mujer y niño del mundo. Estimo que en el mundo actual hay unas 3.200.000 congregaciones de todas clases. Montgomery ha escrito un libro desafiante *DAWN 2000: ¡Faltan siete millones de iglesias!*, para resaltar la tarea que tenemos por delante.[11] El Movimiento DAWN, fundado por Montgomery, ha provocado un importante impacto en muchos países del mundo, estableciendo objetivos nacionales e interdenominacionales, para que la fundación de iglesias cumpla esa visión.

La fundación de iglesias ha sido notablemente subrayada por muchos ministerios de apoyo y comunicación, sensibles a pueblos y lenguas. Se están vertiendo esfuerzos inmensos en estos ministerios, los cuales tienen potencial de cubrir casi por completo la población y los pueblos del mundo. Paso a describir brevemente las metas y posibilidades de algunos de estos megaministerios.

Agrupaciones de pueblos en bloques afines

Nombre de bloque afín	Número de agrupaciones de pueblos	Número de pueblos en el bloque
Sahel africano	19	395
Cushita	4	37
Mundo árabe	19	271
Iraní	12	181
Túrquico	12	256
Indo-ario (Sur de Asia)	30	449
Tibetano	5	197
Asiático oriental	6	70
Asiático sudoriental	14	93
Malayo	18	175
Eurasiático	5	44
Judío	1	56
Total (aprox.)[10]	145	2.224

Sahel africano: *fulani, mandingo, wólof, hausa, kanuri*
Cushita: *nubio, somalí, beja*
Mundo árabe: *árabe argelino, cabilio, rifeño, árabe libio*
Iraní: *kurdo, farsi, tayiko, pastún, baluchi, lori*
Túrquico: *turco, azerí, kazajo, tártaro, uzbeko, uigur*
Sur de Asia: *bengalí, bihari, hindi parlantes, urdu parlantes, gondi*
Tibetano: *tibetano lasa, amdo, butanés, khampa*
Asia oriental: *hui, mongol, japonés*
Asia sudoriental: *birmano, tailandés, zhuang, laosiano, dai*
Malayo: *minangkabau, ahenés, sondanés, madura*
Eurasiático: *checheno, circasa, bosnio, grupos siberianos*

Estos pueblos están clasificados en el cuadro arriba.

Traducción de las Escrituras

Es casi imposible concebir una iglesia fuerte en un pueblo que no disponga de la Biblia traducida a su propio idioma. La falta de Escrituras en las lenguas bereberes del norte de África fue un factor clave en la sorprendente desaparición de la que una vez fuera sólida iglesia norafricana entre la llegada del islam en el 698 d.C. y el siglo XII. Lo mismo cabe decir de los pueblos nubios del alto Nilo que acabaron sucumbiendo ante el islam después de ser cristianos durante 1.500 años; la Biblia nunca fue traducida a las lenguas nubias.

Guillermo Carey entendió que la traducción de la Biblia era tan importante que hizo de esta prioridad el móvil principal de su obra misionera. Él quería que hubiera iglesias indias resistentes, sobre cuyos cimientos descansara la labor de los misioneros que le sucedieran. El impacto de la traducción de la Biblia queda demostrado por la obra pionera de la London Missionary Society en Madagascar. La LMS concedió gran prioridad a la traducción del Nuevo Testamento al malgache. Poco después estalló una terrible persecución contra los cristianos, ocupando el trono la reina Ranavalona. Los misioneros fueron expulsados, pero a pesar de ello la iglesia sobrevivió e incluso se multiplicó.[12]

No podemos dejar de alabar a Dios por el notable ministerio de las Sociedades Bíblicas en todo el mundo, que ha multiplicado de manera incansable el número de idiomas que ahora disponen de las Escrituras. Más recientemente, Dios levantó a Wycliffe Traductores de la Biblia con la visión específica de proporcionar el Nuevo Testamento a toda lengua que no tiene a su disposición las Escrituras. En la actualidad Wycliffe es una de las agencias misioneras transculturales más grandes del mundo. Para el 2008, sus obreros habían traducido las Escrituras a 796 lenguas y contaban con equipos trabajando en otras 1.953. La tasa de incremento de las traducciones de la Biblia a otras lenguas se refleja en esta elocuente gráfica.

Se estima que de los 6.912 idiomas que hay en el mundo, 2.251 pueden necesitar la traducción del

Literatura

Es bien conocido el poder de la literatura no cristiana para corromper a millones de personas. No hay más que recordar la maldad y perniciosa influencia que inyectaron el racista *Mein Kampf* de Hitler, las torcidas teorías de Marx en *Das Kapital* o las venenosas diatribas de Mao Tse Tung en su *Pequeño libro rojo*.

No debiera subestimarse el poder de la literatura cristiana. Algunos estiman que más de la mitad de los cristianos evangélicos atribuyen su conversión, al menos en parte, a la literatura cristiana.

Hoy día se produce y se distribuye un volumen prodigioso de literatura cristiana aparte de, y como complemento a, la obra de las Sociedades Bíblicas, como la producida por Liga Bíblica, Scripture Gift Mission, los Gedeones, Liga del Testamento de Bolsillo y muchas otras organizaciones. Aquí sólo comentaré el que considero el ministerio más extendido que el mundo ha visto en el campo de la literatura, el de la organización Testimonio Cristiano a Cada Hogar (Every Home for Christ). La visión es muy sencilla, pero su efecto práctico tiene un alcance e impacto extraordinarios.

Su visión consiste en distribuir, y respaldar en oración, una presentación sencilla y relevante del evangelio en todo hogar e institución de todo país del mundo. Testimonio Cristiano a Cada Hogar (TCCH) ha distribuido sistemáticamente casi dos mil millones de mensajes evangélicos impresos en varias páginas, por todo el orbe, acompañados de una tarjeta de decisión, en idiomas hablados por el 95% de la población mundial. Los analfabetos son alcanzados con mensajes grabados y los ciegos con mensajes en braille. Más de 63 millones de tarjetas de decisión han sido devueltas a 95 oficinas a través del mundo desde las que se da seguimiento con un curso bíblico por correspondencia dividido en cuatro partes. La meta es que cada contacto se integre en un grupo de creyentes adoradores.

Idiomas con Escrituras 1600 – 2000

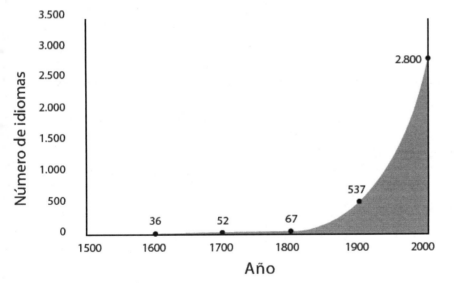

Nuevo Testamento. La mayoría de estos idiomas se habla en el Sahel africano y cuerno de África, los pueblos iraníes, Asia Central, el Cáucaso, la China y la India. Debemos reclutar urgentemente a muchos más dedicados y talentosos misioneros traductores bíblicos para dar término a esta tarea. Hay trabajo suficiente para mantener un ejército de traductores ocupados por otra generación o más.

Otros datos estadísticos son igualmente impresionantes. En 2008 se emplearon más de 3.500 nacionales de tiempo completo en 95 países, que coordinaron a 16.000 distribuidores voluntarios para la misión cada semana. Como promedio, estos obreros entregan físicamente el evangelio a 1,2 millones de nuevas familias por semana (alrededor de 170.000 familias por día). Tomando como promedio 5,2 personas por hogar, esto significa que unas 880.000 personas reciben cada día una porción con acceso razonable al mensaje de salvación por medio de la actividad de TCCH.

En las áreas de actividad de TCCH donde no hay ningún tipo de iglesia que cree en la Biblia, se anima a los conversos a reunirse para tener comunión, estudio bíblico y adoración en pequeños grupos llamados «Grupos de Cristo». A veces éstos evolucionan hasta convertirse en congregaciones bien establecidas. Hasta la fecha se han establecido unos 115.000 Grupos de Cristo, sobre todo en regiones como la India, Indonesia, Nepal, África, Pacífico Sur y la ex Unión Soviética. Según un informe reciente sobre África, un Grupo de Cristo cerca de Kinshasa, República del Congo, ha crecido, y se ha convertido en una iglesia bien establecida con más de 2.000 miembros en menos de dos años. En una ciudad de Ucrania, otro Grupo de Cristo ha crecido hasta alcanzar más de 3.000 miembros en sólo 18 meses.

Desde su fundación en Japón en 1953, TCCH ha llevado a cabo una distribución sistemática a cada hogar en 198 países. Setenta y cinco han recibido al menos una completa cobertura nacional. Otros, como Singapur, Hong Kong y Taiwán, han recibido varias. Algunos países, como la India y Filipinas, han tenido dos coberturas y están teniendo una tercera. Hoy día el ministerio de TCCH está activo en 95 países, e incluye muchas obras nuevas en la antigua Unión Soviética, África francófona, Asia y el Pacífico. Para 2008, TCCH había distribuido en todo el mundo más de 2.640 millones de porciones de literatura evangélica en cientos de idiomas.

Uno no puede sino maravillarse de la amplitud de esta visión y de sus resultados manifiestos — aunque la magnitud de tales cifras opaque fallas y decepciones. Con todo, debemos admitir que es probable que por este medio casi todos los hogares de un país tan grande y tan complejo como la India, con la mayor concentración de personas no evangelizadas del mundo, ¡hayan sido visitados dos veces!

Audioministerios

La historia de Joy Ridderhof y Grabaciones Buenas Nuevas (Gospel Recordings), misión por ella fundada, es una de las grandes leyendas misioneras de este siglo.[13] Fue una brillante innovación idear un medio sencillo de esmerada grabación de mensajes evangélicos en discos, y después en cintas y CD en lenguas sin hablantes creyentes ni misioneros. Este medio también se presta para una reproducción bastante rápida del mensaje del evangelio para una multitud de lenguas y dialectos. Esto, junto con sencillos dispositivos de reproducción como el tocadiscos de acetatos, o las máquinas de reproducción operadas manualmente para casetes, les permitió a los misioneros grabar mensajes en audio que se pudieran escuchar una y otra vez. El analfabetismo, la falta de creyentes en la zona, o de misioneros que hablen sus idiomas, no impiden que la verdad fuera presentada a los pueblos no alcanzados. Esta herramienta ha solido ser el primer medio por el que pueblos sin ninguna evangelización empiezan a oír el evangelio.

Grabaciones Buenas Nuevas se ha convertido en una red de organizaciones misioneras bajo el nombre de Global Recordings Network (GRN), con bases en 35 países. Produce y distribuye materiales evangelísticos en audio en muchos idiomas hablados en todos los países de la tierra. Para 1997, GRN logró terminar mensajes evangelísticos en 5.000 lenguas.[14] En 2008, ese número había aumentado hasta 5.750.

Una de las ventajas de este medio es que los recursos y el tiempo necesarios son bastante reducidos para permitir hacer grabaciones para los pueblos más pequeños que de otra manera no dispondrán de emisiones de radio o traducciones bíblicas impresas en muchos años. Un traductor de la Biblia tendría que meditar detenidamente antes de dedicar gran esfuerzo y 10 o 15 años para traducir el Nuevo Testamento en una lengua hablada por 300 personas, pero no dudaría mucho en preparar una serie de grabaciones para un pueblo que sólo cuenta con 50 hablantes.

GRN cuenta con un programa titulado *Tail-enders* («los últimos de la fila»), centrado en los últimos en ser servidos, si es que llegan a ser servidos. GRN está comprometida en buscar y proveer para la evangelización de «los últimos de la fila» que están siendo ignorados y abandonados. Su objetivo final es disponer de una grabación para toda lengua y dialecto vivo sobre la tierra, cuyo número total posiblemente se acerque a 16.000.[15]

No disponemos de espacio para comentar otras agencias dignas de mención especializadas en producir materiales en audio para la evangelización y el discipulado. Aquí sólo he querido mostrar el poder de este instrumento para contribuir a la evangelización de los pueblos menos alcanzados de la tierra, en particular los que son pasados por alto por otros ministerios debido a su pequeño tamaño o aislamiento. Esto refuerza aún más nuestro potencial para alcanzar a toda raza, tribu, pueblo y lengua en nuestros días.

La película y el video de Jesús

El Proyecto Película Jesús es una representación literal de la vida de Jesús según el evangelio de Lucas. Se ha convertido en una de las herramientas evangelísticas más poderosas de los últimos tiempos y en la película más vista de la historia.[16]

En los años 90, el Proyecto Película Jesús se puso como meta producir la película en todos los idiomas del mundo hablados por más de un millón de personas. El objetivo intermedio de 271 versiones se alcanzó a finales de 1993. En agosto de 1997 se habían realizado 417 versiones y otras 226 estaban en proceso de producción. En 2008 la película se había doblado a 1.050 lenguas y se avanzaba en otras 146.

El esfuerzo, la planificación y los recursos necesarios para producir esta película en tantos idiomas son pasmosos. Muchos miles de obreros cristianos de muchas agencias trabajan esforzadamente para preparar nuevas versiones o proyectar la película en muchas partes. Se ha convertido en una importante contribución para la evangelización del mundo.

La radio

La radio cristiana tiene una historia extraordinaria, y ha obtenido excelentes resultados en derribar de manera gradual, arraigados prejuicios contra el evangelio. También ha contribuido de manera cardinal proveyendo enseñanza a los creyentes y sus líderes, especialmente donde no había acceso a otros recursos de enseñanza.

Los resultados evangelísticos más espectaculares se han cosechado donde hay emisiones regulares, culturalmente relevantes, en regiones cerradas a la misión. Justin Long, del Global Evangelization Movement, que trabaja en la *World Christian Encyclopedia*, estima que unos 3 millones de personas han abrazado la fe de Cristo como resultado de las retransmisiones de radio y televisión. De éstos, es posible que estén aislados unos 400.000 creyentes secretos, a menudo en áreas donde no hay iglesia. Tal cifra es casi imposible de verificar, pero se conocen historias asombrosas de Rusia, la China, la India y muchas partes del Medio Oriente, de gran número de iglesias fundadas y sostenidas casi enteramente por medio de la radio cristiana. Los ministerios de HCJB en Ecuador, Radio Trans Mundial, Far East Broadcasting Company & Association, Radio IBRA, y muchos otros, han cosechado frutos mucho mayores de lo que anteriores detractores esperaban.

En los últimos años, muchos de estos grandes ministerios globales se han unido para formar la red internacional el Mundo por la Radio. Su objetivo es predicar el evangelio por medio de la radio a toda megalengua (lengua con más de un millón de hablantes) con media hora diaria de retransmisión. Esto significa que más del 99,5% de la población mundial tendría la posibilidad de oír el evangelio en una lengua que puede entender. La lógica que sustenta esta idea es que casi todas las personas que usan una lengua hablada por menos de un millón de personas serían al menos bilingües de modo parcial o conocerían suficientemente otra lengua más extendida para entender el mensaje. Por supuesto, en muchas áreas los radioyentes serían pocos, pero en otras serían muchos. Por ejemplo, se estima que hace algunos años el 15% de la población musulmana de la parte sur de Yemen escuchaba retransmisiones de la emisora cristiana FEBA, desde las islas Seychelles, en el océano Índico.

Hace más de una década, cuando la red el Mundo por la Radio asumió el compromiso de emitir diariamente por al menos 30 minutos en toda lengua con más de un millón de hablantes, se estimaba que unas 140 de las megalenguas del mundo captaban emisoras cristianas. Esto significa que hacía falta desarrollar servicios en otras 160 lenguas. A partir de entonces, las emisoras del Mundo por la Radio han añadido otras 100 lenguas. En la actualidad restan alrededor de 51 lenguas programadas para ser incluidas en este desarrollo.[17]

Es asombroso constatar el progreso realizado hacia esta meta. No obstante, por lo que toca a muchos pueblos que restan, las dificultades parecen casi insuperables. Necesitarán una gran inversión de fondos y experiencia, desarrollo de ministerios de seguimiento, ahora escasos o inexistentes, y una bolsa de hablantes nativos, cristianos maduros, para confeccionar los programas. Veamos algunos de los ejemplos que plantea este desafío:

- *El pueblo luri de Irán (3.000.000)* es uno de los menos evangelizados del mundo. Hay pocos cristianos en Irán directamente comprometidos con alcanzarlos, y pocas comunidades luri en otros países donde sean más accesibles. ¿Cómo se podrán producir y emitir de manera regular programas cuando sólo hay un puñado de cristianos disponibles para hablar ante un micrófono de radio?

- *Los kanuri de Níger (4.000.000), Nigeria y Chad* han sido evangelizados por la Misión Unida del Sudán (SUM, por sus siglas en inglés), Sirviendo en la Misión (SIM) y otras misiones por décadas, pero después de todo ese esfuerzo, los cristianos de este pueblo musulmán pueden ser contados con los dedos de las manos y los pies. No hay iglesias viables y pocos líderes que reclutar para el ministerio de la radio; y aunque los hubiere, quizá esos obreros imprescindibles tendrían que abandonar otro ministerio clave para entregarse a éste. El preparar 30 minutos diarios de emisión con el contenido y el atractivo necesario es un reto que precisa un equipo de obreros dedicados para retransmitir y mantener un ministerio esencial de seguimiento.

Las comunicaciones por satélite

El rápido desarrollo de la televisión por satélite y la amplia distribución de antenas parabólicas cada vez más pequeñas, han transformado radicalmente el mundo —a menudo, por desgracia, para mal, con programas omnipresentes que apelan a los instintos más bajos del hombre—. Con todo, este medio ha demostrado ser un instrumento idóneo para proclamar el evangelio en países hasta la fecha casi inaccesibles al mismo.

Para algunas naciones, el advenimiento de la tecnología por satélite es una ventaja para evitar la necesidad de proveer costosas instalaciones de cable para los sistemas nacionales de telefonía y las redes terrestres de transmisores de televisión. Esto significa que incluso los países menos desarrollados pueden dar un salto a la tecnología del siglo XXI. La pobreza ya no es necesariamente un factor clave que impida el acceso a las comunicaciones por medio de la alta tecnología. Por tanto, cabe esperar que la televisión cristiana, sazonada con oración, y sabiamente gestionada, influya —y ya está influyendo— de manera significativa, en muchos pueblos que de otro modo tendrían muy poca exposición al evangelio.

Hay varios países musulmanes que están muy conscientes del efecto subversivo y corruptor de su moral pública y sus creencias religiosas causado por una programación ampliamente accesible sobre la que no tienen control. Algunos países han intentado prohibir las antenas parabólicas, pero ha sido inútil —cada año que pasa aparecen receptores de tamaño más reducido y más fáciles de ocultar—. Se estima

La tecnología reduce la exclusiva dependencia en la cercanía física y el contacto personal directo, pero no rebaja su valor.

que en 1997 alrededor del 80% de los hogares de Arabia Saudita tenían antenas parabólicas, y en Teherán, capital de Irán, se instalaban cada mes más de 100.000 antenas parabólicas.

Ha habido un rápido incremento de la inversión cristiana en este medio. En 1997, las organizaciones cristianas de radiodifusión, el SAT-7 (Chipre), el Bible Channel (Reino Unido) y la Miracle Network (Noruega) comenzaron a usar el satélite AMOS cuya cobertura abarca todo el Medio Oriente.

La rápida expansión del ancho de banda está permitiendo más transmisiones con la posibilidad de programaciones interactivas de discipulado, por email, audio o televisión por medio de computadoras y satélites. Esto abre el camino para el discipulado individual en cualquier idioma mediante conexiones vía satélite. Las fronteras cerradas se tornan cada vez más irrelevantes y ofrecen menor resistencia a cualquier ministerio. Resulta difícil imaginar lo que en diez años podría ser una realidad: ¡un misionero residente en Alemania discipulando a creyentes mantsi en el norte de Siberia, un curso intensivo de educación teológica por extensión en árabe, para mauritanos, impartido desde Seúl, Corea del Sur, o un grupo de refugiados hmong, en la Guyana Francesa, confraternizando con creyentes hmong y compatriotas suyos en Laos! Todo esto abre un gran potencial para una importante obra misionera hasta los confines de la tierra a gestionar desde las instalaciones de una congregación local.

No debemos dejarnos deslumbrar por las maravillas de la tecnología y pensar que se puede soslayar la necesidad de una poderosa oración intercesora, cancelar la necesidad de la cruz y el sufrimiento, o reducir el valor de la aculturación y encarnación de los misioneros en culturas extranjeras. La tecnología reduce la exclusiva dependencia en la cercanía física y el contacto personal directo, pero no rebaja su valor. Todo pueblo sobre la tierra debe ser alcanzado con el evangelio, y discipulado para el reino, pero la flexibilidad, la diversidad de herramientas y las posibilidades se han multiplicado. Usémoslas dondequiera que sean necesarias.

Cada medio proporciona otra capa de cobertura global. No todas las capas afectarán de igual manera a todas las personas, pero la multiplicidad acumulativa de las capas de los medios de comunicación da pie para albergar mayores esperanzas de que la tarea se pueda concluir si movilizamos los recursos de la iglesia.

3. El desafío urbano

Las grandes ciudades del mundo son los grandes desafíos misioneros del siglo XXI. Ignoramos las ciudades para nuestro propio riesgo. Las grandes ciudades del mundo son fuente de gran parte de nuestra riqueza y miseria, sabiduría y depravación, innovación y pecado. El motor del cambio social está en las ciudades, y si se gestiona sabiamente, puede ser la dinamo que impulse el crecimiento del reino.

El siglo XXI conocerá un mundo urbanizado, así como los otros 20 siglos de cristianismo conocieron un mundo rural. El final del segundo milenio supuso el fin de la mayoría rural con más del 50% de la población mundial urbanizada.

Hace dos siglos el mundo era rural, con una urbanización del 4% y sólo había una megaciudad, Pekín, con una población de 1.100.000.[18] Para el año 1900, la urbanización había aumentado el 14% con 18 megaciudades y 2 superciudades —Londres y Nueva York—. Para el año 2000, el 51% del mundo estaba urbanizado, con 20 ciudades supergigantes (de las cuales sólo una estaba en Europa o los Estados Unidos), 79 superciudades y 433 megaciudades. Esa tendencia continuará, de tal manera que para 2100 los habitantes rurales podrían ser sólo el 10% de la población del mundo. Las ciudades son incluso más vitales para la estrategia misionera de lo que fueron en los días de Pablo.

Las misiones pioneras del siglo XX se han caracterizado por la necesidad de evangelizar a las etnias no alcanzadas —un proceso cuya conclusión está a la vista—. El siglo XXI se caracterizará por la necesidad de emprender misiones pioneras en las grandes ciudades del mundo —un caleidoscopio de necesidades mucho más complejas y de múltiples estratos—. En el siglo XX se percibían las misiones pioneras como rurales, pero es necesario cambiar de mentalidad y considerar el reto urbano como la frontera del futuro.

Hemos estado ganando el medio rural y perdiendo las ciudades, y de manera constante la población rural se ha ido trasladando a las ciudades. El encanto y el romanticismo asociados con las selvas, las montañas, los desiertos y las islas remotas, los hace parecer «auténtica» obra misionera, pero residir en una jungla de cemento o sórdido suburbio puede ser un lugar de ministerio mucho menos atractivo e indeseable.

Uno de los más tenaces abogados de la necesidad de los pobres urbanos es Viv Grigg. Lo conocí cuando vivía en un sórdido suburbio de Manila. Paseamos entre los olores y el ruido del gueto donde él vivía. Tuvimos que subir una escalera y abrir una escotilla para sentarnos a tomar una taza de té. Sus escasas posesiones estaban esparcidas en un cuarto cálido y sofocante. Yo sentí que él se había ganado el derecho de hablar con pasión como profeta de los pobres urbanos. No se anda con rodeos cuando habla del reto de la misión:

…debemos enviar grupos como los predicadores mendicantes de las piadosas comunidades del siglo XII, o los monjes irlandeses itinerantes que convirtieron el norte de Europa entre el siglo V y el IX… En nuestro caso debemos enviar comunidades de hombres y mujeres, parejas casadas, y solteros, con el compromiso de vivir como los pobres entre los pobres para predicar el reino y establecer la iglesia en estos grandes barrios bajos…

…Dios está ofreciendo a las misiones occidentales la oportunidad de retornar a un compromiso bíblico con los pobres y a la encarnación como principal modelo misionero. La necesidad es urgente: varios miles de catalizadores en los suburbios de muchas ciudades del Tercer Mundo que pueden generar movimientos en cada ciudad. Dos mil millones de personas están clamando.[19]

Nuestras desoladas ciudades suponen un inmenso desafío, pero yo creo que está amaneciendo un nuevo día para la misión urbana. El Señor nos promete que su pueblo habitará en esas ciudades.

Notas

1. Casi todas las versiones españolas usan la palabra «nación». Esta palabra no comunica hoy lo que debiera, ya que evoca los estados modernos, mientras que Isaías hablaba de grupos étnicos o etnias, no de entidades políticas. Muchas versiones inglesas usan el término *desposeer* («*dispossess*») en vez de *poseer*, que desgraciadamente restringe la aplicación al contexto del Antiguo Testamento, en el que Israel toma la Tierra Prometida; estoy convencido de que la aplicación es más amplia y se extiende hasta los tiempos actuales.

2. Publicaciones del Movimiento AD2000 and Beyond.

3. Indonesia, Mongolia, las repúblicas islámicas de Asia Central, Sri Lanka, Maldivas y Somalia deberían estar incluidos, pero quedan fuera de la ventana. Países de la ventana con poblaciones cristianas importantes, a veces nominales, como Corea del Sur, Filipinas, Eritrea y muchos países europeos mediterráneos están o deberían estar excluidos.

4. Véase Patrick Johnstone, *The Church is Bigger Than You Think: Structures and Strategies for the Church in the 21st Century* (Ross-shire, Great Britain: Christian Focus Publications/WEC, 1998).

5. Nuevas investigaciones y respuestas de campo han indicado que algunos de los 1.500 pueblos no eran etnolingüísticos, sino etnoculturales. Esto salió a la luz al mismo tiempo que los líderes cristianos de la India razonaban que las categorías etnolingüísticas no encajaban en la realidad etnocultural para la fundación de iglesias entre las castas de la India. Por lo tanto, tuvimos que confeccionar una lista paralela que contuviera estas categorías para donde fuera más relevante y se fundaran iglesias.

6. Existe un buen mapa en colores de los bloques afines publicado por Global Mapping International, 15435 Gleneagle Dr., Suite 100, Colorado Springs, CO, 80921. Email: info@gmi.org; Web: www.gmi.org.

7. En la actualidad el Proyecto Josué dispone de una lista relativamente completa de etnias menos evangelizadas que incluye pueblos con poblaciones inferiores a 10.000. Véase www.joshuaproject.net.

8. Patrick Johnstone, John Hanna y Marti Smith, eds., *Praying Through The Window III* (Seattle, WA: YWAM Publishing, 1996)

9. El Movimiento AD2000 and Beyond ha venido auspiciando desde 1982 encuentros anuales, globales, de oración, centrándose cada uno en una categoría particular de la población mundial.

10. Estas cifras deben considerarse aproximadas, ya que nuevas investigaciones están mostrando que algunos pueblos han sido más evangelizados de lo que se pensaba y por tanto fueron omitidos, y otros pueblos, añadidos —normalmente porque se descubren en otros países comunidades emigrantes de pueblos más grandes.

11. Jim Montgomery, *DAWN 2000: 7 Million Churches to Go* (Pasadena, CA: William Carey Library, 1989). El reto de Montgomery respecto a la necesidad de multiplicación de las iglesias es aplicable tanto a áreas aún no evangelizadas como a áreas evangelizadas, pero con acceso inadecuado a las iglesias.

12. Stephen Neill, *A History of Christian Missions* (Hasmondworth, Middlesex: Penguin Books Ltd, 1964), pp. 269-70.

13. S.M. Barlow, *Mountains Singing: The Story of Gospel Recordings in the Philippines* (Chicago: Moody Press, 1952); Phyllis Thompson, *Count it all Joy: The Story of Joy Ridderhof*, (Gospel Recordings, 1978).

14. El sitio web de Global Recordings Network es: www.globalrecordings.net.

15. La última estimación total del *Etnólogo* de Wycliffe para las lenguas conocidas del mundo es de 6.912. No obstante, el *Etnólogo* también incluye dialectos conocidos de estas lenguas. Lo cual añade casi 10.000 dialectos a la lista de lenguas. Es difícil determinar la diferencia entre lengua y dialecto, pues no sólo entran en juego factores lingüísticos, sino también históricos, culturales y sociales. Cuando a un grupo de personas le disgustan sus vecinos que hablan la misma lengua, no necesita más que algunas palabras un poco distintas, o matices de pronunciación, para crear un dialecto en una lengua, ¡y preferir otro Nuevo Testamento!

16. Paul Eshleman, *The Touch of Jesus* (Orlando: New Life Publications, 1995). Este libro relata parte de la historia, conflictos, triunfos y fruto de la película Jesús.

17. La red el Mundo por la Radio dispone de una página web donde se pueden encontrar más detalles sobre las lenguas en que se transmite y las que necesitan transmisión: www.wbradio.net.

18. Según la definición de Barrett, las megaciudades albergan una población de 1.000.000 de personas, las superciudades, 4.000.000, y las supergigantes, 10.000.000. David Barrett, *Cities and World Evangelization* (Birmingham, AL: New Hope, 1986).

19. Viv Grigg, *The Cry of the Urban Poor: Reaching the Slums of Today's Megacities* (Monrovia, CA: MARC Publications, 1992).

Sinfonía del esfuerzo de Dios para producir «Una iglesia para cada etnia»

Bruce A. Koch y Krikor Markarian

Esta gráfica está adaptada de la original que fue concebida por Ralph D. Winter e incluye estimaciones adicionales de otras personas.
Estas cifras incluyen verificaciones hasta noviembre de 2008.

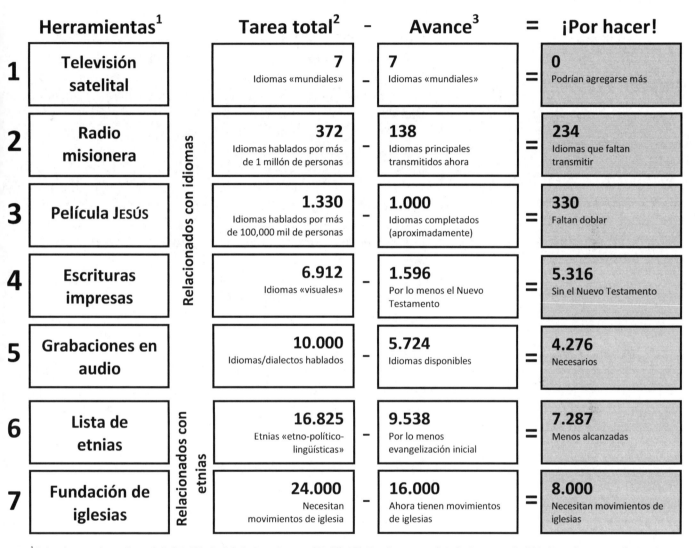

	Herramientas[1]	Tarea total[2]	−	Avance[3]	=	¡Por hacer!
1	Televisión satelital	**7** Idiomas «mundiales»	−	**7** Idiomas «mundiales»	=	**0** Podrían agregarse más
2	Radio misionera	**372** Idiomas hablados por más de 1 millón de personas	−	**138** Idiomas principales transmitidos ahora	=	**234** Idiomas que faltan transmitir
3	Película JESÚS	**1.330** Idiomas hablados por más de 100,000 mil de personas	−	**1.000** Idiomas completados (aproximadamente)	=	**330** Faltan doblar
4	Escrituras impresas	**6.912** Idiomas «visuales»	−	**1.596** Por lo menos el Nuevo Testamento	=	**5.316** Sin el Nuevo Testamento
5	Grabaciones en audio	**10.000** Idiomas/dialectos hablados	−	**5.724** Idiomas disponibles	=	**4.276** Necesarios
6	Lista de etnias	**16.825** Etnias «etno-político-lingüísticas»	−	**9.538** Por lo menos evangelización inicial	=	**7.287** Menos alcanzadas
7	Fundación de iglesias	**24.000** Necesitan movimientos de iglesia	−	**16.000** Ahora tienen movimientos de iglesias	=	**8.000** Necesitan movimientos de iglesias

(Columna izquierda — filas 1 a 5: *Relacionados con idiomas*; filas 6 a 7: *Relacionados con etnias*)

[1] Estimaciones por herramienta: Radio (World by Radio); Escrituras impresas (Wycliffe Bible Translators y otros); Grabaciones en audio (Global Recordings Network); Lista de etnias (Joshua Project); Fundación de iglesias (estimaciones de USCWM). [2] Según lo definido por la herramienta usada. [3] Hasta noviembre de 2008.

Note que las siete hileras de arriba son formas de ver las tareas que son de verdadero valor. No obstante, sería un gran error suponer que cualquier hilera por sí sola es *la* respuesta a la Tarea por Completar.

Ninguna de las cifras en la última columna (¡Por hacer!) son exactas. Pueden ser citas de las estimaciones de otra persona.

Todas las cifras son conservadoras. Cuando se alcanza una etnia de un racimo de pueblos no alcanzados, a menudo nos damos cuenta de la existencia de otras etnias dentro de ese racimo. Por lo tanto, estimamos 8.000 en la hilera 7 (Fundación de iglesias) para asegurarnos de no subestimar lo que queda por hacer.

Ninguna herramienta o enfoque de comunicación puede hacer la tarea por sí sola. Dios está orquestando todas estas herramientas y estrategias para producir *«Una iglesia para cada etnia»*.

El desafío de las ciudades

Roger S. Greenway

Las ciudades constituyen la nueva frontera de las misiones cristianas. Debido a su tamaño, influencia, diversidad y necesidades, las ciudades presentan enormes desafíos. Desatender a las ciudades sería un error estratégico porque, según cómo estén las ciudades, así estará el mundo.

Las ciudades son los centros de poder político, actividad económica, comunicación, investigación científica, instrucción académica y de influencia moral y religiosa. Lo que ocurre en las ciudades afecta a naciones enteras. Cuando el reino de Dios avanza en las ciudades, la cantidad de personas que adoran y sirven al Dios verdadero se multiplica.

Durante el siglo XX el mundo se urbanizó. Cuando comenzó el siglo, sólo trece por ciento de la población mundial vivía en ciudades. Para el fin del siglo, la mitad del mundo vivía en ciudades.

En 1950, sólo dos ciudades, Nueva York y Londres, tenían más de ocho millones de habitantes. En 2000, había veinticinco. Para el año 2015 se espera que treinta y tres ciudades tengan más de ocho millones. Diecinueve de ellas estarán en Asia.

La migración desde las zonas rurales hacia los centros urbanos explica alrededor de la mitad del crecimiento de las ciudades. La otra mitad se debe al crecimiento interno, que se determina por la cantidad de nacimientos por encima de las muertes. El desplazamiento de más de mil millones de personas hacia las ciudades durante las últimas dos décadas es el mayor movimiento de población de la historia.

Causas de la migración urbano-rural

Una causa subyacente de la migración a las ciudades es el aumento de la población en todo el mundo. En términos generales, la gente vive más tiempo hoy, la mortalidad infantil ha decrecido, y los medicamentos mantienen vivas a personas que años atrás habrían muerto. Con el aumento de la población surge la necesidad de más trabajos. Esto fuerza a millones de personas a dejar sus tradicionales hogares rurales para desplazarse a las ciudades en busca de empleo.

Existen también otras causas. Las ciudades ofrecen oportunidades educativas que no están disponibles en pequeños pueblos y aldeas. Asimismo, en las ciudades hay hospitales y centros de salud para personas con necesidades médicas especiales. Los jóvenes, en especial, se ven atraídos a las ciudades porque ofrecen emociones, entretenimiento y nuevas oportunidades. A menudo llegan a las ciudades soñando con riquezas y una vida mejor, sólo para ver sus sueños destruidos por las duras realidades de la vida urbana.

Roger S. Greenway fue profesor de misionología mundial en el Calvin Theological Seminary y profesor de misiones y comunicación del evangelio en el Westminster Theological Seminary. Sirvió durante veinticuatro años, primero en Sri Lanka, luego en América Latina y finalmente como director ejecutivo de Christian Reformed World Ministries.

Artículo 86

Megaciudades del mañana

ASIA (en millones)

Bangladés

Daca	19,0

China

Pekín	19,4
Shanghái	15,1
Tianjín	10,4
Shenyáng	9,4

Japón

Tokio	28,7
Osaka	11,6

Corea

Seúl	13,1

Tailandia

Bangkok	13,9

India

Bombay	27,4
Nueva Delhi	17,6
Calcuta	17,6
Hyderabad	10,4
Madrás	8,4

Indonesia

Yakarta	21,2

Pakistán

Karachi	20,6
Lahore	10,6

Filipinas

Manila	14,7

ÁFRICA

Nigeria

Lagos	24,4

República Democrática del Congo

Kinshasa	13,9

EUROPA Y MEDIO ORIENTE

Egipto

El Cairo	14,5

Francia

París	9,6

Irán

Teherán	14,6

Rusia

Moscú	9,2

Turquía

Estambul	12,3

AMÉRICA DEL NORTE

México

México, D.F.	18,8

Estados Unidos

Nueva York	17,6
Los Ángeles	14,3

AMÉRICA DEL SUR

Argentina

Buenos Aires	12,4

Brasil

Sao Paulo	20,8
Río de Janeiro	11,6

Perú

Lima	12,1

Los analistas pronostican estas poblaciones (en millones) para algunas de las ciudades más grandes del mundo para el año 2015. Tome en cuenta que cada individuo de estos millones de personas es un ser humano hecho a imagen de Dios. Cada uno tiene muchas necesidades y sobre todo necesita a Cristo Jesús y la salvación por medio de él. ¡Qué tremendo desafío misionero nos espera en estas ciudades!

Se reportan poblaciones mucho más grandes cuando se incluyen las ciudades junto con la zona metropolitana que las rodea. Estas cifras sólo incluyen a las ciudades.

Causas de la migración urbano-rural

Una causa subyacente de la migración a las ciudades es el aumento de la población en todo el mundo. En términos generales, la gente vive más tiempo hoy, la mortalidad infantil ha decrecido, y los medicamentos mantienen vivas a personas que años atrás habrían muerto. Con el aumento de la población surge la necesidad de más trabajos. Esto fuerza a millones de personas a dejar sus tradicionales hogares rurales para desplazarse a las ciudades en busca de empleo.

Existen también otras causas. Las ciudades ofrecen oportunidades educativas que no están disponibles en pequeños pueblos y aldeas. Asimismo, en las ciudades hay hospitales y centros de salud para personas con necesidades médicas especiales. Los jóvenes, en especial, se ven atraídos a las ciudades porque ofrecen emociones, entretenimiento y nuevas oportunidades. A menudo llegan a las ciudades soñando con riquezas y una vida mejor, sólo para ver sus sueños destruidos por las duras realidades de la vida urbana.

Pobreza urbana y sufrimiento

Algunos de los peores sufrimientos se encuentran entre personas que recién han llegado a las ciudades. La gente de las clases campesinas rurales rara vez está preparada para las dificultades que encuentra. Carece de las habilidades que se requieren para los trabajos disponibles. No puede comprar propiedades ni pagar alquileres altos. Se ve forzada a vivir en asentamientos ilegales, en chozas construidas con madera desechada, hojalata y papel alquitranado, generalmente ubicadas en la periferia de la ciudad.

En sus primeras etapas, las comunidades ilegales carecen de agua, alcantarillado, electricidad y calles convencionales. Como la tierra no les pertenece, los residentes son vulnerables al desalojo y a la pérdida repentina de sus casas. Los que son lo suficientemente afortunados como para encontrar trabajo dedican horas agotadoras cada día a caminar y viajar en autobuses públicos. La vida familiar sufre debido a que los jóvenes y mayores trabajan siete días a la semana en los trabajos que pueden encontrar.

La vida es dura para los pobres en las ciudades. El crimen es cosa de todos los días y hay escasa seguridad. No obstante, grandes cantidades de personas nuevas siguen llegando desde las aldeas. Son atraídas como por imanes invisibles a las ciudades, y a pesar de la pobreza y el sufrimiento, por lo general su nivel de optimismo con relación al futuro es alto. Con toda certeza creen que si no lo logran los padres, seguro los hijos disfrutarán de una mejor vida en la ciudad.

Apertura al evangelio

Por regla general las personas recién desplazadas experimentan cambios importantes en sus vidas que las hacen más abiertas al evangelio que antes de estos sucesos. En mi experiencia, lo mismo ocurre entre personas que acaban de llegar a las ciudades.

Las personas nuevas en las ciudades están abiertas a nuevas ideas, incluso ideas acerca de Dios y la religión. Como resultado, he llegado a creer que Dios está detrás de la migración de grandes cantidades de personas a las ciudades. Él está creando nuevas oportunidades para la difusión del evangelio entre personas no alcanzadas que llegan de pueblos y aldeas remotos. Nuestra tarea consiste en aprovechar la oportunidad y llevar a cabo el mandato misionero de Cristo.

Durante mis años en la Ciudad de México trabajé con estudiantes en la evangelización y fundación de iglesias en comunidades ilegales y otras zonas de bajos ingresos. Primero intentamos otras partes de la población urbana, pero encontramos que la mayor apertura al evangelio se encontraba entre personas que habían llegado a la ciudad menos de diez años antes.

Usando los métodos más sencillos y menos costosos, yendo de puerta en puerta, testificando personalmente a las familias en sus hogares, orando por los enfermos y comenzando estudios bíblicos, iniciamos docenas de «células» e iglesias hogareñas. Muchas de ellas se desarrollaron para convertirse en congregaciones bien establecidas. Esto me llevó a creer que la migración masiva a las ciudades que está ocurriendo en todo el mundo

puede ser, en la providencia de Dios, una clave para la evangelización del mundo. Por medio de la urbanización, Dios está atrayendo a personas de toda raza, tribu y lengua a lugares donde pueden ser alcanzadas con el evangelio.

Cuestiones prácticas en las misiones urbanas

Hay cinco consideraciones importantes para el ministerio en las ciudades:

1. Pobreza

En muchas ciudades, entre el treinta y el cincuenta por ciento de la población es pobre, a menudo *desesperadamente* pobre. El trabajo de misión urbana, en la mayoría de los casos, exige que los misioneros sigan una estrategia integral que proclame el evangelio del

> **Por medio de la urbanización, Dios está atrayendo a personas de toda raza, tribu y lengua a lugares donde pueden ser alcanzadas con el evangelio.**

amor salvador de Dios y demuestre ese mismo evangelio en formas prácticas. Lidiar diariamente con desigualdades sociales y diferencias económicas es un tema muy práctico para los misioneros urbanos.

2. Diversidad racial, étnica y cultural

En la mayoría de los países, las poblaciones de las ciudades están compuestas por personas de muchos trasfondos diferentes. Representan diferentes tribus, castas, razas y clases sociales, y hablan diferentes idiomas. Es inevitable que esto afecte la estrategia misionera y el desarrollo de la iglesia. Requiere también de misioneros que disfruten estar cerca de muchas personas diferentes.

3. Pluralismo religioso

En las aldeas, la mayoría de la gente sigue una religión específica, pero las personas de las ciudades siguen una gran variedad de creencias y prácticas religiosas. Los misioneros urbanos podrán prestar más atención a un grupo, pero deben estar preparados para testificar a los demás también. De igual manera deben estar preparados para responder a personas que rechazan a todas las religiones y a otras que consideran que todas las religiones son verdaderas.

4. Actitudes antiurbanas

Tradicionalmente, la mayor parte del trabajo misionero se hacía en zonas rurales. En el pasado tenía sentido porque la mayor parte de las personas vivían en comunidades rurales, pero en la actualidad el mayor desafío está en las ciudades, y allí encontramos gran escasez de obreros. A muchos misioneros les molesta tanto el ruido y el tráfico en las ciudades, la contaminación, los problemas sociales, el crimen y las viviendas atestadas, que prefieren trabajar en zonas rurales. Es verdad que las aldeas no alcanzadas necesitan escuchar el evangelio, pero en vista de la enorme cantidad de personas que no son salvas y que no asisten a iglesias en las ciudades, deberíamos prestar más atención a los centros urbanos.

5. Costo elevado

Un importante tema práctico para las agencias misioneras son los costos monetarios más elevados del trabajo urbano. Para comenzar, las viviendas para misioneros son más caras en las ciudades. En las aldeas, un terreno para un edificio de iglesia a menudo cuesta poco o nada, y los creyentes del lugar pueden erigir su propio lugar de culto, pero en las ciudades las propiedades son caras. Hay quecumplir con códigos de edificación, además de lidiar con sindicatos y mayores salarios que pagar. Estos y otros factores tientan a los misioneros a evitar las ciudades en favor de zonas rurales.

La Palabra de Dios para las ciudades

La Palabra de Dios siempre debe ser nuestro punto de partida en las misiones. A fin de entender la voluntad de Dios para las ciudades, no nos alcanzan unos cuantos versículos diseminados por la Biblia. Necesitamos ver el plan general de Dios, desde la creación y la caída, hasta la redención y la consumación, y cómo se aplica a las ciudades. A la luz de esto, sugiero considerar las siguientes enseñanzas bíblicas:

1. Todos los seres humanos son criaturas de Dios, hechos a su imagen y caídos en pecado, y el evangelio de la gracia salvadora de Dios en Cristo se aplica a todos. Con esto quiero decir que el evangelio suple las necesidades espirituales de personas de todas las razas, nacionalidades, tribus y clases sociales. Las ciudades nos impresionan por el hecho de que son multiétnicas, multiculturales y multirreligiosas. Pero la Biblia enseña que hay un

único evangelio, del único Dios, por medio del único Salvador, y es para todas las personas que habitan las ciudades. Esa verdad es fundamental para nuestra comprensión de la misión urbana.

2. Si bien las necesidades percibidas difieren de persona a persona, y de lugar a lugar, las necesidades fundamentales son universales y deben ser abordadas. Las personas en la ciudad tienen diferentes percepciones de lo que necesitan. Algunas identificarán sus necesidades como una mejor vivienda, cuidado médico, educación y un trabajo. Estas necesidades son reales y legítimas, y un enfoque holístico a la misión urbana tratará con muchas de ellas.

Sin embargo, la tentación es quedar tan absorbidos por ayudar a las personas a suplir sus necesidades percibidas, que descuidamos las necesidades fundamentales. Las necesidades fundamentales son las que la Biblia declara como necesidades más urgentes y críticas de las personas. Son las necesidades universales de arrepentimiento y conversión, reconciliación con Dios y vida eterna por la fe en Cristo.

3. La voluntad de Dios es que las ciudades sean evangelizadas. En vista del prejuicio antiurbano que hemos mencionado, este punto debe ser subrayado.

En la Biblia, la misión urbana comenzó con la historia de Jonás, el profeta del Antiguo Testamento a quien Dios llamó a predicar a la gente malvada de la ciudad de Nínive. Jonás representaba a todos aquellos que, a lo largo de los años, intentaron evitar el llamado a la ciudad. Pero, como descubrió Jonás, Dios estaba decidido a llevar su mensaje a la ciudad. Dios estaba interesado en los ninivitas, sus hijos, y aun los animales (Jon 4:11).

La comisión de Cristo, «vayan y hagan discípulos de todas las naciones» (Mt 28:19), prohíbe desestimar a las ciudades, con sus multitudes de todas las tribus y razas. Es significativo que la estrategia misionera del apóstol Pablo fue completamente urbana. Aun cuando se encontró con hostilidad en la mayoría de las ciudades donde trabajó, Pablo sabía que Dios quería que las ciudades fueran evangelizadas.

4. Las iglesias pujantes que predican el evangelio son la esperanza de las ciudades, y desarrollar esta clase de iglesias es clave para las misiones urbanas. El Nuevo Testamento trata a las iglesias como comunidades del «nuevo pacto» en Cristo, cuya misión es comunicar el evangelio y, por medio de su presencia y actividad, ser faros y escaparates del reino de Cristo. Las iglesias de las ciudades son los agentes de Cristo para la transformación de la sociedad. La estrategia de Pablo comenzaba típicamente con la evangelización y seguía con la fundación de iglesias. Mediante su enseñanza, escritos y ejemplo, Pablo equipó a las iglesias para que fueran luz, sal y levadura en sus comunidades. Las iglesias que no hacen esto son de poca utilidad para la ciudad.

5. Las ciudades son campos de batalla donde la guerra espiritual entre el reino de Cristo y el de Satanás es muy evidente. San Agustín escribió que en cada ciudad hay *dos* ciudades, la ciudad de Dios y la ciudad de Satanás, y están en un conflicto continuo entre sí. Es innegable que las ciudades contienen fortalezas de poder satánico que resisten la difusión del evangelio y promueven la injusticia en la sociedad.

Las ciudades no son malvadas por ser ciudades. Más bien las ciudades maximizan el potencial humano, tanto para el bien como para el mal. Hay mucho de hermoso y bueno en las ciudades. Por medio de sus escuelas, hospitales y productividad, las ciudades realzan la calidad de la vida humana. Pero, al mismo tiempo, el poder del mal es evidente. El pecado se expresa no sólo en las malas acciones de los individuos, sino también en las políticas y las acciones de las instituciones que explotan y oprimen, además del mal uso de los sistemas mediante los cuales las ciudades son administradas.

Para guardarnos tanto del optimismo excesivo, en cuanto a lo que podemos lograr, y de la depresión, cuando aparecen los contratiempos, los obreros urbanos deben poseer una conciencia bíblica de la guerra espiritual que se está desarrollando.

6. Para llevar el shalom —la paz del reino de Dios— a las ciudades, con sus variedades de personas, culturas, religiones y problemas, se requieren ministerios multifacéticos y holísticos. Estos ministerios holísticos deben ser diseñados para: (a) hacer discípulos de Jesucristo, (b) multiplicar iglesias en cada etnia, (c) demostrar compasión y promover justicia, (d) cuidar el medio ambiente como creación de Dios y (e) orar continuamente para que Satanás sea derrotado y Cristo sea exaltado en cada rincón de la ciudad.

En ciudades que tienen personas de muchos idiomas y culturas, debe realizarse una vigorosa fundación de iglesias en sus diferentes comunidades, para que el evangelio pueda ser escuchado y entendido por todos.

El cuidado de la creación de Dios es una obligación cristiana, y los discípulos de Cristo en centros urbanos deben estar a la vanguardia en los esfuerzos por preservar y proteger la tierra, el aire y el agua. No sólo las personas resultan perjudicadas, sino que Dios mismo es deshonrado por el aire contaminado, el agua tóxica y la tierra contaminada.

La oración por las ciudades es una actividad misionera. «Busquen el *shalom* de la ciudad» dijo Jeremías al pueblo de Dios en Babilonia, «¡y *pidan al SEÑOR por ella*!» (Jer 29:7). Ni Satanás ni los problemas de la ciudad pueden resistir los efectos de la oración.

7. La visión escatológica de la Nueva Jerusalén inspira a los trabajadores urbanos de Cristo y da forma a la agenda de la misión. El movimiento de la historia a lo largo de la Biblia va del huerto de Edén, donde ocurrió la caída, a la Nueva Jerusalén, la ciudad que Dios está preparando para nosotros.

Creámoslo o no, ¡todos los hijos de Dios terminarán siendo urbanitas! Tenemos por delante una vida en una ciudad. Será una ciudad donde la verdad y la justicia son la forma de vida y el solo nombre de Cristo es honrado (Ap 21:10-27). Esa visión debe motivarnos ahora, y mantenernos en marcha a pesar de los obstáculos. Porque, como Abraham, nuestros rostros están dirigidos hacia «la ciudad de cimientos sólidos, de la cual Dios es arquitecto y constructor» (Heb 11:10).

Pasos hacia la participación en las misiones urbanas

Ruego a todos los que están preocupados por hacer la voluntad de Dios y alcanzar a la gente perdida para Cristo, que consideren el desafío de las ciudades en crecimiento del mundo. La migración hacia las ciudades es tan grande, que detrás debe tener un propósito redentor divinamente ordenado. ¿Cómo responderemos?

Nuestra respuesta no debe depender de si preferimos vivir en ciudades o no. Como ocurrió con Jonás, y sin duda con Pablo, la pregunta es si iremos donde se necesitan trabajadores y dónde quiere Dios que vayamos.

Para los que están dispuestos a explorar lo que Dios puede tener en mente para ellos, sugiero pasos específicos:

1. Crecer

Lo más importante es su propio desarrollo espiritual. El ministerio en las ciudades exige ponerse «toda la armadura de Dios» (Ef 6:11), no sólo una vez o de vez en cuando, sino a diario. Por lo tanto, estire sus horizontes espirituales. Vaya más allá de su desarrollo individual hacia preocupaciones y áreas de ministerio relacionadas con la iglesia en las cuales debe pagar un precio a fin de fortalecer a los demás.

2. Involucrarse

Involúcrese en alguna clase de trabajo de misión urbana organizada. Le dará una experiencia valiosa y probará sus dones para el ministerio. Ofrézcase como «aprendiz» a un pastor urbano, evangelista o misionero eficaz. Observe cuidadosamente cómo el Señor usa a sus trabajadores. Aprenda todo lo que pueda acerca de presentar el evangelio a diferentes tipos de personas y suplir diversas necesidades.

3. Aprender

Lea libros y revistas que traten con el trabajo de misión en ciudades y aprenda todo lo que pueda acerca de diferentes modelos de ministerio urbano. En lo posible, tome un curso en ministerio urbano en una escuela o seminario bíblicos. Algunas escuelas ofrecen programas académicos en misión urbana.

4. Explorar

Investigue una ciudad específica. Comience por estudiar un mapa de la ciudad, identificando sus diferentes partes: las áreas comerciales, las zonas industriales y los barrios residenciales. Mire detenidamente las áreas que están creciendo en población y las clases de personas y culturas que se encuentran allí.

Luego escoja un barrio y estudie su gente: religión, culturas, idiomas y condiciones sociales. Investigue sus necesidades espirituales, sociales y materiales. Averigüe si hay iglesias pujantes en cada grupo idiomático. Luego piense en formas de promover el reino de Cristo en barrios específicos.

5. Orar

Desarrolle y mantenga un ministerio de oración por las ciudades. La oración es una acción misionera. Usted puede comenzar su misión urbana inmediatamente si hace una lista de ciertas ciudades en diferentes partes del mundo. Aprenda todo lo que pueda acerca de las personas y sus necesidades. Luego ore con regularidad pidiendo que Dios edifique su reino en esas ciudades.

Siga estos pasos y crecerá en su comprensión de lo que implica la misión urbana. Dios aumentará la carga de su corazón por las ciudades y le mostrará el papel que quiere que usted juegue. Considérelo como un gran privilegio que lo llame a ser su colaborador en la edificación de su reino en los lugares más estratégicos del mundo, las ciudades.

Preguntas para reflexionar

1. Explique por qué las ciudades son tan estratégicas para las misiones hoy.

2. Explique por qué millones de personas están migrando hacia las ciudades.

3. ¿Cómo deberían los misioneros prepararse para el trabajo de misión en las ciudades? ¿Qué factores deberían guiar a las agencias misioneras en la división del personal entre trabajo en aldeas y ciudades?

De toda lengua

Barbara F. Grimes

Después de esto miré, y apareció una multitud tomada de todas las naciones, tribus, pueblos y lenguas; era tan grande que nadie podía contarla. Estaban de pie delante del trono y del Cordero.
—*Apocalipsis 7:9*

Hemos recibido el mandamiento de hacer discípulos de todos los pueblos. Para llevarlo a cabo, cada comunicador del evangelio —evangelista, maestro, trabajador de desarrollo o fundador de iglesias— toma la decisión de qué lengua utilizar para el ministerio. Con demasiada frecuencia se toma la decisión de usar la lengua que resulta más fácil para el comunicador en vez de la que comunica mejor a los oyentes.

Llevar a cabo el ministerio en la lengua madre del oyente es obviamente más efectivo, pero para el ministerio que quiere alcanzar a las etnias no alcanzadas, el ministerio en la lengua madre no sólo es valioso, sino crucial. La necesidad del ministerio y del uso de las Escrituras en la lengua madre se hace clara cuando intentamos determinar qué tipo de discípulos e iglesias queremos ver.

Hacer discípulos en la lengua madre

Mucho de lo que se le manda hacer a un discípulo tiene que ver con la lengua. El ser discípulo de Jesucristo supone conocerlo personalmente, y eso requiere una comprensión adecuada de las buenas nuevas y de la Palabra de Dios. El entendimiento y el conocimiento se enfatizan repetidas veces a lo largo de las Escrituras. El apóstol Pablo dijo que su responsabilidad era hacer claro el mensaje (Col 4:4).

Pero ser discípulo supone más que una comprensión pasiva; un discípulo tiene el mandamiento de dar testimonio de su fe, animar a otros cristianos, exhortar a los que lo necesitan, orar, alabar, dar gracias, cantar, memorizar la Palabra de Dios, enseñarles a sus propios hijos, enseñar a los más jóvenes, instruirse uno al otro, y meditar. Los discípulos ejercitan los dones del Espíritu, los cuales implican un comportamiento verbal como el comunicar sabiduría, transferir conocimiento, profetizar, interpretar lenguas, cumplir las funciones de mensajeros designados, y ser evangelistas, pastores y maestros. Algunas personas tienen la responsabilidad de leer la Escritura en público, enseñar, predicar, e interpretar cualquier idioma extranjero que se use en la iglesia.

La lengua madre es el idioma que las personas aprenden primero en el regazo de su madre, y en el que aprenden a pensar y a hablar del mundo que los rodea, a relacionarse con las personas más cercanas a ellos, y a recibir y expresar sus valores. Es la lengua que se hace parte de su personalidad e identidad, y que expresa la etnicidad y la solidaridad con su gente. Las personas pueden manejar las capacidades verbales necesarias para una comprensión adecuada de las buenas nuevas y para

Barbara F. Grimes ha sido miembro de Wycliffe Traductores de la Biblia desde 1951. Ella y su esposo trabajaron con los huicholes en México, donde tradujeron el Nuevo Testamento al huichol, y otra literatura. Fue editora de Ethnologue: Languages of the World from 1971-2000. Desde 1988, ella y su esposo han traducido la Escritura al lenguaje pidgin hawaiano con nativos locales.

Texto adaptado de "'Reached' Without Scripture?" *International Journal of Frontier Missions, 7:2*, pp. 41-47. Usado con permiso de *IJFM* y de la autora.

funcionar como discípulos en su lengua madre; la pregunta es si pueden hacer todo eso en su segundo idioma.

Fundar iglesias que perduren

Es posible fundar iglesias sin poseer la claridad de la lengua madre, pero casi nunca es deseable. Sin Escrituras en la lengua madre, las iglesias no podrán mantener una profundidad espiritual en las siguientes generaciones, enfrentarán dificultades para responder a la falsa enseñanza, pelear la guerra espiritual y evitar el sincretismo. Muchos, dentro o alrededor de la iglesia, no reconocen que el Dios cristiano es el Dios universal a quien todos deberán rendirle cuentas. Es fácil darse cuenta de por qué las iglesias que no tienen esto no sólo tienen un impedimento para alcanzar a los demás en su comunidad, también suele faltarles visión para obedecer el llamado misionero de Dios para ir a otro lugar.

La traducción de la Biblia: ¿Cuántos idiomas faltan?

En 1951, el *Ethnologue* fue creado para investigar dónde hacían falta traducciones de la Biblia. Para 1974 las investigaciones habían progresado tanto, que ya se habían incluido todos los idiomas del mundo.

¿Cuántos idiomas requieren todavía traducciones de la Biblia en 2008? Todavía hacen falta censos de idiomas en unos dos mil quinientos idiomas para poder contestar esa pregunta. Con frecuencia los censos revelan otros idiomas que no se habían reconocido o contado antes. Por experiencia se sabe que cinco de cada seis idiomas censados requieren una traducción de la Biblia.

No es suficiente que las personas tengan sólo un libro de la Escritura para llegar a ser discípulos que maduran y crecen. Ya que hay más de cinco mil idiomas sin Biblia o Nuevo Testamento en un idioma que les habla con claridad, todavía hay una tarea enorme de traducción para dar acceso a cada etnia a la Palabra de Dios.

Idiomas con acceso a la Escritura

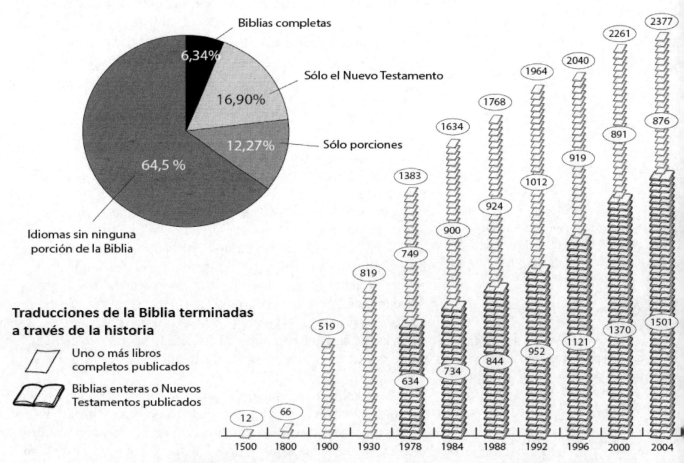

Fuentes: Acceso a las Escrituras – Wycliffe Bible Translators, Office of Language Information Systems. Traducciones de la Biblia completadas a través de la historia – International. Lupas, Liana, y Erroll F. Rhodes, Eds. 1996. *Scriptures of the World*. Reading, England: United Bible Societies. Updated from United Bible Society 2004 *Scripture Language Report*.

Hay dos conceptos que suelen distraer a los comunicadores del evangelio, y que impiden llevar a cabo el trabajo más difícil y duradero de hacer discípulos en la lengua madre local: primero, en situaciones multilingües se percibe la posibilidad de dar a conocer las buenas nuevas de manera adecuada en un segundo idioma. Segundo, suele haber una esperanza de que los intermediarios bilingües sean quienes lleven el mensaje a otros dentro de su comunidad.

Poblaciones multilingües

Un estudio cuidadoso de cómo se usan las distintas lenguas en sociedades multiculturales, ha dado entendimiento a los sociolingüistas en décadas recientes. Las personas multiculturales usan cada una de sus lenguas en circunstancias diferentes y con personas diferentes para hablar de temas diferentes. Esto se hace con varios grados de éxito al hablar y al entender, y tiene varias connotaciones psicológicas. Para quienes desean comunicar el mensaje más importante del mundo, es importante que estén conscientes de estos factores, pues de otro modo tanto ellos como su mensaje pueden ser malentendidos o rechazados.

La segunda lengua se aprende en ciertas situaciones y depende de la cantidad y del tipo de contacto que un individuo ha tenido con ella, así como de su deseo de aprenderla. Por lo tanto, hay diferencias de fluidez entre una población. No se puede juzgar la competencia bilingüe de una población tomando solamente un pequeña muestra de la población; hace falta investigar cómo los grupos de distintas edades, géneros, regiones y niveles educativos usan sus lenguas, y también estudiar cualquier otro factor que pueda influir en el contacto con la segunda lengua en esa cultura. La importancia de alcanzar a todos para Cristo, incluyendo mujeres, ancianos, los no educados y a quienes viven en lugares remotos, justifica el tiempo y el esfuerzo necesarios para llevar a cabo una investigación fidedigna de tales diferencias.

Trabajar con intermediarios bilingües

Los esfuerzos misioneros suelen buscar una comunicación rápida al canalizar el mensaje por medio de una persona bilingüe. Este método, usado mucho en las misiones con resultados discutibles, ha sido llamado «el modelo del intermediario bilingüe». En este modelo una persona bilingüe escucha el mensaje o lee la Escritura en su segunda lengua, y luego debe transferir el significado a su lengua madre para beneficio de los que no entienden la otra lengua. Desafortunadamente pocas personas pueden hacer ese tipo de transferencia sin un entrenamiento extensivo y experiencia en la materia. La mayoría de las personas bilingües de las lenguas minoritarias ha aprendido su segunda lengua por medio del contacto verbal directo fuera de un aula, y les falta entrenamiento en cuanto a la transferencia de la lengua.

En esas iglesias, las Escrituras suelen estar disponibles solamente en una segunda lengua. Este modelo evita tener que traducir las Escrituras a la primera lengua, pero asume que es adecuado parafrasearlas de manera espontánea. No hay ninguna garantía de que ese parafraseo espontáneo que se repite por varios oradores en distintas situaciones sea preciso. El modelo del intermediario bilingüe suele resultar en una élite bilingüe en la iglesia, los únicos que pueden llegar a ser líderes. Otros, a quienes Dios les haya dado los dones de la enseñanza, predicación, y otros dones que involucran la lengua, pueden ser estorbados por la falta de suficiente competencia bilingüe como para funcionar en la segunda lengua.

De toda lengua

Los comunicadores sabios de las buenas nuevas trabajan para conseguir resultados duraderos, y llevan a cabo el trabajo desafiante de la evaluación lingüística y de la traducción de la Biblia. Esto lo hacen con la gente y los objetivos en mente. Se esforzarán por llevar el evangelio a cada etnia en la lengua que no solamente entienden, sino que la gente usará para convertirse en discípulos maduros para edificar la iglesia, extender las buenas nuevas, y adorar a Dios de formas que sean significativas para su propio pueblo. No es suficiente que unas cuantas personas entiendan parte del mensaje; para que Dios oiga su alabanza de la boca de iglesias florecientes «de toda lengua», sus comunicadores deben llevar a cabo el trabajo importante de llevar la Palabra de Dios de modo que hable a sus corazones y a sus hogares en cada lengua.

¿Quién fue (realmente) Guillermo Carey?

Vishal y Ruth Mangalwadi

Imagínese al conductor de la final del concurso de All Indian Universities. Les pregunta a los estudiantes indios mejor informados: «¿Quién fue Guillermo Carey?». Todas las manos se alzan simultáneamente. Decide darles a todos la oportunidad de contestar.

Una pregunta: ¿Quién fue Guillermo Carey?

Botánico

«Guillermo Carey fue el botánico», contesta un estudiante de ciencia, «que dio nombre a la *Careya herbacea*. Es una de las tres variedades de eucalipto que se encuentran sólo en la India».

«Carey trajo la margarita común a la India e introdujo el sistema linneano a la jardinería. También publicó los primeros libros sobre ciencia e historia natural en la India, como *Flora Indica*, porque creía en el punto de vista bíblico: "Que te alaben, Señor, todas tus obras". Carey creía que la naturaleza es declarada "buena" por su Creador. No es *maya* (ilusión), algo que debe ser rehuido, sino un tema digno del estudio humano. Dio conferencias frecuentemente sobre ciencia e intentó inyectar una presuposición científica básica en la mente india de que aun los humildes insectos no son almas cautivas, sino criaturas dignas de nuestra atención».

Industrialista

«Guillermo Carey fue el primer inglés en introducir la máquina a vapor en la India y el primero en hacer papel autóctono para la industria editorial», comenzó a decir el estudiante de ingeniería mecánica. «Carey alentó a los herreros indios a hacer copias de su máquina usando materiales y destrezas locales».

Economista

«Guillermo Carey fue un misionero», anuncia un estudiante avanzado de economía, «que introdujo la idea de los bancos de ahorro para combatir el flagelo social generalizado de la usura. Carey creía que Dios, como es justo, detestaba la usura y pensaba que prestar dinero con intereses entre el treinta y seis y el setenta y dos por ciento hacía imposible la inversión la industria, el comercio y el desarrollo económico de la India».

«Las dimensiones morales de los esfuerzos económicos de Carey», continúa el estudiante, «han asumido una importancia especial en la India desde que la confiabilidad de los bancos de ahorro se ha vuelto cuestionable debido a la avaricia y la corrupción de los banqueros y la nacionalización de los bancos en nombre del socialismo. La cultura generalizada del soborno ha hecho disparar, en muchos casos, las tasas de interés hasta el cien por ciento y ha hecho que el crédito no esté disponible para los emprendedores honestos».

«A fin de atraer capital europeo a la India y modernizar la agricultura

Vishal y Ruth Mangalwadi han servido a personas de comunidades pobres rurales en la India central por medio de desarrollo comunitario, empoderamiento político, evangelización y capacitación para el liderazgo. Vishal ha sido autor o coautor de más de una docena de libros. Actualmente Vishal y Ruth quieren hacer un documental sobre la Biblia como «El alma de la civilización occidental».

De *The Legacy of William Carey: A Model for Transforming a Culture*, 1993. Usado con permiso de Good News Publishers, Wheaton, IL.

la economía y la industria india, Carey propiciaba también la política de que se les debía permitir a los europeos ser dueños de tierras y propiedades en la India. Inicialmente el gobierno británico se opuso a esta política debido a los resultados cuestionables en los Estados Unidos. Pero para el tiempo de la muerte de Carey el mismo gobierno había reconocido la sabiduría económica de amplio alcance de su postura. Asimismo, nuestro gobierno indio, luego de medio siglo de xenofobia destructiva, ha vuelto a abrir las puertas al capital y a la industria occidentales».

Médico humanitario

«Guillermo Carey fue el primer hombre», afirma un estudiante de medicina, «que lideró la campaña para un tratamiento humanitario de los pacientes con lepra. Hasta su tiempo, algunas veces eran enterrados o quemados vivos en la India debido a la creencia de que un final violento purificaba el cuerpo y les aseguraba la transmigración a una nueva existencia saludable. Se creía que la muerte natural por la enfermedad produciría cuatro nacimientos sucesivos y un quinto como leproso. Carey creía que el amor de Jesús toca a los pacientes de lepra así que deberían ser cuidados».

Pionero de los medios

El estudiante de tecnología de impresión se pone de pie a continuación. «El Dr. Guillermo Carey fue el padre de la tecnología de impresión en la India. Trajo al país la moderna ciencia de la impresión y la publicación, y luego la enseñó y desarrolló. Construyó lo que fue entonces la imprenta más grande de la India. La mayoría de los impresores tenían que comprar sus tipos de su Mission Press en Serampore».

«Guillermo Carey», responde un estudiante de medios de comunicación, «fue un misionero cristiano que estableció el primer periódico jamás impreso en cualquier idioma oriental, porque creía que, "por sobre todas las formas de verdad y fe, el cristianismo busca la libre discusión". Su revista en idioma inglés, *Friend of India*, fue la fuerza que dio origen al Movimiento de Reforma Social en la primera mitad del siglo XIX».

Agrónomo

«Guillermo Carey fue el fundador de la Agri-Horticultural Society en la década de 1820, treinta años antes de establecerse la Royal Agricultural Society en Inglaterra», dice el estudiante de posgrado de agricultura. «Carey hizo un estudio sistemático de la agricultura en la India, escribió a favor de la reforma agrícola en la revista *Asiatic Researches* y expuso los males del sistema de cultivo índigo dos generaciones antes de que colapsara».

«Carey hizo todo esto», agrega el agrónomo, «no porque fuera contratado para hacerlo, sino porque estaba horrorizado al ver que se había permitido que la tres quintas partes de uno de los mejores países del mundo, lleno de habitantes laboriosos, se convirtiera en una jungla abandonada a las fieras salvajes y las serpientes».

Traductor y educador

«Carey fue el primer hombre en traducir al inglés y publicar grandes clásicos religiosos indios como el *Ramayana* y tratados filosóficos como el *Samkhya*», dice el estudiante de literatura. «Carey transformó el bengalí, que era considerado previamente "apto sólo para demonios y mujeres" en el principal idioma literario de la India. Escribió baladas del evangelio en bengalí para valerse del amor hindú por los relatos musicales y ponerlos al servicio del Señor. También escribió el primer diccionario sánscrito para eruditos».

«Carey fue un zapatero británico», se une un estudiante de educación, «que se convirtió en profesor de bengalí, sánscrito y marathi en Fort William College, en Calcuta, donde se capacitaban funcionarios públicos. Carey comenzó docenas de escuelas para niños indios de todas las castas y lanzó la primera universidad en Asia, en Serampore, cerca de Calcuta. Quería desarrollar la mente india y liberarla de la oscuridad de la superstición. Durante casi tres mil años, la cultura religiosa de la India había denegado a la mayoría de los indios el libre acceso al conocimiento, y los gobernantes hindúes, mogoles y británicos habían respaldado esta estrategia de las castas altas para mantener a las masas en el cautiverio de la ignorancia. Carey demostró una enorme fuerza espiritual al luchar contra los sacerdotes que tenían intereses creados en privar a las masas de la libertad y del poder que surge del conocimiento de la verdad».

Astrónomo

«Guillermo Carey introdujo el estudio de la astronomía en el subcontinente», declara un estudiante de matemáticas. «Le preocupaba profundamente las ramificaciones destructivas de la astrología: el fatalismo, el temor supersticioso y la incapacidad de organizar y administrar el tiempo».

«Carey quiso introducir a la India la cultura científica de la astronomía. No creía que los cuerpos celestes fueran "deidades que regían nuestras vidas". Sabía que los seres humanos son creados para gobernar la naturaleza, y que el sol, la luna y los planetas son creados para ayudarnos en nuestra tarea de gobernar. Carey creía que los cuerpos celestiales debían ser estudiados cuidadosamente, ya que el Creador los había hecho para que fueran señales o marcadores. Ayudan a dividir la monotonía del universo en direcciones —este, oeste, norte y sur— y del tiempo en días, años y estaciones. Permiten que diseñemos almanaques, estudiemos geografía e historia y planifiquemos nuestras vidas, nuestro trabajo y nuestras sociedades. La cultura de la astronomía nos libera para ser gobernantes, en tanto que la cultura de la astrología nos convierte en súbditos, con nuestras vidas determinadas por nuestras constelaciones».

Pionero de bibliotecas

Una estudiante de posgrado de ciencia bibliotecaria se para a continuación. «Guillermo Carey», revela, «fue pionero en la idea de las bibliotecas públicas en el subcontinente».

«Mientras la Compañía Británica de las Indias Orientales estaba importando cargamentos de municiones y soldados para dominar a la India, Carey les pidió a sus amigos de la Baptist Missionary Society que cargaran libros educativos y semillas en esos mismos barcos. Él creía que facilitarían su tarea de regenerar la tierra india y empoderar al pueblo indio para abrazar ideas que generarían libertad de la mente. El objetivo de Carey era crear literatura autóctona en el idioma local. Pero hasta tanto dicha literatura autóctona estuviera disponible, los indios necesitaban recibir conocimiento y sabiduría de todo el mundo para ponerse al día rápidamente con otras culturas. Quería poner a disposición de los indios la información de todo el mundo por medio de bibliotecas públicas».

Conservacionista forestal

«Guillermo Carey fue un evangelista», sostiene el estudiante del Instituto Forestal Indio. «Él pensaba que "si el evangelio florece en la India, el desierto se convertirá, en todo sentido, en un campo fructífero". Se convirtió en el primer hombre de la India en escribir ensayos sobre forestación,

cincuenta años antes que el gobierno hiciera su primer intento de conservación forestal en Malabar. Carey propició y practicó vigorosamente el cultivo de la madera, dando consejos prácticos sobre cómo plantar árboles para propósitos ambientales, agrícolas y comerciales. Su motivación venía de la creencia de que Dios ha hecho al hombre responsable de la tierra. Fue en respuesta a la revista de Carey, *Friend of India*, que el gobierno designó al Dr. Brandis de Bonn para cuidar los bosques de Birmania y organizó la supervisión de los bosques del sur de la India por el Dr. Clegham».

Promotor de los derechos de las mujeres

«Guillermo Carey», argumenta una estudiosa de ciencias sociales, «fue el primer hombre en plantarse frente a los violentos asesinatos y la opresión generalizada de las mujeres, virtualmente sinónimo del hinduismo en los siglos XVIII y XIX. El varón en la India estaba aplastando a la mujer por medio de la poligamia, el infanticidio femenino, el matrimonio infantil, la quema de viudas, la eutanasia y el analfabetismo femenino forzado, todos aprobados por la religión. El gobierno británico aceptó tímidamente estos males sociales como una parte irreversible e intrínseca de las costumbres religiosas de la India. Carey comenzó a realizar una sistemática investigación sociológica y escritural. Publicó sus informes a fin de generar opinión y protesta públicas, tanto en Bengala como en Inglaterra. Influyó en toda una generación de funcionarios públicos, sus alumnos de Fort William College, para que resistieran estos males. Carey abrió escuelas para niñas. Cuando las viudas se convertían al cristianismo, arreglaba matrimonios para ellas en vez de permitir que fueran quemadas vivas. Fue la batalla persistente de Carey de veinticinco años contra el satí que llevó finalmente al famoso edicto de Lord Bentinck en 1829, que prohibió una de las prácticas religiosas más abominables del mundo: la quema de viudas».

Funcionario público

«Guillermo Carey fue un misionero inglés», pronuncia un estudiante de administración pública, «al que inicialmente no le permitieron ingresar a la India británica porque la Compañía Británica de las Indias Orientales se oponía a hacer proselitismo entre los hindúes. Así que Carey trabajó en el territorio danés de Serampore. Pero, como la compañía no podía encontrar un profesor aceptable de bengalí para Fort William College, fue invitado más tarde a enseñar allí. Durante su profesorado, que duró treinta años, Carey transformó el espíritu de la administración británica de una explotación imperial indiferente a un servicio "civil"».

Reformador moral

«Guillermo Carey», reflexiona un estudiante de filosofía hindú, «fue un predicador que revivió la antigua idea de que la ética y la moral eran inseparables de la religión. Esto había sido una presuposición importante que subyacía en la religión *védica*. Pero los maestros *upanishádicos* separaban la ética de la espiritualidad. Pensaban que el ego humano (*Atman*) era el Ego divino (*Brahman*). Por lo tanto, nuestro espíritu no puede pecar. Nuestro *Atman* se engaña y empieza a imaginarse como algo distinto a Dios. Lo que necesitamos no es liberación del pecado, sino iluminación, es decir una experiencia directa de nuestra divinidad. Esta negación de la pecaminosidad humana y el énfasis en la experiencia mística de nuestra divinidad hacía posible que en la India fuésemos intensamente "religiosos" y, al mismo tiempo, descaradamente inmorales».

«Carey comenzó a afirmar que los seres humanos eran pecadores que necesitaban tanto el perdón de los pecados como la liberación de su poder sobre ellos. Enseñó que no era la ignorancia sino el pecado que nos separaba de Dios; por lo tanto, era imposible agradar a Dios sin santidad. Según él, la verdadera espiritualidad comenzaba sólo cuando nos arrepentíamos de nuestros pecados. Esta enseñanza revolucionó el escenario religioso del siglo XIX en la India. Por ejemplo, luego de que el rajá Ram Mohan Roy, uno de los mayores eruditos hindúes de ese siglo, entrara en contacto con Carey y otros misioneros en Serampore, comenzó a cuestionar seriamente la espiritualidad que predominaba en la India. El rajá Ram Mohan Roy concluyó: "La consecuencia de mi larga e ininterrumpida investigación en la verdad religiosa ha sido que he encontrado la doctrina de Cristo más conducente a principios morales, y mejor adaptada para el uso de seres racionales, que cualquier otra que ha llegado a mi conocimiento"».

Transformador de la cultura

Un estudiante de historia se pone de pie finalmente. «El Dr. Guillermo Carey fue el padre del Renacimiento Indio de los siglos XIX y XX. La India hindú había alcanzado su zenit intelectual, artístico, arquitectónico y literario para el siglo XI d.C. Después de que el monismo absoluto de Adi Shankaracharya comenzara a barrer el subcontinente en el siglo XII, las fuentes creativas de la humanidad se secaron y comenzó la gran declinación de la India. El entorno material, la racionalidad humana y todo lo que enriquece la cultura humana se volvieron sospechosos. El ascetismo, la intocabilidad, el misticismo, el ocultismo, la superstición, la idolatría, la brujería y las creencias y prácticas opresivas se convirtieron en la característica distintiva de la cultura india. La invasión, explotación y el dominio político resultante de los gobernantes extranjeros empeoraron la situación».

«En este caos, vino Carey e inició el proceso de la reforma de la India. Vio a la India no como un país extranjero para ser explotado, sino como la tierra de su Padre celestial para ser amada y servida, una sociedad donde la verdad, no la ignorancia, debía gobernar. El movimiento de Carey culminó con el nacimiento del nacionalismo indio y la posterior independencia de la India. Carey creía que la imagen de Dios estaba en el hombre, no en los ídolos; por lo tanto, era la humanidad oprimida la que debía ser servida. Creía en entender y controlar la naturaleza en vez de temerla, apaciguarla o adorarla; en desarrollar el intelecto en vez de matarlo, como enseñaba el misticismo. Enfatizaba el disfrute de la literatura y la cultura, en vez de evitarlas como *maya*. Su concepto de la espiritualidad de este mundo, con un énfasis tan fuerte en la justicia y el amor por los demás como el amor por Dios, marcó el punto de inflexión de la cultura india, de una tendencia descendiente a una ascendiente. Los primeros líderes indios del Renacimiento Indio, como el rajá Ram Mohan Roy, Keshub Chandra Sen y otros, tomaron su inspiración de Guillermo Carey y los misioneros asociados con él».

Así que, ¿quién fue Guillermo Carey?

Guillermo Carey fue todas estas cosas y, en consecuencia, un personaje central en la historia de la modernización de la India. Carey también fue un pionero de la iglesia protestante en la India, y tradujo o publicó la Biblia en cuarenta idiomas indios diferentes. Fue un evangelista que usó todos los medios disponibles para iluminar los aspectos oscuros de la India con la luz de la verdad.

La misión del reino

Ralph D. Winter

Ralph D. Winter fue director general de Frontier Mission Fellowship (FMF) en Pasadena, California. Después de prestar diez años de servicio misionero a los mayas en las tierras altas de Guatemala, fue llamado a ser profesor de misiones en la Escuela de Misión Mundial del Fuller Theological Seminary. Diez años después, él y su difunta esposa, Roberta, fundaron la sociedad misionera denominada Frontier Mission Fellowship. Ésta, a su vez, dio a luz al Centro Estadounidense para la Misión Mundial y la William Carey International University, los cuales sirven a los obreros que laboran en misiones pioneras.

La mayoría de las personas que se interesan por la misión se asombra del extraordinario alcance y estrategia misionera desplegada por el ministerio pionero de Carey en la India. La misma amplitud de la misión clásica de Carey nos empuja a preguntarnos qué habría «visto» él hoy como radio de acción del interés de Dios en la misión. Esa clase de *visión* es algo que nuestros nervios ópticos no alcanzan a captar. «Los ojos del corazón» (Ef 1:18) no son, desde luego, nuestros ojos físicos. ¿Hasta qué punto la amplitud de la obra de Carey refleja *la misión del reino de Dios?*

Con esta clase de visión especial, bien podría el Padrenuestro adquirir de súbito un significado nuevo e inusual: «Venga tu reino, hágase tu voluntad en la tierra como en el cielo» (Mt 6:10). ¿Qué significa «venga tu reino»? Considere, si le place, cuán distinto parece de una actividad evangelizadora convencional en la que se invita a la gente «a aceptar a Cristo». Sólo cuando enfatizamos que él es Salvador *y Señor*, añadimos el elemento de autoridad y gobierno que implica la noción de reino.

Notamos que en cierta ocasión cuando Jesús fue acusado de invocar poder del reino de Satanás, él declaró más bien la venida del reino de Dios: «Pero si expulso a los demonios con el poder de Dios, eso significa que ha llegado a ustedes el reino de Dios» (Lc 11:20). Al parecer, un reino que «no es de este mundo» (Jn 18:36) sigue siendo una presencia poderosa que puede *«venir»* y desterrar físicamente el poder de Satanás.

Más adelante Jesús dijo: «Y este evangelio *del reino* se predicará en todo el mundo como testimonio a todas las naciones, y entonces vendrá el fin» (Mt 24:14). Pudo haber estado hablando de la *venida* del reino en el mismo sentido —es decir, de la venida del poder y la presencia de Dios en y «sobre» circunstancias humanas dominadas por Satanás.

No hemos de suponer que las ciudades modernas representen la forma final del reino de Dios. Lo que exalta a una nación es la justicia, no los rascacielos. El activismo de Guillermo Carey en múltiples direcciones revela más su sentido de la justicia y la gloria divina que cualquier tipo de utopía secular. Guillermo Carey se preocupó más de la restauración de la justicia, del concepto del bien y el mal, la bondad creativa de Dios, la expresión de su amor y la restauración de su fama. Esto es menos y más que construir una ciudad, una escuela o un hospital. La misión sanitaria no es, en su sentido primordial, un «cebo» para atraer a la gente al cristianismo, sino un medio concreto para reflejar más exactamente la verdadera naturaleza de un Dios amoroso.

Así pues, los evangélicos son justamente sospechosos de asumir que el esfuerzo humano puede tener éxito en «construir el reino de Dios» en la tierra. Hasta Hitler pudo haber pretendido estar haciendo eso. (De hecho, los nazis fueron los primeros en detectar una relación entre el tabaco y el cáncer e hicieron algo al respecto.) Hacer que el mundo sea

Artículo 89

que Jesús quiso decir cuando declaró que las fortalezas de Satanás no eran capaces de detener el avance de la iglesia (Mt 16:18). Más bien se refería al triunfo del evangelio sobre el mal y no al logro político-social de una prosperidad terrena.

Juan dijo: «El Hijo de Dios fue enviado precisamente para destruir *las obras del diablo*» (1Jn 3:8). Precisamente, no solemos prestar mucha atención a qué son *las obras del diablo*.

Según Gregory Boyd (véase el Artículo 16), ello se debe a que nuestra tradición cristiana absorbió algún paganismo pernicioso en los tiempos de Agustín, desde cuya perspectiva la sal y la luz de la misión cristiana se volvieron «extrañamente pasivas» en presencia del mal. Esta hebra sincretista de nuestra tradición podría explicar por qué una madre superiora de un convento medieval podía permitir que un gusano se le hincara en la frente. Un día, cuando ella se inclinara y el gusano cayera al suelo, se lo volvía a poner donde antes estaba porque su teología la instaba a creer que Dios estaba a favor de todo sufrimiento y que el sufrimiento requiere *resignación* en vez de *resistencia*. Los ministros protestantes se opusieron por un tiempo a la vacuna de la viruela por la misma razón —interferencia con la divina providencia. Algunos hindúes (y estadounidenses) no están dispuestos a matar ninguna forma de vida, no importa cuán mala o destructiva sea para otras vidas. ¿Es el reino de Dios un poder activo, agresivo, expansivo, conquistador, que no se limita a soportar el mal, sino que está decidido a «destruir las obras del diablo»?

Si es así, deberíamos reflexionar con detenimiento acerca de cuáles son realmente esas «obras». Esto no será fácil ni rápido, ya que, al parecer, el maligno tiene más éxito trabajando en lo que no se ve y en lo que no se nota, que en resistir un ataque frontal espiritual. Guillermo Carey no sabía nada de gérmenes, buenos o malos. Él no vivía en un mundo «mayormente poblado por depredadores invisibles», como alguien ha afirmado. ¿Puede Carey ahora guiarnos?

Topamos con un gran obstáculo, en parte, porque nuestra tradición teológica surgió antes de que fuéramos conscientes de la existencia de un mundo microbiano nocivo y destructivo. ¿Es obra de Satanás? Los cristianos modernos por fin se han atrevido a insistir en que la naturaleza revela un «diseño inteligente». ¿Estamos también preparados para reconocer el «diseño *maligno* inteligente» y arriesgar nuestra vida para exterminar —erradicar por completo— a los parásitos dañinos que arrastran a millones de personas a terribles sufrimientos y a la muerte? *¿Daremos mala imagen de Dios si no lo hacemos?*

Jonathan Edwards falleció experimentando la vacuna de la viruela. ¿Se extinguió con él esa visión? ¿Comunican nuestros misioneros a la gente (sus hechos son más elocuentes que sus palabras) que el reino de Dios no tiene poder sobre el mal microscópico? ¿O que podemos dar a la gente camas para yacer mientras se muere, pero no podemos combatir la *fuente* de su enfermedad? ¿Habría Carey peleado en la esfera microbiana, si hubiera sabido lo que hoy sabemos?

Hasta hace poco, apenas había prestado atención al crecimiento o estancamiento de la población mundial y a la medida en que la «guerra y la peste», de inspiración satánica, la han deprimido. En los dos mil años transcurridos desde Abraham a Cristo, la población mundial aumentó de veintisiete a doscientos millones —0,1% por año—. *¡Guerras y pestilencias horrendas deben haber frenado sobremanera la tasa de crecimiento!*

Poco antes de alcanzar el año 2000 d.C., la guerra y la peste habían sido enormemente reducidas —aunque no erradicadas—, en tal medida, que la tasa de crecimiento de la población mundial era de 1,7% (crecía 17 veces más que en la antigüedad). Por ese tiempo, para poder frenar el crecimiento global al nivel de la antigua tasa, tendrían que haber muerto noventa y seis millones de personas por año —*sin contar* la gente que ya estaba muriendo por causa de genocidios, enfermedades y otros factores. De manera que, para el 2000 d.C., las «obras del maligno», en forma de guerras y pestilencias, habían sido reducidas de manera significativa. Pero, ¿es la total erradicación de microbios dañinos parte de, y parte esencial para, la tarea de ganar almas y alcanzar pueblos no evangelizados? ¿Es *la misión del reino* tan amplia? Si lo es, ¿no es nefasto que ni nuestros sermones ni la misionología convencional hayan reflejado seriamente esta dimensión de la tarea? ¿Sabemos qué significa «destruir las obras del diablo»? ¿Es ésta una misión fronteriza?

En la vanguardia de la estrategia de misión

Pedro Wagner

La estrategia de misión ha cobrado un nuevo y definido enfoque hoy. Ya no basta con decir que somos misioneros «fieles»; también debemos ser «exitosos» en la evangelización y el discipulado de todas las naciones. Esto queda muy claro en la parábola de los talentos. Si la evangelización es nuestra principal prioridad en la misión, entonces necesitamos entender lo que involucra la tarea, y que los encuentros de poder son un factor crucial en las misiones hoy.

Hoy, los temas de vanguardia en las misiones caen bajo tres títulos generales: (1) principios de la misión: pensar con claridad acerca de nuestra tarea, (2) prácticas de la misión: planificar estratégicamente al salir, y (3) poder de la misión: ministrar de manera sobrenatural al encontrarnos con el enemigo. Gran parte de lo que hacemos surge de lo que pensamos. Por lo tanto, no tengo dudas en comenzar por algunos aspectos de la tesis misionológica. Creo que un punto de partida importante es entender qué es la misión, qué es la evangelización, cuál e la tarea y qué está ocurriendo realmente en el campo.

1. La misión: ¡Sin opciones aquí!

La definición de misión ha sido un tema de debate constante durante los últimos cien años. Gira sobre todo alrededor de la relación entre lo que s ha denominado el mandato cultural y el mandato evangelístico.

El mandato cultural, que algunos denominan responsabilidad social cristiana, regresa hasta el huerto del Edén. Después de que Dios creara a Adán y Eva, les dijo: «Sean fructíferos y multiplíquense; llenen la tierra y sométanla; dominen a los peces del mar y a las aves del cielo, y a todo los reptiles que se arrastran por el suelo» (Gn 1:28). Como seres humanos, hechos a la imagen de Dios, somos responsables del bienestar de la creación de Dios. En el Nuevo Testamento se nos dice que debemo amar a nuestros prójimos como a nosotros mismos (Mt 22:39). El concepto de prójimo, como enseña la parábola del Buen Samaritano, incluye no sólo a los de nuestra propia raza o cultura o grupo religioso, sino a toda la humanidad. Hacer el bien a los demás, sea que nuestros esfuerzos estén dirigidos a individuos o a la sociedad como un todo, es un deber bíblico, un mandato cultural que hemos recibido de Dios.

También tenemos un primer atisbo del mandato evangelístico en el huerto del Edén. Durante un tiempo, cada vez que Dios iba al huerto, Adán y Eva lo estaban esperando, y tenían comunión. Pero el pecado entró en escena. La siguiente vez que Dios fue al huerto, no los pudo encontrar. La comunión se había roto. Los humanos habían quedado alienados de Dios. La naturaleza de Dios, a la luz de los sucesos, quedó en claro con las primeras palabras que salieron de su boca: «¿Dónde estás?» (Gn 3:9). Inmediatamente comenzó a buscar a Adán. El mandato evangelístico involucra buscar y hallar a hombres y mujeres perdidos,

Pedro Wagner es el presidente fundador de Global Harvest Ministries, que equipa al cuerpo de Cristo mediante conferencias, seminarios, literatura y otros medios. También es el rector fundador de Wagner Leadership Institute y ha publicado más de sesenta y cinco obras. Sirvió en Bolivia desde 1956 hasta 1971, y luego enseñó iglecrecimiento en la Escuela de Misión Mundial de Fuller Theological Seminary hasta 2001.

alienados de Dios por el pecado. Romanos 10 nos dice que «todo el que invoque el nombre del Señor será salvo».

Pero no pueden invocar si no han creído, y no pueden creer si no han oído, y no pueden oír sin un predicador. «¡Qué hermoso es recibir al mensajero que trae buenas nuevas!» (Ro 10:15). Llevar el evangelio que trae a las personas de las tinieblas a la luz es cumplir el mandato evangelístico.

Tanto el mandato cultural como el mandato evangelístico son partes esenciales de la misión bíblica, a mi juicio. Ninguno es opcional. Hay un consenso creciente sobre este punto en círculos evangélicos.

Este consenso es una realidad reciente. En el Congreso Mundial sobre Evangelización de Berlín, realizado en 1966, prácticamente no hubo ninguna mención del mandato cultural. John R. W. Stott llegó a definir a la misión como algo que incluía sólo el mandato evangelístico y no el mandato cultural, si bien no usó esa terminología precisa. La conciencia social generada por las agitaciones sociales de la década de los sesenta puso el mandato cultural en un lugar destacado hasta que se le otorgó un perfil relativamente alto en la plataforma del Congreso Internacional sobre la Evangelización Mundial de Lausana en 1974. Para entonces, John Stott mismo había cambiado su punto de vista, reconociendo que la misión incluía tanto el mandato cultural como el evangelístico. El Pacto de Lausana hace una fuerte declaración sobre el mandato cultural en el Artículo 5, y sobre el mandato evangelístico en el Artículo 6.

La discusión actual involucra cuatro posiciones: (1) quienes prefieren establecer la prioridad del mandato cultural por encima del evangelístico, (2) quienes prefieren otorgar el mismo peso a ambos, incluso sosteniendo que es ilegítimo dividirlos mediante esta clase de terminología, (3) quienes prefieren establecer la prioridad del mandato evangelístico, y (4) quienes prefieren sostener la visión previa a Lausana de que la misión es el mandato evangelístico, y no hay más que decir.

Mi punto de vista personal se alinea con el Pacto de Lausana. Sin embargo, dedico poco tiempo a discutir con quienes sostienen que la misión debe entenderse como evangelización y que el ministerio social debe considerarse un deber cristiano o un resultado de la misión, antes que parte de la misión misma. Veo que cualquiera de estas posiciones contribuye más positivamente a la evangelización

del mundo que las otras opciones, pero no acepto establecer como prioritaria la evangelización sólo por razones pragmáticas. Creo que es lo que mejor refleja la doctrina de la misión en el Nuevo Testamento. Jesús «vino a buscar y a salvar lo que se había perdido» (Lc 19:10), y nosotros salimos en el nombre de Jesús para hacer lo propio. Si bien no debemos descuidar nuestra responsabilidad social cristiana, en mi opinión nunca debe interponerse en el camino de la evangelización que gana almas.

Evangelización: Hacer discípulos

Si la evangelización es la mayor prioridad en la misión, es de suma importancia que entendamos claramente en qué consiste.

Las tres principales formas de definir la evangelización en el mundo cristiano hoy pueden rotularse como presencia, proclamación y persuasión. La presencia sostiene que la evangelización es ayudar a las personas a suplir sus necesidades. Es dar un vaso de agua fresca en el nombre de Jesús. Es dar una mano de ayuda. La proclamación reconoce que la presencia es necesaria, pero da un paso más y dice que la evangelización es hacer conocer el mensaje de Jesús para que las personas lo oigan y lo entiendan. Pero una vez que las personas están expuestas al mensaje del evangelio, son evangelizadas sea que lo acepten o no, según una definición estricta de la proclamación. La persuasión sostiene que tanto la presencia como la proclamación son necesarias, pero que la evangelización bíblica va más allá de esto e insiste en hacer discípulos.

Mi visión de la evangelización afirma tanto la presencia como la proclamación, pero considera que ninguna es una definición adecuada de la evangelización por sí misma. Pero creo que una persona no debe ser considerada como evangelizada hasta tanto se haya convertido en un discípulo de Jesucristo en proceso de desarrollo.

Esto está arraigado en la Gran Comisión. Si bien este mandato aparece en cada uno de los cuatro evangelios y en Hechos, el relato de Mateo es el más completo para entenderlo en contexto. «Vayan y hagan discípulos de todas las naciones, bautizándolos en el nombre del Padre y del Hijo y del Espíritu Santo, enseñándoles a obedecer todo lo que les he mandado a ustedes» (Mt 28:19-20). Tres de los cuatro verbos de acción son participios en el original griego: «ir», «bautizar» y «enseñar», y los tres son verbos auxiliares. El único imperativo es «hagan discípulos». Si la Gran Comisión es el texto clave para la evangelización, su meta, hablando exegéticamente, es hacer discípulos.

Si hacer discípulos es tan importante, ¿qué es, entonces, un discípulo? Visto desde la teología, un discípulo es alguien que ha sido regenerado por el Espíritu Santo, una nueva creación en Cristo Jesús (2Co 5:17). Empíricamente, es alguien conocido por su fruto. Cuando hay una verdadera regeneración, el fruto visible sigue inevitablemente. Quienes nos identificamos con el movimiento de iglecrecimiento estamos de acuerdo en que, si bien hay muchísimos frutos legítimos de la regeneración, uno que es un excelente indicador es la membresía responsable en una iglesia. Para ser contada como discípulo, una persona debe estar comprometida no sólo con Jesucristo, sino también con el cuerpo de Cristo.

La investigación de campo indica cada vez más que los esfuerzos evangelísticos basados en la presencia o la proclamación solas son considerablemente menos eficaces, en términos del crecimiento de iglesia resultante, que los que ven a la evangelización como persuasión.

La tarea: Alcanzar al 70% afuera

Jesús dijo que un buen pastor que tiene un rebaño de cien ovejas y descubre que una está perdida, deja en el redil a las noventa y nueve que están a salvo, y busca a la oveja perdida hasta encontrarla. Éste es otro indicador de dónde se encuentran las prioridades de Dios. Debemos dedicar tiempo a nutrir a los cristianos existentes. Debemos esforzarnos por tener iglesias saludables. Debemos enfatizar la calidad además de la cantidad. Pero también debemos ser buenos pastores y no descansar mientras haya seres humanos que estén perdidos. Cristo murió por ellos y quiere que estén reconciliados con el Padre. Hoy no tenemos noventa y nueve en el redil y uno afuera. En el mejor de los casos, es más un treinta por ciento en el redil y un setenta por ciento afuera.

Hoy, en el mundo más de cuatro mil millones de personas están afuera del redil. De ellas, unas dos mil doscientos millones pueden ser alcanzadas por la evangelización normal dentro de una cultura dada. Los misionólogos la denominamos E-1. Ésta es una tarea gigantesca por sí sola, que requiere invertir grandes cantidades de recursos humanos, económicos y tecnológicos. Pero las dos mil millones de personas que aún no tienen una iglesia viable y evangelizadora dentro de su propia cultura eclipsan en mucho esta tarea. Estas dos mil millones de personas, que comprenden el 48% de las que están afuera del redil, serán alcanzadas sólo por medio de lo que llamamos comúnmente misiones. Alguien tendrá que dejar las comodidades de su propia cultura, aprender un idioma nuevo, aprender a comer comida nueva, vivir un estilo de vida diferente, amar a personas que tal vez le parezcan poco atractivas y compartir el evangelio de Cristo con ellas. Esto es evangelización transcultural, E-2 y E-3. Como demostró Ralph Winter en el Congreso de Lausana en 1974, es la mayor prioridad al planificar la tarea de la evangelización mundial.

El campo: Los misioneros del tercer mundo salen

Estamos en la primavera de las misiones cristianas. La difusión del evangelio y el crecimiento de las iglesias cristianas en todo el mundo superan en mucho todo lo que hemos conocido a lo largo de la historia. La era de las misiones modernas comenzó aproximadamente en 1800, cuando Guillermo Carey fue a la India. Más personas han sido ganadas para Cristo y más iglesias cristianas han sido fundadas en los dos siglos que siguieron, que en la totalidad de los 1800 años previos. Cada día del año es testigo de setenta y ocho mil nuevos cristianos y cada semana hay mil seiscientas nuevas iglesias cristianas en todo el mundo.

El tiempo no me permite entrar en detalles del crecimiento de iglesias en diferentes partes del mundo. Entre los puntos detonantes de crecimiento se encuentran América Central, Corea, Filipinas, Nigeria, Brasil, Etiopía, la China, y muchos otros lugares. En la actualidad treinta por ciento de la población coreana es cristiana, y el porcentaje está creciendo rápidamente. Había un millón de creyentes chinos en 1950, cuando el marxismo asumió el gobierno. Con toda la persecución que sufrieron, en el exterior muchos de nosotros pensábamos que habrían sido exterminados. En cambio, ahora sabemos que han crecido hasta una cifra que estimaciones conservadoras indican como cincuenta millones, probablemente muchos más. Se considera que la mayor parte del crecimiento ocurrió desde 1970. La China bien podría ser el mayor campo de cosecha del mundo, hablando evangelísticamente.

A fin de enfrentar el desafío de recoger la tremenda cosecha que Dios ha madurado, él está convocando a grandes cantidades de obreros aquí en los Estados Unidos y en el exterior. Por primera vez desde la década posterior a la Segunda Guerra Mundial ha habido un interés muy pujante en las misiones entre los jóvenes cristianos.

Las iglesias de Asia, África y América Latina también están movilizando sus fuerzas para las misiones transculturales. En 1972 había tres mil cuatrocientos misioneros del tercer mundo identificados. Para 1980 esa cifra había crecido a trece mil, e investigadores como Larry Keyes de O.C. Ministries estiman que podría haber diez veces esa cantidad hoy. El crecimiento ha sido tan asombroso que ha sido difícil de estimar, pero probablemente haya más misioneros no occidentales trabajando hoy, que misioneros de las naciones occidentales.

Pensar claramente acerca de nuestra tarea es un punto de partida esencial para la estrategia de misión. Nos da una base para una práctica sólida y eficaz.

2. La práctica de la misión: Planificar estratégicamente

Una de las obras misionológicas más significativas de nuestro tiempo es *Planning Strategies for World Evangelization* de Edward Dayton y David Fraser. Dicen: «Como cristianos, una estrategia nos obliga a buscar la mente de Dios y la voluntad del Espíritu Santo. ¿Qué desea Dios? ¿Cómo podemos ajustarnos al futuro que él desea?». Yo concuerdo con Dayton y Fraser, que sostienen que fijar metas y desarrollar una estrategia para alcanzarlas es una forma de expresar fe. Es poner sustancia en las cosas esperadas, como recomienda Hebreos 11:1 (ver NBLH). Dado que es imposible agradar a Dios sin fe, según Hebreos 11:6, creo que planificar la estrategia de acuerdo con la voluntad de Dios es algo que le agrada.

Una estrategia de planificación no debe ser considerada como un sustituto de la obra del Espíritu Santo. Jesús dijo: «Edificaré mi iglesia», y hacemos bien en enfatizar la palabra «Yo». Él ha estado edificando su iglesia durante dos mil años, y continuará edificándola hasta que vuelva, con o sin la ayuda de ninguno de nosotros. Pero él nos invita cordialmente, a cada uno de nosotros, a unirnos a él en la tarea mundial de edificar esa iglesia. Y si

aceptamos su invitación, nos convertimos en instrumentos en las manos de Jesús para lograr su tarea. Todo lo que estoy promoviendo aquí es que hagamos lo que sea necesario para convertirnos en los mejores siervos posibles mientras el Señor nos usa para hacer su tarea.

Así que veo que la obediencia al Señor como un punto de partida para formular nuestras actitudes hacia una estrategia de misión. La Gran Comisión es un mandamiento claro. Debemos ir al mundo, predicar el evangelio a toda criatura y hacer discípulos de todas las naciones: *panta ta ethne*. Dios no quiere que ninguno perezca (2P 3:9).

> **La evangelización transcultural es la mayor prioridad al planificar la tarea de la evangelización mundial.**

Como siervos, no debemos tener ninguna duda acerca de la voluntad del Señor.

El Nuevo Testamento nos encauza a servir a Dios con la fidelidad de mayordomos sabios. En aquellos tiempos un mayordomo era un siervo al que se le encomendaban grandes responsabilidades. Y se nos dice explícitamente que estamos encargados de administrar los misterios de Dios, una expresión paralela del evangelio (1Co 4:1). ¿Para qué es el evangelio? Es poder de Dios para la salvación (Ro 1:16).

También se nos dice que los administradores tienen que ser hallados fieles (1Co 4:2, RVR60). Es importante entender lo que significa «fieles» aquí. He escuchado decir a algunos: «Dios, te agradezco que no exiges que sea exitoso, sino sólo fiel». Pero el mensaje central sobre la mayordomía, la parábola de los talentos, en Mateo 25:14-30, no hace ninguna distinción entre ambas cosas. Nos dice que los mayordomos que hicieron la voluntad de su señor y convirtieron dos talentos y cinco talentos en cuatro y diez respectivamente fueron considerados como siervos buenos y fieles. Aquí, el éxito y la fidelidad van de la mano. El mayordomo que enterró el talento y no produjo ningún dinero con él, ni siquiera el interés del banco, fue considerado infiel.

El principio fundamental de la mayordomía del Nuevo Testamento es que el mayordomo toma los recursos dados por el Amo, los usa para los propósitos del Señor y vuelve para darle los beneficios y el honor al Amo.

Esto tiene una aplicación directa a la estrategia de misión. Dado que sabemos que la voluntad del Señor es hacer discípulos de todas las naciones, somos responsables, como buenos mayordomos, de usar los recursos que nos ha dado para cumplir esa tarea. En la medida que seamos exitosos, seremos considerados fieles.

Fijar metas para la evangelización mundial y estrategias de planificación para alcanzar esas metas exige un grado de pragmatismo. Estoy consciente de que el pragmatismo puede ser carnal, pero aquí estoy hablando de un pragmatismo consagrado. No estoy sugiriendo ser pragmáticos con relación a la doctrina o a la ética, sino propiciando un pragmatismo con relación a la metodología. Si estamos invirtiendo recursos de tiempo, personal y dinero en programas que supuestamente hacen discípulos, pero que en realidad no los estamos haciendo, debemos reconsiderarlos y estar dispuestos a cambiar todo programa que sea necesario. La parábola de Jesús sugiere que si la higuera no da fruto luego de un período apropiado, debe ser cortada para que la tierra sea usada para algo más productivo (Lc 13:6-9).

Los puntos focales para la estrategia

Si estamos de acuerdo en asumir una actitud positiva hacia la planificación de la estrategia para las misiones mundiales, la forma en que enfocamos y establecemos prioridades, hace que nuestra actividad se vuelva entonces altamente importante. Hay mucha investigación en curso en estos días en muchas partes del mundo para ayudarnos a saber con toda claridad hacia adónde estamos apuntando con exactitud. Mencionaré sólo tres puntos focales aquí: los pueblos no alcanzados, las ciudades y naciones enteras.

Pueblos no alcanzados

El concepto de pueblos no alcanzados como una forma de enfocar la estrategia de misión surgió por primera vez en forma destacada en el Congreso Internacional sobre la Evangelización Mundial en Lausana, Suiza, en 1974. Edward Dayton, de la división MARC de Visión Mundial, distribuyó el primer *Directorio de pueblos no alcanzados* a todos los participantes. Luego Ralph Winter, director del Centro Estadounidense para la Misión Mundial, destacó el concepto de las etnias en una conferencia en una sesión plenaria.

Se estima que 48% de los no cristianos del mundo se encuentran en etnias no alcanzadas. Eso significa que más de dos mil millones de individuos por quienes Cristo murió no oirán acerca de su amor, a menos que alguien siga el llamado de Dios

y deje su propia cultura. Esto es misión, pura y simple. La era de las misiones está lejos de haber pasado. Por el contrario, el servicio transcultural para Cristo es el desafío más gigantesco y apasionante para los cristianos hoy día.

Aún no está claro exactamente cuántas etnias no alcanzadas existen. Durante años, muchos de nosotros usamos la cifra de 16.750, que fue la estimación algo simbólica de Ralph Winter alrededor de 1980. Algunos dicen que la cifra podría resultar en 100.000 o más. El tiempo lo dirá. Al año 2008, se estimaba que había 8.000 etnias no alcanzadas. Por fortuna, algunas que se habían clasificado como etnias no alcanzadas ahora se han convertido en alcanzadas durante los últimos años. Pero mi afirmación es que entre los misiólogos hay un amplio acuerdo en cuanto a que esta unidad, a saber, las etnias, es el punto focal primario, de mayor utilidad al planificar una estrategia de misión.

Ciudades

En las ciudades del mundo muchas etnias se encuentran hacinadas, en una proximidad muy cercana entre ellas. Un importante fenómeno sociodemográfico de nuestra era, especialmente luego de la Segunda Guerra Mundial, es la explosión urbana. Al momento de esa guerra, sólo Nueva York y Londres tenían más de 8 millones de habitantes. Ahora hay más de 20 de estas megaciudades, y este número sigue aumentando. La Ciudad de México tenía menos de tres millones de personas durante la Segunda Guerra Mundial, pero abrigaba a 20 millones de personas para el año 2000. Hoy, Tokio es la mayor ciudad del mundo, con más de 30 millones de habitantes.

Raymond Bakke, el destacado urbanista, ha identificado más de 250 de lo que llama «ciudades de clase mundial», y ha visitado a la mayoría de ellas. Una ciudad de clase mundial es una que tiene más de un millón de personas (forma o estructura) e influencia internacional (función o papel).

Bakke explica cómo el doble foco de los pueblos no alcanzados y las ciudades de clase mundial se relacionan entre sí haciendo una distinción útil entre (1) los pueblos no alcanzados geográficamente distantes y (2) pueblos no alcanzados culturalmente distantes. Es cierto que hay una distancia cultural en ambos casos, pero en el primero también hay una importante barrera geográfica. Tradicionalmente, los pueblos distantes por su geografía han sido el principal énfasis de las personas que enviamos al campo de misión. Pero en las ciudades de hoy, pueblos distantes por su cultura pueden estar viviendo justo al lado o a una cuadra o dos de distancia, pero podemos estar ciegos a su existencia como grupos estratégicamente importantes para compartir el evangelio. Bakke dice: «No serán alcanzados para Jesucristo, a menos que las iglesias existentes se vuelvan multiculturales por intención, o a menos que se inicien iglesias "amigables para el usuario" por y para ellos».

Naciones enteras

Si bien las ciudades son cada vez más importantes como puntos focales evangelísticos, las naciones políticamente definidas del mundo siguen teniendo el perfil más elevado en los medios nacionales e internacionales. Son también extremadamente prominentes en la psicología social internacional. Con todo el énfasis necesario en las etnias y la urbanización, nuestra planificación de la estrategia para las misiones no debe pasar por alto los países geopolíticos del mundo. Considero que el líder de avanzada que hoy ha visto esto con mayor claridad, y que ha tomado una acción agresiva para implementarlo es James Montgomery. Montgomery dejó Overseas Crusades a principios de la década de los ochenta para formar una nueva agencia de misión denominada DAWN Ministries. DAWN es un acrónimo para «Discipling a Whole Nation» (Discipular a una nación entera).

La meta de DAWN es movilizar a todo el cuerpo de Cristo de una nación dada en un esfuerzo decidido para completar la Gran Comisión. La meta es proveer una congregación evangélica en cada aldea y barrio urbano del país. Montgomery cree en el concepto de las etnias, pero sostiene que concentrarse en las etnias que se encuentran dentro de países dados es la forma más práctica de alcanzar a todos los no alcanzados.

3. El poder de la misión: Ministrar en el Espíritu

Hemos considerado brevemente los principios de la misión que nos ayudan a pensar con mayor claridad en nuestra tarea. Hemos examinado prácticas de misión de vanguardia que nos están permitiendo llegar más eficientemente que nunca antes. Ahora, finalmente, quiero considerar lo que estoy llamando «el poder de la misión».

Muchos de nosotros, que venimos de trasfondos no pentecostales y no carismáticos, no hemos sabido tanto acerca del accionar de lo sobrenatural y lo milagroso en el mundo de hoy como deberíamos. Pero una de las vanguardias de la estrategia de la misión contemporánea ha sido una manifestación relativamente nueva del Espíritu Santo entre evangélicos de tradición más conservadora. Me encontré cumpliendo un papel cada vez más activo en este tema durante la década de los ochenta. Empecé a ver que lo que estaba ocurriendo era una «tercera ola» del Espíritu de Dios en el siglo XX, que continúa hoy. La primera ola fue el movimiento pentecostal al inicio del siglo. La segunda, fue el movimiento carismático de mediados del siglo. Estos dos movimientos siguieron firmes y los he visto expandirse vigorosamente durante el resto del siglo.

La tercera ola nos involucra a algunos de nosotros —y aquí me incluyo— que, por una razón u otra, no deseamos identificarnos personalmente con los pentecostales o los carismáticos. Amamos, respetamos y admiramos a nuestros amigos en esos movimientos, y pedimos la bendición de Dios sobre ellos y toda su obra. Reconocemos que actualmente representan el segmento de más rápido crecimiento del cuerpo de Cristo en todo el mundo. Hemos aprendido muchísimo de ellos, y deseamos seguir aprendiendo. Pero nuestro estilo es levemente distinto. Ministramos en formas muy similares, pero explicamos lo que hacemos con otra terminología teológica. Servimos al mismo Señor y estamos involucrados en la misma tarea de la evangelización mundial. Creo que nosotros, los evangélicos, necesitamos una mirada fresca del poder sobrenatural, una conciencia fresca de la cosmovisión y un análisis fresco de la teología del reino.

Una mirada fresca de lo sobrenatural de Dios

Jesús envió a sus discípulos con «autoridad para expulsar a los espíritus malignos y sanar toda enfermedad y toda dolencia» (Mt 10:1). El apóstol Pablo testificó que él les predicó el evangelio a los gentiles desde Jerusalén a Iliria «mediante poderosas señales y milagros, por el poder del Espíritu de Dios» (Ro 15:19). Hebreos registra que la salvación ha llegado por medio del testimonio de

Dios «con señales, prodigios, diversos milagros y dones distribuidos por el Espíritu Santo...» (Heb 2:4).

Si bien no negamos la validez de la Palabra de Dios, muchos de nosotros no hemos experimentado esta clase de poder del Nuevo Testamento en nuestros ministerios personales. Por mi parte, nunca lo vi en absoluto durante mis dieciséis años de misionero en Bolivia. Para mí, el poder de Dios tenía el fin de salvar almas y ayudarnos a vivir una

Hoy hay tres mil millones de personas en el mundo que están pereciendo y nuestra tarea, como instrumentos en las manos de Dios, es acercarnos a ellas y traerlas al reino por medio del nuevo nacimiento.

buena vida cristiana. Hoy considero que ésta es una visión correcta, pero sólo parcial del poder de Dios. Me consuela en parte que todos mis colegas profesores en la Escuela de Misión de Fuller ven en forma similar lo que ha ocurrido en sus carreras de misioneros.

Como dice Timothy Warner, de la Escuela de Misión Mundial y Evangelismo de Trinity:

El encuentro con fuerzas demoníacas es un tema que ha sido evitado comprensiblemente por grandes segmentos de la iglesia. Durante la mayor parte de mi vida fui uno de los que se mantenía alejado de este tipo de participación.

«Pero», continúa diciendo, «ya no podemos darnos este lujo». Warner cree que el poder y el encuentro de poder es un factor crucial en la misión de hoy. Al considerar las etnias no alcanzadas, señala que:

En muchas partes del mundo... la gente está mucho más consciente del poder que de la verdad. Podremos predicar un mensaje muy lógico y convincente según normas occidentales, pero nuestros oyentes no se impresionan. Dejemos que vean el poder cristiano desplegado con relación al mundo espiritual en el cual viven con gran temor, y «oirán» el mensaje más claramente que lo que lograrían nuestras palabras solas.

Una preocupación similar es expresada por Richard De Ridder, del Calvin Theological Seminary en su libro *Discipling the Nations*. De

Ridder reflexiona sobre su experiencia misionera en Sri Lanka con estas palabras:

Una cosa que me impresionó profundamente es lo irrelevante que era gran parte de la teología reformada tradicional para esta gente y su situación, y que pocas veces esta teología tocaba sus verdaderas necesidades. Las cuestiones relacionadas con Satanás, demonios, ángeles, embrujos, etcétera no son de mucha preocupación ni reciben mucha atención en Occidente. Éstos son temas vivientes para los cristianos de estas zonas, ya que están rodeados por el animismo y el temor constante de la esfera espiritual. Uno de los mayores gozos que experimentamos fue proclamar a los hombres la victoria de Cristo sobre los poderes y ver las cadenas de la esclavitud a los espíritus elementales rotas por Cristo. Cuando los «Cinco puntos del calvinismo» eran predicados a esta gente, a menudo contestaban con la pregunta: «¿Cuál es el problema?». Los misioneros y los pastores rascaban donde no había comezón.

Éste es un clamor creciente. Grandes cantidades de misioneros y líderes de iglesia internacionales en nuestra escuela en Fuller están haciendo las mismas preguntas, y estamos empezando a darles algunas respuestas, por más elementales que sean en esta etapa. Dos de nuestros alumnos, que sirven en Latin America Mission en Costa Rica, escribieron acerca de varias experiencias con el poder sobrenatural en un boletín informativo. Entre ellas, ésta:

Desde nuestro retorno a Costa Rica en enero, hemos estado operando en un nuevo poder que nunca conocimos en nuestros seis años anteriores aquí. Hemos ministrado a una persona que había sido diagnosticada como epiléptica y que fue liberada por la expulsión de demonios. Esta persona tuvo una experiencia a principios de su vida con la brujería, por medio del contacto con una tabla ouija. Su madre también había tenido mucha participación en el ocultismo. Ahora, después de cuarenta y seis años de tormento, está completamente libre.

Estos misioneros lamentaron que con demasiada frecuencia «el cristianismo ha sido presentado como una religión de libro de texto y de la cabeza». Ahora ven cuán distante es esto del cristianismo del Nuevo Testamento, donde «la adoración era viva y significativa, la oración era un encuentro ávido y las señales y maravillas atraían a las personas a la fe».

Un misionero enviado a Singapur por la O.M.F. (Overseas Missionary Fellowship) escribió que le testificó a un hombre que le dijo: «No tiene sentido convertirse en cristiano. Mi hermano es pastor. Cuando mi madre se enfermó no pudo hacer nada para ayudar. La llevamos a nuestro templo y fue sanada». Otra mujer, una hindú, dijo: «¡El problema con ustedes los cristianos es que no tienen nada de poder!». Mi amigo comenta: «Qué trágico cuando la gente tiene la idea de que el cristianismo es una cuestión de mera convicción intelectual, una religión de palabras mayormente desprovista de poder».

Un número creciente de nuestras facultades de misiones en seminarios evangélicos y nuestras agencias de misión evangélicas han comenzado a plantear temas de poder espiritual. Estoy convencido de que es un área que requiere estudios novedosos y cierta implementación juiciosa si queremos participar plenamente en la evangelización mundial contemporánea.

Una conciencia fresca de la cosmovisión

Debido a la influencia penetrante de la antropología cultural en nuestra investigación misionológica actual, el concepto de la cosmovisión ha logrado mucha prominencia. Hoy podemos hablar de cosmovisión y entender sus implicaciones para la vida cotidiana con mayor libertad y exactitud que antes. Una de las cosas más preocupantes que estamos empezando a descubrir es que, en más casos que los que quisiéramos pensar, nuestro mensaje misionero al tercer mundo está teniendo una influencia secularizadora.

Me di cuenta de esto por primera vez cuando en 1982 leí un artículo de mi colega, Paul G. Hiebert, llamado «The Flaw of the Excluded Middle» (El defecto del medio excluido). Comienza el artículo citando la pregunta que Juan el Bautista hizo que sus discípulos le formularan a Jesús: «¿Eres tú el que ha de venir, o debemos esperar a otro?» (Lc 7:20). Hiebert enfatizó que la respuesta de Jesús no fue un argumento cuidadosamente razonado, sino más bien una demostración de poder en la sanación de los enfermos y la expulsión de espíritus malignos.

«Cuando leí el pasaje… como misionero en la India, y busqué aplicarlo a las misiones de mi tiempo», dice Hiebert, «tuve una sensación de intranquilidad. Como occidental, estaba acostumbrado a presentar a Cristo con base en argumentos racionales, no mediante evidencias de su poder en las vidas de las personas enfermas, poseídas e indigentes». Sigue señalando que la cosmovisión de la mayoría de los no occidentales tiene tres niveles. Hay un nivel cósmico arriba, un nivel de la vida cotidiana abajo y una gran zona media donde interactúan ambos constantemente. Esta zona está controlada sobre todo por espíritus, demonios, ancestros, duendes, fantasmas, magia, fetiches, brujas, médiums, hechiceros y poderes similares. La reacción habitual de los misioneros occidentales, cuya cosmovisión no contiene esta zona media, es intentar negar la existencia de los espíritus, en vez de reclamar el poder de Cristo sobre ellos. Como resultado, dice Hiebert: «Las misiones cristianas occidentales han sido una de las mayores fuerzas secularizadoras de la historia».

Un examen fresco de la teología del reino

En la oración del Padre Nuestro, decimos: «Venga tu reino, hágase tu voluntad en la tierra como en el cielo». Debo confesar que hasta hace poco estas palabras tenían muy poco significado para mi vida. Las repetía como una memorización de rutina, sin demasiado procesamiento espiritual mientras lo hacía. Por un lado, entendía que el reino era algo que era futuro, así que suponía que estaba orando por el retorno del Señor. Una suposición adicional era que, como Dios es soberano, su voluntad se realiza de hecho en la tierra hoy y que nosotros podemos aceptar de un modo muy pasivo lo que ocurre como algo que Dios aprueba, directa o indirectamente.

Ahora veo la teología del reino desde otra perspectiva. Ahora creo que, cuando vino Jesús, introdujo el reino de Dios en este mundo presente. Ésta era una confrontación directa, una invasión al reino de las tinieblas regido por Satanás, a quien se le llama «el dios de este mundo» (2Co 4:4). Tomo más en serio a Satanás que antes, reconociendo que algunas cosas que ocurren hoy se deben a la voluntad del enemigo, no a la voluntad de Dios. El período entre la primera y la segunda venida de Cristo es una era de guerra entre los dos reinos. Dos fuertes poderes están ocupando el mismo territorio.

Permítame decir rápidamente que sigo creyendo en la soberanía de Dios quien, por sus propias razones, ha permitido que ocurra esta guerra espiritual durante casi dos mil años ya. Y no hay ninguna duda del resultado. Satanás y todas sus fuerzas demoníacas fueron derrotados por la sangre de Jesús en la cruz. Como máximo, su acción es de demora, pero es una acción feroz, destructora y deshumanizadora a la que Dios espera que nosotros, como siervos suyos, nos opongamos activamente.

¿Cuáles son algunas cosas claramente fuera de la voluntad de Dios que ocurren hoy? En el cielo no hay una sola persona pobre, en guerra, oprimida, endemoniada, enferma o perdida. Como evangélicos, la última condición es la que mejor entendemos. Aun cuando no es la voluntad de Dios que nadie perezca, según 2 Pedro 3:9, hoy el mundo está lleno de personas que están pereciendo, como he mencionado antes. Hay tres mil millones de ellas afuera, y nuestra tarea, como instrumentos en las manos de Dios, es acercarnos a ellas y traerlas al reino por medio del nuevo nacimiento (Jn 3:3). Éste es el gran desafío misionológico.

Ponemos nuestros mejores esfuerzos en alcanzar a los perdidos para Cristo, sabiendo bien de antemano, tanto con fundamento bíblico como con el de la experiencia, que no los ganaremos a todos. Ese conocimiento no nos desalienta, aun cuando sabemos la razón por la que algunos no responden. De 2 Corintios 4:3-4 aprendemos que esencialmente se debe a que Satanás ha logrado cegar sus mentes a la luz del evangelio. Lloramos sabiendo que cada año millones de personas mueren y van a una eternidad sin Cristo, y sabemos que no es la voluntad de Dios que perezcan.

Si esto se cumple con los perdidos, bien podría cumplirse con los pobres, los que están en guerra, los oprimidos, los endemoniados y los enfermos. Mientras Satanás sea el dios de este mundo, todas estas cosas estarán con nosotros. Pero mientras tanto, como ciudadanos del reino de Dios, debemos reflejar los valores del reino y combatir esos males lo más enérgicamente posible. Por ejemplo, debemos sanar a los enfermos sabiendo de antemano que no todos serán sanados. Me complació cuando esto fue reconocido en una conferencia evangélica de alto nivel en 1982. En ese tiempo, el Comité de Lausana patrocinó una consulta sobre la relación entre la evangelización y la responsabilidad social, y en su informe reconoció que entre las señales del reino se encontraban «hacer que los ciegos vean, que los sordos oigan, que los cojos caminen, que los enfermos sean sanados, la resurrección de los muertos, aquietar la tormenta y multiplicar panes y peces». El informe menciona que «la posesión demoníaca es una condición real y terrible. La liberación es posible sólo en un encuentro de poder en el cual el nombre de Jesús es invocado y prevalece». Esto es lo que misionólogos como Timothy Warner también nos están diciendo.

Estoy de acuerdo con Charles Kraft, que una vez, en una reunión de miembros de la facultad, dijo:

> Ya no podemos darnos el lujo de enviar misioneros y líderes de iglesia nacionales de regreso a sus campos o de enviar a jóvenes a los campos de misión por primera vez sin enseñarles cómo sanar a los enfermos y echar fuera demonios.

Aún estamos en las primeras etapas de esto, y todavía no estamos satisfechos con la forma en que estamos haciendo el trabajo, pero confiamos en que Dios continuará enseñándonos para que a su vez podamos enseñar a otros.

Siento que uno de los llamados que Dios me ha dado es el ser de aliento para las instituciones tradicionales evangélicas no pentecostales y no carismáticas, para que comiencen a tener una nueva mirada del poder de la misión, y ministremos sobrenaturalmente cuando nos encontremos con el enemigo.

Referencias

Bakke, Raymond J. "Evangelization of the World's Cities," *An Urban World: Churches Face the Future*. Nashville: Broadman.

Dayton, R. Edward. *Planning Strategies for World Evangelization*. Grand Rapids: Eerdmans, 1980, p. 16.

De Ridder, Richard R. *Discipling The Nations*. Grand Rapids: Baker, 1975, p. 222.

Hiebert, Paul G. "The Flaw of the Excluded Middle," *Missiology: An International Review*, Vol. X:1, Jan. 1982, pp. 35-47.

Hinton, Keith and Linnet. Singapore: May 20, 1985 Newsletter.

Lausanne Committee for World Evangelization and the World Evangelical Fellowship. *Evangelism and Social Responsibility: An Evangelical Commitment*, 1982. p. 31.

Wagner, Doris M., ed. *Missiological Abstracts*. Pasadena, CA: Fuller School of World Mission, 1984.

Warner, Timothy "Power Encounter in Evangelism," *Trinity World Forum*, Winter 1985, pp. 1, 3.

Weinand, George and Gayle. San Jose, Costa Rica. May 1985 Newsletter.

Winter, Ralph D. "Unreached Peoples: The Development of a Concept," *Reaching the Unreached*. Phillipsburg, New Jersey: Presbyterian and Reformed Publishing Company, 1984.

Preguntas para reflexionar

1. ¿Por qué dice Wagner que una buena estrategia para la evangelización mundial reúne la fe y la fidelidad?
2. Explique cómo un nuevo examen de la teología del reino de Dios afectará la práctica de la misión de ministrar en poder.

Testimonio cristiano al pueblo chino

Thomas Wang y Sharon Chan

Thomas Wang es el presidente emérito del Great Commission Center International, en Sunnyvale, California. Fue el presidente internacional del Movimiento AD2000 and Beyond y sirvió como director internacional del Comité de Lausana para la Evangelización Mundial entre 1986 y 1989.

Sharon Chan es la presidenta del Great Commission Center International.

El pueblo chino constituye más de la quinta parte de la raza humana, con una población total de 1.300 millones de personas. Su historia ininterrumpida de más de 5.000 años demuestra una cultura durable y con capacidad de recuperación. Ha sobrevivido los estragos de incontables luchas internas e invasiones externas, y hoy permanece como un pueblo bien definido y, sin embargo, complejo. La mayoría de las personas, el 93%, pertenece a la etnia han. Sin embargo, hay al menos 5 grupos minoritarios, en su mayoría ubicados en las regiones fronterizas, en los linderos de la nación. Estos grupos minoritarios hablan 78 idiomas aparte del chino mandarín. Incluso entre los chinos han hay cientos de dialectos. Estos dialectos son tan diferentes como el alemán del francés. No obstante, el chino mandarín es el idioma oficial de la China.

El movimiento cristiano en la China

A lo largo de la extensa historia de la China, el Dios trino de la Biblia ha sido casi un extraño para ellos. Es cierto que entre ellos ha habido períodos cuando moraron personas que conocían al verdadero Dios vivo, pero por una variedad de razones la gran mayoría de los chinos aprendieron poco acerca del nombre y la salvación de Cristo.

Hubo sinagogas judías y comunidades de mercaderes nestorianos diseminadas por toda China durante la dinastía Tang (siglos VII a IX), cuando la civilización china estaba más avanzada que todo lo que pudiera ofrecer Europa. Los misioneros franciscanos lucharon por sobrevivir en las márgenes de ese imperio durante los años de dominio mongol (siglo XIII), mientras que los creativos jesuitas siguieron en los siglos XVI y XVII. No obstante, estos relativamente breves períodos de presencia misionera católica romana produjeron poco beneficio espiritual duradero para la gente común.

Recién cuando las misiones católicas renovadas y los misioneros protestantes llegaron a la China en masa en los siglos XIX y XX pudo decirse que la iglesia cristiana había sido plantada por fin entre los millones de la China. Aun entonces esta iglesia estaba más identificada con la influencia cultural occidental que con cualquier aceptación espontánea de los chinos mismos. Para fines del siglo XIX, la iglesia en la China sintió la presión de las autoridades del gobierno chino, que asociaron equivocadamente a la iglesia con los poderes «imperialistas» occidentales. Durante el levantamiento de los bóxers contra los extranjeros en 1900, casi 200 misioneros y más de 2.000 cristianos chinos en el norte de la China fueron martirizados. La incipiente iglesia china saboreó la prueba de fuego.

En marzo de 1922 estalló un movimiento anticristiano para atacar la Conferencia Internacional de la Federación Mundial de Estudiantes

Cristianos, que debía reunirse en la Universidad de Qinghua en abril de ese año. El cristianismo fue rotulado como el arma cultural del imperialismo occidental. Era inevitable que la iglesia china también sufriera severos ataques. En respuesta, muchas iglesias se separaron de las misiones extranjeras y comenzaron a establecer iglesias independientes. Así se inició el movimiento de iglesias autóctonas chinas. Como resultado, la iglesia china experimentó un gran avivamiento entre 1927 y 1937, y surgió un liderazgo chino capaz y vigoroso. Todas estas experiencias prepararon a toda la iglesia para enfrentar la angustia futura, luego de 1949.

Desde 1949, la iglesia en la China ha experimentado una serie de convulsiones dolorosas bajo el fervor revolucionario. Fue obra de la providencia de Dios que todos los misioneros occidentales fueran obligados a salir de la China, y para 1951 habían partido en su mayoría. Sin embargo, Dios permitió que la iglesia fuera probada severamente, dado que las autoridades estaban determinadas a romper los vínculos de la iglesia con Occidente y subordinarla al Estado en la década de 1950. Para «liberar a la iglesia del control del imperialismo occidental», con el apoyo del gobierno, se formó el Movimiento Patriótico Tres Autonomías (MPTA). Las iglesias de la misma ciudad o zona, aun con diferentes trasfondos denominacionales, recibieron órdenes de fusionarse. Muchos cristianos sufrieron por su fe, y algunos murieron en la cárcel. Durante la Revolución Cultural (1966-1976), todas las iglesias fueron cerradas y las Biblias fueron confiscadas. Sin embargo, muchos cristianos continuaron practicando la adoración y comunión en sus casas.

Luego de la muerte del presidente Mao Zedong y el arresto de la «Banda de los Cuatro», a fines de 1976, la China comenzó a adoptar políticas más moderadas. Cuando Deng Xiaoping surgió como el líder del país, en 1978, la cortina de bambú de la China comenzó a levantarse gradualmente.

Entre 1949 y 1979, los cristianos del mundo exterior no tenían mucha información sobre la situación real de la China. ¿Había sido en vano el trabajo de miles de misioneros extranjeros y obreros chinos? Para sorpresa de todos, cuando la China volvió a normalizar su relación con los Estados Unidos en 1979, y permitió a los extranjeros visitar el país, éstos encontraron una iglesia viva y en crecimiento, ¡con miles y miles de cristianos que confesaban valientemente que sólo Jesucristo es Señor! De hecho, la población cristiana china había crecido, de 840.000, en 1949, a una cantidad estimada de 35 millones en 1982, según Jonathan Chao, de China Ministries International, Inc.

En marzo de 1979, el Partido Comunista Chino comenzó a restaurar su política religiosa. El MPTA fue rejuvenecido en agosto de 1979, y bajo la dirección y supervisión del MPTA, a las iglesias se les permitió reabrir, primero en ciudades grandes, y sólo para extranjeros. Sin embargo, al pueblo chino se le permitió gradualmente asistir a cultos de adoración en estas «iglesias abiertas».

En los 20 años, entre 1979 y 1998, en la China la iglesia no sólo existió, sino prosperó en dos grupos bastante distintos: (1) iglesias registradas oficialmente con el MPTA y el Consejo Cristiano de la China (CCC) y, (2) las diversificadas iglesias hogareñas. Las iglesias de las Tres Autonomías tenían puntos de reunión registrados y realizaban su adoración en edificios de iglesia que existían antes de 1949, o eran estructuras recientemente construidas. Las iglesias hogareñas habitualmente adoran en casas privadas, si bien en Wenzhou, en la provincia de Zhejiang, tienen sus propios edificios de iglesia, muy parecidos a los de Occidente.

Las iglesias registradas cumplen con las regulaciones del gobierno y están bajo el control político del Partido Comunista y las políticas establecidas por el MPTA. Operan con las limitaciones impuestas por la autoridad civil (p.ej., sólo se permite que personal pastoral autorizado por el gobierno sirva en la iglesia, los lugares de las reuniones son fijos, y no se permite ninguna actividad evangelística fuera de la iglesia, etc.). Según estadísticas provistas por la Iglesia de las Tres Autonomías, en 1997 había más de 12.000 iglesias registradas, y 25.000 puntos de reunión con más de 13 millones de cristianos chinos protestantes.

Por otra parte, las iglesias hogareñas dicen tener entre 70 y 80 millones de creyentes que adoran regularmente en casas. Al parecer, las iglesias hogareñas son la realidad eclesiástica establecida en la China. Sin embargo, no son reconocidas por el gobierno y siempre han estado bajo alguna forma de persecución.

Mirando al mundo en general, desde 1949 hay 57 millones de chinos clasificados «en el extranjero» (incluyendo 21 millones en Taiwán), dispersos en más de 60 países en todo el mundo. A

Dios le ha parecido bien trabajar entre ellos bajo diferentes patrones, colocándolos en posiciones de liderazgo en campos académicos, profesionales y empresarios. Los chinos de los Estados Unidos y Canadá son sobre todo profesionales, mientras que los del sudeste de Asia son principalmente empresarios. Dios también los ha hecho receptivos al mensaje cristiano. Para el año 1998 había por lo menos 8.000 iglesias chinas en más de 50 países del mundo. Según una encuesta de muestreo al azar, realizado por *Los Angeles Times* en 1997, el 32% de los chinos en el sur de California asisten a la iglesia regularmente (6% de éstos eran católicos y menos del 10% cristianos evangélicos). Entre estos cristianos evangélicos, muchos sentían que estaban siendo preparados para un papel significativo en el reino de Dios en los días por venir, especialmente en la evangelización de los chinos en su patria.

Sin duda, no podemos sino alabar a Dios por lo que ha estado haciendo en los últimos 50 años entre los chinos. Está glorificando su nombre por medio de la iglesia sufriente en la China, y entre otros chinos en el extranjero, que en décadas pasadas han fundado una iglesia diversificada. Ya es correcto decir que toda la iglesia china es una iglesia global que unirá fuerzas cada vez más con iglesias occidentales y otras iglesias del tercer mundo para misiones globales en los años por venir.

Política religiosa oficial en la China

Dado que el gobierno chino ha adoptado una política de control legislativo sobre todas las actividades religiosas, los grupos cristianos deben registrarse con el gobierno, aceptar el liderazgo del MPTA, y operar bajo las pautas religiosas del gobierno. Sólo las iglesias de las Tres Autonomías y sus puntos de reunión son considerados legales, y son considerados los únicos representantes de los protestantes en la China. La mayoría de los expertos en el comunismo está de acuerdo en que al implementar esta legislación, la intención del gobierno chino ha sido poner freno al rápido crecimiento del cristianismo.

Por lo tanto, las iglesias hogareñas que han escogido no registrarse con el gobierno, o unirse al Movimiento de las Tres Autonomías, en algunos casos son consideradas como grupos ilegales o sectas falsas, y están sujetas a la represión por la autoridad civil. Como resultado, a menudo las iglesias hogareñas son consideradas organizaciones ilegales por el gobierno, y las actividades de sus iglesias son punibles por ley. Si bien enfrentan persecución y presión, de igual manera la mayoría de las iglesias hogareñas se rehúsan a registrarse con el gobierno. Su único propósito ha sido mantener su pureza y libertad para escoger su propio personal pastoral, realizar evangelización local y distante, y llevar a cabo sus asuntos de iglesia de acuerdo con las enseñanzas de la Biblia, y

Debemos prepararnos para el día cuando la China flexibilice todas las restricciones sobre las actividades religiosas y abra sus puertas para los misioneros, ¡tanto para ser recibidos como *también para ser* enviados al resto del mundo!

no con las estipulaciones del Estado.

Durante la década de 1990 vimos un gran interés en el cristianismo entre algunos líderes oficiales. Muchos eruditos estudian el cristianismo como un tema académico o como una filosofía. En la década anterior las universidades y los editores seculares publicaron muchos libros y artículos de investigación sobre el cristianismo y su influencia sobre la China. A principios de 1998 se estableció formalmente un Centro de Investigación del Cristianismo como una rama del Instituto de Religiones Mundiales bajo la bandera de la Academia China de Ciencia Social. Muchos investigadores chinos de este centro (la mayoría no cristianos) han sido enviados al exterior para estudiar en diferentes seminarios. Estos estudiosos no cristianos reciben capacitación teológica y están familiarizados con la función y la operación de las iglesias cristianas en el exterior. Serán los futuros líderes de la Oficina de Asuntos Religiosos (OAR) y estarán trabajando con el MPTA, enseñando en un seminario oficial o en escuelas bíblicas aprobadas por el estado, y pastoreando iglesias oficiales, con lo cual participarán en dar forma a las políticas religiosas de la China.

Crecimiento actual de la iglesia

Desde 1989 ha habido un crecimiento notable en la cantidad de creyentes y asistentes a la iglesia, tanto en las iglesias oficiales como en las hogareñas. Luego del 4 de junio de 1989, cuando la represión en la plaza de Tiananmén, los intelectuales chinos se desilusionaron del Partido Comunista y del gobierno. Se rompieron sus sueños de un gobierno menos autoritario y de una reforma política, y su lealtad al Partido Comunista se vio sacudida. Su desilusión con el comunismo como sistema de gobierno los instó a buscar otras alternativas, especialmente la ideología del mundo occidental basada en el cristianismo. Por lo tanto, cada vez más intelectuales comenzaron a acudir a la iglesia en busca de respuestas, con lo cual cambiaron la suposición de que las iglesias eran sólo para ancianos y personas con menor educación. También fue alentador ver grupos de estudio bíblico y de comunión formados por estudiantes y profesores en algunas universidades.

A pesar de ser presionadas en todo el país para que se registraran en la Oficina de Asuntos Religiosos (OAR) y el MPTA, las iglesias hogareñas continuaron creciendo. Se informa que en prácticamente cada aldea en la mayoría de las provincias al norte del río Yangtsé existen «puntos de reunión no registrados» (a diferencia de los puntos de reunión registrados). Incluso algunas aldeas se han convertido en «aldeas cristianas», ya que los creyentes constituyen entre el 50% y el 80% de los habitantes.

Luego de varias décadas de desarrollo y expansión, ahora las iglesias hogareñas ya no son un cuerpo informal. Están organizadas en términos de grupos grandes, en forma muy similar a las denominaciones en Occidente, con varios miles o varios millones de miembros. Están estructuradas por condado y prefectura, y en niveles provinciales y nacionales, para supervisar las operaciones de cientos y aun miles de iglesias hogareñas.

En este punto debemos señalar que en años recientes algunos líderes de iglesias rurales *oficiales* se han convertido en evangélicos. Se muestran comprensivos y también amistosos hacia las iglesias hogareñas. En algunos casos, unos pocos líderes de iglesias hogareñas trabajan en colaboración con iglesias oficiales para realizar capacitaciones dentro de las iglesias registradas.

Junto con el gran crecimiento surge también una gran necesidad de toda clase de capacitación, obreros de tiempo completo y literatura. Tanto las iglesias oficiales como las iglesias hogareñas tienen mucha necesidad de pastores capacitados. En las décadas de 1980 y 1990, el Consejo de Iglesias Chinas abrió un seminario y 17 escuelas bíblicas y centros de capacitación en toda China. Se han realizado numerosas clases de capacitación de corto y mediano plazo de distintos niveles para las iglesias hogareñas por líderes de iglesias hogareñas, con y sin la ayuda de cristianos de afuera. Cada «sistema de gobierno de iglesias hogareñas» tiene su propia red y programas de capacitación.

Misión a la China

La China es un viejo campo de misión. Desde la dinastía Qing, el cristianismo ha sido retratado por el gobierno chino como «una invasión cultural y un enemigo del pueblo». Todo trabajo de misión a los chinos no debe ignorar la complejidad histórica de las realidades sociales y eclesiásticas de la China.

Actualmente hay al menos dos categorías generales de trabajo de misión. La «misión primaria» (o «misión directa») consistente en evangelizar de persona a persona o en equipar a iglesias y cristianos locales para que puedan acercarse más eficazmente a sus compatriotas no cristianos. La «misión secundaria» (o «misión indirecta») apunta a cultivar una atmósfera «receptiva» para la presencia cristiana entre comunidades no cristianas, luchando siempre con el crucial problema misionológico de la actitud oficial hacia el cristianismo.

Con estas dos categorías en mente, hay tres enfoques distintivos para los ministerios específicos a la China:

1. El enfoque de «servicio encarnacional»

La invasión desde Occidente en los últimos siglos ha dejado al pueblo chino con profundos recelos acerca del cristianismo. Tal vez el mayor problema misionológico que enfrentamos hoy es cómo resolver tales desafortunados y profundamente arraigados malentendidos. El enfoque de «servicio encarnacional» busca trabajar fuera de las estructuras eclesiásticas, colocando a profesionales y empresarios cristianos maduros en la China. Estas personas hacen aportes profesionales y económicos significativos al país, mientras simultáneamente se codean en forma regular con sus pares chinos, muchos de los cuales son funcionarios del gobierno. Se espera que el enfoque del servicio encarnacional termine por afectar las actitudes de los líderes del gobierno, produciendo más confianza, afirmación y libertad para el cristianismo.

Esta clase de esfuerzos de ministerio puede buscar la inserción en entornos chinos de tres formas. Primero, por la participación *académica*: profesionales cristianos del exterior pueden enseñar en universidades y facultades, realizar investigaciones, enseñar idiomas extranjeros y más. Segundo, hay una oportunidad para las inversiones *comerciales* para desarrollar proyectos inmobiliarios, establecer centros de manufactura, desarrollar centros turísticos, establecer consultoras y mucho más. Tercero, los profesionales pueden realizar trabajos de *desarrollo comunitario* entre grupos minoritarios en provincias remotas. En estas situaciones, los profesionales pueden tratar de ayudar a desarrollar servicios médicos, proveer asistencia para la educación, agricultura y toda clase de desafíos de desarrollo que enfrenta la China.

2. El enfoque de la «iglesia oficial»

Luego de la política de reformas de Deng Xiaoping, las iglesias de las Tres Autonomías y oficiales son alentadas a participar en intercambios transculturales con iglesias chinas y no chinas fuera de la China. La mayoría de los líderes de la iglesia occidental han tomado este enfoque, ya que generalmente carecen de contactos con iglesias hogareñas. Desde la devolución de la soberanía de Hong Kong a la China, algunas iglesias evangélicas de Hong Kong han establecido programas de intercambio regulares con iglesias, seminarios y escuelas bíblicas de las Tres Autonomías. Las

actividades de intercambio incluyen el financiamiento de la construcción de edificios de iglesias, participar en la capacitación de líderes, la evangelización y los cultos en la iglesia, como predicación, bautismo, presentación de coros, etc. Estas actividades son organizadas por las iglesias oficiales, y son legales y abiertas. El problema misionológico es cómo empoderar a una iglesia débil dentro de los límites legales impuestos por las leyes religiosas de la China. Este enfoque acepta la realidad de que en la iglesia hay tanto cristianos verdaderos como falsos, especialmente en el nivel de liderazgo. Pero queda la esperanza de que, gracias a los testimonios de los cristianos verdaderos desde afuera, aun los falsos cristianos lleguen a una fe y confesión verdadera de Jesucristo algún día. Las iglesias de las Tres Autonomías y oficiales son, por lo tanto, a la vez socios y «campos de misión» para estos esfuerzos misioneros. Para el gobierno chino estas actividades de intercambio están controladas, y son legales y aceptables. Los ministerios específicos en este enfoque pueden incluir predicar en iglesias oficiales o enseñar en escuelas bíblicas y centros de capacitación oficiales.

3. El enfoque de las «iglesias hogareñas»

En años recientes, la mayoría de las iniciativas de misión han buscado ayudar y trabajar por medio de los movimientos de las iglesias hogareñas. En particular las iglesias chinas del exterior han considerado válido este enfoque, ya que por lo general las iglesias hogareñas no tienen ningún vínculo con el gobierno. Los números solos llevan a los esfuerzos de misión a buscar la participación en las iglesias hogareñas. Alrededor del 85% de los cristianos en la China forman parte de iglesias hogareñas.

Es innegable que las iglesias hogareñas han experimentado una persecución tremenda en el pasado y tal vez aún en el presente. Tenemos que recordar a nuestros hermanos y hermanas en su sufrimiento y pronunciarnos por la mayoría silenciosa. La mayoría de los líderes cristianos chinos tienen la visión de que esta persecución ha producido, bajo la providencia de Dios, una iglesia purificada que permanece fiel al Señor. Por lo general los ministerios enfocados en las iglesias hogareñas son realizados de una manera secreta y «subterránea», ya que el gobierno chino considera a estas actividades «misioneras» como ilegales, subversivas, amenazadoras e indeseables.

La urgente necesidad de las iglesias hogareñas no es la actividad misionera, sino la enseñanza bíblica ideada para ayudarlas a crecer en una doctrina sana y en la defensa contra las herejías. Las herejías han creado un problema muy serio entre las iglesias hogareñas. Varios ministerios están trabajando para responder a la necesidad de líderes capacitados, brindando, cuidadosa y creativamente, capacitación práctica y bíblica para pastores de tiempo completo, pastores laicos y evangelistas itinerantes. Hace falta hacer mucho más. Con gran cuidado, los recursos económicos pueden ser provistos sin alentar una dependencia perjudicial. Sigue habiendo una gran necesidad de Biblias, comentarios, materiales de capacitación y otros libros de referencia.

Los tres enfoques anteriores son medios legítimos de llegar a millones de personas de la China. Si bien hay muchas formas y medios de ayudar a los ministerios en la China, otros usarán vías diferentes. Uno debería tener en cuenta a otros grupos y evitar crear nuevos ministerios a costa de ellos. Quien participe en ministerios en la China deberá tener un espíritu de servicio y evitar una actitud paternalista. Deberá tratar de aprender de las ricas experiencias espirituales y ministeriales de los cristianos en la China y, al mismo tiempo, compartir recursos con ellos.

Estudiosos chinos fuera de la China

Dios ha traído a muchos chinos a nuestras puertas. Desde 1980, miles de estudiosos chinos han viajado al exterior para seguir estudiando; la mayoría son estudiantes de doctorado o investigadores de posgrado. Se estima que hay más de 500.000 estudiosos chinos en el exterior hoy día. Creemos que Dios, en su providencia, los ha traído a nosotros. Deberíamos evangelizar a estos estudiosos y sus familias y darles una capacitación cristiana básica mientras estén fuera de su país.

Varias iglesias y organizaciones paraeclesiásticas chinas y no chinas están trabajando entre estos estudiosos chinos. Traban amistad con ellos, los ayudan a ajustarse a la cultura occidental y les presentan a Cristo. Muchos ya han abrazado el cristianismo luego de salir al exterior. En los Estados Unidos y Canadá se estima que por lo menos el 10% de los 170.000 estudiosos chinos se han convertido en cristianos. Una pequeña porción se ha dedicado al servicio cristiano de tiempo completo. Creemos firmemente que cuando estos estudiosos cristianos vuelvan a su país, harán un impacto significativo sobre la iglesia china y sobre la China.

La China en el siglo XXI

La China acelerará su reforma económica en los años por delante. Renombrados analistas económicos prevén que la economía de la China alcanzará a los Estados Unidos en 2020, y se convertirá en una superpotencia en 2030. La pregunta crucial es cómo la China afectará a sus vecinos y al mundo en ese momento: ¿negativa o positivamente? Por supuesto, esperamos que sea positivo. Pero, para que ocurra eso, es importante completar la evangelización de la China. Aun cuando celebramos la maravillosa explosión del evangelio en la China, todavía sólo alrededor del 7% de su población es cristiana.

Hay aldeas enteras consideradas aldeas cristianas. ¿Nos atreveremos a creer que algún día la China podrá convertirse en una «nación cristiana»? Si, por la gracia de Dios, el número de cristianos en la China crece a 50% o más para el año 2030, ¡imagine lo que podría contribuir al resto del mundo!

Las realidades del día de hoy nos ayudarán a centrar estratégicamente nuestros esfuerzos de misión en la China. Hasta ahora la reforma económica ha beneficiado a las zonas costeras. Sin embargo, las zonas remotas siguen siendo pobres, en especial entre pueblos minoritarios en las regiones del suroeste. Necesitan ayuda médica, educativa y de todo tipo. Hay brazos abiertos esperando a los profesionales cristianos que desean unirse para mostrar el amor cristiano a estos pueblos necesitados.

Un reporte decía que a mediados de la década de los 90 el 87% de la población china era rural. El gobierno apunta a reducir la población rural al 50%. Podemos esperar que más moradores rurales migren a las ciudades. Por lo tanto, surgirán más megaciudades en el futuro cercano. La China necesita ayuda para resolver sus problemas urbanos.

Mirando hacia adelante, el cambio económico de la China puede conducir a más libertad para la gente común y más oportunidades para que hagan contacto con el mundo exterior. Estos cambios podrían terminar el día cuando la China tenga pluralismo ideológico y libertad religiosa. Debemos prepararnos para el día cuando la China flexibilice todas las restricciones sobre las actividades religiosas y abra sus puertas para los misioneros, ¡tanto para ser recibidos como *también* para ser enviados al resto del mundo!

Esperanza para la China

Durante siglos el cristianismo ha buscado echar raíces en la China. Hoy es una oportunidad ideal para deshacerse del equipaje de la historia dejada atrás por los fracasos del pasado. Que Dios otorgue sabiduría a cada siervo de Dios para servir con amor, paciencia y humildad en la China. Al buscar los mejores enfoques y seguir asociaciones fructíferas, trabajaremos juntos para la evangelización de casi una cuarta parte de la humanidad.

Movimientos hacia Cristo en el mundo hindú

H. L. Richard

El movimiento de iglecrecimiento y el estudio de cómo las etnias llegan a Cristo surgieron al observarse movimientos hacia Cristo entre los hindúes en la India. El sistema social de la India, con miles de comunidades sociológicas distintas (la mayoría de varias castas hindúes), proveyó puentes únicos para que el evangelio se esparciese dentro de sus comunidades, al mismo tiempo que presentaba problemas únicos para que el evangelio cruzase límites múltiples.

Movimientos de pueblos en el contexto hindú

Los movimientos de pueblos que edificaron a la iglesia india se desarrollaron en varios grupos tribales y castas bajas, al margen de la sociedad hindú. El primer gran movimiento hacia la Iglesia Católica Romana, en el siglo XV, tuvo motivaciones claramente políticas, porque una casta de pescadores buscó ayuda de los portugueses. Los movimientos influenciados por los protestantes comenzaron a mediados del siglo XVIII. En la actualidad, la India, como la mayoría del mundo, se encuentra en un período de cambio rápido, y la protesta y los movimientos de avance entre las etnias dalit (que solían llamarse «los intocables») son un aspecto importante de esa ebullición. Los movimientos dalit una vez estuvieron fundados en el movimiento cristiano, pero ahora también abarcan budistas y seculares, de modo que la iglesia es parte del movimiento dalit y no al revés.

Una investigación llevada a cabo por el gobierno de la India en los 1980 identificó a cuatro mil seiscientas noventa y tres comunidades en la India. Aproximadamente el 30% de ellas son comunidades dalit y tribales, y entre algunos de estos grupos sigue habiendo movimientos de pueblos hacia Cristo. La persecución de los cristianos en la India casi siempre se da en estos entornos donde hay conversiones múltiples y continuas entre los dalit o las etnias tribales. En los primeros movimientos de pueblos se trasplantó a la India el denominacionalismo occidental, y casi no se expresaba nada del legado de la India en la vida de la iglesia. Sin embargo, a lo largo del siglo XX se han abrazado e implementado nuevas iniciativas y conceptos misionológicos. Ahora se hacen evidentes la misión transcultural y los principios de la contextualización en estos movimientos eclesiales nuevos, pero se limitan mucho a las etnias dalit.

Las razones de la falta de respuesta al evangelio por parte de los hindúes que no son dalit (el 70% de las etnias hindúes) son variadas y complejas. Un factor significativo es que la iglesia india carga con un estigma doble en su testimonio al mundo hindú. Un problema es que la iglesia sigue siendo occidental en mucha de su funcionalidad y apariencia. A pesar de que hay una nueva tendencia muy fuerte hacia la

H. L. Richard estuvo involucrado en un ministerio popular cristiano en la India durante diez años antes de dedicar otros diez años a estudiar el hinduismo y a la obra cristiana entre los hindúes. Ha publicado numerosos artículos y libros de la historia del evangelismo en la India como resultado de sus estudios, y es uno de los fundadores del Rethinking Forum.

Artículo 92

occidentalización, los hindúes suelen sentir una aversión fuerte a las religiones extranjeras. La iglesia también es profundamente dalit en su composición, de modo que es casi imposible que un hindú se una a la iglesia y siga en buena relación social en un hogar hindú. Hay una brecha inmensa de percepción y entendimiento entre los hindúes y los cristianos, y muy pocos cristianos se han esforzado por entender las perspectivas de los hindúes acerca de la vida y la espiritualidad.

Enseñanza diversa dentro del contexto hindú

Entender el hinduismo es un reto. A los académicos se les hace difícil definirlo, reconociendo que el término en sí no es originario de la India, sino que fue introducido por extranjeros. Al principio asumió una unidad de la que más tarde se demostró su inexistencia. La etiqueta de la religiosidad india es la diversidad constante, y agruparlo todo bajo un «ismo» sugiere una unidad que simplemente no existe. Se suele señalar que el hinduismo no tiene credo ni sistema básico de creencias; sin embargo, hay varias ramas, como el visnuismo, que tienen tradiciones teológicas características. El grupo hindú más grande, los vaisnavas consideran que Visnú es el dios supremo, y adoran a sus avatares (encarnaciones como Rama y Krisná). Hay docenas de «denominaciones» de vaisnavas con distintas doctrinas menores.

Se han realizado varios esfuerzos por resumir las diversas enseñanzas religiosas dentro del hinduismo. Los hindúes suelen resumir tres caminos a la salvación: el camino del conocimiento, el camino de las obras y el camino de la devoción; los cristianos han intentado resumir el hinduismo con base en ramas filosóficas y populares. Ninguno de estos resúmenes ayuda mucho, dado lo artificial de ellos. La mayoría de los hindúes toman parte de los tres caminos del hinduismo, e incorporan dimensiones, tanto filosóficas como populares, a su fe y a su práctica.

Los aspectos filosóficos del hinduismo suelen ocupar bastante espacio en los libros, y alrededor del mundo el movimiento de la Nueva Era ha hecho muy populares algunos de estos conceptos. Este tipo de «hinduismo» se ha exportado de la India como una filosofía profunda que lleva al individuo a una mayor conciencia, pero es difícil encontrar ese aspecto en la India, donde la adoración a dios (frecuentemente con múltiples imágenes), es esencial en la vida.

Práctica religiosa variada dentro del contexto hindú

El acto hindú más básico es la *puya*, o adoración, que es central en la vida familiar en el hogar y también se manifiesta de forma secundaria en el templo. Este hecho apunta a una esencia teísta de la mayor parte de la fe y práctica hindú; un teísmo dinámico que afirma de manera consistente que al final sólo hay un Dios, y aun así ve miles de manifestaciones de ese Dios con varios nombres y formas. La mayor parte de su adoración incluye encender lámparas y quemar incienso, ofrecer flores y fruta, y los cánticos ante imágenes de varios dioses. Así que la idolatría también es básica en la mayor parte de la devoción hindú y, junto con la casta, es el aspecto más complicado a la hora de presentar a Cristo en contextos hindúes. La participación en la adoración idólatra es a todas luces inaceptable en la cosmovisión bíblica, y también lo es rechazar con desprecio lo que otros aman (incluso la idolatría), especialmente cuando se trata de padres y personas con autoridad a quienes se les debe respeto. No es fácil negociar de manera adecuada entre estos dos extremos.

La actitud espiritual que más buscan y valoran los hindúes es el *bhakti*, o devoción a Dios. Los rituales y la superstición son demasiado preponderantes en la práctica hindú (así como en otras tradiciones religiosas), pero se considera ideal tener un corazón totalmente entregado a Dios. Es cierto que algunas de las tradiciones filosóficas subrayan más el desprendimiento que el *bhakti*, y el desprendimiento de las preocupaciones mundanas es un valor importante, incluso en las tradiciones *bhakti*. Pero lo que mejor define la religiosidad de la vida hindú es *bhakti* y *puya*, y la espiritualidad es sobre todo una conciencia de Dios, que alimenta la devoción y la adoración.

Tanto esta actitud de devoción y el gran pluralismo de las tradiciones hindúes contribuyen a que los hindúes estimen en gran manera a Jesucristo. Tristemente, muchas variedades del cristianismo no se enfocan en la adoración y en la devoción; la persona de Cristo suele ser secundaria en los debates de la iglesia, y la espiritualidad se reduce a asistir a la iglesia una vez a la semana. En los países que aún se consideran cristianos parece ser que no hay ningún interés por las enseñanzas de Jesús. No es de extrañar que los hindúes no se sientan atraídos por el cristianismo.

En lugar de sembrar la semilla del evangelio entre las etnias hindúes para que crezca de acuerdo con las maneras y formas de la India, se ha importado el producto acabado del cristianismo doctrinal y eclesiástico. Los hindúes suelen referirse al *dharma* más que al concepto occidental de la *religión*. *Dharma* es deber, ley y justicia, lo que sostiene la sociedad. El camino de Jesús se entrelaza con *dharma*, produciendo así miembros humildes y productivos de la familia y de la sociedad.

Estructura social compleja de la sociedad india

A la hora de presentar el evangelio en los contextos hindúes debemos entender tanto la estructura sociológica cambiante de la sociedad india, como las actitudes religiosas hindúes. El individualismo está ganando terreno en la India a medida que avanzan la urbanización y la modernización, pero los hindúes siguen siendo profundamente relacionales, y las relaciones son el centro de la familia, la familia extendida y la comunidad de la casta. La casta tiene un aspecto divisivo, y la teoría del mérito o el demérito no es aceptable. La intocabilidad es el aspecto más ofensivo de la casta, y aunque se rechaza, tanto legal como filosóficamente, sus implicaciones no se han eliminado por completo de la sociedad india. Pero la casta como identidad del individuo y el sentido de pertenencia a una etnia no es malo ni problemático en sus fundamentos, y los esfuerzos históricos por deshacer la casta no han tenido éxito. Los movimientos hindúes reformadores anticasta (los lingayat son un ejemplo muy destacado) han terminado convirtiéndose en castas, y aun denominaciones cristianas suelen funcionar como comunidades separadas, al estilo de las castas, en lugar de ser levadura que se mezcla con la sociedad hindú.

La mayoría de los hindúes son miembros de Other Backward Castes (OBC) (Otras Castas en Recesión, una designación del gobierno oficial de la India), un sector de la sociedad que crece rápidamente en cuanto a poder económico y político, a menudo a costa de las castas dalit. En el presente y en el pasado se han visto entregarse a

Cristo cantidades pequeñas de entre los miles de castas y comunidades OBC.

Las llamadas «castas altas» hindúes han dominado la historia socioeconómica y política de la India durante siglos. Recientemente ha cobrado fuerza política y social una faceta reaccionaria entre las casta altas que promueve el hinduismo como la única religión legítima de la India, y que predica y practica la intolerancia hacia otras manifestaciones de fe y busca revolucionar a los hindúes tradicionales más moderados. Éste es otro aspecto del fermento del hinduismo moderno que hace muy difícil su definición y diagnóstico.

Los hindúes han emigrado por todo el mundo, convirtiéndose en líderes de los negocios y la educación. La mayoría procede de las castas altas, en las cuales el impacto del evangelio ha sido insignificante. Esta diáspora de hindúes tiene una influencia desproporcionada sobre los asuntos hindúes debido a su poder económico, y su experiencia y entendimiento del hinduismo se ven impactados por su contexto minoritario entre otros pueblos. Alrededor del mundo, los cristianos que tienen vecinos y compañeros de trabajo hindúes apenas empiezan a explorar el rico potencial que hay para presentar a Cristo de manera sensible entre ellos.

La esperanza de los movimientos encarnados

Los principios de los movimientos de pueblos que han impactado los mundos tribales y dalit de la India siguen siendo válidos para las etnias de las castas más altas. En lugar de llamar a los individuos a salir de sus familias y de su casta, el evangelio debe extenderse cruzando los puentes de Dios que residen en las comunidades de las castas. En lugar de intentar que la gente entre en el producto acabado del cristianismo occidental, las Buenas Nuevas del poder y la gracia de Dios en Cristo deben ser presentadas en términos y formas que sean significativos para los hindúes.

A medida que se desvanece de sus memorias el legado de la interacción de la era colonial hindú-cristiana, la comunicación encarnada en el mundo hindú apenas comienza. Hay muchos motivos por los cuales tener esperanza de que los hindúes vean cada vez más que Jesús es el más digno de *bhakti* (devoción), a medida que se vive entre ellos de manera humilde y con devoción total a Cristo. Hay que desarrollar «movimientos de pueblos» y «movimientos internos» en todas las comunidades hindúes, y vivir una fe bíblica que también sea auténtica en el *dharma* hindú, que se exprese de formas que hagan eco e impacten dentro de las formas y valores culturales hindúes. La rica diversidad de las culturas y comunidades hindúes esperan esta expresión verdaderamente encarnada del discipulado de Jesús.

El estado de la necesidad en el mundo

World Relief

Cuando el Hijo del hombre venga en su gloria, con todos sus ángeles, se sentará en su trono glorioso. Todas las naciones se reunirán delante de él, y él separará a unos de otros, como separa el pastor las ovejas de las cabras. Pondrá las ovejas a su derecha, y las cabras a su izquierda.

Entonces dirá el Rey a los que estén a su derecha: «Vengan ustedes, a quienes mi Padre ha bendecido; reciban su herencia, el reino preparado para ustedes desde la creación del mundo. Porque tuve hambre, y ustedes me dieron de comer; tuve sed, y me dieron de beber; fui forastero, y me dieron alojamiento; necesité ropa, y me vistieron; estuve enfermo, y me atendieron; estuve en la cárcel, y me visitaron».

Y le contestarán los justos: «Señor, ¿cuándo te vimos hambriento y te alimentamos, o sediento y te dimos de beber? ¿Cuándo te vimos como forastero y te dimos alojamiento, o necesitado de ropa y te vestimos? ¿Cuándo te vimos enfermo o en la cárcel y te visitamos?».

El Rey les responderá: «Les aseguro que todo lo que hicieron por uno de mis hermanos, aun por el más pequeño, lo hicieron por mí».
—Mateo 25:31-40

Jesús y los pobres son inseparables. Los mendigos, los ciegos, los cojos, los indigentes y los hambrientos acuden a él. El Nuevo Testamento registra diez veces cuando Jesús fue «movido a compasión». Cada ocasión fue un encuentro personal con personas que sufrían. Él encarna el mensaje de Isaías:

> ... romper las cadenas de injusticia y desatar las correas del yugo, poner en libertad a los oprimidos y romper toda atadura... compartir tu pan con el hambriento y dar refugio a los pobres sin techo, vestir al desnudo (Is 58:6-7).

«Tuve hambre, y ustedes me dieron de comer».

Para casi dos de cada tres personas hoy, el hambre no es una mera punzada ocasional que uno siente antes del almuerzo, sino un estilo de vida.

- 750 millones de personas están crónicamente desnutridas.

- La desnutrición es la causa de más de la mitad de las muertes de niños menores de cinco años. El 10% de estas muertes son causadas directamente por la desnutrición severa.

- Más de 30.000 niños mueren cada día de hambre y de enfermedades evitables. Equivale a 24 por minuto. Niños reales, con nombres, hermanos y sueños; niños que nunca llegarán a adultos porque pierden su lucha contra el hambre.

World Relief se ha asociado con iglesias de todo el mundo para servir a las personas pobres y vulnerables durante más de sesenta años. Hoy, World Relief trabaja con iglesias y comunidades locales en más de veinte países, ofreciendo programas holísticos en salud materna e infantil, desarrollo infantil, prevención y cuidado en SIDA, agricultura, reasentamiento de refugiados y desarrollo económico.

Usado con permiso de World Relief, Baltimore, MD.

Artículo 93

La pobreza está en la raíz del hambre del mundo. Para entender la diversidad de los contribuyentes a la pobreza, uno debe analizar una telaraña de problemas: desequilibrada distribución de la riqueza, limitaciones climáticas, avaricia, falta de una ética de trabajo, sobrepoblación, maniobras políticas, deficiencias tecnológicas y desempleo. Ningún factor único puede ser tratado eficazmente en forma aislada. Todos deben ser encarados.

La verdad exasperante es que el mundo produce suficientes alimentos como para alimentar a todos, pero lo cierto es que no están siendo distribuidos en forma equitativa. El desequilibrio en la distribución de alimentos es la principal razón de que el problema del hambre aceche a nuestro mundo hoy. Los países desarrollados prácticamente vacían la cesta de alimentos antes de pasar las migajas a los países en desarrollo.

- Los países industrializados tienen sólo el 20% de la población del mundo, pero consumen el 80% de los recursos alimentarios.

- En los Estados Unidos gastamos entre 30.000 y 50.000 millones de dólares cada año en dietas y gastos relacionados para reducir la ingesta de calorías. La obesidad y la enfermedad cardiovascular están fuera de control. Muchos estadounidenses literalmente comen hasta morir.

Los países ricos e industrializados tienen la mayor culpa, pero en los países pobres las élites ricas también cargan con parte de la responsabilidad. Demasiado a menudo, el crecimiento económico general beneficia principalmente sólo a los ciudadanos más ricos de los países más pobres. Se logra algún avance, pero rara vez llega a quienes lo necesitan con mayor desesperación.

Hay señales de esperanza. Desde 1970, tanto el porcentaje, como la cantidad de personas hambrientas, han caído significativamente en los países en desarrollo.

- En 1970 había 918 millones de personas, o 35% del mundo en desarrollo, crónicamente desnutridas. Para la década de 1990, esas cifras habían caído a 841 millones de personas, 20% de las personas en los países en desarrollo.

- La microfinanciación y los microcréditos han surgido como una forma prometedora de combatir la pobreza severa. Los pequeños préstamos (comenzando con alrededor de 50 dólares) les permiten a las personas pobres establecer pequeños negocios, como puestos de comida o de artesanías. Los ingresos generados por estos negocios permiten que las personas devuelvan su préstamo inicial y cubran sus necesidades económicas. Muchos solicitantes luego piden un préstamo mayor y amplían su negocio, obteniendo una mayor ganancia para ellos y para sus familias, además de poder ofrecer empleo a otros en la comunidad local. El dinero devuelto puede ser prestado una y otra vez, de tal manera que una inversión inicial se multiplica varias veces. La investigación ha demostrado que la microfinanciación está reduciendo la vulnerabilidad de los pobres, pues los niños reciben mejor nutrición, hay más niños en la escuela, y las familias tienen un mejor cuidado de la salud.

«Tuve sed, y me dieron de beber».

El agua es el recurso más valioso de todos por ser una necesidad esencial de la vida. Un ser humano no puede vivir más que unos cuantos días sin agua. Integra el 90% de su sangre, el 80% de su cerebro, el 75% de su carne y el 25% de sus huesos.

Aparte de ser esencial para beber, el agua cumple un papel crítico en la producción de alimentos, la preparación de alimentos y la higiene. Quitar agua de cualquiera de éstos es como cortar la cadena de una bicicleta por la mitad y esperar que la bicicleta funcione bien. Imagine tratar de cultivar un jardín, preparar una comida o lavarse sin agua, o con agua infestada con parásitos y productos de desechos. Sería igual que lavarse con barro.

Sin embargo, más de mil millones de personas en nuestro mundo carecen de acceso al agua limpia.

En la mayoría de los países desarrollados, si alguien quiere una provisión de agua abundante y limpia, simplemente abre la llave. A menudo, en los países en desarrollo las personas viajan varios kilómetros a pie para conseguir una jarra de agua. Bien podría requerir medio día hacer el viaje. En otros países ni siquiera un viaje de medio día conduce al agua. Simplemente no hay agua.

Hay dos lados en el problema de la provisión de agua que asedia a los países en desarrollo: cantidad y calidad.

La escasez de agua reseca regiones de clima árido como el África y la India. En la región del

Sahel, África, el desierto está avanzando lentamente hacia el sur a razón de 14 kilómetros al año, abrasando todo lo que se cruza en su camino.

La calidad es la otra mitad del dilema de la provisión de agua. Aun cuando el agua esté disponible, con frecuencia no es potable debido a los elementos contaminantes que contiene. Las enfermedades que se contraen por medio de agua impura pueden incapacitar y matar. El agua contaminada es el principal agente de transmisión de la fiebre tifoidea, el cólera y la disentería, enfermedades predominantes en los países en

---

Las palabras de Jesús nos invitan a responder al sombrío estado del mundo: «Todo lo que hicieron por uno de mis hermanos, aun por el más pequeño, lo hicieron por mí».

---

desarrollo. El desconocimiento de las prácticas de higiene es parte del problema. En muchas partes del mundo, la misma agua se usa para lavar, bañarse y beber.

La contaminación del agua es más frecuente en áreas rurales que en urbanas. Los desechos orgánicos de personas y ganado son los agentes más frecuentes de contaminación. La erosión del suelo y el escurrimiento de fertilizantes y pesticidas en áreas agrícolas también contaminan la provisión de agua.

Es irónico, pero cuanto mayor desarrollo industrial y comercial hay en un país, más probabilidades hay de que los desechos químicos se introduzcan en ríos y arroyos, y causen contaminación. La industrialización y el desarrollo pueden incrementar el producto nacional bruto de un país, pero también pueden significar más agua contaminada para los pobres sedientos. El aumento de las poblaciones, la industrialización y la producción de alimentos incrementan la demanda de agua limpia.

«Fui forastero, y me dieron alojamiento».

Los refugiados son personas que se han visto presionadas o forzadas a dejar sus hogares. Sin poder o sin querer volver, muchos quedan en un limbo sin hogar. Según el United States Committee for Refugees, son las «víctimas últimas de la guerra

y la opresión. Demasiado frecuentemente... los subproductos olvidados de las disputas ideológicas, la represión política o de una política exterior que perdió su cauce».

En la mayoría de los casos han huido por la guerra o la lucha civil. La persecución debido a la raza, religión, el origen nacional o la afiliación del grupo pudieron haber precipitado el desplazamiento. La opresión o la falta de protección de parte de un nuevo o débil gobierno pueden impulsar a la gente a dejar su país.

Todo continente alberga víctimas de la guerra sin estado o sin hogar, intolerancia y malestar social. Dado que pequeños porcentajes de refugiados logran volver a su hogar o se reasientan razonablemente cada año, y porque grandes cantidades de nuevos refugiados emergen de continuo, la situación de los refugiados en el mundo cambia constantemente. A menudo las estadísticas sobre refugiados y otras personas desplazadas son imprecisas o discutibles. El refugiado de un país es el extranjero ilegal de otro. La persona internamente desplazada de hoy puede ser el refugiado de mañana. El Alto Comisionado de las Naciones Unidas para los Refugiados (ACNUR) estima que la cantidad de personas bajo su esfera de preocupación en 2006 son 32,9 millones de personas, de las cuales 9,9 millones son refugiados y 744.000 personas que buscan asilo. A menudo los refugiados están desesperadamente necesitados. El alcance y los detalles de esa necesidad dependerán de las razones de la deslocalización, la comprensión que tienen las personas de las fuerzas que actúan sobre ellas, el grado de violencia y privación que encuentren y la velocidad del reasentamiento. Sin embargo, la mayoría de los refugiados sufren de salud deficiente, falta de comida, albergue insuficiente y falta de dinero, además de una compleja mezcla de problemas emocionales, como resultado del choque cultural y otras frustraciones.

Hay señales de esperanza. Hábitat para la Humanidad pronto será el mayor constructor privado de viviendas del mundo. Ya han construido 60.000 casas para pobres en todo el mundo. Sólo World Relief ha reubicado a más de 215.000 refugiados, ayudándolos no sólo a encontrar albergue, sino un empleo productivo y una nueva vida en un entorno seguro.

«Necesité ropa, y me vistieron».

Imagine que una noche, cuando se sienta a cenar, su comedor es invadido por estallidos de disparos y gritos. Al mirar afuera ve casas incendiadas y vecinos sangrando en la calle. Una banda de hombres furiosos se dirige hacia su casa. La única escapatoria posible tiene que ser inmediata. Deja todo lo que tiene —casa, comida, ropa— y corre en busca de seguridad. Episodios como éstos interrumpen el pulso normal de la vida en países de todo el mundo cuando desastres como la guerra trastornan una nación. El lugar más notable hoy es Darfur, Sudán, donde aldeas enteras son incendiadas, forzando a las familias a huir.

Además de estos desastres causados por el hombre, otros sucesos violentos, como los desastres naturales, dejan a miles de personas sin hogar y necesitadas de ayuda en sus propios países.

Más de 90% de todas las pérdidas de vida y daños al hombre y el medio ambiente son el resultado de cuatro peligros naturales: sequías, inundaciones, huracanes y terremotos. Más de la mitad de los desastres naturales son originados por sucesos meteorológicos que incluyen tormentas, inundaciones, sequías y extremos de temperatura.

En países en desarrollo propensos a desastres estos sucesos funcionan a menudo como enormes barreras para el crecimiento económico, impidiendo a veces todo aumento en el producto nacional bruto ganado con mucho esfuerzo, o incluso generan pérdidas.

En términos de bajas humanas, los desastres naturales matan a miles de personas cada año, causan enfermedades y lesiones para decenas de miles más, y dejan a cientos de miles sin hogar.

Inmediatamente después de un desastre importante, las provisiones de agua y alimentos pueden quedar interrumpidas o contaminadas. A menudo la provisión de electricidad y gas se ve afectada por explosiones e incendios, quedando, por lo tanto, interrumpida. Las provisiones médicas y los hospitales pueden quedar destruidos. También las secuelas posibles son epidemias que se propagan por el agua contaminada, centros sanitarios destruidos y grandes cantidades de muertos. Por lo general la pérdida económica de propiedades, cosechas y posesiones personales ascienden a millones de dólares, si no inconmensurablemente más. Para los países en desarrollo, el impacto económico puede ser devastador.

Por lo general la recuperación total de un desastre requiere una ayuda del exterior que va más allá de la respuesta de socorro inicial. La meta mínima puede ser restaurar las condiciones normales previas al desastre. Sin embargo, es frecuente que en países en desarrollo, las «condiciones normales» incluyan desnutrición, enfermedad y privación económica. A menudo la verdadera necesidad va más allá de las meras consecuencias del desastre. Por lo tanto, las metas de rehabilitación deben aspirar a establecerse por encima de las condiciones de vida previas al desastre.

«Estuve enfermo, y me atendieron».

La malaria, la tuberculosis y las infecciones parasitarias invaden y matan a millones de personas cada año. Cada año millones mueren de enfermedades evitables, raras hoy en países desarrollados, pero que siguen matando a personas en países donde no hay vacunas disponibles. Incluso

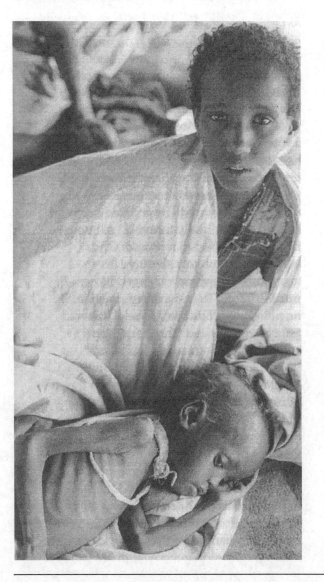

enfermedades como el tétanos y el sarampión causan a menudo muertes en estos países.

La expectativa de vida es una de las formas más confiables de medir la condición de salud en un país. La expectativa de vida promedio en países en desarrollo es 15 a 25 años menor que en países desarrollados.

Hay tres tipos de enfermedades básicas que predominan en países en desarrollo: las relacionadas con las heces, propagadas por el aire y propagadas por vectores.

Las enfermedades más generalizadas son las relacionadas con las heces, es decir transmitidas por las heces humanas a causa de la deficiente eliminación de desechos. Se incluyen enfermedades parasitarias y diarreicas, como la fiebre tifoidea y el cólera.

Las enfermedades propagadas por el aire son el siguiente grupo más grande. Se diseminan mediante personas que respiran secreciones respiratorias de personas infectadas, propagadas por el aire. Algunos ejemplos son tuberculosis, neumonía, difteria, bronquitis, tosferina, meningitis, gripe, sarampión, viruela y varicela. Si bien la mayoría son evitables, se convierten en asesinos en países donde la medicina y los médicos no son accesibles.

El tercer grupo de enfermedades es menos frecuente, si bien aún son una realidad seria y fatal en países en desarrollo. Estas enfermedades, propagadas por vectores, transmitidas por insectos, incluyen la malaria, la enfermedad del sueño y la ceguera de los ríos. Las enfermedades de transmisión sexual forman otro grupo de enfermedades evitables. Los vectores que llevan estas enfermedades son las personas. El VIH/SIDA es la más conocida de estas enfermedades. Más de 6.800 personas se infectan con el VIH diariamente, y más de 5.700 mueren de SIDA. Había 33,2 millones de casos a fines de 2007, la mayoría de ellos en el África subsahariana (22,5 millones, que representa el 68%). La epidemia del SIDA es la principal causa de muerte prematura entre hombres y mujeres entre 15 y 59 años de edad. (Fuente: UNAIDS).

Las enfermedades relacionadas con las heces, propagadas por el aire y propagadas por vectores comparten una causa común: la pobreza. Las condiciones de vida insalubres y el hacinamiento están detrás del origen y difusión de estas enfermedades. Estas condiciones incluyen: agua atestada de parásitos, familias de cinco a diez personas apiñadas en diminutas casuchas de hojalata, dietas inadecuadas, desconocimiento de nutrición e higiene, e inmunizaciones o cuidado preventivo de la salud inaccesibles. La mayoría de las personas sin educación en los países en desarrollo no conocen el vínculo entre la eliminación insalubre de desechos y las enfermedades concomitantes.

Aun cuando estos obstáculos a la salud pudieran hacerse a un lado, el simple cuidado de la salud es un espejismo efímero para más del 80% de las áreas rurales y las secciones urbanas pobres. Por lo general los esfuerzos por aliviar la enfermedad se concentran en las principales zonas urbanas. Con frecuencia se construyen grandes hospitales en lugares lejos del alcance de los pobres rurales. Hoy una de cada cuatro personas en nuestro mundo carece de acceso a servicios de salud básicos. Pero hay señales de esperanza en la prevención de enfermedades:

- En 1981, en algunas zonas de África, el 40% de todos los adultos había perdido la vista por la ceguera del río a los 40 años. En ese tiempo no había ninguna esperanza verdadera a la vista. Ahora hay una pastilla desarrollada por la compañía Merck para tratar la ceguera del río. La distribuye el Centro Jimmy Carter. Veintidós millones de personas recibieron este tratamiento en 1997.

- La diarrea solía ser el asesino número uno de los niños. Durante la última década, los esfuerzos por entrenar a las madres en técnicas sencillas de rehidratación oral han salvado de ese destino a cientos de miles de niños.

- En 1980, sólo el 20% de los niños en países en desarrollo recibieron inmunización para enfermedades típicas de la niñez.

- UNICEF informó en 2008 que «las estadísticas más recientes muestran que las tasas de inmunización global, según se miden por la cobertura de las vacunas de difteria, tétano y la tosferina, ahora exceden el 75%».

«Estuve en la cárcel, y me visitaron».

Saleema, una adolescente, está sentada en una cárcel de Pakistán. Unos meses atrás compartió su Biblia con Raheela, una amiga suya de origen musulmán. Raheela llegó a creer en Cristo y, por temor a ser muerta por familiares airados, se mantuvo oculta. Saleema entonces fue acusada de ayudar a Raheela a escapar. Saleema fue apresada, violada repetidamente, y golpeada.

Al final Raheela fue encontrada por las autoridades religiosas. Se rehusó a renunciar a Cristo y, por lo tanto, fue ejecutada públicamente. Ahora las autoridades han acusado a Saleema de asesinato. ¿Por qué? Razonaron que si Saleema no le hubiera dado una Biblia a Raheela, ella no hubiera seguido a Cristo y no hubiera sido ejecutada luego por su apostasía del islamismo. Saleema también será ejecutada si es encontrada culpable.

Casos como los de Saleema y Raheela están aumentando. Dado que los prisioneros de conciencia a menudo son acusados frecuentemente de crímenes políticos o criminales, es casi imposible evaluar la extensión que podría tener el encarcelamiento de los cristianos.

International Christian Concern informa: «Hay más cristianos perseguidos y martirizados por su fe en este siglo [XX] que en todos los demás siglos combinados. Casi dos tercios de todos los cristianos vivos hoy sufren persecución en diversos grados, incluyendo la pérdida de libertad, discriminación, encarcelamiento, esclavitud y tortura».

En la China, los líderes de iglesias en casa son apresados y torturados rutinariamente. Por ejemplo, el pastor de una iglesia en casa, Xu Gou Xing, fue arrestado y puesto en un pabellón con prisioneros criminales violentos con la expectativa de que fuera golpeado y maltratado por ellos. Sin embargo, el Señor lo protegió, haciendo que hallara en gracia ante uno de los «líderes» criminales que tenía un familiar cristiano. Xu pronto comenzó a guiar a varios prisioneros al Señor. Como consecuencia las autoridades lo han puesto en una celda de aislamiento.

¿Qué podemos hacer?

En un mundo de necesidad desesperada, nos preguntamos: «¿Qué podemos hacer con problemas tan gigantescos y globales?». El niño que recomienda enviar las sobras de su comida a África produce risitas sofocadas de las generaciones más sabias. Demasiado a menudo, los adultos contestamos diciendo: «Nada. No puedo hacer nada con todo el sufrimiento del mundo».

Fácilmente permitimos que la creencia de que estos problemas abrumadores están más allá de nuestra esfera de control nos arrulle, y nos lleve a la inacción.

Las necesidades de los pobres –y de los ricos– van más allá de lo físico y lo psicológico. Son, también, espirituales. Los planes de desarrollo más eficaces suplen las necesidades de toda la persona. Esta clase de planes no surgen fácilmente. Además, hay muchas personas sufriendo de muchos problemas diferentes.

Los problemas del mundo de hoy no serán resueltos por las acciones de una o dos personas. Pero colectivamente los individuos pueden darles respuestas significativas. Si bien usted o yo tal vez no podamos resolver estos problemas solos, debemos responder como Dios nos ordenó, en el nombre de Jesús. Como dice Ron Sider: «Nadie puede hacer todo, pero todos pueden hacer algo, y juntos podemos cambiar el mundo».

No podemos aceptar ver cómo un niño se muere por falta de una tasa de leche o una cucharada de arroz cuando representamos a los ricos estadounidenses, especialmente a los estadounidenses que creen en la Biblia. Aun una fracción de esa riqueza podría salvar a millones de niños de morir de hambre.

No podemos aceptar dar un paso al costado y dejar a las personas sin hogar, con sus ojos mirando fijamente hacia un futuro sin esperanza, cuando podemos poner un techo sobre sus cabezas con fondos mínimos según normas estadounidenses.

No podemos aceptar ocupar el lugar de espectadores que observan a refugiados que se arremolinan apenas fuera del alcance de tiro. No son sólo «víctimas inevitables de la guerra». Han sido hechos a la imagen de Dios, y él nos ha llamado a ministrarles.

En otras palabras, según lo que realmente creemos, así actuaremos. Todo lo demás es simple palabrerío religioso. Nunca fue la intención de Dios que los justos se quedaran sentados sin hacer nada mientras los conturbados pobres luchan por su supervivencia. Y no podemos retirarnos en un punto donde su supervivencia está asegurada, pero su destino eterno, no.

Hoy los cristianos tienen ingresos anuales totales de más de 10 billones de dólares. Según Naciones Unidas, costaría sólo entre 30.000 y 40.000 millones de dólares al año brindar a todas las personas de los países en desarrollo educación básica, cuidado de salud y agua limpia; la misma cantidad que se gasta en el golf cada año.

Los problemas son mundiales, pero las respuestas individuales tienen una significación eterna. Un pedazo de pan. Un vaso de agua limpia. Un albergue. El evangelio vivido y proclamado. Estas acciones son inconmensurablemente importantes para alguien que está hambriento, sediento o sin hogar.

Las palabras de Jesús nos invitan a responder al sombrío estado del mundo: «Todo lo que hicieron por uno de mis hermanos, aun por el más pequeño, lo hicieron por mí».

Preguntas para reflexionar

1. ¿Cuáles son las seis áreas básicas de necesidad del mundo descritas en este artículo?

2. ¿De qué forma desafía este artículo a las naciones más ricas a responder a estas importantes necesidades del mundo? ¿Como individuos? ¿Colectivamente?

Evangelismo:
El socio líder

Samuel Hugh Moffett

El Nuevo Testamento usa la palabra *evangelizar* en un sentido sorprendentemente angosto. La verdad es que se usa todo un conjunto d[e] verbos para describir el evangelismo: «predicar la palabra» (Hch 8:4), «proclamar el reino» (Lc 9:2, LBLA) y «anunciar buenas nuevas» (Lc 4:18; 8:1). Pero todos estos términos describen, en esencia, el relato de las buenas nuevas (el evangelio): que Jesús el Mesías es el Rey Salvado[r]. Evangelismo es el anuncio del reino de Cristo. No obstante, es más que un anuncio —también es una invitación a entrar en ese reino, por fe y e[n] arrepentimiento.

Qué no es el evangelismo

Así pues, el evangelismo no es la totalidad de la misión cristiana. Es só[lo] una parte de la misión. Jesús y sus discípulos hicieron muchas otras cosas aparte de anunciar el reino e invitar a responder. El evangelismo [no] es la adoración ni los sacramentos. «Cristo no me envió a bautizar sino [a] predicar el evangelio», dijo Pablo (1Co 1:17).

Tampoco es crecimiento ni fundación de iglesias. La fundación y el crecimiento de la iglesia son ciertamente metas del evangelismo, y sus resultados esperados, pero el evangelismo no siempre engendra una iglesia o nuevos miembros en ella.

El evangelismo tampoco se limita a la apologética: Pablo asegura: «Tratamos de persuadir» (2Co 5:11), pero insiste en que fue enviado a predicar las buenas nuevas «sin discursos de sabiduría humana» (1Co 1:17, 20).

Finalmente, el evangelismo, en el Nuevo Testamento, no se confund[e] con el servicio cristiano, ni con la acción o la protesta contra las injusticias del mundo. Un incidente revelador e inquietante del libro de Hechos cuenta cómo, entre los cristianos primitivos, los judíos de habla griega se levantaron como grupo minoritario para quejarse por la discriminación en la distribución de fondos. La respuesta de los apóstol[es] parece casi insensiblemente limitada: «No está bien que nosotros los apóstoles descuidemos el ministerio de la palabra de Dios para servir las mesas» (Hch 6:1, 2). Por supuesto, procedieron de inmediato a hacer algo acerca de la injusticia, pero no lo llamaron evangelismo.

En el contexto del reino

No obstante, en el contexto del reino, la proclamación evangelística nunca fue tan escasa que quedara aislada de las necesidades apremiante[s] e inmediatas de los pobres, los encarcelados, los ciegos y los oprimidos.

Me acuerdo del evangelismo coreano. Le pregunté a un pastor del área de Filadelfia por qué su iglesia crecía tan rápidamente. Me contest[ó]

Samuel Hugh Moffett es profesor emérito de ecumenismo y misión en el Princeton Theological Seminary, en Princeton, New Jersey. Nació en Pyongyang, Corea, de padres misioneros. Fue misionero en la China y Corea. Ha escrito numerosos artículos y libros sobre misiones, teología e historia.

Artículo 94

Cuando llegan los coreanos, lo primero que hago es conseguirles un trabajo; luego les enseño un poco de inglés; les ayudo cuando tienen algún problema con su supervisor; los invito a la iglesia, y después les predico el evangelio.

Eso es ubicar el evangelismo en su contexto. Pero si hay algo peor que sacar el texto fuera del contexto, es tomar el contexto sin el texto. De igual manera que la salvación de Cristo nunca se ha de aislar de las necesidades inmediatas, reales, de la gente, tampoco se ha de identificar con las necesidades presentes. Cuando Jesús citó el Antiguo Testamento —«buenas nuevas a los pobres» y «libertad a los oprimidos»—, lo hizo en sus propios términos. Su salvación no es el *shalom* del Antiguo Testamento, y su reino no es Israel.

No hay nada tan paralizante para el evangelismo y para la acción social, como confundir su definición o separarlos en la práctica. Parece que a veces nuestros evangelistas llaman a aceptar al Rey sin su reino; mientras que nuestros profetas, a su estrecha manera, intentan construir el reino sin el Rey Salvador.

Más que equilibrio

Hubo un tiempo cuando la mayoría de los cristianos creían que el evangelismo era la única prioridad. Estaban equivocados. Luego la iglesia dio un gran vuelco hacia el otro extremo. La única prioridad cristiana para algunos ha sido la justicia social mediante la reconstrucción. Ésta es también una prioridad importante, pero no la única. Y cuando la erigieron en la única misión clara de la iglesia, el resultado fue desastroso. Intentando hablarle al mundo, casi perdieron la iglesia.

Otros intentaron restaurar el equilibrio señalando que «Cristo es mediador del nuevo pacto a través de la salvación y el servicio… Los cristianos han sido llamados a involucrarse en el evangelismo y en la acción social». Pero incluso esto no basta. Lo que la iglesia necesita para el futuro de la misión es más que equilibrio. Necesita impulso. No una tregua incómoda entre la fe y las obras, sino una asociación, una simbiosis.

Ahora bien, en muchas asociaciones prácticas, de trabajo, debe haber un socio líder, un primero entre iguales, o sólo se logrará hacer nada. ¿Cuál debe ser el socio líder en la misión: el evangelismo o la acción social?

En mi opinión, lo que hace que la misión cristiana sea distinta de otros intentos loables y sinceros de mejorar la condición humana, es esto: en la misión cristiana la relación vertical con Dios es prioritaria. La relación horizontal con nuestro prójimo «es semejante» y es igualmente indispensable, pero va en segundo lugar. El socio líder es el evangelismo.

Con esto no pretendo exaltar la proclamación a expensas de la acción cristiana. Van de la mano. Pero insisto en que si bien, sin las obras que acompañan a las buenas nuevas, éstas son escasamente creíbles, ¡sin la palabra, la buenas

---

Parece que a veces nuestros evangelistas llaman a aceptar al Rey sin su reino; mientras que nuestros profetas, a su estrecha manera, intentan construir el reino sin el Rey Salvador.

---

nuevas ni siquiera son comprensibles! Además, las buenas nuevas genuinas no son lo que nosotros, en nuestra benevolencia, hagamos por otros, sino lo que Dios ha hecho por nosotros en Cristo. El evangelismo, como se ha dicho, es como un mendigo que le muestra a otro dónde encontrar pan.

La tarea suprema de la iglesia es, pues, ahora y en el futuro, el evangelismo. Fue la tarea suprema de la iglesia del Nuevo Testamento. Es también el desafío supremo que la iglesia actual tiene por delante.

Medio mundo no alcanzado

Creo que el factor determinante para desarrollar estrategias evangelísticas es que el evangelismo siempre se mueve hacia los inalcanzados. «Debe centrarse en los que están sin el evangelio». Más de la mitad de la población mundial sigue sin el menor conocimiento de las buenas nuevas del amor salvador de Dios en Jesucristo. No hay mayor reto para el evangelismo en misión que ése. Los cristianos se preocupan, con razón, de los penosos desequilibrios de riqueza, alimentos y libertad en el mundo, pero, ¿qué decir del desequilibrio más devastador de todos: la desigual distribución de la luz del conocimiento de Dios en Jesucristo?

No soy demasiado adicto a las estadísticas, pero, por ejemplo, ¿qué refleja de un «evangelismo enfocado en seis continentes», descubrir que la mayor parte de los fondos de misión de la iglesia se dedica a nosotros mismos en el sexto continente, donde vive al menos entre un setenta y un ochenta por ciento de cristianos nominales? África, no obstante, es quizá un cuarenta por ciento cristiana según la misma evaluación tosca e imprecisa. Y Asia, que alberga más de la mitad de la población del mundo, sólo tiene un tres o cuatro por ciento de cristianos nominales.

En los últimos diez años, el número de no cristianos añadidos a la población de Asia es mayor que toda la población actual de los Estados Unidos (cuatrocientos cincuenta millones, comparados con trescientos millones). Tratar a los seis continentes como iguales, en cuanto a fines estratégicos, es una distorsión egoísta de la realidad del evangelio en el mundo.

Un último pensamiento. Mantener una sencilla definición de evangelismo reporta una bonificación inesperada. Significa que cualquiera puede poner manos a la obra. Una de las lecciones más felices que aprendí acerca del evangelismo no me la dio un profesional, sino un vendedor de sandías.

Fue en una aldea coreana. Mi esposa se acercó a un vendedor de sandías para preguntarle cuánto costaban. Éste se llevó una sorpresa tan grande al ver a una extranjera nariguda que hablaba coreano, que se quedó atónito. Incluso olvidó decirle el precio. Tenía algo más importante que comunicar. Le preguntó: «¿Es usted cristiana?». Al responder ella que sí, él esbozó una amplia sonrisa, y dijo: «Me alegro mucho, porque si no, le iba a decir lo que se estaba perdiendo».

Si nosotros estuviéramos tan contentos de lo que hemos hallado en el Señor Jesucristo y nos muriéramos de impaciencia por contárselo a los que aún no saben lo que se están perdiendo, no nos preocuparía el futuro del evangelismo.

Preguntas para reflexionar

1. ¿De qué maneras sugiere Moffett que el evangelismo debe ser el «socio líder» en el ministerio cristiano a los pobres? ¿Está usted de acuerdo o en desacuerdo?

2. ¿Qué relación existe entre el desequilibrio de la distribución de la riqueza y los alimentos y la distribución de la luz de Jesús? Según el autor, ¿cuál es la primera causa de desequilibrio en la distribución de las necesidades básicas (sin satisfacer) y las buenas nuevas?

Desarrollo transformativo:

Dios obra para cambiar a las personas y sus comunidades

Samuel J. Voorhies

Viajamos en coche durante horas a través de África. Habíamos dejado la ciudad capital cuatro horas antes, pero aun así recién llegaríamos a un pueblito mucho después de que oscureciera. Planeábamos quedarnos la noche, ya que tendríamos que viajar otras tres horas por caminos «secundarios» sin pavimentar y en mal estado para llegar a nuestro destino el día siguiente. En el pueblito nos encontramos con la persona que esperábamos conocer: el oficial de proyecto para un proyecto de desarrollo que habíamos venido a observar. Había una pequeña oficina para dicho proyecto ubicada en este lugar porque era el lugar más cercano al proyecto de desarrollo remoto que contaba con teléfonos o electricidad.

A la mañana siguiente nos encontramos con el personal del proyecto de desarrollo. Nos dijeron por qué se había lanzado el proyecto. Explicaron que la zona había sido una vez una reserva de animales, pero se la consideraba tan remota que había sido descuidada por el gobierno. No había ningún servicio humano básico, como educación, cuidado de la salud y agua. Cuando las personas fueron obligadas a asentarse en la zona, la administración de un gobierno anterior les hizo promesas que nunca cumplieron.

Si bien se había realizado algún trabajo de misión en la zona, pocas ONG's (organizaciones no gubernamentales) o agencias de ayuda cristianas habían venido a traer alguna ayuda. Finalmente esta agencia específica exploró cómo podría ayudar a realizar un desarrollo transformativo en la zona. El primer paso fue realizar un proceso con los líderes y miembros de la comunidad para identificar los recursos de su comunidad. Con los recursos a la vista, consideraron juntos cómo podrían usarse estos recursos para resolver los problemas de la comunidad. No fue difícil ver los problemas:

- Carecían de una fuente de agua limpia.
- No había servicios de salud.
- No había centros escolares.
- La producción de alimentos era inadecuada para proveer a la gente lo suficiente hasta el siguiente período de cultivo.
- No había habido ninguna iglesia en la zona.
- La zona había sido descuidada por el gobierno y las ONG's.

Sin embargo, se nos aseguró que encontraríamos algo diferente luego de soportar el duro viaje de tres horas para llegar a la comunidad. Antes de que pudiésemos descender del camión, se habían reunido mujeres, hombres y niños, cantando una canción en el idioma local: «Arriba el desarrollo; podemos hacerlo nosotros con la ayuda de Dios, y para su gloria seremos todo lo que podemos ser». Me inspiraron el

Samuel J. Voorhies ha trabajado en socorro y desarrollo internacional a través de Visión Mundial Internacional durante los últimos veintisiete años, con enfoque especial en África. En su trabajo reciente brindó capacitación en liderazgo y administración para cuatrocientos líderes en setenta países. Ha servido como Profesor Adjunto en Desarrollo Internacional en Fuller Theological Seminary.

Artículo 95

entusiasmo y la dedicación de esta gente. Tenían tan poco, y sin embargo, en circunstancias muy difíciles, con poca ayuda, estaban haciendo mucho.

Sentados con la multitud, bajo un gran árbol durante la siguiente hora, escuchamos de boca de los representantes de la comunidad informes de avances acerca de lo que la gente había hecho por ella misma y lo que la agencia le había ayudado a hacer. Luego nos invitaron a dar una caminata por la comunidad para ver algunas de las mejoras que habían hecho.

Nos mostraron su antigua provisión de agua, un estanque de agua sucia. «De aquí sacábamos nuestra agua para beber. Es el mismo lugar donde beben los animales», dijo una de las mujeres. Caminamos un poco más y había un pozo nuevo. Estaba cubierto con una losa de concreto, rodeado por un cerco bonito, y con una bomba para sacar agua limpia de las profundidades. Con una gran sonrisa, la mujer comenzó a bombear el agua. «Está limpia. ¿Quiere un sorbo?», preguntó. Saboreé el agua limpia y fresca. Otra mujer explicó:

Cuando bebíamos del estanque nuestros hijos estaban siempre enfermos, con problemas del estómago y con diarrea. Ahora están mucho más sanos.

Un poco más adelante vimos un campo donde crecía un maíz hermoso. «Me dieron un préstamo de semilla mejorada y me capacitaron en métodos de siembra y en el uso de fertilizantes orgánicos para duplicar la cantidad de maíz que cosecharé», dijo un agricultor. Continuó diciendo:

La cantidad de maíz que obtendré de este campo no sólo será suficiente para alimentar a mi familia, sino que me sobrará lo suficiente como para ayudar a pagar las cuotas de la escuela de mis hijos. Estoy planeando ahorrar algo de dinero cada año, y en tres años podré comprar bueyes, cultivar más tierra y realizar más cultivos.

Mientras caminábamos hacia la escuela primaria, un niño señaló una higuera: «Aquí acostumbrábamos sentarnos para nuestras lecciones. No había pizarra ni sillas; sólo el piso duro», explicó. Entramos en la nueva aula, donde se habían construido escritorios y una gran pizarra cubría la pared del frente. «¡Ahora podemos aprender nuestras lecciones mucho mejor!», exclamó otro alumno.

Cuando terminamos nuestra caminata, volvimos a sentarnos bajo el árbol. Les pregunté cuál había

sido el logro más significativo del proyecto hasta ahora. Respondieron:

Ahora estamos juntos, y estamos organizados para ayudarnos. Podemos reunirnos y hablar acerca de nuestros problemas y de cómo podemos solucionarlos juntos. Antes estábamos aislados, vivíamos separados y sin ayudarnos. Nos hemos dado cuenta de que podemos hacer algo para ayudar a mejorar nuestras vidas. No tenemos que depender del gobierno.

También hemos descubierto que, como mujeres, somos amadas y valoradas por Dios. Podemos aportar algo al desarrollo de esta comunidad. Ahora nuestros esposos nos tratan con respeto y tenemos más tiempo para pasar con nuestros hijos. Los hombres han dejado de beber.

Ahora tenemos agua limpia e hijos más saludables. No tenemos que caminar tan lejos para conseguir agua, y eso nos da más tiempo con nuestras familias.

Ha sido un sueño hecho realidad. Nunca imaginamos que podríamos tener nuestro propio pozo, y tener agua pura y limpia para beber. Alabamos a Dios por su fidelidad a nuestras oraciones a través de la obra de la agencia de ayuda cristiana.

Los resultados de este proyecto pueden parecer cosas sencillas. Disponibilidad de agua limpia; madres con hijos más saludables y que no tienen que caminar tan lejos para conseguir ayuda cuando se enferman; niños que tienen una escuela donde pueden sentarse y aprender, y que ahora pueden esperar y hacer planes para el futuro. Personas con más confianza en sí mismas y su capacidad para trabajar juntas y ayudar a cambiar su futuro. Pero estas intervenciones técnicas y sociales fueron mucho más. Fueron un poderoso testimonio a favor del evangelio. Todas las cosas tienen un origen. Con la ayuda de obreros cristianos dedicados, la gente entiende que esta ayuda llega porque Dios los ama y ha demostrado su preocupación por la comunidad a través de otros creyentes.

La comunidad ha aunado esfuerzos. Con ayuda de la agencia habían organizado comisiones en colaboración con el gobierno, y los líderes tradicionales, para asumir la responsabilidad por las iniciativas de desarrollo en la comunidad, y liderarlas.

En la comunidad las personas estaban trabajando juntas para cambiar vidas, para apoyarse mutuamente en programas continuos, y para suplir necesidades tanto físicas como espirituales. Se iniciaron iglesias para ofrecer instrucción y para promover la esperanza mediante oraciones, jugando un papel crucial en demostrar los valores del reino. La gente reconoció que en última instancia su ayuda venía de Dios, y buscaron saber más acerca de él, dándole gloria y un agradecimiento sincero.

¿Parece demasiado bueno como para ser cierto? ¿Hay problemas, fracasos, conflictos y diferencias? Por supuesto. Hace falta hacer más en el nivel político para modificar políticas. Los temas de género y del medio ambiente requieren una consideración más cuidadosa. Se requiere más capacitación para equipar a pastores locales y brindar recursos bíblicos. Sin embargo, la verdad es que estamos viendo que los esfuerzos sencillos de personas comunes producen cambios maravillosos en sus propias sociedades. Estas personas están poniendo en práctica principios que hemos denominado el proceso de desarrollo transformativo cristiano holístico.

Los esfuerzos sencillos de personas comunes producen cambios maravillosos en sus propias sociedades.

Es «desarrollo» porque se refiere al proceso intencional de facilitar el cambio en toda una comunidad o región. La idea de «transformación» habla de cambios en la totalidad de la persona —material, social y espiritual— así como en la comunidad: económica, social y política. Es una transformación «cristiana» porque existe una visión de personas en todas las comunidades que son cambiadas para ser como Cristo, «transformados a su semejanza» (2 Co 3:18). La transformación cristiana espera que la semejanza de Cristo no sea sólo la meta, sino que el Cristo vivo producirá cambios sustanciales positivos a través de la práctica de los valores del reino.[1]

Diferentes perspectivas del desarrollo

Hay cuatro enfoques básicos para mitigar la pobreza. Las cuatro estrategias pueden compararse enfrentando dos métodos básicos contra dos focos de acción básicos en una matriz sencilla. Cada una de estas estrategias ha sido denominada una estrategia «de desarrollo». Cada una tiene un foco diferente con relación a la naturaleza del problema y, por lo tanto, la naturaleza de la solución.

La matriz sugiere dos enfoques del desarrollo. Uno se centra en la ayuda traída de afuera, mientras

que el otro busca facilitar cambios desde adentro. Cada enfoque tiene validez. En su mayor parte son interdependientes y complementarios. Cada aspecto debe ser considerado cuando los cristianos buscan suplir las necesidades básicas de las comunidades humanas en el nombre de Cristo.

Estrategia I: Crecimiento económico

Por lo general la ayuda exterior llega en forma de dinero o ayuda técnica. El crecimiento económico está determinado con mayor frecuencia por medio de aumentos en las mediciones macroeconómicas, como un mayor ingreso per cápita y/o mejoras en la balanza comercial. Recientemente, el Banco Mundial y el FMI (Fondo Monetario Internacional) han liderado programas de desarrollo mediante la provisión de préstamos basados en «ajustes estructurales» que las naciones se comprometen a realizar.

Por lo general los ajustes estructurales involucran equilibrar el presupuesto de la nación contra su base impositiva, reducir los gastos del gobierno (que en general significa despedir a empleados del gobierno y vender empresas del gobierno) y una liberalización de la moneda y de las políticas económicas. Esto significa reducir las barreras y las tarifas comerciales y, casi siempre, una devaluación de la moneda del país para reflejar el verdadero valor de mercado. A largo plazo estas medidas buscan reducir la deuda del gobierno y aumentar el comercio y la producción para generar más ingresos, y beneficiar a todos. A corto plazo, por lo general implica que muchas personas pierdan sus trabajos sin ninguna fuente de ingreso alternativa. Los que tienen algunos ingresos pierden poder de compra por la mayor inflación y la devaluación de su moneda.

Método / Enfoque	Ayuda desde afuera	Ayuda desde adentro
Estructura	Estrategia I Crecimiento Económico	Estrategia II Defensa política
Necesidades	Estrategia III Socorro	Estrategia IV Desarrollo transformativo

Si bien en el pasado reciente algunos países, como los «tigres asiáticos» han experimentado crecimiento económico a través de esta clase de políticas, aun queda por demostrar que las personas más pobres verán mejoras significativas en sus ingresos y sus circunstancias de vida. Además, no se ha demostrado que las condiciones necesarias para replicar el éxito de Asia existan en ninguna otra parte.

Los cristianos han tenido presente esta clase de políticas globales, pero rara vez han dependido de

La gente entiende que esta ayuda llega porque Dios los ama y ha demostrado su preocupación por la comunidad por medio de otros creyentes.

ellas para generar los cambios deseados. En particular los esfuerzos de misión se han focalizado en producir un desarrollo microeconómico para ayudar a los pobres. Vez tras vez se ha demostrado que cuando se les brinda a personas decididas capacitación y un pequeño capital, pueden lograr el éxito económico en su contexto local.

A una mujer de Malaui se le dio un pequeño préstamo (unos 40 dólares) para iniciar una pequeña panadería. Cocinaba varios productos de «comida rápida», como panecillos y bollos dulces, y los vendía en el mercado cada día. A partir de esta pequeña inversión pudo devolver el préstamo en seis meses y generar el suficiente ingreso adicional como para enviar a sus cuatro hijos a la escuela. También pudo comprar ropa, jabón, provisiones escolares y alimentos para suplementar lo que ellos cultivaban. Ella y su esposo no habían tenido este poder de compra antes. Como resultado de su éxito comercial, ella dijo podrían apoyar a su iglesia local con sus mayores ingresos. Ahora estaba ganando tanto como una maestra de la escuela primaria. Cuando le preguntaron si tenía un «sueño» o planes futuros, explicó rápidamente que tenía planes para ampliar su negocio y abrir un restaurante. Cuando se le preguntó cuál era la fuente de su éxito, mencionó la capacitación provista por la agencia de ayuda, pero luego dio crédito a Dios por lo que había podido lograr.

Estrategia II: Defensa política

En contraste con buscar apoyar al gobierno existente, la estrategia de defensa política tiende a cuestionar al gobierno nacional junto con su sistema de comercio internacional y sus políticas económicas. Los sistemas son considerados como el principal problema. Este enfoque requiere una interfaz más directa con los gobiernos en el nivel local, nacional e internacional. Los cambios se buscan en las áreas de políticas de gobierno injustas y desfavorables, así como en los acuerdos comerciales internacionales. En los casos más extremos, la influencia política puede conducir a un conflicto violento con el gobierno, como lo que hemos visto en Zimbabue y Myanmar en años recientes. En la mayoría de los casos, involucra el cabildeo local e internacional para producir cambios que beneficien a la mayoría de las personas.

A lo largo de la historia, los cristianos han sido una fuerza poderosa en asuntos relacionados con políticas como la reforma agraria, los derechos de los refugiados y la abolición de la esclavitud. Si bien es importante que los cristianos continúen abordando esta clase de cuestiones, su principal papel hoy debe ser apoyar y ayudar a los lugareños a tomar la delantera en su petición de un cambio político interno. Los nacionales deben asumir el papel principal en su situación. Los cristianos occidentales también pueden actuar como defensores en su país de origen en puntos donde ven que las políticas de su propio gobierno perpetúan la injusticia contra los pobres.

No se ha visto que la defensa política produzca un cambio positivo duradero sin cierto grado de la Estrategia IV (desarrollo transformativo). Los cambios estructurales y de políticas serán tan efectivos como las personas que las implementan. Sin una liberación espiritual personal, el desarrollo estará limitado siempre por la avaricia y la corrupción de los individuos. Trabajar para producir justicia y paz en un mandato bíblico, y debe hacerse con mucha oración y sensibilidad. Sin embargo, el éxito será limitado si no se combina con el desarrollo espiritual de los individuos que manejan los gobiernos e implementan las políticas.

Estrategia III: Socorro

El socorro apunta a tratar necesidades de emergencia para víctimas de guerras, de hambres, de desastres y de una prolongada injusticia. Las organizaciones cristianas han lanzado gigantescos esfuerzos de socorro, pero estos esfuerzos sólo traen una ayuda temporal y no deben confundirse con el desarrollo. El socorro se centra sobre todo en lo que la persona de afuera debe hacer para ayudar a la víctima, y no en lo que las personas deben hacer para ayudarse ellas mismas. Estos esfuerzos de socorro pueden ser considerados como perjudiciales si se prolongan, porque arrebatan la iniciativa de la producción y el desarrollo locales.

Algunos han criticado los esfuerzos de socorro unidos a la evangelización por producir «cristianos de arroz», personas que se hacen cristianas para asegurarse el alimento diario para sí mismas y/o para sus familias. La ayuda de socorro nunca debería estar condicionada a las creencias de la persona o a la obligación de escuchar el mensaje del evangelio. El socorro debe darse libremente, en amor y sin condiciones, así como Jesús dio y amó libremente, sin condiciones (Jn 13:34-35). Es la clase de amor que nos identifica como discípulos de Cristo ante el mundo. La ayuda de socorro impide que la gente muera y ayuda a que no «coma su maíz para sembrar», para que pueda haber un reinicio de crecimiento y vida de largo plazo. La esperanza de largo alcance es la que mueve a los cristianos a buscar respuestas para problemas profundamente arraigados.

En circunstancias tan desastrosas de guerra y hambre, el socorro realizado incondicionalmente por cristianos puede ser un poderoso testimonio del evangelio. Luego de recibir una porción diaria de grano de un campamento de ayuda cristiano en el peor momento de una sequía, se escuchó decir a un musulmán nómada: «Si ésta es la forma en que los cristianos aman a personas que ni siquiera conocen, sin duda es suficiente para que yo crea en su Dios».

Estrategia IV: Desarrollo transformativo

El desarrollo transformativo aborda las causas de la pobreza con una visión de largo plazo. En zonas rurales sumamente pobres así como en muchos entornos urbanos, por lo general los problemas son bastante complejos. Puede haber falta de infraestructura, como caminos transitables o vehículos que funcionen para llevar las cosechas al mercado o las provisiones a la comunidad. Con frecuencia el cuidado de salud básico no está disponible. La falta de provisión constante de agua limpia puede devastar regiones enteras. El combustible es esencial, pero la provisión es muy escasa en algunas zonas. Enfocar el complejo de dificultades requiere una atención local de largo plazo en el nivel comunitario. Los lugareños necesitan asumir el liderazgo para producir cambios

sostenidos.

La obra de los trabajadores de desarrollo cristiano consiste en facilitar el cambio desde adentro de la sociedad para toda una comunidad o zona. La transformación medular está en el punto de los valores y la visión. Con respecto a la visión, las personas llegan a ver que su comunidad puede ser diferente y que no están confinadas a una desesperanza inamovible. En cuanto a los valores, las personas llegan a ver nuevamente que son valiosas. Entender los valores y la esperanza del reino de Dios ayuda enormemente a los que trabajan en este tipo de desarrollo.

Principios del desarrollo transformativo cristiano holístico

Veo diez principios y valores fundamentales en el desarrollo transformativo holístico. Cada uno de ellos tiene un rico fundamento bíblico.

1. Reconocer el valor de las personas. Respetar y valorar a las personas en el contexto de su cultura local.

2. Entender y respetar la cultura local. Sin embargo, discernir que, mientras que cada persona es intrínsecamente valiosa, cada cultura tiene aspectos tanto positivos como negativos que pueden ser compatibles o no con la enseñanza bíblica.

3. Creer en la capacidad de una persona para contribuir y determinar su futuro. Ayudar a las personas a suplir sus necesidades básicas con dignidad y amor propio. No importa cuán pobre sea, cada comunidad y cada individuo tienen algo que contribuir. Identificar y comenzar por los recursos locales es una clave para el sentido de propiedad y dignidad propia de las personas.[2]

4. Hacer de las personas, más que la tecnología, el punto focal. Cuando los lugareños se involucran en la toma de decisiones, terminan asumiendo la responsabilidad de determinar su futuro.

5. Darse cuenta de que la pobreza incluye dimensiones físicas, materiales, espirituales y sociales. Involucrar a toda la persona —mente, cuerpo y espíritu— en cualquier esfuerzo de desarrollo. Evitar separar éstos y diseñar programas que tratan con el problema entero y la persona entera.

6. Enfocar el desarrollo de una forma que busque comunicar a Cristo por medio de palabras:

comunicar el evangelio de Cristo; la acción: servir como lo haría Cristo, llevando sanidad y ejemplificando la justicia; y señales: trabajar con la ayuda de Dios para que la vida del reino de Cristo se demuestre.

7. Darse cuenta de que todas las intervenciones en un grupo de personas (sociales, técnicas, económicas o educativas) llevan un mensaje que debe ser entendido e interpretado desde la cosmovisión del receptor.

8. Reconocer que Dios ya está obrando en la comunidad. Parte de la tarea del facilitador externo consiste en descubrir lo que Dios está haciendo y apoyar lo que ya puede estar ocurriendo como un puente a la forma en que Dios quiere usar el recurso y la revelación externos.

9. Creer que en una persona la transformación llega por medio de su relación con Cristo. Nada sustituye una fe viva y que está en crecimiento.[3]

10. Reconocer el papel fundamental de las iglesias para lograr la transformación sostenida y abundante. Al fortalecer a las iglesias existentes o fundar nuevas donde no hay, se forma una comunidad poderosa de vidas transformadas, que reciben el poder de Dios y tienen la esperanza y los valores del reino.

La esperanza de vida abundante

En Etiopía, en 1984 el valle de Ansokia había sido arrasado por el hambre, y alrededor de unas veinte personas morían a diario de hambre. Hoy, este valle es un jardín de esperanza para su pueblo y las personas de las comunidades circundantes. Más de siete mil hogares —unas cuarenta y cinco mil personas— han pasado de estar a punto de morir de hambre e indigencia a la abundancia a través de un programa de desarrollo transformativo. Se adoptaron innovaciones para los cultivos, la cría de ganado y la reforestación, lo que hizo que la gente cultivara alimentos abundantes y tuviera un entorno seguro y sostenible donde vivir. A través de las vidas de los cristianos que trabajaron en la comunidad para ayudar a llevar a cabo estos esfuerzos de desarrollo, se estima que unas 700 personas han llegado a conocer a Cristo y ahora asisten a la primera iglesia que se estableció en la zona.

Como señaló un hombre: «Resistí el llamado de Jesús del testimonio de varios de los trabajadores de desarrollo, pero al seguir participando en el trabajo de desarrollo, su responsabilidad y dedicación al trabajo espiritual y físico tocó mi corazón. Los observé orar y hablar acerca de formas en que podíamos tener una mejor vida. Luego, el año pasado, recibí a Jesús. Ahora comparto el gozo, la responsabilidad y el trabajo que el personal compartió con nosotros. Ahora entiendo por qué vinieron para compartir con nosotros y a mejorar nuestra forma de vida».[4]

He estado en Ansokia, tanto durante el hambre como varios años después, luego de que se implementara el programa de desarrollo transformativo. Donde había muerte, hoy hay vida —vida abundante—, y los niños y las familias están más saludables, son más felices y tienen la seguridad de la vida eterna a través de Jesucristo nuestro Señor.

Notas

1. Yamamori, Tetsunao, *Serving with the Poor in Africa: Cases in Holistic Ministry*, MARC Publications, 1996.

2. Voorhies, Samuel I., *Community Participation and Holistic Development*, pp. 123-48, en Yamamori, Tetsunao, *Serving with the Poor in Africa: Cases in Holistic Ministry*, MARC Publications, 1996.

3. Cheyne, John R., *Incarnational Agents: A Guide to Developmental Ministry*, New Hope, 1996.

4. Abebe, Mulugeta, From Relief to Development in Ethiopia, pp. 15-27 en Yamamori, Tetsunao, *Serving with the Poor in Africa: Cases in Holistic Ministry*, MARC Publications, 1996.

Preguntas para reflexionar

1. ¿Qué ocurriría si aplicáramos los principios de la participación comunitaria al establecimiento y la edificación de la iglesia, como hacemos para los proyectos agrícolas, de salud y escolares?

2. ¿Cómo se relaciona la idea de reforzar la capacidad de la gente para planificar y administrar su propio desarrollo con el establecimiento y sostenibilidad de una iglesia local y la vida espiritual del creyente?

3. Subraye las palabras y/o frases y cada uno de los diez principios del desarrollo transformativo cristiano holístico que sugieren la cualidad distintiva del principio. ¿Cuándo y cómo tiene lugar la evangelización y la fundación de una iglesia?

Al fin y al cabo, ¿qué es la pobreza?

Bryant L. Myers

A menudo expreso mi preocupación en torno a si los creyentes usamos conceptos más modernos que realmente bíblicos y cristianos. Hace poco me preguntaba sobre el uso que hacemos de la palabra *pobreza*. La mayoría creemos entender el significado de la palabra. Pero el significado que le damos a un nombre abstracto como *la pobreza* refleja la manera en que miramos a, pensamos en, y concebimos nuestro mundo.

¿Dónde empezar?

La definición más extendida de pobreza es que es la condición que abruma a los grupos de personas que de manera abstracta designamos «pobres». Pero los pobres no son abstractos. Son seres humanos con nombre, hechos a imagen de Dios, personas por quienes Jesús murió. Las personas que viven en pobreza son valiosas para Dios —tan importantes y amadas por él como los que no viven en pobreza.

¿Por qué es importante este recordatorio? El mundo tiende a considerar al pobre como si perteneciera a un grupo desvalido. Los pobres se convierten en seres anónimos, y esto invita a tratarlos como objetos de nuestra compasión; personas a quienes tenemos el derecho de tratar como mejor nos parezca.

Para un entendimiento cristiano de la pobreza debemos recordar que los pobres son personas con nombre y apellidos, a quienes Dios les ha concedido dones, personas con y entre las cuales él actúa —antes incluso que sepamos que existen.

La pobreza como déficit

La pobreza resulta de la carencia de cosas. Es obvio que los pobres no tienen suficiente para comer, lugar donde dormir o agua pura o potable. Sus tierras son malas, carecen de agua para regar, sus carreteras están en mal estado y no hay escuelas adonde puedan enviar a sus hijos.

Por eso procuramos proporcionarles las cosas que les faltan: ayuda alimenticia, alojamiento barato y pozos.

También reconocemos que algunos pobres carecen de conocimiento y habilidades. Los pobres pueden ignorar la nutrición, la necesidad de hervir el agua, la importancia de espaciar el nacimiento de los niños o de leer las instrucciones de un paquete de semillas genéticamente mejoradas. No conocen la agricultura sostenible, cómo gestionar pequeños negocios y la importancia del ahorro. Por eso les ofrecemos programas orientados a la educación, formales e informales. Asumimos que cuando los pobres adquieran el conocimiento que les falta, dejarán de ser pobres.

Los cristianos tienden a añadir otra dimensión a la pobreza como déficit: los pobres no cristianos no tienen conocimiento de Dios y de las

Bryant L. Myers es profesor de desarrollo internacional en la Escuela de Estudios Interculturales del Fuller Theological Seminary. Myers ingresó en Fuller después de prestar treinta años de servicio en World Vision International. Es autor del libro *Walking With the Poor.*

Tomado de *MARC Newsletter,* marzo 1997. Usado con permiso.

Artículo 96

buenas nuevas en Jesucristo. Para entender la pobreza de manera integral, los creyentes añaden el evangelio a la lista de cosas de las cuales carecen los pobres.

Estas ideas de la pobreza son verdaderas, y, dentro de lo que cabe, son útiles. La gente necesita cosas: habilidades, conocimiento y una oportunidad de oír el evangelio. No obstante, limitar la comprensión de la pobreza a este reducido marco crea algunos problemas serios.

Cuando limitamos de esta manera el concepto de pobreza, nos consideramos proveedores, y a los pobres receptores pasivos, seres humanos incompletos que completamos. Esta actitud involuntaria o inconsciente acarrea dos consecuencias negativas.

En primer lugar, esta actitud rebaja y devalúa a los pobres. La idea que tenemos de ellos —que pronto pasa a ser la que ellos tienen de sí mismos— es que son deficientes e inadecuados.

En segundo lugar, la actitud para con nosotros mismos puede ser mesiánica. Somos tentados a erigirnos en libertadores de los pobres y perfeccionadores de sus vidas.

Así pues, si la noción de la pobreza como déficit resulta útil, aunque inadecuada, ¿qué podríamos añadir a nuestra concepción de la misma?

La pobreza como quebrantamiento de relaciones

Una atenta ojeada a la Biblia sugiere que es útil entender el evangelio en términos de relaciones. Muy a menudo los evangélicos limitamos nuestra lectura de la misma a un marco legal o transaccional centrado en nuestro pecado, la ira de Dios, la gracia de Dios en Cristo, y nuestro perdón. Aunque este marco transaccional es bíblico e importante, no es el único.

La Biblia hace mucho énfasis en las relaciones. Las consecuencias del primer pecado afectaron en gran manera a las relaciones —Adán culpó a Eva, Caín mató a Abel, salieron del Edén y perdieron una relación íntima con Dios. Los Diez Mandamientos enmarcan relaciones sociales: amar a Dios y al prójimo como a nosotros mismos. En los evangelios, las únicas dos declaraciones que Jesús llamó mandamientos tienen que ver con las relaciones —amar a Dios y amar al prójimo como a uno mismo.

Concebir al mundo en términos de relaciones aporta un nuevo enfoque sobre la pobreza. Desde esta ventajosa posición podremos indagar y rastrear qué hace quién a quién.

La pobreza implica exclusión. Empobrecemos a la gente cuando la etiquetamos como los otros, los extraños, los marginados. Iniciamos el proceso de exclusión cuando aseguramos que las personas son perezosas, sucias, ignorantes, o que resulta disparatado o arriesgado estar en su compañía. Cuando nos apartamos de alguien porque tenga lepra o SIDA, sea homosexual, tenga distinto color de piel o proceda de diferente cultura, los empobrecemos a ellos y a nosotros mismos.

Las etiquetas y los estereotipos devalúan la imagen de Dios en las personas. Esta clase de pobreza afecta y debilita a los que la perpetran *y* a los que la padecen.

En cierta ocasión una mujer «han» me dijo: «Puedo creer que Dios enviara a su Hijo a morir por un blanco. Puede que lo hiciera por un negro, pero él nunca permitiría que su Hijo diera la vida por un bosquimano».

Esta mujer no puede creer que fue creada a imagen de Dios. Ha llegado a aceptar una historia de explotación y genocidio despiadado.

La pobreza como abuso de poder

Cuando los que detentan el poder sobre otros lo usan en beneficio propio, engendran pobreza. La pobreza surge cuando:

- los brahmines practican un sistema social que explota a los *harijan* (intocables).
- un hombre se aprovecha de la cultura del *machismo* para justificar la bebida, ser mujeriego y golpear a su esposa.
- una corporación usa sus contactos políticos para justificar el derribo de un sector pobre de la ciudad para poder erigir un estadio.

La gente que ocupa posiciones de privilegio social suele ser tentada a usar su poder para beneficio personal, y a descuidar las consecuencias que acarrean sus decisiones sobre los que tienen menos poder. Los directores pueden abusar del poder que ejercen sobre sus subordinados. Los pastores pueden abusar del poder que ejercen sobre los congregantes. Aunque deseemos ser justos e imparciales, de continuo nos asaltan tentaciones que nos invitan a creer que se nos deben ciertos privilegios en virtud de la posición que ocupamos. Esta forma de pensar hace que muchos nos sintamos incómodos. Significa que también contribuimos a generar pobreza.

Trabajar contra la pobreza dentro de un marco de relaciones es peligroso porque exige vivir el evangelio contracultural del escándalo del que habló Pablo. Enojará a las autoridades —religiosas, políticas, económicas e incluso a miembros de su propia iglesia. Retará y exigirá cambios en la cultura —tanto en la local como en la propia persona.

El mundo no puede transformar, ni transformará, el poder político, económico y social en una fuerza a favor de la vida, los pobres y el reino. El cambio sostenible no vendrá mediante la organización comunitaria, procesos políticos o más educación.

El cambio de la naturaleza del poder que engendra pobreza exige el poder transformador del evangelio. Tiene que ver con el pecado personal y social. Sólo las buenas nuevas, en su totalidad, difunden la esperanza que los pobres podrán un día edificar casas y vivir en ellas.

La pobreza como temor

Una última noción de la pobreza sería el temor: uno es pobre cuando teme. Esto es particularmente cierto cuando uno les teme a los que influyen en el futuro y en el bienestar.

Algunos le temen al mundo de espíritus: el mundo invisible de los demonios, los espíritus y los antepasados. Otros les temen a quienes detentan el poder sobre ellos: brahmin, sacerdote, corporación o profesor. Este tipo de temor, sea cual sea su fuente, incapacita.

El evangelio de Marcos enseña que el temor se opone a la fe. El temor, es pues, un problema espiritual. Sólo se puede disipar mediante la fe en el Hijo de Dios, que es más poderoso que cualquier fuente de temor.

En resumen

Una vez superada la noción de que la pobreza es ausencia de cosas y de conocimiento, descubrimos que, en el fondo, es una cuestión de índole espiritual. Relaciones que no funcionan, abuso de poder, y temor paralizante, no se pueden hacer a un lado.

Las iglesias, las misiones y las agencias cristianas de socorro y desarrollo, deben llevar el evangelio a los pobres, no porque sea algo extraordinario que hacen los cristianos, sino porque es la única fuente de verdad y de poder que responde a una comprensión cabal de la pobreza.

Preguntas para reflexionar

1. ¿Se ha definido la pobreza en un sentido tan general que cabría considerar pobre a todo el mundo?

2. ¿Cómo pueden las ideas de Myers ayudar a los profesionales que trabajan sobre el terreno?

Los pobres urbanos:

¿Quiénes somos?

Viv Grigg

Viv Grigg es profesor asociado en Azusa Pacific University y director internacional de Urban Leadership Foundation, que convoca a trabajadores a los asentamientos marginales de las ciudades del tercer mundo. Ha realizado un trabajo pionero en equipos en Manila y Calcuta, y ha catalizado misiones apostólicas desde varios países a los asentamientos marginales. Es autor de *Companion to the Poor, Cry of the Urban Poor* y *Transforming Cities*.

De *Cry of the Urban Poor*, 2006, Authentic Press. Usado con permiso del autor.

¿**Q**ué pasaría si el tamaño del mundo musulmán o de la población hindú se duplicara cada diez años? Además, suponga que estos bloques de población se encontraran entre los más receptivos al evangelio en la tierra. ¿Cómo afectaría esto nuestras actuales estrategias de la misión cristiana? ¿Asumiríamos el desafío?

La respuesta es un dramático: «¡Sí!»

Sin embargo, la cantidad de ocupantes ilegales urbanos y habitantes de asentamientos marginales en las principales ciudades del mundo constituye un bloque tan grande como los musulmanes o como los hindúes; duplica su tamaño cada década, y todos los indicadores muestran que es un grupo receptivo. Lógicamente, los misioneros deben modificar sus estrategias para convertir a estos grupos en sus objetivos prioritarios.

La mayoría de los migrantes a las megaciudades se mudarán a los *asentamientos marginales* (Bangkok), *zonas de ocupantes ilegales* (Manila), *shanty towns* (Sudáfrica), *bustees* (India), *bidonvilles* (Marruecos), *favelas* (Brasil), *casbahs* (Argelia), *ranchitos* (Venezuela), *ciudades perdidas* (México) y *barriadas* o *pueblos jóvenes* (Perú). Los describiré en forma general con la expresión *asentamientos irregulares*.

Estos lugares tienden a ser *asentamientos marginales de esperanza*. Sus ocupantes han llegado en busca de empleo, han encontrado un terreno vacante y se han establecido gradualmente. Están edificando sus hogares, encontrando trabajo y desarrollando algunas relaciones comunitarias similares a los barrios o aldeas de donde son originarios. En los *asentamientos marginales de esperanza*, las fuerzas sociales y las expectativas crean un alto grado de receptividad al evangelio.

Hoy las misiones deben alcanzar a las últimas tribus y cumplir compromisos previos con los pobres rurales. Pero las nuevas estrategias de misión deben focalizarse también en el punto crucial de la guerra espiritual para las megaciudades. Dentro de este amplio objetivo, la misión a los pobres urbanos se convierte en una meta central, ya que son las víctimas últimas de la opresión y la maldad de las megaciudades y las naciones estado. Surgen como algo importante en el corazón de Dios. Entre los grupos humanos más alcanzables hoy se encuentran los migrantes pobres que se han trasladado a la ciudad y están viviendo en una comunidad de un asentamiento irregular.

Durante los últimos 40 años, unas 2.000 millones de personas se han trasladado desde zonas rurales a las ciudades. En los próximos 10 años, otros 500 millones se subirán a autobuses sobrecargados y llegarán a las ciudades. Para la mayoría de ellas, el primer paso serán los asentamientos irregulares, que son centros de gran oscuridad y actividad demoníaca.

Entre 1950 y 1980, en megaciudades del tercer mundo la población urbana creció de 275 millones a poco menos de 1.000 millones. Para el año 2000, prácticamente se había duplicado, llegando a más de 1.850 millones. Donde la gente pueda encontrar un terreno construirá casuchas y chozas de madera aglomerada. Pocos gobiernos están en condiciones de impedirlo o de atender las necesidades de las personas que llegan. Aun Estados Unidos podría no permanecer inmune ante la desaceleración de su economía.

Algunos de los más indigentes entre los pobres viven en casas de barro en las calles de la moderna ciudad de Dacca en Bangladés. En esta ciudad de más de 12 millones de habitantes, se estima que viven 3,5 millones de personas en más de 3.000 zonas de asentamientos marginales de ocupantes ilegales. Debido a la falta de materias primas y otros factores, hay escasa posibilidad de que el crecimiento industrial de la ciudad siga el ritmo del influjo migratorio.

En las próximas décadas casi todo el crecimiento de la población del mundo será en las ciudades. Las poblaciones rurales tenderán a mantenerse en los niveles actuales.

Por lo general hay una megaciudad por país. Una megaciudad tiende a consumir recursos de todo el país. Su burocracia traba el potencial de crecimiento de las ciudades más pequeñas. Por lo general la siguiente ciudad grande tiene el 10% del tamaño de la megaciudad. Chiang Mai, por ejemplo, la segunda ciudad en tamaño de Tailandia, es 30 veces más pequeña que Bangkok.

Esperanza en medio de la desesperación

Un empresario amigo mío que comercializa el kiwi, les preguntó a dos hombres en las calles de Calcuta: «¿En qué negocio les gustaría trabajar si pudieran salir de la calle?». Contestaron: «Pondríamos un puesto de té».

Después de varias discusiones adicionales llegaron a la conclusión de que era una meta válida por 100 dólares. Encontrar un tramo de calle desocupado requirió 10 días de búsqueda. Sólo tenían que pagarle a la policía un precio razonable de dos rupias diarias para protección, pero el pago a la mafia local redujo su margen de ganancia a cero.

Como no pudieron pagarle a la mafia, los miembros de la familia fueron golpeados brutalmente.

Ciudad de alegría

¡Calcuta, oh Calcuta! Ésta es una ciudad donde los poderes de las tinieblas han obtenido tanto control sobre los líderes políticos y judiciales, que sólo prevalece la oscuridad, y una mafia dirige a la gente de la ciudad. La pobreza y la maldad triunfan e infestan las vidas de personas comunes y corrientes hasta que enloquecen de dolor. Calcuta ha sido conocida como la «ciudad de la alegría» por una

En términos de respuesta, es más estratégico centrarse en las zonas de ocupantes ilegales, que tienden a ser asentamientos marginales de esperanza.

novela de Dominique Lapierre, que retrata vívidamente a los habitantes urbanos empobrecidos que celebran la vida con dignidad en medio de una injusticia insoportable.[1]

Calcuta tiene más pobreza y más grados de pobreza que cualquier otra ciudad del mundo. Camino por la calle, y una figura desnutrida y espectral, con un bebé en la cadera, me sigue, suplicando, suplicando. Cuatro de estas figuras luchan cada día por este territorio. Una persona con un miembro amputado sacude su taza en la esquina; un viejo yace en el camino más adelante, cerca de la muerte.

En 1984, Geoffrey Moorehouse estimó que había 400 mil hombres sin trabajo en la ciudad.[2] El censo de 1981 indicó que eran 851.806. Tapash Ganguly comentó que, en 1985, probablemente ninguna otra ciudad tenía un millón de jóvenes educados registrados en las bolsas de trabajo.[3] Hay mendicidad en toda India, pero en ninguna parte tiene la escala de Calcuta.

Aparte de los mendigos había entre 48 mil y 200 mil personas que vivían permanentemente en las calles. Una encuesta de la década de 1980 indicaba que dos tercios de ellas tenían algún tipo de empleo regular, mientras que el 20% eran mendigos. La mayoría tenía alguna clase de trabajo de tiempo parcial o había ganado dinero vendiendo vegetales, papel, leña y chatarra.

En 1985, más de la mitad de los 3,5 millones que se encontraban dentro del núcleo metropolitano vivían en asentamientos marginales. Dos tercios de las familias de Calcuta ganaban *350 rupias o menos al mes* (el nivel de pobreza era de 600 rupias o 50 dólares por mes para una familia). Menos del 20% de su población activa trabajaba en una industria organizada. La agricultura y las pequeñas artesanías, no la manufactura mayor o moderna, eran (y siguen siendo) la principal ocupación de la gente. Hasta un 80% de su superficie terrestre de 1.350 kilómetros cuadrados albergaba 3,15 millones de habitantes de asentamientos marginales y de *bustees*.[4]

Hay un nivel de pobreza aún más profundo que el que experimenta el mendigo, el que vive en la calle, o el que vive en un *bustee*: la pobreza de los que se están aproximando a la muerte. Los moribundos son rostros a lo largo de las calles. Un anciano yace con sus ojos fijos. Algunos transeúntes le tiran algunas monedas. Una visita de los Hermanos de la Caridad a los que duermen en la calle bajo un paso elevado sin terminar. Un ruego lastimero por unas monedas para comprar remedios de una mujer de cabellos plateados que se estremece violentamente por la fiebre. Detrás de ella, dos niñitos con vientres hinchados exhiben su desnutrición de primer grado.

Calcuta exige diariamente que enfrentemos no sólo la pobreza, no sólo la inhumanidad, sino también el rostro gris de la muerte que se aproxima. La carga aumenta por el conocimiento de que se espera que la continua y elevada fertilidad inherente en la pobreza fuerce a cinco veces más este número de personas a dejar tierras rurales en la próxima generación. El hecho es que no hay más tierra, y no es posible una mayor subdivisión de las fincas. La mayor productividad agrícola sólo aumentará la migración, porque incrementará la cantidad de hijos vivos sin mejorar la calidad de la vida rural.

Las constantes disputas de la política bengalí significa muerte para estos pobres, igual que la dislocación económica introducida por un gobierno estatal teóricamente marxista, pero que en realidad es un dominio continuo de una clase gobernante rica. Las continuas ataduras de las castas y la cultura hindúes aumentan la muerte.

Diferencias entre los pobres urbanos del primer y tercer mundo

Sería un error considerar que los pobres sólo se encuentran en los asentamientos marginales o en las zonas de ocupantes ilegales. O que todas las personas de los barrios bajos son necesariamente pobres. Los asentamientos marginales y la pobreza no deben ser considerados como equivalentes. Y aun entre los pobres hay una estructura de clases u ordenamiento por rango. ¿Cuáles son, entonces, las relaciones entre los ocupantes ilegales y la pobreza?

La ***pobreza absoluta*** es un término usado para describir la pobreza cuando las personas tiene una insuficiencia absoluta para suplir sus necesidades básicas: alimento, ropa, vivienda. Por cierto, muchos de los que padecen pobreza absoluta se mueren de hambre. Dentro de esta categoría hay muchos niveles. Por ejemplo, podemos hablar de desnutrición de primer, segundo y tercer grado.

La ***pobreza relativa*** se encuentra en el mundo desarrollado y se mide considerando el estándar de vida de una persona con relación a los demás en la comunidad o nación. A veces se denomina pobreza secundaria. La pobreza relativa es una medida del grado en la que las personas están en los márgenes de la sociedad.

A menudo la medida de esta pobreza relativa o secundaria se hace es en términos, no de un nivel material o económico, sino de la capacidad de

poseer y consumir artículos y servicios, así como de tener oportunidades para el desarrollo. A menudo es una exclusión de la oportunidad y la participación, una marginación de la sociedad.

Esta condición marginal está asociada con y es causada por (o causal de) un estándar de vida material bajo, con respecto a las perspectivas sociales presentes de cómo uno debería vivir bien. No tener un coche en una ciudad de Nueva Zelanda, por ejemplo, significa que uno es pobre y sobre todo incapaz de participar en la sociedad. Esto no ocurre en Lima, Perú. Un estudio de la Organización Internacional del Trabajo usa una medida de los ingresos disponibles para establecer la línea de pobreza estándar, dividiendo el ingreso disponible total del país por la población, con lo cual determina este nivel con relación a los demás dentro de la nación.

Por lo tanto, por lo general, al hablar de la pobreza en zonas de ocupantes ilegales del tercer mundo, estamos hablando de algo que ocurre en un nivel que ni siquiera se ve entre los pobres de un país occidental. La clase media de Calcuta es más pobre que los pobres de Los Angeles.

La definición de pobreza es, en gran medida, una cuestión percibida históricamente. Los pobres de Manila no son tan pobres como la clase media de Inglaterra aun 400 años atrás. Pero son pobres comparados con la clase media actual de cualquier país del mundo. Nuestra definición de pobreza ha cambiado con la disponibilidad de tecnología que nos permite disfrutar de una vida más saludable y feliz.

La pobreza puede definirse también en términos de lo que un hombre y la sociedad podrían ser, en términos de una visión futura de un estilo de vida razonable, o ideal. Los eruditos de la Biblia han aglutinado recientemente sus definiciones alrededor del tema del *shalom* en el Antiguo Testamento, la paz que surge de una sociedad justa y segura.

Asentamientos marginales de desesperación, asentamientos marginales de esperanza

Las características físicas y la cultura de cada comunidad de ocupantes ilegales difieren de país en país. Pero el proceso que las genera y los males resultantes son

universales entre las principales ciudades de los países del tercer mundo.

Necesitamos distinguir entre asentamientos marginales establecidos en los suburbios de las ciudades, y comunidades de ocupantes ilegales uevos, porque a menudo estos últimos son más fáciles de alcanzar con el evangelio.

Los asentamientos marginales de los suburbios son edificios de apartamentos y casas decadentes en lo que alguna vez fueron buenas residencias de clase media y alta. Pueden ser descritos como *los asentamientos marginales de la desesperación*, que atraen a quienes han perdido la voluntad de intentar y los que no pueden manejar la situación. Sin embargo, aquí también hay inmigrantes recientes que viven cerca de oportunidades de empleo y miles de estudiantes que buscan la movilidad ascendente de la educación.

En Sao Paulo, aproximadamente la mitad de los pobres migrantes que llegan a la ciudad encuentran su primera residencia en las *favelas*, o barriadas. La otra mitad se desplaza a los *corticos* (viviendas destartaladas de los suburbios), y luego, dentro de los cuatro años posteriores, descienden a las *favelas*. En Lima, se les llama *tugurios*.

En los asentamientos marginales de los suburbios de desesperación hay escasa cohesión social, o esperanza positiva para facilitar una receptividad al evangelio. Dado que son zonas pobres más antiguas de varias generaciones de pecado, no son receptivos, y por lo tanto no constituyen una alta prioridad para la fundación de

Características de la pobreza del primer y tercer mundo

Primer mundo	Tercer mundo
Relativamente pocos en la sociedad	Porcentage significante de la población
Objectos de discriminación	Salen de las clases bajas y medias
Movilidad hacia arriba es difícil	Movilidad hacia arriba de raíces urbanas y rurales
Movilidad de empleo limitada	Empleo flexible y adaptivo
Empleo permanente difícil de encontrar	Generación de empleo autoinflacionario
Asistencia pública/pobreza «segura»	Búsqueda diaria de subsistencia

iglesias.

En términos de respuesta, es más estratégico centrarse en las *zonas de ocupantes ilegales*, que tienden a ser *asentamientos marginales de esperanza*. Aquí, las personas han hecho pie para entrar en la ciudad, algún terreno vacante, trabajos y algunas relaciones comunitarias similares al barrio de su lugar de origen.

La tarea por delante

Frente a esta escena, Jesús pronuncia las palabras: «Y ésta es la vida eterna: que te conozcan a ti, el único Dios verdadero, y a Jesucristo, a quien tú has enviado» (Jn 17:3). La confrontación de la vida con la muerte involucra ayuda, desarrollo, organización y política. Pero, como el brillante Francisco Javier (un misionero pionero al Asia) aprendió temprano en su vida, los temas de este mundo no se determinan por la política o la fuerza, sino por los misterios de la gracia y la fe. En la predicación de la cruz viene el vencedor de esta lenta muerte que aprisiona a la ciudad. En definitiva, deberán ser los movimientos de los justos los que enfrentarán la marea creciente. La cuestión es cómo generar movimientos de discípulos entre estos pobres y posteriormente entre los ricos.

Definir la pobreza, sus tipos, causas y respuestas potenciales, es un paso importante en el proceso de generación de estos movimientos. Un entendimiento de la amplitud de la necesidad y el rango de respuestas potenciales nos permite reflexionar, tanto sobre la teología —es decir, las respuestas de Dios— como en las posibilidades estratégicas a implementar en nuestro andar con Dios.

Notas

1. Lapierre, Dominique. *City of Joy*, Grand Central Publishing, 1990.
2. Moorehouse, Geoffrey. *Calcutta*, Penguin Books, 1984.
3. Ganguly, Tapash, "Pains of an Obese City," *The Week*, Nov 17-23, 1985.
4. Calcutta Metropolitan Planning Organisation, *A Report on the Survey of 10,000 Pavement Dwellers in Calcutta: Under the Shadow of the Metropolis—They are citizens too*, Sudhendu Mukherjee, ed., 1973.

Preguntas para reflexionar

1. ¿Qué rasgos distintivos evidencian los pobres del tercer mundo y los pobres del mundo occidental?

2. Explique las diferencias entre un asentamiento marginal de desesperación y un asentamiento marginal de esperanza. ¿Por qué es importante esta distinción para la misión urbana?

3. Grigg dice que «en definitiva, deberán ser los movimientos de los justos» los que transformen las ciudades. ¿Qué sugiere esto para las estrategias de fundación de iglesias?

Ciudades y sal:
Contraculturas para el bien común

Tim Keller

Tim Keller es pastor fundador de la iglesia presbiteriana del Redentor en la ciudad de Nueva York, cuya eficiencia para evangelizar a profesionales de distinta procedencia cultural es notoria. Su Centro de Fundación de Iglesias ha ayudado a plantar más de cien iglesias de varias denominaciones en el área metropolitana de la ciudad de Nueva York y en otros lugares del mundo. Sirvió anteriormente como profesor del Westminster Theological Seminary y es autor de varios libros.

No hay cuestión más divisiva en el mundo evangélico contemporáneo que la manera en que los cristianos deben relacionarse con la cultura en general. Las distintas escuelas de pensamiento disputan entre sí —desde el derecho cristiano al pietismo tradicional, pasando por las iglesias emergentes y el nuevo monacato—. Más abajo esbozo un camino que procura combinar los puntos fuertes de muchos de estos movimientos y, al mismo tiempo, superar sus debilidades y desequilibrios.

Evangelio —Rico e incisivo

Ante todo, necesitamos una comprensión más rica e incisiva del evangelio. Al considerar el evangelio tradicional de los evangélicos muchos se quejan de que ha sido individualista. Una versión que corría por las calles decía: «Jesús murió por sus pecados para que usted pueda tener una relación personal con él». Éstos arguyen que esta formulación más antigua del evangelio da la impresión de que lo único que importa escapar de este mundo e ir al cielo.

En lugar de esta antigua formulación, muchos evangélicos presentan el evangelio así: «Jesús es el Señor; el reino ha llegado». Según esta narrativa, la muerte de Jesús no calma tanto la ira de Dios contra nuestro pecado, sino que absorbe la maldad y la violencia del mundo. En su muerte él derrota a los poderes mundanos, muestra el camino de la no violencia y el servicio, nos invita a sumarnos a la comunidad de su reino y a trabajar por la paz y la justicia en el mundo. Los que defienden el reino y la victoria sobre los poderes, en vez de un sustituto para aliviar la ira, desean un evangelio que moldee las costumbres de los cristianos en el mundo. Comprueban los efectos de un evangelio más individualista sobre la gente que lo trata como si fuese sólo un salvoconducto que equivale a «salir del infierno gratis», pero que no transforma vidas.

No obstante, esta manera de hablar suele empañar la nítida distinción entre la ley y el evangelio que los reformadores tan acertadamente expresaron y que latía en el corazón de los grandes despertares. Por gracia somos salvos por la obra de Cristo, no por nuestras propias obras. Si el evangelio es principalmente un mensaje que llama a «arrepentirse de vivir para uno mismo y unirse a la agenda del reino de Cristo», puede convertirse en un legalismo más. Debemos situarnos en un punto desde el cual podamos ver tanto lo rico como lo incisivo del evangelio. Debemos predicar el «incisivo» evangelio clásico de la expiación, la justificación y la gracia —para la conversión individual—, pero también debemos predicar que el objetivo final de la salvación de Cristo no es escapar de este mundo, sino la completa renovación del mundo, nuevos cielos y nueva tierra. Si nuestra estrategia no deriva de nuestra comprensión del evangelio, entonces no será más que un esfuerzo por controlar la cultura por medio de alguna técnica. Seremos como todos lo demás. La agudeza del evangelio es lo que lo hace tan rico y tan aplicable a cada aspecto de la vida y la práctica. Sólo este entendimiento del evangelio nos equipa para evangelizar y hacer justicia y renovación cultural.

Luz —Servicio amable y radical

En Mateo 5:14-16 Jesús exhorta a sus discípulos: a ser como *«una ciudad en lo alto de una colina»* cuyas *«buenas obras»* son luz que invita a los no creyentes a alabar al Padre celestial. Ser una ciudad significa ser una comunidad. ¡Uno no puede ser una ciudad por sí mismo! No basta con que los cristianos vivan una vida buena como individuos en sociedad. ¿Por qué entonces Jesús nos llama a ser una «ciudad» en vez de una «comunidad»? Los cristianos son llamados a ser una ciudad *alternativa* dentro de cada ciudad terrenal, una *cultura* alternativa dentro de cada cultura humana, a mostrar que el sexo, el dinero y el poder se pueden usar en formas no destructivas, y ser reformadas por el evangelio.

Pero Jesús no nos ha llamado a ser enclaves para nosotros mismos. Las palabras griegas que designan «buenas obras» no significan normalmente una conducta moral en general, sino actos de compasión y servicio. En el imperio romano los primeros obispos cristianos tuvieron tanta fama de identificarse con los pobres y los débiles que, aunque formaran parte de una religión minoritaria, les fue reconocido el derecho a hablar en favor de la comunidad local en su totalidad. La iglesia primitiva tenía fama de estar más entregada a los pobres —y de ser más eficaz en prestarles ayuda— que el gobierno romano u otras instituciones culturales. A menos que esto sea también una realidad para nosotros hoy, no deberíamos esperar ejercer influencia cultural. Si la iglesia no se identifica con los marginados, ella misma será marginada. Ésa es la justicia (poética) de Dios.

Tal como a Israel se le mandó procurar la paz y la prosperidad de la gran ciudad pagana de Babilonia (Jer 29:4-7), así también los cristianos deben ser conocidos como gente que procura servir a otros, crean o no crean en el cristianismo. Hemos sido llamados a ser una hermosa *ciudad de luz* dentro de cada ciudad. Los ciudadanos de la ciudad de Dios deben ser también los *mejores* ciudadanos de su ciudad terrenal.

Sal —Presencia cultural fiel

En Mateo 5:13 Jesús dice también que sus discípulos son *«la sal de la tierra»*. Antes del uso de la refrigeración, la sal servía como conservador. Mantenía la carne «renovada» para que no se echara a perder. Por tanto, esta metáfora es un contrapunto de la de la luz. La metáfora de la luz es mayor en su promesa: ¡los ciegos pueden ver! La metáfora de la sal, no obstante, es más modesta en su ofrecimiento. La vida cristiana (como la sal en la carne) es bastante influyente y evita que la cultura se degrade, pero aquí se nos advierte que no hemos de esperar necesariamente una transformación social radical.

La sal es también una metáfora más negativa. En una herida la sal impedía que ésta se infectara, pero también ocasionaba dolor. Esto significa que los cristianos deben tomar partido por la verdad y preservar la ortodoxia en la creencia y en la práctica, pero de manera inevitable, encontrarán oposición (cotéjese con 1P 2:12). Jesús afirma que los cristianos pueden influir en la sociedad e impedir que la sociedad se deteriore social y culturalmente.

> **Con la metáfora de la sal, Jesús afirma que los cristianos pueden influir en la sociedad e impedir que la sociedad se deteriore social y culturalmente.**

La metáfora de la sal también significa que los cristianos (como la sal) deben esparcirse y penetrar para ser efectivos. No sólo afectamos al mundo como comunidad contracultural («luz»), sino también como individuos dispersos que llevamos el mensaje y la cosmovisión de Cristo a todo círculo y sector social. La metáfora de la sal me empuja a tomar prestada una frase de James Hunter que acierta en lo que creo que es el justo equilibrio en nuestra relación con la cultura. Hunter habla de la *presencia fiel* de los cristianos —no ausencia ni «redención» cultural—. Por lo que respecta al cambio cultural, no debemos ser tan pesimistas como algunos creyentes, ni tan triunfalistas y confiados como otros.

En y entre estas dos metáforas de sal y luz, discernimos un equilibrio que denominamos «presencia cultural», y no ausencia, indiferencia o redención cultural. La imagen de la sal significa que hemos de ejercer influencia cultural en la cultura en general y «renovarla» —fortalecerla y moldearla de alguna manera—. Pero las imágenes de la ciudad y la luz acentúan la importancia de la propia iglesia como una mini sociedad distinta y hermosa. Estas metáforas nos ofrecen la posibilidad de ejercer *algo* de influencia cristiana significativa en la sociedad, pero no parecen ofrecer una perspectiva a modo de «toma de posesión» o cristianización de la sociedad en su conjunto.

Iglesia —Palabra y obra

Hemos dicho que el evangelio es rico e incisivo. En la Biblia se oyen llamadas enérgicas para evangelizar al mundo, pero también llamadas fuertes a hacer justicia y atender a los pobres. Muchos, no obstante, temen que el énfasis renovado en los ministerios de justicia y misericordia desplace a un evangelismo y discipulado vigorosos, de la manera en que lo hicieron las iglesias tradicionales a mediados del siglo XX.

La distinción entre iglesia «institucional» e iglesia «orgánica» podría resultar aquí útil. El líder cristiano holandés Abraham Kuyper enseñó que la «iglesia institucional» era la iglesia en el mundo, organizada con sus oficiales y ministros, predicando el evangelio, bautizando y haciendo discípulos. Él distinguió esto de la iglesia como «organismo», con lo que quiso decir *cristianos* en el mundo que han sido discipulados y equipados para aplicar el evangelio a todo aspecto de la vida.

El ministerio del evangelio de la iglesia incluye evangelizar a los no creyentes *y también* moldear todos los aspectos de la vida del creyente con el evangelio, pero eso no significa que la iglesia como institución, bajo la dirección de sus ancianos, tenga que llevar a cabo corporativamente toda actividad para cuya realización capacita a sus miembros. Por ejemplo, aunque debe discipular a sus miembros que hacen cine para que su arte esté profundamente formado por el evangelio, la iglesia no debe operar una productora cinematográfica —eso debería ser hecho por los propios cineastas.

La sensibilidad a la diferencia entre la iglesia «institucional», congregada, y la iglesia dispersa, «orgánica», nos traslada más allá del debate acerca de si su misión prioritaria es evangelizar o renovar la cultura. Considerándolo desde una óptica más estricta y formal, la iglesia institucional existe principalmente para evangelizar y discipular a la

gente, pero en un sentido más amplio, los cristianos han sido llamados a resistir el pecado en el mundo y tratar de sanar todos sus efectos —espirituales, psicológicos, sociales y físicos—. En el nombre de Jesús deben evangelizar, aconsejar, albergar al indigente, alimentar al hambriento, cuidar del enfermo y crear una sociedad más justa para todos.

Trabajo —Vocación y fe

Una de las principales formas en que la iglesia institucional capacita a los cristianos para ser la sal del mundo es enseñándoles a integrar su fe con su trabajo. La fe informa al trabajo al menos de cuatro maneras:

Primero, la fe cambia la motivación en el

> En tanto que la iglesia «institucional» existe para evangelizar, la iglesia dispersa, «orgánica», está llamada a resistir el pecado en el mundo y tratar de sanar todos sus efectos.

trabajo. A los profesionales, más inclinados a trabajar en exceso y a sentir ansiedad, el evangelio les impide buscar su significado e identidad en el dinero y el éxito. A la clase trabajadora, más inclinada a lo que a veces se llama como «servir al ojo» sin motivación, los anima a trabajar como «para el Señor» (Col 3:22-23, RVR60).

Segundo, la fe cambia la concepción del trabajo. Una teología robusta de la creación y del amor y el cuidado de Dios por ella, ayuda a ver que incluso tareas sencillas como fabricar zapatos, empastar dientes o cavar zanjas son maneras de servir a Dios y edificar la comunidad humana. La producción cultural tiene que ver con reordenar el mundo material de tal manera que se dignifique, y asimismo, promueva el florecimiento humano. Una buena teología del trabajo resiste la tendencia del mundo moderno de valorar sólo la pericia y las cosas que son difíciles de hacer, y que en consecuencia atraen más dinero y poder.

Tercero, la fe proporciona a los cristianos una ética superior en el trabajo. Muchas cosas técnicamente legales, pero bíblicamente inmorales e insensatas, quedan excluidas para los creyentes. Esto debería conducirlos siempre a actuar de acuerdo con un alto nivel de integridad en su trabajo.

Cuarto, la fe proporciona la base para reconsiderar la manera cómo debe hacerse el trabajo. Todo campo profesional está distorsionado por el pecado y la idolatría. Los profesionales cristianos de la medicina verán que con algunas prácticas podrían ganar más dinero, pero no les añadirán valor a los pacientes. Los cristianos dedicados al comercio y empresas reconocerán las prácticas comunes y los patrones de conducta socialmente admitidos para acumular poder, posición y riqueza sin proporcionar un beneficio equitativo a los clientes y a otros colegas. Una cosmovisión cristiana le proporcionará al creyente formas de analizar las filosofías y las prácticas que dominan su campo y brindan renovación y reforma.

Ciudad —Parroquia y evangelización

Probablemente en ninguna otra parte dé esta estrategia exhaustiva más fruto cultural que en las grandes ciudades del planeta. Los residentes de los centros metropolitanos y sus obras causan un enorme impacto en la sociedad. Siempre ha sido así. Los historiadores señalan que en el año 300 d.C. las poblaciones urbanas del imperio romano eran mayormente cristianas, mientras que las rurales eran paganas. Esto también fue así en el primer milenio después de Cristo en Europa —las ciudades eran cristianas, pero la población del campo en su mayoría era pagana—. Cuando las ciudades son cristianas, aunque la mayoría de la población sea pagana, la sociedad avanza hacia el cristianismo. ¿Por qué? Pues porque por donde va la ciudad va la cultura: las tendencias culturales tienden a ser generadas en la ciudad y fluir hacia el exterior hasta alcanzar al resto de la sociedad.

¿Significa esto que todos los cristianos deben vivir en las ciudades? No. ¡Hacen falta cristianos e iglesias donde haya gente! No obstante, el verdadero problema es que la presencia cristiana está mucho mejor representada por cristianos e iglesias fuera de los centros urbanos que en las ciudades influyentes. Los misionólogos nos informan que incluso en las zonas del mundo donde el cristianismo crece más rápidamente, la iglesia no está alcanzando en absoluto a los secularizados residentes de los centros urbanos.

Movimiento —Ecosistemas y nuevas iglesias

¿A qué se debe que las grandes ciudades no estén siendo alcanzadas por la iglesia en alguna medida?

Porque hace falta un *movimiento* evangelizador para alcanzar un centro urbano cultural. Un movimiento es un «ecosistema» interdependiente de iglesias y ministerios que, una vez establecidos, crecen y se propagan naturalmente sin ningún centro de mando. El núcleo de este ecosistema es un cuerpo reproductor de nuevas iglesias que refleja todos los valores «ADN del evangelio» mencionados en este artículo.

Una multitud de ministerios que colaboran

Sin embargo, por sí misma la iglesia institucional no puede constituir ese ecosistema. En torno al núcleo expansivo de iglesias hay ministerios especializados que penetran en la urbe y hacen cosas que la «iglesia institucional» no puede hacer con la misma eficacia. Debería haber escuelas cristianas para las familias y escuelas de teología para los líderes. Debería haber docenas de nuevas empresas lucrativas establecidas por cristianos comprometidos que muestren nuevos métodos de trabajo en sus campos. Debería haber un enorme surtido de organizaciones y ministerios no lucrativos que respondan virtualmente a todo grupo necesitado. Debería haber ministerios universitarios llenos de vitalidad en las ciudades, que provean a las iglesias y al resto del ecosistema de un flujo constante de nuevos líderes jóvenes.

Finalmente, un ecosistema sano precisa líderes y empresarios cristianos, académicos, teólogos, pastores y otros líderes que se conozcan y estimen entre sí, sin sospechas ni «conciencia territorial». Necesitan pensar holísticamente en su ciudad y buscar maneras en que las diversas partes del ecosistema aúnen sus fuerzas más sinérgicamente. La realidad es que la mayor parte de las iglesias no «dan el salto» hacia el equilibrio que las capacite para participar en un ecosistema de evangelio transformador. La mejor manera de producir iglesias con este tipo de ministerios es fundar otras nuevas que tengan el «ADN» incorporado desde el principio.

¿Por qué nuevas iglesias?

Las iglesias nuevas alcanzan a gente nueva. Las iglesias nuevas alcanzan a los que no asisten a ellas mucho más eficazmente que las iglesias por largo tiempo establecidas. Docenas de estudios confirman que la nueva iglesia promedio atrae gente a la vida del cuerpo de Cristo a un ritmo entre seis y ocho veces más veloz que una congregación antigua del mismo tamaño. ¿Por qué es esto así? A medida que una congregación envejece, fuertes presiones institucionales internas la empujan a dedicar la mayor parte de sus recursos y energía a los intereses de sus miembros e integrantes en vez de volcarlos sobre los que están fuera. Esto es natural y en cierto sentido deseable, ya que las congregaciones más antiguas poseen una estabilidad y una firmeza que mucha gente necesita. También debemos recordar que mucha gente sólo será alcanzada por iglesias con raíces profundas en la comunidad y adornadas de estabilidad y respetabilidad.

Las nuevas iglesias son la mejor manera de renovar a las iglesias existentes en la ciudad.

Las iglesias nuevas consiguen diversidad. Muchas iglesias nuevas son la única manera de alcanzar la diversidad extrema que compone la ciudad. Las iglesias nuevas tienen mucha más capacidad para afectar al flujo constante de nuevas generaciones, nuevos grupos inmigrantes y nuevos residentes que llegan a la ciudad. Las nuevas congregaciones realmente *capacitan* a la gente nueva mucho más rápida y fácilmente que las iglesias más viejas, pues siempre la han alcanzado y siempre la alcanzarán con mayor facilidad que los cuerpos establecidos hace ya mucho tiempo. Esto significa, por supuesto, que la fundación de iglesias no sólo conviene a las «regiones pioneras» o «campos misioneros». Las ciudades tendrán que mantener el vigor y la amplitud de la fundación de iglesias para mantener también el número de cristianos de la región. Creemos que una iglesia, por muy grande que sea, nunca será capaz de atender las necesidades de ciudades tan diversas. Sólo un movimiento de centenares de iglesias, pequeñas y grandes, pueden penetrar literalmente en cada vecindario y etnia de la ciudad.

Las iglesias nuevas renuevan a las iglesias existentes. Finalmente, las nuevas iglesias son la mejor manera de renovar a las iglesias existentes en la ciudad. En el debate sobre el desarrollo de nuevas

iglesias suele surgir la pregunta: ¿Qué pasa con las iglesias existentes en la ciudad? ¿No deberíamos trabajar para fortalecer y renovar *esas* iglesias? Las nuevas iglesias traen nuevas ideas a todo el cuerpo. A menudo las congregaciones más antiguas son demasiado tímidas para intentar nuevos métodos, plenamente convencidas de que «eso no funcionará aquí». Cuando una nueva iglesia en una ciudad obtiene un gran éxito con algún nuevo método, otras iglesias acabarán tomando nota y armándose de coraje para intentarlo ellas mismas.

La estrategia más crucial para alcanzar una ciudad es la fundación vigorosa y constante de nuevas congregaciones. Ninguna otra cosa —ni campañas, programas de evangelización, ministerios para-eclesiásticos, mega-iglesias, consultas, procesos de renovación— provocará el firme impacto que logra una fundación de iglesias amplia y dinámica. Esta declaración ocasiona perplejidad. Pero para los que han estudiado el tema, ni siquiera es controversial.

Cristo —El modelo con el cual identificarnos y confrontar

¿Resulta difícil identificarse con el vecindario *y* confrontar a las personas con su pecado, buscar la paz de la ciudad *y* el crecimiento evangelístico? Sí y no. De alguna manera los dos se apoyan mutuamente.

Los nuevos conversos tienen gran energía y amor para derramar sobre las necesidades de la ciudad, y el ministerio de justicia y misericordia hace que el evangelio resulte más atractivo y digno de confianza para los residentes no cristianos de la ciudad. Con todo, «hablar la verdad en amor» supone un equilibrio que plantea un gran reto.

Afortunadamente contamos con el modelo supremo del propio Jesucristo. En la cruz Dios nos amó y se identificó con nosotros de la manera más profunda. Él se hizo objeto de la injusticia, el sufrimiento, la debilidad y la muerte —cosas todas que afrontamos—. Al mismo tiempo, la cruz nos confronta con nuestro pecado. Estamos tan perdidos que nada menos que la muerte del Hijo de Dios puede salvarnos. En la cruz, Jesús hizo una declaración absolutamente radical contra nuestro pecado y la necesidad de arrepentimiento, y al mismo tiempo se identificó con nosotros y, como prójimo, nos amó al máximo.

Las iglesias nuevas sustentan nuevos ministerios. Las iglesias nuevas son también cruciales porque en pocos años pasan a ser *fuentes* de dádiva cristiana a otros ministerios de la ciudad.

Preguntas para reflexionar

1. Explique lo que Keller quiere decir por lo rico e incisivo del evangelio.
2. ¿Por qué es estratégico seguir fundando nuevas iglesias en nuestras ciudades?

Eliminando el SIDA

Kay Warren y Rick Warren

Kay Warren ayudó a su esposo, Rick, a empezar la iglesia Saddleback en la sala de su apartamento. Se ha convertido en la voz de muchos que sufren de la pandemia mundial de SIDA. Comenzó la iniciativa para combatir el SIDA en la iglesia Saddleback en el 2003.

Rick Warren es el pastor de Saddleback en Lake Forest, California. Él diseñó el plan P.E.A.C.E. (Promover reconciliación, equipar líderes al servicio, asistir a los pobres, cuidar a los enfermos, educar a la siguiente generación) para involucrar a cristianos e iglesias en cada nación, con la tarea de servir a las personas en las áreas de mayor necesidad global. Es autor de varios libros cristianos, el más famoso es *Una vida con propósito*.

Kay Warren, "Wiping out HIV," *Christianity Today*, April 2008, Vol. 52, No. 4.

Hace cinco años me sentí seriamente perturbada. Un artículo de una revista acerca del SIDA en África, capturó mi atención, y dentro de mí despertó un sentimiento de horror y fatalidad.

¿Cómo podía haber más de treinta millones de personas afectadas con ese virus letal y yo no conocía a ninguna de ellas? ¿Cómo podía haber doce millones de niños huérfanos como resultado de este horrible virus y yo no sabía el nombre de ninguno de ellos? Esas preguntas me enviaron en una búsqueda para descubrir el corazón de Dios en cuanto a las personas infectadas de VIH/SIDA; en muy poco tiempo, me sentí seria y permanentemente perturbada.

Después de sentirme perturbada sentí una gran pasión por acabar con el SIDA en mi misma época. No nos agrada simplemente controlar el SIDA, como tampoco nos agrada controlar el cáncer, la tuberculosis o la malaria. Nuestra meta es eliminarlo.

Quizá se pregunte: ¿Dónde está el mensaje de Jesús en este evangelio social? La respuesta está en la historia de la vida de David Miller. Rick conoció hace dos años y medio en una conferencia en Nueva York. Después de la reunión, este brusco hombre que había servido como soldado de infantería de marina se acercó a Rick y le dijo: «He tenido SIDA durante veinte años. He sido un activista con ACT UP en Nueva York; me han arrestado doscientas veces en protestas contra las compañías farmacéuticas y la apatía del gobierno al SIDA. ¿Dónde estaba la iglesia cuando la necesité?».

Rick respondió con una disculpa, diciendo: «Lamento todo el dolor y pena que le han sido causados en el nombre del cristianismo, o de Cristo». David saltó hacia atrás, asombrado por la disculpa. Ese día, ellos pasaron horas hablando, y Rick lo invitó a nuestra próxima Cumbre Global del SIDA y la Iglesia. Nos sorprendió que David aceptara.

En la cumbre, David acosó a cualquiera que se acercara con diatribas contra el gobierno, compañías farmacéuticas y políticos. Antes que terminara la cumbre subió inseguro a la plataforma con otros hombres y mujeres infectados de VIH para recibir oración. Al día siguiente, Rick y David se reunieron de nuevo, y David le explicó que le parecía imposible dejar de odiar a quienes le habían fallado.

Durante el siguiente año, llamamos a David, nos comunicamos por correo electrónico y le enviamos unos CD para tratar de responder a sus preguntas. En el Bronx fui a visitar vecindarios importantes para David, y él me enseñó dónde estaban los vendedores de droga, drogadictos, proxenetas y prostitutas. Aunque aparentaba ser muy fuerte por fuera, David tenía un gran pesar por «su gente». Conmovido mientras andaba por esas duras calles, murmuró: «¡Viniste! ¡No puedo creer que hayas venido!».

Vimos un ablandamiento gradual en él, un pequeño retoño de esperanza. Un día me dijo: «Estoy empezando a pensar que si ustedes realmente me aman, quizá Dios sea real y también me ame».

En noviembre del 2006 del siguiente año tuvimos de nuevo la Cumbre Global del SIDA y la Iglesia. Menos hostil, pero un poco cauteloso, David asistió. Durante el día mundial del SIDA, después de la cumbre, Rick tuvo el gozo de guiar a David al amante de su herida alma, Jesucristo. El mundo de David, el SIDA, y su nueva fe, finalmente colisionaron. Nos reímos, lloramos y celebramos juntos. La esperanza se había arraigado en el corazón de David.

Pronto David se empezó a quejar de que nadie le había mostrado antes la letra pequeña. Como sólo David con su acento neoyorkino podría decirlo, exclamó: «¡Ser cristiano es lo más difícil que he hecho! Ya no puedo decir que el alcalde de Nueva York es un nazi; él es un ser humano creado por Dios. No puedo odiar a mis enemigos. ¡Los tengo que amar!». El frágil retoño se convertía en una pequeña planta.

La Cumbre Global del 2007 ayudó a David a dar un paso más. Se paró en el púlpito de la iglesia de Saddleback y dio su testimonio. El día siguiente, día mundial del SIDA, Rick sumergió a David, temblando y aterrorizado, bajo las aguas del bautismo. David emergió del agua hacia los brazos de Rick, mientras lloraba de gozo. Minutos después, otro soldado de infantería de marina que había escuchado el testimonio de David pidió ser bautizado inmediatamente. Y así fue como David Miller, un hombre endurecido por años de lucha contra el sistema, volvió al punto de partida. Como nueva creación en Cristo, ayudó a Rick en el bautismo de otra nueva creación en Cristo.

¿Dónde está el mensaje de Jesús en todo este evangelio social? Pregúntele a un hombre transformado, David Miller. Pensar que a Dios también le importaba su cuerpo, tanto como su alma, perforó su escudo de hierro y le permitió llegar a creer que Dios lo amaba.

Nuestra tarea es hacer que el Dios invisible sea visible. Al abrir nuestros brazos en aceptación, y ser las manos y los pies de Dios, lo hacemos visible.

La iglesia como la mayor fuerza de la tierra *Rick Warren*

La iglesia es el concepto más grande que ha sido creado. Ha sobrevivido abusos constantes, terribles persecuciones y abandono en general; pero aún así, sigue siendo el instrumento de bendición escogido por Dios. Es la fuerza más grande en la faz de la tierra. Iglesias locales, grandes o pequeñas, pueden hacer cosas increíbles. Si las iglesias trabajaran juntas en redes, podrían hacer todavía más. Por eso creo en atacar los problemas más grandes de la tierra tales como *la perdición espiritual, liderazgo egocentrista, la pobreza, la enfermedad y la ignorancia*. Y la iglesia debe llevarlo a cabo, por las siguientes razones:

1. La iglesia tiene la participación más grande y la distribución más ancha. Más de dos mil millones de personas dicen ser seguidores de Jesucristo, y la iglesia está en todas partes del mundo. Incluso hay aldeas que no tienen mucho, pero sí tienen una iglesia. La iglesia es la fuerza para el bien más grande del mundo. Nada más se le asemeja.

2. La iglesia provee la mejor motivación. Jesús lo declaró en el gran mandamiento: «Ama a Dios con todo tu corazón y ama a tu prójimo como a ti mismo». No podríamos trabajar tan duro para luchar contra estos inmensos problemas globales, por dinero, fama o algo más. El amor nos mantiene en movimiento a pesar de las imposibilidades.

3. La iglesia provee la administración más sencilla. La iglesia puede interconectarse más rápido y con menos burocracia que la mayoría de agencias gubernamentales o de caridad. Por ejemplo, animamos a cada persona en nuestra iglesia a usar sus dones, corazones, habilidades, personalidad y experiencias para hacer lo que Dios lo ha llamado a hacer, y no hay ningún comité ni proceso que requiera un listado de aprobaciones.

Las iglesias que se enfocan en el propósito de Dios pueden trabajar intencional y estratégicamente, pero necesitan un plan. Muchos han escuchado acerca de nuestro plan PEACE. Muchas iglesias se están conectando para integrar sus esfuerzos. Su iglesia podría tener otro plan. El punto es que: si Dios tiene un propósito que incluye la participación de la iglesia para luchar contra los problemas mundiales, entonces debemos diseñar el mejor plan y llevarlo a cabo.

Quizá algunos contemplen estos problemas y piensen: «¡Son demasiado grandes! ¿Cómo podemos resolverlos?». Pero, ¿qué creen que podría pasar si el pueblo de Dios ora, se prepara para la acción y luego se moviliza por fe para luchar contra estos problemas? Piensa en la exponencial explosión del ministerio cuando millones de grupos, en millones de iglesias, se organicen de manera que cada persona pueda hacer su parte en la guerra contra los *cinco gigantes globales*.

Con Dios nada es imposible, y si trabajamos juntos como su iglesia, veremos estos gigantes caer como cayó Goliat cuando se enfrentó a David y su obediencia a Dios.

Sanidad para las heridas del mundo

John Dawson

John Dawson es fundador de la International Reconciliation Coalition, dedicada a sanar las heridas de etnias y grupos sociales. Comenzando con asuntos relacionados con pueblos nativos de los Estados Unidos y afroamericanos, la coalición se ha transformado en una red global que trata de sanar las heridas de muchas naciones. Desde 2003 ha prestado servicio como Presidente Internacional de Juventud con una Misión y es autor de *La reconquista de tu ciudad* y *Healing America's Wounds*.

En 1974 cambiamos de mentalidad. Comenzamos a ver el mundo como un conjunto de pueblos, no como estados nacionales. Después del Congreso de Evangelización de Lausana, empezamos a confeccionar una lista de pueblos «escondidos» que aún están sin testimonio del evangelio. La lista cambió todo —enfatizó la tarea inacabada—. Ahora nos hallamos en una encrucijada. Hay otra lista con implicaciones aún mayores para la cosecha: las heridas del mundo.

Vivimos en un mundo herido. La Guerra Fría pasó. Las grandes ideologías transnacionales fracasaron o se mostraron débiles. El comunismo ha colapsado, e incluso el fervor fanático del fundamentalismo islámico es incapaz de unir pueblos y regiones musulmanas.

En el vacío sociopolítico se han precipitado reivindicaciones mucho más antiguas, como la nacionalidad, el idioma, el cisma religioso y la identidad tribal. Los viejos resentimientos se han revuelto vengativos y las fallas antiguas, cubiertas por breve tiempo, han sido abiertas nuevamente.

Las refriegas raciales de los inmigrantes de las ciudades del Nuevo Mundo, las guerras étnicas de los estados poscoloniales de África, y las convulsiones étnicoreligiosas en el este de Europa son todos síntomas de los conflictos básicos que recibe esta generación como legado del pasado.

El conflicto racial, en particular, ha impactado enormemente mi vida personal. Yo soy blanco y he vivido los últimos veinte años en una comunidad afroamericana de los Estados Unidos. Mi barrio se hizo famoso en todo el mundo porque unos oficiales de la policía de Los Ángeles fueron sorprendidos, en una grabación de vídeo, golpeando despiadadamente a un hombre negro llamado Rodney King. Después de absolver a los policías, la ciudad estalló. Cincuenta y nueve personas fallecieron en los disturbios y más de cinco mil edificios sufrieron daño o fueron destruidos. Posteriormente King fue exhibido en los encabezados de los periódicos por todo el mundo con la angustiosa pregunta: «¿No podemos llevarnos bien?». La pregunta de King pende aún sobre nuestras cabezas. La respuesta, por supuesto, es «no».

Como de costumbre, el corazón humano cobija envidia, temor y contención, pero Dios finalmente frustrará cualquier intento de usurpar, mediante soluciones basadas en falsos sistemas o filosofías, el lugar que corresponde a su propio reino. Se levantará nación contra nación y pueblo contra pueblo, y la falsa esperanza generada por falsos profetas quedará hecha añicos en una serie de devastadores fracasos que culminarán en el fracaso definitivo del sistema mundano del Anticristo.

El ministerio de reconciliación

¡Qué tiempo tan emocionante para ser creyente en Jesús, para ser un

Artículo 100

intercesor involucrado en el ministerio de reconciliación de Cristo! ¡Nosotros tenemos la respuesta! (Véase 2 Co 5:18.) Sólo cuando estemos reconciliados con Dios el Padre, la diversidad, la condición de «ser otro» género, raza o cultura, será atractiva, en vez de ser fuente de inseguridad y división.

Por eso Jesús concede el ministerio de reconciliación a los redimidos en Cristo, la iglesia viva. Los paganos nunca triunfarán como pacificadores. Sólo hay un Príncipe de Paz.

Ahora mismo una ola de arrepentimiento se extiende con los movimientos de oración del mundo para quitar de en medio los horrendos pecados que han obstaculizado el progreso del evangelio durante siglos. Mucho ha sucedido en la década de los noventa, comenzando con los asuntos que ofendieron a los maorís de Nueva Zelanda, los pueblos nativos americanos y otros pueblos indígenas. He sido testigo presencial de estadios abarrotados de cristianos quebrantados que salían al frente para confesar sus pecados personales y los de su pueblo contra otros.

En mayo de 1995, por ejemplo, el quebrantamiento, el arrepentimiento y la reconciliación barrieron a casi cuatro mil líderes evangélicos de ciento ochenta y seis países reunidos en Seúl, Corea del Sur. Los líderes de Turquía y Armenia se reconciliaron y se abrazaron. Los líderes japoneses se arrodillaron y pidieron perdón a otros del Sudeste Asiático. Estoy convencido de que un arrepentimiento tan profundo no sólo demuestra el amor sanador de Dios, sino que le arrebata a Satanás fortalezas antiguas y desencadena la cosecha.

Como iglesia de Jesucristo, nuestra meta, por supuesto, ha sido siempre conseguir que la gente se reconcilie con Dios por medio del evangelio. No obstante, el principal obstáculo para alcanzar este objetivo hemos sido nosotros. El mundo no ha podido «ver» a Jesús por causa de la lucha sectaria en el cuerpo de Cristo.

Durante siglos, este espíritu de controversia religiosa nos ha convertido en parte del problema. Pero creo que actualmente por fin estamos llegando a ser parte de la respuesta. La creciente ola de arrepentimiento por los pecados históricos está conduciendo a creyentes de distintas denominaciones, culturas y movimientos a un afecto y respeto mutuos sin precedentes. Jesús dijo que cuando este tipo de unidad se produjera, el mundo creería que el Padre lo envió (véase Jn 17:21). Finalmente, el mundo «verá» a Jesús cuando una iglesia unida lleve el ministerio de reconciliación más allá de sus muros.

Las heridas del mundo

Cuando se estudia el conflicto humano, se comprueba que el método que emplea Satanás para que un grupo abuse de otro nace de la terca colisión de gente farisaica que hay en cada grupo. Tómese algo de verdad, polarícese a la gente con distintos aspectos de esa verdad, tiéntesela a juzgar injustamente y obsérvese después cómo se hieren unos a otros con rechazo, palabras ásperas e injusticia…y así sucesivamente.

Sabemos que dos personas se pueden ofender mutuamente practicando conductas egoístas e injustas. También es posible que naciones, o pueblos dentro de ellas, mantengan heridas abiertas. Por generaciones la animosidad y la amargura pueden supurar sin ser tratadas.

En una conferencia celebrada en Canadá en 1995, delegados cristianos de cuarenta países identificaron catorce categorías generales de alienación sistemática, profundamente arraigada, entre pueblos y segmentos sociales. En las catorce categorías, debía aplicarse el ministerio de la reconciliación:

1. Pueblos indígenas contra pueblos emigrantes (como los pueblos aborígenes contra los europeos-australianos).

2. Antagonismos residuales, cuando hay justicia según la ley, pero persisten las heridas (por ejemplo, entre los negros y los blancos estadounidenses debido al legado de la esclavitud, o entre los que oyen y los que padecen trastornos de audición debido a la percepción continuada de la insensibilidad social).

3. Conflictos étnicos (como el de los kurdos contra los turcos o el de los hutus contra los tutsis).

4. Rivalidades entre estados nacionales (como las disputas fronterizas entre Pakistán y la India).

5. Movimientos independentistas (por ejemplo, la resistencia timorense a los indonesios javaneses como consecuencia del colonialismo).

6. Guerras civiles (como en Bosnia).

7. Alienación entre generaciones (como la de la

generación que volvió de la guerra y la contracultura de sus hijos adolescentes).

8. Conflictos sociales (por ejemplo, ideologías de izquierda y de derecha en torno al aborto).

9. Abusos de género (como la prostitución de mujeres coreanas, chinas y filipinas forzadas por los militares japoneses durante los años cuarenta).

10. Disputas industriales, comerciales y laborales (como la de los campesinos inmigrantes y las empresas agroalimentarias).

11. Divisiones sociales de clase (como la causada por el sistema de castas hindú, las élites gobernantes socialistas, dinastías terratenientes y empresarias o culturas aristocráticas).

12. Conflictos interreligiosos (como entre cristianos y judíos).

13. Conflictos entre cristianos (divisiones sectarias).

14. El cristianismo a pueblos (cuando los elementos de la civilización cristiana han falsificado el carácter de Dios, y han sido piedra de tropiezo entre esos pueblos y su Creador. Un ejemplo sería el impacto causado por los conquistadores sobre los pueblos amerindios).

¿Cómo respondemos a heridas tan profundas, abiertas, y a veces tan antiguas? La sencilla respuesta estriba en la humildad de Jesús expresada a través de su cuerpo, la iglesia.

Un modelo de reconciliación

Aunque el *ethos* judeocristiano, presente en muchas culturas nacionales, nos proporciona alguna base para confiar que haya reconciliación por medio de instituciones estatales o sociales, yo creo que el ministerio de reconciliación es principalmente responsabilidad de la iglesia viva. Al fin y al cabo no hay sustituto para la expiación que Jesús proveyó por causa del pecado.

Durante los grandes períodos de avivamiento del pasado, la iglesia siempre hizo mucho hincapié en reconocer abiertamente el pecado y demandó cambiar actitudes erradas y practicar acciones de justicia. Del mismo modo, los cristianos actuales tienen potencial para demostrar un modelo de reconciliación en el atribulado mundo del siglo XXI.

¿Qué modelo es ése? Como cristianos creemos en la confesión, el arrepentimiento, la reconciliación y la restitución. En el contexto de la sanidad de las heridas del mundo, esto significa:

Confesión: Declarar la verdad; reconocer las acciones injustas u ofensivas que yo o mi grupo étnico hemos infligido a otros pueblos o categorías de pueblo.

Arrepentimiento: Abandonar acciones malvadas y abrazar acciones benignas.

Reconciliación: Expresar y recibir perdón y procurar una buena relación con enemigos previos.

Restitución: Procurar restaurar lo que ha sido dañado o destruido y hacer justicia siempre que tengamos poder para actuar, o influir sobre los que tienen autoridad para actuar.

A veces podemos iniciar este proceso organizando eventos y ceremonias en los cuales representantes de subculturas ofensoras y ofendidas tengan la oportunidad de expresar arrepentimiento o extender perdón.

Por supuesto, al iniciar tales actos reconocemos que los asuntos tratados son complejos. La generación actual ha heredado tanto la tarea de honrar a antepasados justos, como la de pedir perdón por antiguos pecados. La honestidad dicta que abracemos tanto la culpa como la nobleza anejas a nuestro mosaico de identidades.

También es verdad que cuando somos redimidos pasamos a ser parte de la esposa trascendente de Cristo en quien no hay varón ni mujer, judío ni griego (Gá 3:28). Pero la Biblia nos enseña que cuando en nosotros nace la nueva vida, asumimos también la responsabilidad que implica nuestra nueva identidad.

Aunque cada persona tenga que comparecer en solitario delante de Dios y no sea en modo alguno culpable de los pecados de sus antepasados ni de ningún otro grupo, Dios busca voluntarios que estén dispuestos a experimentar tristeza piadosa y confesar los pecados del país. Ahí es donde comienza la reconciliación.

El impulso de Dios

El movimiento de oración por la reconciliación parece haber encontrado un impulso divino que escapa a la promoción humana. Creo que estamos en un tiempo de gracia especial, en un tiempo de jubileo.

Yo trabajo con la International Reconciliation Coalition (fundada en 1990, IRC, por sus siglas en inglés), que es una comunidad de creyentes que trata de resolver los conflictos aplicando principios cristianos. La CRI se ha convertido con rapidez en una red mundial con idéntica mentalidad, pero culturalmente diversa, de siervos de oración de todas las corrientes de la iglesia de Dios. Son intercesores, ministerios proféticos, investigadores, planificadores estratégicos, ministerios de formación y embajadores de reconciliación que guían a la confesión pública, al arrepentimiento y a la reconciliación en «asambleas solemnes» y otros eventos especiales.

Se lanza una iniciativa de reconciliación cuando las personas que confían entre sí forman una alianza en torno a un asunto importante para la reconciliación y resuelven actuar conjuntamente. La CRI ayuda a personas que piensan de manera similar a encontrarse y aprender de otros reconciliadores de la red. Tengo conocimiento de más de sesenta iniciativas importantes que están prosperando.

El arrepentimiento por identificación está probando ser eficaz para abrir puertas que han estado cerradas por siglos. Uno de los ejemplos más significativos de tales iniciativas fue el «Paseo de Reconciliación» que coincidió con el aniversario número novecientos de las Cruzadas. Los intercesores europeos recorrieron las rutas de los cruzados de oeste a este, llevando proclamas de arrepentimiento a comunidades musulmanas y judías por las masacres perpetradas en nombre de Cristo. Hubo una respuesta sobrecogedora. Ignoro por qué esperamos 900 años para arrepentirnos de las Cruzadas, ¡pero me alegro del progreso realizado en nuestro tiempo entre los pueblos islámicos!

En los Estados Unidos la gente está emprendiendo visitas de oración hasta donde los indios americanos fueron oprimidos o masacrados. Además, se están haciendo viajes de oración a los históricos puertos de esclavos de África Occidental, donde estadounidenses negros y blancos lloran juntos, aprenden y descubren una intimidad que ha eludido a creyentes menos radicales.

Sanidad por el poder de la cruz

Tengo una amiga galesa, Rhiannon Lloyd, que ofrece clases de recuperación de traumas a los supervivientes hutus y tutsis del genocidio de Ruanda. Si usted estuviera en su lugar ¿qué les diría a esas gentes desconsoladas? Muchos experimentaron violaciones, mutilaciones, o fueron testigos del asesinato de miembros de su familia.

Esto es lo que ella hace: Se reúnen tres días bajo el cobijo de una iglesia. Rhiannon primero persuade a su afligido rebaño a escribir en una hoja de papel la peor experiencia que haya tenido. Después de que los hechos atroces son confrontados de esta manera, les hace formar grupos pequeños para relatarse unos a otros sus experiencias. Éste suele ser el primer paso tembloroso para volver a confiar en otras personas.

Finalmente, las terribles atrocidades se anotan en una gran hoja de papel a la vista de todos y se le pregunta al grupo: «¿Qué siente Dios acerca de esto?». Luego arrastra una cruz roja grande sobre la lista de ofensas, simbolizando la cruz de Cristo. «Éste es el único lugar donde podemos llevar nuestras aflicciones», les dice ella. «Ésta es una de las razones por las que Jesús vino a la tierra, no sólo para cargar sobre sí mismo nuestros pecados, sino también los pecados de los que pecaron contra nosotros. Levántense y exprésenle a Dios el dolor de su corazón», ella les dice. «¿Qué vieron?, ¿qué efecto han sentido? Si están enfadados, cuéntenselo a él. Si de ustedes brotan emociones fuertes, no las repriman, porque Dios llorará con ustedes».

Al principio reina el silencio, pero en breve los lamentos y gemidos vencen la reserva cultural de los ruandeses toda vez que la gente derrama su pena, su ira y su desesperanza delante del Cristo crucificado. Un buen rato después, cuando se instala el silencio, cantan suavemente el antiguo himno: «¡Oh qué amigo nos es Cristo, todos nuestros pecados y penas que soportar!». Luego Rhiannon introduce una cruz grande, de madera áspera, y la coloca en el suelo con un montón de clavos. Uno por uno, los creyentes empiezan a salir al frente y a tomar su pedazo de papel manchado con lágrimas sobre el registro de horrores, se arrodillan y los clavan en la cruz de Cristo. Toda la tarde suena el martillo, emulando la agonía del Gólgota, recordatorio de la completa identificación de Cristo con nuestros sufrimientos.

Al tercer día algo asombroso sucede. La gente comienza a testificar que en medio del genocidio Dios se movía en las tinieblas. Hablan de héroes, de reconciliadores cristianos que fueron los primeros en morir. La ira contra Dios se torna en identificación con él cuando los creyentes contemplan su quebrantamiento por la manera en que los humanos nos tratamos unos a otros.

Con una pena más ligera sobre muchos, se

comienza a hablar de perdón. Se ve a Jesús no sólo como el Cordero de Dios, sin culpa y sufriente, sino como el juez resucitado y justo que inflexiblemente administrará justicia. Su mano de venganza está extendida contra los inicuos, aquellos que rondan en el recuerdo de los supervivientes.

«Si se arrepienten, ¿les parece bien que Dios los perdone?», pregunta Rhiannon. Cada persona aborda esta cuestión contrastando su propio testimonio de purificación con su pena, y muchos concluyen finalmente que si Dios los perdone a ellos, ellos también deben perdonar a otros. En realidad esto es «corona en vez de cenizas», la promesa de Dios (Is 61:1-4).

Sanidad para la tierra

Finalmente, Rhiannon les relata una experiencia personal:

> Yo procedo de una nación en la que dos tribus se ofendieron. Un día me encontraba en una reunión de oración y de pronto una cristiana inglesa se arrodilló a mis pies. «A menudo hemos hecho a los galeses siervos nuestros, por favor, perdónennos», me dijo, y procedió a lavar mis pies. Aquel día experimenté una profunda experiencia en mi corazón gracias a la humildad de una persona que decidió identificarse con los pecados de su pueblo contra el mío.

La sencilla experiencia de Rhiannon guarda una llave: la de las puertas antiguas que aíslan pueblos y segmentos sociales unos de otros. Ella le ha dado un don de sabiduría a los hutus y a los tutsis que procuran convivir en la misma tierra.

Como verá, Jesús no nos dijo que aplicáramos la cruz a la otra persona, sino a nosotros mismos. Esto es lo que nos da poder para ser reconciliadores. Es un misterio revelado en la cruz de Cristo. Cada creyente debe cargar con la cruz y aplicarla a su propia identidad. Dios está buscando personas como la humilde amiga inglesa de Rhiannon; está buscando a los que desean manifestar la humildad de Cristo para sanidad de las naciones.

Rhiannon actúa sobre esta verdad, y hace algo más. Como persona blanca rodeada de africanos, se identifica plenamente con los europeos. No puede representar a los europeos de una manera oficial, y mucho menos confesar los pecados de otros, pero se da cuenta de que no hay cristianos «genéricos». Todos procedemos de alguna parte, y es obvio, para los africanos, que ella pertenece a uno de los pueblos europeos que ostentaron el poder en África por largo tiempo.

Rhiannon sabe que su apariencia evoca en muchos africanos rechazo y dominio injusto, pero en vez de negar toda asociación con el pasado colonial con declaraciones como «yo no soy belga», o «todo eso sucedió en una generación pasada», o «mi pueblo también fue oprimido», se ofrece voluntariamente para ponerse en la brecha como intercesora. La Biblia revela que Dios está buscando tales personas. No sólo personas que se pongan en la brecha delante de él, sino que reparen las brechas abiertas en las relaciones humanas.

Dios no inculpa al intercesor. Como individuos no somos culpables de lo que hayan hecho nuestro pueblo o nuestros padres, pero él espera que el «sacerdocio real», que son los redimidos en Cristo, confiesen abiertamente toda la verdad delante de él y delante de la gente, como en su día hicieran los antiguos sacerdotes hebreos por los pecados de Israel. Comprenda que es muy difícil perdonar si nunca ha oído un reconocimiento expreso de las injusticias que le hirieron a usted o a su pueblo. Por otra parte, se libera gracia para perdonar cuando nos piden perdón los que de algún modo se identifican con los que contribuyeron a nuestro sufrimiento.

Hace poco descubrí el testimonio de un misionero que trabajó en el Pacífico en la década de los treinta. En su diario describe los primeros intentos para evangelizar a las belicosas tribus maorís de Nueva Zelanda. Para sorpresa mía, descubrí que con frecuencia esos jóvenes seguidores de Cristo arriesgaban sus vidas para prevenir conflictos intertribales, colocando a menudo sus cuerpos entre bandos guerreros dados al *Utu* (matanzas vengativas). Más que nada era el ministerio de reconciliación lo que daba credibilidad al evangelio, y en una sola generación se convirtió un gran porcentaje de la población indígena.

Lo que fue efectivo entonces lo es aún más en el esfuerzo misionero actual. La intercesión es más que oración; es practicar la vida mediadora, reconciliadora, de Cristo en un mundo herido y amargado que no tiene respuestas para las relaciones rotas que atormentan a todas las culturas. Éste es el día del favor de Dios: «Pero a ustedes los llamarán sacerdotes del SEÑOR; los dirán "ministros de nuestro Dios"» (Is 61:6).

Preguntas para reflexionar

1. Dawson presenta un proceso de reconciliación en cuatro fases. ¿Es necesario que una iglesia tenga presencia social para que funcione este modelo? ¿Por qué sí?, o ¿por qué no?

2. ¿Qué puede Ud. aprender del ejemplo del ministerio de Rhiannon Lloyd a los traumatizados?

3. ¿Qué posición adoptó Rhiannon Lloyd como «extranjera» en el conflicto hutu-tutsi? ¿Desempeñó su propio pueblo algún papel concreto en la era colonial entre los hutus o los tutsis?

Una iglesia en cada etnia:
Una plática clara acerca de un tema difícil

Donald A. McGavran

La meta de la misión cristiana debe ser predicar el evangelio y, por la gracia de Dios, fundar, en cada segmento de la humanidad donde no hay iglesias —aquí viene nuestra duda— ¿«una iglesia» o «un racimo de iglesias en crecimiento»? Mediante la frase «segmento de la humanidad» quiero decir una urbanización, un complejo habitacional, una casta, una tribu, un valle, una llanura o una población minoritaria. Explicaré que la meta de largo plazo a ser sostenida firmemente nunca debe ser la primera; pero debe ser siempre la segunda. La meta no es una pequeña congregación conglomerada acordonada en cada pueblo. Más bien, la meta de largo plazo —que debe mantenerse constantemente en mente durante los años o décadas cuando aún no ha sido alcanzada— debería ser «un racimo de congregaciones en crecimiento en cada segmento».

El enfoque de la iglesia conglomerada

Al considerar la pregunta anterior, debemos recordar que por lo general es fácil comenzar una única congregación en una nueva etnia no alcanzada. El misionero ha llegado. Él y su familia adoran el domingo. Son los primeros miembros de esa congregación. Aprende el idioma y predica el evangelio. Vive como cristiano. Habla a las personas acerca de Cristo y los ayuda con sus problemas. Vende tratados y evangelios, o los regala. A lo largo de los años, algunos pocos conversos individuales son ganados de este grupo y del otro. A veces vienen por razones muy sólidas y espirituales; a veces, con motivos mezclados. Pero aquí y allá una mujer, un hombre, un niño, una niña deciden seguir a Jesús. Algunos empleados de la misión se convierten en cristianos. Pueden ser los albañiles contratados para construir los edificios, ayudantes en el hogar, personas rescatadas o huérfanos. La historia de la misión en África está repleta de iglesias que comenzaron comprando esclavos, liberándolos y empleando a los que no podían volver a su gente. Los que elegían hacerlo, podían aceptar al Señor. Ciento cincuenta años atrás, ésta era una forma habitual de iniciar una iglesia. Con la prohibición de la esclavitud, por supuesto, dejó de usarse.

Una única congregación que surge de la forma que acabamos de describir es casi siempre una iglesia conglomerada, constituida por miembros de varios segmentos diferentes de la sociedad. Algunos son viejos, algunos jóvenes, huérfanos, personas rescatadas, ayudantes y personas apasionadamente interesadas. Todas las personas interesadas son evaluadas cuidadosamente para asegurarse de que realmente quieren recibir a Cristo. A su debido tiempo, se erige un edificio de iglesia y, he aquí, una iglesia en ese pueblo. Es una iglesia conglomerada. Está acordonada de todas las etnias de esa región. Ningún segmento de la población dice: «Ese grupo de adoradores somos nosotros». Tienen

Donald A. McGavran nació en la India de padres misioneros y volvió allí como misionero de tercera generación en 1923, trabajando como director de educación religiosa y traduciendo los Evangelios al dialecto chatisgarí del hindú. Fundó la Escuela de Misión Mundial del Seminario Teológico Fuller donde fue decano emérito. McGavran escribió varios libros influyentes, incluyendo *The Bridges of God, How Churches Grow* y *Understanding Church Growth*.

Artículo 101

mucha razón. No lo son. Es, étnicamente, una unidad social bastante diferente.

Lento para crecer

Esta forma muy común de comenzar el proceso de evangelización es una forma lenta de discipular a los pueblos de la tierra; note el plural: «los pueblos de la tierra». Observemos detenidamente lo que realmente ocurre cuando se reúne esta congregación. Cada converso, al convertirse en cristiano, es visto por los suyos como uno que nos deja a «nosotros» y se une a «ellos». Deja nuestros dioses para adorar sus dioses. En consecuencia, sus propios parientes lo fuerzan a salir. A veces, es marginado severamente, echado de su casa y de su hogar; su vida es amenazada. Cientos de conversos han sido envenenados o muertos. A veces, la marginación es leve y consiste meramente en una fuerte desaprobación. Su gente lo considera un traidor. Una iglesia que resulta de este proceso es vista por los pueblos de la región como un conjunto de traidores. Es una congregación conglomerada. Está constituida por individuos que, uno a uno, han salido de varias sociedades, castas o tribus diferentes.

Ahora, si alguien, al convertirse en cristiano, sale o es forzado a salir de un segmento fuertemente estructurado de la sociedad, la causa cristiana gana al individuo pero pierde a la familia. La familia, su gente, los vecinos de esa tribu están ferozmente enojados con él o ella. Son precisamente los hombres y mujeres con quienes no puede hablar. «Tú no eres uno de nosotros», le dicen. «Nos has abandonado; los quieres a ellos más que a nosotros. Ahora adoras sus dioses y no los nuestros». Como resultado, las congregaciones conglomeradas, constituidas por conversos ganados de esta forma, *crecen muy lentamente.* Por cierto, uno podría afirmar con certeza que donde congregaciones crecen de esta forma, la conversión de unidades étnicas (etnias) de donde provienen se hace doblemente difícil. «Los cristianos engañaron a uno de nuestro pueblo», dirá el resto del grupo. «Nos aseguraremos bien de que no engañen a ninguno más de nosotros».

Fácil para misioneros

«Uno a uno» es relativamente fácil de lograr. Tal vez noventa de cada cien misioneros que se proponen fundar iglesias obtienen sólo congregaciones conglomeradas. Quiero enfatizarlo.

Tal vez noventa de cada cien misioneros que se proponen fundar iglesias obtienen sólo congregaciones conglomeradas. Estos misioneros predican el evangelio, hablan de Jesús, venden tratados y evangelios, y evangelizan de muchas otras formas. Reciben a las personas interesadas, pero ¿quiénes son esas personas? Consiguen un hombre aquí, una mujer allí, un niño aquí, una niña allí, que por diversos motivos están dispuestos a convertirse en cristianos y soportar pacientemente la desaprobación leve o severa de los suyos.

Ineficaz en pueblos sin tocar

Si queremos entender cómo crecen y cómo no crecen las iglesias en un territorio nuevo, en pueblos sin tocar y no alcanzados, debemos notar que el proceso que acabo de describir parece irreal para la mayoría de los misioneros. «¿Qué», dirán, «podría ser una forma mejor de entrar en todos los pueblos no alcanzados de una región que ganar a algunos individuos de entre ellos? En vez de producir la iglesia acordonada que usted describe, el proceso en realidad nos da puntos de entrada en cada sociedad de la que ha venido un converso. Ésta nos parece que es la verdadera situación».

Quienes razonan de esta forma han conocido el crecimiento de iglesias en un territorio mayormente cristiano, donde los hombres y mujeres que siguen a Cristo no son marginados, no son considerados traidores, sino más bien como quienes han hecho lo correcto. En esa clase de sociedad, cada converso puede convertirse generalmente en un canal a través del cual la fe cristiana fluye hacia sus parientes y amigos. Sobre esto no puede haber discusión. Fue el punto que subrayé cuando titulé mi libro *The Bridges of God (Los puentes de Dios).*

El enfoque de movimientos de pueblos

Consideremos ahora la otra forma en la que Dios está discipulando a los pueblos del planeta Tierra. Mi relato no es teoría, sino un sobrio relato de hechos fácilmente observables. Cuando usted observa el mundo a su alrededor, ve que, mientras la mayoría de los misioneros tienen éxito en fundar sólo iglesias conglomeradas mediante el método de «uno a uno del grupo social», aquí y allá surgen racimos de iglesias en crecimiento mediante el método de movimientos de pueblos. Surgen de movimientos hacia Cristo dirigidos hacia tribus o castas. Éste es, en muchas formas, un sistema mejor. A fin de usarlo eficazmente, los misioneros deben operar de acuerdo con siete principios.

1. Apunte a tener un racimo de congregaciones en crecimiento

Deben tener la meta en claro. La meta no es una única iglesia conglomerada en una ciudad o una región. Tal vez obtengan sólo eso, *pero ésa nunca debe ser su meta*. La meta debe ser un racimo de congregaciones autóctonas en crecimiento, cada miembro de las cuales permanece en estrecho contacto con los suyos. Este racimo crece mejor si es un pueblo, una casta, una tribu o un segmento de la sociedad. Por ejemplo, si usted estuviera evangelizando a los conductores de taxi de Taipei, entonces su meta no sería ganar algunos conductores de taxi, algunos profesores universitarios, algunos granjeros y algunos pescadores, sino más bien establecer iglesias constituidas mayormente por conductores de taxi, sus esposas e hijos, y sus ayudantes y mecánicos. Al ganar conversos de esa comunidad específica, la congregación tiene inherentemente una cohesión social natural. Todos se sienten a gusto. Sí, la meta debe ser clara.

2. Concéntrese en un pueblo

El principio es que el líder nacional o el misionero y sus ayudantes deben concentrarse en un solo pueblo. Si usted va a establecer *un racimo de congregaciones en crecimiento* entre, digamos, el pueblo nair de Kerala, que está en la punta suroccidental de India, entonces necesita colocar a la mayoría de sus misioneros y sus ayudantes de forma tal que puedan trabajar entre los nair. Deben proclamar el evangelio a los nair, diciéndoles muy abiertamente: «Esperamos que dentro de su casta pronto haya miles de seguidores de Jesucristo que continúen perteneciendo firmemente en la comunidad nair». Por supuesto que no adorarán a los antiguos dioses de los nair, pero de todos modos hay muchos nair que no adoran a sus antiguos dioses. Hay muchos nair que son comunistas y ridiculizan a esos dioses.

Los nair que Dios llama, que escogen creer en Cristo, amarán a sus prójimos más que antes y andarán en la luz. Serán personas salvas y hermosas. Seguirán siendo nair, mientras que simultáneamente se convierten en cristianos.

Repito: concéntrese en una etnia. Si usted tiene tres misioneros, no haga que uno evangelice este grupo, otro aquél y un tercero a trescientos veintidós kilómetros de distancia evangelizando todavía otro grupo. Ésta es una forma segura de garantizar que cualquier iglesia iniciada será una iglesia de uno a uno, pequeña y sin crecimiento. La dinámica social de esas secciones de la sociedad obrará sólidamente *en contra* del surgimiento de cualquier movimiento de pueblos hacia Cristo, grande y en crecimiento.

3. Aliente a los conversos a permanecer con su pueblo

El principio es alentar a los conversos a quedarse plenamente unidos a su propio pueblo en la mayoría de las cuestiones. Deben seguir comiendo lo que su pueblo come. No deben decir: «Mi pueblo es vegetariano, pero ahora que me convertí en cristiano, voy a comer carne». Luego de convertirse en cristianos, deben ser más rígidamente

---

Los grandes avances de la iglesia en nuevos territorios, desde religiones no cristianas, han ocurrido siempre mediante movimientos de pueblos, nunca mediante el enfoque «uno a uno»

---

vegetarianos que antes. En la cuestión de la vestimenta, deben seguir teniendo el mismo aspecto que su pueblo. En la cuestión del matrimonio, la mayoría de los pueblos son endógamos, insistiendo en que «nuestro pueblo sólo se casa con nuestro pueblo». Que «nuestro pueblo se case con otro pueblo» es visto con mucha desaprobación. Y, sin embargo, cuando los cristianos vienen uno a uno, no pueden casarse con su propio pueblo porque ninguno de ellos se ha convertido en cristiano. En un lugar donde sólo unos pocos de un pueblo dado se convierten en cristianos, tienen que tomar esposos o esposas de otros segmentos de la población cuando llega el momento de que ellos o sus hijos se casen. Así que su propio pueblo los mira y les dice: «Cuando te conviertes en cristiano conviertes a tus hijos en mestizos. Nos has dejado a nosotros y te has unido a ellos».

Se les debería alentar a todos los conversos a soportar alegremente la exclusión, la opresión y la persecución que probablemente encuentren de parte de su pueblo. Cuando alguien se convierte en seguidor de una nueva forma de vida, es probable que encuentre alguna desaprobación de sus seres queridos. Tal vez sea leve; tal vez sea severa. Debe soportar esta desaprobación con paciencia. Deberá decir en toda ocasión:

Soy un mejor hijo que antes; soy un mejor padre que antes; soy un mejor esposo que antes; y te amo más que antes. Tú puedes odiarme, pero yo no te odiaré. Puedes excluirme, pero yo te incluiré. Puedes echarme de nuestra casa ancestral, pero yo viviré en su galería. O conseguiré una casa cruzando la calle. Sigo siendo uno de ustedes; soy más uno de ustedes que nunca antes.

Aliente a los conversos a permanecer unidos completamente a su pueblo en la mayoría de las cuestiones. Note por favor esa palabra, «mayoría». No pueden permanecer unidos a su pueblo en la idolatría, la borrachera o el pecado obvio. Si pertenecen a un segmento de la sociedad que gana su sustento robando, «que no robe más». Pero en la mayoría de las cuestiones (la forma de hablar, de vestir, de comer, adónde van, la clase de casas donde viven), pueden parecerse mucho a su pueblo y deberían hacer todos los esfuerzos por hacerlo.

4. Aliente decisiones grupales para Cristo

El principio es intentar obtener decisiones grupales para Cristo. Si sólo una persona decide seguir a Jesús, no la bautice inmediatamente. Dígale: «Tú y yo trabajaremos juntos para guiar a otros cinco, diez o, en la voluntad de Dios, cincuenta personas de tu pueblo a aceptar a Jesucristo como Salvador, de modo que, cuando te bautices, lo hagas con ellos». La marginación es muy eficaz contra una única persona. Pero la marginación es ciertamente débil cuando se ejerce contra un grupo de una docena de personas. Y cuando se ejerce contra doscientas, prácticamente carece de fuerza.

5. Apunte a una corriente constante de nuevos conversos

El principio es éste: apunte a conseguir muchos grupos de ese pueblo que se conviertan en cristianos en una corriente incesante a lo largo de los años. Uno de los errores frecuentes cometidos por los misioneros, tanto orientales como occidentales, en todo el mundo es que cuando unos cuantos se convierten en cristianos, tal vez cien, doscientos o

hasta mil, los misioneros dedican todo su tiempo a enseñarles. Quieren convertirlos en buenos cristianos, y se dicen a sí mismos: «Si estas personas se convierten en buenos cristianos, entonces el evangelio se difundirá». Así que durante años se concentran en unas pocas congregaciones. Para cuando comienzan a evangelizar fuera del grupo, diez a veinte años después, el resto del pueblo ya no quiere convertirse en cristianos. Esto ha ocurrido vez tras vez. Este principio requiere que, desde el inicio mismo, el misionero continúe extendiéndose a grupos nuevos. Quizá usted diga: «Pero ¿acaso no es ésta una forma segura de obtener cristianos deficientes que desconocen la Biblia? Si seguimos ese principio, pronto tendremos muchos cristianos "crudos". Pronto tendremos una comunidad de tal vez 5.000 personas que son sólo someramente cristianas».

Sí, eso es ciertamente un peligro. En este punto, debemos apoyarnos fuertemente en el Nuevo Testamento, recordando las breves semanas o meses de instrucción que daba Pablo a sus nuevas iglesias. Debemos confiar en el Espíritu Santo, y creer que Dios ha llamado a esas personas de las tinieblas a su luz admirable. Entre los dos males de darles demasiado poca enseñanza cristiana o permitirles convertirse en una comunidad acordonada que no puede alcanzar a su propio pueblo, el último es el peligro mucho mayor. *No debemos permitir que los nuevos conversos queden acordonados*. Debemos seguir asegurándonos de que una corriente constante de nuevos conversos ingrese al racimo de congregaciones en constante crecimiento.

6. Ayude a los conversos a ejemplificar las esperanzas más elevadas de su pueblo

Ahora el punto es éste: los conversos, sean cinco o cinco mil, deberían decir, o al menos sentir:

> Nosotros los cristianos somos la vanguardia de nuestro pueblo, de nuestro segmento de la sociedad. Estamos mostrando a nuestros parientes y vecinos una mejor forma de vida. La forma que estamos promoviendo es buena para nosotros que nos hemos convertido en cristianos y será muy buena para los miles de ustedes que aún no han creído. Por favor, no nos vean como traidores en ningún sentido. Somos mejores hijos, hermanos y esposas, mejores hombres de la tribu y compañeros de casta, mejores miembros de nuestro sindicato que nunca antes. Estamos mostrando formas de tener todos una mejor vida mientras permanecemos por completo dentro de nuestro propio segmento de la sociedad. Por favor

> véannos como los pioneros de nuestro propio pueblo que ingresa a una maravillosa Tierra Prometida.

7. Enfatice la hermandad

El principio que subrayo es el siguiente: *enfatice constantemente la hermandad*. En Cristo no hay judío, griego, esclavo, libre, inculto o culto. Somos todos uno en Cristo Jesús. Pero, al mismo tiempo, recordemos que Pablo no atacó todas las instituciones sociales imperfectas. Por ejemplo, no rompió con la esclavitud. Pablo dijo al esclavo: «Sé un mejor esclavo». Dijo al dueño del esclavo; «Sé un amo más amable».

Pablo también dijo, en ese famoso pasaje que enfatiza la unidad: «No hay varón ni mujer». No obstante, ¡los cristianos en sus escuelas de internados y orfanatos siguen haciendo que los niños y las niñas duerman en dormitorios aparte! En Cristo, no hay ninguna distinción de sexo. Los niños y las niñas son igualmente preciosos a los ojos de Dios. Los hombres de esta tribu y los hombres de aquella tribu son igualmente preciosos a los ojos de Dios. Somos todos igualmente pecadores, igualmente salvos por gracia. Estas cosas son ciertas; pero al mismo tiempo hay ciertos detalles sociales que los cristianos podrían tener en cuenta hoy.

Al seguir enfatizando la hermandad, asegurémonos de que la forma más efectiva de lograrla sea conducir a cantidades cada vez mayores de hombres y mujeres de cada etnia, cada tribu, cada segmento de la sociedad a una relación obediente con Cristo. Al multiplicar cristianos en cada segmento de la sociedad, la posibilidad de una auténtica hermandad, bondad y justicia se incrementará enormemente. Por cierto, la mejor forma de obtener justicia —tal vez la única forma de obtener justicia— es tener grandes números de personas en cada segmento de la sociedad que se conviertan en cristianos comprometidos.

Cuando trabajemos a favor de movimientos hacia Cristo en cada pueblo, no cometamos el error de creer que «uno a uno de la sociedad hacia la iglesia» es algo malo. Un alma preciosa dispuesta a soportar una severa marginación a fin de convertirse en un seguidor de Jesús, una preciosa alma que viene sola, es algo que Dios ha bendecido y está bendiciendo para la salvación de la humanidad. Pero es una forma lenta. Y es una forma que frecuentemente acordona al pueblo de donde provienen los conversos impidiéndoles escuchar más del evangelio.

A veces uno a uno es el único método posible. Cuando es así, alabemos a Dios por él, y aceptemos sus limitaciones. Instemos a todos esos maravillosos cristianos que vienen soportando persecución y opresión a orar por sus seres queridos y a trabajar constantemente para que más integrantes de su propio pueblo puedan creer y ser salvos.

Uno a uno es una forma en que Dios está bendiciendo el crecimiento de su iglesia. El movimiento de pueblos es otra. Los grandes avances de la iglesia en nuevos territorios desde religiones no cristianas han ocurrido *siempre* mediante movimientos de pueblos, nunca uno a uno. Es igualmente cierto que «uno a uno fuera del pueblo» es una forma de comenzar muy frecuente. En el libro *Bridges of God*, que Dios usó para lanzar el Movimiento de Crecimiento de Iglesias, uso una analogía. Digo que las misiones comienzan proclamando a Cristo en una llanura parecida a un desierto. Allí, la vida es dura; la cantidad de cristianos permanece pequeña. Se requiere una gran presencia misionera. Pero, aquí y allá, los misioneros o los conversos encuentran formas de salir de esa árida llanura y subir hacia las verdes montañas. Allí viven grandes números de personas; allí pueden fundarse grandes iglesias; allí la iglesia crece fuerte; ése es territorio del movimiento de pueblos.

Le recomiendo pensar en esa analogía. Aceptemos lo que Dios da. Si es uno a uno, aceptémoslo y guiemos a los que creen en Jesús a confiar en él completamente. Pero pidamos siempre en oración que, luego de ese principio, podamos avanzar a un territorio más elevado, a un pasto más verde, a tierras más fértiles donde grandes grupos de hombres y mujeres, *todos del mismo segmento de la sociedad*, se conviertan en cristianos y así abran el camino para movimientos hacia Cristo en cada pueblo de la tierra. Nuestra meta debe ser movimientos hacia Cristo dentro de cada segmento. Allí la dinámica de la cohesión social hará avanzar el evangelio y guiará a multitudes fuera de la oscuridad hacia la vida maravillosa de Cristo. Estamos llamando a pueblo tras pueblo de la muerte a la vida. Asegurémonos de hacerlo mediante los métodos más eficaces.

Preguntas para reflexionar

1. McGavran dice: «Por cierto, la mejor forma de obtener justicia —tal vez la única forma de obtener justicia— es tener grandes números de personas en cada segmento de la sociedad que se conviertan en cristianos comprometidos». ¿Está de acuerdo? ¿Por qué sí o por qué no?

2. ¿Por qué insiste McGavran en que «un racimo de iglesias en crecimiento» más que «una iglesia» es la meta adecuada en la fundación pionera de iglesias?

La multiplicación espontánea de iglesias

George Patterson

Nuestro Señor nos envía a hacer discípulos de todas las «naciones» (etnias), entrenándolas para que obedezcan todos sus mandamientos (M 28:18-20). Esto significa que hemos discipulado a una «nación» sólo cuando está permeada por discípulos obedientes que también hacen discípulos de otros pueblos no evangelizados. Así que no cumplimos co el mandato cuando simplemente comenzamos una iglesia en una etnia. Nosotros, o los que enviamos, debemos comenzar el tipo de iglesia que crece y se reproduce espontáneamente, como lo hacen las iglesias, en iglesias hijas, iglesias nietas, iglesias bisnietas, etcétera. La reproducció *espontánea* de iglesias significa que el Espíritu Santo mueve a una igles a reproducir iglesias hijas por su cuenta, sin personas de afuera que impulsen el proceso (Hch 13:1-3).

Comencé a capacitar a pastores en Honduras en una institución teológica tradicional, y tuve los problemas tradicionales por las razones tradicionales. Supuse que los jóvenes brillantes que capacitaba estaban consagrados porque venían a nuestro internado de escuela bíblica. Nuestro plan era que volvieran a sus aldeas de origen como pastores, pero los graduados encontraron que las letras doradas en sus diplomas n combinaban con las paredes de adobe blanqueadas de sus casas. Sin embargo, les permitía ganar más en la oficina de la Dole Banana Company.

Mi supervisor severo tuvo la desfachatez de culparnos a nosotros, l maestros. Nos dijo: «Cierren la escuela, y comiencen a discipular a las personas».

«No», argumenté, «es demasiado duro».

«¡Excusas! Sus estudiantes son agricultores de subsistencia, pobres semianalfabetos, pero ustedes les enseñan como si fueran estadounidenses instruidos de clase media».

Les escribí a mis compañeros misioneros de la escuela de idiomas, ahora diseminados por toda América Latina, en busca de comprensión. ¡Tenían el mismo problema!

«¡Soy un maestro sin aula!», me quejé.

«Entonces», replicó mi supervisor, «enseña por extensión».

«¿Qué es eso?».

Me entregó una vieja y maloliente silla de montar, mientras me decía: «Estás ascendido. Ésta es la silla del presidente de evangelizació y fundación de iglesias en tu nuevo instituto bíblico por extensión».

Luego de algunas semanas de ampollas en el trasero, aprendí a comunicarme con la mula «misionera» y anuncié: «Oigan, puedo hacer este asunto de la educación teológica por extensión. Es magnífico». Mi supervisor me advirtió: «Entonces más vale que tus alumnos levante y pastoreen sus propias iglesias, porque si no, cerraremos esta educació

George Patterson enseña en la división de estudios interculturales del Western Seminary, en Portland, Oregon. Entrena y capacita a misioneros para que multipliquen iglesias en muchos lugares del mundo. Trabajó durante veintiún años en el norte de Honduras en un programa de extensión de educación teológica y evangelización.

teológica por extensión también».

Llevé los estudios pastorales a hombres de familia (similares a los «ancianos» de la Biblia) en las aldeas sumergidas en la pobreza, en las montañas y en las ciudades. A diferencia de sus jóvenes hijos solteros, ellos tenían cultivos, trabajos o responsabilidades familiares que les impedían partir hacia nuestro internado de escuela bíblica. También carecían de la educación como para absorber una enseñanza intensiva. Pero estos hombres mayores, con raíces en sus aldeas y barrios, con el respeto de su gente podían comenzar a pastorear más fácilmente que los jóvenes solteros. Por la misericordia de Dios aprendí lentamente a evangelizar y a discipular a estos *ancianos* de una forma que les permitía levantar y pastorear sus pequeñas iglesias de aldea. Como ocurrirá en muchos de los campos no alcanzados de hoy, comenzamos a ver crecimiento, no a través de una única iglesia que crece mucho o rápido, sino a través de la reproducción lenta y constante de muchas iglesias pequeñas.

Si hubiera mirado el manual del operador, me hubiera evitado años de luchas buscando principios de reproducción de iglesias. Los principios de discipulado del Nuevo Testamento, aplicados a conciencia, permiten que las iglesias se reproduzcan en Honduras y en muchos otros campos. Las pruebas en el campo, de programas basados en estos principios, dan consistentemente buenos resultados en América Latina y Asia, incluyendo campos hostiles donde la evangelización es ilegal.

Debemos distinguir entre *principios* generales y *aplicaciones* específicas a una cultura. Los principios bíblicos por sí mismos, si se aplican con métodos culturalmente pertinentes, deberían permitir a las iglesias reproducirse donde haya suficiente «tierra buena». Hablando teológicamente, la buena tierra necesaria para que el evangelio eche raíz y se multiplique, son *personas malas*, a montones (Ro 5:20-21; Mt 13:18-23; Ef 2:1-10).

No importa si uno es un misionero o no; uno puede multiplicar discípulos haciendo estas cuatro cosas sencillas:

1. Conozca y ame a las personas que discipula.

2. Movilice a sus discípulos para que edifiquen inmediatamente a los que están discipulando.

3. Enseñe y practique la obediencia a los mandamientos básicos de Jesús en amor, por encima de toda otra cosa.

4. Construya relaciones de rendición de cuentas amorosas y edificantes entre los discípulos y las iglesias, a fin de reproducir iglesias.

1. Conozca y ame a las personas que discipula

Debemos conocer y amar a las personas antes de que podamos discipularlas. Cuando Jesús dijo a sus discípulos que «miren los campos», a ellos les costaba amar a los samaritanos a su alrededor. No podían soportar que recibieran la gracia de Dios.

Limite su área de responsabilidad a un pueblo o comunidad

Debemos enfocarnos en un grupo humano, el que Dios nos haya dado. Pablo conocía su área de responsabilidad ante Dios (2Co 10:12-16; Hch 16:6-10; Gá 2:8). Él sabía qué clases de iglesias fundar y dónde. Para un *movimiento de reproducción de iglesias,* un equipo de fundación de iglesias necesita un claro enfoque de Dios. Mi área eran las personas de habla española del valle de Aguán y las montañas circundantes. Ayuda ser preciso.

En su país de origen o en el exterior, cada discipulador debe preguntarse: «¿De quiénes soy responsable?». Si un misionero no hace esto, los límites geográficos y étnicos de su ministerio permanecen difusos. Saltará de oportunidad en oportunidad. Pregunté a uno de estos buscadores de oro errantes en América Central cuál era su área de responsabilidad. «Ah», me dijo, «estoy ganando este país para Cristo». Iba de ciudad en ciudad predicando en cárceles y campamentos militares; bombardeaba aldeas con tratados desde su avión Cessna. Es algo divertido, y la gente de su país de origen lo financia ávidamente, pero jamás fundará una iglesia reproductora hasta que aprenda a llevar a la gente de una comunidad en su corazón.

Escoger su gente en un nuevo campo requiere estudio y oración. Consulte con otros misioneros, con lugareños y con Dios mismo, buscando orientación.

Conocer un pueblo significa tocar el corazón de individuos. Reír con los que ríen. Llorar con los que lloran. Jugar a las canicas con Chimbo, que tiene dos años, y damas con su abuelo (o lo que jueguen en la plaza del pueblo). Podría ser de ayuda dejarse ganar. Esto también se aplica al hablar sobre religión. Es peligroso «tener siempre razón» cuando uno es «el nuevo» de la calle. Aprenda a apreciar a las personas y sus maneras de ser, aun a los ancianos desdentados. Escuche y aprenda hasta que haya descubierto las cosas en su religión o cultura popular que ayuden a comunicar el evangelio.

Deje que la iglesia sea de la gente

Como la mayoría de los fundadores de iglesia con poca experiencia, comencé «puntos de predicación» primero, en vez de auténticas iglesias del Nuevo Testamento. Alguien iba cada semana a una comunidad donde un grupo se reunía para escuchar su oratoria y su canto (bueno, al menos su intento de cantar) desde el púlpito. Los convertidos no eran bautizados. Los líderes locales no eran capacitados. La Cena del Señor era descuidada. Nadie sabía con seguridad quiénes eran cristianos. El discipulado obediente y sacrificial dio paso al entretenimiento (una tradición traída por misioneros estadounidenses). Los puntos de predicación desarrollan una personalidad propia; se rehúsan obstinadamente a evolucionar hacia iglesias obedientes, dadoras y reproductoras. Se convierten en esponjas que absorben el tiempo y los esfuerzos de trabajadores externos y no producen nada, salvo allí donde la pura gracia de Dios pasa por encima de nuestra rutina.

Encuentre lo que la gente de una iglesia puede hacer y planéelo antes de planificar su estructura, sus formas y su organización. Espero que le lleve menos tiempo que a mí aprender que la enseñanza formal desde el púlpito es ineficaz (y a menudo ilegal) en muchos de los campos no alcanzados que quedan hoy. Uno puede predicar la Palabra con poder de muchas otras formas si conoce a su gente. Nosotros usamos lecturas dramatizadas de la Biblia, canciones con música y letra compuestas por lugareños, poesías, símbolos y narración de historias. Cantaban con más entusiasmo cuando componían canciones en el estilo local.

Deje que la identidad propia de la nueva iglesia sea evidente. Sepa exactamente a qué está apuntando dentro de la comunidad: un cuerpo bien definido de discípulos obedientes de Jesucristo. Una vez cometí el error de permitir que hubiera más ayudantes externos presentes que miembros de la comunidad durante el primer bautismo y celebración de la Cena del Señor. La iglesia murió al nacer. Debe haber una mayoría de la comunidad misma, especialmente en el primer bautismo o en reuniones de adoración, porque si no, la iglesia no nace como una entidad distinta dentro de la comunidad. Nuestros convertidos sentían que simplemente habían sido agregados a alguna organización de las personas de afuera. Los privé de la emoción de mirarse unos a otros y decir: «¡Ahora somos la iglesia aquí!». Deben ver a la nueva iglesia que nace como una parte de su comunidad.

Haga una lista de lo que usted hará para reproducir discípulos entre un pueblo

Supongamos que usted investiga bien todos los factores: raza, cultura, logística, trasfondos urbanos vs. rurales, similitudes de idioma, niveles de educación y económicos, etcétera. Usted aprende el idioma. Luego viaja en un autobús abarrotado hacia su nuevo campo con un equipo de fundadores de iglesias, tan similares a la gente del lugar como sea posible en cada aspecto. Algunos o todos ellos pueden ser de otro país en desarrollo. Usted está contento, porque no tiene que realizar ese largo salto cultural que demora la fundación de la iglesia por años (cuanto menos receptiva es la gente a los misioneros, más crítico es este ajuste cultural). Ahora usted llega finalmente, saca su cepillo de dientes, respira hondo, ora, sale por la puerta y encuentra a cincuenta mil personas que viven alrededor de usted que piensan que Jesús era el primo de John Wayne. ¿Qué hace ahora?

A menudo, lo que usted hace primero determina la dirección de su trabajo, para bien o para mal, durante los años por delante. ¿Producirá iglesias reproductoras? Los pasos correctos variarán para cada campo, pero siempre incluirán enseñar a los conversos primero a obedecer los mandamientos básicos de Jesús (Mt 28:18-20). Tome la ruta más corta posible para comenzar una verdadera iglesia: un grupo de creyentes en Cristo dedicados a obedecer sus mandamientos. En un campo pionero, permita que comience pequeño, tal vez con sólo tres o cuatro miembros. Crecerá si usted discipula a la gente como dijo Jesús.

En lo posible, en esta etapa inicial, evite lo institucional (programas de desarrollo comunitario no relacionados con la fundación de iglesias, escuelas, clínicas, etcétera). Conviene dejar estas cosas para más adelante. En Honduras establecimos un trabajo de desarrollo comunitario, pero fue algo que creció a partir de las iglesias, y no al revés. Enseñamos obediencia al gran mandamiento de amar al prójimo de una forma práctica. Un programa para combatir la pobreza puede ayudar a fundar una iglesia si ambos aspectos están integrados por el Espíritu Santo. Pero las iglesias que dependen de instituciones de caridad casi siempre terminan dominados por un misionero extranjero, y raramente se reproducen.

Para iniciar una iglesia que se multiplique de una forma normal en un campo *pionero* sin ningún pastor con experiencia ni iglesias organizadas, siga los pasos siguientes (modifíquelos cuando las circunstancias locales lo requieran):

1. Testifique primero a los cabezas de familia varones. A menudo les contábamos historias bíblicas que ellos podían transmitir inmediatamente, aun antes de ser salvados, a sus propias familias y amigos. Los acompañamos para mostrarles cómo hacerlo. ¿Por qué los cabezas de familia *varones*? Trabajábamos en una cultura machista (de donde vino la palabra *macho*, donde los hombres llevaban machetes afilados y los usaban con mucha destreza). El liderazgo femenino, bueno o malo, limitaba la acción de trabajos totalmente nuevos. Cuando una iglesia se establecía con un pastor y ancianos varones, entonces las mujeres podían asumir un perfil más elevado. Sea sensible a las normas de su comunidad, especialmente en las primeras impresiones que usted da de la iglesia.

2. Bautice a todos los creyentes arrepentidos sin demoras (familias completas, cuando sea posible). Al principio yo actuaba como si tuviera un gran buitre posado sobre mi hombro, simplemente esperando abalanzarse sobre nuestros conversos que se alejaban; demoraba el bautismo para asegurarme de que fueran «seguros». Pronto vi, sin embargo, que la razón misma por la que muchos se alejaban, era mi desconfianza. Eso es lo extraño de la gracia de Dios; él quiere dejar que se derrame sobre los indignos (Ro 5:20-21).

3. Brinde un estilo de adoración que los nuevos ancianos que se están capacitando puedan aprender y enseñar a los demás. No invite al *público* hasta que los líderes locales puedan conducir los cultos. Cada semana celebre la Cena del Señor como el centro de la adoración, especialmente hasta que los hombres del lugar sean tan maduros como para predicar de una forma edificante y humilde.

4. Organice una junta de ancianos provisoria tan pronto como se conviertan hombres maduros.

Muéstreles cómo ganar y pastorear a su propia gente de la forma correcta. Recuerde que esto es para campos pioneros, sin ningún pastor experimentado ni iglesias bien organizadas. Nosotros, como Pablo, debemos usar los mejores hombres que Dios nos da a medida que se multiplican las iglesias, porque si no los nuevos discípulos no tendrán ningún liderazgo (Hch 14:23).

5. Enrole a estos nuevos ancianos en una capacitación pastoral en el lugar de trabajo. No los saque de su gente para la capacitación. Reúnase con ellos cada dos o tres semanas (si es posible, con más frecuencia) hasta que sean movilizados.

6. Brinde una lista de actividades planeadas para la congregación, comenzando por los mandamientos de Cristo y sus apóstoles. Hágale saber a cada persona adónde irá y qué necesita aprender para cada actividad. Use esto como una lista de verificación para monitorear el avance de los ancianos que usted capacita, tanto en sus estudios como en su trabajo pastoral, cuando ellos movilicen a su propia gente en el ministerio.

2. Ayude a los discípulos a edificar a otros discípulos

Movilice a sus discípulos de inmediato para que edifiquen a los que están discipulando. Para edificar la iglesia como un cuerpo vivo que se reproduce, Pablo instruye a los pastores y maestros que capaciten a los miembros de la iglesia para el ministerio, para edificar el cuerpo de Cristo (Ef 4:11-12).

Construya relaciones edificantes con los líderes que usted discipula

Como la mayoría de los nuevos misioneros, me la tomé demasiado en serio. Me preocupaba por lo que estaban haciendo mis discípulos. Me llevó años aprender a relajarme, con mi leche de coco, a reírme de mis propias metidas de pata y a confiar en el Espíritu Santo, para que hiciera su trabajo en mis pupilos. ¿Cómo podemos permitir que los líderes que capacitamos se edifiquen mutuamente y a su gente a través de relaciones personales y amorosas?

Pablo dejó a su discípulo pastoral, Timoteo, atrás para trabajar con los ancianos en las iglesias recién fundadas con estas instrucciones: «Lo que me has oído decir... encomiéndalo a creyentes dignos de confianza, que a su vez estén capacitados para enseñar a otros» (2Ti 2:2). ¡Cuán dinámica y reproductora es esta relación amorosa de «Pablo-Timoteo», entre maestro y discípulo! Si usted aún no ha intentado enseñar de la forma en que lo hicieron Jesús y sus apóstoles, tiene una bendición por delante. Si le atemoriza, comience con sólo uno o dos líderes potenciales. Capacítelos en el lugar de trabajo; asuma responsabilidad por su ministerio eficaz. El discipulado personal no significa «uno a uno» (Jesús enseñó a doce), ni se reduce a tratar con necesidades personales (Jesús pasó la mayor parte de su tiempo discipulando personalmente a los líderes de máximo nivel de la iglesia, los apóstoles mismos).

Por lo general, yo enseñaba en Honduras de

Una iglesia pasiva, centrada en el pastor

Un pastor débil domina su iglesia.

La interacción en una iglesia dinámica

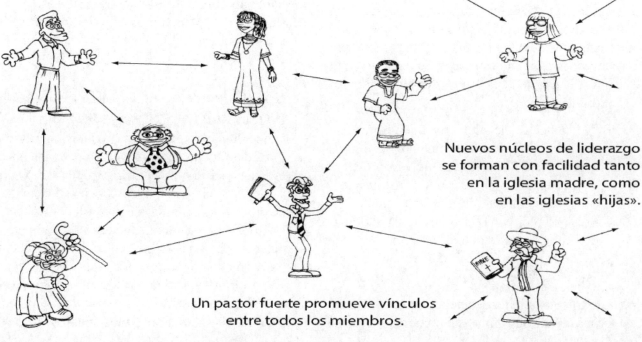

Nuevos núcleos de liderazgo se forman con facilidad tanto en la iglesia madre, como en las iglesias «hijas».

Un pastor fuerte promueve vínculos entre todos los miembros.

uno a tres alumnos de una forma en que ellos pudieran imitar y transmitirla a otros inmediatamente. Ayudaba a cada uno a tener un ministerio eficaz. Enseñaba y ejemplificaba lo que la persona le transmitiría a su propia gente y sus propios aprendices pastorales en la iglesia hija y la iglesia nieta. Éstos enseñaban a otros ancianos, que enseñaban a otros más, como Pablo instruyó a Timoteo. La cadena creció hasta llegar a más de cien pastores en capacitación, todos ancianos de iglesias. Tan pronto nacía una iglesia, el trabajador externo enrolaba a un líder local, por lo general un anciano muy respetado por su gente, y comenzaba a transmitirle la misma doctrina y materiales que él mismo estaba recibiendo. Este nuevo «Timoteo» le enseñaba al resto de los nuevos ancianos en su joven iglesia. Esto seguía multiplicándose mientras cada discipulador hiciera *todo* de una forma que sus alumnos pudieran imitarlo inmediatamente. Dejé de enseñar y predicar de la forma profesional a la que estaba acostumbrado (ellos la admiraban, pero no podían imitarla). Dejé de usar equipos electrónicos, incluyendo películas, o cualquier otra cosa que no estuviera disponible para todos nuestros trabajadores. Eso es difícil para un occidental orientado hacia la tecnología, acostumbrado a los aparatos y condicionados a usar lo último de la tecnología para la gloria de Cristo.

Una vez que desarrollamos amorosas relaciones de discipulado Pablo-Timoteo, raramente teníamos que hablar de fundación de iglesias. El Espíritu Santo canalizaba la Palabra de Dios por medio de estas relaciones para movilizar a los «Timoteos», y la reproducción de la iglesia ocurría sola. Al inicio no confié en el Espíritu Santo y empujaba yo mismo a los hombres. Dictaba reglas y requisitos previos para mantener la doctrina y la iglesia puras, y para asegurarme de que los hombres hicieran su trabajo. Sofocaba el trabajo; un amargo fracaso era seguido por otro. Oré: «Señor, no quiero un gran ministerio propio; simplemente permíteme ayudar a los hondureños a tener un buen ministerio». Dios contestó esta oración. También aprendí a través de las desilusiones a dejar que las personas mismas decidieran quiénes serían sus líderes, usando 1 Timoteo 3:1-7.

Aprendimos a no fundar iglesias primero y luego capacitar a los líderes para ellas; tampoco capacitamos a los líderes primero para luego decirles que levanten sus iglesias. Aunamos los dos esfuerzos en un ministerio. Mi cultura estadounidense me empujó primero a compartimentalizar nuestra organización, aislando sus ministerios. Sin embargo, aprendí a dejar que el Espíritu Santo integre diferentes ministerios y dones en el cuerpo unido (1Co 12:4-26).

También comencé con objetivos de educación enfocados en educar al líder. Pero, según Efesios 4:11-16, nuestra educación debe buscar sólo edificar a la *iglesia* en amor. Tenía que disciplinarme para mantener en mente a la gente de mi alumno al enseñar, y no concentrarme en mi discípulo y en el contenido de la enseñanza.

Antes de empezar a imitar la forma en que Cristo y sus apóstoles discipulaban, estaba satisfecho si mi discípulo contestaba correctamente las preguntas de una prueba, y predicaba buenos sermones en el aula. No veía ni me interesaba lo que hacía en su iglesia con lo que aprendía. Lentamente aprendí a ver más allá de mi alumno, a su ministerio con su gente. Respondí a las necesidades de su iglesia escuchando al principio de cada sesión los informes de mis alumnos. Luego, a menudo hacía a un lado lo que había preparado y en cambio enseñaba lo que la gente de cada alumno necesitaba en ese momento.

Al principio fue difícil dejar que las necesidades y oportunidades de las iglesias en desarrollo dictaran el orden de un plan de estudios funcional. Con el tiempo, gran parte de mi discipulado, como la enseñanza de las epístolas, se convirtió en *resolución de problemas*. Claro, si iniciamos iglesias reproductoras, tendremos problemas, tal como los apóstoles tuvieron. Para evitar problemas, no tenga hijos y no tenga iglesias.

Aliente la edificación de relaciones de enseñanza entre los líderes y sus discípulos

El pastor o anciano principal les pone el ejemplo a todos los líderes. Ellos, a su vez, permiten a todos los miembros de una congregación nueva ministrarse mutuamente en amor. Un pastor débil domina su congregación. Intenta hacer todo, o lo delega de una forma exigente. Más que liderar, arrea (tanto Jesús como Pedro prohíben arrear de una forma exigente: Mt 20:25-28; 1P 5:1-4). ¿De dónde supone usted que en el campo de misión los pastores adquieren la mala práctica de arrear a los demás? No todo es cultural; lo aprendieron de nosotros, los misioneros. Yo establecí el único modelo que los nuevos pastores tenían en nuestro campo pionero. Debido a mi educación y recursos superiores, tomé las decisiones por mis colegas de menor educación. Al mismo tiempo, como la mayoría de los nuevos misioneros, me sentía inseguro y sobreprotegí a las primeras iglesias. Un misionero fuerte, igual que un pastor fuerte, no teme delegar autoridad y responsabilidad a los demás. No obliga a trabajadores dispuestos y con dones a ocupar puestos existentes en su organización, sino más bien construye ministerios alrededor de ellos.

3. Enseñe obediencia a Cristo

Ante todo y sobre todo, enseñe y practique la obediencia a los mandamientos de Jesús en amor. Luego de afirmar su deidad y su autoridad total en la tierra, Jesús comisionó a su iglesia para que hiciera discípulos que obedecieran todos sus mandamientos (Mt 28:18-20). Sus mandamientos asumen la prioridad sobre todas las demás reglas institucionales (aun la venerada *Constitución y Estatutos de la Iglesia*). Esta obediencia es siempre en amor. Si obedecemos a Dios por cualquier otro motivo, se convierte en puro legalismo, y Dios odia eso.

Comience directamente con una obediencia amorosa a los mandamientos básicos de Jesús

Para fundar iglesias en un campo pionero, apunte a que cada comunidad tenga un grupo de creyentes en Cristo comprometidos a obedecer sus mandamientos. Esta definición de una iglesia tal vez obtenga una mala calificación donde usted estudió teología, pero *cuanto más le agregue, más les costará reproducirse a las iglesias que usted inicie.* Pedimos a nuestros conversos que memoricen la siguiente lista de los mandamientos básicos de Cristo:

1. Arrepentirse y creer (Mr 1:15).
2. Ser bautizado y continuar en la nueva vida que se inicia (Mt 28:18-20; Hch 2:38; Ro 6:1-11).
3. Amar a Dios y al prójimo de formas prácticas (Mt 22:37-40).
4. Celebrar la Cena del Señor (Lc 22:17-20).

5. Orar (Mt 6:5-15).
6. Dar (Mt 6:19-21; Lc 6:38).
7. Discipular a otros (Mt 28:18-20).

Memorícelos. Uno no puede ser ni hacer discípulos obedientes a menos que estos mandamientos sean básicos para su experiencia cristiana. Son el ABC, tanto del discipulado como de la fundación de iglesias.

Defina los objetivos de la evangelización y la educación teológica en términos de obediencia

No predique simplemente para lograr «decisiones»; haga discípulos obedientes. Sólo los discípulos producen una iglesia que se multiplica espontáneamente dentro de una cultura. Considere los dos mandamientos: «Arrepiéntanse y crean» y «bautícense». En la cultura occidental un hombre se para sólo, frente a su Dios, y «elige» seguir a Cristo, pero en otras culturas, una conversión sincera

Tres niveles de autoridad bíblica

Para ayudar a que las iglesias orientadas hacia la obediencia se multipliquer es muy útil distinguir y priorizar tres diferentes niveles de autoridad:

1. **Mandamientos del Nuevo Testamento:** Éstos llevan toda la autoridad del cielo. Incluyen los mandamientos de Jesús que inspiraron los apóstoles en las epístolas. Se aplican sólo a los cristianos bautizados más maduros que ya son miembros de la iglesia. No los sometemos a votación ni discutimos si los cumpliremos o no. Siempre tienen priorida sobre las reglas de cualquier organización humana.

2. **Prácticas apostólicas** (no ordenadas): No las podemos imponer com leyes porque sólo Cristo tiene autoridad para hacer leyes para su propia iglesia, su cuerpo. Tampoco podemos prohibir su práctica porque tiene precedente apostólico. Los ejemplos incluyen: tener posesiones en común, imponer manos a los conversos, celebrar la Cena del Señor frecuentemente en hogares usando una copa, y bautizar el mismo día d la conversión.

3. **Costumbres humanas:** Las prácticas no mencionadas en el Nuevo Testamento sólo tienen la autoridad del acuerdo voluntario de un grup Si involucra disciplina, el acuerdo es reconocido en el cielo (pero sólo pa esa congregación; no juzgamos a otra congregación de acuerdo con las costumbres de la nuestra: Mt 18:15-20). Cada una tiene valor, pero las iglesias se multiplican más rápidamente cuando se las alienta a discerni entre estos tres niveles de autoridad y hacer de la obediencia a los mandamientos del Nuevo Testamento su prioridad máxima e innegociable.

requiere interactuar con su familia y sus amigos. La fe, el arrepentimiento y el bautismo inmediato de toda la familia o grupo —sin ninguna invitación para tomar una decisión— es la norma (Hch 2:36-41; 8:12; 10:44-48; 16:13-15, 29-34; 18:8). El arrepentimiento llega a ser más profundo que una decisión; es un cambio permanente producido por el Espíritu de Dios. Nacemos de nuevo de un modo total. En cualquier cultura pocas decisiones meramente intelectuales llevan a un discipulado permanente y obediente.

Encontramos que cuando bautizamos razonablemente pronto a creyentes arrepentidos, sin requerir un largo curso de doctrina previo, entonces la gran mayoría respondía a nuestra capacitación con un discipulado obediente. La doctrina detallada venía después. Enseñar teología pesada *antes* de que uno aprenda una amorosa y cándida obediencia es peligroso. Deja a una persona con la suposición de que el cristianismo consiste en tener una doctrina escrituralmente correcta, y se queda con eso. Se convierte en un aprendiz pasivo de la Palabra, antes que un discípulo activo.

Enseñamos a nuestros pastores a orientar toda la actividad de la iglesia de acuerdo con los mandamientos del Nuevo Testamento. Cuando enseñaban la Palabra de Dios, acostumbraban a su gente a discernir tres niveles de autoridad: mandamientos del Nuevo Testamento, prácticas apostólicas y tradiciones humanas. Con los mandamientos del Nuevo Testamento en primer lugar, que incluyen los mandamientos dados por los apóstoles de Jesús, siempre se hace énfasis en servir a Cristo. El segundo nivel de autoridad, las prácticas apostólicas, brinda ejemplos y patrones útiles. Tenemos libertad para seguirlas, pero no las imponemos. Las tradiciones humanas son evaluadas y valoradas por lo que son.

Casi todas la divisiones y rencillas en las iglesias se originan cuando una persona hambrienta de poder, y que busca seguidores, establece meras prácticas apostólicas o costumbres humanas (niveles 2 o 3 de autoridad) en el nivel máximo, como si fueran ley.

Creamos una simple guía para un plan de estudios pastoral. Basándonos en los siete mandamientos generales de Cristo (indicados anteriormente), teníamos un menú de ministerios que incluían temas como la evangelización, la oración, las donaciones, el cuidado pastoral, la enseñanza, amar a los prójimos, edificar el carácter, la consejería, la adoración, la reproducción de iglesias hijas y la misión. Para cada tema, la enseñanza incluía todas las principales áreas de la Biblia, doctrina e historia de la iglesia, donde fueran de más ayuda para la iglesia en ese momento. Al mantener la educación teológica vinculada con puntos de obediencia a Cristo, evitamos la mera enseñanza de temas. De esta forma, nuestra capacitación teológica siempre estaba focalizada en capacitarlos para obedecer.

La secuencia en la que uno selecciona temas en el menú de capacitación debería estar basada principalmente en lo que uno escucha. Todo depende de la disponibilidad del maestro de escuchar cuáles son las necesidades y las luchas de crecimiento presentes.

4. Ayude a las iglesias a edificar y multiplicar a otras iglesias

Las iglesias hijas saludables necesitan relaciones amorosas, edificantes y discipuladoras entre ellas y con la iglesia madre (Hch 11:19-30; 14:21-28; 15:1-2, 28-31). Si su iglesia, organización de fundación de iglesias o de capacitación ya está formada, agréguele este discipulado personal; no insista en cambios severos.

Ayude a cada iglesia nueva a reproducirse

Cada iglesia debería enviar obreros para reproducir iglesias hijas, como hizo la iglesia de Antioquía (Hch 13:1-3). En Efesios 4:1-12, Dios ha prometido dar «apóstoles» a cada iglesia (vamos a suponer que el término se refiere a «enviados» en un sentido general). Estos «apóstoles» son las personas que Dios coloca en cada iglesia que están inquietas por llevar el ADN de la iglesia a nuevos lugares. Cuanto más tiempo espera para movilizar a una iglesia para la multiplicación, más costará reprogramar su pensamiento. Enseñe a su gente el gozo de sacrificarse para separar dinero de sus diezmadores y líderes más fuertes, en el poder del Espíritu Santo, como en Antioquía, para extender el reino de Cristo. Después de orar, y tal vez ayunar, tenga un servicio de separación formal con imposición de manos, como hicieron ellos. Recuerde que no son los individuos quienes reproducen, sino *congregaciones* que oran y son movidas por el Espíritu Santo. Deje que cada iglesia sea un eslabón en la cadena. El obrero de extensión individual es sólo un brazo de su iglesia.

© 2017 Institute of International Studies Todos los derechos reservados

Pídales a los nuevos líderes de la iglesia que tracen sus propios planes. Ellos deben tomar la iniciativa (no les imponga sus planes; simplemente enséñeles lo que dice la Palabra acerca de su tarea, y deje que respondan). Por ejemplo, les pedimos a los pastores que tracen un mapa grande con flechas hacia las aldeas que planeaban que su iglesia alcanzara directamente o a través de sus iglesias hijas o nietas. Entonces los obreros de sus iglesias entonces firmaron con sus nombres al lado de los pueblos o barrios por los cuales orarían y planificarían.

Muestre a cada nuevo creyente cómo testificar a amigos y familiares

El Espíritu Santo fluye fácilmente por medio de los vínculos existentes entre familiares y amigos cercanos (Hch 10:24, 44). Mantenga a los nuevos conversos en una relación amorosa con ellos (no los aleje de sus círculos para ponerlos en un entorno cristiano seguro, porque los mismo vínculos que ayudan a la difusión del evangelio se convertirán en barreras.)

Preparamos estudios del evangelio sencillos (mayormente historias bíblicas) que aun los analfabetos podían usar de inmediato para compartir su nueva fe. Los acompañamos para demostrarlas, ejemplificándolas todas de una forma que pudieran imitar inmediatamente.

Construya relaciones de discipulado edificantes entre iglesias

Al principio, apliqué la «vida del cuerpo» de la iglesia sólo a las congregaciones locales. Luego aprendí a construir relaciones de discipulado entre iglesias con rendición de cuentas. Los ancianos en una iglesia discipulaban sacrificialmente a pastores menos experimentados en las iglesias hijas y nietas.

A veces los viajes eran difíciles para un anciano mayor, y el obrero principal de la iglesia hija viajaba a caballo a la iglesia madre cada dos semanas aproximadamente. Donde las iglesias estaban separadas por uno o dos días de caminata, e maestro y el alumno se turnaban para transitar los duros senderos barrosos.

Tenga cuidado de la estrategia errónea de una iglesia madre que envía a trabajadores a varias iglesias hijas a la vez, como si fuera la única iglesia con el poder reproductor de Dios.

La estrategia del «eje» (ver abajo) desgasta a los trabajadores y desalienta a la iglesia madre. E poder de Dios, inherente en todas las iglesias donde mora su Espíritu, permite a la iglesia madre inicia una iglesia hija y capacitar a sus nuevos ancianos para ayudarla a desarrollarse y *también* reproducirse en las iglesias nietas. ¡Simplemente discipule a los discipuladores y véalo ocurrir!

La estrategia del «eje»

La estrategia «eje» es una mala estrategia porque presume que sólo la iglesia matriz tiene poder reproductivo. Agota a los obreros y no resulta en multiplicación.

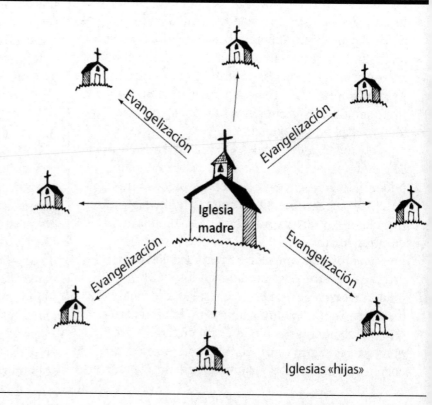

Una red de extensión

Redes de extensión ayudan a las iglesias «hijas» a reproducir iglesias «nietas».

Iglesias hijas, nietas y bisnietas

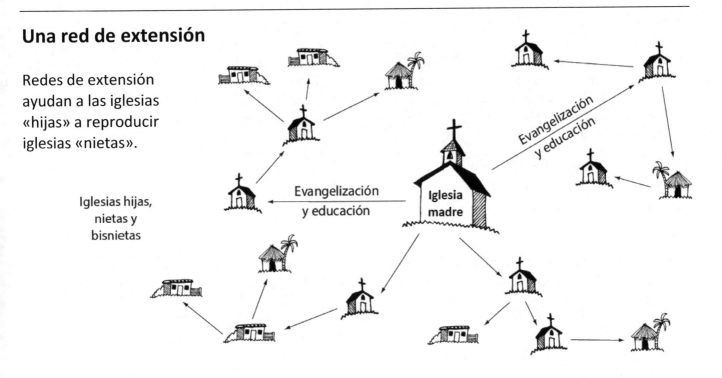

Evangelización y educación

Iglesia madre

Evangelización y educación

La cadena no era una jerarquía para controlar —maestros voluntarios sin ninguna autoridad organizacional trabajaban con estudiantes voluntarios. Requirió sudor y agallas construir estos vínculos amorosos entre iglesias, ayudando a los hombres a conocer, amar y capacitarse unos a otros para el ministerio pastoral inmediato. En el proceso, hubo hombres que fueron muertos a tiros o a golpes de machete, debilitados por enfermedades y casi ahogados. Valió la pena.

El pecado más frecuente de misionero occidental moderno es controlar las iglesias nacionales. Tuve que aprender a mantenerme a un costado y dejar que el poder del Espíritu, inherente en las iglesias, produzca los ministerios mediante los cuales las iglesias fueran edificadas y reproducidas. Guié, alenté, enseñé la Palabra y aconsejé, pero ya no empujaba. Entonces vimos la reacción en cadena: una de las redes de extensión produjo cinco generaciones y más de veinte iglesias.

Nos reuníamos de tanto en tanto para reafirmar nuestros planes y decidir qué iglesia alcanzaría ciertas aldeas o comunidades. Dividimos toda nuestra área de responsabilidad en nueve regiones y planificamos los pasos para comenzar una iglesia hija que se reprodujera en cada región. Los alumnos pastorales del Instituto Bíblico de Extensión de Honduras han estado comenzando durante muchos años un promedio de cinco nuevas iglesias al año, cada una de las cuales tiene entre uno y tres pastores

en capacitación. Luego de entregar el liderazgo de este programa a los hondureños, ha seguido reproduciéndose a pesar de la presión de otros misioneros para volver a los métodos de capacitación pastoral tradicionales.

Cuando una cadena se vuelve demasiado larga para una buena comunicación, simplemente reorganice las relaciones de enseñanza. No suponga que la doctrina será rebajada cuanto más larga sea la cadena. Cada maestro lleno del Espíritu en la cadena tiene el mismo amor por la Palabra y rejuvenecerá el flujo. Descubrí que las iglesias más fuertes estaban generalmente a uno o dos eslabones de distancia de mí, el misionero extranjero. La clave para mantener las cadenas es tener una comunicación amorosa en ambos sentidos. Los informes precisos de los alumnos de cada iglesia hija son esenciales para que su maestro responda, aplicando la Palabra precisamente a su vida, necesidades y oportunidades.

Ore pidiendo protección de las tradiciones que obstaculizan esta reproducción espontánea. Hemos mencionado la enseñanza que pasa por alto el discipulado y la falta de movilización de los nuevos conversos arrepentidos para obedecer, comenzando por el bautismo. Otro impedimento casi universal para la reproducción es un subsidio misionero que sofoca las donaciones de los propios lugareños y crea un espíritu de dependencia. ¡No prive a los creyentes pobres de la bendición de dar sacrificialmente! Dios multiplica su pequeña limosna mediante una matemática celestial especial que los prosperará ahora y por la eternidad. Pagar a pastores nacionales con fondos del exterior casi siempre sofoca la reproducción espontánea y termina produciendo un profundo resentimiento cuando la fuente deja de suplir la demanda.

Ore por poder reproductivo

Como un grano de trigo, cada iglesia nueva en una cadena tiene el mismo potencial para comenzar la reproducción de nuevo. Las parábolas de Cristo en Mateo 13, Marcos 4 y Juan 15 comparan el crecimiento y la reproducción de las iglesias de Cristo con las plantas. Como todas las demás criaturas vivientes que Dios ha creado, la iglesia tiene su propia semilla en su interior para reproducirse según su propia especie. Cada vez que comemos, comemos el fruto del tremendo poder de reproducción que Dios ha dado a las plantas y a los animales. Mire afuera, a su alrededor; está por todas partes: césped, árboles, aves, abejas, bebés y flores. ¡Toda la creación lo está gritando! ¡Así funciona Dios! La reproducción es su *estilo*. ¡Ore por ella! (Dios, en su sabiduría infinita, actúa en forma algo perezosa cuando no le pedimos que se mueva; ¡él limita su poder absoluto a nuestra débil fe! Nosotros mismos no hacemos que crezca la iglesia ni reproducimos nada, así como tirar de un tallo de maíz no hará que crezca. Pablo siembra, Apolo riega, Dios da el crecimiento (1Co 3:6). Nosotros sembramos, regamos, desmalezamos, fertilizamos y vallamos el cultivo, pero dependemos del propio potencial que Dios da a la iglesia para reproducirse. Una iglesia obediente y llena del Espíritu *tiene* que reproducirse en su lugar de origen o en el extranjero. Es su naturaleza misma; ella es el cuerpo del Hijo de Dios resucitado y dador de vida.

Preguntas para reflexionar

1. ¿Cuáles son los mandamientos básicos de Cristo, según los resume Patterson? ¿Por qué es importante asegurarse de que sus discípulos y las personas que ellos discipulen busquen obedecerlos todos?

2. Los objetivos teológicos tradicionales se centran en educar al alumno, mientras que los objetivos de la educación bíblica apuntan a edificar la iglesia. Explique la diferencia entre la forma en que un típico profesor teológico enseña y cómo trabaja un discipulador de pastores.

3. ¿Cómo es posible que una iglesia se convierta en una iglesia bisabuela sin que ningún pastor haya asistido a un seminario residente? ¿Por qué sería más probable que haya iglesias bisnietas si ninguno de los pastores ha asistido a un seminario residente?

La iglesia orgánica

Neil Cole

Neil Cole es pastor y conferencista. Es fundador y director ejecutivo de Church Multiplication Associates, organización que ha ayudado a fundar iglesias en veinte países. Es autor de *Cultivating a Life For God* y *Organic Church: Growing Faith Where Life Happens*.

Tomado de *Organic Church: Growing Faith Where Life Happens*, 2005. Usado con permiso de John Wiley & Sons, Inc., Hoboken, NJ.

Piense en las preguntas que le han hecho acerca de su iglesia. ¿A qué iglesia asiste? ¿Es grande? ¿Dónde está ubicada? ¿Qué clase de música cantan? ¿A qué denominación pertenece? ¿Quién es el pastor? Creo que a menudo preguntamos cosas que parecen importantes, pero normalmente soslayamos las que más importan. Todas estas preguntas versan *sobre* las iglesias, pero, ¿qué *es* una iglesia?

Después de haber hecho el intento de fundar iglesias por un tiempo, llegué a una coyuntura en la que le hice al Señor una de las preguntas más peligrosas que se le pueden hacer. «Señor, ¿qué es una iglesia?» Ésta era una pregunta peligrosa porque me obligaba a admitir que había intentado cultivar algo sin saber qué era.

Nuestra visión de la iglesia está limitada por la experiencia

Yendo en busca de una mejor respuesta, me acerqué a mis amigos y líderes y les pregunté con toda sinceridad: «¿Qué es una iglesia?». La pregunta los obligó a reflexionar y a darse cuenta de que ellos también ignoraban qué es una iglesia. Desde luego, todos tenemos alguna experiencia. Todos tenemos ciertas tradiciones. Muchas veces hablamos como si supiéramos la respuesta obvia a esta pregunta, pero, en realidad, descubrimos que muchos no se habían detenido a considerar la cuestión. En vez de comenzar preguntándonos qué es una iglesia, nos habíamos preguntado cómo hacer iglesias más grandes, o mejores, o cómo fundar más.

Surge la tentación de definir «la iglesia» de acuerdo con nuestra propia experiencia. Creemos que sabemos algo porque estamos familiarizados con ello. Al definir «la iglesia» de esta manera, nos aseguramos de tener siempre la razón, pero ésta es una solución barata que perpetúa nuestros problemas actuales. Es mucho más vital examinar las Escrituras con honestidad y coraje e intentar definir qué es «una iglesia». Una vez planteada la pregunta, hemos de estar preparados para toparnos con lo inesperado. Cuando yo era estudiante de seminario, se me ofreció una definición de iglesia que era realmente más una descripción que otra cosa. Se me enseñó que la iglesia encarnaba las siguientes características:

1. un grupo de creyentes que se reúnen con regularidad...
2. se considera a sí mismo iglesia...
3. cuenta con ancianos cualificados...
4. practica regularmente las ordenanzas del bautismo y la comunión, así como la disciplina de la iglesia...
5. y ha abrazado un conjunto de creencias doctrinales y propósito evangelístico.

Artículo 103

Todas éstas son buenas cualidades que cualquier iglesia debe reunir. A decir verdad, muchas iglesias cumplirán estas normas. Sin embargo, mi pregunta todavía seguía en pie, de modo que la invertí para averiguar qué faltaba en esta lista de cinco características. Desde entonces, les he planteado la misma lista y pregunta a muchos grupos. ¿Qué es lo que falta? Después de algunas respuestas, les digo lo que creo que falta, si es que aún no lo han acertado: «¡Falta Jesús!».

Uno de mis tutores más respetados, teólogo y misionero de carrera, me dijo que se da por sentado que Jesús está en la definición porque los que se reúnen son creyentes. Yo le respondí: «¿Por qué es preciso verificar que haya ancianos cualificados y dar por sentado que Jesús está presente?».

Esta suposición revela un grave problema en nuestras iglesias. La iglesia suele girar más en torno a la gente y a las instituciones que se reúnen en nombre de Jesús, que en torno a la realidad del Jesús resucitado, vivo y activo en medio de su pueblo.

Ver a Jesús

Cuando el mundo observa nuestras iglesias, concretamente en Occidente, sólo ve lo que la gente hace o los programas que ejecutan. El mundo no se impresiona. Pero respondemos proyectando, trazando y planeando: «¿Qué podemos hacer para que la iglesia sea más atractiva para nuestra comunidad?». Ésta también es una pregunta incorrecta. Es como si intentáramos aumentar la popularidad de Dios. Es el nombre de Dios lo que está en juego, no el nuestro, y no somos responsables de proteger su reputación. Él puede perfectamente arreglárselas por sí mismo.

Una mejor pregunta sería: «¿Dónde se ve a Jesús en nuestro medio?». ¿Dónde se observan vidas y comunidades transformadas por el poder del evangelio? ¿Dónde se ven padres restaurados a una vida de santidad y responsabilidad? ¿Dónde se reconcilian las hijas con sus padres? ¿Dónde se ven adictos libertados de la dependencia a las sustancias químicas? ¿Dónde hay empresarios que hagan restitución por delitos encubiertos? Éstas son las preguntas que conducen a la gente a reconocer la presencia viva de Jesús, amando y reinando en la vida de la gente como su rey. Cuando la gente tiene un encuentro con Jesús, vivo y presente como rey, prueba el sabor del reino de Dios en la tierra, como en el del cielo.

Si falta Jesús en la concepción de la iglesia, tal vez también estará ausente en la forma de expresión de la misma iglesia.

¿Qué es una iglesia? Donde se sigue a Jesús

Yo entiendo que la iglesia es la presencia de Jesús entre su pueblo, llamado a ser una familia espiritual para llevar a cabo su misión en este planeta.

Ciertamente, esta definición es muy amplia, pero a mí me gusta que lo sea. Las Escrituras no dan una definición precisa, de manera que yo no voy a hacer lo que Dios no ha hecho. Deseo algo que capte lo que afirman las Escrituras acerca del reino de Dios. En uno de los dos pasajes en que Jesús menciona a

> **La iglesia es la presencia de Jesús entre su pueblo, llamado a ser una familia espiritual para llevar a cabo su misión.**

la iglesia en los evangelios, asegura: «Porque donde dos o tres se reúnen en mi nombre, allí estoy yo en medio de ellos» (Mt 18:20). Su presencia debe ser un elemento importante en la iglesia.

A una iglesia que ha perdido de vista su verdadero amor, Jesús le dedica estas duras palabras:

> Esto dice el que… se pasea en medio de los siete candelabros… ¡Recuerda de dónde has caído! Arrepiéntete y vuelve a practicar las obras que hacías al principio. Si no te arrepientes, iré y quitaré de su lugar tu candelabro (Ap 2:1, 5).

A una iglesia desobediente y enferma, Jesús la amenaza con retirar el candelabro (que representa a la iglesia) de la presencia de Jesús. La presencia de Jesús es esencial para la iglesia. Su presencia es vida; su ausencia es muerte. Él es el ingrediente principal que define quién y qué somos. Él debe ser lo más importante entre nosotros y el aspecto más identificable a observar por el mundo.

En muchas de las iglesias occidentales, el ministerio es hecho *para* Jesús, pero no *por* Jesús, y esto supone una *gran* diferencia. Si evaluáramos nuestras iglesias, no por la asistencia o los edificios, sino por cuánto se reconoce a Jesús en nuestro medio, nuestra influencia sería de mucho mayor alcance, y nuestras estrategias mucho más dinámicas. Desgraciadamente, es posible hacer las cosas que constituyen las cinco cualidades de las iglesias tradicionales, pero fallar en demostrar la persona u obra de Cristo en el vecindario. Pero si entendemos a la iglesia como la presencia de Cristo que vive y actúa entre nosotros, entonces veremos cosas mucho más grandes.

La iglesia orgánica

Designamos algunos ideales de movimientos fundadores de iglesias como «iglesia orgánica». Por orgánica, no quiero decir sin pesticidas. Es cuestión de considerar a las iglesias como organismos vivos y llenos de vitalidad.

La realidad principal no es cómo se organizan, se discipulan o se ayudan los seguidores. La realidad principal es que Jesucristo es seguido, amado y obedecido. La realidad viva de la iglesia orgánica es un Cristo vivo que forma familias espirituales y trabaja con ellas para cumplir su misión. La iglesia es realmente una encarnación del Cristo resucitado. No es de extrañar que la Biblia llame a la iglesia el cuerpo de Cristo.

Cristo en primer lugar

Mike Frost y Alan Hirsch han confrontado la manera en que organizamos el pensamiento acerca de Jesús y la iglesia. Normalmente pensamos que la iglesia es un cuerpo que se moviliza para que la gente se acerque a Jesús. En cambio, Jesús guía a las personas a la misión, las cuales, a su vez, edifican iglesias fructíferas. Frost y Hirsch muestran la secuencia correcta para que el pensamiento comience con Cristo. Ellos afirman que una clara Cristología informará la mejor misionología, la cual, a su vez, conducirá a una eclesiología más fructífera.[1]

Cristo es primero. Luego él nos manda a su misión. El fruto de la misión es su reino extendido sobre la tierra mediante la edificación de su iglesia. Yo he llegado al convencimiento de que nos debemos centrar en plantar a Jesús, y dejar que él edifique su iglesia y trabaje por medio de ella. Hemos recibido el mandato de vincular a la gente con Jesús para que él sea su rey. Hemos de extender el reino de Cristo sobre la tierra. El subproducto de esta labor es la iglesia.

Yo creo que estamos confundiendo el fruto con la semilla. Debemos plantar la semilla del evangelio del reino. El fruto a recoger serán vidas transformadas que practiquen conjuntamente su fe. Esto es exactamente lo que queremos decir por «iglesia».

El verdadero fruto de un manzano no es una manzana, sino más manzanos. Dentro del fruto se halla la simiente de la nueva generación de manzanos. Todos llevamos dentro la semilla de futuras generaciones de iglesias. Hemos de tomar esa semilla y plantarla en el terreno de cada etnia bajo la autoridad de nuestro rey.

Cristo en nosotros es la semilla de la próxima generación. La diferencia que esta semilla puede producir en el terreno de una etnia es significativa. Si damos prioridad a Cristo y a su reino, obtendremos agentes sometidos al dominio del rey.

Cultivar frutos en la propia cultura

Nuestra misión consiste en encontrar y desarrollar seguidores de Cristo en vez de miembros de iglesia. Hay una gran diferencia entre los dos resultados. La diferencia son vidas transformadas que acarrean cambios en vecindarios y naciones. La mera congregación de un grupo de personas que suscriben una serie de creencias en común no es digna del sacrificio que él hizo por nosotros.

Hemos plantado organizaciones religiosas en vez de plantar la poderosa presencia de Cristo. A menudo, esas organizaciones presentan una estructura muy occidental, cuyos valores son ajenos a los de las tierras locales. Si sólo plantáramos a Jesús en esas culturas y ayudáramos a su iglesia a crecer en terrenos locales, entonces surgirían movimientos de iglesia independientes y reproductores, no dependientes de Occidente ni alejados de la cultura en que crecen. Las iglesias no siempre dan el fruto que deberían dar si no se les reta, por lo que es importante «cultivarlas» y equiparlas para que la vida de Cristo florezca en medio de la sociedad.

En vez de acabar teniendo grupos que se esfuerzan por separarse y alejarse de su cultura, las iglesias orgánicas pueden comprometerse y transformarla.

Nota

1. Frost, Michael y Alan Hirsch, *The Shaping of Things to Come* (Hendrickson Publishers, 2003), p. 209.

Movimientos de fundación de iglesias

David Garrison

David Garrison sirvió por cinco años como vicepresidente asociado para la coordinación de estrategia de la Junta de Misión Internacional de la Convención Bautista del Sur. Su trabajo con las misiones globales lo ha llevado a más de ochenta naciones, y ha enseñado en el Southwest Baptist Seminary, en el Fuller Theological Seminary y en la Hong Kong Baptist University. Sus libros incluyen *The Nonresidential Missionary, Something New Under the Sun,* y *Church Planting Movements.*

De *Church Planting Movements: How God is Redeeming a Lost World,* 2004. Usado con permiso.

¡Miren a las naciones! ¡Contémplenlas y quédense asombrados! Estoy por hacer en estos días cosas tan sorprendentes que no las creerán aunque alguien se las explique. —Habacuc 1:5

Hace varios años este versículo cobró vida en maneras que nunca soñé. Era la época del año en la que los misioneros envían sus informes anuales a las oficinas centrales de sus agencias. Los misioneros son gente ocupada, y raramente los verá pasar mucho rato contando cuántos nuevos convertidos han sido bautizados, cuántas iglesias nuevas se han abierto o a cuántas etnias no alcanzadas les han presentado el evangelio. Estos informes suelen mostrar un crecimiento anual modesto en cada una de estas áreas clave.

Pero ese año fue diferente. David y Jan Watson, que estaban sirviendo en la India, afirmaron algo asombroso. Su informe enumeraba casi cien ciudades, pueblos y aldeas con iglesias nuevas y miles de creyentes nuevos.

En las oficinas centrales hubo escepticismo: «No puede ser», dijeron. «O han confundido la pregunta o no nos están diciendo la verdad».

Esas palabras hirieron, pero David se mordió la lengua y dijo: «Vengan y vean».

Más tarde, ese año, un equipo de reconocimiento encabezado por el supervisor de Watson llegó a la India para investigar. Visitaron Lucknow, Patna, Delhi, Varanasi, y muchos de los pueblos y aldeas enumerados en el informe de David. Más tarde el supervisor comentó: «Llegué con muchas dudas, pero nos habíamos equivocado. En cada lugar al que íbamos era exactamente como Watson había informado; Dios estaba haciendo algo maravilloso allí».

Sorprendente… es difícil creerlo. Ésas son las palabras exactas de Habacuc, las cuales tuvieron una relevancia asombrosa: «¡Miren a las naciones! ¡Contémplenlas y quédense asombrados! Estoy por hacer en estos días cosas tan sorprendentes que no las creerán aunque alguien se las explique».

Informes asombrosos de movimientos

Un año después, otro informe del sureste de Asia describía una erupción similar de iglesias nuevas. El siguiente año, unos misioneros que servían en Latinoamérica fueron testigos del mismo tipo de multiplicación espontánea con cientos de iglesias nuevas. Desde la China llegaron dos informes similares. Nosotros comenzamos a referirnos a este fenómeno asombroso como movimientos de fundación de iglesias.

No han dejado de llegar informes. Dios está haciendo algo extraordinario en nuestros días, tal y como él lo prometió. A medida que él atrae a sí mismo a un mundo perdido, parece ser que lo está haciendo en gran parte mediante los movimientos de fundación de iglesias.

En el este de Asia un misionero informó: «Lancé mi plan de tres años en noviembre de 2000. Mi visión era ver doscientas iglesias nuevas en mi etnia en los tres años siguientes, pero cuatro meses después ya habíamos alcanzado esa meta. ¡En tan sólo seis meses ya habíamos visto fundarse trescientas sesenta iglesias, y más de diez mil creyentes nuevos bautizarse! Ahora le estoy pidiendo a Dios que aumente mi visión».

Los cristianos chinos del condado de Qing'an, en la provincia de Heilongjiang, fundaron doscientas treinta y seis iglesias nuevas en tan sólo un mes. En el 2002, un movimiento de fundación de iglesias en la China fundó aproximadamente quince mil iglesias nuevas y bautizó ciento sesenta mil creyentes nuevos en un solo año.

Durante la década de los noventa, los cristianos de un país de Latinoamérica superaron la persecución implacable de su gobierno y crecieron, de doscientas treinta y cinco iglesias, a más de cuatro mil, con más de treinta mil convertidos esperando ser bautizados.

En Europa occidental un pastor escribió: «El año pasado mi esposa y yo iniciamos quince iglesias nuevas en los hogares. Cuando regresamos a los Estados Unidos para una asignación de seis meses nos preguntamos qué encontraríamos cuando regresásemos. ¡Es impresionante! Podemos confirmar al menos treinta iglesias, pero creo que podría ser el doble, e incluso el triple».

Después de siglos de hostilidad contra los cristianos, muchos musulmanes de Asia central están aceptando el evangelio. Durante la última década, en Kazajistán se han visto más de trece mil kazajos convertirse a la fe, los cuales adoran en más de trescientas iglesias kazajas nuevas.

Un misionero en África informó: «Nos llevó treinta años fundar cuatro iglesias en este país. En los últimos nueve meses hemos comenzado sesenta y cinco iglesias nuevas».

En el corazón de la India, en el estado de Madhya Pradesh, un movimiento de fundación de iglesias produjo cuatro mil iglesias nuevas en menos de siete años. En otras partes de la India, los Kui de Orissa comenzaron casi mil iglesias nuevas durante los años noventa. En el año 1999 bautizaron más de ocho mil creyentes nuevos, y en el 2001 ya estaban abriendo una iglesia nueva cada veinticuatro horas.

En Mongolia Exterior un movimiento de fundación de iglesias vio más de diez mil seguidores nuevos. Otro movimiento en Mongolia Interior contó más de cincuenta mil creyentes nuevos, todos durante la década de los noventa.

Durante las dos décadas pasadas muchos millones de creyentes nuevos han entrado en el reino de Cristo por medio de los movimientos de fundación de iglesias; los hemos visto por todo el mundo.

¿Qué son los movimientos de fundación de iglesias?

Una definición concisa de los movimientos de fundación de iglesias es: *una multiplicación rápida de iglesias autóctonas que fundan iglesias, la cual se propaga entre una etnia o segmento de la población.*

La definición anterior intenta describir lo que está ocurriendo en los movimientos de fundación de iglesias más que intentar dictar lo que podría o debería ocurrir. Después de estudiar veintenas de estos movimientos, hemos llegado a identificar cuatro características: una multiplicación rápida, la fundación de iglesias, el aspecto autóctono, y que se producen dentro de una etnia o su equivalente.

1. Multiplicación rápida

Un movimiento de fundación de iglesias se multiplica con rapidez. En poco tiempo las iglesias nuevas ya están iniciando otras iglesias. La siguiente generación de iglesias suele seguir el mismo patrón de reproducción rápida.

Puede que pregunte: «¿Qué tan rápido?». Tal vez la mejor respuesta sea: «Más rápido de lo que la mayoría pueda creer posible». Aunque la cuota varía de un lugar a otro, los movimientos de fundación de iglesias siempre sobrepasan la taza de crecimiento de la población y se apresuran por alcanzar al grupo étnico entero.

Los movimientos de fundación de iglesias no se limitan a añadir nuevas iglesias, sino que se multiplican. Las encuestas de movimientos de fundación de iglesias indican que casi cada iglesia está involucrada en comenzar varias iglesias nuevas. Tal vez por eso es que casi no se enfocan en iniciar puñados de iglesias adicionales en un área en particular, sino que se esfuerzan por la visión de alcanzar a toda la etnia o a toda la ciudad.

2. Autóctono

Un movimiento de fundación de iglesias es autóctono. Autóctono significa, de manera literal, algo generado desde dentro, y no iniciado por personas externas. En los movimientos de fundación de iglesias es posible que la primera iglesia o iglesias sean iniciadas por personas externas, pero el movimiento pasa rápidamente a manos de los de adentro. Por consiguiente, en poco tiempo los nuevos creyentes que llegan a Cristo en los movimientos de fundación de iglesias puede que no sepan que un extranjero estuvo involucrado en esa obra, pues el movimiento se ve, actúa y se siente casero.

3. Iglesias que fundan iglesias

Los movimientos de fundación de iglesias se caracterizan por iglesias que siembran iglesias.

> **Las iglesias siguen fundando nuevas iglesias, las cuales fundan aún más iglesias.**

Aunque los fundadores de iglesias suelen comenzar las primeras iglesias, en algún momento las mismas iglesias se involucran en la acción. Cuando las iglesias siguen fundando nuevas iglesias, las cuales fundan aún más iglesias, algo cambia en el carácter del movimiento incipiente; la iglesia madre ya no es quien controla lo que ocurre en las iglesias bisnietas. Cuando las nuevas iglesias empiezan a multiplicarse exponencialmente se alcanza cierto punto crítico. Algunos han asociado ese momento crítico a un «punto de inflexión», o al efecto dominó, o a una presa que se rompe y deja caer un fluir de movimientos como cascadas de agua.

Cada movimiento genuino de fundación de iglesias es, en cierto modo, un movimiento con vida, fuera de control, y que se multiplica rápidamente de iglesia en iglesia. En este punto hay muchos que casi son movimientos de fundación de iglesias que se quedan cortos, pues los fundadores de iglesias luchan por el control de las iglesias en proceso de reproducción. Pero cuando la dinámica de reproducción de las iglesias sobrepasa la capacidad que tienen los fundadores de controlarla, es porque hay un movimiento en camino.

4. Dentro de las etnias

Por último, los movimientos de fundación de iglesias se dan dentro de etnias o segmentos de población relacionados entre sí. Como los movimientos de fundación de iglesias conllevan la comunicación del mensaje del evangelio, éstos se dan de forma natural dentro de límites lingüísticos y étnicos compartidos. Sin embargo, no suelen detenerse ahí, sino que a medida que el evangelio obra su poder transformador en las vidas de estos creyentes nuevos, éstos llevan el mensaje de esperanza a otras etnias.

La obra de Dios y el papel vital de los cristianos

En los movimientos de fundación de iglesias, el papel de los misioneros o personal externo es más fuerte al principio. Una vez que la etnia empieza a responder, es absolutamente importante que el personal externo se vuelva cada vez menos dominante y que los nuevos creyentes se vayan convirtiendo en los segadores y líderes principales del movimiento.

Los practicantes del movimiento de fundación de iglesias se han apresurado a darle a Dios la gloria por el movimiento. De hecho, esto ha sido así de tal modo que algunos han descrito los movimientos como un acto que sólo Dios produce. «No lo podríamos detener aunque quisiéramos», dijo un individuo. Su humildad era admirable, pero engañosa. Reducir un movimiento de fundación de iglesias sólo al milagro divino tiene el efecto de pasar por alto el papel de la responsabilidad humana. Si Dios es el único que está produciendo movimientos de fundación de iglesias, entonces él es el único a quien culpar cuando no los hay.

La verdad es que Dios les ha dado a los cristianos papeles vitales en el éxito o el fracaso de estos movimientos. Durante los años pasados hemos aprendido que hay muchas formas de obstruir e incluso detener los movimientos de fundación de iglesias. En muchos casos, las actividades bien intencionadas que se alejan de los caminos de Dios han hecho que un movimiento se detenga o incluso se muera. Los movimientos de fundación de iglesias son un milagro por la forma en que transforman vidas, pero también son bastante vulnerables a la manipulación humana.

Por eso es que debemos volvernos estudiantes de las maneras en que Dios está obrando en esos movimientos. Debemos aprender cómo está usando Dios a los fundadores de iglesias, los misioneros, las personas internas y externas para llevar a cabo estos movimientos.

También debemos aprender qué factores pueden disminuir el ritmo, entorpecer o incluso detener la multiplicación de la iglesia. Estudiar estos factores no indica una falta de fe en el señorío de Dios sobre la historia de salvación; estudiar y buscar de forma activa los movimientos de fundación de iglesias demuestra que realmente creemos en la comisión de Cristo de «ir y hacer discípulos de todas las naciones...».

Un misionero lo describió de manera muy adecuada: «Sabemos cuál es el fin de la historia; sabemos que Dios será glorificado entre todas las naciones. Lo que no sabemos es cómo sucederá; eso es el misterio; eso es la aventura».

La misión vuelve a casa

Andrew Jones

Volví a casa del «campo misionero» para descubrir que, en realidad, nunca lo había dejado.

Mi tiempo en el exterior como misionero de corto plazo con Operación Movilización alteró mi vida de una forma fundamental. Fue suficiente para convencerme de que sería misionero el resto de mi vida. Debbie, mi futura esposa, sentía lo mismo. Luego de dos años de servicio a bordo del barco Logos en América Latina, nos mudamos a los Estados Unidos y nos casamos.

Soy neozelandés por nacimiento, pero cuando adolescente me fui a vivir con mi familia a Australia. Como nuevo creyente en Cristo, estuve involucrado en la evangelización por las calles y en misiones nacionales durante varios años, pero enterarme de la necesidad en el exterior me llevó a «renunciar a mis pequeñas ambiciones». Vendí mi coche y compré un boleto de ida al campo misionero.

Dos años después, estaba de vuelta en Occidente. De todos los lugares posibles, nos encontramos en el sur de California. Terminar en el «frente interno» era algo desorientador. Queríamos ser misioneros allá afuera, en algún lugar, en cualquier lugar. Pero, ¿en los Estados Unidos?

Más obediencia que geografía

Comenzamos a darnos cuenta de que nuestro llamado a la misión tenía que ver más con la obediencia que con la geografía. Procedimos a vivir una vida misional donde estábamos y, muy pronto, encontramos sectores de la sociedad que estaban muy poco afectados por las buenas nuevas de Cristo. Recibimos a estudiantes internacionales y ayudamos a iglesias a iniciar programas de evangelismo en sus comunidades. Hablamos de Cristo en bares y en las calles. Para fines de la década de 1980, habíamos iniciado un servicio de iglesia alternativo que parecía un café.

A principios de la década de 1990, nos invitaron a volver al campo misionero, esta vez en otro barco. Nos entusiasmaba pensar que volveríamos a las misiones «verdaderas», sirviendo otra vez en el exterior. Pero nuestros planes cambiaron, pues Debbie quedó embarazada con nuestro tercer hijo. Éramos ahora una familia de cinco personas, una más de lo que permitía nuestra cabina de cuatro literas en el barco Doulos. Teníamos que escoger otro campo.

En ese tiempo asistíamos a una iglesia ubicada en Este de Los Ángeles, llamada The Church on Brady. Nuestro pastor, Thom Wolf, también estaba profundamente comprometido con la capacitación de misioneros, y pudimos aprender muchas cosas que nos ayudarían en un nuevo proyecto. En 1994 fuimos comisionados como misioneros por esa iglesia. Fuimos enviados, no tanto al exterior; de hecho, ni siquiera fuera del estado. Fuimos enviados apenas algunos cientos de kilómetros a lo largo de la autopista, a San Francisco, para iniciar comunidades

Andrew Jones es un misionero que está desarrollando actualmente una red global de empresarios misionales.

Este artículo fue tomado de su libro *Forward Slash*. Usado con permiso del autor.

Artículo 105

cristianas en una subcultura posmoderna que carecía de un testimonio a favor de Cristo.

No lejos, sino distante: La misión a las subculturas posmodernas

«Creativos culturales» fue uno de los nombres asignados a este grupo demográfico. Los creativos que conocíamos incluían a miles de chicos de la calle, jóvenes drogadictos y otros en subculturas posmodernas. Estaban influenciados por culturas tan diversas como la gótica, punk, rave, hippie, ciberpunk y la recientemente emergente cultura «geek», con sus salas de chateo y mentalidad orientada a los nuevos medios. Y nos encantaba. No eran un grupo demográfico para nosotros. Eran personas, y eran nuestros amigos. Hasta nos mudamos a su vecindario en Haight Ashbury, y vivimos entre ellos. Se convirtieron en nuestra tribu.

Ser un misionero en los Estados Unidos parecía más difícil que ser un misionero en América Latina. La mayoría de los jóvenes estadounidenses con los que hablábamos consideraban que las iglesias eran completamente irrelevantes. Algunos tenían experiencias negativas con cristianos que habían dañado su percepción del cristianismo. Pensaban que los cristianos eran personas enojadas y extrañas. Por lo general, veían al cristianismo con suspicacia.

«Para muchos estadounidenses», dice Miriam Adeney, «el cristianismo genera desconfianza. Creen que ha contribuido al sexismo patriarcal, a la violación ecológica de los recursos del mundo, al racismo, al fomento de una baja autoestima por su énfasis en que la gente es pecadora, y la represión de las emociones».[1]

Muchas iglesias, denominaciones y agencias de misión, se pusieron de nuestra parte para ayudarnos. Quienes más ayudaron fueron las iglesias urbanas más antiguas que estaban determinadas a quedarse en el centro y continuar la visión de la iglesia, de ser un centro espiritual en la ciudad. Por medio de la colaboración en proyectos de misión y eventos de adoración multigeneracionales, estas iglesias encontraron una nueva vida y visión.

No obstante, si bien disfrutamos de las asociaciones saludables y las relaciones simbióticas con las viejas iglesias urbanas, era obvio que se requerían odres nuevos para el vino nuevo. Aunque veíamos a muchos jóvenes entregar sus vidas a Jesús y ser transformados dramáticamente, el salto cultural a la «iglesia heredada» era demasiado grande. Como lo expresó mi amigo Dan Kimball: «Les caía bien Jesús, pero no la iglesia».[2]

Algo diferente emerge

Decidimos iniciar nuevos movimientos de iglesias con estos nuevos creyentes, antes que intentar encajarlos infructuosamente en iglesias existentes. Para fines de la década de 1990, estábamos conectándonos con empresarios misionales en todo el mundo, que estaban pensando y haciendo lo mismo. Al escuchar cada uno las historias de los demás, nos dábamos cuenta de que había un movimiento en marcha, un movimiento que no pertenecía a ningún grupo o denominación, y no estaba limitado o dominado por el mundo occidental. Era algo global y multidireccional.

Vimos patrones similares en las clases de iglesias que se iniciaban. Muchas habían comenzado en cafés, hogares, bares, empresas, y otras clases de áreas de vida comunitaria neutrales, que algunos llamaban «terceros espacios». O, en otras palabras, espacios que no eran realmente nuestro espacio o el espacio de ellos, sino algo intermedio. Las nuevas comunidades eran lideradas normalmente por laicos, más que por profesionales asalariados. Eran por lo general estructuras de abajo hacia arriba con un liderazgo compartido en una jerarquía dinámica, más que una jerarquía estática de arriba hacia abajo.

Habían comenzado como esfuerzos locales sencillos, a menudo sin un presupuesto, y habían «emergido» orgánicamente, autoorganizándose como una colonia de hormigas (Pr 6:6) a medida que maduraban en relaciones comunitarias o en una misión centrada en la comunidad.

Pronto se les asignaron términos como «Generación X», «misional», «emergente»[3] y «posmoderno» como etiquetas útiles, pero dejaron de ser útiles con la misma rapidez, ya que abundaron la mala comunicación y las sospechas, y enturbiaron las aguas.

> **No eran un grupo demográfico para nosotros. Eran personas, y eran nuestros amigos. Se convirtieron en nuestra tribu.**

Sencillo

Aún no tenemos un buen nombre. Pero no importa cuál sea el término que les demos; estas nuevas comunidades que resultan de la misión en la cultura emergente casi siempre son estructuras sencillas que pueden estar significativamente más cerca de la iglesia primitiva que de las iglesias de la era de la Reforma. También se parecen a movimientos sencillos y autóctonos que nacieron del ministerio entre los marginados y los pobres de la China, la India, América Latina y África, de los cuales hay mucho que aprender. Pero «sencillo» no significa que no estén afectados por la complejidad. En realidad, la vida de iglesia en el mundo urbano occidental es una experiencia compleja que involucra la interacción de muchos grupos no relacionados: comunidades, conferencias, festivales, chats, blogs, proyectos de misión, grupos de oración, grupos de interés locales, eventos de arte y ocasiones de adoración en toda la ciudad. A veces es difícil determinar cuál combinación de estas cosas, si existe alguna, es el factor dominante en la comunidad espiritual de una persona. La vida de iglesia en Occidente es más modular que singular.

Europa

Después de viajar por todos los Estados Unidos durante algunos años en una casa rodante, nuestra familia se mudó a Europa en el año 2000. Irónicamente, cuanto más nos acercamos al corazón del cristianismo occidental, más resistencia encontramos al evangelio. En muchos sentidos, Europa ha sido un desafío mucho mayor que los Estados Unidos o Australasia. La memoria cultural de un cristianismo vibrante y significativo es aún más lejana.

Lesslie Newbigin tenía razón cuando llamó al Reino Unido una cultura «poscristiana». Como yo, había vuelto de una misión en el exterior para encontrarse una nueva misión que lo esperaba en su país de origen. Se vio desafiado por la sociedad posmoderna y poscristiana, y también por una actitud crítica hacia la literatura misionológica, que «mayormente ignoraba la cultura que es la más generalizada, poderosa y persuasiva entre todas las culturas contemporáneas», a saber, la cultura occidental moderna.[4]

Aprender

Si bien la visión desde nuestra ventana del frente sigue cambiando, la historia eterna del evangelio no. La Biblia sigue siendo como una brújula firme que nos mantiene en el rumbo. Hay tres observaciones fundamentales de mi tiempo con Thom Wolf que han permanecido conmigo y han dado fruto en nuestro ministerio durante estos últimos quince años.

1. Obedecer a Jesús

Las instrucciones de Jesús a los que envió, en Lucas 10, son tan pertinentes para la misión hoy como lo han sido siempre. Jesús envió a su equipo para encontrar a la persona de paz, alguien preparada por el Espíritu Santo, que sería receptiva a la palabra de Dios. La misión fluye hacia afuera, no hacia adentro. No se trata de atraer a personas a un programa o evento, sino más bien de ir hacia donde se encuentran ellas. Se trata de lo que ocurre en sus casas, no en las nuestras. Jesús les dijo que dejaran atrás sus bolsas, y de muchas formas nosotros también debemos entrar en estos nuevos campos con bolsas vacías y recibir la hospitalidad de las personas a las que hemos sido enviados. La postura es la de un peregrino, más que la de un benefactor, y es esta postura la que permitirá que el evangelio avance en la misión en nuestros países de origen. Algunos llaman a esto «misión poscolonial».

2. Imitar a Pablo

El patrón de ministerio apostólico de Pablo es pertinente también como un patrón para la misión hoy.

Luego de alentar la oración por los que están en autoridad, y en muchos aspectos hacerse eco de las instrucciones de Jesús de Lucas 10, Pablo le dice a Timoteo: «Y para proclamarlo me nombró heraldo y apóstol... Dios me hizo maestro...» (1Ti 2:7). Llega a repetirlo en su segunda carta, usando las mismas palabras y en el mismo orden (2Ti 1:11).

Éste es Pablo al final de su vida, transmitiéndole a su aprendiz Timoteo, un breve resumen de lo que hacía y cómo lo hacía. Luego de sembrar el suelo con **Oración**, Pablo se convirtió en un:

- **Heraldo**. Un narrador de historias que explicaba lo que Dios estaba haciendo en formas contextualmente apropiadas. A menudo los heraldos son artistas en nuestro mundo occidental, porque el arte contiene historias de formas muy profundas. Y en nuestro mundo emergente de nuevos medios, blogs y «streaming» de vida (*lifestreaming*), donde las historias y los hechos son agregados por las máquinas de búsqueda, está surgiendo un nuevo tipo de heraldo que entiende los medios sociales y el flujo de la información. Tenemos que contar historias.

- **Apóstol**. Pablo era un emprendedor que ayudó a iniciar nuevas estructuras para preservar y exportar la vida y el testimonio de las comunidades que nacían. Nuestro nuevo mundo está repleto de oportunidades para el evangelio, y constantemente se están creando nuevos caminos hacia adelante. Lo que se requiere hoy, sostiene el estratega de misiones Alan Hirsch, es «genio apostólico».[5]

- **Maestro**. Pablo era una persona que usaba formas creativas de transmitir su conocimiento y experiencia para que la siguiente generación pudiera pararse sobre los hombros de él, y propagar la enseñanza de la iglesia. Nosotros también necesitamos enseñar a personas fieles para que puedan enseñar a otros.

Este patrón ha sido probado muchas veces. Es un ritmo de ministerio que nos reconecta con la iglesia primitiva. Oración, Heraldo, Apóstol, Maestro. A veces digo que nuestro papel es hacer amigos, contar historias, hacer fiestas y entregar regalos.

3. Misión holística

La predicción de Thom Wolf, de que «la misión en el siglo XXI ocurrirá principalmente sobre la plataforma de los negocios», está demostrando ser pertinente para la misión hoy, y no sólo en el exterior.

A menudo las misiones y los negocios han estado interconectados. Lo vemos en la iglesia primitiva y en el apóstol Pablo, que producía carpas. La empresa también fue un componente importante de los movimientos monásticos que llevaron las buenas nuevas a todo el mundo. Los primitivos movimientos de misión protestantes, como los moravos, e innovadores, como Guillermo Carey, también comenzaron microempresas junto con el ministerio cristiano. Hasta Henry Venn, de la Church Mission Society, en la década de 1850, sugirió el uso de microempresas dirigidas cooperativamente junto con un comercio justo para que la misión pudiera ser sustentable y no dependiente de recursos del extranjero.[6] No debería sorprender que los negocios se estén convirtiendo también en una importante plataforma para la misión en el mundo occidental. Se habla mucho del «cuarto sector» o de las «empresas con fines de beneficio»[7] y de empresas sociales sustentables que alguna vez sólo eran habituales en la misión en el extranjero.

Recientemente formamos parte del lanzamiento de un estudio y una tienda dirigidos cooperativamente para ser una docena de microempresas. De manera muy súbita nos hemos visto arrojados al corazón y a la vida de la ciudad. No somos una estación de misión en el sentido tradicional de la frase, pero somos un centro para la espiritualidad, los negocios, los medios y la hospitalidad. Tampoco somos un monasterio, pero me pregunto, ¿si estuvieran aquí hoy, qué harían esos monjes celtas que vivieron, trabajaron y oraron en esta misma tierra más de mil años atrás? Me gustaría pensar que sería algo bastante similar.

Aún aprendiendo

Aún estamos aprendiendo. Aún estamos cometiendo errores. El mundo está cambiando más rápido que nunca antes. Aún estamos explorando cómo es una misionología apropiada de las culturas occidentales. Pero si David Bosch tiene razón, y sospecho que sí, tal vez la misionología «incluirá una dimensión ecológica, deberá ser contracultural (si bien no escapista), tendrá que ser ecuménica, contextual, será principalmente un ministerio de laicos, y nuestro testimonio será creíble sólo si fluye de una comunidad local de adoradores, y en la medida en que nuestras comunidades faciliten un discurso que aliente la participación de las personas con su cultura».[8]

NOTAS

1. Miriam Adeney, "Telling Stories: Contextualization and American Missiology," *Global Missiology for the 21st Century*, ed. William Taylor.

2. Dan Kimball, *They Like Jesus but Not the Church: Insights from Emerging Generations*, Zondervan, 2007.

3. *In The Emergent Church: Christianity in a PostBourgeois World* (1981). Johann Baptist Metz predijo el surgimiento de una nueva clase de iglesia en la cultura occidental que emergería de los marginados, de las bases de la sociedad.

4. Lesslie Newbigin, *Foolishness to the Greeks*, Eerdmans, Grand Rapids, 1986. Las perspectivas de Newbigin han inspirado a diferentes movimientos que buscan encarar al Occidente posmoderno y a la poscristiandad con una mentalidad misional, incluyendo The Gospel in Our Culture Network, Leadership Network's Young Leaders y el proyecto Allelon's Mission in Western Culture. Fue también Newbigin quien reintrodujo los escritos misionales de Roland Allen en una nueva generación por medio de su introducción a *Missionary Methods: St Paul's or Ours,* de Allen.

5. Alan Hirsch, *The Forgotten Ways: Reactivating the Missional Church*, Brazos Press, 2007.

6. *To Apply the Gospel: Selections from the Writings of Henry Venn*, editado por Max Warren, Eerdmans, 1971, pp. 186-188.

7. Las «empresas con fines de beneficio» forman parte de un «cuarto sector» emergente que no encaja dentro de los sectores tradicionales de gobierno, empresas y organizaciones sin fines de lucro. A semejanza de las empresas con fines de lucro, las empresas del cuarto sector pueden generar una amplia gama de productos y servicios beneficiosos que mejoren la calidad de vida para los consumidores, creen empleos y contribuyan a la economía. Las empresas con fines de beneficio buscan maximizar el beneficio para todos los accionistas, y el 100% de las «ganancias» económicas que generan son invertidas para promover propósitos sociales. http://www.fourthsector.org/for-benefit-organizations.php.

8. David Bosch, *Believing in the Future: Toward a Missiology of Western Culture*, Trinity Press, 1995, pp. 55-60.

La evangelización de familias enteras

Wee Hian Chua

Wee Hian Chua es el pastor principal de la iglesia Emmanuel Evangelical Church de Londres, Inglaterra. Sirvió como secretario general de la Comunidad Internacional de Estudiantes Evangélicos de 1972 a 1991.

Tomado de *Let The Earth Hear His Voice*, 1975, World Wide Publications, Minneapolis, MN. Usado con permiso del Comité de Lausana para la Evangelización del Mundo.

Año: 1930
Localización: Noroeste de China
Objetivo: Fundar iglesias locales y dedicarse a hacer evangelismo intensivo en pueblos y aldeas.
Estudio de casos:
1. Enfoque y estrategia de dos mujeres europeas solteras.
2. Enfoque y estrategia de la Asamblea del Pequeño Rebaño de Chefu, Shantung.

Estudio de casos: Uno

Dos mujeres talentosas y dedicadas fueron enviadas por su sociedad misionera al noroeste de China. Su cometido consistía en evangelizar y establecer congregaciones en un grupo de aldeas. Hablaban con fluidez el chino; trabajaban fiel y fervorosamente. Después de una década, surgió una pequeña congregación, pero la mayoría de sus miembros eran mujeres. Sus hijos asistían a la escuela dominical con regularidad. Los visitantes de esta pequeña congregación notaban en seguida la ausencia de hombres.

En sus informes y boletines, ambas misioneras aludían a la «dureza de corazón» que prevalecía entre los hombres. También comentaban que había adolescentes prometedores cuyos padres se les oponían cuando ellos solicitaban permiso para bautizarse.

Estudio de casos: Dos

En 1930, un avivamiento espiritual barrió la Asamblea del Pequeño Rebaño de Shantung. Muchos miembros vendieron todas sus posesiones para poder enviar a setenta familias al noroeste como «congregaciones inmediatas». Otras treinta familias emigraron al noroeste. Para 1944, se habían establecido cuarenta asambleas, entregadas fundamentalmente al evangelismo.

Comparación de estudio de casos

Por lo que respecta a la dedicación y la ortodoxia doctrinal, tanto las dos misioneras europeas como la Asamblea del Pequeño Rebaño compartían el mismo compromiso y la misma fe. Pero ¿a qué se debió tan abultado contraste de resultados a raíz de su estrategia para fundar iglesias?

Considere el caso de las dos mujeres misioneras solteras. Día tras día, los aldeanos chinos las veían establecer contactos y tender puentes de amistad con mujeres, por lo general cuando sus maridos o padres trabajaban en el campo o comerciaban en ciudades vecinas. Su apariencia extranjera (las apodaron «diablos de pelo rojo») bastó para incitar prejuicios culturales y raciales en la forma de pensar de los aldeanos. Y su estado civil soltero era socialmente cuestionable. Es bien sabido en toda la sociedad china que la familia constituye la unidad social básica.

Esta célula garantiza la seguridad. En la enseñanza confucianista, tres de las cinco relaciones básicas tienen que ver con lazos familiares: padres e hijos, hermanos mayores y menores, marido y mujer. El hecho de que estas mujeres establecieran contacto con otras mujeres, y no dialogaran con ancianos, daba la impresión de que eran agentes extranjeras procurando destruir el tejido de la comunidad rural. Una cuestión que surgía constantemente en el chismorreo y la discusión de los aldeanos era la soltería de las misioneras. ¿Por qué no estaban casadas? ¿Por qué no se relacionaban visiblemente con sus padres, hermanos y hermanas, tíos y tías y otros parientes? De modo que cuando persuadían a las mujeres, o a los jóvenes, a que abandonaran la religión de sus antepasados, se las consideraba «destructoras de familias».

Por contraste, la Asamblea del Pequeño Rebaño, al enviar familias cristianas chinas, estaban enviando agentes reconocidos como entidades socioculturales. De suerte que las setenta familias pasaron a ser un eficaz contingente misionero. No resulta difícil imaginar a esos cabezas de familia compartir su fe con los ancianos de los pueblos. Las abuelas podían transmitir informalmente el gozo de seguir a Cristo y su liberación de los poderes demoníacos a las mujeres ancianas de las aldeas paganas. En el mercado las amas de casa podían invitar a otras mujeres a asistir a los servicios religiosos que celebraban cada domingo las «congregaciones inmediatas». ¡No es extraño que se establecieran cuarenta nuevas asambleas como consecuencia de este concepto de fundación de iglesias y evangelismo!

La evangelización de familias en otras culturas

La estrategia de evangelización de familias enteras no sólo es aplicable a las comunidades chinas. También es efectiva en otras comunidades asiáticas, aldeas y tribus africanas, así como en *barrios* y sociedades latinoamericanos. Comentando la rápida expansión de la fe cristiana en Corea, Roy Shearer observó: «Uno de los factores más importantes que rige el crecimiento de la iglesia es la estructura de la sociedad coreana. En Corea tratamos con una sociedad basada en la familia, no en la tribu. La familia sigue siendo fuerte hoy. La manera más segura de que un hombre acuda a Cristo es en el seno de su propia familia».

Siguió contando varias situaciones en las que los cabezas de familia regresaron a las aldeas de sus clanes y tuvieron éxito en persuadir a sus familiares y parientes de que se «volvieran de los ídolos y sirvieran al Dios vivo y verdadero». Y concluyó: «El evangelio fluía por la red de relaciones familiares. Esta red es el cable de transmisión de la corriente del Espíritu Santo que llevó a muchos hombres y mujeres a la iglesia».

En su libro, *Nuevas pautas para discipular hindúes*, Ms. B.V. Subbamma asevera categóricamente que la familia hindú puede ser la única institución social mediante la cual el evangelio es transmitido y recibido. No todos estarán de acuerdo con esta aserción, porque hay evidencia de estudiantes universitarios que han profesado la fe en Cristo en grandes centros universitarios de la India. Algunos pudieron dar este paso de fe por estar libres de presión paterna. No obstante, por regla general, la observación y deducción de Ms. Subbamma es correcta.

La evangelización de familias enteras es el modelo misionero actual en varias partes de Latinoamérica. En las redes de relación de la cultura católico romana, las estructuras familiares son sólidas. Valiéndose de este modelo social, los pentecostales chilenos, igual que como lo hizo en su día la Asamblea del Pequeño Rebaño de Shantung, envían *familias* de entre sus filas de fieles para ser agentes y embajadores de expansión de la iglesia. Gracias a esas familias misioneras se han plantado muchas asambleas y congregaciones en distintas partes del continente. El crecimiento fenomenal del movimiento pentecostal en Latinoamérica refleja la efectividad del uso de familias para evangelizar a otras familias.

A los individualistas occidentales a veces les cuesta entender que en muchas sociedades «cara a cara», o presenciales, las decisiones que tienen que ver con la religión se toman corporativamente. Si el individuo abrazara una nueva creencia religiosa en esta clase de sociedad él sería etiquetado como «traidor», y tratado como un proscrito. Después del Renacimiento, en muchos países occidentales la identidad se expresó mediante la locución cartesiana *Cogito ergo sum*: Pienso, luego existo. El hombre, como individuo racional, podía considerar por sí mismo distintas opciones religiosas y ser libre de escoger la fe que quisiera seguir. Sin embargo, esta sentencia no aplica en muchas comunidades tribales africanas. Para los africanos (y para muchos otros) la máxima inmutable es: *Participo, luego existo*. La conformidad con lo establecido y la participación en ritos y costumbres religiosas tradicionales les otorga a tales personas su identidad de modo que para que haya un cambio radical de lealtad religiosa, debe haber una decisión corporativa o supraindividual.

Esto es particularmente cierto en las familias y comunidades musulmanas. El método de evangelismo individual uno-por-uno no funcionará en tal sociedad. Un profesor amigo mío, que enseña en la universidad multirracial de Singapur, en cierta ocasión hizo esta importante observación: «He descubierto que para la mayoría de los estudiantes malayos (en su mayoría musulmanes) el islam no consiste en creer en Alá, el Dios supremo, —sino consiste en la *comunidad*». En tierras islámicas los embajadores de Cristo no sólo deberían desmontar argumentos teológicos en relación con la unidad y la naturaleza de Dios; también deberían considerar las asociaciones sociales y culturales musulmanas. Donde se convirtieron grandes grupos de musulmanes, las decisiones fueron multiindividuales. Una excelente ilustración podría ser Indonesia. En los últimos quince años, misioneros y pastores nacionales prudentes han entablado diálogos y debates con los ancianos y líderes de las comunidades locales musulmanas. Cuando estos forjadores de decisiones fueron convencidos de que Cristo es el único camino a Dios y de que sólo él es el Salvador del mundo,

volvieron a sus pueblos y ciudades e instaron a todos sus vecinos a convertirse a Cristo. De modo que no sorprende el testimonio de comunidades enteras adoctrinadas y bautizadas conjuntamente.

Tales movimientos se han dado en llamar «movimientos de pueblos». Muchos años antes de producirse este acontecimiento en Indonesia, Ko Tha Byu, notable evangelista birmano, contribuyó de forma decisiva al discipulado de aldeas y comunidades karen. En la actualidad, la iglesia karen es una de las comunidades cristianas más fuertes en el sudeste de Asia.

Los datos bíblicos

Si nos detenemos en el texto bíblico, descubriremos que las familias desempeñan un papel destacado como receptoras y como agentes de bendición de la salvación.

Para empezar, la familia ha sido divinamente instituida por Dios (Ef 3:15). En realidad, todas las familias deben su estirpe y su composición a su Creador. Por la redención, la iglesia —el pueblo adquirido por Dios— es llamado «familia de Dios» (Ef 2:19) y «familia de la fe» (Gá 6:10).

El Pentateuco pone gran acento en la santidad del matrimonio, la relación entre los hijos y los padres, los maestros y los esclavos. Este acento se subraya en el Nuevo Testamento (véase Ef 5:22-6:9; Col 3:18-4:1; 1P 2:18-3:7).

La familia (o la casa) es la que promete lealtad

a Yavé. Josué, como cabeza de su propia casa, pudo declarar: «Por mi parte, mi familia y yo serviremos al SEÑOR» (Jos 24:15). A través de Moisés, predecesor de Josué, Yavé le enseñó a su pueblo a celebrar sus poderosos hechos con comidas y festividades sagradas. Es interesante observar que la fiesta de la Pascua fuera una comida familiar (Ex 12:3-4). El cabeza de familia debía relatar y rememorar el gran drama de la liberación de Israel en aquella reunión familiar. En la historia de Israel, y hasta los días del Nuevo Testamento, por lo general las fiestas, la oración y la adoración fueron celebradas en familia, de modo que la familia judía llegó a ser objeto de la gracia de Dios y agente visual de sus actos redentores. Su fe monoteísta se expresaba en términos de solidaridad, y la religión familiar debió causar tremenda impresión en las comunidades gentiles. Uno de sus efectos fue que un gran número de gentiles se hicieran prosélitos, «miembros asociados» de las sinagogas judías. Las familias judías prestaron una considerable contribución a la causa «misionera».

El modelo de enseñanza apostólico actuaba en y por medio de la unidad familiar (Hch 20:20). El primer ingreso de un grupo gentil en la iglesia cristiana fue el de la familia del centurión romano en Cesarea (Hch 10:7, 24). En Filipos, Pablo condujo a las familias de Lidia y del carcelero a la fe de Cristo, y las incorporó a su iglesia (Hch 16:15, 31-34). Las «primicias» del gran apóstol y misionero en Acaya fueron las familias de Estéfanas (1Co 16:15), Crispo y Gayo (Hch 18:8; Ro 16:23; 1Co 1:14). De manera que queda claro que la iglesia primitiva enseñaba a las comunidades judías y gentiles en familias.

Queda también claro que las casas o familias servían como puestos de avanzada del evangelio. Aquila y Priscila abrieron su casa en Éfeso y Roma como centro de proclamación del evangelio (Ro 16:3, 5; 1Co 16:19). Las casas de Onesíforo (2Ti 1:16; 4:19) y de Ninfas (Col 4:15) también acogieron congregaciones.

Preguntas para reflexionar

1. Explique por qué la aspiración a ganar familias para Cristo puede ser más lenta a corto plazo, pero de más rápida multiplicación a largo plazo.

2. Muchas mujeres solteras están dispuestas a servir. ¿Cómo podrían prestar un mejor servicio para evangelizar a una sociedad persona a persona, dominada por el varón? ¿Qué retos similares tendrían que asumir los misioneros varones solteros?

3. ¿Qué importancia tiene alcanzar hogares enteros para fundar iglesias en etnias no alcanzadas?

Dependencia

Glenn Schwartz

Glenn Schwartz es el director ejecutivo fundador de World Mission Associates, una organización consultora para misiones que realiza su ministerio en Norteamérica, Latinoamérica, Inglaterra y África. Fue asistente del decano de la Escuela de Misión Mundial del Fuller Theological Seminary durante seis años, y misionero en Zambia y Zimbabue durante siete años. En 2007 publicó *When Charity Destroys Dignity*.

A veces la bienintencionada generosidad de los cristianos tiene un efecto contrario al crear dependencia. Podemos aprender valiosas lecciones de los fracasos de desatinadas bondades del pasado.

Primera lección: Todos deben dar

Se dice que un creyente de los navajo, un pueblo del oeste de los Estados Unidos que ha sufrido mucho a manos del resto de la población, compartió esta asombrosa perspectiva. Dijo: «Los misioneros no nos enseñaron a diezmar porque pensaban que éramos demasiado pobres. No sabían que éramos pobres porque no diezmábamos». Hay una ley en el universo que dice que, si Dios le da algo, usted debería devolverle algo de lo que le ha dado. Ahora bien, no estoy diciendo que el diezmo sea la respuesta a todos los problemas de la iglesia, pero estoy diciendo que, si suponemos que las personas no le pueden devolver a Dios algo de lo que han recibido —si suponemos que son demasiado pobres como para darle algo a Dios— las privamos de una bendición que Dios tiene guardada para ellas.

Segunda lección: Construya dignidad y propiedad

Cuando personas de afuera construyen templos para las iglesias de los lugareños, pueden convertirse, sin darse cuenta, en ladrones de autorrespeto. Los fondos del extranjero para edificios pueden quitar el privilegio que deberían tener las personas del lugar de construir sus propios templos, clínicas o escuelas. En vez de preservar la dignidad, podemos crear una dependencia que a menudo vuelve para acosarnos.

Durante un seminario sobre este tema en un salón, un misionero estadounidense que estaba atrás levantó su mano y dijo: «Sé a qué se refiere. Hace unos años llevé a un grupo de treinta y seis personas desde los Estados Unidos a Sudamérica para construir un templo para la iglesia de los creyentes locales. Nos quedamos allí varias semanas, terminamos el edificio, lo entregamos a los lugareños y volvimos a casa. Dos años después recibimos una carta de la gente de la iglesia: "Queridos amigos: el techo de su templo está goteando. Por favor vengan a repararlo..."».

Por otra parte, algunas sociedades de misión insisten en la participación de los lugareños desde el inicio, cuando construyen sus edificios, apoyan a sus evangelistas y envían misioneros. Algunas de estas iglesias no sólo construyen sus propios edificios, sino que envían a sus propios misioneros dentro de la primera década de su existencia.

Tercera lección: Hágalo reproducible

La estructura del movimiento cristiano introducido en muchas partes de África Central y Oriental no es reproducible. Esta compleja estructura

Artículo 107

extranjera fue creada y edificada a lo largo de décadas con un gasto de millones de dólares, libras y marcos alemanes.

Si durante el período colonial el personal extranjero visitante no podía manejar los programas sin un pesado subsidio del extranjero, ¿cómo podían esperar que los creyentes lo hicieran cuando el subsidio se quitaba? El resultado es que, en África Central y Oriental, iglesia tras iglesia no puede pensar en una evangelización transcultural más allá de sus fronteras por el peso de las estructuras heredadas del pasado. Además, dado que muchos de estos programas de iglesia no podían ser sostenidos localmente, ¿cómo podrían ser reproducidos en otra parte?

En consecuencia, los bienintencionados líderes de iglesia nacionales están más preocupados por el mantenimiento que por la extensión misionera dinámica. Les queda poca energía para hacer de la extensión transcultural una realidad, y mucho menos una aventura espiritualmente satisfactoria. Al final, los líderes locales quedan expuestos como administradores deficientes, o aun fracasados, por no poder mantener en funcionamiento elaborados programas de iglesia. Éste es sólo uno de los muchos resultados lamentables de crear estructuras no reproducibles.

Cuarta lección: Evite la dependencia de fondos exteriores

Tal vez uno de los aspectos más lamentables de las estructuras de iglesia y de misión no reproducibles es que el enorme flujo de fondos externos es lo que en realidad mantiene «pobres» a muchas iglesias. A lo largo de los años los creyentes encontraron que no era necesario poner billetes en la ofrenda de la iglesia. Sabían que si se sentaban cómodamente y esperaban el tiempo suficiente, los fondos terminarían llegando de alguna fuente oculta. Por cierto, los que creaban los programas no podían permitir que fallaran. Habría personas de «compasión» que encontrarían los fondos para cerrar la brecha, aunque no fuera más que para salvar la reputación de quienes iniciaron los programas en primer lugar.

Aun las iglesias establecidas, que han experimentado la bendición de ser organizacional y financieramente independientes, encuentran necesario seguir enseñándole a su gente que «hay más dicha en dar que en recibir». A veces, la facilidad con la que otros grupos reciben dinero de afuera se convierte en una fuerte tentación. Ayuda recordar que las personas pueden ser compradas con dinero. La marcha del islamismo a través de África, alimentada por los petrodólares del Medio Oriente, es una verdadera fuente de peligro para el cristianismo africano nominal.

Otra historia triste

Una importante organización cristiana de África Oriental estaba en camino de funcionar completamente con fondos locales. Había estructuras culturalmente apropiadas implementadas. Se levantaban fondos locales. Luego un donante de Europa les ofreció un subsidio sustancial, y sintieron que no podían rechazarlo sin ofender al donante. Pero algo trágico ocurrió en el proceso. Los miembros de la junta de la institución dijeron: «Si es tan fácil conseguir dinero del exterior, ¿para qué pasamos por todo el trabajo de reunir fondos localmente?». Fue triste ver que los planes de recolección de fondos locales fueron descartados. El alma de la institución fue vendida a favor del dinero fácil. Todos deberíamos llorar cuando pase esto.

Y una historia feliz

Un pastor de la Provincia del Cabo en Sudáfrica tiene una visión para un ministerio con un presupuesto de cien millones de rand. Se me cayó el alma a los pies cuando escuché que hacía poco había visitado Europa. Imagine mi sorpresa cuando supe que Dios le había hablado en ese viaje, diciéndole que el dinero debía ser reunido en casa, de empresarios de la Provincia del Cabo de Sudáfrica. Si esto ocurre, habrá abundante bendición entre todas las personas de esa provincia, en vez de estar restringida a unos cuantos donantes europeos.

Una historia de trabajo duro

Luego de conseguir permiso de las autoridades locales, un pastor compró un campo y se puso a ararlo. Un aldeano vecino vio lo que estaba haciendo, se acercó al líder de iglesia en el campo, y le dijo: «Reverendo, ¿por qué está arando este campo?». Le contestó: «Porque las ofrendas de la iglesia han bajado y necesito mantener a mi familia».

El vecino contestó: «Usted es un hombre de Dios, y debería estar haciendo el trabajo de Dios. Yo araré su campo por usted». Cuando llegó el tiempo de la cosecha, el vecino se ofreció a ayudar al ministro nuevamente.

Ese líder de la iglesia hizo una postrera observación: «Cuando nuestra gente ve que nosotros, como líderes de la iglesia, estamos dispuestos a trabajar por nuestro propio sustento, entonces ellos también demostrarán que están dispuestos a ayudar. Así es cómo cambiará la actitud de nuestra gente».

Piénselo de nuevo así: siempre que haya una fuente de ingresos oculta de algún lugar desconocido, la gente del lugar no sentirá la necesidad de apoyar sus propios ministerios. La pregunta es la siguiente: ¿Tiene alguien la valentía de dejar que el sistema colapse para que lo que surja pertenezca realmente a la gente?

Lo que puede hacerse: Movilizar recursos locales

Más de cien años atrás, los misionólogos descubrieron la importancia del autosustento para establecer iglesias de misión. Ahora, un siglo después, no sólo no aplican las lecciones de saludable autosustento, sino que muchos racionalizan que la única cosa razonable es complementar o en algunos casos reemplazar las donaciones locales con recursos globales. No parecen darse cuenta de que cuando los recursos globales reemplazan a los recursos locales, a la gente se le priva del gozo de devolverle al Señor algo de lo que él les ha dado a ellos. Más trágico aún, es que en algún lugar el evangelio no será predicado porque hay demasiado dinero desviado a

iglesias ya existentes.

Un líder de África Oriental me dijo que enfrentaba un doble desafío: «Debemos hacer más que recaudar fondos locales exitosamente. Eso es algo que podemos hacer. Además debemos desafiar a las estructuras y supuestos occidentales que de continuo vuelcan fondos desde afuera». Ahora es el momento de detener el flujo erróneo de fondos a iglesias emergentes, para que podamos ver a las iglesias moviéndose en la bendición de Dios.

Preguntas para reflexionar

1. En situaciones transculturales, ¿qué desincentivos se crean por la provisión de fondos desde el exterior?
2. Indique dos formas en que la movilización de recursos locales fomenta el avance del reino de Dios.

Su gloria hecha visible:
La fundación de iglesias por saturación

Jim Montgomery

Jim Montgomery fue fundador y presidente de los ministerios DAWN hasta su jubilación en 2004. También dedicó veintisiete años de servicio a OC International. Es autor de seis libros acerca de la Gran Comisión. Entre ellos, *DAWN 2000: 7 Million Churches to Go,* que relata la visión y la historia del movimiento DAWN.

Tomado de *Then the End Will Come*, 1997, William Carey Publishing, Pasadena, CA. Usado con permiso del autor.

Todo lo que yo tengo es tuyo, y todo lo que tú tienes es mío; y por medio de ellos he sido glorificado. —Juan 17:10

La visión de la Fundación de Iglesias por Saturación (FIS) tiene el objetivo de ver al Cristo encarnado presente en medio de todo núcleo pequeño de población, en toda etnia, región, ciudad, país y en el mundo entero.

La idea (FIS) parece obvia y sencilla ahora, pero por lo que a mí respecta, sólo fue concebida después de veinte años de agonía en cuanto a cómo proceder para hacer discípulos de todas las naciones.

Cristo está vivo y goza de salud

La victoria estratégica en mi mente llegó al concluir un esfuerzo muy exitoso en las Filipinas. Se habían establecido diez mil grupos evangelísticos de estudio bíblico en un tiempo breve, pero no me sentía satisfecho en absoluto. ¿Por qué no estaba exultante? Porque todavía había millones que no tenían una relación personal con el Señor.

«¿Por qué, Señor —comencé a orar—, nos diste un mandamiento que sabías que era imposible obedecer? ¿Nos engañaste? ¿Quisiste decir algo distinto de lo que enseña claramente tu Palabra?

»Si tú querías que las *naciones* fuesen *discipuladas*, ¿por qué no te quedaste en la tierra? Podías haber visitado todas las aldeas como hiciste en Galilea. Podrías haberte presentado hablando la lengua, vistiendo a la usanza del lugar, conociendo íntimamente la cultura, comiendo la misma comida y teniendo parientes y contactos en cada aldea y vecindario de toda "nación", en todo país del mundo.

»Podrías haber seguido manifestando tu poder, mostrando tu amor y compasión, y comunicando enérgicamente tu gran mensaje del reino. ¿Por qué nos encomendaste la tarea si sabías que excedía con creces a nuestra capacidad?».

«Ahora que tengo tu atención —pareció querer decirme el Señor después de semanas de hacer esta oración—, quiero que sepas que ésa es exactamente la manera en que hay que proceder para cumplir la Gran Comisión.

»Encárgate de que yo, el Señor, esté verdaderamente encarnado, como has venido sugiriendo, en cada pequeño grupo de personas sobre la tierra».

En una ráfaga de intuición divina todo resultó muy obvio. ¿Dónde habita el Señor?

«Cristo en ustedes, la esperanza de gloria» (Col 1:27).

«…el que está en ustedes es más poderoso que el que está en el mundo» (1Jn 4:4).

«Donde dos o tres se reúnen en mi nombre, allí estoy yo en medio de ellos» (Mt 18:20).[1]

Resultó evidente que Cristo podía estar vivo, gozar de buena salud y estar presente con todo su poder y gloria y compasión. Esto se puede hacer comunicando su maravilloso mensaje del reino de una manera totalmente contextualizada en toda pequeña comunidad que habita en la tierra, si hubiera verdaderos creyentes nacidos de nuevo ejerciendo los dones del Espíritu y funcionando en todo lugar como cuerpo de Cristo.

Poco después de que mi familia y yo completáramos nuestra asignación misionera en Filipinas a mediados de los setenta, mantuve una conversación con David Liao, por aquel entonces profesor de misiones en la Universidad de Biola. Le hablé del sueño y el compromiso de la iglesia filipina de crecer de cinco mil a cincuenta mil congregaciones para el año 2000 a.D.

«¡Oh, te refieres a la fundación de iglesias por saturación!» —dijo.

Yo había seguido el rastro de los movimientos de *evangelismo* por saturación, como el de «Evangelismo a Fondo», en América Latina, pero nunca había oído hablar de *fundación de iglesias* por saturación.

> ### Más que fundar iglesias, más que salvar almas, añoramos el día cuando podamos verdaderamente afirmar que la tierra está llena de la gloria del Señor.

Pero en efecto, describía exactamente el concepto que estuve desarrollando en las Filipinas. En 1974 había sentido que el Señor me decía que la manera más directa de cumplir la Gran Comisión era trabajar para que el Cristo resucitado fuera encarnado para estar al alcance de toda persona, casta, clase y condición que hay en el mundo.

Esto se traducía en fundar una iglesia centrada en Cristo en cada grupo pequeño de toda nación.

La fundación de iglesias por saturación en la Biblia

Por supuesto, estoy consciente de que la validez de una estrategia para evangelizar al mundo depende de mucho más que de mi propio testimonio y de lo que parece dar resultado. Aunque no soy un erudito o un teólogo, me estimula el hecho de que en los veinticuatro años de existencia y divulgación de esta estrategia, nunca he oído críticas de ningún teólogo. La verdad es más bien lo contrario. Suelo toparme con comentarios de teólogos y misionólogos que tienden a reforzar lo que creo que oí del Señor o aprendí de tutores piadosos.

Esto no quiere decir que no encontrara apoyo a la idea de FIS en mi propio estudio bíblico. Tómese,

El escaparate de Dios   *Wolfgang Simson*

Jesús nos comisionó para que fuéramos e hiciésemos discípulos de todas las naciones. Muchos cristianos en todo el mundo tienen la convicción creciente de que el discipulado de las naciones sólo se logrará al tener una iglesia —el escaparate de Dios— a corta distancia de cada persona del globo. La iglesia debe volver a ser el lugar donde las personas puedan ver literalmente el cuerpo de Cristo, donde su gloria se revele en los términos más prácticos: palpable, con los pies sobre la tierra,

puerta obligada, sobre la tierra, puerta obligada, imposible de pasar por alto o ignorar, viviendo cada día entre nosotros. A menudo muchos me han dicho, con lágrimas en los ojos, que su nación no cambiará realmente sus valores ni será discipulada por nada que sea artificial, por el toque fugaz del evangelio abreviado de una efímera campaña, o aun por el tipo de iglesia que ha estado allí los últimos cincuenta o quinientos años. Realmente importa qué tipos de iglesias se fundan. Sólo

la misma presencia del Cristo vivo en cada barrio y aldea de cada rincón de la nación servirá. Él ha venido a vivir entre nosotros, y a quedarse. Por lo tanto, necesitamos plantar y regar movimientos de fundación de iglesias que plantan y riegan otros movimientos de fundación de iglesias, hasta que no quede lugar para que nadie malinterprete, ignore o aun escape a la presencia de Jesús en la forma que él ha escogido asumir mientras está en la tierra: en la iglesia local.

Wolfgang Simson trabaja como consultor en estrategia, investigador y periodista en DAWN International Network, una red de estrategia global basada en la visión y la amistad.

por ejemplo, el ministerio del apóstol Pablo. Aunque sus métodos fueran variados y altamente contextualizados, el fruto de su ministerio era firme y constante: siempre dejaba detrás una hilera de congregaciones reproductoras asentadas en grandes zonas pobladas. Entonces pudo decir que «todos los judíos y los griegos que vivían en la provincia de Asia llegaron a escuchar la palabra del Señor» (Hch 19:10).

Como escribió Pedro Wagner en *Extendiendo el Fuego* (el primero de los tres volúmenes de la serie «Los Hechos del Espíritu Santo»): «La forma más concreta, más duradera de ministerio en el libro de los Hechos es la fundación de iglesias. La predicación del evangelio, la sanidad de los enfermos, el echar fuera demonios, el sufrir persecución, la celebración de concilios eclesiásticos y las diversas actividades de los apóstoles y otros cristianos desplegadas ante nosotros tienen por objeto multiplicar las iglesias cristianas por todo el mundo conocido».[2]

En el tercer volumen de esta serie, Wagner también escribió: «Parte de la influencia de Pablo en las nuevas iglesias consistía, indudablemente, en estimularlas a evangelizar a los perdidos en sus ciudades y fundar nuevas iglesias en casas, por todo vecindario. *Ningún principio misionológico es más importante que la fundación de iglesias por saturación*» (cursiva añadida).[3]

Más adelante comencé a relacionar esta multiplicación de iglesias con una visión y profecía del Antiguo Testamento que se repetía al menos en cuatro libros de la Biblia.

Por ejemplo, Habacuc 2:14 asegura que «se llenará la tierra del conocimiento de la gloria del Señor». Números 14:21 e Isaías 11:9 contienen declaraciones semejantes.

Entonces un colega me refirió a los dos últimos versículos del Salmo 72. El versículo 20 afirma: «Aquí terminan las oraciones de David hijo de Isaí». Y ¿cuáles fueron las últimas palabras de la última oración de David? «¡Que toda la tierra se llene de su gloria! Amén y amén» (v. 19).

¿Dónde reside la gloria del Señor? Ciertamente «los cielos cuentan la gloria de Dios, el firmamento proclama la obra de sus manos» (Sal 19:1). Pero muchos versículos también nos aseveran que Cristo —y por tanto su gloria— reside en nosotros.

Volví a ver esto mientras meditaba y oraba la oración sacerdotal de nuestro Señor registrada en Juan 17. Mientras leía mi Biblia en versión española, de pronto me sacudieron las palabras: *«mi gloria se hace visible en ellos»* (vs. 10 DHH).

¡Ahí estaba de nuevo! Más que fundar iglesias, más que salvar almas, añoramos el día cuando podamos verdaderamente afirmar que la tierra está llena de la gloria del Señor. ¿Y dónde está su gloria?

«Mi gloria se hace visible en ellos». En su pueblo.

Pedro Wagner ilustra esto en *Extendiendo el fuego* al decir que «multitudes de iglesias en muchas partes del mundo, aunque de manera imperfecta, reflejan precisamente la gloria de Dios por medio de Jesucristo».[4]

La FIS consiste sencillamente en asegurar que la presencia de Cristo esté en todo lugar, manifestándose en un cuerpo de creyentes que se congrega.

De todas formas, trabajamos en la fundación de iglesias por saturación no sólo porque sea una buena estrategia para completar la Gran Comisión; lo hacemos porque queremos cooperar con la profecía a veces repetida en el Antiguo Testamento: «se llenará la tierra del conocimiento de la gloria del Señor» (Hab 2:14).

Lo hacemos para responder a la última oración registrada de David: «¡Que toda la tierra se llene de su gloria!» (Sal 72:19).

Lo hacemos para que la gloria del Señor pueda ser visible a toda pequeña comunidad en la tierra.

Notas

1. James H. Montgomery, *DAWN 2000: 7 Million Churches to Go* (Pasadena, CA: William Carey Library, 1989), pp. 29, 30.
2. C. Peter Wagner, *Spreading the Fire* (Ventura, CA: Regal Books, 1994), p. 60.
3. C. Peter Wagner, *Blazing the Way* (Ventura, CA: Regal Books, 1995), p. 48.
4. C. Peter Wagner, *Spreading the Fire* (Ventura, CA: Regal Books, 1994), p. 60.

Preguntas para reflexionar

1. Explique la importante distinción entre la santidad y la divinidad de la creación. ¿Por qué es importante?
2. ¿Qué razones da Wright para incluir el cuidado de la creación como una dimensión de la misión cristiana?

¿Han ido demasiado lejos?

Phil Parshall

Phil Parshall ha servido como misionero con «Sirviendo en la Misión» (SIM, por sus siglas en inglés), durante cuarenta y cuatro años, en Bangladés y en las Filipinas. Es autor de nueve libros referentes al islam, incluyendo *The Cross and the Crescent: Understanding the Muslim Heart and Mind*, *Bridges To Islam: A Christian Perspective on Folk Islam* y *Muslim Evangelism: Contemporary Approaches to Contextualization*.

Los aspectos de la contextualización tratan con lo que hacen los mensajeros del evangelio para adaptar su mensaje, resultando en nuevos contextos culturales en las iglesias y en ellos mismos. Lo que sigue es la preocupación de Phil Parshall al ver que algunos misioneros «han ido demasiado lejos» en la contextualización. En este artículo él habla de la costumbre que estaban adoptando algunos misioneros, los cuales se estaban haciendo musulmanes para ganarse a los musulmanes. Este artículo disparó un debate sano entre los practicantes de la misión, y éste continúa hasta el día de hoy. La discusión ha ayudado a identificar y a distinguir asuntos importantes relacionados con el alcance a los musulmanes. Por ejemplo: se ha dejado claro que, el hecho de que los misioneros se hagan musulmanes es muy diferente a que los musulmanes retengan su identidad cultural musulmana cuando se convierten en seguidores fieles de Cristo.

Recientemente estuve hablando a un grupo de jóvenes que están muy motivados con el evangelismo a los musulmanes. Me contaron emocionados de un misionero que había explicado un «nuevo» *modus operandi* para ganarse a los hijos de Ismael para Cristo. Esta estrategia se centra en el evangelista cristiano que profesa ser musulmán, y participa en el *salat*, u oraciones islámicas oficiales dentro de la mezquita. El misionero ilustra el concepto mencionando a dos cristianos asiáticos que habían pasado por procedimientos oficiales para convertirse en musulmanes. Esto se hizo para convertirse en musulmán a los musulmanes, para ganar a los musulmanes para Cristo.

De hecho, tomar una identidad musulmana y orar en la mezquita no es una estrategia nueva, pero convertirse en musulmán oficialmente traslada la empresa misionera a territorio desconocido. Abarco este tema con una profunda preocupación.

Contextualización continua

John Travis,* misionero a largo plazo entre los musulmanes en Asia, nos pone en deuda con él al formular una simple categorización en la contextualización dentro del alcance musulmán. (Vea el Espectro-C en la página siguiente.)

Hace algunos años, un muy conocido profesor del islam aludió a mi creencia de que los musulmanes convertidos podían y debían seguir en la mezquita después de su conversión. Yo lo corregí de inmediato, dejando en claro que yo nunca había mantenido esa posición, ni en mis discursos ni por escrito. Mi libro *Beyond the Mosque*, aborda con amplitud el porqué, el cuándo y el cómo un convertido debe desligarse de la mezquita (aunque no necesariamente de la comunidad musulmana).

Sin embargo, doy lugar a un período de transición en el que el nuevo creyente, aunque ya madurando en su nueva fe, se desliga lentamente de la mezquita. Una partida demasiado repentina puede causar un antagonismo intenso y resultar en marginación. Vea 2 Reyes 5 para obtener una visión interesante de cómo respondió Eliseo al recién convertido Naamán, quien sacó el tema de su continua presencia en el templo pagano de Rimón.

En 1975, cuando nuestro equipo de misioneros inició una estrategia C4 en un país asiático musulmán (altamente contextualizada, aunque la comunidad musulmana ya no ve a los creyentes como musulmanes), enfrentamos una fuerte oposición. Un obrero cristiano a largo plazo en

El Espectro-C: *John J. Travis*

Una herramienta práctica para definir seis tipos de «comunidades centradas en Cristo» que se encuentran en contextos musulmanes

John J. Travis (un seudónimo), y su familia, han estado involucrados en la fundación de congregaciones contextualizadas entre musulmanes en Asia durante los últimos veintidós años. Junto con su esposa ha escrito artículos para varios libros y revistas, y con frecuencia enseña y capacita en muchos países sobre la contextualización, la sanidad y cómo compartir el amor de Jesús con los musulmanes.

El espectro C1-C6 compara y contrasta tipos de «comunidades centradas en Cristo» (grupos de creyentes en Cristo) que se encuentran en el mundo musulmán. Los seis tipos del espectro están diferenciados por idioma, cultura, formas de adoración, grado de libertad para adorar con otros e identidad religiosa. Todos siguen a Jesús como Señor, y los elementos fundamentales del evangelio son los mismos de un grupo a otros. El espectro intenta abordar la enorme diversidad que existe en todo el mundo musulmán en términos de etnicidad, historia, tradiciones, idioma, cultura y, en algunos casos, teología.

Esta diversidad significa que se requieren múltiples estrategias para compartir el evangelio y tener éxito en fundar comunidades centradas en Cristo entre los mil trescientos millones de musulmanes del mundo.

El propósito del espectro es ayudar a los fundadores de iglesias y a los creyentes de trasfondo musulmán a determinar qué tipos de comunidades centradas en Cristo pueden atraer la mayor cantidad de personas a Cristo del grupo buscado y cuáles pueden encajar mejor en un contexto dado. En la actualidad cada uno de los seis tipos se encuentra en alguna parte del mundo musulmán.

	C1	C2	C3	C4	C5	C6
Características de comunidades centradas en Cristo	Iglesia tradicional Usa cultura, tanto idioma como otras formas, ajenas a la cultura musulmana local.	Iglesia tradicional Usa cultura ajena a la cultura musulmana local, pero utiliza el idioma cotidiano.	Comunidad contextualizada Usa formas culturales locales. Rechaza formas religiosas islámicas.	Comunidad contextualizada Usa formas culturales locales y formas islámicas bíblicamente aceptables.	Comunidad que permanece entre la comunidad musulmana Usa formas culturales locales y formas islámicas bíblicamente aceptables y reinterpretadas.	No hay comunidad visible Creyentes secretos que pueden o no estar involucrados en la vida religiosa de la comunidad musulmana.
Autoidentidad sociorreligiosa de creyentes	Cristiano	Cristiano	Cristiano	Seguidor de Jesús	Seguidor musulmán de Jesús.	Seguidor privado de Jesús.
Percepción musulmana	Cristiano	Cristiano	Cristiano	Un tipo de cristiano	Un tipo extraño de musulmán	Musulmán

Gráfica adaptada por los editores de Massey (2000), "God's Amazing Diversity in Drawing Muslims to Christ," *International Journal of Frontier Mission* 17:1. Usado con permiso.

una tierra islámica básicamente me dijo: «Estás en terreno resbaladizo. Antes de que te des cuenta estarás negando la cruz». Pues bien, veintitrés años después, todavía estamos en el C4 y predicando la cruz; y el Señor ha honrado en gran manera nuestros esfuerzos en ese país.

Pero ahora soy yo el que protesta en contra de lo «resbaladizo», no en nuestro equipo, sino en otros que están ministrando en varias partes del mundo musulmán. Es algo progresivo y puede ser insidiosamente engañoso, en especial cuando está dirigido por personas con una motivación mayor. Ahora, a mí me parece que debemos presentar estos asuntos ante nuestros teólogos, misionólogos y administradores, y discutirlos de forma crítica antes de que nos encontremos con que

C1—Iglesia tradicional que usa un idioma diferente del idioma cotidiano de la comunidad musulmana circundante. Puede ser ortodoxa, católica o protestante. Algunas son anteriores al islamismo. Hay miles de iglesias C1 en tierras musulmanas hoy. Muchas reflejan la cultura occidental. A menudo existe un enorme abismo cultural entre la iglesia y la comunidad musulmana circundante. Puede haber algunos creyentes de trasfondo musulmán en iglesias C1. Los creyentes C1 se denominan a sí mismos «cristianos».

C2—Iglesia tradicional que usa el idioma cotidiano de la comunidad musulmana circundante. Es en esencia lo mismo que C1, excepto por el idioma. Si bien se usa el idioma cotidiano, quizá el vocabulario religioso sea no islámico (claramente «cristiano»). La brecha cultural entre musulmanes y C2 sigue siendo grande. A menudo se encuentran más creyentes de trasfondo musulmán en C2 que en C1. La mayoría de las iglesias que se encuentran en el mundo musulmán hoy son C1 o C2. Los creyentes C2 se denominan a sí mismos «cristianos».

C3—Comunidad contextualizada que usa el idioma cotidiano de la comunidad musulmana circundante y algunas formas culturales locales no musulmanas. Las formas religiosamente neutrales pueden incluir música folclórica, vestimenta étnica, obras de arte, etc. Los elementos islámicos (donde los hay) son «filtrados» para que queden sólo las formas puramente «culturales». El objetivo es reducir el carácter foráneo del evangelio y de la iglesia mediante la contextualización a formas culturales bíblicamente aceptables. Puede reunirse en un edificio de iglesia o en un lugar más religiosamente neutro. Las congregaciones C3 están formadas por una mayoría de creyentes de trasfondo musulmán. Los creyentes C3 se denominan a sí mismos «cristianos».

C4—Comunidad contextualizada que usa el idioma cotidiano y formas islámicas sociorreligiosas bíblicamente aceptables. Es similar a C3, sin embargo, se usan formas y prácticas religiosas islámicas bíblicamente aceptables (p.ej., orar con manos levantadas, cumplir con el ayuno, evitar el cerdo, el alcohol y tener perros como mascotas, usar términos y vestimenta islámicos, etc.). Se evitan formas foráneas. Las reuniones no se realizan en edificios de iglesia. Las comunidades C4 están formadas casi en su totalidad por creyentes de trasfondo musulmán. Los creyentes C4 son considerados como una especie de cristianos por la comunidad musulmana. Los creyentes C4 se identifican como «seguidores de Isa, el Mesías» (o algo similar).

C5—Comunidad de musulmanes que siguen a Jesús, pero siguen siendo cultural y oficialmente musulmanes. Los creyentes C5 permanecen legal y socialmente dentro de la comunidad del islamismo. Algo similar al movimiento judío mesiánico, de ser posible se rechazan o reinterpretan los aspectos de la teología islámica incompatibles con la Biblia. La participación en la adoración islámica corporativa varía de persona a persona y de uno a otro grupo. Los creyentes C5 se reúnen regularmente con otros creyentes C5 y comparten su fe con musulmanes no salvos. Los musulmanes no salvos pueden ver a los creyentes C5 como teológicamente desviados y pueden terminar por expulsarlos de la comunidad del islamismo. Los creyentes C5 son considerados como musulmanes por la comunidad musulmana y se consideran a sí mismos como musulmanes que siguen a Isa, el Mesías.

C6—Seguidores de Jesús musulmanes, secretos o clandestinos, con una comunidad reducida o no visible. Son similares a los creyentes perseguidos por regímenes totalitarios. Debido al temor, el aislamiento o la amenaza de acciones legales o represalias (incluyendo la pena capital) del gobierno o de la comunidad, los creyentes C6 adoran a Cristo en secreto (individualmente o tal vez, de vez en cuando, en pequeños grupos). Muchos llegan a Cristo por medio de sueños, visiones, milagros, transmisiones radiales, tratados, testimonio cristiano mientras están en el exterior o leyendo la Biblia por propia iniciativa. Los creyentes C6 (en contraposición con los C5) por lo general mantienen su fe en secreto. La situación C6 no es la ideal; Dios quiere que su pueblo testifique y tenga comunión frecuente (Heb 10:25). No obstante, los creyentes C6 forman parte de nuestra familia en Cristo. Si bien Dios podrá llamar a algunos a una vida de sufrimiento, prisión o martirio, tal vez le complazca tener a algunos que lo adoren en secreto, por lo menos durante un tiempo. Los creyentes C6 son percibidos como musulmanes por la comunidad musulmana y se identifican a sí mismos como musulmanes.

hemos llegado a un punto indiscutiblemente subcristiano.

Un experimento ministerial

Nosotros tenemos ayuda. En una zona geográfica de Asia, muy limitada y remota, durante muchos años se ha llevado a cabo un experimento C5 («musulmanes mesiánicos» que siguen a *Isa* (Jesús) el Mesías y son aceptados como musulmanes por los musulmanes). Este ministerio nos ofrece una buena base de evaluación, aunque ha experimentado cambios de personal significativos a lo largo de los años.

Hace poco unos investigadores visitaron Islampur* para examinar el movimiento C5 en ese lugar, y encontraron que el movimiento ya llega a miles de personas.

Por un lado los descubrimientos son muy esperanzadores; casi toda la gente que fue entrevistada indicó que valoraba mucho leer el Nuevo Testamento y reunirse regularmente para celebrar cultos cristianos. La mayoría dijo que Alá los ama y los perdona porque Jesús murió por ellos; oran a Jesús pidiendo perdón, y casi todos creen que Jesús es el único salvador y que puede salvar a las personas de los espíritus malignos.

Por otro lado, casi todos dicen que hay cuatro libros celestiales: la Taurat, el Zabur, el Inyil y el Corán (la creencia típica de los musulmanes son: la ley, los profetas, los evangelios y el Corán), de los cuales el Corán es el más grande. Casi la mitad de

ellos continúa yendo a la mezquita tradicional los viernes, donde participan en las típicas oraciones islámicas que afirman que Mahoma es un profeta de Dios.

¿Contextualización o sincretismo?

¿Qué tenemos aquí? ¿Contextualización o sincretismo? ¿Es un modelo que debamos seguir o ignorar? Desde luego, hay una transparencia y un potencial expansivo y emocionante pero, aunque los defensores del C5 están contentos de mantener las cosas dentro del ambiente religioso islámico, yo no.

¿Puede redimirse la mezquita?

La mezquita está embarazada de teología islámica. Allí se afirma que Mahoma es el profeta de Dios y se niega la divinidad de Cristo de manera consistente. Sólo oraciones musulmanas *(salat)* se llevan a cabo de forma ritual como en ninguna otra religión. Estas oraciones son un sacramento musulmán como lo es para los cristianos el participar de la santa cena. ¿Cómo nos sentiríamos nosotros si un musulmán asistiese (o se uniese) a nuestra iglesia evangélica, y tomase la santa cena, con la intención de obtener «acceso privilegiado» y después comenzar a promover el islam y a ganarse a nuestros feligreses con su persuasión religiosa?

Incluso el C4 es vulnerable a acusaciones de engaño por parte de los musulmanes, pero yo no estoy de acuerdo, y lo veo como un nivel propio de la imposición. Nosotros no nos hemos convertido en un elemento subversivo dentro de la mezquita, que busca socavar sus preceptos y sus prácticas. A mí me parece que el C5 hace eso y nos hace vulnerables a ser acusados de una actividad sin ética y subcristiana.

En un país donde estuve ministrando anteriormente, nuestro equipo tenía un acuerdo de que ninguno de nosotros entraría en una mezquita para involucrarse en oraciones islámicas. Sin embargo, alguien de nuestro grupo quiso «experimentar» con el *salat* en secreto, un viernes viajó a un pueblo remoto donde se mostró amigable con los musulmanes del lugar. Harry* expresó su deseo de aprender cómo eran los rituales y

las formas de oración.

Los líderes musulmanes estaban muy contentos de ver que un extranjero quería aprender del islam, así que le dieron a Harry la instrucción necesaria. A la una de la madrugada nuestro misionero ya se hallaba en primera fila de la mezquita, arrodillándose y postrándose con el *salat*. No importó que en silencio estuviese orando a Jesús, pues nadie más lo sabía.

Después de la adoración los aldeanos musulmanes se acercaron a Harry y lo felicitaron por convertirse en musulmán. Avergonzado, Harry explicó que él era seguidor de *Isa* (Jesús), y que él solamente quería aprender del islam. Al oír estas palabras, la multitud se enfureció.

Harry fue acusado de destruir la santidad de la mezquita. Alguien gritó que deberían matarlo, y casi se desata un disturbio.

El imán del lugar buscó cómo apaciguar a la multitud, admitiendo que él había cometido un error al enseñarle al forastero las oraciones, y les pidió perdón a sus compañeros musulmanes. Entonces se decidió que Harry se marchase del pueblo inmediatamente y que nunca más regresase.

Otra experiencia tiene que ver con Bob,* un misionero a los musulmanes, muy inteligente, productivo y espiritual. Nos conocimos en una conferencia y a lo largo de los años intercambiamos cartas y alguno que otro casete. Mi gran preocupación era que él afirmaba abierta y dogmáticamente que Mahoma es un profeta de Dios. A mí me parecía que Bob había cruzado el límite y se había pasado al sincretismo. Tal vez tenía una motivación pura, pero había llegado demasiado lejos en la progresión de identificación con los musulmanes. Hoy en día Bob está sin ministerio y divorciado de su esposa.

Pautas

En 1979 escribí las siguientes pautas que nos ayudasen a evitar el sincretismo al evangelizar a los musulmanes. Diecinueve años después vuelvo a afirmar y a enfatizar estos principios.

1. El islam, como religión y como cultura, debe estudiarse con profundidad.

2. Debe haber un acercamiento sincero. El experimentar cuidadosamente en la contextualización no debe llevar al sincretismo, siempre y cuando uno sea consciente de todos los peligros que esto comporta.

3. Debemos familiarizarnos con las enseñanzas bíblicas en cuanto al sincretismo. Deberían observarse con cuidado los pasajes del Nuevo Testamento que hablan de la singularidad de Cristo.

4. La contextualización necesita ser monitoreada y analizada constantemente. ¿Qué está pensando la gente en realidad? ¿Qué estamos comunicando con la contextualización? ¿Qué están desencadenando las formas específicas en la mente del recién convertido? ¿Hay algún progreso en la comprensión de la verdad bíblica? ¿Puede demostrarse que la gente se está volviendo más espiritual?

5. Los comunicadores interculturales deben tener cuidado de no presentar un evangelio que haya sido sincretizado con la cultura occidental. Deberían evitarse las adiciones que se han ido aplicando al cristianismo con el paso de los siglos, resultado del hecho de que Occidente ha sido el eje del cristianismo.

Conclusión

No, no estoy diciendo que la motivación de misioneros temerosos de Dios que están practicando y promoviendo el C5 como una estrategia apropiada para ganarse a los musulmanes para Cristo sea mala. Algunos de esos obreros cristianos son amigos míos, y anhelan ver resultados en la evangelización a los musulmanes. No estoy cuestionando su integridad personal.

Sin embargo, me siento inquieto. ¿Adónde nos lleva todo esto? En la conferencia que mencioné antes, un joven convertido en musulmán se me acercó y me dijo que había seguido la enseñanza del misionero orador. Se fue a la mezquita del lugar y le dijo al imán que era musulmán y que quería aprender más del islam. En secreto planeaba fomentar una relación con el imán. Le pregunté a Abdul* cómo se sentía con lo que había hecho, y con una mirada de tristeza y dolor me contestó que se sentía muy mal y que no lo volvería a hacer.

Saquemos el tema a la luz y dialoguemos.

seudónimo

Preguntas para reflexionar

1. ¿Qué cosas vio Parshall en el «experimento C5» que lo alentaron? ¿Qué le hizo preocuparse por la presencia de sincretismo? ¿Por qué?

2. ¿Qué tipo de concesión hace Parshall a los nuevos creyentes en comunidades musulmanas para evitar la marginación y el antagonismo?

3. ¿Cuál es el punto donde termina la contextualización y comienza el sincretismo según Parshall (en el espectro C)? ¿Está de acuerdo con él?

¿Deben dejar el islam todos los musulmanes para seguir a Jesús?

John J. Travis

John J. Travis (un seudónimo) y su familia han estado involucrados en la fundación de congregaciones contextualizadas entre musulmanes en Asia durante los últimos veintidós años. Junto con su esposa ha escrito artículos para varios libros y revistas, y con frecuencia enseña y capacita en muchos países sobre la contextualización, la sanidad y cómo compartir el amor de Jesús con los musulmanes.

Usado con permiso de «Must all Muslims leave 'Islam' to follow Jesus?», *Evangelical Missions Quarterly*, 34:4 (October 1998), publicado por EMIS, P.O. Box 794, Wheaton, IL 60189.

Durante la última década, mi familia y yo hemos vivido en Asia, en un barrio musulmán muy unido. Mi hija, que ama mucho a nuestros vecinos, me preguntó un día: «Papá, ¿puede un musulmán ir al cielo?». Le contesté con un «sí» a la manera de Hechos 15:11: «Si un musulmán ha aceptado a Isa (Jesús) el Mesías como Salvador y Señor, es salvo, igual que nosotros». Nosotros afirmamos que las personas son salvas por la fe en Cristo, no por su afiliación religiosa. Los seguidores musulmanes de Cristo (es decir, creyentes C5) son nuestros hermanos y hermanas en el Señor, aun cuando no cambien de religión.

¿Puede un musulmán aceptar verdaderamente a Jesús como Salvador y Señor, con lo cual rechaza algunos elementos de la teología islámica normal y, sin embargo (en bien de los perdidos), permanecer en su familia y comunidad religiosa? Debido a la enorme importancia que el islamismo le asigna a la comunidad, su desprecio casi universal por los que se han convertido en «traidores» al unirse al cristianismo, y nuestro deseo de ver a preciosos musulmanes acudir a Cristo, encontrar la respuesta a esta pregunta es esencial. Estoy de acuerdo con Parshall: es hora de que los misionólogos, teólogos y otros, en particular quienes trabajan cara a cara con musulmanes, busquen seriamente la voluntad de Dios sobre esta cuestión C5.

El estudio de caso de Islampur

El resultado del estudio de caso C5 en el artículo de Parshall «¿Van demasiado lejos?» indica que casi todos los líderes de este movimiento retienen firmemente enseñanzas bíblicas acerca de la identidad y la obra de Cristo. No sólo tienen una sólida teología básica, sino que demuestran que son activos en su fe, orando, leyendo y escuchando la Biblia, y reuniéndose para la adoración. ¡El hecho de que más de la mitad de ellos entienden la trinidad con toda claridad como para afirmar a Dios como Padre, Hijo y Espíritu Santo, es en realidad asombroso, considerando que sería visto como una apostasía por la mayoría de los musulmanes! ¿Cuántos pastores estadounidenses estarían encantados de encontrar la misma vitalidad entre sus propias congregaciones?

Con respecto a algunas prácticas y creencias islámicas que retienen, no deberíamos sorprendernos de que casi la mitad de ellos se sientan cerca de Dios cuando escuchan la lectura del Corán. Dado que no entienden el árabe, podría ser la conocida y melodiosa salmodia que toca sus corazones. (Algunos creyentes C4 y C5 donde trabajo tienen una hermosa canción de alabanza que se parece mucho a las salmodias musulmanas.) Tampoco es de sorprender que la mitad de ellos sigan adorando en la mezquita, además de asistir a reuniones semanales C5. Esta práctica tiene reminiscencias de los primeros seguidores judíos de

grupo de aldea C5 que conozco ora en la mezquita el viernes al mediodía, y luego se reúne en un hogar para estudiar la Biblia y orar, guiados por «Achmad» (un seudónimo), pastor C4 que antes había sido maestro musulmán.

En este caso, a estos creyentes las reuniones en las mezquitas les parecieron superficiales y carentes de vida, y dejaron de asistir durante un tiempo. Su ausencia resultó muy amenazante para el líder de la mezquita, e intentó eliminar sus reuniones del viernes por la tarde. Achmad sugirió que volvieran a la mezquita, aunque tuviera poco significado para ellos. Salvaron el prestigio del imán y los nuevos creyentes siguieron

Cristo, que se reunían tanto en el templo como en las casas (con la vieja comunidad y la nueva). Un

¿De verdad hemos ido lejos lo suficiente? *Ralph D. Winter*

Los que hemos respondido al excelente análisis de Phil Parshall «¿Han ido demasiado lejos?», no discrepamos con él, sino que aceptamos con entusiasmo su invitación a traer estas cosas a la luz de un debate abierto. El tiempo nos dirá a todos si estábamos equivocados de una u otra manera. Mi contribución ha sido mucho menos exigente gracias a la excelente respuesta de Travis. Yo, por supuesto, respaldo las cinco «pautas» de Parshall.

Añado estas palabras porque creo que necesitamos tomarnos en serio la riqueza de las experiencias y los sucesos acaecidos a lo largo del milenio transcurrido desde la muerte de Mahoma, ¡y tener en cuenta que la consecuencia más importante de todo esto puede ser una mejor comprensión del Nuevo Testamento!

En primer lugar, esos más de mil años de registro dinámico encierran profundas y casi constantes herejías dentro de la tradición cristiana de la que solemos enorgullecernos. Ya he descrito algunos de los grandes factores políticos y culturales que

intervinieron en el ascenso del cristianismo y el islam, en el Artículo 36 («El reino contraataca»). Siempre se ha dado un inquietante debate acerca de la mejor manera de creer. Los primeros teólogos cristianos se esforzaron por definir, en distintas épocas, las teologías arriana, atanasia, monofisita, católica, ortodoxa y musulmana como heréticas, sin señalar ni una sola de ellas como no cristiana.

Lo que tiene que quedar muy claro en este debate es el hecho de que en la historia reciente los cristianos y los musulmanes han cultivado actitudes sensibles en extremo, y perjudiciales de los unos para los otros, sobre todo a partir de las Cruzadas. Esto hace que resulte muy difícil quitar capas de prejuicio y pensar objetivamente.

Es increíble cómo las configuraciones políticas pueden deformar sensibilidades. La democracia estadounidense de toda la vida colaboró estrechamente con los aliados comunistas rusos cuando fue necesario para detener al monstruo nazi. Pero una vez quitada esa amenaza, la Unión

Soviética y los Estados Unidos volvie[ron] al conflicto. El conflicto y la polariza[ción] en la antigua Yugoslavia es tan gran[de] entre serbios y croatas (ambos cristianos), como entre cada uno de ellos y los bosnios musulmanes, y la objetividad es casi imposible.

Así pues, mi primer punto de vista en este debate es que nuestras actitudes deben tomar en cuenta la posible deformación de nuestra perspectiva resultante de los acontecimientos históricos. Los cristianos, casi bárbaros, de Europa Occidental, cometieron terribles atrocidades contra los cristianos orientales en Constantinopla y contr[a] los musulmanes en Jerusalén. Los cristianos occidentales consideraba[n] los orientales tan herejes como los musulmanes. En la actualidad, un sencillo creyente de una iglesia fundamentalista podría sufrir un choque cultural más fuerte, si cabe, [en] una catedral católica muy decorada, que en una mezquita islámica.

Es verdad que a lo largo de los sig[los] ha habido millones de «musulmanes[»]

Ralph D. Winter fue director general de Frontier Mission Fellowship (FMF) en Pasadena, California. Después de prestar diez años de servicio misionero a los mayas en las tierras altas de Guatemala, fue llamado a ser profesor de misiones en la Escuela de Misión Mundial del Fuller Theological Seminary. Diez años después, él y su difunta esposa, Roberta, fundaron la sociedad misionera denominada Frontier Mission Fellowship. Ésta, a su vez, dio a luz al Centro Estadounidense para la Misión Mundial y la William Carey International University, los cuales sirven a los obreros que laboran en misiones pioneras.

reuniéndose durante más de un año, y han asistido nuevos musulmanes interesados (incluyendo dos maestros islámicos).

Con respecto al gran aprecio por el Corán entre los creyentes de Islampur, se requiere desarrollar una respuesta apologética referente al Corán que permita afirmar la verdad que contiene (en particular con el propósito de ser un puente para el testimonio) sin ponerlo en una posición igual (¡o superior!) al Inyil. Por fortuna, mientras se desarrolle dicha apologética, los creyentes de Islampur están leyendo con mayor regularidad el Inyil que el Corán. Volviendo al caso de mi amigo Achmad, realiza «sesiones de lectura de libros sagrados» vespertinas en su hogar. A menudo comienza por leer pasajes del Corán de una forma respetuosa, y luego procede al punto central de la tarde, leyendo textos de la Biblia (el Taurat, el Zabur y el Inyil).

Hay más probabilidades de que los musulmanes no salvos asistan a sesiones de lectura de la Biblia cuando contiene también alguna lectura del Corán en árabe. Achmad tiene cuidado de leer pasajes coránicos que no entren en conflicto con la Biblia.

Tres puntos finales relacionados con el estudio de Islampur. Primero, estas comunidades C5 centradas en Cristo consisten enteramente de nuevos creyentes de una etnia muy resistente. Están en pleno proceso, y sus luchas no difieren de lo que muchas congregaciones del primer siglo enfrentaron. Debemos orar para que el mismo Espíritu Santo en quien Pablo confiaba para guiar y purificar a esos primeros grupos de creyentes esté activo también en estos nuevos grupos de Islampur.

Segundo, para lograr una perspectiva más precisa, debemos evaluar la calidad de las vidas de los nuevos creyentes en Cristo, no sólo su teología. ¿Es evidente el fruto del Espíritu y muestran ahora

que creyeron que Jesús es el Hijo de Dios, así como millones de «cristianos» que tienen este punto muy confuso, como los devotos pentecostales «unitarios», veneradores de la Biblia, en México.

Es decir, el que creyentes en Jesús se llamen musulmanes o cristianos no tiene mucha importancia cuando se trata de una fidelidad doctrinal precisa a la Palabra de Dios. En las «Iglesias Iniciadas en África» uno puede encontrar casi cualquier clase de herejía, pero tiende automáticamente a ser tolerante con su concepción teológica y está dispuesto a darles tiempo para que entiendan mejor la Biblia —en parte porque estamos habituados a llamarlos cristianos—. En lo fundamental, a los estrategas misioneros les preocupa menos sacar a estos cincuenta millones de personas de esos movimientos, que poner la Biblia dentro de ellos.

¿No podría ser éste el caso con los miles, y quizá algún día millones, de «musulmanes» cuyo principal problema es que no están tan familiarizados con la Biblia como deberían estarlo? ¿No podríamos considerar al Corán como si fuera uno de los libros apócrifos y dejar que poco a poco fuera menos importante, sencillamente porque no es tan edificante, intelectual o

espiritualmente? Esto sucederá a pesar del apego emocional que los musulmanes puedan tener a su árabe clásico y sus cadencias (no mejor entendido de lo que solía ser entendida la misa en latín por los católicos). ¡Qué desventaja tiene el Corán comparado con el flujo dramático, pleno de sentido, de los evangelios! ¡Y qué desventaja si, como la misa en latín, por tantos siglos, el Corán no pudiera ni hubiera sido traducido a otras lenguas! ¿Cómo podría jamás competir con la Biblia? Tal vez el *Taurat* (los libros de Moisés) y el *Inyil* (el Nuevo Testamento) sólo necesiten ser redescubiertos en el islam de la manera en que la Biblia ha necesitado una y otra vez ser redescubierta en la historia cristiana judía.

Y luego, hablando de tolerancia, no obstante, aunque por lo general los cristianos no lo admiten, es absolutamente cierto que a lo largo de la historia ¡los musulmanes han sido más tolerantes con los cristianos que a la inversa! Durante trece siglos los musulmanes tuvieron a su cargo Jerusalén, y en ese tiempo preservaron cuatro sectores: el musulmán, el cristiano, el armenio y el judío. Hasta los tiempos modernos, sólo cuando la ciudad estuvo bajo los cristianos o los judíos, los otros

Fueron tratados con violencia genocida.

Por último, nos vemos obligados a repasar el Nuevo Testamento. La principal cuestión misionológica que se plantea es precisamente cómo llegar bastante lejos. ¿Creemos que Cornelio iba camino al infierno antes de que Pedro llamara a su puerta? Parte de la explicación que da Pedro, en Hechos 15:8, es que «Dios conoce el corazón». Eso es justo lo que los humanos no conocemos. No permitamos que nuestras formulaciones teológicas desbanquen a la Palabra de Dios.

A lo largo de siglos de historia, y a lo ancho de los campos de misión del mundo, los movimientos hacia Cristo rara vez, si es que alguna vez ha pasado, han sido ortodoxos según el actual modelo de interpretación bíblica. Hoy no aceptaríamos la escatología de Lutero, ni la disposición de Calvino a ejecutar la herejía. Todos nuestros antecedentes, son, de hecho, subcristianos y sincretistas. ¿No deberíamos anhelar que los musulmanes conocieran a Cristo y su palabra del mismo modo que estamos agradecidos de que se permitiera a nuestros antepasados captar débiles rayos de luz de esa misma palabra hace siglos?

un amor más profundo por los demás? La Biblia es clara en cuanto a que por cualidades como éstas reconoceremos a los verdaderos seguidores de Cristo (Mt 7:20; Jn 13:35).

Por último, si no fuera por la estrategia C5 usada en este ministerio de fundación de iglesias, ¿en primer lugar, existirían estos miles de nuevos creyentes para analizar?

Misioneros C5 (cristianos que se convierten en musulmanes para alcanzar a musulmanes)

Ésta es, tal vez, la mayor preocupación de Parshall, y estoy de acuerdo con él en términos generales. Los cristianos que se convierten en musulmanes para alcanzar a musulmanes (es decir, misioneros C5) representan un paso que va más allá de simplemente instar a nuevos creyentes a permanecer en la comunidad religiosa de origen (es decir, creyentes C5) en bien de sus familiares y amigos no salvos. En nuestra situación actual, he aconsejado a mis propios colegas de trasfondo cristiano, en particular a los expatriados, a asumir una expresión de fe C4, y no ingresar en el islamismo para alcanzar a los musulmanes. Pero no me cuesta imaginar que en algunas instancias Dios podría llamar a individuos bien preparados con dones específicos, cuyos ministerios están firmemente respaldados por la oración, a una misión e identidad religiosa C5. Estos misioneros C5 serían musulmanes en estricto sentido árabe de la palabra (es decir «uno sometido a Dios») y su teología, por supuesto, diferiría de la teología musulmana convencional en varios puntos clave. Tendrían que estar preparados para la persecución, y sería mejor que estos creyentes fueran de un trasfondo musulmán.

Si con el paso del tiempo pusieran en claro sus creencias, y la comunidad musulmana circundante optara por permitirles quedarse, ¿no deberíamos alabar a Dios por la oportunidad que tendrían de compartir las Buenas Nuevas en un lugar donde pocos se animarían a transitar? Al parecer, ni «Abdul», el converso musulmán, ni «Harry», el misionero occidental, fueron llamados ni estaban preparados para esta clase de obra.

Con relación a cómo «se sentirían» los musulmanes acerca de esta clase de estrategia, creo que la pregunta es algo irrelevante. La mayoría de los musulmanes con los que he hablado objetan cualquier actividad que perciben como un intento de atraer a los musulmanes al cristianismo. Sin embargo, el enfoque C5, que comunica el mensaje de salvación en Cristo sin intentar persuadir a los musulmanes a «cambiar de religión», podría ser, de hecho, el más apreciado por los musulmanes. Al separar el evangelio de la multitud de temas legales, sociales y culturales implicados en un cambio de bando religioso, es posible compartir y recibir (esperamos) un mensaje más directo y menos cargado. En cuanto a cómo se sentirían los cristianos si los musulmanes ingresaran en una iglesia con el propósito de ganar conversos para el islamismo, yo no tendría temor, personalmente. Por cierto, por varios motivos, a menudo los no cristianos están a las puertas de las iglesias, ¡y muchos llegan a Cristo de esta forma!

Reinterpretar a Mahoma y al Corán

¿Es posible ser miembro de la comunidad del islamismo y no profesar la teología musulmana convencional? Sí, siempre que las personas permanezcan en silencio acerca de sus creencias no ortodoxas. Por cierto, hay millones de «musulmanes culturales» que tienen creencias divergentes o no saben prácticamente nada acerca del islamismo, pero que por nacimiento y por el hecho de que no han dejado el redil formalmente, son considerados miembros de la comunidad del islamismo. Sin embargo, la meta de los creyentes C5 (a diferencia de los creyentes C6) no es permanecer en silencio acerca de su fe, sino más bien ser testigos para Cristo. Cuando comparten su fe, en algún momento aparece el tema de la condición de profeta de Mahoma y la infalibilidad del Corán. Un seguidor de Cristo no puede afirmar todo lo que se enseña comúnmente acerca del Corán y de Mahoma.

Hay ciertos aspectos del papel de Mahoma y del Corán que necesitan ser reinterpretados. Ésta será, probablemente, la tarea más desafiante de C5; no hacerlo hará que con el tiempo estos creyentes se desplacen hacia C4 (contextualizados, pero no musulmanes) o C6 (creyentes clandestinos/silenciosos). La reinterpretación supera el alcance de este breve artículo, y exigiría el aporte de líderes musulmanes que han puesto su fe en Cristo. Un punto de partida tremendo hacia la reinterpretación se encuentra en el excelente libro de Accad, *Building Bridges* (1997). Como erudito y pastor árabe, sugiere formas en que Mahoma, el Corán, y versículos coránicos que parecen negar la crucifixión, pueden ser reinterpretados (pp. 34-46; 138-141). Cita, además, ejemplos de musulmanes que han permanecido exitosamente en la comunidad del islamismo luego de aceptar a Cristo, algunos de los cuales se refieren a sí mismos como «musulmanes que están realmente entregados a Dios por medio del sacrificio del Mesías Isa» (p. 35).

Pautas para evitar el sincretismo en un movimiento C5

La idea de musulmanes seguidores de Jesús o mezquitas mesiánicas ha sido sugerida por varios misionólogos clave (ver Winter, 1981; Kraft, 1979; Conn, 1979; Woodberry, 1989). Sin embargo, necesitamos pautas para que una expresión de fe C5 no se deslice hacia un sincretismo dañino. Los que trabajan con nuevos creyentes deben destacar por lo menos los siguientes puntos en el proceso de discipulado:

1. Jesús es Señor y Salvador; no existe salvación fuera de él.
2. Los nuevos creyentes estudian el Inyil (y el Taurat y el Zabur si están disponibles) y aplican sus enseñanzas y mandatos a sus vidas cotidianas.
3. Los nuevos creyentes se reúnen regularmente con otros creyentes C5 entendiendo que son una expresión local del cuerpo de Isa, el Mesías.
4. Los nuevos creyentes renuncian y son liberados del ocultismo y de prácticas islámicas populares (p.ej., chamanismo, oraciones a santos, uso de amuletos, maldiciones, conjuros, etc.).
5. Las prácticas y tradiciones musulmanas (p.ej., ayuno, limosnas, circuncisión, asistir a la mezquita, llevar la cabeza cubierta, abstenerse del cerdo y del alcohol, etc.) se realizan como expresiones de amor por Dios y/o respeto por el prójimo, más que como acciones necesarias para recibir el perdón de pecados.
6. El Corán, Mahoma y la teología musulmana tradicional son examinados, juzgados y reinterpretados (donde sea necesario) a la luz de la verdad bíblica. Las creencias y prácticas

7. musulmanes bíblicamente aceptables son mantenidas, otras son modificadas, y algunas deben ser rechazadas.
8. Los nuevos creyentes muestran evidencia del nuevo nacimiento y crecimiento en gracia (p.ej., el fruto del Espíritu, mayor amor, etc.) y en el deseo de alcanzar a los perdidos (p.ej., testimonio verbal e intercesión).

Debemos tomar en cuenta que en algún punto los creyentes C5 podrían ser expulsados de la comunidad del islamismo. La situación C5 podría ser sólo de transición, como sugiere Parshall. Sin embargo, ¿no sería mucho mejor para los seguidores musulmanes de Jesús compartir las Buenas Nuevas a lo largo de meses o años con otros musulmanes que podrán terminar por expulsarlos, a que esos nuevos creyentes dejen sus familias y comunidad por elección propia, siendo considerados como traidores por quienes ellos aman?

Conclusión

Si tal vez el mayor impedimento para ver a musulmanes ir a la fe en Cristo no es teológico (es decir, aceptar a Jesús como Señor) sino más bien una cuestión de cultura e identidad religiosa (es decir, tener que dejar la comunidad del islamismo), parece ser que por el bien del reino de Dios gran parte de nuestra energía misionológica debería estar dedicada a buscar un camino mediante el cual los musulmanes puedan seguir siendo musulmanes, sin dejar de vivir como verdaderos seguidores del Señor Jesús. Los temas involucrados en esta clase de estrategia son difíciles y complejos, y requieren consideración desde varias disciplinas diferentes (p.ej., historia de la iglesia, islamismo, teología, misionología). Sería beneficiosa una consulta que incluya sobre todo a personas involucradas en compartir a Cristo con los musulmanes, que encare las implicaciones de C5. Todo tipo de ministerio realizado en el mundo musulmán involucra un gran riesgo. Pero, por el bien de millones de almas que se dirigen hacia una eternidad sin Cristo, y para la gloria de Dios, los riesgos, los esfuerzos y las tensiones justifican el precio.

Movimientos internos:
Retener la identidad y preservar la comunidad
Rebecca Lewis

Los movimientos internos pueden definirse como movimientos de fe obediente en Cristo que permanecen integrados en o dentro de su comunidad natural. En todo movimiento interno se pueden encontrar dc dinámicas esenciales:

1. *Comunidad continua.* El evangelio se arraiga dentro de comunidades o redes sociales ya existentes de tal manera que no se necesita, inventa o introduce una estructura social nueva. Los creyentes no se juntan de redes sociales diversas para crear una «iglesia». En luga de eso, los creyentes de una comunidad ya existente se convierten en la expresión principal de la «iglesia» en ese contexto.

2. *Identidad retenida.* Los creyentes retienen su identidad como miembros de su comunidad sociorreligiosa, al mismo tiempo que viven bajo el señorío de Jesucristo y la autoridad de la Biblia.[1]

Observen más de cerca estas dos dinámicas:

Primera dinámica: Las comunidades ya existentes se convierten en «la iglesia»

¿Cómo puede arraigarse el evangelio dentro de comunidades ya existentes de manera que la comunidad o la red se conviertan en la expresión principal de «la iglesia» en ese contexto? Para entender por qué es importante este factor en los movimientos internos, vamos a ver contraste entre plantar una iglesia e implantar una iglesia.[2]

Plantar iglesias

Normalmente, cuando alguien «planta una iglesia», se esfuerza por crea un grupo social nuevo. Los creyentes individuales, que suelen ser desconocidos entre ellos, se reúnen en grupos nuevos de compañerismo Los que plantan las iglesias intentan ayudar a estos creyentes individuales a convertirse en familia o comunidad. Este patrón de planta «iglesias agregadas» puede que funcione bien en sociedades individualistas occidentales; sin embargo, en sociedades basadas en la comunidad, cuando los creyentes son sacados de sus familias para colocarlos en estructuras sociales nuevas, las familias afectadas suelen interpretar esto como que el nuevo grupo les ha «robado» a su familiar. Es de entender que haya oposición a la propagación del evangelio.

«Implantar» el evangelio

En contraste a cómo se plantan las iglesias, los movimientos internos pueden considerarse «implantados» cuando el evangelio se arraiga dent de una comunidad ya existente. El evangelio se propaga dentro de la comunidad como la levadura, y el grupo nuevo ya no intenta convertirse en familia. En lugar de ello, los creyentes aprenden a ofrecerse

Rebecca Lewis ha trabajado en ministerios musulmanes junto con su esposo por treinta años, de los cuales ocho los pasaron en el norte de África. Estos últimos ocho años también ha enseñado historia a nivel universitario.

Artículo 111 VERSIÓN PRELIMINAR - PROHIBIDA LA REPRODUCCIÓN compañerismo espiritual mutuo dentro de su propia familia o red comunitaria. Dentro de sus formas familiares y comunitarias esta red de creyentes forma el núcleo de una iglesia implantada. Los lazos relacionales fuertes ya existen; lo nuevo es su compromiso con Jesucristo. Los movimientos implantados no son necesariamente más contextualizados. Aun si la nueva iglesia es muy cercana a su cultura, la creación de una nueva estructura suele distanciar a los creyentes de sus familiares de forma innecesaria.[3]

Comunidades continuas: ¿Son bíblicas?

Hogares como el de Cornelio, Lidia y el carcelero de Filipos, se convirtieron en el fundamento relacional de muchas iglesias que vemos en el Nuevo Testamento. Éste y otros ejemplos presentan a las familias y a otras comunidades sociales más grandes siguiendo a Cristo juntos.

Algunos han visto la redención de las comunidades ya existentes como el cumplimiento de la promesa de Dios a Abraham de que en su descendencia serían benditas todas las familias (Gn 12:3; 28:14). Cuando no se separan familias y clanes enteros, sino que se transforman y llegan a su cumplimiento en Cristo, la sociedad mayor en la que florecen puede ser bendecida y transformada de formas significativas. El evangelio no se ve como una amenaza, por lo tanto fluye con mayor facilidad a las redes relacionales vecinas.

Segunda dinámica: Los creyentes mantienen su identidad sociorreligiosa

En muchos países es casi imposible que un nuevo seguidor de Cristo se mantenga en una relación vital con su comunidad sin retener de igual manera su identidad sociorreligiosa. En estos lugares la palabra «cristiano» no se entiende como un seguidor sincero de Jesucristo, sino que los hace pensar en una categoría social, religiosa y política. La identidad religiosa de la persona (musulmán, cristiano, hindú, etc.), suele escribirse en su tarjeta de identidad en el momento de nacer. Cambiar su identidad de «musulmán» o «hindú» a «cristiano» suele verse como una gran traición a la familia y amigos, y hacer un cambio así suele ser ilegal o imposible, o en el mejor de los casos se concibe como bastante escandaloso.

Sin embargo, el evangelio puede propagarse libremente en tales lugares por medio de movimientos internos. Los creyentes internos tienen una nueva identidad espiritual, viven bajo el señorío de Jesucristo y la autoridad de la Biblia, pero retienen su identidad sociorreligiosa.

Retener la identidad: ¿Es bíblico?

¿Hay que pasar por el cristianismo para entrar en la familia de Dios? El Nuevo Testamento aborda una pregunta casi idéntica: «¿Tienen que pasar todos los creyentes en Jesucristo por el judaísmo para entrar en la familia de Dios?». Es importante que nos demos cuenta de que el evangelio está en juego en ambas preguntas. El artículo del recuadro «Círculos del reino» ilustra este asunto.

Al principio, la mujer en el pozo rechazó la oferta de vida eterna que le hizo Jesús porque, como samaritana, ella no podía ir al templo ni hacerse judía, pero Jesús hizo una distinción entre la fe verdadera y la afiliación religiosa, diciéndole que Dios estaba buscando adoradores que adoren al Padre «en espíritu y en verdad» (Jn 4:19-24). Al reconocer que Jesús era «el Salvador del mundo» (v. 42) y no sólo de los judíos, muchos samaritanos de su ciudad creyeron. Con base en lo que Jesús le había dicho a la mujer en el pozo, es muy probable que esos nuevos seguidores mantuviesen su comunidad e identidad samaritana.

Más tarde, el Espíritu Santo les reveló a los apóstoles que los creyentes gentiles no tenían que pasar por el judaísmo para entrar en la familia de Dios. Los creyentes judíos de Antioquía les estaban diciendo a los creyentes gentiles que debían acatar la cultura y las tradiciones judías para poder ser completamente aceptables a Dios. Pablo expresó su desacuerdo y llevó el asunto a los apóstoles principales en Jerusalén. El tema se debatió acaloradamente porque por siglos los judíos habían creído que la conversión a la religión judía era obligatoria para poder ser parte del pueblo de Dios, pero el Espíritu Santo les mostró a los apóstoles que no debían «cargar» con tradiciones religiosas judías a los gentiles seguidores de Cristo (Hch 15).

Los apóstoles usaron dos criterios para tomar esta decisión: el don del Espíritu Santo a los gentiles que acudían a Cristo, y la dirección de la Escritura. En primer lugar escucharon que el Espíritu Santo había descendido sobre los creyentes gentiles que no practicaban la religión judía. En segundo lugar, se dieron cuenta de que las Escrituras habían predicho que esto ocurriría. Estos dos criterios fueron suficientes para que los apóstoles llegasen a la conclusión de que Dios estaba respaldando este nuevo movimiento de creyentes que retenía su identidad cultural gentil; por lo tanto, no se opusieron a ello ni añadieron exigencias de una conversión religiosa. Si usamos los mismos criterios hoy en día, los movimientos internos afirman que la gente no tiene que pasar por la religión del cristianismo; en lugar de ello, para entrar en la familia de Dios sólo necesitan pasar por Jesucristo.

Pablo quiso que la gente entendiese que esta verdad ha sido parte del evangelio desde el principio, y señaló que Dios le prometió a Abraham que todas las etnias recibirían el Espíritu únicamente por medio de la fe en Jesucristo (Gá 3:8-26). Como consecuencia, cuando Pedro y Bernabé consintieron en que los tradicionalistas les exigiesen a los gentiles que siguiesen sus costumbres religiosas judías, Pablo los amonestó públicamente por «no actuar como corresponde a la integridad del evangelio» (Gá 2:14-21). Pablo advirtió que añadir matices de conversión religiosa para seguir a Cristo haría nulo el evangelio; y también afirmó que «los gentiles son… beneficiarios de la misma herencia… participantes igualmente de la promesa en Cristo Jesús mediante el evangelio», no por medio de ninguna religión (Ef 3:6). Por lo tanto, la persona puede recibir una nueva identidad espiritual sin dejar su identidad de nacimiento, sin ponerse una etiqueta «cristiana», y sin afiliarse a las tradiciones o instituciones del cristianismo.

¡Que se alegren las naciones porque también tienen acceso directo a Dios por medio de Jesucristo! ¡Éste es el poder del evangelio!

Los círculos del reino

Un simple diagrama puede ayudar a distinguir entre la identidad sociorreligiosa y la identidad espiritual esencial de creer en Jesucristo y seguirlo.

Si representamos el reino de Dios con un círculo de los que son seguidores obedientes y creyentes en Jesucristo, podremos describir la idea de que sólo algunos de los participantes del judaísmo de los tiempos del Nuevo Testamento eran judíos que seguían a Cristo como Señor, y por lo tanto habían entrado en el reino de Dios **(A)**. No todo el que era judío en aquellos días se hizo parte del reino de Dios **(B)**.

Muchos gentiles de aquellos días siguieron a Jesucristo como Señor y entraron en el reino de Dios **(C)**. Es importante observar que muchos gentiles no siguieron a Cristo ni entraron en el reino **(D)**. Podemos explicar el asunto que enfrentaron los líderes de la iglesia en Hechos 15 de esta manera: ¿Es necesario que los gentiles «pasen por» el judaísmo para entrar en el reino de Dios? **(E)**.

Si nos hacemos la misma pregunta hoy día, tendremos que comenzar reconociendo que, mientras que mucha gente que se adhiere a la cultura y a las tradiciones familiares cristianas han creído en Cristo de manera obediente y han entrado en el reino de Dios **(F)**, muchos otros son cristianos sólo de nombre, y no han entrado en el reino de Dios, aun cuando puede que sean miembros de iglesias cristianas y estén en buena relación con ellas **(G)**. Esto plantea una pregunta similar: ¿Es necesario que la gente que no tiene una identidad cristiana «pase por» la identidad y la cultura cristiana para ser parte del reino de Dios? **(H)**. La respuesta a esta pregunta nos ayuda a darnos cuenta de que mucha gente que tiene una identidad sociorreligiosa no cristiana puede estar entrando en el reino de Dios, convirtiéndose en seguidores obedientes y fervientes de Jesucristo, al mismo tiempo que retienen su identidad sociorreligiosa y sus relaciones comunitarias **(I)**.

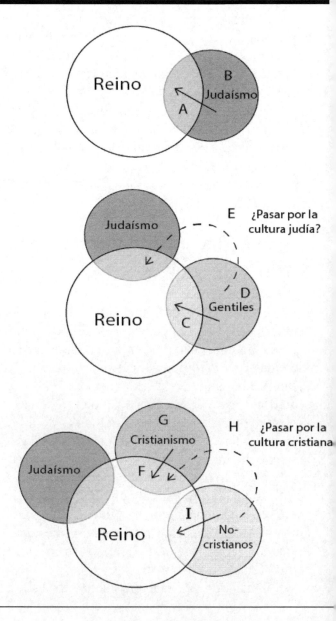

Tres clases de movimientos hacia Cristo

Rick Brown y Steven C. Hawthorne

En el último siglo se han descrito tres distintas clases de movimientos hacia Cristo: «movimientos de pueblos», «movimientos de fundación de iglesias» y «movimientos internos».

Movimientos internos

Becky Lewis define a los movimientos internos como aquellos que tienen dos dinámicas esenciales: preservación de la comunidad y la retención de identidad socio-religiosa. Su definición nos ayuda a ver los elementos similares y diferentes en las tres distintas clases de movimientos.

Cada una de las tres clases de movimientos afirma describir correctamente un evangelio floreciente dentro de redes sociales o comunidades naturales preexistentes. Las tres presumen tener la marca distintiva de una nueva identidad espiritual como miembros del reino de Dios y discípulos de Jesucristo. Pero las diferencias surgen cuando miramos con detalle cómo trabajan ambas dinámicas, comunidad e identidad. Veamos cada una de las tres clases de movimientos con estas dos dinámicas en mente.

Movimientos de pueblos

En la década de los treinta, J. Waskom Pickett identificó los movimientos de pueblos en la India, a los cuales llamó «movimientos de masas». Después, Donald McGavran los analizó y popularizó en la década de los cincuenta. El fenómeno básico que se observó fue la decisión de comunidades enteras de convertirse al cristianismo en masa. Si bien el foco era Cristo —McGavran se refería a ellos frecuentemente como «movimientos hacia Cristo»—, se esperaba que la red social intacta dejara atrás su filiación socio-religiosa anterior para asumir una identidad social cristiana tradicional. Si bien los movimientos de pueblos siguen ocurriendo, rara vez se difunden.

Con relación a la comunidad, los movimientos de pueblos son célebres por alentar a familias enteras, clanes, tribus y comunidades de castas a convertirse al cristianismo en grupo. Con respecto a la afiliación e identidad religiosas, se espera que las personas corten definitivamente con ellas. McGavran frecuentemente hablaba de la necesidad de «cristianizar» a pueblos enteros.

Movimientos de fundación de iglesias

Los movimientos de fundación de iglesias fueron observados y designados en la década de los noventa. La característica más destacada de estos movimientos es la multiplicación continua, destacada por una estructura de iglesia en extremo sencilla e impulsada por líderes naturales de la comunidad, que sostienen y extienden los movimientos.

Dentro de los «pueblos alcanzados», que tienen una identidad cristiana respetada, está documentado que los movimientos de fundación de iglesias han llevado a millones de personas a una fe vigorosa. También han tenido un crecimiento dramático en muchos entornos de pueblos no alcanzados en los que suelen crear nuevas estructuras de iglesias. Aun cuando por lo general las iglesias son grupos caseros con líderes «laicos», no profesionales, suelen ser consideradas habitualmente como estructuras sociales completamente nuevas dentro de la comunidad mayor. Según David Garrison, los creyentes «hacen un corte total con su religión anterior y se redefinen con una identidad claramente cristiana».[4]

	Comunidad		Identidad	
	Comunidades naturales siguen a Cristo en grupo	Seguidores de Cristo pasan a formar parte de una nueva estructura o iglesia	Identidad espiritual como seguidores de Cristo	Identidad socio-religiosa cambiada para convertirse en «cristiana»
Movimientos de pueblos	Sí	Por lo general	Sí	Por lo general
Movimientos de fundación de iglesias	Por lo general	Sí	Sí	Por lo general
Movimientos internos	Sí	Rara vez	Sí	Rara vez

Rick Brown es un misionólogo erudito de la Biblia. Ha participado en trabajos de extensión en África y Asia desde 1977. Steven C. Hawthorne trabajó varios años con equipos que hacían investigación entre pueblos no alcanzados en Asia y el Medio Oriente.

Notas

1. Lewis 2007, "Promoting Movements to Christ within Natural Communities," p. 75, *International Journal of Frontier Missiology* 24:2.
2. En ambos casos se asume que «una iglesia» no es un edificio, una institución ni una reunión, sino una comunidad local funcional de creyentes que se apoyan mutuamente bajo el señorío de Jesucristo.
3. Algunas personas equiparan a las iglesias C5 con los movimientos internos, sin embargo no todas las comunidades C5 resultan en un movimiento interno. Para que se dé un movimiento interno, los creyentes C5 deben seguir como miembros genuinos de su familia y de sus redes familiares y comunitarias, sin crear instituciones o eventos religiosos competitivos.
4. Garrison 2004, "Church Planting Movements vs. Insider Movements," p. 154, *International Journal of Frontier Missions* 21:4.

Estudios de casos

Esta serie de estudios de casos es una muestra representativa de la fundación de iglesias contemporánea entre pueblos clásicamente definidos como etnias no alcanzadas. Se presentan ejemplos de los principales bloques de pueblos no alcanzados: chinos, musulmanes, hindúes, tribales y budistas. Se incluye también una población urbana de Latinoamérica. La mayoría son recientes. Todos fueron iniciados dentro de la última generación.

El objetivo de estos estudios de casos es explorar la complejidad y la factibilidad de la fundación pionera de iglesias en nuestros días. No encontrará fórmulas simplistas para el éxito. Verá a gente común y corriente que, en oración, desarrolla métodos singulares para distintas situaciones. Algunos casos son breves, y se reducen a una reseña aproximada de lo que ocurrió. Cada historia revela mucho acerca de cómo cada movimiento fue iniciado y nutrido durante sus fases embrionarias.

Compare y contraste las historias. Note el papel crítico de los obreros locales que trabajan junto con misioneros extranjeros. Observe cómo los obreros extranjeros se introducen en la cultura y desarrollan formas de comunicar el evangelio. Note cómo enfrentaron y superaron los obstáculos, cómo se formaron las asociaciones y dieron fruto, los años necesarios, la perseverancia y la creatividad requeridas.

Verá cómo el desarrollo comunitario puede ser integrado con la evangelización. Notará reveses, errores y desilusiones junto con avances dramáticos. Tome nota de cómo se elevaron oraciones, cómo se soportó el sufrimiento y cómo la mano de Dios se extendió para establecer movimientos de fe obediente en Cristo.

Se han cambiado los nombres de algunos autores, pueblos y lugares.

Un equipo pionero en Zambia, África

Phillip Elkins

Phillip Elkins sirvió cinco años en Zambia, y cuatro en Liberia. Es presidente del Language and Culture Institute, que durante veinticinco años ha provisto capacitación práctica basada en la experiencia en comunidades étnicas de los Estados Unidos y otros países. Fue el primer director del programa de Estudios Interculturales de Fuller Theological Seminary.

Este estudio de caso de fundación de iglesias difiere de otros porque describe a un equipo de misioneros que se unieron *antes* de ingresar al campo. La mayoría de los esfuerzos son preparados por una agencia enviadora que reúne a varias personas que tal vez recién se han conocido en el campo. Este equipo se formó en 1967 a partir de una preocupación compartida por evangelizar a un pueblo no alcanzado u «oculto», que Dios ya había preparado para ser receptivo a su mensaje de redención.

El equipo tomó como modelo el «equipo apostólico» del primer siglo. Este grupo, con múltiples talentos y dones, contaba con diversos grados de experiencia en el campo. Stan Shewmaker ya había trabajado cinco años en Zambia, África; Frank Alexander, cuatro años en Malaui, África; Phillip y Norma Elkins habían visitado e investigado misiones en setenta y un países; otras dos parejas habían estado en misiones de corto plazo en África. Las edades de los miembros iban de veinticinco a treinta y tres años. Los cinco hombres del grupo tenían títulos en estudios bíblicos y habían completado estudios de maestría en misionología antes de partir al campo.

Gracias a esta experiencia y capacitación, el equipo sentía que podía funcionar como su propia agencia, en el mismo sentido que el equipo de Pablo, Timoteo, Lucas y Silas del Nuevo Testamento. El grupo fue enviado por una congregación «antioqueña» de San Fernando, California. Este cuerpo eclesiástico reconoció que el verdadero agente «enviador» era el Espíritu Santo (Hch 13:4, «enviados por el Espíritu Santo»), así que no se consideró a sí mismo como la organización directora o «tomadora de decisiones». Las responsabilidades para las decisiones en el campo fueron dejadas al equipo, dirigido por el Espíritu Santo, en asociación con el liderazgo cristiano nacional en el campo.

Primeras decisiones y convicciones

Al buscar el equipo una etnia no alcanzada (dos años), llegaron a la conclusión de que el Espíritu Santo los estaba guiando a un segmento de la tribu tonga (una de las más grandes de Zambia, con unos trescientos mil miembros) llamado toka-leya. El noventa y cinco por ciento de este pueblo seguía una religión popular étnica o regional (algunos usarían el término *animista*). Dentro de un radio de diecinueve kilómetros de donde se estableció el equipo (la zona objetivo principal) había cien aldeas con cuatro congregaciones pequeñas que no habían crecido durante varios años (un total de setenta y cinco cristianos).

El equipo dedicó los dos primeros años (1970-71) a aprender el idioma y la cultura, sin participar en actividades evangelísticas manifiestas. Para fines de 1973, había cuatro veces la cantidad de iglesias (dieciséis) y seis veces los miembros (cuatrocientos cincuenta). Más allá de esta zona inmediata de diecinueve kilómetros, se iniciaron movimientos completamente nuevos. Por ejemplo, en el área tribal de Moomba, ciento trece kilómetros al norte, cristianos nacionales recientemente capacitados fundaron seis iglesias con doscientos cuarenta miembros en el plazo de unos cuantos meses. Esto se hizo en 1973 e involucró ganar al jefe, la tercera parte de todos los caciques de la aldea, y los dos jueces de tribunales.

Menciono esta rápida respuesta temprana para mostrar que en verdad fuimos guiados a un «punto maduro» en el mosaico de etnias de Dios. Sabíamos que la iglesia nacional, motivada y capacitada, debía ser el vehículo para recolectar la cosecha. Para el año 1974 sentíamos que la mayoría de los estadounidenses podía retirarse. Para 1979, las dos últimas familias «extranjeras» consideraban que podían seguir adelante responsablemente a un nuevo pueblo para reiniciar el proceso. Hoy una iglesia nacional continúa el proceso de ganar y discipular «hasta el último rincón».

Las palabras «métodos», «enfoques» y «estrategia» pueden ser «poco espirituales» en el vocabulario de algunos cristianos. Considero que en el contexto de este esfuerzo fueron válidos la estrategia y métodos específicos seguidos por el equipo. Además de lo que describí, creo que los primeros dos años durante los cuales participamos como «aprendices» a fondo de la cosmovisión tonga (idioma, estilo de vida, valores, política, estructura social, creencias, sistemas educativos y otros aspectos de la cultura), fueron esenciales

---

Tal vez lo más crítico fue la necesidad de aprender dónde las personas tenían «necesidades percibidas» a través de las cuales el mensaje de redención de Dios podría ser aceptado como buenas nuevas.

---

para nuestros esfuerzos como fundadores de iglesias. Mi esposa y yo vivimos en una aldea de ciento setenta y cinco personas y seguimos un estilo de vida estrechamente identificado con el de otras familias toka-leya. Aprendimos a «dolernos» cuando ellos se dolían y a «sentir» lo que ellos sentían. Nos identificamos, no tanto para ser «aceptados», si bien era algo importante, sino para entender y apreciar las mejores y más excelentes dimensiones de su cultura. Debíamos saber qué partes ya estaban funcionando positivamente dentro de la voluntad y el propósito de Dios. Necesitábamos saber qué debía ser confrontado y cambiado para encajar con las demandas del reino de Dios.

Tal vez lo más crítico fue la necesidad de aprender dónde las personas tenían «necesidades percibidas» a través de las cuales el mensaje de redención de Dios podría ser aceptado como buenas nuevas. El mensaje que había sido proclamado como «evangelio» por los esfuerzos cristianos anteriores, en realidad había sido percibido como «malas nuevas». El «evangelio» era percibido como un Dios que llamaba a los hombres a tener una esposa y no tomar cerveza. Si bien los cristianos estaban diciendo muchas otras cosas, esto era percibido como el «estandarte» del mensaje. Como los misioneros demostraron más interés en establecer escuelas para los niños, la población adulta encontró que el mensaje estaba bien para los niños, pero prácticamente inconcebible para los adultos.

La cosmovisión tonga

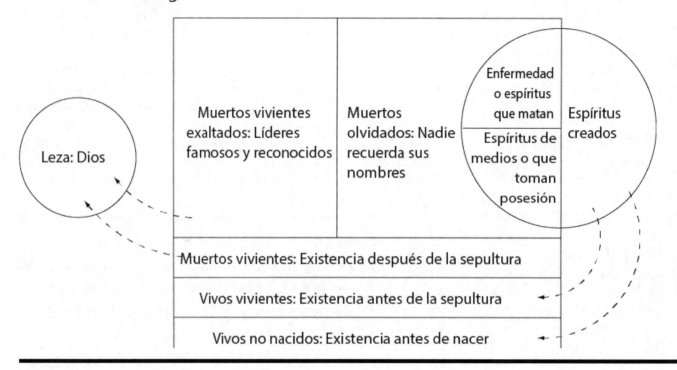

Entender la cosmovisión tonga

Durante nuestros dos años de «identificación encarnacional», la percepción de la realidad (cosmovisión) de los tonga se volvió cada vez más clara para nosotros. Era a esta percepción de la realidad que debíamos dirigir nuestras vidas y nuestro mensaje. Podríamos describirlo gráficamente a un occidental de la siguiente forma:

Los tonga creían que uno puede afectar *el feto no nacido* en el cuerpo de otra persona. Por ejemplo, si la familia de una mujer embarazada había causado la muerte a miembros de su familia, uno podía recurrir a la ayuda del curandero para causar la muerte del feto (sin tener contacto físico con la mujer embarazada).

La categoría de *vivos vivientes* corresponde a nuestro concepto de personas vivas con sus limitaciones físicas finitas. Pero luego de la muerte física esta persona continúa como un *muerto viviente*. La personalidad, los enemigos personales, los prejuicios, los gustos, etc. continúan intactos. Por lo tanto, uno puede ir a la tumba de la persona *muerta viviente* y solicitar ayuda basándose en un conocimiento de la personalidad de la persona y de las obligaciones de la relación. De forma similar, los *muertos vivientes exaltados* pueden recibir súplicas basándose en la posición que alcanzaron durante su existencia como *vivos vivientes*.

Los *muertos olvidados* son las personas cuyos nombres y personalidades han desaparecido de la

memoria viva. Por lo tanto, nadie puede apelar a ellas, aplacarlas o apaciguarlas ahora. Este grupo representa una dimensión de la realidad que toca de lleno los temores, aprehensiones y frustraciones de los tonga.

Dentro de este marco de «la realidad», describiré cómo nuestro equipo de cristianos encontró una oportunidad para abordar las necesidades percibidas. Los tonga creían que Dios (*Leza*) creó a los humanos y vivió durante un tiempo con ellos. Pero como las personas se volvieron abusivas en su relación con él (en una historia una mujer golpea a Dios), Dios los dejó, y toda comunicación directa se volvió imposible. La única forma posible de hablar con Dios, entonces, es por medio de los muertos vivientes o los muertos vivientes exaltados. Pero la incapacidad para «escuchar la respuesta» de Dios, de conocer su personalidad, de entender si las necesidades de ellos eran comunicadas adecuadamente, representaba un área de *necesidad percibida*.

Hay una creencia común en que los ancestros olvidados son *los espíritus* que entran en las personas para matarlas. Una enfermedad violenta se asocia con estos espíritus y, a menos que la persona pueda expulsar este espíritu, el resultado será la muerte. Otros espíritus representan a muertos olvidados foráneos (que vienen de otra tribu), asociados frecuentemente con una enfermedad de largo plazo, frustrante pero no fatal. Con frecuencia, estos espíritus también poseen a la persona y la usan como médium para comunicarse con la comunidad. La comunidad responde a esta posesión mediante encuentros especiales para bailar y cantarle al espíritu. El propósito de estos encuentros es apaciguar y controlar al espíritu y, en lo posible, liberar a la persona del espíritu.

Por último, hay espíritus que los humanos contribuyen a crear. Estos espíritus específicos eran los más temidos y frustrantes para las personas con las que viví. No había nada en la literatura que había estudiado sobre los espíritus en África, que tratara este espíritu específico, si bien hay espíritus creados por humanos en otras tribus africanas.

Nuestra comprensión llegó de esta forma. Un día me trajeron a un niño muy enfermo. El niño estaba próximo a morir y yo sentía que la posibilidad de ayudar excedía mis propias aptitudes médicas limitadas. Llevé a los padres y al niño al hospital, pero mientras observaba, el niño murió. Desde una perspectiva médica occidental, el niño murió de complicaciones de la malaria y de anemia. Un año más tarde asistí a un caso de un tribunal de aldea donde un hombre fue acusado de matar a este mismo niño. El hombre terminó por admitir, luego de semanas de procedimientos del tribunal, que era culpable. La razón fue que el hombre sentía que había sido perjudicado por el padre del niño y quiso crear su propio espíritu *isaku*. Nadie durante el juicio quiso explicarme qué era un espíritu *isaku*. Personas que por lo general eran generosas con la información, negaban saber algo acerca de estos espíritus. Durante este tiempo una noche mi esposa y yo visitamos una aldea donde ninguna de las mujeres alrededor de un fuego tenía a sus hijos sobre sus espaldas. Era algo muy inusual. Les pregunté por qué y me explicaron que era porque había muchos espíritus *isaku* en su aldea, y temían por la seguridad de sus hijos. Decían que sus otros hijos estaban en chozas donde podían ser observados. Cuando descubrieron que yo no sabía qué era un espíritu *isaku*, sólo me explicaron que era un espíritu malo. Como todos los espíritus eran considerados malos, la explicación no fue de mucha ayuda.

Con el paso de las semanas, finalmente persuadí a un curandero que visitaba de vez en cuando

nuestra zona, a que me explicara qué era un *isaku*. El espíritu podía ser creado por personas que querían un ser que robara, matara o que de alguna otra forma les sirviera. Para crear un *isaku*, uno primero debía desenterrar y decapitar un cuerpo recién enterrado. La cabeza debía ser llevada a media noche a una zona aislada donde se cruzaban dos caminos. Se hacía un fuego al cual se le agregaban algunas medicinas. El humo resultante envolvía la cabeza, a la que se le habían fijado porciones de ciertos animales (piel de serpiente, plumas de ave, patas de conejo, etc.). Esta ceremonia, si se hacía de manera correcta, produciría un espíritu vivo llamado *isaku*. La parte física de este espíritu debía ser cuidada, alimentada y escondida. Si la persona

> **Parte de nuestras buenas nuevas era que Dios, a quien ya conocían por nombre, no los había abandonado.**

cuidaba adecuadamente su *isaku*, sus deseos serían otorgados. Si no lo cuidaba de manera adecuada, el *isaku* mataría a la persona o a un miembro de su familia. Cuando una persona que tiene un espíritu *isaku* muere, el familiar que hereda el *nombre* de la persona muerta también hereda su *isaku*. Por lo general nadie revelaba que tenía un *isaku*. Por lo tanto, si un familiar al que se le pedía que recibiera un nombre sospechaba que tenía un *isaku* asociado, podría rehusarse a recibir el *nombre*.

Si alguien heredaba un *nombre,* y sin saberlo podría haber recibido un *isaku*, se enteraba de este error de una manera muy dolorosa. Podría llegar a su casa un día, y enterarse de la muerte repentina de un hijo.

Al crecer nuestro conocimiento de los espíritu *isaku*, muchos huecos en nuestra comprensión de los tonga quedaron eliminados. Nos volvimos cada vez más conscientes de cuán impotentes se sienten las personas para tratar de forma adecuada con los espíritus *isaku* y los que los creaban. Esto, junto con la realización que los tonga sentían de que cada muerte era el resultado del esfuerzo manifiesto de alguien para causarla, nos ayudó a entender el grado de gran parte de la animosidad e ira entre personas y familias.

Responder a las necesidades percibidas

A partir de todas las perspectivas anteriores, surgió un cuadro de *necesidades percibidas* a las que Dios podría hablar significativamente. Las primeras *buenas nuevas* de Dios para los tonga era que él nos había dado el *Espíritu Santo*. Los tonga no sabían nada de un espíritu bueno, y mucho menos de un *Espíritu Santo* de Dios mismo como un regalo. Compartimos que no teníamos miedo, como ellos, de los espíritus *isaku*, porque teníamos residiendo en nosotros continuamente un *Espíritu* que no toleraba a otros espíritus. El Espíritu en nosotros era más poderoso que cualquier otro espíritu. Esto explicaba el gozo, la confianza, la esperanza y la falta de temor que habían visto en nuestras vidas.

La segunda parte de nuestras *buenas nuevas* era que Dios, a quien ya conocían por nombre, *no los había abandonado*. Los tonga habían dejado a Dios, pero él estaba dispuesto a volver a vivir entre ellos. Ya había demostrado su disposición al enviar a su *Hijo*, que vivió como un humano y les mostró a los humanos cómo vivir de verdad. Les explicamos que ellos podían hablar directamente con Dios acerca de sus necesidades y que este Hijo también actúa como el abogado especial de una persona ante Dios. Además, les explicamos que el Hijo de Dios estaba tan preocupado por quitar el pecado y la culpa de todas nuestras formas de vivir ofensivas, que él mismo aceptó el castigo en lugar nuestro.

Los tonga comenzaron a darse cuenta de que la verificación y evidencia de lo que decíamos era el *Espíritu Santo* que vivía en nosotros. Para que el lector no me malinterprete en esto, no estoy hablando del don especial de hablar en lenguas. Estoy hablando de lo que recibe todo cristiano en su *nuevo nacimiento*.

También hablamos de la verificación que vendría de conocer la Biblia. Esto tuvo escaso impacto inmediato, ya que la mayoría de las personas no sabían leer. Sin embargo, la Palabra no está confinada a la palabra impresa. La Palabra era comunicada diariamente por un Dios que estaba dispuesto a revelarse en sus vidas. Se reveló un día cuando íbamos a la aldea donde fuimos detenidos por una mujer borracha que nos prohibió entrar en su aldea. Nos dijo que seguía a Satanás, no a Dios. Pero esa noche murió, y al día siguiente cientos de personas acudieron para saber más acerca de la voluntad de Dios para sus vidas.

El principal líder político de nuestra zona había estado guiando a las personas a las tumbas de sus ancestros anualmente para pedir lluvia. Cuando aceptó *las buenas nuevas*, demostró su fe guiando a las personas de una nueva forma. Cuando se presentó la primera sequía, reunió a la gente para dedicar un día a clamar a Dios para que les enviara lluvia. Esto era una movida osada que excedía la fe de algunos de los misioneros, pero Dios honró su osadía, y antes de la puesta del sol la tierra estaba empapada de lluvia.

En la aldea donde vivíamos, casi la mitad de la población adulta aceptó el bautismo. Por iniciativa de ellos, pasamos toda una noche en oración antes de salir como grupo a compartir nuestra fe con otra aldea.

Mientras nuestro equipo de misioneros estadounidenses veía que cada vez se fundaban más iglesias, comenzamos a modificar nuestro papel como líderes en la evangelización y fundación de iglesias. Creo que fue una buena estrategia para nosotros identificarnos con los tonga físicamente, y brindar un modelo físico y espiritual para la evangelización. Sé que esto es un concepto considerado «pasado» en muchos círculos, pero creo que debe seguir siendo un énfasis en los esfuerzos de misión pioneros.

Para capacitar al liderazgo autóctono establecimos dieciséis centros de extensión para capacitar a cada cristiano en los aspectos básicos de la fe cristiana, e instituimos un curso especial para quienes surgían como líderes de la iglesia. Para esto, los nuevos cristianos pagaron el costo de los cursos. Seguimos la práctica de no subsidiar la construcción de edificios o brindar fondos para quienes ingresaban al ministerio de predicación.

Preparados para la batalla

No puedo cerrar esta historia sin admitir que nosotros, como el equipo con el que trabajó Pablo, experimentamos algunos conflictos interpersonales y contratiempos en nuestras metas de ministerio, incluyendo traiciones de algunos creyentes y vuelta atrás de algunos en los que habíamos depositado nuestras mayores esperanzas. Pero aceptamos esto como normal en la batalla «contra poderes, contra autoridades, contra potestades que dominan este mundo de tinieblas, contra fuerzas espirituales malignas en las regiones celestiales» (Ef 6:12).

Creo que es importante que uno conozca la Biblia lo suficiente como para poder saber dónde está la batalla. Creo que invitamos a la derrota cuando no nos esforzamos por aprender el idioma local lo suficientemente bien como para enseñar en este idioma. Creo que es esencial participar de una forma real en el estilo de vida y en las luchas de las personas a las que somos enviados. Cuando no basamos nuestra proclamación en una comprensión de los dolores y las necesidades percibidas de las personas, y cuando permitimos que nuestra comprensión cultural del mensaje cristiano nos ciegue a lo que Dios quiere decir en un entorno y cultura radicalmente diferentes, invitamos al fracaso.

Recomiendo calurosamente el enfoque de equipo para los esfuerzos de misión pioneros. Durante los cinco años que estuve en Zambia, una de las familias originales se fue, pero vinieron otras, que fueron incorporadas. Además, desde el inicio mismo, hicimos un gran esfuerzo por ampliar el liderazgo del equipo para incluir a cristianos tonga. Esta clase de enfoque de equipo no es la única forma de encarar la tarea, pero fue parte de lo que hizo que nuestros cinco años en Zambia fueran una experiencia productiva y feliz.

Trueno distante:
Los mongoles siguen al Kan de kanes

Brian Hogan

Brian Hogan fue parte de un equipo de fundación de iglesias con Juventud con una Misión en Mongolia. En la actualidad entrena fundadores de iglesias con JUCUM – Entrenadores de fundadores de iglesias, y es autor de *There's a Sheep in my Bathtub: Birth Mongolian Church Planting Movement*. Adaptado de *Multiplying Churches Among Unreached People Groups: Guiding Principles* Kevin Sutter, JUCUM, Arcata, CA.

En el siglo XIII las tribus mongolas, unidas bajo el liderazgo de Gengis Kan, se lanzaron a través de las estepas de Asia central y aterrorizaron al mundo conocido. En poco tiempo, estos fieros jinetes se habían hecho de un imperio mayor que los de Ciro y César juntos.

El imperio mongol no duró mucho tiempo. Los mongoles abrazaron el budismo tibetano y se convirtieron en un pueblo al interior de Asia en retroceso, gobernado por una sucesión de dinastías chinas. En 1921 una revolución comunista convirtió a Mongolia en el primer satélite soviético «independiente»; todos los misioneros fueron expulsados antes de que se pudiese fundar alguna iglesia, y la oscuridad del comunismo se instaló en este país «cerrado». Mongolia fue uno de los pocos países de la tierra sin iglesias y sin creyentes nacionales conocidos.

Las puertas empiezan a abrirse

A principios de los años noventa, y después de setenta años de estar cerrada al mundo exterior, Mongolia consiguió su libertad e independencia, junto con otras naciones del bloque soviético, y las defensas de Satanás en contra del evangelio se derrumbaron. Los comienzos se desencadenaron por la chispa de estrategias creativas. En 1990 un grupo de indios americanos creyentes entraron en Mongolia como turistas. Su visita produjo mucho interés entre los mongoles e incluso llegó a los titulares de la prensa nacional. A finales de su segunda visita, en 1991, ya habían bautizado públicamente a treinta y seis creyentes mongoles nuevos. El paisaje espiritual de Mongolia ya no volvería a ser igual.

Una joven pareja sueca, Magnus y Maria, llegaron a Mongolia con la intención de fundar iglesias. A medida que aprendían el idioma en la capital, Ulán Bator, comenzaron a desarrollar amistades con los creyentes mongoles nuevos y muy jóvenes de las iglesias crecientes de esa ciudad.

Maria y Magnus hicieron varias incursiones a Erdenet, la tercera ciudad de Mongolia en cuanto a tamaño, con equipos de evangelismo mongoles de una iglesia de Ulán Bator. Estos viajes dieron fruto en catorce chicas adolescentes que respondieron a la enseñanza de la fe y el arrepentimiento. Magnus bautizó a estas primeras discípulas en enero de

1993, los comienzos de la iglesia en Erdenet.

Catorce chicas jóvenes: un comienzo poco prometedor. Si esa fraternidad quería crecer y convertirse en algo más, iba a necesitar ayuda local. En febrero la joven pareja se mudó a Erdenet, acompañada de una de las mejores estudiantes de sus clases de inglés: una chica mongola de diecinueve años, llamada Bayaraa. A medida que Magnus y Maria ministraban con Bayaraa y la discipulaban, su relación se hizo muy efectiva como puente transcultural, y Marcus y Maria aprendieron cosas importantes de la cultura mongola que les sirvieron de guía en su ministerio. Bayaraa era una evangelista natural; puso en práctica todo lo que aprendió de Magnus y Maria acerca de Jesús y la Biblia y llevó a muchos al Señor.

Las discípulas se organizaron rápidamente en tres grupos que se reunían en casas. Se juntaban para orar, pasar tiempo juntas y enseñar en una atmósfera de apoyo y responsabilidad. Desde el principio se les enseñó a obedecer los mandamientos sencillos del Señor Jesucristo, aprendieron a amar a Dios y a los demás, a orar, a dar con generosidad, a arrepentirse y a creer, a bautizarse, a celebrar la santa cena y a enseñar a otros a amar y a obedecer a Jesús. A medida que las chicas llevaron a sus amigos a Cristo los grupos se multiplicaron. Marcus no podía abarcar el liderazgo de todos los grupos en expansión, así que equiparon a creyentes activos y fieles y se les facultó para el liderazgo. Después de un tiempo comenzaron a reunirse en un grupo más grande, la «reunión de celebración», una vez al mes, para juntar a los grupos, tener comunión y adorar juntos. Pasado un año el número de seguidores de Cristo que se habían bautizado llegó a ciento veinte, ¡casi todos chicas adolescentes! Ésta no era la iglesia multigeneracional con familias enteras como la que habían soñado los fundadores, pues era más una reunión de jóvenes.

Después de un año de estudiar el idioma en Ulán Bator, mi esposa Louise, nuestras tres hijas y yo, nos mudamos a Erdenet y nos unimos a Magnus, Maria y Bayaraa. Un año después, otras personas de Rusia, los Estados Unidos y Suecia, se unieron a las filas de nuestro equipo. Además de tres miembros del Cuerpo de Paz (de los Estados Unidos), nuestro equipo era la única presencia extranjera; éramos completamente diferentes. Intentamos trabajar en el anonimato para que el liderazgo visible del movimiento fuese originario de Mongolia.

Avance en la población general

Nos dimos cuenta de que las adolescentes no eran el mejor fundamento para comenzar un movimiento de iglesia; sin embargo, en aquel momento los jóvenes eran los únicos que respondían en Mongolia, así que trabajamos con el fruto que el Señor proveyó, y oramos para poder alcanzar familias enteras. Establecimos «ancianos provisionales» (comenzando con dos hombres jóvenes y con Bayaraa), para poder iniciar el proceso que permitiría que se desarrollase un liderazgo al estilo mongol.

Avance de relevancia

Existía una gran división entre nuestro círculo de amigos, que era juvenil y urbano, y la sociedad mongola tradicional, enfocada en la familia. Las tres ciudades de Mongolia eran una estructura social urbana relativamente reciente que el comunismo había impuesto sobre la sociedad tribal nómada, y la estructura social nómada era la que todos veían como la más legítima y auténtica. Incluso nuestros primeros convertidos tenían la impresión de que el evangelio no era relevante para los «verdaderos mongoles». Aunque Mongolia se había convertido en una sociedad urbana en un cincuenta por ciento, para los mongoles, los «verdaderos mongoles» eran pastores montados a caballo y gente que vivía en *ger* (tiendas de campaña hechas de felpa). Para ellos, un adolescente de ciudad que vive en un apartamento y que nunca ha montado a caballo no es un mongol de verdad; y si el evangelio sólo era abrazado por gente de ciudad, podría verse como algo importado por los extranjeros, como la Coca Cola. Si Jesús quería «convertirse en mongol», tendría que entrar en las vidas de los pastores nómadas.

Un equipo misionero de corto plazo que estaba de visita empezó a orar por los enfermos en los *ger* de las afueras, y Dios contestó las oraciones de manera espectacular. Un cojo, un sordo, un mudo y un ciego fueron sanados, y se expulsaron varios demonios. Estas sanidades pusieron un sello de autenticidad que los mongoles más ancianos aceptaron. La noticia se esparció como fuego, y la comunidad se inundó de gente de todas las edades y segmentos de la sociedad. Los jóvenes urbanos fueron los más sorprendidos de ver «verdaderos mongoles» aceptar la fe. Poco tiempo después dos hombres mongoles tradicionales mayores se unieron a las filas de nuestros líderes provisionales. Cuando estos hombres, que eran cabezas de hogar respetados, comenzaron a liderar iglesias en casas y ministerios, se produjo una gran diferencia en la credibilidad del movimiento en la cultura general.

Avance de comprensión

El segundo factor que hizo que los mongoles tradicionales aceptasen las buenas nuevas fue la decisión de nuestro equipo y de los «ancianos bajo entrenamiento» de empezar a usar el término mongol *«Borkhan»* para referirnos al Dios de la Biblia. Muchos siglos antes, cuando los misioneros tibetanos budistas llegaron a Mongolia, adoptaron el término genérico *«Borkhan»* para referirse a Dios. A principios de los años noventa casi todos los creyentes de Mongolia usaban otro término para referirse a Dios: *Yertontsin Ezen*, un término nuevo compuesto por un traductor que intentaba evitar cualquier posible confusión o sincretismo con las creencias del budismo; pero este nuevo término, que podría traducirse como «Maestro del Universo», sonaba irreal y poco familiar a oídos mongoles, y no tenía significado intrínseco para ellos, sino que les parecía una palabra extranjera fabricada con elementos mongoles. Aunque los ancianos de Erdenet que estaban bajo entrenamiento estaban acostumbrados a usar el término *Yertontsin Ezen*, decidieron que el término *Borkhan* sería más apropiado y aceptable, y que podría contener un mayor significado bíblico. Este cambio llegó justo a tiempo para las multitudes que se habían abierto súbitamente al presenciar sanidades y liberaciones. El Dios que estaba obrando estas maravillas tenía un nombre que no sonaba a ciencia ficción.

Desarrollando un liderazgo autóctono

Durante este período de crecimiento explosivo, nuestro equipo se aseguró de permanecer en un segundo plano, ofreciendo entrenamiento para los líderes emergentes. Se tuvo cuidado de hacer todo de forma que se pudiese imitar: los bautismos se llevaban a cabo en tinas de baño, las canciones no eran importadas, etcétera.

El equipo recordó lo que habíamos aprendido del misionero veterano George Patterson antes de llegar a Mongolia, quien se enfocó en la base del discipulado diciendo: «Las personas son salvas para obedecer al Señor Jesucristo en amor». Nos aseguramos de que los mandamientos básicos de Jesús se enseñasen de tal manera que los discípulos los pudiesen obedecer inmediatamente. Las iglesias en los hogares apoyaban y facilitaban estas respuestas prácticas a la enseñanza de la Palabra de Dios. Los creyentes se animaban unos a los otros a cumplir la Palabra, no sólo oírla, y buscaban maneras de obedecer en conjunto.

Sin embargo, según nuestro punto de vista, había problemas serios con las normas culturales de la sociedad mongola que estaban en conflicto con algunas de las enseñanzas morales de las Escrituras. Animamos a los ancianos bajo entrenamiento a que escudriñasen las Escrituras para encontrar soluciones a los problemas del pecado en la iglesia emergente. Había puntos ciegos culturales en las áreas de pureza sexual y del noviazgo, los cuales se trataron con principios definidos que luego se enseñaron y pusieron por obra. Las soluciones que crearon estos líderes mongoles eran correctas, tanto en el aspecto bíblico como en el cultural, mucho mejores que las soluciones que habríamos creado nosotros, los misioneros.

La iglesia mongola emergente tenía una forma muy distinta a la de cualquiera de nuestras iglesias en Suecia, Rusia o los Estados Unidos. Las dramatizaciones y los testimonios se convirtieron en características destacadas de las reuniones grandes (que pasaron de celebrarse una vez al mes a hacerlo dos veces y al fin semanalmente). El «grupo de dramatizaciones» escribía y producía sus propias obras y danzas de las historias de la Biblia y de la vida de los mongoles. Esto se convirtió en una herramienta muy eficaz para la enseñanza y el evangelismo. Siempre se dedicaba tiempo para compartir los testimonios de «mongoles verdaderos», que solían ser nuevos creyentes que tenían arriba de sesenta años de edad, recién llegados de las estepas. Estas historias que a los oídos occidentales parecían largas y con rodeos, cautivaron a la congregación y creaban un estado de asombro y sobrecogimiento. Dios se estaba moviendo entre su pueblo, vestido con las ropas más tradicionales de Mongolia, y de esos corazones surgía la adoración mientras entonaban canciones nuevas escritas por su propia gente, en su propio idioma, y estilo musical único. ¡No era una moda importada!

Nuestro equipo de extranjeros concentró sus esfuerzos en discipular, equipar y autorizar a los mongoles para que tomasen las riendas de la

Expansión del movimiento de Erdenet*

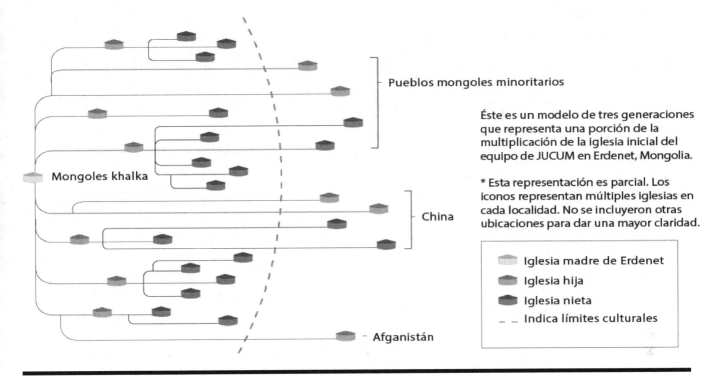

Pueblos mongoles minoritarios

Éste es un modelo de tres generaciones que representa una porción de la multiplicación de la iglesia inicial del equipo de JUCUM en Erdenet, Mongolia.

* Esta representación es parcial. Los iconos representan múltiples iglesias en cada localidad. No se incluyeron otras ubicaciones para dar una mayor claridad.

Mongoles khalka

China

Afganistán

- Iglesia madre de Erdenet
- Iglesia hija
- Iglesia nieta
- - Indica límites culturales

edificación de la iglesia y del alcance a los perdidos. Se formó una escuela de liderazgo y la tercera clase tuvo por fin un liderazgo totalmente mongol. Con énfasis en «aprender al hacer», los nuevos líderes se entrenaban para el ministerio de manera local, en lugar de ser enviados al exterior. Casi de inmediato se les daba el liderazgo de los grupos en los hogares, y pronto los creyentes mongoles también llevaban la responsabilidad principal de las reuniones semanales.

Venciendo

El enemigo no pasó por alto todo este progreso y crecimiento. A principios de noviembre de 1994, nuestro equipo y la iglesia en ciernes pasamos por dos meses de ataques espirituales implacables: tres sectas falsas se concentraron en nuestra ciudad, la iglesia casi se dividió, líderes cayeron en pecado y algunos acabaron endemoniados. Nuestro equipo llegó casi al punto de la desesperación y de tirar la toalla.

Al final, dos muertes repentinas e inexplicables sacudieron al equipo misionero y a la iglesia. Mi único hijo, Jedidiah, había nacido el dos de noviembre. El día antes de Navidad por la mañana, nuestro apartamento se llenó de gritos cuando Louise descubrió el cuerpo frío y sin vida de

Jedidiah, muerto por síndrome de muerte súbita infantil a los dos meses de edad. Enterramos a nuestro niño y un pedazo de nuestros corazones en el suelo helado de una colina azotada por el viento, fuera de la ciudad. Al día siguiente una joven de la iglesia murió por causas desconocidas.

En respuesta a todo esto, los creyentes y nuestro equipo nos juntamos para orar y ayunar durante veinticuatro horas. A las tres de la madrugada algo rompió el ataque y todos lo supimos. Desde entonces la iglesia nunca ha vuelto a ser aplastada con un ataque espiritual como ése.

Crecimiento explosivo

Una de las cosas bonitas de reunirse en las casas era que, mientras otras iglesias en Mongolia eran acosadas por el gobierno, que solía obligarlas a desalojar los centros de reunión de los domingos, la iglesia en Erdenet apenas sufrió eso, ¡ya que la adoración se llevaba a cabo en las salas de las casas en toda la ciudad! Los grupos en las casas estaban experimentando crecimiento, y pasar meses sin «reuniones de celebración» no redujo el ritmo de las cosas. Cuando las múltiples iglesias en casa se reunían unidas en la presencia de Dios, los creyentes se animaban de ver que el número de gente aumentaba.

Los inicios de un movimiento de fundación de iglesias

Aunque este comienzo en Erdenet era alentador, aún no alcanzaba la visión que Dios le había dado a nuestro equipo. Nosotros sabíamos que fundar una sola iglesia en una ciudad no significaba alcanzar a toda la nación y más allá de ella, y queríamos un movimiento de iglesias autóctonas que se multiplicasen de manera espontánea dentro de las etnias mongolas, y los mismos creyentes mongoles debían compartir esa meta.

En el primer bautismo Magnus le contó esta visión al cuerpo de Cristo recién nacido: alcanzar a todas las familias de Erdenet con el evangelio, sembrar una iglesia hija en la provincia vecina y alcanzar a otras etnias no alcanzadas en el mundo. Los nuevos creyentes, felices en su poco entendimiento, respondieron con entusiasmo. Entrenamos a todos los discípulos para que viesen a la iglesia como un organismo vivo en vez de como una organización: una «iglesia madre» saludable que daría a luz iglesias hijas y nietas. Los líderes que entrenamos mantuvieron la visión: «Dios quiere sembrar nuevas iglesias por medio de nuestra iglesia», y la presentaron a los miembros.

Alrededor de un año y medio después de iniciar la iglesia los «ancianos provisionales» mongoles decidieron rechazar amablemente los fondos de iglesias extranjeras que enviaban apoyo. Esos fondos se habían usado para pagar los salarios de algunos de los obreros de la iglesia en Erdenet durante casi un año. Ahora su propia gente estaba supliendo todas las necesidades de la iglesia, pues se les había enseñado a obedecer el mandamiento de Jesús de dar con generosidad. Cuando una iglesia extranjera insistía en enviar fondos, ellos decidieron que los usarían para establecer nuevas iglesias «hijas», pero a sabiendas de que esto también era temporal.

Durante el segundo año de la iglesia, los ancianos enviaron equipos y plantaron una iglesia hija en un pueblo a sesenta kilómetros de distancia. A los mongoles se les hizo fácil sembrar otra congregación porque eran de la misma etnia, y los líderes que el Señor levantó en esta iglesia nueva enseguida empezaron a enviar equipos a plantar iglesias nietas en otras ciudades aún más alejadas de Erdenet.

El fin del comienzo

Después de tan sólo tres años de trabajo de nuestro equipo en Erdenet nos dimos cuenta de que nuestro esfuerzo había dado buen fruto y de que ya no nos quedaba más por hacer. A principios de 1996 ya habíamos enseñado y transferido cada ministerio y función de la iglesia a manos de los discípulos mongoles; ellos ya lo hacían todo y nosotros sólo observábamos. Había llegado el momento agridulce que siempre había sido nuestra meta, y era hora de decir adiós.

El domingo de resurrección la reunión estaba repleta; no quedaba lugar para sentarse. El auditorio más grande de Erdenet se llenó con casi ochocientas personas, y a muchas otras las autoridades les negaron la entrada, cerrando las puertas cuando vieron a la multitud. Los que consiguieron entrar se juntaron a adorar a Jesús y a observar la ceremonia que marcaba el traspaso de la autoridad de nuestro equipo extranjero a los ancianos locales. Explicamos y representamos la analogía de una carrera de relevos para dar una imagen de lo que estaba sucediendo. En representación de los fundadores de la iglesia, nuestra familia y Magnus entregamos un testigo a un grupo de líderes mongoles vestidos con su atuendo nacional; ¡estaban listos y se les pasó el testigo! Por primera vez en la historia una iglesia mongola totalmente autóctona se encontraba en manos mongolas, y ellos se encontraban seguros y firmes en las manos cicatrizadas de Jesús.

Ese mismo día nuestra familia partió de Mongolia, y el resto del equipo se marchó en junio, cuando terminaron sus compromisos de enseñar inglés. En nuestra ausencia las iglesias mongolas siguieron creciendo y multiplicándose; iniciaron ministerios de misericordia; empezaron a alimentar y a vestir a los niños de la calle, a cuidar de las madres solteras y a prevenir abortos. Incluso fundaron una iglesia entre la gente que vivía en los basureros. Todas éstas fueron iniciativas de los creyentes mongoles.

El movimiento continúa. Para el año 2008 la iglesia en Erdenet ya había dado a luz a quince iglesias hijas en distintos pueblos del país. Algunas de esas iglesias hijas se han reproducido de una a seis iglesias nietas. ¡Éste es un informe muy satisfactorio considerando que comenzamos con unas cuantas adolescentes!

Este movimiento también ha trabajado mucho transculturalmente. Se han enviado equipos mongoles de fundadores de iglesias a etnias musulmanas de otros dos países, a una etnia tribal animista de los bosques, y también se han emprendido movimientos de fundación de iglesias entre otras tribus mongolas. Cinco de las iglesias hijas, y cuatro iglesias nietas, son iglesias fundadas por misioneros entre diferentes etnias. Una escuela en Erdenet entrena a la fuerza misionera emergente de la iglesia mongola.

Parece ser que Dios ha hecho el suelo espiritual de Mongolia muy fértil para la fundación de iglesias. El evangelio continúa llevando a cabo su obra de vida y de transformación de la comunidad. Las iglesias siguen creciendo y reproduciéndose; las cifras más conservadoras indican que el número de creyentes creció de sólo dos personas en 1990, a más de cincuenta mil creyentes en 2005. Mongolia ha pasado de ser un campo misionero, a ser una fuerza misionera poderosa que envía más misioneros por creyente que cualquier otra nación de la tierra. Como en la antigüedad, los mongoles vuelven a precipitarse a las naciones más allá de sus colinas desiertas, pero esta vez lo hacen bajo el liderazgo del «Kan de kanes»: ¡el Rey Jesús!

El avance zarabán

Ken Harkin y Ted Moore

Ken Harkin y Ted Moore trabajaron juntos como parte de un equipo con miembros de varias agencias, dedicado a levantar seguidores de Cristo entre el pueblo zarabán. Ted falleció sirviendo al pueblo zarabán. Ken y otros continúan su trabajo.

El siguiente relato del avance en un país musulmán, es contado por un compañero misionero, Ted Moore. Yo (Ken), serví como miembro del equipo misionero de Ted, que ha laborado y orado por la región de Zarabán desde 1991. Los eventos registrados ocurrieron durante 1999. Los nombres de personas y grupos étnicos han sido cambiados.

Uno de los primeros creyentes de los zarabanes, un hombre llamado Abdul, empezó a seguir a Cristo a finales de los ochenta. Es importante subrayar que la mayoría del pueblo zarabán habita en un área remota que ha apoyado la expresión fundamentalista del islam. Jóvenes de esta área son reclutados y adiestrados a pelear la yihad, o guerra santa islámica, en países vecinos. Una de las figuras principales de esta historia es Rashad, uno de los hermanos de Abdul. Rashad había regresado recientemente de un país vecino, donde asistió a un entrenamiento para convertirse en guerrero de la yihad.

Poco después de estos eventos Ted contrajo una enfermedad difícil de tratar en el área donde se encontraba trabajando. Murió en pocos días con sólo cuarenta años. La siguiente es la versión editada de una de sus últimas cartas a su familia y amigos. Esta carta representa las observaciones de Ted así como algunos detalles que su familia compartió con nosotros durante los siguientes días y semanas.

Al principio, cuando Abdul llegó a quedarse en nuestra casa, su padre me pidió que sirviera como mentor en la vida de su hijo. Estuve de acuerdo y le dije que eso incluía enseñar a Abdul acerca de la fe en Jesús el Mesías, y el padre estuvo de acuerdo. Desde ese tiempo, hace cinco años, nuestra visión y oración ha sido que la familia entera se uniera a Abdul en seguir al Señor. De igual manera, Ken, mi compañero de trabajo, que continuó discipulando a

Abdul ese primer año mientras Sara y yo estábamos fuera del país, tuvo el mismo deseo y visión por su familia. En una ocasión, durante una boda, algunos miembros de su familia le dijeron a Ken que tenían la esperanza de que por medio del «*gusl*» (bautismo) en el nombre de Jesús, ellos fueran liberados del temor a los «*yines*» (demonios).

A través de los años fomentamos una amistad con la familia de Abdul, y Ken y yo viajamos varias veces de la ciudad donde vivíamos, a la casa de su familia en una remota área rural. Era de especial importancia estar con su familia durante las festividades de *Aíd*, cuando se sacrificaba un animal para conmemorar la disposición de Abraham de ofrecer a su hijo en sacrificio. La siguiente es la historia de nuestro viaje más reciente. Tuvimos que ajustar difíciles conflictos de horario, pero finalmente pudimos llegar un domingo en la mañana, el día antes de la gran celebración. Llegamos justo a tiempo para descubrir y participar en lo que Dios había estado haciendo en nuestra ausencia.

> **En su sueño vio un hombre vestido de blanco con los brazos extendidos. El hombre le dijo que tenía un regalo especial para él y que le había enviado mensajeros.**

Carta y sueño de Rashad

Mientras nos preparamos para el viaje, habíamos estado pensando en lo que decía una carta del hermano de Abdul, que habíamos recibido dos semanas antes. Rashad siempre había querido convertirse en un líder religioso musulmán. Su carta estaba llena de comentarios positivos acerca de cómo orábamos, cuán seguido lo hacíamos, y la respuesta de Dios a nuestra oración. Mencionó los cambios en la vida y el carácter de Abdul. Durante ese tiempo él había leído nuestra «Biografía de Jesús» diseñada para los musulmanes. Había preguntado específicamente acerca de las palabras de un pasaje bíblico y terminó su carta con la siguiente oración: «Quiero ser uno de ustedes. Por favor guíenme». No sabíamos exactamente qué

Artículo 114

había querido decir, sobre todo después de recordar los acalorados debates que habíamos tenido antes. Antes de irnos, Ken y Abdul oraron juntos. En medio de la oración, ambos se sintieron inspirados a orar para que Dios actuara de manera especial durante el viaje. Ken se sintió guiado a orar de manera expresa por un milagro que llevara a toda la familia, compuesta de dieciséis personas, a creer por fe en Jesús.

Nuestro auto compacto se portó como todo un héroe otra vez, y llegamos allí el sábado en la madrugada. Viajar solos, sin un carro de tracción, *no* se recomienda en la parte interna de esta región. Toda la familia de Abdul se sorprendió cuando llegamos a las 6:45 de la mañana. Después del desayuno, Rashad estaba ansioso por sentarse a conversar acerca de la carta que había enviado.

Empezó a contarnos acerca de un sueño que había tenido la noche anterior, mientras aún íbamos de camino. En su sueño veía a un hombre vestido de blanco, con los brazos extendidos. El hombre le dijo que tenía un regalo especial para él y que había enviado mensajeros para que lo guiaran. Y ahora, ¡estábamos aquí! Rashad compartió muchas cosas con nosotros, incluyendo su convicción de que la *yihad* era incorrecta, y su fe en que el amor era el camino hacia la verdad y el poder.

El veredicto: «¡Todos seguiremos el camino a Jesús!»

Habló de las enseñanzas de Jesús en las Escrituras en cuanto a la falsa adoración, que lo habían impresionado, como el hecho de que nuestra adoración no tiene valor si recordamos que le hemos hecho mal a un hermano y no nos reconciliamos con él. Reiteró que quería ser uno de nosotros y seguir el camino que llevaba a Cristo, y nos pidió que lo guiáramos.

Ken preguntó: «¿Cuál crees *tú* que sea el siguiente paso para seguir a Jesús?».

Rashad respondió que el resto de su familia debía escuchar, y que él estaba listo para seguir a Jesús a fin de que ellos también lo hicieran.

Ken y yo nos miramos el uno al otro con incredulidad, y cuando nos recuperamos dijimos: «Sí, es una buena idea. Tú ve a hacerlo mientras nosotros oramos en el otro cuarto». Toda la familia, incluyendo mujeres y niños, se reunieron rápidamente mientras nosotros orábamos en otro cuarto.

Pronto, Rashad regresó con el veredicto: «Sí, todos vamos a seguir los caminos de Jesús el Mesías».

Más famoso que la Pepsi

Después de esto, Rashad me acompañó al pueblo para que yo pudiera hablar por teléfono con Sarah, mi esposa. Rashad me dijo que había llamado a algunos de sus amigos durante las últimas semanas para explicarles acerca del Mesías, en especial acerca de la oración real, que no era sólo un espectáculo. Muchos estaban muy interesados y muchos más asombrados.

Cuando llegamos al lugar donde estaba el teléfono de la villa, Rashad señaló hacia la publicidad de la Pepsi que estaba cruzando la calle. Luego me dijo: «Tú sabes que alrededor del mundo el nombre de la Pepsi es más famoso que el nombre de Jesús. Debemos vencer nuestras debilidades y competir con ellos hasta que el nombre de Jesús sea más famoso». Mientras tanto, la familia propietaria del teléfono nos ofreció unos refrescos de cola. Rashad dijo: «Este refresco de cola está bien, ¡pero yo no vuelvo a tomar Pepsi!».

El momento crítico

Mientras estábamos en la villa, Ken había aprovechado la oportunidad para dar un breve panorama del evangelio de Marcos al resto de la familia (la mayoría no había escuchado mucho acerca de la vida de Cristo). Les explicó que el «*gusl*» (bautismo) es uno de los primeros pasos de obediencia en el reino del Mesías. Le preguntó a cada persona si entendía y si estaba dispuesta a seguir este camino. El padre, madre, hermanos y hermanas, todos dijeron que sí.

Regresamos justo cuando Ken había terminado de dar su rápido tour del evangelio de Marcos. Ken y yo no pudimos cambiar la expresión de asombro. Habíamos empezado a sentir el peso de lo que estaba a punto de suceder. Un grupo étnico entero estaba a punto de ser penetrado significativamente con el evangelio, por primera vez en su larga historia. Lo que hicimos durante esos momentos críticos tal vez se repita durante años entre los zarabanes. Lo que los animamos a hacer adornará el mensaje del evangelio, o será piedra de tropiezo para muchos otros que desearán seguir a Cristo en el futuro.

Oramos de nuevo. Su obediencia debería ser sencilla y directa. Desde el punto de vista lingüístico y cultural, debía ser de lo más relevante.

Era necesario que fuera reproducido localmente. Debía hacerse de manera privada, pero al mismo tiempo comunal, dentro de sus hogares, pero no como individuos actuando por sí mismos. Debía ser un acto de adoración y alabanza que dependiera del poder del Espíritu. Así que empezamos a delinear la estrategia para la ceremonia de bautismos del siguiente día, cuando se bautizaría toda la familia, y que sucedería justo el día antes de las festividades de *Aíd*.

Abdul se había perdido todo lo que había pasado con su familia, porque había tenido que ir a hacer mandados fuera del pueblo. Ken y yo habíamos acordado no decirle nada hasta que su hermano tuviera la oportunidad de contarle las buenas nuevas. Cuando Rashad le dijo a Abdul que toda la familia había decidido seguir a Jesús, Abdul se sorprendió. Después de que su hermano salió del cuarto, Abdul nos abrazó y alabó a Dios con muchas lágrimas.

Pero aún quedaban asuntos por resolver. Otro hermano y su esposa habían estado ausentes durante ese día. Ken y yo empezamos a preocuparnos de que él tratara de impedir lo que habíamos planeado. Por eso, con urgencia le pedimos a Abdul que fuera a hablar con su cuñada ya que su hermano estaba en el trabajo. Abdul pensó qué le diría, y entró en la cocina (un cuarto de barro con un fuego en el centro) para hablar con ella. Le empezó a hablar de cosas rutinarias y a jugar con el bebé, hasta que en medio de sus nervios abordó el tema. Ella respondió de modo familiar: «Sí, tu mamá y tu hermana me lo han explicado todo. Y como yo soy parte de tu familia, estoy lista para hacerlo». Cuando Abdul regresó, su mirada de asombro nos aseguró que todo había salido bien, aun antes de decirnos lo que había pasado.

Sólo faltaba una persona, su hermano. Antes de conocerlo tuvimos que ir a visitar a los tíos de Abdul. Eso nos llevó un par de horas. Cuando llegamos a la tienda de su hermano, ¡Rashad ya había llegado! y le había explicado todo, como era de suponer. Él parecía estar de acuerdo, pero quería hacerles una pregunta en la mañana, después de su turno de trabajo, y antes de la ceremonia.

Dejar atrás lo antiguo, revestirse de lo nuevo

A la mañana siguiente nos despertamos temprano para preparar el agua para el bautismo. El otro hermano de Abdul hizo su pregunta: «¿Significa esto que nos convertiremos en cristianos?».

Abdul sabía lo que su hermano quería decir, y respondió: «No, no vamos a tomar alcohol, comer cerdo o tratar de unirnos a otro grupo étnico. Vamos a seguir las enseñanzas y vida de Jesús el Mesías».

«Bien», respondió su hermano.

Así que todos nos reunimos para celebrar los bautismos. Ken y yo hablamos en el idioma nacional, y Abdul tradujo todo a su dialecto local. Les hablé sobre el sacrificio del Mesías y cómo él nos ofreció perdón. Ken les habló de la resurrección y la nueva vida, la vida eterna. Luego Ken les hizo tres preguntas:

Uno de los hermanos danzó y cantó: «¡Tengo nueva vida... tengo nueva vida!».

1. ¿Están listos para seguir el camino de Jesús el Mesías?

2. ¿Están listos para obedecer por fe su mandato de recibir el «*gusl*» (bautismo) y arrepentirse?

3. ¿Llamarán a otros a seguir este camino?

Abdul y el padre de Rashad, un hombre normalmente reservado, contestaron: «¡Sí, alabado sea el Señor! Seguiremos este nuevo camino, recibiremos el "*gusl*" y llamaremos a otros a seguirlo». Todos los demás se unieron efusivamente.

Les expliqué que el bautismo simboliza el fluir del Espíritu Santo en nuestra vida, y que es un paso de obediencia y un acto de adoración. Habíamos decidido que Ken y yo bautizaríamos de nuevo a Abdul para que la familia lo viera, y luego los tres bautizaríamos al resto, usando la terminología arábiga apropiada, como se acostumbra en la mayoría de las culturas musulmanas cuando se trata de asuntos religiosos, aunque no hablen árabe.

Luego Ken les dijo que se cambiaran de ropa, y mientras lo hacían, que se imaginaran que se quitaban la vieja vida y se ponían la nueva. Esta imagen se repitió una y otra vez entre varios miembros de la familia durante los siguientes dos días.

Nos hicieron más preguntas. El padre de Abdul preguntó: «¿Creen que deberíamos ir a la oración de *Aíd* como siempre o no?». Abdul respondió que ahora esas oraciones podían hacerse por el motivo correcto, no como un espectáculo para otros, ni como absolución de pecados o deberes, sino por amor y alabanza a Dios que salva, y como una oportunidad para orar por la comunidad. Todos fuimos a la oración juntos, y luego llegó la hora del sacrificio ritual del cordero.

De nuevo Ken y yo, con Abdul como traductor, les explicamos que no hubiéramos podido planear una ocasión más perfecta para seguir los caminos de Jesús el Mesías que este día de llevar a cabo el sacrificio. Fue un momento asombroso.

Siguiendo con la nueva vida

Más tarde, la familia llamó a otra reunión para decidir quiénes deberían recibir más capacitación para enseñarles más acerca de su nueva vida. Como Abdul vivía y trabajaba lejos, escogieron a Rashad para ese propósito. Él estaba encantado, porque siempre había querido ser un líder espiritual. Le impusimos nuestras manos, y lo consagramos en oración para que Dios lo bendijera en su nuevo trabajo.

También decidieron que Rashad y su hermana debían ir a pasar tiempo con nosotros durante una semana cada pocos meses, para que su hermana aprendiera cómo enseñar a las mujeres. Era una buena idea, y de nuevo nos quedamos sorprendidos.

Muchas otras cosas sucedieron en el transcurso de ese día. Algunos empezaron a hablar acerca de la paz que los inundaba, mientras otros reflexionaban sobre su nueva vida. Uno de los hermanos danzó y cantó: «¡Tengo nueva vida… tengo nueva vida!».

No estamos seguros cuántas oraciones fueron contestadas en el transcurso de esos dos días. Nunca habíamos visto cambios tan drásticos en el corazón de tantos musulmanes al mismo tiempo. Por eso seguimos sorprendidos hasta el día de hoy.

Los eventos de esta historia reflejaron muchos temas complejos de liderazgo y contextualización en un corto espacio de tiempo. Debemos dejar dos cosas en claro. Primero, los eventos de esta historia fueron la culminación de más de 10 años de arduo y fiel trabajo hecho por los miembros de varias organizaciones. Segundo, estos eventos han tenido seguimiento durante muchos años de cuidadoso trabajo: lidiamos con el desarrollo de líderes, el estudio de la Escritura, temas difíciles como el discipulado y la contextualización de temas, y todo mientras enfrentamos muchas crisis. Así como hemos hecho muchos avances, de igual manera hemos tenido dolorosos retrasos.

No obstante, los eventos en esta dramática historia deben ser motivo de gran ánimo. Ted cerró su carta regocijándose en la realidad de que «el Resucitado» está entre nosotros y «puede hacer muchísimo más que todo lo que podamos imaginarnos o pedir» (Ef 3:20).

Fundación de iglesias:
Un aprendizaje arduo

Tim y Rebecca Lewis

Tim y Rebecca Lewis han ministrado activamente en el mundo musulmán los últimos treinta años y dirigido un equipo de campo por muchos años. Actualmente están involucrados en liderazgo y contribuyen en debates sobre cuestiones de estrategia.

¡La fundación de iglesias es fácil! Al menos eso pensábamos. A los pocos meses de aterrizar en una ciudad del norte de África, ya contábamos con un grupo de hombres y mujeres que se congregaban en nuestra casa. A esa fraternidad se sumaron algunos creyentes de procedencia musulmana que habían creído en el Señor mediante el testimonio de otros. Dispusimos nuestra sala de estar con sofás al estilo local, servíamos té de menta dulce y vestíamos chilabas (vestimenta tradicional). Esperábamos que esta fraternidad contextualizada se convirtiera en una iglesia sólida. Tim, graduado de seminario, hacía las veces de pastor, pero rotaba el liderazgo. Cantábamos y estudiábamos la Biblia en inglés, árabe y francés. Los participantes eran de origen bereber, árabe, francés, español, escocés y estadounidense. Recogíamos incluso una ofrenda para los pobres. Creíamos que habíamos fundado una iglesia multicultural en casa, al estilo del Nuevo Testamento.

No obstante, antes de concluir el año, la iglesia ya estaba naufragando. Acudían creyentes de toda la ciudad, pero tenían pocas cosas en común. Nosotros deseábamos que formaran una familia, pero ellos no estaban interesados. Si Tim salía de viaje, nadie asistía.

Nuestra intención era congregar un grupo contextualizado de creyentes para fundar una iglesia que perdurara y se apoyara en la experiencia del pasado. Por al menos sesenta años los misioneros habían ganado almas para Cristo en este país, pero éstas se habían vuelto al islam para recuperar a sus familias y las comunidades que habían perdido. Por eso, en los últimos veinte años, los misioneros comenzaron a juntarlos, con la esperanza de crear una comunidad, pero las iglesias plantadas no permanecieron. Pensamos que las iglesias eran demasiado foráneas y que ésta era la causa de que las familias y las autoridades se les opusieran, e intentamos contextualizar las comunidades, pero éstas también se deshicieron.

Nos rendimos y volvimos a empezar. Tal vez estábamos juntando gente de extracción social muy diversa. En esta ocasión resolvimos congregar sólo creyentes de una sola etnia —en la que nos estábamos concentrando—. De manera que, llegada la oportunidad, presentamos mutuamente a los dos únicos creyentes conocidos en esa tribu. Esperábamos que se abrazaran gozosos, pero los dos se apartaron con recelo. Más adelante, ambos regañaron a Tim por haberlos presentado. Cada uno sospechaba que el otro lo delataría a las autoridades o descubriera en su ciudad que era cristiano.

Entonces pensamos: *«¡Qué difícil es fundar iglesias!»*. Nuestra comunidad contextualizada, multicultural, ha fracasado. Nuestro grupo contextualizado, monocultural, ha fracasado también. ¿Cómo vamos a conseguir que los creyentes confíen unos en los otros lo suficiente como para fundar una iglesia?

Resultó que necesitábamos revaluar nuestras premisas respecto a qué es una iglesia y cómo se funda. Primero, de pronto Dios nos mostró una manera completamente distinta de fundar iglesias. Después observamos cómo fundó Jesús iglesias multiculturales y cómo instruyó a sus discípulos para que hicieran lo propio.

Dios nos mostró una manera diferente

Dios revisó nuestro concepto de iglesia plantando él mismo una en nuestra etnia. Para ser exactos, en realidad, no plantó ninguna. Plantó el evangelio en una comunidad que ya existía.

Mientras tratábamos de asimilar nuestro fracaso, recibimos una carta totalmente inesperada. Un mensajero nos la entregó personalmente. Nos informó que dos hermanos de nuestra etnia habían hecho un curso bíblico por correspondencia y deseaban conocer a un creyente. Pronto enviamos a nuestro mejor hablante de árabe a aquella ciudad distante. Cuando llegó a la casa del remitente, se

Artículo 115

encontraba abarrotada. El miembro de nuestro equipo dudó si no se habría topado con una boda, por lo que titubeó antes de preguntar por Hassán, autor de la carta.

Hassán y su hermano se apresuraron a recibirlo en su casa. Habían convocado a todos sus familiares y amigos íntimos para escuchar de su honorable huésped una explicación de lo que habían aprendido en el curso. Recibieron el evangelio de buena gana y se comprometieron como grupo a seguir a Jesús. Nuestro compañero de equipo se maravilló. Cuando volvió a casa, compartimos su asombro.

Esta nueva iglesia, consistente en una familia, parentela y amigos, persevera firmemente hasta el día de hoy. Décadas más tarde siguen extendiendo el evangelio de ciudad en ciudad por medio de sus redes naturales de comunicación. Estudian la palabra juntos, oran, se bautizan y han diseñado el tipo de comunión que mejor encaja con su comunidad. Ningún extranjero ha intentado contextualizar lo que ha tenido lugar. Ellos nunca han tenido líder ni han recibido fondos fuera de su red de relaciones. No sienten ninguna necesidad de ellos.

«¿Es esto fundar una iglesia?», nos preguntamos. Era algo muy distinto de lo que habíamos estado haciendo. Por décadas, obreros fieles habían estado formando iglesias para, finalmente, naufragar en menos de diez años. Cuando llegamos, quedaba sólo una congregación

> **En realidad, el Espíritu Santo no «plantó ninguna iglesia». Plantó el evangelio en una comunidad preexistente.**

tratando de sobrevivir en la ciudad más grande. Nosotros mismos fuimos testigos del nacimiento y defunción de varios grupos. ¿Había otro camino?

Comparamos las dos maneras de fundar iglesias. Nuestra manera consistía en formar una iglesia congregando a los creyentes que conocíamos. Su fe precedía a sus compromisos los unos con los otros. Nosotros éramos el centro de conexión de las relaciones, ya estuviera o no contextualizada la iglesia, ya fuera multicultural o monocultural. Por supuesto, esperábamos ceder el liderazgo a los creyentes a medida que fortalecieran sus compromisos unos con otros. Y, sin embargo, las iglesias se deshacían. La forma en que estábamos construyendo comunidad era un modelo típico de nuestra cultura, no de la suya.

No obstante, la iglesia creció de distinta manera cuando el evangelio fue plantado en la familia de Hassán. Los creyentes se animaban unos a otros *en* su comunidad natural. Sus compromisos precedían a su fe. No era más fácil para los miembros abandonar la iglesia que abandonar a su familia. Nosotros proveíamos ocasionalmente material bíblico, como traducción de Escrituras y un poco más. Verdaderamente éramos forasteros.

¿Sería el florecimiento de la fe *en* una familia o red social una manera más eficaz de establecer iglesias en sociedades comunales? En ese caso, ¿cómo podríamos hacerlo siendo extranjeros? Al examinar las Escrituras, notamos dos cosas por vez primera: Jesús fundó una iglesia transcultural *en* una localidad samaritana e instruyó a sus discípulos para que plantaran el evangelio *en* las comunidades.

Jesús nos enseñó un camino distinto

«¿Cómo fundaremos una iglesia de esta otra manera?», nos preguntamos. Empezamos a fijarnos en cómo fundó Jesús una iglesia en una comunidad samaritana (Jn 4). Los samaritanos, como los musulmanes actuales, adoraban al Dios de Abraham. Como los samaritanos, los musulmanes «adoran lo que no conocen». Por

© 2017 Institute of International Studies Todos los derechos reservados

causa de su acento en la pureza, los judíos consideraban a los samaritanos inmundos y los apartaban del templo y de toda adoración regular a Dios.

Así pues, la mujer samaritana se maravilló de que Jesús le pidiera de beber dada la larga enemistad entre ambas etnias. Y cuando él le ofreció vida eterna, ella la desechó, porque sabía que su pueblo nunca podría aceptar la religión judía. «Interesante», pensamos. Nuestros amigos musulmanes solían rechazar la salvación en Jesús porque no podían imaginarse ser capaces de integrarse a la religión cristiana.

Décadas más tarde siguen extendiendo el evangelio de ciudad en ciudad por medio de sus redes naturales de comunicación. Estudian la palabra juntos, oran, se bautizan y han diseñado el tipo de comunión que mejor encaja con su comunidad.

Pero Jesús removió esa barrera. Cuando la samaritana señaló que los judíos adoraban en el templo, pero los samaritanos en el monte, Jesús aclaró que no era cuestión de cambiar las formas religiosas, sino que respondió:

> Pero se acerca la hora, y ha llegado ya, en que los verdaderos adoradores rendirán culto al Padre en espíritu y en verdad, porque así quiere el Padre que sean los que le adoren (Jn 4:23).

La mujer se alegró tanto de que ellos también pudieran ser verdaderos adoradores, que fue corriendo a la aldea y se lo dijo a todo el mundo.

En consecuencia, los samaritanos invitaron a Jesús a visitar su comunidad por dos días. Jesús los persuadió de que él «verdaderamente… es el Salvador del mundo», no sólo el Salvador de los judíos. Muchos creyeron, y Jesús dejó establecida una iglesia en aquella comunidad, como la de la familia de Hassán. Jesús no intentó persuadirlos de que abandonaran su comunidad para añadirse a los creyentes judíos o samaritanos de otros lugares. ¡Nunca habíamos notado esta cara del relato!

Esta historia no es una parábola. ¡Jesús superó las mismas barreras que nosotros tenemos que afrontar! A todos los musulmanes que conocíamos se les había enseñado que para adorar a Dios por medio de Cristo, tenían que abandonar sus familias y sumarse a un grupo cristiano, enemigo suyo durante mil cuatrocientos años, pero de algún modo

Hassán y su familia lograron ver las cosas como las vio Jesús: podían ser verdaderos adoradores sin abandonar su comunidad.

Luego vimos por primera vez que Jesús también les había enseñado a sus discípulos cómo fundar una iglesia *en* una comunidad. En Lucas 10, Jesús les encargó a los setenta discípulos la búsqueda de un «hombre de paz» —alguien que los invitase a entrar *en* su casa—. Debían permanecer en esa casa y compartir el evangelio con todos los que la visitaran y no pasar de casa en casa. Si en una población nadie los invitaba a entrar *en* su casa, debían salir de allí e ir a otra localidad. ¡Así de claro!

Nunca habíamos pensado en buscar gente que nos invitara a entrar en su familia o comunidad para hablarles de Jesús, pero Jesús y sus discípulos establecieron iglesias de este modo.

Nos dimos cuenta de que *«¡podemos imitar lo que hizo Jesús!»*. Podemos empezar diciéndoles a nuestros amigos musulmanes que adorar a Dios en espíritu y en verdad no les exige ningún cambio de sistema religioso. Si alguien recibe esta noticia con gozo y nos invita a visitar a toda su familia, podemos entrar *en* su comunidad. Como ocurrió con la familia de Hassán, los que decidan seguir a Jesús podrán crecer juntos en la fe. En vez de intentar sacar a los creyentes de distintas comunidades para formar un grupo que permanezca, podemos, como Jesús, establecer una iglesia *en* su comunidad natural.

Conclusión

Después de quince años, hemos aprendido a fundar iglesias en culturas comunales a fuerza de sinsabores. Descubrimos que no podíamos fundar iglesias estables juntando creyentes al azar para formar nuevos grupos. No importa si eran contextualizados o no, multiculturales o monoculturales. Después de algunos meses o años, esos grupos se deshacían.

En cambio, teníamos que buscar una persona de paz que nos invitara a su propia comunidad para anunciarles el evangelio. Jesús fue recibido *en* la aldea samaritana. Los setenta discípulos fueron recibidos *en* casas. Del mismo modo, Pedro fue recibido *en* casa de Cornelio, y Lidia recibió a Pablo *en* su hogar.

En cada caso fueron recibidos *en* una comunidad cohesionada para que el evangelio fuera predicado a todo el grupo. A raíz de ello, abrazaron la fe *gente que ya estaba comprometida entre sí*. En una comunidad nació una iglesia natural, sin crear una *nueva* congregación sólo para confraternizar. Nos acordamos de algo que Ralph Winter había dicho: «La "iglesia" (en el sentido de formar una comunidad comprometida) ya está ahí, sólo que ¡aún no conoce a Cristo!».

Cerdos, estanques y el evangelio

James W. Gustafson

James W. Gustafson es miembro fundador y presidente de Global Development Network, una fundación de desarrollo sin fines de lucro en Tailandia. Sirvió veintisiete años como misionero en Tailandia en la fundación de iglesias y desarrollo comunitario. Fue también director ejecutivo de Misión Mundial para Evangelical Covenant Church of America entre 1998 y 2002.

Durante décadas los cristianos han hablado de integrar la evangelización y el desarrollo en la misión mundial, pero ha habido obstáculos.

Tal vez el principal obstáculo ha sido una definición muy estrecha de la evangelización, que la limita a la presentación verbal del evangelio. Sin embargo, el evangelio de Jesucristo no es simplemente la palabra hablada; es una Palabra viva. El evangelio es vida. Es la encarnación de la Palabra de Dios en las culturas y las vidas de la humanidad.

La definición secular de desarrollo ha sido un segundo obstáculo para los cristianos con mentalidad de misión. El enfoque secular del desarrollo se centra con mayor frecuencia en el crecimiento económico. Con la meta de aumentar las ganancias, este enfoque se vuelve individualista y a menudo enfrenta a los emprendedores entre sí. Este énfasis en el individualismo y el logro personal está en contraste con la Palabra de Dios. La Biblia se centra en el bien del grupo, y enseña la abnegación y el servicio a los demás. Como cristianos es importante recordar que nuestra definición de desarrollo viene de los principios y valores de la Palabra de Dios, no de Wall Street.

Un tercer obstáculo para integrar el desarrollo con la evangelización surge cuando lo intentan cristianos que no viven la transformación de Cristo en su propia manera de vivir. Me preocupa profundamente lo que considero como un apartamiento del evangelio de la gracia en la iglesia hoy. Hemos sido engañados por el sistema de valores religiosos de la sociedad estadounidense, que enseña que los humanos deben esforzarse por ser moralmente buenos. Sólo en la medida en que los cristianos entiendan y crean de verdad en el evangelio de la gracia de Dios y vivan esa gracia en cada aspecto de la vida y el trabajo organizacional, producirá la gracia la transformación constante, tanto de la iglesia como de la sociedad a su alrededor.

Un obstáculo final para integrar el desarrollo con la evangelización es que la iglesia es presentada en muchos entornos como un extranjero cultural. Esto ocurre en particular en países del tercer mundo, donde las culturas locales son vistas por los misioneros, explícita o implícitamente, como pecaminosas. Las formas de la iglesia occidental son presentadas como puras. El resultado es que no exploran ni establecen formas pertinentes de vida de iglesia. El cristianismo occidental permanece como algo foráneo a los corazones y las mentes de los no occidentales.

Desarrollo holístico integrado

Como misionero de la Iglesia Evangélica del Pacto —durante los últimos veintisiete años en el noreste de Tailandia, una zona conocida también como Issaan— formé parte de un ministerio que busca superar estos obstáculos para integrar el desarrollo, la fundación de iglesias y la evangelización. Varios misioneros estadounidenses y un personal de tailandeses del noreste (ciento cincuenta para el año 1998) están participando en lo que llamamos «desarrollo holístico integrado». Es «desarrollo» porque busca transformar a las personas de lo que son a lo que fueron creados para ser en Cristo. Es «holístico» porque trata con la persona total, con todas las áreas de la vida. Es «integrado» porque todos los aspectos del ministerio están vinculados y no funcionan ni existen en forma independiente. En la actualidad el ministerio está integrado por la Iglesia del Pacto de Tailandia, la Fundación de Desarrollo Issaan (que aborda las necesidades sociales, económicas y físicas) y el Institute for Sustainable Development (que realiza capacitación en investigación y desarrollo de planes de estudio para la iglesia).

El ministerio tiene un enfoque principal: permitir que Jesucristo nazca en la cultura tailandesa del

Artículo 116

noreste. Los miembros del equipo con facilidad de expresión salen a las aldeas a hablar acerca de Jesús. No hablan de religión. En cambio dicen: «No estamos aquí para cambiar la religión de ustedes, porque todas las religiones son básicamente iguales; tienen que ver con convertir en buenas a las personas». Luego hablan de conocer la Palabra, la Palabra Viva que es Jesucristo, que está por encima de todas las religiones. Muchos que han respondido de manera favorable a este método de compartir el evangelio eran personas religiosas en busca de la verdad, pero que no la encuentran en el budismo. Están de acuerdo en que es imposible cumplir con las demandas de la religión, pero al aceptar a Jesús pueden encontrar la salvación. Estos nuevos creyentes comenzaron a compartir rápidamente las buenas nuevas con sus familiares y amigos. De esta forma, la iglesia sigue expandiéndose de forma espontánea.

Algunos de los miembros de nuestro equipo se centran en la capacitación. Desarrollan teología y materiales de estudio contextualizados para cimentar a los nuevos creyentes en la Palabra de Dios. Los que estudian los materiales enseñan a otros. En vez de traducir materiales del inglés al tailandés, el equipo tiene teólogos tailandeses que trabajan con misioneros para escribir materiales tailandeses para los tailandeses. Al día de hoy, el ministerio ha dado origen a más de cuarenta iglesias «madres» y más de doscientas cincuenta iglesias «hijas». Nuestro equipo también tiene algunas personas especializadas en artes. Su tarea es adecuar el evangelio a las formas y expresiones culturales de los tailandeses. Cuando uno visita estas iglesias ve historias del evangelio contadas por medio de dramatizaciones y formas de danza tailandesas. Uno escucha canciones de adoración con melodías tailandesas acompañadas por instrumentos tailandeses. Por medio de todos estos canales creamos una forma en que Jesús puede cobrar vida para los tailandeses del noreste y ser entendido por ellos.

El noreste es el cinturón de pobreza de Tailandia. Hay una gran necesidad de trabajo de desarrollo, pero nosotros creemos que el desarrollo debe servir y no dirigir. Nuestro desarrollo está basado siempre en la iglesia local. No es visto estrictamente como un medio de evangelización. Más bien es visto como una forma en que la iglesia local puede impactar la vida social, económica y física de la gente. La pieza central es la granja Udon Patina, un complejo de tres diferentes granjas ecosistémicas que demuestra la agricultura sostenible en la región.

Una de las granjas comprende un sistema de estanques de peces, patos y cerdos. Cuando el estiércol de los patos y cerdos se convierte en abono junto con los pastos en la superficie de los estanques, los peces proliferan con la multiplicación

del fitoplancton. El agua del estanque y los peces muertos brindan un fertilizante orgánico para los pastos y los árboles que crecen a lo largo de los diques del estanque. Los patos también se alimentan del estiércol de los cerdos. Los cerdos, los peces y los patos pueden ser usados como alimento o pueden ser vendidos para obtener una ganancia para apoyar el trabajo de la iglesia. Estas granjas son los modelos para los proyectos cooperativos realizados a nivel de aldea.

Un proyecto cooperativo en acción

La aldea de Nong Hua Koo brinda una buena mirada de un proyecto cooperativo en acción. Kitlow es un aldeano típico. Era un agricultor arrendatario en las tierras de otra persona. Dado que la mitad de su cosecha volvía al terrateniente, estaba constantemente en deuda con los prestamistas. A menudo sus hijos no tenían lo suficiente para comer. Wunde es un caso típico también. Si bien es dueño de un pequeño arrozal, el clima y el suelo de la región no son buenos para cultivar arroz. También se veía forzado a solicitarles dinero prestado a los prestamistas para sobrevivir hasta la cosecha. Con tasas de interés de ciento veinte por ciento o más, era imposible tener un sustento decente. La Fundación de Desarrollo de Issaan se acercó a la Iglesia del Pacto de la cual eran miembros Kitlow y Wunde. Se ofrecieron a ayudarlos a comenzar una cooperativa de peces, patos y cerdos. La fundación prestaría el lote inicial de animales, brindaría la capacitación en la empresa y haría una donación para comprar tierras. Por su parte, los miembros de la cooperativa buscarían un terreno en venta, construirían los corrales para los cerdos y los patos, cavarían un estanque para los peces y acordarían trabajar juntos. Con el tiempo, devolverían el préstamo con sus propios animales.

Las familias de Kitlow y Wunde, junto con otras cinco familias, aceptaron la oferta. Ahora que la cooperativa está establecida, cada familia trabaja para ella un día a la semana. De aquí ganan lo suficiente vendiendo cerdos y peces y prescinden de los prestamistas. No pasan hambre porque comen alrededor de la mitad de los peces que crían. Diezman de sus ganancias para la iglesia y aplican también otro diez por ciento para proyectos de la aldea, como proveer los animales del estanque usado para peces para los almuerzos de la escuela

primaria. Los vecinos no sólo ven la generosidad, sino una poco común cooperación también. Ven a miembros que suplen a alguien que está enfermo o es menos capaz, pero a quien le comparten las ganancias por igual. Las cooperativas de aldeas como ésta mejoran las situaciones económicas de las familias participantes y proveen recursos para la iglesia. Lo más importante es que brindan la oportunidad para que los miembros vivan su fe, aprendan a amar, servir y perdonarse.

Además de proyectos agrícolas, la fundación ayuda también a las iglesias locales a impactar a sus comunidades con capacitación vocacional en habilidades como la costura o la mecánica, con

Al habilitar y equipar a la iglesia local en cada cultura para introducirse en su propio contexto, la evangelización y el desarrollo se amalgamarán para producir la verdadera transformación de la sociedad.

capacitación en salud primaria, y para suplir las necesidades de los pobres rurales. Todos los programas se enfocan en la participación de grupos de personas antes que en individuos. De esta forma se están estableciendo nuevas comunidades en el noreste de Tailandia, llenas de personas que están siendo transformadas. La gente crece en una nueva relación con Dios, con los demás y con la naturaleza. En respuesta a la gracia de Dios, desarrollan un nuevo estilo de vida dinámico, y el resultado es un cambio en todo su sistema de valores.

Hay siete principios básicos en el corazón de este ministerio:

1. Autoridad

Es fundamental para todas nuestras actividades una firme creencia en la autoridad de la Palabra de Dios. El evangelio de la gracia de Dios, con todas sus implicaciones, forma el conjunto de creencias sobre las cuales están basadas todas las políticas y prácticas del ministerio.

2. Integración

Cada aspecto del ministerio está vinculado por la gracia de Dios. Administramos nuestra organización y nuestras vidas por gracia. Planificamos, implementamos, evaluamos y corregimos problemas refiriéndonos al principio de la gracia como nuestro modelo y guía, dependiendo del poder de la gracia.

3. Flexibilidad

Intentamos hacer todo lo posible para permitir que la gracia de Dios sea comunicada a los tailandeses del noreste. Para alcanzar esa meta, estamos dispuestos a cambiar todo lo que sea necesario en nuestras organizaciones.

4. Contextualización

Las personas se comunican con claridad sólo si comparten una cultura en común. Comunicación efectiva es lo que se entiende, y no necesariamente lo que se dice o se quiere decir. Por lo tanto, la adoración y la vida de la iglesia local, así como la estructura y el sistema de administración de los programas de desarrollo han surgido de la cultura local de los tailandeses del noreste.

5. Encuentro de poder

Al ser encarnado el evangelio de gracia en la cultura tailandesa del noreste, y en cada área de nuestro ministerio, éste influye sobre el sistema de valores culturales locales de una forma poderosa y eficaz. El resultado es una transformación en el nivel de los valores y las mentalidades.

6. Enfoque de proceso/agente

El instituto y la fundación están en una relación de proceso/agente con la iglesia local. *Proceso* significa ir «abajo y adentro». El desarrollo comienza con las personas mismas, especialmente con los pobres en el fondo de la sociedad. Comienza por el diálogo, que las involucra en un proceso participativo. La función de *agente* involucra ir «arriba y afuera». La fundación puede vincular a las iglesias locales con entornos y recursos externos. Puede evaluar mercados así como investigar tecnología.

7. Enfoque en la iglesia local

La iglesia local, como unidad básica de la sociedad cristiana, es el punto de partida obvio para el desarrollo holístico. La meta final es que la iglesia local se convierta en la organización de desarrollo local que impacte a su propia comunidad mayor con el poder transformador de la gracia de Dios.

Este ministerio no ha estado exento de problemas. El primero fue la tendencia a crecer demasiado. Una cantidad cada vez mayor de personal significaba que la filosofía básica detrás del trabajo se diluía, en especial en las vidas de los que estaban en la periferia. Cuando redujimos el tamaño de las organizaciones pudimos consagrarnos nuevamente a nuestros valores fundamentales básicos. Como habíamos crecido más, tuvimos también la tendencia de convertir el apoyo financiero de las organizaciones en la mayor prioridad. Cuando nos dimos cuenta de que nos estábamos concentrando más en apoyar los costos operativos que la misión, decidimos reducirnos a un tamaño más manejable.

Otro problema fue no habernos relacionado sinceramente y abordar valores erróneos en nosotros y en los demás. La cultura tailandesa, igual que la cultura occidental, tiene una tendencia natural a evitar esta clase de encuentros. A fin de crecer en poder para el servicio tuvimos que aprender a hablarnos unos a otros y confrontarnos mutuamente en amor. Podríamos mencionar otros problemas en nuestro trabajo, pero todos se reducen al punto central: cuanto más hemos aprendido a negarnos a nosotros mismos, a aceptar nuestras debilidades y a depender de Dios en cada detalle, más hemos encontrado que su sabiduría y fortaleza son suficientes para todas nuestras necesidades.

El papel de las agencias de misión, de las agencias cristianas de ayuda, y las organizaciones de desarrollo locales, abarca la integración constante de la evangelización y el desarrollo en el nivel de la iglesia local. Ambos elementos son ingredientes críticos de la misión de la iglesia, y es aquí donde comienza la transformación de la sociedad. Al habilitar y equipar a la iglesia local en cada cultura para introducirse en su propio contexto con el poder de la gracia de Dios, la evangelización y el desarrollo se amalgamarán para producir la verdadera transformación de la sociedad.

Un movimiento de Dios entre los bopuríes en el norte de la India

David L. Watson y Paul D. Watson

David Watson es vicepresidente de la fundación global de iglesias en CityTeam Ministries. Trabaja para catalizar movimientos de fundación de iglesias (MFI) en ciudades y países difíciles de alcanzar en todo el mundo y da capacitación para líderes fundadores de iglesias. David ha estado involucrado en el trabajo con etnias no alcanzadas desde 1986 y ha iniciado dos agencias de misión centradas en etnias no alcanzadas y MFI.

Paul Watson es hijo de David Watson. Ayuda a catalizar movimientos de fundación de iglesias entre miembros angloparlantes de la «generación en línea». Trabaja con un equipo para brindar podcasts, manuales y otros recursos electrónicos para entrenadores y profesionales (de MFI).

Ninguno de nosotros, en nuestros sueños más descabellados, pensamos jamás que seríamos testigos de lo que estaba ocurriendo. Habíamos planeado establecer una iglesia única, «cabeza de playa», donde no había ninguna. Nuestros planes no incluían ver cientos o miles de iglesias iniciadas. No pensábamos que fuera posible en los lugares que estábamos intentando alcanzar, porque habían demostrado una gran resistencia al evangelio. Hacíamos todo lo que se nos ocurría con la esperanza de que algo resultara y comenzara al menos una iglesia.

Fracaso

Dios, ya no puedo fundar más iglesias. No me inscribí para amar a las personas, capacitarlas y enviarlas para que las mataran.

Seis hombres con los que había trabajado, habían sido martirizados en los últimos dieciocho meses.

No puedo vivir en la zona que me has llamado a alcanzar.

El gobierno indio expulsó a nuestra familia del país. Más de cuatro mil kilómetros y un océano separaba nuestro hogar en Singapur del pueblo bopurí en el norte de la India.

La tarea es demasiado grande.

Había ochenta millones de bopuríes viviendo en una zona conocida como «el cementerio de misiones y misioneros».

No hay suficiente ayuda.

Había sólo veintisiete iglesias evangélicas en la zona. Luchaban por sobrevivir. Menos de mil creyentes vivían entre los bopuríes en ese entonces.

Quita mi llamado. Volveré a los Estados Unidos. Soy bueno para los negocios. Daré mucho dinero a las misiones. Que otro funde iglesias. Déjame ir. Libérame de mi llamado.

Cada día, durante dos meses, teníamos la misma conversación. Cada día iba a mi oficina, me sentaba en la oscuridad, y le rogaba a Dios que quitara mi llamado. Y cada día se rehusaba.

Perfecto. Tienes que enseñarme a fundar iglesias. No puedo creer que llames a alguien a una tarea sin decirle cómo hacerla. Muéstrame en tu Palabra cómo quieres que alcance a estas personas. Si me lo muestras, lo haré.

Éste fue mi pacto con Dios. Esto fue lo que inició mi parte en su obra entre los bopuríes.

Nuevas ideas

Dios cumplió su parte de nuestro pacto. Durante el año siguiente me llevó a través de la Biblia y trajo a mi atención cosas que ya había leído, pero que nunca había entendido, por lo menos en este contexto. Surgieron patrones y cobraron vida nuevas ideas acerca de la iglesia, sobre hacer discípulos y sobre la fundación de iglesias.

Oré por cinco hombres indios que me ayudaran a desarrollar estas ideas en el norte de la India. Conocí al primero en un foro secreto reunido en la India para evangelizar etnias hindúes. Me invitaron a presentar algunas de mis ideas. Mientras hablaba, la gente empezó a irse. Uno por uno, dos por dos, a veces cinco a la vez, la gente se levantó y dejó la sala. ¡Pensaban que estaba loco! Al final del día, sólo quedaba uno. Su nombre era Víctor John.

«Yo creo en lo que estás diciendo», —me dijo—. «También puedo verlo».

Hablamos hasta bien entrada la noche y nos hicimos amigos. Víctor se convirtió en la primera persona que me ayudó a desarrollar estas ideas. Durante el siguiente año se añadieron tres hombres más para trabajar conmigo.

«Señor —oré— ¿dónde está el quinto hombre? ¿Dónde está el que necesitamos para completar nuestro equipo?».

Ahora bien, éstos eran tiempos en que las personas aún escribían cartas. Recibía pilas a diario. En Singapur los carteros viajaban en motocicletas que tenían un sonido muy distintivo. Escuché el ruido del cartero cuando se acercó a mi puerta para dejar el correo en el buzón. Ese día recibí una carta de alguien que no conocía en la India.

«Hermano David —comenzaba— usted no me conoce, pero siento que Dios me está diciendo que debo convertirme en discípulo de usted. Dígame lo que quiera que haga y lo haré». Aquí estaba el quinto integrante de mi equipo. Pero Dios no me dio el hombre por el que había orado. Porque la carta que recibí ese día había sido escrita por una mujer.

Durante los siguientes años luchamos para implementar las cosas que Dios nos había enseñado. Fundamos nuestra primera iglesia con esta metodología recién dos años después de conocer a Víctor. De hecho, la organización misionera para la cual trabajaba me había amenazado con despedirme cada año durante mi informe anual.

«No estás haciendo tu trabajo», dijeron.

«Denme tiempo —dije— estamos intentando algo nuevo. Ténganme confianza». Y, por alguna razón, confiaron en mí.

De pronto, vimos ocho iglesias fundadas en un año. Al año siguiente, había cuarenta y ocho nuevas iglesias fundadas. Al año siguiente, ciento cuarenta y ocho nuevas iglesias; y luego trescientas veintisiete; y luego quinientas. ¡En el quinto año vimos más de mil nuevas iglesias fundadas!

Luego del quinto año, mi organización de misión me llamó. «Debes estar equivocado —insistieron—. Nadie puede fundar mil iglesias en un año. No creíamos en quinientas, ¡pero ciertamente no creemos en mil!».

«Vengan a ver», les dije. Y lo hicieron. ¡Un estudio formal de la obra entre los bopuríes mostró que en realidad nuestro equipo había informado una cantidad de iglesias menor de la real en la zona! ¡Las cosas estaban explotando!

Y siguen explotando.

Oración persistente

Estoy convencido de que sin una oración persistente no habría un movimiento entre los bopuríes.

Recientemente estuve sentado en una sala con los principales fundadores de iglesias bopuríes. Cada uno de estos fundadores de iglesia y sus equipos habían fundado por lo menos cincuenta iglesias por año. Un equipo había fundado quinientas iglesias el año anterior. Un grupo de investigación, contratado para verificar las cifras, se preguntó acerca de posibles hilos comunes en lo que veían en la fundación de iglesias entre los bopuríes. Comenzaron a hacer preguntas para ver si podían descubrir elementos comunes presentes entre los fundadores de iglesias.

Preguntaron: «¿Cuánto tiempo dedican a la oración?».

Mientras recorrían la sala dando sus informes, me quedé con la boca abierta. Los líderes de equipo dedicaban un promedio de tres horas diarias a la oración. Después de eso, pasaban otras tres horas orando con sus equipos cada día. Un día a la semana los líderes ayunaban y oraban. Sus equipos dedicaban un fin de semana al mes a ayunar y orar.

Muchos de estos líderes mantenían trabajos seculares mientras se dedicaban a fundar iglesias. Se levantaban a orar a las cuatro de la mañana y llegaban a su trabajo a las diez.

Santiago nos dice: «La oración fervorosa del justo tiene mucho poder» (Stg 5:16, DHH). Santiago tenía razón. Fíjense nada más en los bopuríes.

Discipulado basado en la obediencia

Unos años atrás estaba sentado en un salón con algunos fundadores de iglesias bopuríes. Recorriendo la sala, cada fundador de iglesias informó la cantidad de iglesias que su equipo había fundado durante el último año. Cuando fue su turno, el hombre más anciano, de unos setenta años de edad, dijo: «Fundamos cuarenta iglesias el año pasado».

¡Eso me dejó estupefacto! Crucé el salón y me senté a sus pies. «Hermano, necesito aprender de usted. Enséñeme acerca de la fundación de iglesias».

Parecía perplejo y contestó: «No es difícil. Cada mañana mi bisnieta me lee la Biblia durante una hora; yo no sé leer, así que ella me la lee. Luego pienso en lo que leyó hasta el almuerzo. Pienso en lo que significa y lo que Dios quiere que nuestra familia haga. Cuando todos llegan de los campos para almorzar, les digo lo que Dios dijo por medio de su Palabra a nuestra familia. Luego les digo que les cuenten a todos sus conocidos lo que Dios le dijo a nuestra familia ese día. Y lo hacen. Eso es todo».

Una organización independiente hizo un estudio de los bopuríes unos años atrás. Descubrieron que cristianos bopuríes de décima generación, aun entre pueblos analfabetos, eran tan fuertes y espiritualmente maduros como los cristianos de la primera generación. En otras palabras, el evangelio viajaba de persona a persona, sin diluciones o concesiones, hasta la décima persona (décima generación).

Enseñamos a cada fundador de iglesias y a cada creyente en nuestro ministerio algo muy sencillo: Si la Biblia dice: «Hazlo», entonces debe hacerlo. Si la Biblia dice: «No lo hagas», entonces no lo debe hacer. También les decimos que deben transmitir todo lo que aprenden a otra persona cuanto antes; el mismo día, si es posible. Este ciclo de oír, obedecer y compartir desarrolla creyentes maduros y alimenta el movimiento entre los bopuríes.

Notamos un interesante efecto colateral del discipulado basado en la obediencia. En la mayoría de las iglesias bopuríes, los miembros de las castas más altas y más bajas adoran juntos. Nunca les enseñamos acerca de la integración. Otros ministerios en la India habían convertido a la casta en un problema. Terminaron con iglesias de castas altas e iglesias de castas bajas. Todo lo que hicimos fue enseñarles a obedecer la Palabra. Su obediencia es permitió —tal vez hasta los obligó— a adorar juntos.

El discipulado basado en la obediencia es el núcleo del movimiento entre los bopuríes. Uno no puede tener un movimiento si no obedece la Palabra de Dios.

Persona de paz

Un anciano estaba sentado a la orilla del camino de ingreso a la aldea. Cuando me vio, parecía asustado. Se levantó lentamente y vino a mi encuentro.

«¡Por fin! —exclamó—. Finalmente está aquí». Antes de que pudiera decir nada tomó mi brazo y me llevó a la aldea.

«Aquí está el hombre de quien les hablé —le dijo a la gente mientras me llevaba con él—. Éste es el hombre con quien soñé cada noche durante los últimos veinte años. Mis sueños me dijeron que debíamos escuchar todo lo que este hombre nos dijera».

Compartí el evangelio y ahora una iglesia se reúne en esa aldea. Dios está obrando en los corazones de las personas, aun antes de que entremos en sus vidas. Según este hombre, Dios le dijo veinte años antes que yo vendría a esta aldea. Veinte años antes de ese momento, yo estaba estudiando para ser ingeniero. No tenía ningún deseo y ningún llamado en ese tiempo para ser un ministro o un fundador de iglesias.

Los fundadores de iglesias bopuríes buscan personas de paz —personas que Dios prepara para recibir el evangelio— cada vez que entran en una aldea (Lc 10). Por lo general identifican a la persona de paz a pocas horas de ingresar en la aldea. Algunas son obvias, como el anciano de mi historia. Algunas sólo se identifican luego de escuchar hablar a los fundadores de iglesias un rato. Cuando encuentran a la persona de paz, los fundadores de iglesias construyen una relación con la familia y terminan yendo a su casa para comenzar un estudio bíblico de descubrimiento.

Si los fundadores de iglesias no encuentran una persona de paz, van a otra aldea. Entre seis meses y un año después, otros equipos vuelven para ver si alguien está listo para escuchar el evangelio.

Fundar iglesias es más fácil si uno está trabajando con Dios y las personas que él ha preparado, en vez de imponer el evangelio a personas que no están listas.

Somos millonarios

Hace un par de años me senté con Víctor John. «Soy un millonario», dijo.

«¿Qué quieres decir?».

Sonrió. «Este año bautizamos e incorporamos al millonésimo bopurí al reino. En la economía de Dios, eso me convierte en millonario».

No pude contener las lágrimas. Más de un millón de nuevos hermanos y hermanas en doce años; más de cuarenta mil nuevas iglesias.

No tenía idea alguna de que la gente miraría atrás a lo que Dios hizo con mi fracaso y lo llamaría un «movimiento». Nunca soñé que él me convertiría en un millonario.

Nosotros como siervos:

Obreros latinoamericanos en el Medio Oriente

Andrés y Angélica Guzmán

Nuestro equipo latinoamericano trabajó por quince años haciendo trabajo humanitario en un país de Medio Oriente, y tuvimos el privilegio de ser testigos de un movimiento hacia Jesucristo en ese lugar. El movimiento sucedió cuando nuestros más cercanos amigos, incluso algunos que nos formaron en la cultura local, compartieron el amor y las enseñanzas de Jesucristo a muchos cientos de personas de su propia etnia y ellos a su vez los compartieron con otros. El movimiento no fue simplemente el resultado de nuestro trabajo de ayuda humanitaria y desarrollo, sino que incluyó esfuerzos de traducción de la Biblia, formación de liderazgo y vivencia encarnacional.

Antes de terminar mis estudios médicos y antes de casarnos, mi esposa y yo nos sentimos conmovidos por versículos como Isaías 49:6 «Yo te pongo ahora como luz para las naciones, a fin de que lleves mi salvación hasta los confines de la tierra». Nos tomó unos cuantos años entender el llamado a servir a las gentes de los confines de la tierra, porque no conocíamos a nadie más que estuviera interesado en esto. Nunca habíamos oído de etnias no alcanzadas, y no sabíamos que Dios había empezado a inquietar a gente de toda América Latina para movilizar a su iglesia para cumplir la llamada «Gran Comisión».

Inmediatamente después de casarnos regresamos a mi país para entrenarnos en comunicación transcultural y empezamos a pedirle a Dios que nos llevara adonde quisiera que sirviéramos. Sabíamos que Dios no nos estaba llamando a ser «misioneros» profesionales, sino a unirnos a su misión de ser luz para el mundo, sirviendo a los necesitados mientras vivíamos y hablábamos como discípulos de Jesucristo.

La oportunidad llegó, y un año después llegamos a una ciudad en Medio Oriente para supervisar un proyecto que crearía un sistema de distribución de suministros médicos en coordinación con dos agencias humanitarias. Además de trabajar para que los medicamentos estuvieran constantemente disponibles, establecimos los sistemas informáticos para el almacén principal del ministerio de salud y para las grandes farmacias regionales administradas directamente por el ministerio. Creamos formatos y procedimientos que iban a ser usados en el almacén y en las farmacias principales, y entrenamos al personal.

Diseñamos un sistema de retroalimentación para las principales farmacias para determinar la distribución apropiada de los medicamentos. Monitoreamos el crecimiento y nutrición de los niños y el impacto de los programas nutricionales. Llevamos a cabo encuestas de vacunación y desarrollamos programas de entrenamiento para enfermeras y capacitación en procedimientos quirúrgicos, medicina de emergencias y de salud dental. También entrenamos promotores rurales de salud.

Andrés y Angélica Guzmán son una pareja latinoamericana que ha trabajado en el auxilio y desarrollo profesional por veinte años. Han sido miembros de varias organizaciones humanitarias seculares y cristianas, y han escrito muchos artículos y libros.

Artículo 118

Aunado a estos proyectos médicos trabajamos para crear un centro de atención para mujeres viudas o desplazadas, que las alfabetizaba y les daba las habilidades necesarias para generar ingresos para sus familias.

Ministerio encarnacional

Hicimos todo esto, no para «convertir» a nadie a nuestra religión (Jn 6:44, 65) ni para «proveer una excusa» para nuestra presencia. Más bien fuimos motivados por el amor de Dios y el amor hacia otros seres humanos, basados en la persona y enseñanzas de nuestro Señor Jesucristo. Deseábamos demostrar que el reino de Dios ya estaba en medio de nosotros. Por supuesto, esperábamos que notaran una diferencia en nuestro servicio, pero no habían tenido condiciones previas que ayudaran al respecto.

No intentamos hacer esto solos. Fuimos apoyados por iglesias latinoamericanas con grandes deseos de servir y formamos un equipo con miembros de Bolivia, Colombia, Costa Rica, México, y un médico canadiense que se casó con una de las mexicanas. En el proceso de servir a la comunidad hicimos muchos amigos: oficiales gubernamentales y algunos de sus familiares, hombres de negocios, vecinos, artistas, ayudantes para aprender el lenguaje y miembros de nuestro personal y sus amigos. Aprendimos muchas cosas de ellos: su rica cultura, modestia, su respeto por los ancianos, disciplina religiosa, su deliciosa comida, hospitalidad, hermoso vestuario, su jubilosa danza y sus mentes creativas.

Vivimos en medio de ellos como discípulos de Jesús —capaces de perseverar sin ser paralizados por el temor que ataba a tantos de ellos debido a la inestabilidad y conflicto en la región. Pudimos vivir con gozo en medio de tensiones políticas y militares, falta de electricidad y escasez de agua. Compartimos con ellos nuestras bromas, nuestra amistad incondicional, nuestro descanso de la lucha religiosa por impresionar a Dios, nuestra capacidad de escuchar al Todopoderoso y hablarles a ellos directamente sobre sus necesidades y los secretos de sus corazones. Constataron nuestra confianza en la sanidad sobrenatural y una clara autoridad para reprender, atar y echar fuera demonios. Asimismo compartimos con ellos nuestra certeza de que las buenas noticias sobre la persona y enseñanzas de Jesús no pertenecen a una religión, grupo étnico o nación determinadas, sino a toda etnia, todo pueblo, toda tribu y familia, a todo trasfondo religioso, género y clase social.

Traducción bíblica

Pudimos ayudar a la Sociedad Bíblica de la región a traducir el Nuevo Testamento al lenguaje de la gente de nuestra área, a la cual motivamos a participar en la distribución de la Biblia. Nos dimos cuenta de que muchos líderes respetados compartían nuestra creencia de que es el derecho de toda nación tener la oportunidad de leer este respetado libro. Nuestros amigos musulmanes estaban listos para recibir la Biblia porque su profeta fundador los animó a leer los «Libros Santos» (Antiguo y Nuevo Testamentos) escritos antes de su «Libro Santo» (el Corán).

Un nuevo movimiento

Gracias a todo esto, varios de nuestros amigos decidieron seguir a Jesús. Algunos, por su propia cuenta y sin motivación alguna de parte nuestra, decidieron seguirlo como «cristianos». Unos cuantos (por su propia elección) decidieron que podían seguir a Jesucristo como Señor y Salvador sin cambiar de religión. La mayoría decidió permanecer fuera de las categorías religiosas establecidas, llamándose simplemente «creyentes».

El movimiento de creyentes nos asombró por su rápida multiplicación en sus primeros años. Surgieron varias congregaciones. Aparte del obvio poder del evangelio, creemos que hubo razones importantes para que esto sucediera:

1. Tuvieron la experiencia de conocer a verdaderos discípulos de Jesucristo de primera mano, oportunidad que a la fecha no le es dada al 86% de los musulmanes, hindúes y budistas. Esto les ayudó a ver la belleza de la persona y enseñanzas de Jesús sin la contaminación de los prejuicios que comúnmente tienen sobre los cristianos como personas inmorales, avaras y orgullosas, que odian a los musulmanes. Nuestras vidas no eran perfectas, pero por la gracia de Dios pudimos modelar cómo vivir como discípulos, incluso qué pasos dar cuando uno ha fallado. Al conocer a discípulos de Jesús imperfectos, pero reales, se interesaron en conocer más sobre su Señor.

2. El Señor Jesús se manifestó a muchos. Una y

otra vez el Señor intervino para guiar a los que buscaban por sí mismos. Se les apareció en sueños y les confirmó la verdad como la habían escuchado de nosotros. Vieron sanidades instantáneas y graduales cuando orábamos por la gente. Experimentaron visiones y protección sobrenatural.

3. Tuvieron la oportunidad de entender que el compromiso con Cristo y la conversión cultural no son lo mismo. Fuimos nosotros los que nos «convertimos» a su cultura, no lo opuesto. Siempre los animamos sobre el valor de su lenguaje, sus canciones, sus proverbios, sus tradiciones, su vestimenta y su comida. Aun cuando al principio no creían mucho en sí mismos, y en su futuro como pueblo, nosotros sí creíamos y los animábamos a servir a su gente y a sus familias.

4. Tuvieron la oportunidad de entender que el compromiso con el Señor Jesús está abierto a gente de todo trasfondo. Incluso se sorprendieron al saber que nosotros, siendo de herencia cristiana, tuvimos que convertirnos en discípulos de Jesús de acuerdo con lo que el Nuevo Testamento indica en Juan 8:30-31. Esto les ayudó a entender que cualquier persona, de cualquier trasfondo religioso, puede convertirse en un discípulo de Jesucristo leyendo, creyendo y aplicando el Nuevo Testamento y pidiéndole a Jesús, quien ha resucitado y enviado su Espíritu, que sea su maestro. Vieron que, independientemente de su decisión de permanecer o no en su propia comunidad religiosa, podían vivir como seguidores de Jesucristo.

5. Fueron animados a ser una bendición permaneciendo en sus familias, compartiendo con ellos los eventos importantes de la vida, como circuncisiones, bodas y funerales. Se les animó a ayudar de todo corazón a los necesitados, a respetar a sus autoridades y a ser buenos trabajadores y buenos jefes, también a honrar a sus familias y vecinos de muchas otras maneras. Por supuesto, también se volvieron una bendición al compartir la gracia de conocer realmente a Dios con sus redes de parientes y buenos amigos, guardando así, en la medida de lo posible, sus relaciones personales más valiosas.

6. Desde el principio siguieron al Señor Jesús y no a nosotros. Aprendieron a preguntarse siempre «¿Qué dice la Biblia?». Los animamos a cuestionar nuestras creencias y acciones, y a encontrar respuestas con la ayuda del Espíritu Santo por medio de la oración y el estudio de la Biblia.

7. Un grupo de creyentes locales hizo un serio compromiso de compartir las bendiciones de la persona y enseñanzas de Jesús con su gente. Estos creyentes llegaron a ser los líderes de la red de grupos pequeños diseminados por su nación.

No ofrecimos ningún tipo de carnada para la conversión religiosa o el proselitismo, ni distribuimos Biblias ni ningún tipo de literatura junto con nuestras frazadas o suministros médicos.

El movimiento está creciendo constantemente pero no tan rápido como al principio. La razón principal para la disminución, desde nuestro punto de vista, es la tendencia de algunos obreros extranjeros de establecer prácticas y formas de las tradiciones cristianas de los Estados Unidos, Medio Oriente y Europa. Éstas han distraído a los nuevos creyentes de las poderosas enseñanzas básicas que nos da el Nuevo Testamento. Otro factor ha sido la influencia de iglesias occidentales ricas, inclinadas a la exageración y al uso indiscriminado de los medios masivos de comunicación que provocan interés en el liderazgo en aquellos que no están realmente consagrados. También ha influido la formalidad de las iglesias orientales que mantiene a los mejores líderes ocupados con cosas no esenciales.

Motivados por el amor

Este movimiento entero hacia el Señor Jesús sucedió mientras estábamos muy ocupados haciendo lo mejor posible para proveer trabajo de socorro y desarrollo de alta calidad. No ofrecimos ningún tipo de carnada para la conversión religiosa o el proselitismo, ni distribuimos Biblias ni ningún tipo de literatura junto con nuestras frazadas o suministros médicos, ni proyectamos la película *Jesús* al terminar de hacer alguna cirugía. Servimos a todos de la misma manera.

Motivados como estábamos por el amor de Jesús hacia ellos, seguimos su ejemplo alimentando, sanando y bendiciendo a todos sin considerar o condicionar la ayuda a si seguirían o no a Cristo. No añadimos ninguna actividad religiosa a nuestro trabajo humanitario y tampoco hicimos ninguna diferencia en la calidad o cantidad de la asistencia brindada debido a razones religiosas. Al hacerlo así estuvimos libres del problema que se ha suscitado en otros contextos, donde los llamados «cristianos de arroz» se «convierten» a la fe religiosa de sus benefactores, esperando beneficios adicionales por ello.

Estamos consciente de que nuestra aproximación puede ser controversial para algunos. Por una parte algunos dirán que nuestra aproximación ignora la urgencia de presentar los hechos evangelísticos (y afirmar que nuestra filosofía es la de «el fin justifica los medios») para poder presentar el evangelio a todos. Nuestra simple respuesta es que seguimos el camino del Señor Jesucristo, que vino «no para ser servido, sino para servir» y el del apóstol Pablo, que se regocijaba en ser «siervo de todos». «La Gran Comisión» no cancela «el Gran Mandamiento».

Por otro lado, algunos podrán culparnos de enseñar sobre Jesús a nuestros amigos, opinando que al hacerlo le restábamos valor a nuestro servicio humanitario. Pero ningún verdadero seguidor de Jesucristo puede permanecer callado si es cuestionado sobre el origen del fruto en su vida. Toda labor humanitaria tiene motivaciones filosóficas que se reflejan indirectamente en la manera en que se lleva a cabo el trabajo. Si servimos a la humanidad y fallamos en reconocer la verdadera fuente de nuestro servicio, estamos predicando nuestra propia grandeza y recibiendo un crédito que no nos pertenece.

Creo que encontramos el balance correcto en 2 Corintios 4:5: «No nos predicamos a nosotros mismos, sino a Jesucristo como Señor y a nosotros como vuestros siervos por amor de Jesús» (RVR60).

Un movimiento de adoradores de Cristo en la India

Dean Hubbard

Dean Hubbard (un seudónimo) ha servido con Juventud con una Misión en la región del Pacífico y Asia por más de veinte años. Durante los últimos ocho años ha vivido en la India con su familia, sirviendo a un ministerio autóctono entre los pobres, y ayudando a desarrollar líderes de iglesia. Se han modificado los nombres de las personas y las etnias.

Antes de 1991, el evangelio había logrado atraer a muy pocos conversos en cierto distrito del centro de la India. Siete años después, cientos de creyentes recién bautizados de al menos veinticuatro etnias están aprendiendo a seguir a Jesús. Se reúnen regularmente en iglesias a nivel de aldea bajo el nombre «Krista Bhakta Mandali» («Encuentro de Adoradores de Cristo»). ¿Cómo fue que tantas personas pasaron de pronto a tener esperanza en Cristo después de practicar por siglos un espiritismo animista mezclado con el hinduismo?

Un líder clave

Bhimrao era un cristiano local de tercera generación que había sido un activista social y político a favor de agricultores pobres, que había servido, sufrido y compartido la cárcel con ellos por varios años. Creyendo que Dios quería que abordara las necesidades espirituales más profundas de los pueblos rurales entre los cuales se había criado, cooperó con una organización de misión india para abrir caminos para el evangelio entre el pueblo de los kowadi. Como grupo campesino agrícola, los kowadi han adaptado en gran parte sus tradiciones animistas a las prácticas religiosas de la cultura hindú rural circundante. Habían resistido esfuerzos de misión anteriores, considerando al cristianismo como una religión para personas de posición social inferior a la suya.

Para presentar el evangelio a los kowadi de una forma que pudieran entender y valorar, Bhimrao primero confrontó el fracaso de las dos fuentes de poder en las que habían depositado sus esperanzas para el avance social y económico: el gobierno y sus dioses tradicionales. Su mensaje a ellos se centró en Jesús: dado que Jesús había creado a los kowadi, Jesús siempre había sido su Señor y Dios legítimo. Él los ama y se interesa en cada dimensión de sus vidas: social, económica y espiritual. Sin embargo, ellos no habían llegado a conocer su bendición porque habían puesto su esperanza en otros. Había preparado el camino para que ellos se pusieran bajo su señorío nuevamente y conocieran su bendición, pero sólo si ponían su esperanza en él.

Bhimrao dedicó tres meses a explicar su mensaje en ciento cincuenta aldeas kowadi. Finalmente, convocó a un gran encuentro de tres días a los kowadi de estas aldeas. Los días estuvieron llenos de canciones kowadi, danzas y presentaciones de la enseñanza de Jesús en su idioma. Al final, cuarenta y un kowadis declararon a Jesús como «su Señor y Señor de los kowadi» recibiendo el bautismo. Varios eran líderes aldeanos que ahora estaban convencidos de que Jesús era la verdadera respuesta para su pueblo.

La oposición prueba la fe y confirma la credibilidad

De inmediato los fanáticos religiosos hindúes trastornaron los planes que se habían ideado para dar seguimiento y establecer iglesias. El pueblo kowadi, conocido por su timidez, pareció retraerse de contactos adicionales con los misioneros que trabajaban con Bhimrao, quien tuvo que dejar la zona por un tiempo, debido al nacimiento de su primer hijo. Cuando volvió tres meses después, descubrió que los demás misioneros indios se habían retirado, desalentados, sin tener en claro cómo seguir adelante. Después de investigar un poco más, Bhimrao se dio cuenta de que había habido alguna confusión luego de la persecución, pero no había faltado determinación. Los conversos seguían con deseos de seguir a Jesús. Con pocos recursos y escaso apoyo, Bhimrao tuvo que formar una nueva organización para facilitar el intento principal de suplir las necesidades espirituales de formación de la iglesia y de desarrollo socioeconómico de los kowadi. La denominó «Din Sevak» («Siervo de los pobres»). A Bhimrao se le unió una persona que no era india, Dean, y el hermano de Bhimrao, Kishor, y sus respectivas esposas. Asimismo, los recursos y el personal limitados exigían que desde el inicio los nuevos

Artículo 119

creyentes hicieran la mayor parte del ministerio en las aldeas. Como resultado del testimonio de los aldeanos a sus propios amigos y familiares, y ayudados en parte por la publicidad generada por la persecución inicial, muchos se acercaron a Bhimrao para pedirle una explicación.

El trabajo previo de Bhimrao como activista social le había dado mucha credibilidad a los ojos de ellos. Las falsas acusaciones de los medios nacionalistas hindúes fueron puestas en duda por su conocido carácter y el servicio de mucho tiempo que Bhimrao había realizado en toda la región. Los miembros de otras etnias parecían estar preguntando: «Si esto es bueno para los kowadi, que son tan parecidos a nosotros, social y económicamente, entonces ¿no será también bueno para nosotros?». Durante décadas, el gobierno indio había intentado eliminar la segregación por castas con escaso éxito. Parecía que ahora el evangelio estaba saltando por encima de los límites tradicionales de las castas, en virtud de una identidad más amplia, basada en la condición socioeconómica. Incluso algunos de los que se habían opuesto a la conversión inicialmente, se abrieron al evangelio junto con los más receptivos. Como resultado, comenzaron a abrirse puertas de oportunidad a diversas etnias y sus aldeas.

«¿Por qué debemos seguir a dioses pequeños?»

Se identificó a un grupo de potenciales líderes que fueron reunidos para una semana de enseñanza, con la intención de iniciar un movimiento de iglesias autorreproductoras llenas de adoradores de Jesús, y no meramente una dispersión de creyentes bautizados. Si bien fue limitada en su alcance, demostró ser una experiencia decisiva, más para Bhimrao y Dean, que para los nuevos creyentes. Un investigador cristiano extranjero de visita condujo una de las sesiones. Sólo compartió historias de etnias en otros países que estaban abrazando a Cristo también. Al final de la semana, los participantes indicaron que esta sesión había sido la más significativa para ellos. «Podemos ver ahora que este Jesús es más grande que todos los otros dioses. Todos los dioses que hemos conocido hasta ahora han sido dioses sólo de una aldea, una tribu, una región, o de toda la nación de la India. Pero este Jesús tiene seguidores de todo el mundo. ¿Por qué podemos seguir al Dios más grande que todos?».

Dios envía «ángeles»

Esta perspectiva era reforzada adicionalmente con la llegada de equipos extranjeros de misioneros de corto plazo. Uno de estos equipos se había ubicado en una aldea poblada sólo por pahari. Los pahari son cazadores altamente transeúntes que participan en rituales animistas, y al mismo tiempo respetan el sistema sacerdotal brahmánico hindú. Había pedido que alguien viniera a enseñarles acerca de Cristo también, pero las únicas personas disponibles era un equipo misionero de corto plazo, de jóvenes escandinavas que no podrían haber estado más alejadas de ellos en casi todos los sentidos.

Mientras hablaban de Cristo con estas jóvenes de tez pálida, cabello rubio resplandeciente y ojos azules, los pahari comenzaron a contar acerca de cierto sacerdote en su aldea. Cinco años antes había pasado por un período en que la mayoría de las personas creía que estaba loco. A menudo parecía atormentado por espíritus. En repetidas ocasiones lo llevaron ante diferentes dioses y diosas para ser sanado. Todo el tiempo repetía: «Personas que parecen ángeles vendrán de todas partes del mundo a nuestra aldea. Nos hablarán del Dios verdadero. Debemos seguirlo a él». El equipo le preguntó al sacerdote qué era lo que veía en su visión. Dijo: «Vi gente como ustedes, gente blanca; eran ángeles. Ellos vendrán a hablar de Dios». Cuando preguntaron: «¿Piensa que nosotros somos esa gente?». Respondió: «No sé todavía». Pero luego de cuatro días de escuchar, confió en el Señor Jesucristo y lo recibió como su Salvador. Al final, la mayoría de las personas que residían en esa aldea fueron bautizadas.

A pesar de un comienzo prometedor, la timidez general de los kowadi, y la ubicación remota de muchas de sus aldeas, inhibieron continuamente la formación saludable de iglesias. Las actividades de cacería de temporal, y el analfabetismo casi universal de los pahari, socavaron severamente el desarrollo de un liderazgo de iglesia eficaz. Sin embargo, la situación osada y asentada de los bansari resultó ser una historia diferente.

Los bansari se cuentan por millones y también siguen una mezcla de prácticas hindúes y de la religión popular. La hostilidad continua de la prensa local hacia las conversiones se había difundido como publicidad gratuita, lo que hizo que un joven bansari culto acudiera a Bhimrao en busca de ayuda. Estaba pasando por una severa depresión y contemplaba el suicidio, pero al final encontró liberación en Cristo. Cuando volvió a su hogar en una zona distante del distrito, pronto guió a catorce amigos a confiar en Cristo. Entre éstos, los papeles de tres de ellos demostraron ser en particular eficaces para la extensión del evangelio. Uno era el líder de los bansari en su aldea. Otro era líder en una familia que se extendía en muchas aldeas de la zona. El tercero era un sastre cerca de la parada central de autobús, adonde llegaban personas de todas las aldeas circundantes. Los tres comenzaron a evangelizar enérgicamente dentro de sus respectivas redes de relación. A medida que las personas respondían, comenzaron a visitar sus aldeas.

A esta altura, «Siervo de los pobres» había iniciado un tiempo semanal de ayuno, oración y enseñanza. Estos hombres fueron invitados a unirse a hombres y mujeres de otras etnias que se reunían cada semana para aprender a suplir mejor las necesidades de las iglesias que se estaban formando en sus aldeas. Muy pronto había demasiadas aldeas con nuevos creyentes para que ellos las atendieran. En las primeras etapas se les pedía que identificaran a los potenciales líderes de iglesia. Éstos también participaban en la capacitación, y pronto tuvieron grupos reunidos para adoración regular en aldeas, que eran liderados por conversos de los conversos del primer converso.

Seguir a Cristo sin traicionar a la familia

Las primeras experiencias con otras etnias, tanto en éxitos como fracasos, resultaron lecciones críticas que le dieron forma al enfoque usado con los emergentes Bansari Krista Bhakta Mandali. Las personas interesadas eran llamadas a seguir a Cristo, no a convertirse en miembros de la comunidad cristiana, que por lo general ha llegado a ser percibida simplemente como una casta en contraste con las demás. Adorar a Cristo no era traicionar, sino más bien satisfacer el destino más elevado de su etnia. Este destino era para el grupo entero, no sólo para unas cuantas personas. Como una forma de rutina, las nuevas personas interesadas, de diferentes comunidades, son recibidas en estas comunidades y son alentadas a centrar su testimonio entre personas de su propia familia y casta.

Una razón por la que Krista Bhakta Mandali (KBM) no ha sido percibida como una nueva casta cristiana, es que las pequeñas reuniones de adoración y enseñanza han sido principalmente específicas para una etnia. Se realizan celebraciones ocasionales en las cuales los adoradores de Cristo de diferentes castas se reúnen para adorar y participar de lo que se denomina «la comida del Señor». Para algunos, es la primera vez en su vida que han compartido pan con personas de otra casta. El gozo de compartir a Cristo juntos afirma todo lo mejor de lo que ahora tienen en común, sin exigirles que abandonen su identidad con su comunidad. Los potenciales líderes de iglesias eran identificados tempranamente y se les permitía asumir una responsabilidad significativa en el discipulado de los demás. Esos potenciales ancianos eran identificados sobre todo con base en su iniciativa, su fidelidad y efectividad para transmitir el evangelio. Luego eran llevados al proceso de capacitación semanal, centrado en aprender los fundamentos de una cosmovisión bíblica y la sencilla obediencia a Cristo. Se daba ayuda práctica sobre cómo romper con viejos patrones de conducta y enfrentar las luchas de vivir para Jesús en un entorno que a menudo era diametralmente opuesto a sus valores y enseñanzas.

Todo el tiempo estarían activos en testificar y en asumir la responsabilidad por el bienestar de los nuevos creyentes; no porque se les hubiera dicho que lo hicieran, sino porque creían que Jesús quería que lo hicieran. Rendían cuentas por su propio compromiso declarado por medio de informes regulares, y visitas de entrenamiento a su zona de trabajo. El papel principal de los miembros del equipo «Din Sevak», no era dirigir, sino alentar, apoyar y entrenar a los líderes de aldea. El apoyo era brindado de diferentes formas. Se organizaban oportunidades de capacitación regulares y especiales. Se encauzaban equipos, tanto indios como multinacionales, para ayudarlos a ministrar en sus aldeas. Se pusieron a su disposición herramientas específicas para el idioma y la cultura, y si no existía ninguna, eran creadas, incluyendo traducciones de la Biblia y la publicación y promoción de formas de adoración apropiadas. También se implementaron préstamos para semillas para agricultores y, hasta cierto punto, capacitación en habilidades generadoras de ingresos para mujeres.

Persecución: Purgar y luego multiplicar

Lamentablemente hubo lecciones duras que precedieron los éxitos posteriores. Aún no hay una iglesia autosostenible desarrollada entre los pahari. Es claro que aun una preparación sobrenatural y profética no reemplaza la necesidad del discipulado y desarrollo constantes. La oposición finalmente cobró víctimas entre los líderes de los kowadi. Los líderes de los bansari hasta ahora se han mantenido firmes ante la persecución, y parecen estar demostrando el mayor potencial para un verdadero movimiento de iglesias autorreproductoras. Tal vez ésta sea la razón por la que ahora están experimentando la mayor persecución, no tanto desde dentro de su propio grupo, sino de los hindúes más tradicionales que los rodean. El nacionalismo religioso está ganando terreno en los lugares de poder de la India, y lo que antes eran amenazas verbales de grupos locales ha sido reemplazado por violencia física contra algunos grupos aldeanos de KBM.

Sin embargo, tal vez una de las lecciones más importantes de siete años de ministerio ha sido que la oposición ha producido invariablemente un efecto de «purga seguida de multiplicación» sobre el movimiento general, sobre todo cuando los líderes se han mantenido firmes. Lo que busca destruir este joven movimiento podría terminar por hacer que su multiplicación espontánea sea imparable. ¡Así sea!

Un movimiento hacia Jesús entre musulmanes

Rick Brown

Rick Brown es erudito bíblico y misionólogo. Ha estado involucrado en la evangelización en África y Asia desde 1977. Adaptado de «How One Insider Movement Began», *International Journal of Frontier Missiology* 24:1 (enero-marzo 2007), editado por William Carey International University Press, Pasadena, CA. Usado con permiso.

El siguiente relato está basado en el testimonio del hermano Jacob y un misionero extranjero. También fue investigado y verificado por varios líderes cristianos del país en cuestión.

Hubo un hombre piadoso, un maestro sufí, a quien llamaré Ibrahim. Vivió en una región remota y tradicional del país, donde varios miles de personas procuraban recibir su dirección espiritual, bendición para sus cosechas, oraciones por su salud y, sobre todo, intercesión por su salvación eterna. Le inquietaba que miles de seguidores suyos creyeran que él podía salvarlos en el día del juicio, cuando él mismo se preocupaba y tenía dudas de su propia salvación. De modo que empezó a orar fervientemente para que Dios le mostrara el *sirat mustaquin*, el camino verdadero de la salvación.

Una noche, mientras Ibrahim oraba por el camino de la salvación, Jesús se le apareció, radiante, en vestiduras blancas. Le dijo que viajara a cierta ciudad y consultara a cierto hombre piadoso cuyo padre y abuelo se llamaban de tal y cual manera. En una visión Jesús le mostró el camino a la casa. Ibrahim se entusiasmó, al caer en la cuenta de que el abuelo de ese hombre había sido su propio maestro sufí.

Ibrahim hizo votos de no comer ni beber hasta encontrar al hombre de Dios para oír de él el camino de la salvación. Se levantó cuando aún era muy temprano y caminó bajo una fuerte tormenta para tomar un autobús que lo llevaría a un lugar que distaba unos sesenta y cinco kilómetros.

Ibrahim llegó a la ciudad, halló la casa que Jesús le había revelado, y llamó a la puerta. Se sorprendió al ver a un hombre vestido en ropa ordinaria, no con las vestiduras de un maestro sufí. Era el hermano Jacob, líder de un movimiento creciente de musulmanes que seguían a Jesús. Cuando Ibrahim le preguntó a Jacob por su padre, su abuelo, y su aldea de procedencia, supo que ése era el mismo hombre que Jesús le había dicho que tenía que consultar. Así pues, le contó a Jacob la visión y le rogó que le mostrara el camino de salvación.

Citando pasajes del Corán y de la Biblia, el hermano Jacob le contó a Ibrahim la historia de la creación, la tentación de Satanás a Adán y Eva, y cómo éstos desobedecieron a Dios. Le explicó que el pecado los había separado de Dios y esclavizado a las tinieblas, el pecado y la muerte.

El hermano Jacob siguió hablando de Caín y Abel, del descenso del mundo por la pendiente de la maldad y del rescate de Noé y su familia. Le relató cómo Dios llamó a Abraham a seguirlo, y le dio ocho hijos. Le habló de la descendencia prometida a Abraham, de David y la desobediencia de Salomón y sus hijos. Luego le habló del verdadero hijo de David, el auténtico heredero de las promesas hechas a Abraham, el segundo Adán, Jesús, el primer ser humano de la historia que se sometió completamente a la voluntad de Dios. Le explicó que había sido voluntad de Dios que Jesús el Mesías sufriera la muerte en la cruz para salvar a la humanidad, y que Dios lo había resucitado y exaltado para que se sentara a su diestra como Señor y Salvador del mundo.

El hermano Jacob le contó a Ibrahim que el Señor Jesús se le había aparecido en 1969 y le había mostrado que él es el verdadero camino a la salvación, que había leído las palabras de Jesús en el evangelio: «Yo soy el camino, la verdad y la vida. Nadie llega al Padre sino por mí». «Jesús mismo —le dijo— fue el *sirat mustaquin*». El maestro Ibrahim creyó en Jesús y se dispuso a servirle. Quiso ser bautizado en aquel momento y lugar. No obstante, el hermano Jacob le aconsejó que esperara. «Dios lo ha levantado a usted como gran líder, y desea que todos sus seguidores conozcan que Jesús, el Mesías, es el camino de salvación. Vaya a casa y cuénteselo primero a sus esposas e hijos, y después a sus discípulos más cercanos». Ibrahim asintió, y ambos fijaron una fecha para una próxima visita de Jacob.

Unas dos semanas después llegó Jacob y se encontró con una congregación de doscientos discípulos de Ibrahim. El maestro sufí comenzó contando con detalle su oración y la visión que Dios le había dado. Contó cómo había transitado en medio de la tormenta en busca de la casa del hermano Jacob para preguntarle acerca del secreto de la salvación. Luego el hermano Jacob tomó la palabra.

Relató la misma historia que le había contado a Ibrahim, empezando con el Corán y siguiendo con la Biblia, desde Abraham hasta Jesús el Mesías. Les pidió que pusieran su fe en Jesús como su Señor y Salvador. Todos los líderes aceptaron, pero dijeron que primero debían compartir las buenas nuevas con sus esposas e hijos.

Pocas semanas después, el maestro Ibrahim le pidió al hermano Jacob que volviera. El hermano Jacob llegó y encontró al maestro sufí y a doscientos cincuenta de sus discípulos más cercanos, dispuestos para ser bautizados, de manera que bautizó a Ibrahim, a sus esposas e hijo. Luego les dijo a las esposas de Ibrahim que bautizaran a sus hijas. Acto seguido exhortó a Ibrahim para que bautizara a los doscientos cincuenta líderes de su movimiento y los enviara a sus casas para bautizar a sus propias esposas e hijos. Los exhortó a compartir la palabra con otros y a bautizar a los que creyeran. Ese mismo día varios miles de personas se bautizaron y entraron en el reino de Dios. Así

comenzó un movimiento de fe hacia Cristo en una comunidad musulmana.

El hermano Jacob llevó consigo tres cajas de Nuevos Testamentos, que entregó al maestro Ibrahim para distribuirlos entre sus líderes. Pero tres días después Ibrahim devolvió las cajas diciendo que era obvio que no eran los indicados para su pueblo, pues había en ellos demasiadas palabras extranjeras o pertenecientes a otro grupo étnico. El hermano Jacob les ofreció otro libro que él había preparado: una paráfrasis poética del evangelio en un lenguaje familiar y aceptable. El maestro Ibrahim comprobó que este libro era maravilloso, y aceptó llevar una buena cantidad de ellos para sus discípulos. El hermano Jacob se dio cuenta que estos nuevos seguidores de Cristo necesitaban la Biblia en una versión familiar e inteligible, e inició un proyecto de traducción a su favor, comenzando con el evangelio de Marcos.

Todos los líderes creyeron en Jesús como su Señor y Salvador, pero dijeron que primero debían compartir las buenas nuevas con sus esposas e hijos.

Estas dos comunidades internas de creyentes perseveran como movimientos de iglesias en casa, a pesar de la difamación, las amenazas y la persecución instigada por miembros pertenecientes a iglesias tradicionales. El maestro Ibrahim ha fallecido, pero el movimiento que él lideró sigue adelante bajo el cuidado pastoral de sus hijos. Ellos confían en que, puesto que fue el mismo Señor Jesús quien los condujo al hermano Jacob y su mensaje, él también los guiará, los protegerá y, por medio de ellos, bendecirá a las comunidades musulmanas afines.

Un movimiento de pueblos de clase alta

Clyde W. Taylor

Hace unos meses me enteré de un movimiento fascinante en América Latina en el cual el evangelio se está extendiendo con un modelo tan cercano al del Nuevo Testamento como no he visto jamás. No daré el nombre del país, porque los líderes no desean ninguna publicidad, pero lo que está ocurriendo es para la gloria de Dios y representa un avance bastante significativo.

Me enteré de esto cuando me invitaron a impartir una conferencia misionera en ese país un par de años atrás. No estaba preparado para lo que vi. Tenía la impresión de que el misionero involucrado tenía un grupo pequeño, pero descubrí que el evangelio se estaba extendiendo de una forma que Donald McGavran hubiera denominado un «movimiento de pueblos».

El aspecto inusual de este movimiento es que la fe se está propagando casi de manera exclusiva entre las clases media-alta y alta del país. Además, la cantidad de conversos involucrados es relativamente alta para el tamaño del segmento de la sociedad en cuestión. Dado que el movimiento está intencionalmente poco estructurado, es difícil contar con estadísticas precisas, pero mis extensas conversaciones con los líderes me llevan a concluir que había un mínimo de dos mil conversos participando de manera activa. La cifra podría ser fácilmente tan alta como cinco mil o más.

Comienzos

La obra del misionero, que llamaré «John Swanson», comenzó en la década de 1950, de una forma algo típica, testificando y evangelizando entre las receptivas clases bajas. Después de años de ministerio en la ciudad capital, tenía unos veinte o veinticinco conversos que capacitaba en su hogar. En un momento se dio cuenta de que en realidad no era pastor ni predicador, pues sus habilidades se concentraban en la música y en la enseñanza, así que le pidió a otra misión que pastoreara su pequeño rebaño.

En 1962 Swanson se mudó a la segunda ciudad en tamaño del país donde, luego de estudiar los métodos de Pablo en el libro de Hechos, cambió su estrategia. Fue a la universidad y comenzó a testificarles a los estudiantes.

En unos cuantos meses ganó a doce estudiantes para Cristo, y luego comenzó a capacitarlos en el discipulado. Durante siete años los guió en su crecimiento espiritual y los capacitó en teología, historia de la iglesia, libros de la Biblia, etcétera.

Clyde W. Taylor fue misionero en América Latina y dirigió la Evangelical Foreign Missions Association (EFMA) y la National Association of Evangelicals (NAE). También sirvió en World Relief Corporation, que es el brazo de ayuda y desarrollo de la NAE. De "An Upper Class People Movement," Global Church Growth Bulletin, March-April 1980, Volume XVII, No. 2. Usado con permiso.

Mientras Swanson escribía, traducía y fotocopiaba materiales para las sesiones diarias con sus discípulos, ellos estaban afuera testificándoles a otros estudiantes. Para el año 1964 habían ganado y discipulado a otros trescientos. Todos fueron bautizados y algunos se convirtieron en miembros de varias iglesias en la ciudad. (Actualmente alrededor de una docena de estos primeros conversos son obreros de tiempo completo en algunas de estas iglesias.) En este punto el movimiento se centraba en grupos pequeños que se reunían en hogares privados y salones de las universidades.

Las iglesias crecen y se multiplican

Recordemos que todos estos primeros conversos eran estudiantes solteros. Con el tiempo, cuando algunos de ellos se graduaron y se casaron, comenzaron a pensar en términos de su propia iglesia. Por lo tanto, en un hogar, en 1969, se fundó la primera iglesia con cinco matrimonios, y una segunda iglesia fue organizada tres años después.

En 1977, la primera iglesia en casa, que había crecido hasta tener ciento veinte miembros, se dividió en dos iglesias de sesenta miembros cada una. La segunda iglesia creció hasta llegar a ciento sesenta miembros y en 1978 se dividió en dos congregaciones de ochenta miembros cada una. En febrero de ese año, una iglesia más se formó, llegando el total a cinco iglesias en casa con una membresía combinada de unas quinientas personas.

Esto da sólo un cuadro parcial de su trabajo. Los líderes de este nuevo movimiento hacia Cristo, estiman que, sumados a los muchos que se unieron a las iglesias existentes, al menos el 50% de los miembros se han dispersado por otras partes del país y a los Estados Unidos. En muchos casos recomienzan el proceso de testimonio, capacitación de los nuevos conversos y establecimiento de iglesias en casa.

Además, se han establecido células de creyentes en muchas de las universidades de la región. Me contaron, por ejemplo, de un tipo de reunión de iglesia para treinta y cinco estudiantes de medicina, otro para quince del departamento de biología, y otro para doce del instituto técnico de una universidad.

En 1964, uno de los doce líderes originales se graduó y volvió a la ciudad capital. Comenzó a trabajar de la misma forma en la que él había llegado a conocer al Señor y había sido capacitado.

Swanson lo siguió unos años después.

Cuando hice una visita en 1979, me dijeron que podría haber alrededor de unas cien reuniones de células cristianas entres las clases más altas en la ciudad, que parecen estar multiplicándose por su cuenta. Las iglesias (células) identificadas directamente con Swanson y sus obreros, sin embargo, han crecido a ciento cincuenta, con una membresía total que se aproxima a los mil. También me informaron de varias iglesias en casa similares en otras ciudades.

Una visión desde adentro

Una de las características únicas de estas iglesias en casa es que están integradas por miembros de las clases media-alta y alta del pueblo. Las iglesias de la ciudad capital, en particular, están formadas principalmente por personas de los círculos más altos de la sociedad. Esto no quiere decir que no les preocupen los pobres o los menos instruidos, pues han hecho evangelización entre ellos y han obtenido muchos conversos. Sin embargo, descubrieron que tan pronto como las personas de las clases baja y media comenzaban a asistir a sus iglesias, la cosecha entre la clase alta cesaba.

Tomando la afirmación de Pablo de que él se había hecho todo para todos, concluyeron que si querían ganar a gente de clase alta, iban a tener que ganarla con cristianos que pertenecieran a dicha clase. Por lo tanto, cuando ganan suficientes conversos de las clases inferiores, organizan iglesias apartadas para ellos. Para estos líderes no es una cuestión de no querer asociarse con las personas de los estamentos inferiores de la sociedad, sino de cómo ganar a la mayor cantidad de personas para Jesucristo en *todos* los niveles.

El crecimiento de este racimo de congregaciones se parece mucho al de las congregaciones del Nuevo Testamento. Los conversos se reúnen en hogares donde adoran, tienen comunión, estudian la Palabra y son enviados a traer a otras personas a Cristo. Cada converso no recibe tanto un «seguimiento», como el evangelio en un contexto muy personal como punto de partida. Por ejemplo, el grupo ha impreso y distribuido millones de tratados, pero ninguno de ellos tiene un nombre o dirección incluido. En cambio, la persona que entrega el tratado da su propio nombre y dirección. Cuando alguien llega a conocer al Señor, de inmediato recibe capacitación en el discipulado.

Hablé con una mujer, por ejemplo, que se reúne

con cuatro nuevos conversos a las 6 a.m. Oran, tienen comunión y estudian la Palabra hasta el desayuno, a las 7 a.m. Más tarde, a la hora de la comida se reúne con otras tres mujeres jóvenes que son cristianas de más tiempo. Oran y tratan sus problemas juntas.

Cada iglesia es completamente independiente, si bien todas llevan el mismo nombre. No mantienen ningún listado de miembros, pero parecen conocer a todos los que pertenecen al grupo. Bautizan, sirven la Cena del Señor y capacitan y ordenan a sus propios pastores, que llaman «ancianos». No están demasiado estructurados, pero su elevado nivel de cuidado y capacitación los mantiene unidos.

Es una paradoja interesante que estos conversos sean ricos, pero pueden extenderse indefinidamente casi sin fondos, ya que se reúnen en casas grandes y ordenan a sus propios ancianos (pastores), que son laicos y no reciben paga. No obstante, dan el 20% de sus ingresos en promedio. Con estos fondos envían misioneros a otras partes de América Latina y Europa. El dinero nunca se menciona hasta que alguien esté listo para ir al campo y necesite apoyo. Entonces, no es raro que alguien diga: «Daré $200 dólares al mes» y que otro diga: «Yo daré $150»,

etcétera. Así que se consigue apoyo muy rápidamente.

Escuché acerca de una misionera que está sostenida por cuatro de sus amigas, todas secretarias ejecutivas. Le dan su pleno apoyo, que equivale a lo que ella ganaría como secretaria ejecutiva en su país de origen. También pagan su transporte hacia y desde el campo, y las necesidades de su ministerio también. Una de las mujeres da el 80% de su salario, otra 60%, otra 50% y otra 30%. En conjunto, la comunidad de iglesias en casa sostiene de tiempo completo a dieciséis misioneros.

Lo emocionante de este movimiento hacia Cristo no es sólo que millonarios, funcionarios del gobierno y empresarios líderes se estén convirtiendo en creyentes. El Señor ama al más pobre de los indigentes y su conversión no es menos preciosa a sus ojos. Es significativo que la formación de discípulos y la fundación de iglesias se estén extendiendo ahora rápidamente por un segmento de la sociedad que no había sido alcanzado hasta ahora. Si puede pasar en un país de América Latina, puede ocurrir en otros. El Señor de la cosecha —de toda clase de cosechas— estará complacido cuando ocurra.

El impacto de la radio misionera en la fundación de iglesias

William Mial

William Mial ha servido más de cincuenta años en la emisora Trans World Radio (Radio Trans Mundial) (TWR). Desde sus comienzos como operador de un estudio en Tánger, Marruecos, se ha encargado de supervisar y desarrollar nuevas emisoras y programas en Montecarlo, Antillas Holandesas, Hong Kong, Sri Lanka, Guam y Europa. Actualmente sirve en TWR África como director de desarrollo de programas en la oficina regional de África.

Históricamente, el papel que desempeña la transmisión radiofónica d evangelio por medio de las emisoras cristianas varía en gran manera de un país a otro. En una región remota, como la cuenca de un río en Venezuela, la radio facilitó el primer contacto del evangelio con el auditorio, lo que en última instancia propició que un núcleo de oyentes de cierta aldea aceptara a Jesucristo como su Salvador personal. En esa localidad, los creyentes empezaron a aprovechar los programas de estudio bíblico por radio como eje de su culto semanal.

En otras partes del mundo, inalcanzables por otros medios aparte de radio, debido a restricciones políticas, hallamos que el cabeza de famili aprovecha las transmisiones de la radio misionera evangélica para proporcionar instrucción bíblica básica a su familia. En algunos casos s aprovecha la labor evangelística de la radio para llevar a las familias al conocimiento salvador de Jesucristo.

Un importante avance en la fundación de iglesias por medio de la radio misionera tuvo lugar en la India como resultado de las emisiones Radio Trans Mundial desde Sri Lanka. La estrategia que respalda a este tipo de ministerio es primeramente una presentación del evangelio mediante varios tipos de programas de radio, como las devociones matutinas, siguiendo el modelo de culto matutino hindú, pero con músic evangélica y lectura bíblica. Esto atrae a un gran número de adoradores hindúes matutinos, les proporciona una atmósfera familiar, les presenta mensaje del único Dios verdadero y la esperanza de vida eterna que se halla en su único Hijo, Jesucristo. Se emiten varios tipos de programas tradicionales y otros más innovadores, por la mañana y por la tarde, en unos cuarenta y un idiomas importantes de la India. También se ofrece una amplia gama de cursos por correspondencia y se cultiva cierta medida de concienciación espiritual por medio de este método de seguimiento.

También se ha hecho un tipo de seguimiento menos convencional en varios grupos lingüísticos en forma de «conferencias de buscadores» —fines de semana extendidos de tres días—. Mediante ofertas por correo, buscadores sinceros del crisianismo tienen la oportunidad de inscribirse en este tipo de conferencias. En consecuencia, ha habido hasta un 100% de respuestas de hombres y mujeres que han aceptado a Jesucristo como Salvador personal. En otros casos, se han celebrado «concentraciones radiofónicas» de radioyentes animados a congregarse con otros vecinos de su distrito para asistir a una serie de reuniones convocadas varias noches seguidas. Aquí también se descubrió a un alto porcentaje de asistentes que decidieron seguir a Cristo, lo que resulta muchas veces e un deseo espontáneo de seguir al Señor en el bautismo. En tales casos,

Artículo 122 VERSIÓN PRELIMINAR - PROHIBIDA LA REPRODUCCIÓN

Radio Trans Mundial hace todo lo que puede por insertar a esos nuevos conversos en iglesias evangélicas ya existentes, cerca de donde viven, pero con frecuencia no hay ninguna iglesia. La respuesta ha sido tan aplastante que se han tenido que desarrollar estrategias especiales de seguimiento para enseñar a nuevos líderes y estimular a nuevas iglesias.

En algunos sectores de la India, fundamentalmente en Andhra Pradesh, se ha levantado una ola tan alta de respuesta popular a las emisiones radiales, que ha sido necesario recurrir a una programación diaria de treinta minutos de estudio bíblico. Esto proporciona un núcleo de evangelización y estudio bíblico en muchos hogares.

El fundador de Radio Trans Mundial, Paul Freed, informó,

> Los seiscientos cincuenta miembros que constituyen el personal de Vishwa Vani, organización hermana de TWR en la India, han iniciado centenares de grupos en casas. A menudo todo comienza con un cabeza de familia que invita a sus vecinos a su casa para que escuchen los programas. Al finalizar los programas en un idioma particular, se trata el contenido de los mismos. A continuación, los nuevos creyentes dan un testimonio personal a los que aún no son cristianos, pero han asistido al estudio bíblico celebrado en la casa. Esta costumbre suele practicarse los siete días de la semana.

A menudo todo comienza con un cabeza de familia que invita a sus vecinos a su casa para que escuchen los programas.

Por supuesto, la fundación de iglesias implica que haya, en un momento dado, un número adecuado de pastores preparados para llevar a cabo las responsabilidades pastorales en estas nuevas congregaciones. Con el transcurrir de los años, el fruto espiritual de esta obra evangelizadora ha empujado a TWR India a ampliar aún más su ministerio. Los obreros de Vishwa Vani son instruidos sistemáticamente para hacer seguimiento, lo que conduce finalmente al establecimiento de nuevas iglesias. Para poder acomodar estos desarrollos se ha creado otro brazo de este ministerio radial, denominado Comunidad de Creyentes de la India. Esta organización recoge grupos maduros que se reúnen en casas y forma congregaciones en las cuales se proporciona una vida plena de iglesia a los nuevos creyentes. Hace poco se estableció uno de esos grupos en medio de un área de gran densidad hindú en Varanasi (una de las ciudades santas del hinduismo). Los obreros de Vishwa Vani inauguraron la obra estableciendo una nueva comunidad en la que fueron bautizados noventa creyentes como resultado de las transmisiones radiofónicas.

En éste y en otros muchos casos, la radio ha proporcionado el fundamento para un ciclo de ministerio completo: la predicación del evangelio, la respuesta de los oyentes, el seguimiento personal de los oyentes, la predicación de la Palabra (tanto por radio como por líderes seglares y obreros locales), y finalmente, el establecimiento de lugares de culto.

El despertar de la iglesia persa

Gilbert Hovsepian y Krikor Markarian

Gilbert Hovsepian nació en Irán y ahora vive en los Estados Unidos. Es hijo del fallecido líder de la iglesia armenia persa Haik Hovsepian, y continúa el legado de su padre produciendo una serie de transmisiones de «adoración en vivo», así como una colección de más de quinientas canciones para la iglesia persa subterránea. También transmite un programa semanal de enseñanza bíblica y, según reportes, es uno de los diez programas más vistos del país.

Krikor Markarian sirvió como investigador y consultor durante diez años en Asia con el movimiento Global Adopt-A-People.

Durante mucho tiempo, muchos cristianos han considerado a Irán como uno de los países más cerrados al evangelio de Cristo en tiempos modernos. Sin embargo, la realidad es que ha surgido, durante nuestra propia generación, un movimiento de comunión de iglesias que se ha reproducido sostenidamente y se ha difundido por todo Irán. La historia de cómo ocurrió esto es tal vez uno de los ejemplos más intrigantes de la soberanía de Dios en acción para lograr sus propósitos invariables entre las naciones.

A principios de la década de los sesenta, dos décadas antes de que Irán se cerrara completamente al trabajo de misión moderno, un equipo de misioneros de los Estados Unidos comenzó a trabajar entre la comunidad armenia persa de Teherán. La mayoría de los armenios eran descendientes de un exilio forzado a Irán en 1604. A lo largo de los siglos desarrollaron una cultura y un dialecto, incluso un aspecto único durante su asimilación a su nación anfitriona. Los misioneros reconocieron el potencial para que estos armenios persas sirvieran como un «pueblo-puente» entre el islamismo y el cristianismo, así que comenzaron su trabajo entre ellos con esto en mente.

Consideraremos el resultado de sus esfuerzos, pero para entender realmente la mano de Dios en esta asombrosa historia, primero debemos retroceder más de mil quinientos años, al nacimiento de la antigua iglesia persa.

A finales del siglo III, en el imperio persa la mayoría de los creyentes eran de ascendencia judía o asiria. Pero alrededor del año 300 d.C. pudo verse un poderoso mover del Espíritu Santo también entre los persas nativos. La iglesia de Armenia fue un resultado de este dinámico despertar espiritual entre los pueblos persas a fines del siglo III. Gregorio el Iluminador, un misionero transcultural enviado desde esta antigua iglesia persa, fue el instrumento para que Armenia se convirtiera en una de las primeras naciones cristianas. Para el año 301 d.C., Armenia se convertiría en el primero de varios reinos de Oriente en abrazar el cristianismo a nivel nacional. Esta historia va al corazón de la identidad armenia, y los armenios nunca han olvidado cómo los esfuerzos intencionales de un misionero transcultural de Persia dieron forma a su propia historia.

Lamentablemente, el avance entre los persas duró poco. En el año 31 d.C., el general romano Constantino fue llevado a creer que debía conquistar en el nombre de la cruz. Su conversión al cristianismo, y posterior ascenso al poder como emperador de una Roma unida, aportó de manera súbita una dimensión política a la nueva fe persa. De ahí en adelante, dentro del imperio persa los cristianos fueron vistos como aliados potenciales del imperio romano, y comenzó una nueva ola de persecución organizada por el gobierno. Para fines del siglo IV, cientos de miles fueron martirizados. Por último, con la llegada del islamismo en el siglo VII, la incipiente iglesia persa declinó de manera gradual y finalmente desapareció.

La historia de la iglesia armenia es diferente a la de la iglesia persa. Si bien fue perseguida también, y luego sometida a duros controles islámicos, la iglesia armenia permaneció firme, mientras que la iglesia persa terminó por desaparecer. Es interesante que las únicas iglesias de Asia y del norte de África que sobrevivieron a la ocupación islámica fueran las que tenían la Biblia en sus idiomas. Las iglesias armenia, siria y copta son algunos ejemplos. Sin embargo, entre los persas, bereberes y árabes, no había ninguna Biblia disponible en su lengua madre. Ese error no fue rectificado sino hasta tiempos modernos, y es probable que no sea una coincidencia que, con la presencia de la Biblia en estas tierras, la iglesia ha comenzado a crecer nuevamente.

En Persia, ese renacimiento ha sido uno de los más notables que el mundo ha visto en muchos años y, en su providencia, Dios permitió que la iglesia armenia jugara un papel especial en este gran avance del reino.

Una solidaridad emergente

Volvemos ahora al Irán de principios de la década de los sesenta. Uno de los cinco primeros discípulos de ese equipo misionero estadounidense fue un armenio llamado Haik Hovsepian. A fines de la década de los sesenta, Haik recibió un llamado de Dios para ir como misionero al norte, a la provincia de Mazandarán, con el propósito específico de iniciar una obra entre los musulmanes. Si bien fue comisionado oficialmente por la iglesia de Teherán para este propósito, su carga por los musulmanes fue algo que pocos armenios persas compartían o entendían en ese tiempo. La mayoría creía que estaba malgastando su tiempo. Sin embargo, después de unos ocho años de trabajo se habían establecido cinco iglesias hogareñas con unos veinte creyentes de trasfondo musulmán en 1976. Si bien fue sólo un pequeño comienzo, de alguna forma Haik tenía la sensación de que Dios estaba

construyendo un fundamento para una obra mucho mayor. Como tenía habilidad musical, una de las inversiones más importantes que hizo en la futura iglesia persa fue la traducción y autoría de más de ciento cincuenta canciones de adoración al persa. Según los que lo conocieron, había vislumbrado el día en que estas canciones serían cantadas por millones de creyentes.

Para 1981, en Mazandarán la iglesia persa había crecido hasta tener sesenta miembros, y estaban surgiendo muchos líderes. En ese año, Haik respondió a una solicitud y volvió a Teherán para convertirse en el líder del Consejo de Ministros Protestantes (un grupo que es algo así como la National Association of Evangelicals en los Estados Unidos). Su designación para este puesto fue muy oportuna para la iglesia en Irán. Fue sólo dos años después de que el ayatolá Jomeini (un influyente clérigo musulmán que tenía la visión de islamizar el país) tomara el gobierno iraní y la iglesia emergente en Irán comenzara a sentir la presión de un gobierno cada vez más hostil.

Sin embargo, en Irán la iglesia no fue el único grupo que sufrió bajo el nuevo régimen. El pueblo persa mismo estaba comenzando a reaccionar negativamente a las duras restricciones impuestas por la implementación de la ley islámica. Una rebelión silenciosa entre los jóvenes (el 70% de Irán tenía menos de treinta años de edad) comenzó a

tomar impulso. Si el gobierno se oponía a algo, los de este grupo de edad apoyaba a lo que el gobierno atacaba. Cuando el gobierno quemó banderas estadounidenses, se envolvían en ellas. Lo más importante fue que cuando el gobierno comenzó a confiscar Biblias, no veían el momento de conseguir una.

En forma lenta, pero segura, comenzó a crearse una especie de solidaridad entre los creyentes armenios perseguidos y los jóvenes «perseguidos» de Irán. Desafiando a la ley, Haik comenzó a alentar a las iglesias evangélicas armenias a abrir sus puertas a los persas y a comenzar a usar el idioma persa en los cultos. Cuando nuevos creyentes persas comenzaban a entrar a raudales en las iglesias, el gobierno emitió un ultimátum, exigiendo que todos estos creyentes fueran denunciados. Con valentía, Haik convocó a las iglesias a contestar al gobierno con una respuesta unificada: nunca nos someteremos a esta clase de exigencias.

Un momento decisivo

Para fines de la década de los ochenta, los creyentes persas de trasfondo musulmán habían crecido hasta llegar a varios miles de individuos. Más adelante, en la década de los noventa, dos corrientes convergieron para convertir este impulso en uno de los mayores eventos decisivos de la historia del cristianismo persa.

La primera fue una ola de medidas de fuerza y asesinatos organizados por el gobierno contra líderes cristianos (incluyendo a Haik Hovsepian, en 1994, cuya campaña para poner fin a la ejecución de un converso persa recibió atención, tanto nacional como internacional). El resultado de esto fue que cientos de líderes laicos persas se levantaron para ocupar el lugar de estos mártires, y nació un movimiento de iglesias hogareñas en todo el país. Por cierto, la osadía de Haik y los demás mártires, tanto armenios como persas, tuvo un profundo efecto sobre la iglesia evangélica, pero más en particular sobre los creyentes persas mismos. En el funeral de Haik, cientos de nuevos creyentes persas asistieron para honrarlo, a pesar de la presencia de agentes del gobierno que registraban a todos los que asistieron.

Todo esto estaba conformando la construcción de un fundamento por parte de Dios para lo que vendría después. En el año 2000, una transmisora satelital cristiana comenzó a difundir el evangelio a casi todos los hogares de Irán. Esto fue hecho posible gracias a que millones de antenas satelitales habían sido introducidas ilegalmente a Irán por el contrabando de miembros corruptos del mismo gobierno que las había prohibido. En un momento crítico para la iglesia de Irán, los programas satelitales cristianos le fueron de gran ayuda. Además, cuando el pueblo iraní se enteró de que el gobierno estaba intentando codificar las transmisiones, se convirtieron en una sensación de la noche a la mañana. Recientes encuestas nacionales revelan que más del 70% de la población ve programas satelitales cristianos. Estas mismas encuestas indican que al menos un millón de estas personas ya se han convertido en creyentes, y muchos millones más están a punto de hacerlo.

Este crecimiento ocurrió tan rápidamente que la iglesia subterránea apenas puede seguir su ritmo. En un ejemplo, una iglesia hogareña que comenzó con dos personas hace varios años, se ha multiplicado ahora a más de veinte grupos. El líder de este grupo señaló:

> ¡Comenzar iglesias en Irán es fácil! Vaya donde vaya uno a evangelizar, la gente está lista para recibir el evangelio, o ya se han convertido en creyentes por medio de las transmisiones satelitales.

Capacitar a líderes también es fácil, señaló otro líder. El gobierno ha dejado a los jóvenes sin nada que hacer, así que los creyentes pasan tiempo juntos todos los días. Se reúnen constantemente para orar, tener un estudio bíblico y para evangelizar. Cuando un grupo llega a veinticinco personas, se divide en dos y vuelve a comenzar. Se espera que dentro de dos años un nuevo creyente se convierta en líder de una nueva comunidad hogareña y discipule a nuevos líderes. Hay tantos creyentes en Irán hoy, que las transmisoras satelitales han comenzado a dar pasos adicionales con una programación más orientada hacia el discipulado.

Como en la China, la rápida multiplicación de las iglesias hogareñas mediante la estrategia de «división celular» ha producido redes bien organizadas. Hay al menos mil grupos, la mayoría de los cuales es el fruto del discipulado intencional de Haik Makhaz, de varias docenas de líderes persas clave en Teherán de fines de la década de los ochenta y principios de la década de los noventa. Uno de estos líderes, por ejemplo, supervisa ciento treinta y siete comunidades de iglesias hogareñas.

Estas redes organizadas están prosperando a pesar de una gran presión del gobierno. A principios del año 2008, agentes de inteligencia del gobierno infiltraron una red de unas cincuenta iglesias, respondiendo a transmisiones satelitales como si fueran personas interesadas. A partir de ahí, pudieron introducirse poco a poco en toda la red. Detuvieron a creyentes asociados con estos grupos y los forzaron a firmar un documento que describía su castigo si se volvían a reunir alguna vez. Debido a este incremento de medidas de seguridad, la coordinación entre la iglesia subterránea y los ministerios de transmisión satelital se ha vuelto cada vez más difícil, si bien muchos están buscando soluciones creativas para salvar esta brecha.

Los líderes de las redes de iglesias hogareñas han expresado repetidamente que una de sus mayores necesidades es tener más Biblias en idioma persa. De Irán siguen saliendo historias de cómo Dios ha usado la Biblia para llevar a familias enteras a Cristo. Hay una tremenda hambre y una demanda generalizada de la Biblia. Una nueva traducción coordinada por Elam Ministries (fundado también por un armenio persa) ha hecho ya un tremendo impacto. Gilbert Hovsepian está preparando ahora una versión en audio para ser lanzada en un año a más tardar. Se ha dicho que aun si hubiera diez millones de Biblias disponibles en Irán hoy, no alcanzarían. Una mujer que ha distribuido personalmente veinte mil Biblias dice que ni una vez fue rechazada; más bien, una enorme mayoría la recibió como el mayor tesoro que hubiera tenido jamás.

El renacimiento de la iglesia persa

Durante siglos, la etnicidad y la afiliación religiosa han sido consideradas como idénticas. Si una persona es armenia, se supone que es cristiana. Si alguien es persa, por siglos se ha supuesto que esa persona es musulmana. En los últimos diez años se ha generalizado un nuevo término en todo Irán, que puede traducirse de manera literal como «cristiano-persa» o, como lo traducirían conceptualmente, «cristiano-musulmán» (*farsimasihi*). Si alguien era

visto llevando una cruz, se le podía preguntar: «¿Es usted armenio?» o «¿Se ha convertido en armenio?». Pero hoy la pregunta ha cambiado. Dado que a menudo a los nuevos creyentes se les pregunta si son cristianos-persas (y no armenios), muestra que, por primera vez en muchos siglos, uno puede ser reconocido como cristiano sin ser visto por la comunidad persa mayor como un traidor del pueblo persa.

Esta nueva identidad es altamente significativa, y da testimonio de la presencia de un movimiento de verdad autóctono y autorreproductor. Por mucho tiempo se ha creído que un avance entre los persas podría tener un impacto significativo sobre los pueblos circundantes en Asia Central y Medio Oriente. Sin duda, esto ha demostrado ser cierto en el caso de Irán mismo. Hay misioneros persas que ahora están saliendo hacia pueblos minoritarios como los azeríes, los luri y los kurdos, con fondos provistos directamente por los creyentes persas mismos.

Desde el siglo IV, en Irán no ha sido tan grande, ni en gran escala, el potencial para un movimiento de pueblos hacia Cristo. Si bien todo esto es motivo de regocijo, es importante recordar que la iglesia persa ha estado en esta situación antes. Como ocurrió mil seiscientos años atrás, el gobierno ha comenzado a responder enérgicamente para detener la marea de este movimiento generalizado. Si bien este nuevo movimiento está ingresando actualmente en un nuevo período de prueba, en esta ocasión cuenta con una fuerte red internacional de creyentes, iglesias y ministerios que están listos para ayudarlos. Ahora tienen la Biblia en persa, canciones de adoración contextualizadas, programas de capacitación para líderes y transmisiones por satélite. Y, por último, pero no menos importante, tienen la promesa de Jesús, que dijo: «Edificaré mi iglesia». Sin duda alguna, el mover del Espíritu Santo en Irán es evidencia de esa realidad última y perdurable.

Sur de Asia:
Verduras, pescado y mezquitas mesiánicas

Shah Alí con J. Dudley Woodberry

Shah Alí es el seudónimo de un seguidor de Cristo en una familia musulmana del sur de Asia. Su identidad queda así ocultada (en la actualidad los cristianos de su país están siendo perseguidos). Tradujo el Nuevo Testamento a su idioma natal usando términos musulmanes.

J. Dudley Woodberry es decano emérito y profesor titular de estudios islámicos en la Escuela de Estudios Interculturales del Fuller Theological Seminary. Ha servido en Pakistán, Afganistán y Arabia Saudita. Ha publicado obras como *Muslims and Christians on the Emmaus Road* y *From Seed to Fruit: Global Trends, Fruitful Practices, and Emerging Issues*. Tomado de "South Asia: Vegetables, Fish and Messianic Mosques", *Theology, News and Notes* (March 1992), pp. 12-13. Usado con permiso del Fuller Theological Seminary, Pasadena, CA.

Mi padre, musulmán, intentó matarme con una espada cuando me convertí en seguidor de Jesús después de comparar el Corán con la Biblia. Interpretó mi decisión no sólo como un rechazo a la fe que profesaba, sino también a mi familia y cultura. Históricamente, en su mayoría los cristianos eran conversos de la comunidad hindú que habían incorporado palabras hindúes y formas occidentales a su culto de adoración.

Al intentar expresar mi fe, me encontré con dos tipos de problemas. En primer lugar, como ya he indicado, el cristianismo parecía *extranjero*. En segundo lugar, los intentos de los cristianos de cubrir la tremenda necesidad humana de la región condujo con frecuencia a atraer conversos oportunistas, superficiales, con el consiguiente resentimiento de la mayoría musulmana.

La fe cristiana en ropaje musulmán

Pude comenzar a tratar con lo exótico del cristianismo cuando un misionero me empleó para traducir el Nuevo Testamento, usando un vocabulario islámico en vez de hinduista, y llamándolo por su nombre musulmán, *el Inyil Sharif* («El Noble Evangelio»). Miles de *inyiles* fueron adquiridos sobre todo por musulmanes, que ahora lo aceptaban como el «evangelio» del que hablaba el Corán. Esta estrategia se puede apoyar no sólo de forma pragmática, por los resultados sorprendentes, sino, lo que es más importante, también teológicamente. A diferencia de las escrituras hinduistas, el Corán comparte mucho material con la Biblia. A decir verdad, muchos términos teológicos musulmanes fueron préstamos de los judíos y cristianos.[1]

Posteriormente, un graduado de la Escuela Fuller de Misión Mundial me pidió que les enseñara a veinticinco parejas a vivir en aldeas e impulsar el desarrollo agrícola. Sólo una pareja era de trasfondo musulmán. Todas las demás, de procedencia no musulmana, tuvieron problemas. Los musulmanes las visitaban, pero no aceptaban sus alimentos, hasta que comenzaron a ducharse por la mañana, y de ahí, a quedar ceremonialmente limpios según la ley islámica, después de dormir con sus esposas. A las parejas cristianas las llamaban «ángeles», porque eran muy amables, honestas, abnegadas y oraban a Dios. No obstante, en realidad no eran consideradas religiosas porque no practicaban el rito musulmán de orar cinco veces al día.

De ahí en adelante, sólo empleamos parejas seguidoras de Jesús de trasfondo musulmán, y cultivamos un ritual de oración que retuviera todas las formas y el contenido que comparten los musulmanes y los cristianos, pero sustituimos los pasajes de la Biblia por los del Corán. Hizo falta poca adaptación porque el islam primitivo tomó prestadas muchas de las costumbres judías y cristianas para formular los «pilares» de su observancia religiosa (la confesión de fe, la oración ritual, las limosnas, el ayuno y la peregrinación).[2]

Nuestros vecinos musulmanes definían al «cristianismo» como «una religión extranjera de infieles», de manera que a menudo nos llamábamos a nosotros mismos «musulmanes» (literalmente, «los que se someten a Dios»). La necesidad de someterse a Dios es en realidad cristiana (véase Stg 4:7), y los discípulos de Jesús se llaman a sí mismos «musulmanes», según el Corán (5:111).[3]

Cuando las aldeas deciden seguir a Cristo, la gente continúa asistiendo a la mezquita a adorar a Dios —pero ahora por medio de Cristo—. Cuando es posible, se capacitan los que antes dirigían la oración en la mezquita (imanes) para seguir desempeñando la función de líderes espirituales.

Persuasión, poder y personas

Dios usó otros medios, además de la contextualización, para llevar a los musulmanes a la fe en Cristo. En varias ocasiones he discutido públicamente con maestros musulmanes (malvis) y les he podido mostrar que, en contra de la opinión popular, el Corán no menciona a Mahoma como intercesor. Más bien declara que en el día del juicio la «intercesión no será de provecho, excepto la de aquel a quien el Misericordioso conceda permiso, cuyo discurso él apruebe» (5:109 ed. egipcia/108 Fluegel ed.). Pero el Inyil («Evangelio»), que viene de Dios, según el Corán (5:47/51), no sólo declara que Dios aprueba a Jesús (p.ej., Mt 3:17), sino que él es el único intercesor (1Ti 2:5).

Dios también ha mostrado su poder mediante respuestas a la oración: la recuperación de una niña de tres años que los médicos aseguraron que iba a fallecer en pocas horas; el envío de lluvia; el desvío de inundaciones; y la aparición de un hombre desconocido para detener a una multitud resuelta a matar a un imán seguidor de Cristo.

Se ha hecho un esfuerzo consciente por impulsar el movimiento de grupos —más que de individuos— a Cristo. Se ha bautizado gente sólo si el padre de familia se había bautizado. Se hizo un esfuerzo para que los líderes entendieran el mensaje. Un jeque musulmán (místico sufí), cuando supo que el velo del templo se había rasgado de arriba abajo, se desprendió de su gorra musulmana, siguió a Cristo y llevó a sus seguidores con él.

Debido a la alta tasa de analfabetismo, la Biblia y los materiales de enseñanza se graban en casetes, y se ponen a disposición de los aldeanos grabadoras muy baratas.

Hemos sufrido persecución. Nuestro centro de capacitación fue clausurado. Otros tres colaboradores y yo fuimos llevados a los tribunales. Del mismo modo, ha habido fricción entre los líderes e incomprensión de otros grupos cristianos. Pero el movimiento de personas hacia Cristo sigue avanzando. Muchos nuevos creyentes permanecen en mezquitas mesiánicas independientes, pero algunas congregaciones contextualizadas se han incorporado a la denominación principal, mientras que otras personas han sido absorbidas por la iglesia tradicional, de trasfondo hinduista.

Hacia una autoayuda responsable

Además de intentar expresar nuestra fe mediante formas culturales significativas, hemos procurado cubrir la tremenda necesidad humana a nuestro alrededor. Deseamos proclamar el reino y demostrar sus valores. Intentar ambas cosas presenta ciertos problemas:

En primer lugar, surge el problema de usar la necesidad humana para fines evangelísticos —de manipular a la gente y atraer a los hipócritas—. En consecuencia, ayudamos a todos los aldeanos, con independencia de su afiliación religiosa, y no proporcionamos ayuda económica a las mezquitas de Jesús ni a sus *imanes*.

En segundo lugar, la antigua dependencia colonizador-colonizado se transfiere fácilmente a la dependencia donante-receptor.

En tercer lugar, la distribución de alimentos donados del extranjero sólo ayuda en la ciudad, por las dificultades que comporta su distribución, y da escaso incentivo a los campesinos a aumentar la producción a causa de la reducción artificial de precios.

En cuarto lugar, la introducción de la tecnología sólo puede ayudar a los que tienen habilidades o posibilidades económicas de hacer uso de ella, mientras que los más pobres sólo pueden observar cómo se agranda la brecha entre los que tienen y los que no tienen.

Para afrontar estos problemas hemos seguido prácticas comunes de desarrollo, tales como prestar semillas a devolver en el tiempo de la cosecha y proveer bombas que se han de sufragar en razón del aumento de la productividad. Actualmente, sin embargo, estamos adaptando un programa desarrollado en el sur de Asia que abarca un interés cristiano holístico, afronta los problemas bosquejados y garantiza el autosostenimiento de la iglesia autóctona.

El programa consiste en capacitar a obreros nacionales para fundar iglesias contextualizadas e implantar un sistema integrado de pesca y cultivo de verduras. A su vez, los obreros son enviados a distritos necesitados donde se responsabilizan de enseñarles a los granjeros locales a utilizar esta tecnología fácilmente transferible para que se autoabastezcan. El aumento de población significa menos tierra disponible para el cultivo, y una infraestructura deficiente de transporte significa que los alimentos deben producirse cerca del lugar de consumo.

El sistema de producción intensiva se desarrolló en otro lugar. Con ese sistema se excavan estanques de peces, y con la tierra excavada se rellenan parcelas elevadas de cultivo de hortalizas. Los tallos y las hojas de las hortalizas se emplean para alimentar a los peces, y los excrementos de éstos se usan como fertilizante para las hortalizas. Estos puntos de producción de alimentos están a corta distancia de los centros urbanos regionales para poder venderlos diariamente y proveer espacio para capacitar a los granjeros de la región y a los líderes de las mezquitas de Jesús.

El concepto de mezquitas mesiánicas y musulmanes completos (siguiendo el modelo de las sinagogas mesiánicas y los judíos completos) sigue causando considerable incomprensión entre otros cristianos. La combinación del evangelismo y los ministerios humanitarios por las mismas personas también suscita recelos entre los que piensan que las agencias cristianas deberían volcarse exclusivamente en uno de los dos.

Sin embargo, Dios ha usado los modelos que estamos desarrollando para levantar muchos nuevos discípulos y manifestar su preocupación por la persona integral, con necesidades físicas y espirituales. Del mismo modo, el movimiento musulmán mesiánico se ha desbordado por un país vecino, gracias a las visitas rutinarias de parientes. Cuando mis colegas y yo visitamos hace poco un país del sur de Asia, toda una aldea musulmana comenzó a seguir a Jesús.

Notas

1. Véase Arthur Jeffery, *The Foreign Vocabulary of the Qur'an* (Oriental Institute, 1938).
2. Para más detalles sobre esta argumentación véase J.D. Woodberry, "Contextualization Among Muslims: Reusing Common Pillars," *The Word Among Us*, ed. Dean S. Gilliland (Word Publishers, 1989), pp. 282-312.
3. Sin embargo, en este contexto, ellos demostraron sumisión al creer en Dios y en su apóstol (al parecer, Mahoma, que aún no había nacido).

Más allá de amar al mundo:
Servir al Hijo para su gloria incomparable
David Bryant

He escuchado a muchos creyentes decir: «Dios te ama y tiene un plan maravilloso para tu vida». Por supuesto que la expresión contiene una gran verdad. Pero al final de este viaje de *Perspectivas* creo que usted puede ver que sería mucho más apropiado expresarlo así: «Dios ama a su Hijo y tiene un plan maravilloso para él, de llevar a todas las naciones a sus pies como el Señor de todo, y lo ama a usted y a mí lo suficiente como para asignarnos un lugar en ese plan». Investiguemos esta promesa más de cerca.

Estamos acostumbrados a pensar en el amor de Dios por el mundo como el más radical de todos los amores. Después de todo, Juan 3:16 lo sintetiza en la mente de la mayoría de los creyentes. Gracias al enorme amor del Padre por el mundo, él entrega a su Hijo, pero considere nuevamente el capítulo 3 de Juan. Tan sólo diecinueve versículos después, encontramos que dice: «El Padre ama al Hijo, y ha puesto todo en sus manos». Steve Hawthorne lo expresa así: «Si bien es cierto que el Padre ama al mundo tanto que entregó a su Hijo, ¡el amor mayor es que el Padre ama tanto al Hijo, que le entrega el mundo!».

Atrapados en el gran relato

En el libro *El león, la bruja y el ropero*, de C. S. Lewis, cuatro niños que juegan a las escondidas en una casa señorial inglesa se refugian en un viejo ropero, sólo para descubrir que contiene algo más que sólo abrigos con bolas de naftalina. Es mágico. El fondo del ropero conduce a otra dimensión, a una tierra llamada Narnia. De inmediato los cuatro son arrojados en medio de una historia que ya está bien desarrollada, que involucra un conflicto entre la Bruja Blanca (que ha hecho de Narnia un invierno permanente, pero nunca hay Navidad) y un gran león llamado Aslan (figura de Cristo en la obra de Lewis). No sólo los niños son incluidos en la historia de Narnia, sino que se convierten en jugadores clave mientras siguen a Aslan para liberar a los habitantes de Narnia del hechizo de la bruja y para que el reino sea transformado en todo lo que debía ser. Una vez que entran en el ropero, ¡su destino queda sellado con el destino de Aslan!

Lo mismo ha ocurrido con todo el que ha sido librado «del dominio de la oscuridad» y ha sido trasladado «al reino de su amado Hijo» (Col 1:13). Hemos sido convocados para ser parte de un relato mucho mayor que el que podríamos haber imaginado: un propósito mayor, una historia más larga, un llamado más elevado. Nos hemos introducido en algo que está arraigado en una historia antigua, que batalla con un enemigo más formidable y cumple un propósito mucho más glorioso, y que invita a toda la tierra a transformaciones eternas. Nuestra historia es acerca de un León que reina supremo, descrito como un Cordero en el centro del trono del universo (Ap 5:5-14).

David Bryant, cofundador de Concerts of Prayer International, actualmente brinda liderazgo a *Proclaim Hope!* Fue pastor y luego ministro itinerante de InterVarsity Christian Fellowship, y sirvió como el primer coordinador nacional de lo que se convirtió en el *Perspectives Study Program*. Es autor de varios libros centrados en la oración, el avivamiento y las misiones, incluyendo su libro reciente *Christ Is All! A Joyful Manifesto on the Supremacy of God's Son*.

Adaptado de *Christ is All!*, 2004. Usado con permiso de New Providence Publishers Inc., New Providence, NJ.

Dios ama a su Hijo y tiene un plan maravilloso para él... y lo ama a usted lo suficiente como para darle un lugar en ese plan.

En 1948, Dwight Eisenhower escribió otra historia, sus memorias sobre la Segunda Guerra Mundial, tituladas *Crusade in Europe*. Como Comandante en Jefe de las Fuerzas Aliadas, enfrentó muchas presiones para renunciar a su meta principal de usar las playas de Normandía para una invasión total del imperio nazi. Hay dos oraciones que resumen su determinación:

> La historia ha demostrado que no hay nada más difícil en la guerra que adherirse a un único plan estratégico. La promesa no prevista y titilante por un lado y las dificultades o riesgos inesperados por otro, presentan tentaciones constantes para abandonar la línea de acción escogida en favor de otra.

De forma similar, nuestro Comandante en Jefe está focalizado. Nunca vacilará, a pesar de toda oposición. No dará marcha atrás en su resuelta determinación de recuperar lo que legítimamente le pertenece entre las naciones. Su «único plan estratégico» es que sus seguidores declaren su gloria, en amor abnegado, y así atraigan a muchos de cada pueblo para que lo sirvan por decisión voluntaria. En última instancia, las demostraciones de su amor y gloria a lo largo de la historia quedarán como testimonio contra quienes lo rechacen, de modo que toda rodilla se doble, sea por redención o por juicio, para confesar su señorío sobre todos (Is 45:22-24; Fil 2:9-11).

Como las olas que ascienden por una playa en el impulso de una marea entrante, a pesar de períodos de flujo y reflujo, su propósito misionero no puede ser detenido. Dios no está escribiendo ninguna otra historia. Durante veinte siglos Cristo jamás ha cesado de hacer avanzar su obra global entre las naciones. No hay un solo día perdido. No ha dejado de cumplir su promesa de que estaría presente con los que envía «todos los días hasta el final de la era» (traducción literal de Mateo 28:20). Siempre se encuentra con ellos dondequiera que los envía. No hay ningún lugar donde vayan sus embajadores donde él no haya ido delante de ellos. Ejerciendo la autoridad más plena dada por Dios sobre todo el cielo y la tierra, él fija el escenario para su llegada antes de que ellos lleguen. Obra por medio de ellos mientras hablan o sirven en su nombre, y sostiene el impacto de su reino mucho después de que sus siervos han seguido adelante.

Con plena determinación, el Dios que envía a la misión ha puesto su mirada sobre nuestra generación. Ve más de dos mil millones de personas que en su gran mayoría están aún sin evangelizar. Sabe que hay multitudes que no tienen ningún conocimiento de su Hijo; no tienen a nadie cerca de ellas, como ellas, para empezar a contarles siquiera acerca de él. Pero él se rehúsa a dejar a los pueblos de la tierra en esta condición desesperanzada. ¿Cuál es la meta de la historia de Dios? Lograr la gloria más extensa para su Hijo, una gloria relacional en la que él será amado y servido por una gran multitud de personas tomadas de cada pueblo. El amor de ellas exaltará para siempre las maravillas de su salvación y la supremacía del Mesías.

Dios ama a su Hijo y tiene un plan maravilloso para él... y lo ama a usted lo suficiente como para darle un lugar en ese plan.

Cristianos mundiales: Fuera de la caja y dentro del drama

Si bien cada cristiano es llamado a meterse de lleno en la causa global de Cristo, muchos no están involucrados activamente, como Dios quiere. Algunos duermen, algunos están en retirada, mientras que otros están determinados a hacer que sus vidas sean parte. Algunos se apiñan en las sombras de la incredulidad. Otros corren la carrera por delante, sin fijar límites a cómo o dónde Dios los usará. Algunos se han propuesto hacer de la causa global de Cristo el foco unificador —el contexto— para todo lo que son y hacen. Están dispuestos a ser quebrantados y moldeados de nuevo para así encajar en la misión mundial de Cristo donde puedan hacer el impacto más estratégico.

Algunos cristianos florecen en el discipulado focalizado hacia afuera, mientras que otros parecen vivir satisfechos simplemente con sentarse en (lo que llamo) «cajas de un cristianismo del tamaño de un guisante». La sinceridad y las convicciones doctrinales pueden ser similares para ambos, pero es inconfundible cuando los cristianos viven para la consumación de los propósitos redentores de Dios entre todos los pueblos. ¿Cómo llamaremos a este grupo distintivo de cristianos? Llamémoslos cristianos mundiales.

Algunos cristianos mundiales se convierten en misioneros que cruzan barreras geográficas o culturales a fin de llevar el evangelio a quienes no pueden oírlo de ninguna otra forma. Pero cada cristiano debe ser un cristiano mundial, aun cuando usted «se quede» físicamente en lugares conocidos para brindar el amor sacrificial, las oraciones, la capacitación, el dinero y la calidad de vida congregacional que respalda el trabajo de los que «van».

Los cristianos mundiales son discípulos comunes y corrientes para quienes la causa global de Cristo se ha convertido en su prioridad integradora y primordial. Los cristianos mundiales son los expatriados del cielo, que acampan donde mejor puedan servir al reino. Son miembros de la dispersión global de Dios que alcanzan a los no alcanzados y bendicen a las familias de la tierra.

La vida impulsada por una Persona

Recientemente Rick Warren, pastor de una megaiglesia, encontró otra forma de describir lo que significa vivir como un cristiano mundial con la frase «una vida con propósito». La idea de ser impulsado por las preocupaciones globales de Dios y estar focalizado en ellas ha alentado a muchas personas. Pero a la larga, para florecer en una vida con propósito, primero necesitamos saber qué significa vivir una vida impulsada por una Persona. A pesar de todas nuestras actividades y nuestro apoyo general de la obra del reino, muchos de nosotros podríamos no ser, de hecho, personas impulsadas por la Persona que pensábamos que éramos.

Los cristianos mundiales viven en un silencioso alborozo que surge de la confianza en que Jesús terminará siendo amado por todos los pueblos como Señor. Saben que forman parte de un movimiento hacia la gloriosa culminación de la historia, en la que todas las historias de cada pueblo terminarán siendo completadas y convergerán en él. Los asuntos mundanales de la vida cotidiana están teñidos del sabor de los poderes de la era venidera porque Jesucristo mismo está en medio de ellos. Habiendo encontrado al Hijo del Padre, que se encuentra entre ellos como la seguridad de todas las cosas gloriosas por venir (Col 1:27), siguen morando bajo las manos levantadas de este resucitado, cuya bendición se ha convertido en su comisión, a quien sirven gozosamente ante su mirada siempre alerta y majestuosa (Lc 24:50-53).

Dios ama a su Hijo y tiene un plan maravilloso para él... y lo ama a usted lo suficiente como para darle un lugar en ese plan. Los cristianos mundiales han centrado sus esperanzas en Cristo plenamente y lo obedecen con toda fidelidad.

Cristianos mundiales: Servir a un monarca, no a una mascota

Me temo que en muchas de nuestras iglesias por lo general Jesús es puesto al frente como nuestra mascota, como si las luchas de nuestra vida se asemejaran a un partido de fútbol. Jesús es presentado una vez a la semana, los domingos, como si fuera algo así como una mascota; es sacado al campo de juego para animarnos, para darnos nuevo vigor y visión, para asegurarnos que somos «alguien». Lo invitamos para reforzarnos para las cosas grandes que queremos hacer para Dios. Él reconstituye nuestra confianza, y nos da razones para alentar. Él nos confirma una y otra vez que todo tiene que estar bien. ¡Estamos muy orgullosos de él! Nos alegra identificarnos con su nombre. El entusiasmo por él nos vigoriza... por un tiempo.

Pero luego, durante el resto de la semana, prácticamente lo relegamos a las líneas de banda. En la práctica somos nosotros los que llevamos la voz cantante. Nosotros ejecutamos las jugadas, avanzamos para hacer los goles e improvisamos en caso de necesidad. Aun cuando lo hagamos en su nombre, lo hacemos con poca confianza en su persona. Hay escasa evidencia de que nos consideramos, de una u otra forma, completamente incapaces de hacer algo de consecuencia eterna sin él.

Por contradictorio que parezca, ¡muchos de nosotros hemos redefinido a Jesús como alguien que podemos admirar e ignorar a la vez! Para que sea nuestra mascota, lo hemos rediseñado para que sea razonablemente conveniente: alguien digno de alabanza, por cierto, pero que por lo general mantenemos en reserva, útil, «de guardia» según la necesidad. Hemos acudido a él tanto como lo necesitamos, pero no más.

Si insistimos en que Jesús venga con nosotros como un ayudante en nuestros juegos y nuestras excelentes aventuras, será inevitable que lo domestiquemos como si fuera nuestra mascota. Los cristianos mundiales tienen la misma probabilidad de apelar a Jesús como ayudante que los demás. Pero plenamente conscientes se apasionan por Cristo, para participar en su más grande historia.

Salmo 110: Un modelo bíblico para los cristianos mundiales

El Salmo 110 es el pasaje del Antiguo Testamento citado con más frecuencia por los escritores del Nuevo Testamento. ¿Por qué? ¿Por qué, entre todas las antiguas promesas, los primeros discípulos recurrieron a este himno una y otra vez? La respuesta es obvia. A diferencia de los demás textos, éste habla más claramente acerca de quién era y dónde estaba el Jesús ascendido y, al mismo tiempo, habla con toda claridad acerca de quiénes eran ellos, como sus siervos voluntarios, en medio de un tremendo conflicto.

> Así dijo el SEÑOR a mi Señor: «Siéntate a mi derecha hasta que ponga a tus enemigos por estrado de tus pies».
>
> ¡Que el SEÑOR extienda desde Sión el poder de tu cetro! ¡Domina tú en medio de tus enemigos!
>
> Tus tropas estarán dispuestas el día de la batalla, ordenadas en santa majestad. De las entrañas de la aurora recibirás el rocío de tu juventud.
>
> El SEÑOR ha jurado y no cambiará de parecer: «Tú eres sacerdote para siempre, según el orden de Melquisedec»...
>
> Aplastará a los reyes en el día de su ira.
>
> Juzgará a las naciones...

El Salmo 110 señala con precisión la mayor de todas las realidades que se desarrolla a nuestro alrededor hoy: el señorío de Jesucristo. El drama de su reino creciente interpreta tanto la página principal de nuestros periódicos como los frentes de batalla de nuestra misión. Desde el punto de vista del Salmo 110 podemos ver que los pueblos y sucesos de todas partes están siendo entretejidos en el reino de Cristo, lo sepan o no. No importa cuán lejos del centro de la actividad divina pueda parecer que estén las personas, Cristo participa en toda esfera humana. Él interactúa con los reinos de las finanzas y el comercio, el entretenimiento y la educación, la industria y el trabajo, las artes y las ciencias, los gobernantes y los gobiernos. No hay un centímetro cuadrado de cualquier esfera de existencia que esté más allá de su jurisdicción. Instalado como Mesías, su trabajo prometido de restauración universal está en marcha. Su señorío se está volviendo cada vez más visible entre todos los pueblos, a medida que Dios obra por medio de su pueblo. Gracias a él, toda la tierra se vanagloria de un tremendo potencial para experimentar y expresar la gloria de Dios.

El Salmo 110 deja en claro que Cristo ha sido exaltado, no porque haya vencido a sus enemigos como algún poder imperial común en plan de conquista. En cambio, Cristo ha sido exaltado para gobernar aun en medio de una tremenda oposición. Si bien podría hacerlo, él no realiza la conquista con un poder violento y coercitivo para aplastar a sus enemigos en esta era. En definitiva, en la hora final de esta era, él manifestará «el día de su ira» (v. 5), en el cual someterá a todo poder rebelde. Pero actualmente nos encontramos en su «día de la batalla» (algunas traducciones dicen: «tu día de poder» en el v. 3), contendiendo en una guerra de liberación para su gloria entre todos los pueblos. Porque él es de lo más digno, porque su causa es tan justa, y porque su amor es tan cautivante, millones de personas lo sirven cada día con alegría, y muchos de ellos están sufriendo a un gran costo. La supremacía última de Cristo sobre todas las cosas los envalentona para servir amorosamente a las naciones en su nombre y para su gloria insuperable.

Siguiendo el ejemplo del Salmo 110, los cristianos mundiales se levantan para servirlo cada día, dispuestos y listos, «desde las entrañas de la aurora», ofreciéndose para estar voluntariamente con él dondequiera esté involucrado. Él no recluta discípulos a la fuerza, más bien ellos se ofrecen como voluntarios, para servirlo y para cumplir su propósito global.

En última instancia no intentamos obedecer una «visión misionera». Obedecemos a Cristo mismo. Nos rehusamos a darle nuestra lealtad a programas, proyectos o personalidades que podrían estar relacionados con la causa global de Cristo, pero que a menudo son, en el mejor de los casos, parecidos a Cristo y, en el peor de los casos, están casi desprovistos de Cristo en su enfoque e impacto. Los cristianos mundiales están determinados a ser personas dirigidas hacia Cristo, a dar la preeminencia al Hijo supremo de Dios. No estamos nada más copiando a Cristo, o simplemente intentando hacer lo que él haría. Más bien, estamos determinados a unirnos a lo que Jesús está haciendo en la realidad, impulsando su reino hacia adelante en esta hora.

Dios ama a su Hijo y tiene un plan maravilloso para él, de llevar a todas las naciones a sus pies como el Señor de todo, y lo ama a usted y a mí lo suficiente como para darnos un lugar en ese plan.

Preguntas para reflexionar

1. Explique la significación del giro que hace Bryant sobre la conocida frase: «Dios te ama y tiene un plan maravilloso para tu vida» en su tema de «Dios ama a su Hijo...».

2. ¿Qué es un cristiano mundial?

3. Usando la descripción de Bryant de cómo ponemos a Jesús al frente como nuestra «mascota», describa cómo sería tratado él como nuestro «Monarca».

4. ¿Cómo alienta el Salmo 110 a un cristiano mundial acerca del señorío de Cristo?

Reconsagración
a un tiempo de guerra, no de paz

Ralph D. Winter

Desde la Segunda Guerra Mundial los Estados Unidos no han vuelto a ver una movilización pública y general para defender una causa, la victoria sobre lo que se reconoció casi universalmente como un gran mal. Ralph Winter recuerda la experiencia vivida durante la Segunda Guerra Mundial. Contempla lo que podría suceder si los cristianos se tomaran la Gran Comisión tan en serio —como una guerra espiritual prolongada— como mucha gente se la tomó durante esa gran conflagración.

El Queen Mary, reposando en el muelle de Long Beach, California, e un museo fascinante del pasado. Usado como crucero de lujo en tiempo de paz, y como medio de transporte de tropas en la Segunda Guerra Mundial, hoy día sirve de museo, tiene una longitud de tres campos de fútbol y ofrece un sorprendente contraste entre estilos de vida que se adecúan a tiempos de paz y tiempos de guerra. Al lado de una mampara se ve un comedor reconstruido para mostrar la disposición de una mesa conforme a la opulenta costumbre de una cultura refinada, para comensales ante los que una deslumbrante disposición de cuchillos, tenedores y cucharas no tenía misterios. Al otro lado de la mampara, la austeridad de la huella de los tiempos de guerra despliega un brusco contraste. Una bandeja metálica abollada sustituye quince platos y sus homólogos platillos. Literas, no dobles, sino de ocho niveles, explican por qué una dotación de tres mil en tiempo de paz, aumenta a quince m personas en tiempos de guerra. ¡Cuán repugnante debe haber sido esta transformación para los peritos de los tiempos de paz! Para llevarlo a cabo hizo falta, por supuesto, que se proclamara la emergencia nacional ¡Estaba en juego la supervivencia de una nación! La fuerza motriz de la Gran Comisión en el día de hoy es que la supervivencia de muchos millones de personas depende de su cumplimiento.

Pero la obediencia a la Gran Comisión ha sido más envenenada de forma constante por la prosperidad que por ninguna otra cosa. El antído contra la prosperidad es la reconsagración. La consagración es, por definición, «apartar cosas para dedicarlas a un uso santo». La prosperidad no impidió que Borden de Yale entregara su vida en Egipto Ni le impidió a Francisco de Asís moverse contra la marea de su tiempo

Es bastante curioso que, aunque la tradición protestante no cuenta co una réplica importante de las órdenes católicas en los Estados Unidos (a menos que pensemos en las más recientes organizaciones evangelísticas universitarias como Inter-Varsity, Cruzada Estudiantil y Profesional par Cristo, y Los Navegantes), a pesar de ello, la tradición misionera protestante siempre ha enfatizado una medida práctica de austeridad y sencillez, así como una paridad del nivel de consumo dentro de sus filas misioneras. Una reconsagración generalizada que conduzca a

Ralph D. Winter fue director general de Frontier Mission Fellowship (FMF) en Pasadena, California. Después de prestar diez años de servicio misionero a los mayas en las tierras altas de Guatemala, fue llamado a ser profesor de misiones en la Escuela de Misión Mundial del Fuller Theological Seminary. Diez años después, él y su difunta esposa, Roberta, fundaron la sociedad misionera denominada Frontier Mission Fellowship. Ésta, a su vez, dio a luz al Centro Estadounidense para la Misión Mundial y la William Carey International University, los cuales sirven a los obreros que laboran en misiones fronterizas.

Artículo 126

un estilo de vida reformado y a establecer prioridades típicas de los tiempos de guerra, es probable que no tenga ningún éxito (incluso en una época con mayor conciencia de la cuestión del estilo de vida) a menos que el protestantismo desarrolle patrones de consagración, donde viven en sus países de origen, comparables con los que caracterizaron al movimiento misionero protestante durante casi dos siglos.

Sólo habrá camino si hay voluntad. Pero descubriremos que no hay voluntad:

- en tanto se considere a la Gran Comisión como imposible de cumplir;

- en tanto se piense que los problemas del mundo no tienen solución o que, a la inversa, pueden ser resueltos exclusivamente por la política y la tecnología;

- en tanto los propios problemas, o los de la nación, nos parezcan mayores que los de los demás;

- en tanto las personas que aman la cultura oriental no entiendan que los chinos y los musulmanes pueden y deben hacerse tan fácilmente cristianos evangélicos, sin abandonar sus sistemas culturales, como lo hicieron los griegos en los días de Pablo;

- en tanto los creyentes modernos, como los antiguos hebreos, sigan pensando que Dios sólo se interesa en bendecir a su nación;

- en tanto los evangélicos bien pagados, tanto los pastores como los miembros de la iglesia, consideren su dinero como regalo de Dios para gastarlo en sí mismos de la manera que mejor les plazca, en vez de usarlo como una responsabilidad que Dios les ha encomendado para ayudar a otros en necesidad espiritual y económica;

- en tanto no entendamos que quien procure salvar su vida la perderá.

La actual sociedad estadounidense es del tipo «sálvese quien pueda», si es que alguna vez ha habido tal cosa. Pero, ¿en realidad funciona? Las sociedades en vías de desarrollo sufren una serie de enfermedades: tuberculosis, malnutrición, neumonía, parasitismo, tifoidea, cólera, tifo, etc. La próspera nación de los Estados Unidos ha inventado prácticamente toda una serie de enfermedades nuevas: obesidad, arterioesclerosis, enfermedades coronarias, derrames cerebrales, cáncer de pulmón, enfermedades venéreas, cirrosis de hígado, adicción a las drogas, alcoholismo, divorcio, maltrato de niños, suicidio, asesinato. Hay mucho para escoger.

Las máquinas que sirven para ahorrar trabajo se han convertido en mecanismos que matan el cuerpo. Nuestra prosperidad ha permitido la movilidad y el aislamiento de la familia nuclear y, como resultado, los juzgados de divorcio, las cárceles y los manicomios están atestados. Tratando de salvarnos, casi nos hemos perdido.

¿Cuánto nos hemos esforzado por salvar a otros? ¡Considere el hecho de que el eslogan evangélico estadounidense «ore, dé o vaya», permite a la gente sólo orar, si lo prefieren! Por el contrario, el Friends Missionary Prayer Band of South India, suma ocho mil personas en sus grupos de oración y apoya a ochenta misioneros de tiempo completo en el norte de la India. Si mi denominación (con su riqueza increíblemente superior por persona) hiciera eso con una excelente eficiencia, no enviaríamos quinientos misioneros, sino veintiséis mil. A pesar de su verdadera pobreza, esa gente pobre del sur de la India ¡envía cincuenta veces más misioneros transculturales que nosotros! Este hecho me recuerda el título de un libro: *Los pobres pagan más*. Es muy posible que paguen más por las cosas que compran, pero, al parecer, están dispuestos a pagar más por las cosas que creen. No es de extrañar que el creyente tibio que no se sacrifica despide hedor ante el olfato del Señor. Luis Palau (1977) acuñó la frase «mediocridad calculada» para referirse a los Estados Unidos de hoy. ¿Cuándo reconoceremos el hecho de que la ira de Dios de la que habla la Biblia va menos dirigida a los que están sumidos en tinieblas que a los que rehúsan compartir lo que tienen?

¿Cuánto nos hemos esforzado por salvar a otros? Los casi dos mil millones de dólares que los evangélicos estadounidenses donan cada año a las agencias misioneras equivale a un cuarto de lo que gastan en programas dietéticos para perder peso. Una persona debe comer un exceso de dos dólares de comida al mes para mantener medio kilo de carne de sobrepeso. No obstante, dos dólares al mes superan el 90% de todo lo que los cristianos estadounidenses dan a las misiones. Si el sostenedor medio de la misión sólo sufriera dos kilos de sobrepeso, ello significaría que gasta (para su propio perjuicio) al menos cinco veces más de la cantidad que dona a las misiones. Si escogiera alimentos sencillos (y no comer en exceso) ¡podría dar diez veces más de lo que da ahora a la misión y no modificaría su nivel de vida en otros aspectos!

¿Adónde conduce este hilo de razonamiento?

Significa que el estilo de vida general al que se han acostumbrado los estadounidenses nos ha llevado a un extremo en el que estamos simultáneamente endureciendo los corazones y las arterias. ¿No describe el profeta Isaías la realidad de nuestra nación?

> La gente está como las ramas secas de un árbol, que se arrancan y se usan para encender el fuego debajo de las ollas para cocinar. Israel es una nación tonta y necia… Así que, ahora, ¡Dios tendrá que hablar a su pueblo por medio de opresores extranjeros que hablan una lengua extraña! Dios le ha dicho a su pueblo: «Aquí hay un lugar de descanso; que reposen aquí los fatigados. Éste es un lugar tranquilo para descansar»; pero ellos no quisieron escuchar (Is 27:11; 28:11, 12 NTV).

O, escuchen a Ezequiel:

> Entonces ellos se acercan fingiendo sinceridad y se sientan delante de ti. Escuchan tus palabras pero no tienen ninguna intención de hacer lo que tú les dices. Tienen la boca llena de palabras sensuales y en su corazón sólo buscan dinero…

> Por eso mis ovejas se dispersaron… Han deambulado por todas las montañas y las colinas sobre la faz de la tierra; sin embargo, nadie salió a buscarlas… Por lo tanto, esto dice el SEÑOR Soberano: «sin duda alguna, juzgaré entre las ovejas gordas y las ovejas escuálidas… Juzgaré entre un animal del rebaño y otro» (Ez 33:31; 34:5-6, 8, 20, 22 NTV).

Tenemos que captar que Jesús hablaba en serio al decir: «A todo el que se le ha dado mucho, se le exigirá mucho» (Lc 12:48). *Yo creo que Dios espera de nosotros que nuestra responsabilidad cristiana para salvar a otras naciones no sea inferior a la que nuestra propia nación ha exigido en tiempos de guerra para ser salvada.* Esto significa que debemos estar dispuestos a adoptar un estilo de vida adecuado para tiempos de guerra, para ser justos con la clara intención de la Escritura de que los pobres de la tierra, el pueblo sentado en tinieblas, verá gran luz (Is 9:2).

La táctica esencial para adoptar un estilo de vida adaptado a tiempos de guerra es edificar sobre la perspectiva de la misión pionera y hacerlo apoyados en un método muy sencillo y contundente. Los que se despiertan del atolondramiento y el estupor de nuestro tiempo pueden, por supuesto, salir como misioneros. Pero otros pueden *quedarse en casa y adoptar deliberada y decisivamente, un nivel de apoyo a la misión como estilo de vida, y como base de ese estilo, independientemente de sus ingresos.*

Esto generaría una increíble cantidad de dinero —tanto que si un millón de hogares presbiterianos comunes vivieran con el salario medio de un ministro presbiteriano, librarían al menos dos mil millones de dólares al año. ¡Qué gran regalo a las naciones si esa cantidad se gastara con sumo cuidado en misiones pioneras!

La Orden Presbiteriana para la Evangelización del Mundo y su hermana de denominación, la Orden para la Evangelización del Mundo, aspiran a un doble propósito: 1) imbuir en personas y familias un interés por alcanzar a las etnias no evangelizadas y 2) asistirles de manera práctica para que vivan prósperamente dentro del tope máximo de gastos, tal como lo define su estructura misionera aceptada y convenida.

Para poder ayudar a las familias a adoptar un estilo de vida ajustado a tiempos de guerra, las dos organizaciones propusieron una vez un plan de seis escalones. Mediante la educación y la instrucción inspiraron a muchos a vivir con arreglo a la provisión salarial de una agencia misionera existente. El resto de sus ingresos, en todo momento según su propio criterio, se dedicaba a lo que ellos creían ser la más alta prioridad de la misión.

Incluso las familias misioneras necesitan ayuda para adaptarse a su tope de ingresos, pero, irónicamente, también las personas cuyos ingresos son dobles. Estas dos organizaciones creen que las familias pueden ser más sanas y sentirse más satisfechas si se identifican con la misma disciplina a la que se someten las familias misioneras. Por doscientos años, el recto modelo de todas las agencias misioneras protestantes ha consistido en establecer un solo nivel para su personal en el extranjero, por supuesto, ajustado al costo de vida conocido y diversas circunstancias especiales. Algunas juntas misioneras hacen extensible este sistema al personal de sus oficinas de origen. Ninguna agencia (hasta la fecha) se ha atrevido a dar el paso lógico —a saber, animar a sus sostenedores a adoptar este sistema único y comprobado desde hace tiempo. En vista del interés generalizado, en los tiempos que corren, por un estilo de vida sencillo, diríase que ha llegado el momento de poner esta idea en práctica.

La reconsagración a un estilo de vida de tiempos de guerra no será posible sin hallar resistencia o despertar polémica —como sucedió con las severas advertencias de Isaías y Ezequiel. Pero no tenemos por qué defender esta campaña.
No es nuestra.

Vida con propósito

Claude Hickman, Steven C. Hawthorne y Todd Ahrend

Claude Hickman es el director ejecutivo de The Traveling Team, un ministerio de movilización universitaria. Durante más de una década Claude ha viajado diez meses al año, hablando a más de doscientos mil estudiantes de ciudades universitarias, conferencias e iglesias de los Estados Unidos. Es el autor de *Live Life On Purpose*.

Steven C. Hawthorne es director de WayMakers, un ministerio de movilización para la misión y la oración. Luego de coeditar el curso y el libro de *Perspectives* en 1981, emprendió una serie de expediciones de investigación entre pueblos no alcanzados en Asia y el Medio Oriente, que se denominó «Joshua Project» (Proyecto Josué). También fue el autor, junto con Graham Kendrick, de *Prayerwalking: Praying on Site with Insight*.

Todd Ahrend es director internacional de The Traveling Team. En el año 2000 tuvo la oportunidad de desafiar a todos los estudiantes reunidos en la Conferencia de Misiones Urbana para entregarse a la evangelización mundial.

Adaptado de *Live Life on Purpose*, 2003. Usado con permiso.

Existe una diferencia entre salir a caminar y emprender un viaje. Cuando alguien sale a dar una caminata, puede caminar sin rumbo y vagar de un lado a otro. Puede ser que salga, pero no que vaya necesariamente a ningún lado. Pero cuando la gente emprende un viaje, hace las maletas y junta sus cosas. Elige un curso y se mueve con decisión. Las personas que están de viaje se mueven con un propósito.

La búsqueda del mapa

Cuando se trata de la voluntad de Dios, muchos queremos la versión GPS de Dios, que nos indique constantemente y en cada intersección, adónde ir. A veces Dios les da a las personas instrucciones muy específicas, indicándoles lo que deben hacer con todo detalle, pero es la excepción. El mundo, sin embargo, es una fábrica de mapas. Nos bombardea constantemente con planes para el éxito, con proyectos tanto personales como políticos y señales en el camino que dicen: «La felicidad está a la vuelta de la esquina». La mayoría de los mapas conducen a la gratificación y al estatus personales, o simplemente realimentan el statu quo.

Un mapa es muy atractivo para una persona que busca orientación. Pero el mapa es la salida fácil. Apela a los perezosos. Más que indicaciones de cómo llegar, Dios les da a las personas dirección. Él no lo privará de la experiencia fortalecedora de la fe de obedecerlo basándose en lo que él dice y no en lo que usted ve. No podemos esperar tener todas las instrucciones detalladas antes de que estemos dispuestos a comenzar a recorrer el camino. La Biblia no muestra un «mapa». Nos da una «brújula». Dios nos llama a unirnos a él en un viaje en una dirección firme hacia un gran destino global. Nos llama a seguir una brújula y a evaluar cualquier mapa con el que nos encontremos a la luz del propósito global divino.

Desde el inicio Dios ha estado orquestando la historia hacia un destino culminante para toda la tierra, una redención que cumpla su propósito para las personas. Uno podría llamarlo el «norte verdadero» de su propósito. Él nos invita amablemente a participar en este gran viaje, dándonos la brújula de su Palabra e indicándonos la dirección del «norte verdadero». Seguir este llamado no sólo nos lleva a la tremenda posibilidad de alinear nuestros corazones con la propia pasión de Dios, sino que también nos unimos en un viaje que han seguido creyentes de todos los tiempos.

Lo más limitante de los mapas es que sólo le indican un territorio ya trazado. Sólo pueden llevarlo tan lejos como ha llegado otra persona. Los planes de vida trazados en un mapa no lo impulsan a ser un pionero, ni a explorar lo que nunca se ha hecho. Si usted continúa siguiendo la brújula que Jesús nos da, se encontrará involucrado en impulsar su tarea global hacia la culminación. Completar el viaje que emprendió Jesús significa que en algún punto usted va más allá del borde de los mapas.

Nuestros mapas cambiarán según la temporada de nuestras vidas, pero la brújula es invariable. La brújula es la misma para todo el pueblo de Dios. Siempre da la dirección del norte verdadero, independientemente de su idioma, país, condición social, familia o capacidad. Se mantiene como una norma firme. Al señalar el norte verdadero y darnos una brújula, Cristo nos permite pensar, orar, planificar, entrenar, crear, sufrir y trabajar con muchos otros. No es un peregrinaje solitario. Nos ha convocado a introducirnos en lo que creyentes de generaciones anteriores ya han comenzado y en lo que millones de más seguidores están siguiendo en este momento, y a ayudar a cumplirlo.

La Biblia no muestra un «mapa». Nos da una «brújula».

Vivir la vida con propósito significa dejar que los planes de Dios y el norte verdadero de su corazón se conviertan en el principio rector de todas nuestras decisiones. Si pensaran que es posible, a la mayoría de las personas les encantaría encontrarse moviéndose en un propósito que lleva a la culminación la historia de todo el mundo de formas asombrosas.

Las prácticas del viaje de los cristianos mundiales

Las personas que viven sus vidas dirigidas hacia el propósito global de Cristo a veces son llamadas cristianos mundiales. Los cristianos mundiales siguen el propósito de Dios como el punto focal de toda su vida. No son superiores a los demás creyentes. Simplemente han decidido permitir que cada decisión de sus vidas sea dirigida por la atracción magnética del propósito de Dios. El cristiano mundial dice: «Haré lo que haga falta para ser fiel a Cristo y para vivir estratégicamente para su propósito».

Solíamos pensar que era útil describir a los cristianos mundiales como personas que iban o personas que enviaban. Pensábamos que esto abría las cosas para todos al ofrecer categorías de papeles para personas que no iban a trabajar de tiempo completo en formas transculturales, pero estaban encontrando otras formas de promover la causa, como enviar o movilizar a misioneros. Luego nos

dimos cuenta de que cuanto más hablábamos de los papeles bien definidos de personas que «van» y personas que «envían», más parecía empujar a las personas a elegir uno de los papeles para el resto de sus vidas. Y ya lo adivinó: muy pronto estábamos publicando «mapas» para ayudar a las personas a fijar sus vidas en piloto automático como enviadoras. Al mismo tiempo, a menudo algunas personas que «iban», que estaban en lista de espera para ser candidatos para el servicio de misión, permanecían ciegas a las posibilidades de hacer lo que algunos «superenviadores» hacen: movilizar a muchos más para el propósito de Dios. En vez de pistas exclusivas, necesitábamos llamar a una nueva generación de cristianos mundiales a pensar más allá de categorías estrictas y a vivir holísticamente hacia la evangelización de todos los pueblos.

La mayoría de los cristianos mundiales se encontrarán atravesando diferentes épocas, disfrutando una variedad de relaciones, trabajando en diferentes vocaciones, incluso movidos por diferentes motivos. Asegúrese de aprender a destacarse en una o varias de las cuatro prácticas que se mencionan a continuación. Tal vez se especialice en una, pero recuerde realizar las otras. Planifique practicarlas todas. Ése es el estilo de vida de los cristianos mundiales.

1. La práctica de ir: Sumergirnos transculturalmente

Cristo les ordena a todos sus seguidores ser parte de alcanzar a todas las naciones. En nuestro mundo globalizado es improbable que usted pase toda su vida sin una oportunidad de declarar o hacer conocer el evangelio de Cristo a personas de otras culturas, aun cuando nunca tenga una oportunidad de ir. Tal vez nunca vaya a otro país, pero Cristo nos ordena a todos a ir a las personas con el evangelio.

Muchos tienen estereotipos anticuados o extraños de cómo son y qué hacen realmente los misioneros. Los modelos y los modos del trabajo transcultural están cambiando rápidamente con el comercio internacional y las comunicaciones. Los negocios como misión, los ministerios bivocacionales y otros enfoques creativos han permitido que muchos creyentes se vuelquen a oportunidades estratégicas. También aumentaron las oportunidades de corto plazo. Es probable que usted sea parte de esfuerzos de misión de corto plazo de vez en cuando. Si usted está viendo la vida a través de la brújula de un cristiano mundial, verá fácilmente que la mayoría de los esfuerzos fructíferos son realizados por obreros que han estado en el lugar durante años. Conéctese con lo que es de largo plazo. Vincúlese con la gente del lugar. Busque servir en los esfuerzos de largo plazo. Aspire a ir lo más lejos que pueda, para alcanzar a los que están más lejos de Cristo.

Algunas de estas nuevas oportunidades pueden hacer parecer que la obra transcultural puede ser hecha como un pasatiempo de tiempo parcial. Si usted apunta a hacer del «ir» la práctica principal de su vida, no sea un aficionado. Hágalo con excelencia. Obtenga capacitación (no necesariamente en una escuela) bajo los misioneros más eficaces que pueda encontrar.

2. La práctica de dar la bienvenida: Conectarnos con los que vienen a nosotros

Usamos la expresión «dar la bienvenida» como una forma de ir a las personas sin viajar tan lejos. Trabajar con las personas que están de visita o han migrado recientemente a nuestras comunidades locales puede ser tan significativo como ir a continentes distantes. Acercarnos a las personas de otros países debería ser una práctica natural para quienes afirmamos estar interesados en los propósitos de Dios hacia todas las naciones. Una falta de preocupación por las personas de otros países que nos rodean puede poner en evidencia alguna desconexión y que no estamos integrando la visión en toda nuestra vida.

Recuerdo (yo Todd) que mi esposa me contó acerca de su encuentro con una estudiante universitaria que declaraba sinceramente su pasión por alcanzar a la China. Oraba por la China. Decía que tenía un llamado para ir a la China. Quería aprender chino y casi dejó la facultad en ese momento para ir a la China.

Finalmente, mi esposa le preguntó: «Bueno, ¿hay estudiantes chinos aquí en tu ciudad universitaria?».

La joven la miró, algo confundida, y luego respondió: «Sí, pero tienden a mantenerse juntos y todos viven en un mismo pabellón de dormitorios».

Mi esposa continuó: «Bueno, ¿alguna vez has estado en los dormitorios chinos?».

«No», contestó. «Están del otro lado de la ciudad universitaria. ¡Y los alumnos chinos no se juntan con otros!».

Por último señaló lo obvio: «Amy, ¿qué te hace pensar que cruzarás un océano para llegar a los chinos cuando no puedes siquiera cruzar la ciudad universitaria para llegar a ellos?».

Los visitantes de otros países están en el corazón de Dios (Lv 19:34; Dt 10:18-20). Más de cuarenta veces en el Antiguo Testamento se le ordenó a Israel cuidar del extranjero en su tierra. Hoy la importancia estratégica de dar la bienvenida difícilmente podría exagerarse. Los pueblos migrantes se están dispersando por todo el mundo como nunca antes. Más de setecientos cincuenta mil estudiantes internacionales están estudiando en los Estados Unidos ahora mismo. En los Estados Unidos hay personas de casi doscientos países del mundo. Éste podría ser el mayor número de países y pueblos que se puedan encontrar en cualquier país en cualquier momento de la historia. Dar la bienvenida es un valioso punto para subrayar toda una vida de ministerio. Alcanzar a las personas de otros países requiere toda la paciencia, la diligencia y la pasión que se requiere de los misioneros de largo plazo en tierras distantes. Habitúese a darles la bienvenida a los internacionales; Dios mismo los ha movido a la esfera de influencia de usted por una razón.

3. La práctica de enviar: Apoyar a los que van

Algunas personas encuentran que Cristo las ha facultado con dones y habilidades para trabajar en formas que son de apoyo. No estamos hablando de escribir un cheque de vez en cuando. Las donaciones y las oraciones ocasionales son perfectas, pero estamos hablando de personas que se despiertan por la mañana y su ambición está focalizada en promover el trabajo específico de otras personas. Los que están activos en la práctica de enviar se esfuerzan por completar la tarea apoyando la obra de otros. La práctica de enviar, de la que estamos hablando, está llena de una rica conexión relacional con los misioneros, pero la tarea seria de enviar siempre está impulsada por una visión.

La oración y las donaciones son formas obvias de apoyar la empresa de las misiones. Pero cuando las personas focalizan sus vidas en cumplir la tarea global total y aplican su experiencia y dones de formas creativas para ver que ciertos esfuerzos de misión particulares avancen, hacen aportes sorprendentemente significativos.

Un amigo acaba de recibir una donación de una sola vez de ciento cincuenta dólares para su viaje de misión. Lo interesante es que se la dio un niño de siete años. A razón de cuatro dólares por mes, además del dinero que recibió en su cumpleaños y en Navidad, ¡es un sacrificio importante cuando uno está en segundo grado! Otro líder empresario está encontrando formas creativas de ofrecer su experiencia y conocimiento a distancia. Otro ayuda manejando un sitio web. Otros hacen visitas sincronizadas de manera estratégica para ayudar en la educación, o simplemente para dar un respiro a los misioneros.

Estar involucrado en enviar también es una práctica que debería abrazar cada cristiano mundial. Como dijo Jesús: «Donde esté tu tesoro, allí estará también tu corazón» (Mt 6:21). El cristiano mundial permite que la brújula del corazón de Dios dirija sus recursos. El hábito de enviar involucra la decisión de conectar nuestro corazón con el de Dios, invirtiendo nuestro tesoro en su misión. No se trata de la cantidad dada, sino de un derramamiento de nuestra vida espiritual interior y afecto por Cristo.

Conozco (yo Claude) a una pareja de Los Ángeles, Wendy y Scott, que están sosteniendo a otros. Ambos trabajan y sirven como enviadores dedicados y comprometidos. Han decidido vivir del salario de él y entregar todo el salario de ella para el trabajo de misiones. Están haciendo un impacto profundo en el mundo, viviendo su vida con propósito, pero nunca salen de California. Vivir para el propósito de Dios en el mundo no es una cuestión simplemente de lugar, sino de señorío y estilo de vida.

4. La práctica de movilizar: Empoderar a los demás en el propósito de Dios

La práctica de movilizar significa trabajar para crear una visión del mundo, de tal forma que otros creyentes puedan ver la gran historia de Dios y encuentren formas de ser parte de ella. Los cristianos mundiales que se movilizan son activos en educar, interconectar, organizar y convocar a las personas a ponerse en marcha por la causa. Algunos se concentran en desafiar a las personas para que sirvan como misioneros: otros se especializan en edificar una pasión por la gloria global de Cristo en su iglesia local.

Prácticamente todo el que tiene una visión del propósito de Dios en el mundo ha sido movilizado alguna vez. Ya sea que alguien les haya pedido ir en un viaje de corto plazo, los hayan llevado a una conferencia sobre misiones o les hayan pedido orar por países distantes, de alguna forma fueron introducidos en el propósito global de Dios por otra persona con esa visión.

Tiene sentido estratégico que muchos hayan hecho de la movilización la principal práctica de sus vidas. Dado que cumplir la tarea global requerirá que muchos más participen en la causa, los que movilizan encuentran formas creativas de alistar a tantos como puedan para encontrar una parte vital en la obra de la evangelización mundial. Los que movilizan no están motivados por la perspectiva de reclutar más recursos humanos para que sean engranajes en la gran máquina de la misión. En cambio, anhelan que otros conozcan el gozo de vivir vidas máximas en cumplir el amor de Dios por todo el mundo. A. T. Pierson dijo una vez: «Los cristianos necesitan ser convertidos a las misiones, así como los perdidos a Cristo». En muchos sentidos las misiones son el evangelio de los cristianos, revitalizando sus vidas con la pasión por Cristo y su propósito global.

Todos se movilizan naturalmente hacia algo. «De la abundancia del corazón habla la boca» (Mt 12:34). De eso se trata en definitiva la movilización. Permite que las cosas que están en el corazón de Dios ardan con tanto brillo en los corazones, que comiencen a salir en sus palabras y se desborden sobre los demás.

Las disciplinas esenciales: Convertir grandes intenciones en decisiones de la vida real

En realidad, sostener una brújula y mirar hacia el norte verdadero de la gloria de Dios no lo mueve a usted hacia ningún lado. No es mucho mejor que pararse frente a un gran mapa en el centro comercial que dice: «Usted está aquí». Apuntar al propósito es altamente significativo, pero para llegar a algún lugar tenemos que hacer cientos de elecciones cada día.

Las resoluciones de año nuevo olvidadas deberían ser suficientes como para decirnos que no tenemos la configuración de piloto automático como para llevar a cabo nuestras intenciones, no importa cuán buenas sean esas intenciones. Todos tendemos a ir a la deriva. Nadie apunta hacia lo pequeño. Todos dejamos que la vida y las olas de la presión social nos arrastren. Es fácil quedar atrapados en la corriente principal y encontrarnos demasiado débiles como para combatir la corriente. Abandonarse pasivamente a las contracorrientes del mundo en la cotidianeidad de la vida produce personas pequeñas que viven para cosas pequeñas.

Para combatir la deriva, debemos seguir haciendo elecciones fundamentales una y otra vez. La palabra que los cristianos han usado para describir el hecho de obligarse constantemente a tomar decisiones de estilo de vida pequeñas, pero vitales, es la palabra *disciplinas*.

Hay muchas disciplinas que los cristianos han encontrado útiles para mantenerse en una efectividad creciente durante siglos. Son hábitos en el buen sentido. Pensamos que cuatro de estas disciplinas son cruciales para vivir la vida con propósito. Encuentre formas creativas de crecer mediante la práctica de estas disciplinas. Si no lo hace, se irá alejando lentamente del propósito de Dios o dejará de ser parte de lograr algo significativo en el propósito de Dios.

1. La disciplina de la comunidad: Caminar con otros

Tome decisiones para conectarse profundamente con otras personas que están siguiendo a Cristo. Nadie llega demasiado lejos si va solo. Dado que esta autoorientación satura nuestra cultura, en particular los estadounidenses pueden ser propensos a hacer que la vida tenga que ver sólo con ellos. Los héroes que son alabados en la cultura occidental logran sus acciones por medio de actos solitarios. Pero ese mito es simplemente falso. Los logros significativos son realizados por equipos, familias, iglesias, comunidades, ejércitos y organizaciones. Jesús llamó a la gente a seguirlo como una banda de camaradas y amigos. No trivialice su vida permaneciendo sin vínculos.

Sea parte de una iglesia en crecimiento. Encuentre formas de edificar a los demás en la comunidad. Extenderse en relaciones significativas requerirá disciplina. No se precipite en abandonar su iglesia porque parezca no tener una «mentalidad de misión». Tal vez ésta sea precisamente la razón por la cual Dios lo tiene allí. Invierta la forma de buscar amigos. En vez de buscar quién puede ayudar a mejorar su vida, busque formas de levantar y fortalecer a los demás. Usted es el mejor camarada de otra persona. Póngase a la disposición de esas personas.

Conéctese o desarrolle vínculos relacionales con agencias de misión. Planifique formar parte de algo más grande que usted. Para unirse realmente al viaje que Dios ha estado desplegando durante miles de años, no dude en desarrollar relaciones con personas mayores o más jóvenes que usted. Encuentre un grupo de personas de mentalidad similar que le

Vivir para el propósito de Dios en el mundo no es una cuestión simplemente de lugar, sino de señorío y estilo de vida.

hagan rendir cuentas. Todo lo que valga la pena lograr es mucho más grande que lo que usted puede hacer por su cuenta.

2. La disciplina de la oración: Colaborar con Dios

Los cristianos mundiales se disciplinan para orar. Pero no sólo oran por sus problemas o renuevan su vida espiritual. Todo eso es importante. Pero los cristianos mundiales centran su oración en el propósito global de Dios. No importa cuán frecuente sea considerar la oración como un procedimiento de resolución de problemas, los cristianos mundiales oran por cosas que darán gloria a Dios y bendecirán a todas las naciones. No importa cuán pequeñas o grandes sean sus inquietudes, las oraciones de ellos siguen la lectura de la brújula que apunta directamente hacia el norte verdadero del propósito de Dios. Sí, ellos oran acerca de las dificultades y contrariedades cotidianas, pero cada vez que pueden enmarcan sus oraciones como una petición para que venga el reino de Dios o para que su nombre sea engrandecido; y siguen orando con ese fin en mente. Así que la oración se convierte en una aventura en vez de una tarea.

Intente ser persistente en reunirse con otras personas para agradecerle a Dios por lo que está haciendo y para descubrir diferentes formas de seguir pidiéndole a Dios que cumpla con sus propósitos. La oración del cristiano mundial no es cuestión de asistir a más reuniones de oración. Es cuestión de fijar su vida en una misión de oración. Al meterse en oración en la historia de lo que Dios está haciendo en las vidas de otras personas u otras naciones, uno se encuentra atento a lo que Dios ha hecho y hará.

Mantenga sus oraciones informadas con *Operación Mundo*, boletines de oración de misioneros o simplemente manteniéndose al día con las noticias. Los hechos son como combustible, pero los pequeños trozos de información no estallarán de manera espontánea en oraciones llameantes a menos que usted introduzca las verdades de la Biblia. Al aprender a orar usando pasajes de la Biblia, aprenderá el arte y el corazón de usar sus propias palabras para expresar el corazón de Dios.

3. La disciplina de la sencillez: Aprender a dar

A menos que usted diga «no» a la avalancha de planes de mercadotecnia multimillonarios en dólares, tal vez se encuentre comprometido con un estilo de vida materialista. Combata el sistema practicando la sencillez y dando de manera estratégica. Podría ser más difícil vivir contraculturalmente, con un estilo de vida sencillo, que vivir transculturalmente en un país extranjero.

Viva para dar. Hay muchísimos escritos acerca de cómo manejar el dinero sabiamente, pero para muchos creyentes el factor que falta es un propósito lo suficientemente grande como para que tomen las decisiones continuas de vivir con menos. Viva con gozo y gratitud. La verdad es que la disciplina de la sencillez no se trata de jugar juegos de privación para ver con cuán poco puede uno vivir. Vivir la vida con propósito integra su vida para que esté contento con lo que Dios da, y sin embargo, con la ambición de ver cuán grandes cosas puede lograr Dios.

Aprenda a dar con regularidad. No se engañe haciendo donaciones al azar. Algunas de las personas más felices que conozco fijan sus corazones en un propósito, viviendo de una porción de sus ingresos a fin de dar el resto a las misiones.

Aprenda a dar estratégicamente. Tal vez haya misioneros que usted conozca. Pero mire más allá de su círculo inmediato de amigos, investigando formas en las que podría contribuir a las grandes necesidades además de las grandes oportunidades para hacer avanzar la Gran Comisión.

4. La disciplina de aprender: Haga crecer lo que sabe

Siga creciendo en la verdad de la Palabra de Dios y en los hechos del mundo de Dios. Sin un flujo fresco de información encontrará que su celo se desvanece y la pasión puede ser mal encaminada fácilmente. Yo [Steve] tengo una amiga que se identifica con un nuevo país cada año. Ella lee libros y busca la historia de ese país. Mira los noticieros, siempre con una mirada atenta a su país del año. Y, por sobre todo, ora por las personas de ese país. En el camino, nunca deja de encontrarse con personas de cada uno de los países que ha elegido. Encuentre usted sus propias formas de seguir ampliando su conciencia.

Amplíe su perspectiva. Siga redefiniendo el paradigma que está usando para dar forma a su cosmovisión. Si no sigue avanzando en esta disciplina, su pasión puede apagarse. Es como si se formaran nubes y cubrieran la estrella del norte de la visión de Dios. Con el tiempo, es una imagen borrosa distante de alguna moda que lo atrapó durante un tiempo, pero nada que influya fuertemente en su vida para Dios.

Vivir por algo por lo que valga la pena morir

Es obvio que estas disciplinas no son una receta para tener meramente más días felices que tristes. Vivir con una intencionalidad disciplinada para Cristo y sus propósitos trae el gozo de saber que está viviendo una vida de significación. No es cuestión de vivir con su mayor potencial. Por lo menos haga eso. El verdadero tema es vivir por algo que realmente valga la pena.

Visitar tumbas puede llevarlo a uno a pensar en lo que importa. Yo [Claude] visité una vez la tumba de Leonard Ravenhill, un líder apasionado que desafió a muchos a vivir vidas radicales para Cristo. Su lápida simplemente decía: «¿Vale la pena que Cristo haya muerto por las cosas por las que vives?». Cuando lo leí, quedé sacudido por un tiempo. Pero luego comenzó a brotar una alegría desde mi interior, porque me di cuenta de que podía contestar «sí». Tal vez sea una pequeña pieza de un gran cuadro. Tal vez sea un actor secundario en el gran drama, pero pongo todo mi empeño. Estoy usando todos los días y la fuerza que Dios me da para ayudar a cumplir exactamente aquello por lo que Cristo murió. Jesús entregó su vida para que Dios fuera servido por algunas personas de entre cada pueblo. Es un gozo vivir para ese mismo propósito.

Preguntas para reflexionar

1. Identifique las cuatro prácticas de un cristiano mundial. ¿Por qué los autores alientan a los cristianos mundiales a planificar realizarlas todas y destacarse en una o algunas?

2. Describa las cuatro disciplinas que les ayudan a los cristianos mundiales a vivir la vida con propósito y a «combatir la deriva» de «las contracorrientes de la cotidianeidad de la vida».

Súmese al movimiento cristiano mundial

Ralph D. Winter

Ralph D. Winter fue director general de Frontier Mission Fellowship (FMF) en Pasadena, California. Después de prestar diez años de servicio misionero a los mayas en las tierras altas de Guatemala, fue llamado a ser profesor de misiones en la Escuela de Misión Mundial del Fuller Theological Seminary. Diez años después, él y su finada esposa, Roberta, fundaron la sociedad misionera denominada Frontier Mission Fellowship. Ésta, a su vez, dio a luz al Centro Estadounidense para la Misión Mundial y la William Carey International University, los cuales sirven a los obreros que laboran en misiones pioneras.

Puede que al inscribirse en el curso Perspectivas usted no se haya dado cuenta de la trascendencia de la materia en la que se estaba enrolando —no es tanto un *curso* como una introducción a un *movimiento*—. Tal vez usted no captó el pleno significado de la palabra «movimiento» en el título del curso —Perspectivas del *movimiento* cristiano mundial—. Ahora ya lo conoce. Ya entiende que está formalmente invitado(a) a unirse a este movimiento —¡el *movimiento* cristiano mundial!

Pero, ¿cuáles son los pasos a dar más allá de la condición de ser mero espectador? Puede que aún no discierna con claridad lo que Dios tiene en mente para su persona. No quisiera equivocarse. ¿Qué puede hacer en todo caso? ¿Qué necesita aprender? ¿En qué se diferencia el llamado a movilizar a otros al llamado de ser un misionero en la vanguardia, aunque uno sea tan importante como el otro?

Mucha gente piensa que la causa de las misiones no es más que un puñado de misioneros en medio de una selva tropical trabajando con sus manos. Bueno, el caso es que algunas personas piensan que la guerra consiste en unos muchachos apostados en el frente de batalla disparando armas de fuego, pero las guerras son normalmente «un esfuerzo conjunto» que incluye a mucha más gente, no sólo a los que luchan en el frente. Así pues, las misiones son «un esfuerzo misionero» que involucra necesariamente a muchas más personas con la función de apoyo que las que están apostadas en el frente de batalla.

Para ser más específico, suponga que usted desarrolló en sus años formativos un gran interés por la perforación de pozos petroleros. Cuando era adolescente vio un video de los exploradores, los «perforadores aventureros» que algunas veces encuentran petróleo en lugares inesperados. Y un día usted decidió ser perforador de pozos.

No obstante, al estudiar la materia descubrió la «industria del petróleo». Conoció cómo funcionaban las refinerías de petróleo, los diplomáticos que regatean con los gobiernos extranjeros, los geofísicos que hacen mediciones precisas y obtienen información del subsuelo, etc. De modo que… ¡decidió hacerse geofísico! Pero no hubiera sabido que existía tal posibilidad si sólo supiera que había organizaciones que, al parecer, sólo reclutaban perforadores de pozos.

Del mismo modo, el movimiento cristiano mundial se ha convertido en una empresa internacional altamente desarrollada. En el núcleo de ese movimiento histórico mundial hay profesionales y centenares de organizaciones dedicadas, sazonadas. Es correcto considerar el núcleo del movimiento cristiano mundial como la «industria de la misión». Sólo en los Estados Unidos esta actividad invierte cinco mil millones de dólares por año, y su influencia se extiende mucho más allá de lo que el dinero puede lograr en cualquier aventura comercial.

Artículo 128

Para abrirse camino en esta empresa increíblemente influyente, es útil distinguir el papel que desempeñan los equipos de vanguardia que laboran transculturalmente —llamémoslos *misioneros*— y a los que organizan su apoyo —llamémoslos *movilizadores*—. Cualquiera que sea su función, como misionero o como movilizador, usted necesita mantener una relación de trabajo con los que conforman la industria de la misión. Guillermo Carey no era un llanero solitario.

Además de no hacer nada, la manera más segura de malgastar su vida sería mantenerse en la ignorancia, separado de este asombroso movimiento de dedicados profesionales de la misión. La mayor parte de los errores más importantes ya han sido cometidos. La mayoría de los asuntos cruciales relacionados con el acervo misionológico ya han sido explorados. Si usted ignora la sazonada sabiduría, el templado coraje, las ideas contrastadas y las oraciones sinceras de las generaciones que le precedieron, se estará sencillamente limitando a golpear el aire por mucho tiempo. Y esto podría aplicar aun si uno se incorpora a una organización recientemente creada.

Nunca acepte hacer algo tan pequeño que pueda acabar cuando su vida termine. Forme parte de algo que haya comenzado antes de que usted naciera y continuará hasta el cumplimiento de todo lo que Dios se ha propuesto cumplir. Dios lo ha formado de una manera muy singular para ser parte de este importante movimiento. No puede participar en lo que no conoce. La mejor manera de llegar a ser parte valiosa del movimiento cristiano mundial es hacerse estudiante de la industria de la misión.

Agencias misioneras

Comience a familiarizarse lo antes posible con el sorprendente abanico de agencias misioneras.

Las «misiones de servicio» sirven a otras agencias. Algunas son puramente técnicas, como la Fraternidad de Aviación Misionera, cuya labor abarca desde el despliegue de pistas de aterrizaje en la selva, hasta el maravilloso servicio de internet a disposición de todas las agencias. Otras son editoriales para la misión, expertos en grabación, traductores de la Biblia, o expertos de radio. La radio misionera supera hoy a todos los sistemas radiofónicos seculares en alcance y sofisticación.

Las «misiones estándar» se ocupan de cubrir toda clase de necesidad humana: médica, educativa, fundación de iglesias, etc.

Concédale un valor inestimable a estas organizaciones increíbles. Ninguno tiene que empezar de cero. Dado que las agencias están concebidas para trabajar en equipo, no sólo son capaces de mantener su esfuerzo a lo largo de muchas generaciones, también los obreros veteranos pueden transmitir a los más noveles la experiencia acumulada y el conocimiento de campo obtenido por generaciones anteriores de obreros.

Instituciones formativas

Surgen de las agencias misioneras, aunque las sustentan, y son los centros de formación misionera, los seminarios y los institutos bíblicos. Estas instituciones vienen ofreciendo desde hace mucho programas en diversas disciplinas (como teología, lingüística, antropología, historia y muchas más) que integran la gran disciplina de la misionología. Los que ofrecen titulación formal en una atmósfera presencial, o residencial, son más conspicuos, pero cada vez es más común que la enseñanza tenga lugar fuera de los campus. La «educación a distancia» no sólo acerca la instrucción a lugares donde los alumnos viven y trabajan, también lleva a los alumnos el material que más necesitan, en el mejor momento, para que puedan asimilarlo.

Llevando la idea de la extensión un poco más allá, los programas de diplomatura y licenciatura ofrecen instrucción mediante la tutoría. El aprendizaje a través de internet es fascinante y útil, pero el recurso más efectivo seguirá siendo la tutoría personal, cara a cara.[1]

Asociaciones misioneras, sociedades y publicaciones

El personal que conforman todas estas misiones y centros educativos está intencionalmente relacionado por asociaciones organizativas y sociedades profesionales. Sea alumno de la industria de la misión. Ningún misionero ni movilizador puede ser completamente efectivo sin conocer la CrossGlobal Link (antes Interdenominational Foreign Mission Association o IFMA) y la Mission Exchange (ahora Missio Nexus, antes Evangelical Fellowship of Mission Agencies o EFMA).[2] Aproveche sus encuentros y sus publicaciones, que constituyen el filo cortante de la misionología.

Lo que usted haga como misionero o movilizador es tan importante, que resulta temerario no adquirir destreza profesional para cumplir con su alto llamamiento. ¿Por qué no participar con entusiasmo en la industria de la misión uniéndose a una sociedad misionera profesional? La International Society for Frontier Missiology (ISFM), cuya publicación oficial es la *International Journal of Frontier Missiology*, podría ser un buen comienzo.[3]

Mission Frontiers analiza la vanguardia de la misión, se imprime en forma de boletín de noticias y se envía a ochenta y cinco mil personas repartidas por todo el mundo. Es producida por el Centro Estadounidense para la Misión Mundial, se sostiene con donativos, y se imprime cada dos meses.[4]

La *Evangelical Missions Quarterly*[5] se nutre de una gran variedad de autores —abarca profesionales de campo, misionólogos, etc.— y comenta cuestiones de la misión contemporánea desde una perspectiva evangélica. Tal vez usted no proyecte desplegar una carrera misionera, pero hallará valiosa información que aumentará su conocimiento de la misión y lo preparará para aconsejar a otros sobre asuntos cruciales en torno a un efectivo involucramiento en la misión.

Iglesias locales

Las iglesias juegan un evidente papel crucial en la empresa misionera. Muchas iglesias ofrecen posibilidades de instrucción más allá de una enseñanza normal. Algunas iglesias ambiciosas han intentado enviar equipos misioneros propios. Para triunfar, estas iglesias tienen que formar necesariamente nuevas estructuras de misión. Tan aventajada visión es loable, pero suele expresarse mejor en colaboración con las estructuras misioneras existentes. La compleja tapicería de la industria de la misión se ve afectada por la visión y el conocimiento de las iglesias emisoras.

La buena noticia es que, más que ninguna otra fuerza, la causa de la misión aglutina a una enorme variedad de tradiciones eclesiásticas que, a no ser por ella, actuarían por separado. Es en verdad sorprendente la unidad y el entendimiento que ha *fluido del campo misionero* a las dispares tradiciones eclesiásticas en el país de origen. Resulta en que las tradiciones eclesiásticas brillan más en el campo de misión. Tradiciones aparentemente muertas suelen tener misioneros devotos y competentes en el campo. Muchos se sorprenden de que en el campo haya misioneros de muchas tradiciones que cooperan de buena gana en toda clase de proyectos conjuntos.

Los creyentes de las iglesias ignoran estas cosas. No se suele dar el caso de congregaciones que salgan juntas para un día de campo —como los presbiterianos con los nazarenos—. Con todo, sus misioneros colaboran en el campo sin ningún problema.

Lo malo es que por lo general las congregaciones necesitan bastante enseñanza y movilización para ser eficaces en el movimiento cristiano mundial. Cuando se impone el empuje cultural de las tradiciones eclesiásticas en el campo de misión, se suele obstaculizar el movimiento cristiano mundial. Cualquier grupo muestra estrechez de miras cuando llega con un nuevo acento, y lo resalta tanto, que las demás tradiciones parecen estar equivocadas o ser inadecuadas. Lea los últimos dos mil años de historia relatados con imparcialidad insuperable en la *Historia del cristianismo* de Kenneth Scott Latourette. Verá que todas las épocas se han caracterizado por grupos que salían en muchas direcciones mientras gentes piadosas se esforzaban y buscaban más luz a tientas Podemos mirar atrás y «mejorar» prácticamente todo lo que vemos, pero mientras tanto, nuestra propia forma de cristianismo ¡podría estar atascada por muchas clases de bagaje cultural!

Por ejemplo, la misma idea de la misión supone un «nuevo» énfasis en la tradición protestante. ¿Por qué los líderes de la Reforma, que tanto apreciaban la Biblia, no hallaron en ella la Gran Comisión? Hizo falta que llegara Guillermo Carey, muchacho criado en una pobre y subdesarrollada aldea de la Inglaterra rural, con cuestiones penetrantes con respecto a lo que enseña llanamente la Biblia acerca de la preocupación de Dios por todos los pueblos de la tierra. Con toda certeza sus ancianos profesaban una «sana teología», pero suspendieron el primer curso en relación con el principal tema de la Biblia.

¿Por qué la muy respetada Confesión de Fe de Westminster, la Confesión Luterana No-alterada de Augsburgo, e incluso el Credo de Nicea (a los que todos profesamos lealtad) no dijeron absolutamente nada acerca de la Gran Comisión? Es un milagro que las misiones surgieran. En pocas tradiciones cristianas del mundo el llamado a las misiones causa gran preocupación, o incluso una preocupación de menor importancia en la inmensa mayoría de sus adeptos. ¡Qué extraño!

¿Por qué ha de haber movilizadores que promuevan la misión?

Esta extraña situación nos acerca a la razón misma por la cual los movilizadores a la misión son tan cruciales para el avance del movimiento cristiano mundial. Es evidente que el movimiento cristiano mundial ha avanzado gracias a unos cuantos creyentes dedicados a llamar a la iglesia a su misión central. A lo largo de los siglos la iglesia exhibió ocasionalmente una pasión ardiente por la causa universal de Cristo y luego, a los pocos años, se precipitó en un cenagal de ensimismamiento y desobediencia.

Las congregaciones que pusieron su corazón en otras cosas ¡necesitan un trasplante de corazón! ¿Le gustaría a usted que le practicara un trasplante de corazón una persona no capacitada? ¡Impensable! Un trasplante de corazón es demasiado importante como para dejarlo en manos de una persona sin preparación. Pero *la tarea de evangelizar las naciones es la tarea más importante que Dios ha asignado a su iglesia.* Y esto requiere trasplantar visión y entendimiento en un corazón para hacerlo bien. Un movilizador a la misión debe a la iglesia y a las naciones el adquirir la destreza y el conocimiento necesarios para ayudar a hacer un trasplante efectivo de visión y entendimiento.

De igual manera es cierto del papel de un misionero de campo. El movilizador que se queda en el país de origen tiene que aprender más acerca de otras partes del mundo, pero el misionero necesita distintas herramientas. Las destrezas misioneras son diferentes. Los movilizadores y los misioneros desempeñan dos tipos de trabajo muy distintos, ambos esenciales —igualmente esenciales— para el movimiento cristiano mundial. Muchas personas confunden, sin reflexionar, las «misiones» con el misionero. Pero habría pocos misioneros a menos que también hubiera movilizadores preparados y profundamente comprometidos.

Los famosos «Siete de Cambridge» se quedaron en su país el tiempo suficiente —todo un año— para visitar las universidades inglesas antes de partir hacia China. ¡Quién sabe, tal vez quinientos misioneros salieron gracias a su labor preliminar como movilizadores! Ya hemos leído acerca de uno de esos estudiantes. El hermano mayor de C. T. Studd nunca salió en calidad de misionero, pero recorrió los Estados Unidos de un campus a otro y,

entre otras cosas, persuadió a John R. Mott a asistir a la reunión de Mt. Hermon. ¿Cuáles habrían sido las consecuencias si eso no hubiera sucedido? *¿O si Mott hubiera decidido ser misionero en vez de movilizador?* Es probable que no haya habido otras dos personas en la historia a quienes se pueda atribuir directamente la salida de más misioneros al campo que a Mott y otro estudiante del Movimiento Estudiantil de Voluntarios, Robert E. Speer, quien también se quedó en su país para dedicarse a la movilización de tiempo completo.

Pero, ¿estaban ambos cualificados para hacer lo que hicieron sin experiencia de campo? Bueno, acabaron viajando por todo el mundo. De hecho, obtuvieron una perspectiva más completa de las necesidades globales que ningún otro misionero. Mott pudo planificar y dirigir el encuentro de Edimburgo de 1910 de forma excelente. Ningún misionero estaba cualificado para hacerlo como él.

Pero ellos firmaron la promesa de ir. Eso significaba que podían quedarse precisamente porque ¡estaban dispuestos a ir! Note, sin embargo, que si no hubieran estado dispuestos a ir, tampoco habrían estado espiritualmente cualificados para quedarse. ¿Por qué? Porque los que no están dispuestos a quedarse, si ésa es la voluntad de Dios, ¡no están cualificados —no pueden estarlo— para ir!

Sí, ser movilizador es una vocación espiritual tan digna como ser misionero. Al fin y al cabo, la misión es una causa, no sólo un trabajo. Al final, como veremos, un movilizador necesita saber un montón de cosas que el misionero usualmente no conoce, y viceversa.

Pero, ¡tenga cuidado! Al igual que los misioneros afrontan problemas especiales en su obra transcultural, lo mismo ocurre con los movilizadores. En cierto sentido, es mucho más difícil ser movilizador. Muchas iglesias no están dispuestas a apoyar a los movilizadores. O, peor aún, pueden admitir cartas de misioneros, ¡pero es demasiado tener que habérselas con los movilizadores locales que les recuerdan constantemente sus obligaciones generales!

Volvemos a ver estos dos tipos de obra en el movimiento cristiano mundial: *el movilizador y el misionero.*

El movilizador y el misionero

¿Cuál de ellas es para usted? Obviamente, Dios no

desea que todos salgan a ultramar. En los días del masivo Movimiento Estudiantil de Voluntarios, cuatro de cada cinco que se ofrecieron como voluntarios para ir hasta los extremos de la tierra, acabaron quedándose en casa. Esto es, veinte mil, de cien mil voluntarios, fueron capaces de salir al campo *sólo porque cuatro de cada cinco estuvieron dispuestos a seguir creyendo y trabajando por la causa de la misión en su país de origen.* Estimular a la iglesia y mantener su visión es una tarea mucho mayor que la estricta obra de vanguardia.

No puedo creer que Dios esté satisfecho con movilizadores que no sean los estudiosos bíblicos y guerreros de oración que deben de ser los misioneros. No puedo creer que una persona no tenga que estar tan comprometida con el Señor si se queda en su país para desarrollar la labor de movilizador. La movilización, ya sea una tarea de tiempo completo o parcial, requiere intensa oración, visión y compromiso. Por el contrario, la tarea misionera es una «vocación» relativamente bien aceptada, ¡mientras que la movilización no lo es! Todos los pastores son movilizadores de muchas cosas buenas y pueden ser estupendos movilizadores a la misión. Y son, ciertamente, dignos de recibir apoyo. Pensamos que los ministerios de la música y la obra juvenil son dignos de ser apoyados. ¿Por qué no los movilizadores a la misión?

Movilizarse a uno mismo

Lo más elemental de todo es que ¡uno no puede ser movilizador si antes no está movilizado! Pero, ¿cómo se moviliza uno a sí mismo?
Aliméntese. Asista a conferencias, suscríbase a publicaciones, compre libros clave y estudie los temas por sí mismo, o nunca será el movilizador que Dios quiere que sea.[6] Usted mismo debe sentirse sobrecogido por el drama de la cuenta regresiva global del reino de Dios. No basta con quedar atrapado por los objetivos de la iglesia local para el próximo año.

Apoye usted mismo a las misiones. «Donde esté tu tesoro, allí estará también tu corazón» (Mt 6:21).

Use la Guía Mundial de Oración (Global Prayer Digest) diariamente con los amigos o en un ambiente familiar. Ore por misioneros concretos. *Nada que no ocurra diariamente llegará a dominar nunca su vida.* En realidad ser cristiano mundial tiene escaso valor, a menos que uno sea *diariamente* cristiano mundial. La *Guía Mundial de Oración*

puede cambiar su vida en un mes, antes que muchas experiencias pasajeras que se disipan poco a poco.[7] Todo crece lentamente. ¿Cómo podrá usted crecer sin renovar cada día su visión?

Escriba a los misioneros. Esté consciente de sus problemas y necesidades. Puede que necesiten que usted les compre algo para enviárselo. Recíbalos en su casa para pasar la noche cuando pasen por su lugar de residencia. Salga en un día de campo con ellos y con sus hijos. Charle con ellos de sus experiencias. Comparta con ellos lo aprendido en sus estudios. Compare notas de un campo a otro.

Por supuesto, no deje pasar el tiempo para empezar a movilizar a su congregación local. Esté también dispuesto a visitar otras congregaciones locales. Participe activamente en la elaboración de la normativa de su denominación y estrategias misioneras y, también, en los eventos misioneros interdenominacionales.

¿Y qué de su persona?

¿Está pensando a todas luces en su persona? *Usted necesita preguntarle a Dios de rodillas dónde puede encajar.* Tal vez Dios lo ha destinado a enseñar en una clase de escuela dominical con una perspectiva internacional inexorable. Quizá Dios quiere que sea un pastor con una mentalidad abierta a todo el mundo —esa clase de pastor vale más que muchos misioneros—. ¡Es probable que Dios le pida hacer lo más difícil que sea capaz de hacer!

La clave es darse cuenta de que su principal preocupación no ha de ser el cultivo de su *carrera*, sino el desarrollo de la *causa* de la misión. *La cuestión de la carrera frente a la causa será una cuestión que reaparecerá en su corazón una y otra vez.* Jesús podría haber dicho hoy: «Busquen primeramente el reino de Dios y su carrera se cuidará de sí misma». Ya hemos dicho suficiente acerca de la preparación, en particular de aquella que se puede conseguir desempeñando un trabajo. Pero si está dispuesto a prepararse *y* trabajar, simultáneamente, por el resto de su vida, en verdad Dios puede recompensarle con una carrera sorprendente —*aunque probablemente no conocerá los detalles por anticipado.*

Alguien dijo: «Dios reserva lo mejor para aquellos que le confían su suerte». Dawson Trotman, fundador de los Navegantes, dijo: «Nunca haga cosas que otros puedan o estén dispuestos a hacer si hay cosas que otros no pueden o no quieren hacer». Así pues, conseguir lo que uno quiere —

yendo en pos de ello— no figura en el programa de los cristianos. Jesús lo expresó de otro modo radical: «El que quiera salvar su vida, la perderá; pero el que pierda su vida por mi causa, la salvará» (Lc 9:24). La voluntad de Dios para nosotros no es mero *consejo*. No podemos aceptarla caprichosamente; debemos aceptarla o rechazarla. Su voluntad es su mandamiento.

No nos equivoquemos, Dios honra a los que buscan su obra, no a los que ceden a sus preocupaciones. Uno de los miembros de nuestro personal dijo una vez: «Creo que ahora entiendo lo que es la fe; no es la confianza en que Dios hará lo que queremos que haga *por nosotros*, sino la convicción de que podemos hacer lo que él quiere que hagamos *para él* y dejarle asumir las consecuencias».

¿No puede vislumbrar un futuro distante? Como dijo Trotman, «Si no puede vislumbrar muy lejos, vaya hasta donde alcance a ver».

A muchas personas les gustaría seguir a Dios si él les dijera exactamente, y con antelación, todas las cosas maravillosas que hará por ellas y los altisonantes títulos que algún día podrían alcanzar. Pero recuerde Génesis 12:1. *La vida cristiana se caracteriza por este detalle: ¡Dios nos pide ir sin saber adónde!* Esto no ha de considerarse injusto o caprichoso de su parte. El hecho es que cuando caminamos con la poca luz que tenemos y avanzamos dando pasos de fe, los caminos por los que él nos guía son casi siempre tales, mirando retrospectivamente, ¡que no se nos podrían haber anunciado por anticipado!

Maravillas indecibles aguardan *más allá* de cada paso de fe. En verdad uno no tiene por qué saber qué le espera más allá del siguiente paso, y no puede descubrirlo si no lo da. Repito, la vida cristiana se caracteriza por el detalle de no ver el futuro con antelación. De hecho, si usted piensa que tiene los próximos años dilucidados, bien pudiera ser que esté equivocado, o que sigue procurando que Dios bendiga sus planes.

¿No se centrará inevitablemente la voluntad divina en que usted vaya «en pos de lo supremo?». No es cuestión de cuántos deseos propios podamos cumplir. Algunos jóvenes toman la decisión radical, irrevocable, de «ser misioneros», y de inmediato se ponen a pensar en dónde el clima es más agradable. No podrá ser un cristiano sólido si no está dispuesto a hacer cualquier cosa que él le pida. ¿Qué es lo que nos pide? Nada más que lo que somos y poseemos.

Eso es todo. Él no nos pide hacer la tarea más fácil que podamos imaginar, sino la más difícil que podamos llevar a cabo. No nos pide hacer lo que no podemos, aunque a menudo nos capacita para hacer lo que no podríamos hacer sin su gracia especial. Él no es un tirano a quien no le importe nuestro bienestar mientras llevamos a cabo la tarea. Es asombrosamente cierto que cuando estamos dispuestos a hacer lo más difícil, descubrimos que nos va mejor debido a ello. Sí, es verdad que los misioneros comparten su lote correspondiente de enfermedad y dolor, pero algunos de los más enfermos y dolientes ¡son personas que se quedaron en casa para poder evitar todo eso!

Jesús dijo: «Vengan a mí todos ustedes que están cansados y agobiados, y yo les daré descanso. Carguen con mi yugo y aprendan de mí, pues soy apacible y humilde de corazón, y encontrarán descanso para su alma. Porque mi yugo es suave y mi carga es liviana» (Mt 11:28-30). Jesús mismo «por el gozo que le esperaba, soportó la cruz, menospreciando la vergüenza que ella significaba» (Heb 12:2).

Pero a veces nos inclinamos más a hacer nuestra obra «suprema» que a buscar paciente, deliberada y esmeradamente, la función que aportaría una máxima contribución a «lo supremo» —la venida de su reino, su poder y su gloria a todos los pueblos de la tierra—. Guárdese de lo fácil que es tomar la difícil decisión de vivir para él en vez de para sí mismo, desechando sus aspiraciones seculares, y después retornar agresivamente para intentar encontrar la asignación más placentera en la nueva esfera de la vida. No entregamos nuestra vida a Cristo para agradarnos a nosotros mismos, ¡aunque luego descubrimos que su voluntad conlleva mayor placer y realización que cualquier otra cosa que hubiéramos podido escoger!

Un misionero famoso les escribió a sus ex compañeros de estudios y les rogó: «Rindan sus pequeñas ambiciones y vengan a Oriente a proclamar el glorioso evangelio de Jesucristo». En cuanto a mí, ir en pos de «lo supremo» no me garantiza salud, riqueza o felicidad —que, dicho sea de paso, pueden acompañar a cualquier elección que uno haga— pero esa elección crucial es, en la experiencia de los miles que la han probado, la senda más estimulante y exigente de todos los llamamientos. Uno no pierde si camina con Dios, pero tiene que estar dispuesto a perder, o no podrá seguirlo de cerca.

Notas

1. El programa *World Christian Foundations* permite obtener la titulación de licenciatura o diplomado mientras desarrolla su trabajo o ministerio en cualquier lugar del mundo. La instrucción se basa en tutorías semanales que permiten trabajar y estudiar. Para obtener una información actualizada, consúltese www.worldchristianfoundations.org.

2. CrossGlobal Link y The Mission Exchange comprenden unas cien agencias misioneras cada una. Los miembros de CrossGlobal Link son canadienses mientras que los de la Mission Exchange, sólo representan a la Asociación Nacional de Evangélicos (de los Estados Unidos). Hace poco se fundó la AIMS (Accelerating International Mission Strategies) dentro de la esfera general de la tradición carismática. La Asociación de Profesores de la Misión (APM) congrega a profesores de seminarios y universidades. La American Society of Missiology (ASM) fue fundada con la intención de incluir a cualquiera seriamente interesado en la misionología sin tener en cuenta la orientación de su denominación. La ASM publica la revista *Missiology, An International Review*. Al incorporarse a la sociedad, uno pasa a ser automáticamente suscriptor de la revista. Envíe 37 dólares (estudiantes 27) a: 12330 Conway Road, St. Louis, MO 63141. La Sociedad Misionológica Evangélica (EMS) evolucionó de la Asociación de Profesores Evangélicos de Misión para incluir en su membresía ejecutivos de misión, así como profesores de otros campos fuera de la misión. La EMS envía un boletín de noticias, pero no una revista; en vez de ello regala a sus miembros uno o dos libros por año, de su serie de monografías.

3. La International Society for Frontier Missiology (ISFM) ha preferido centrarse en la tarea que resta por hacer en el mundo y que aún requiere el antiguo modelo de obra «pionera» —por ejemplo, el modelo inicial de actividad misionera rompedora—. Su tasa anual de dieciocho dólares incluye una suscripción a la revista *International Journal of Frontier Missiology* (www.ijfm.org). Envíe esa cantidad a: IJFM, 1605 E. Elizabeth St., Pasadena, CA 91104.

4. Suscríbase a *Mission Frontiers* (www.missionfrontiers.org), 1605 E. Elizabeth St., Pasadena, CA 91104. Publicación gratuita.

5. Suscríbase a *Evangelical Missions Quarterly;* envíe 28,95 dólares a Box 794, Wheaton, IL 60189.

6. Para obtener recursos y estímulo para la movilización, visite www.perspectives.org, y esté al tanto de futuros eventos.

7. Suscríbase al *Global Prayer Digest* (www.global-prayer-digest.org) por 12 dólares al año, 1605 E. Elizabeth St., Pasadena, CA 91104. Puede recibir la *Guía Mundial de Oración* gratis al suscribirse en www.guiamundialdeoracion.org.

Vivir con intencionalidad

Caroline D. Bower y Lynne Ellis

En la actualidad vivimos con intencionalidad en la mayoría de las cosas de nuestras vidas: nuestros trabajos, nuestros hijos, nuestro estado físico, nuestra tecnología. ¿Por qué no en lo espiritual y en lo misional? En un momento en que el mundo está conectado, es interdependiente, global, urbano y conversa —y los pueblos de todo el mundo viven a cuadras de distancia entre sí—, terminar lo que Cristo nos ha dejado para hacer nunca ha sido más posible. Muchos han preguntado: «¿Qué se necesita para terminar el trabajo?». Nos gustaría plantearlo de manera distinta: «*¿Quiénes* se necesitan?».

De niña, yo (Caroline) tenía una fuerte sensación de que había sido llamada al campo de misión. Mi sueño era ayudar a completar la tarea. Ante cada intento de ir al campo, en diferentes etapas de mi vida, se me dijo que no calificaba (clase de capacitación errónea, edades de los hijos, esposo ingeniero y no pastor, etc.). Al mirar en retrospectiva, ahora veo que el propósito misional de Dios para mi vida no era un campo, sino muchos campos, como activadora de otros. No tenía ningún título específico que me calificara, sino la combinación única de experiencias, oportunidades y conjuntos de habilidades que se habían ido formando en mí, era lo que me daba el espíritu pionero para contribuir a los propósitos de Dios en un mundo cambiante. Fue por medio de mi iglesia local, en un viaje estratégico compartido, que florecieron asombrosas iniciativas para el reino en todo el mundo. Una y otra vez, las relaciones y conexiones locales abrían oportunidades globales. Terminamos trabajando en asociación con una de las agencias de misión que había rechazado mi solicitud unos años antes.

¿Quiénes se necesitan? En esta era de la historia de Dios debemos volver a analizar esa pregunta desde una perspectiva diferente. En un mundo...

- que no pide misioneros, y donde rara vez se otorgan visas donde viven los no alcanzados;
- donde los misioneros de carrera o creyentes nacionales tienen poco acceso a las masas y a líderes influyentes;
- donde el creyente común y corriente es invitado por sus habilidades laborales, conocimiento y experiencia a ayudar a construir su nación, a cuidar de sus hijos o a resolver una crisis inmediata;
- donde es por medio de su trabajo que los creyentes tienen acceso cotidiano a personas del país para relacionarse y conversar, además de recibir su salario;
- donde los creyentes pueden aportar soluciones reales, a menudo desde su lugar de origen o con viajes de entrada y salida intermitentes;
- donde el mundo no alcanzado a menudo se siente cómodo y responde más rápidamente a los que tienen raíces en el mundo no occidental.

Caroline D. Bower capacita, asesora y marca nuevos rumbos para líderes utilizando perspectivas que surgen de más de cuarenta años de experiencia ministerial en decenas de países.

Lynne Ellis ha estado trabajando en el contexto de una iglesia local durante más de veinte años, focalizada en movilizar a las personas y a otras iglesias para los grupos minoritarios y perdidos de toda la tierra. Trabaja como pastora de misiones, capacitadora de equipo y entrenadora de vida, ayudando a conectar la profesión y la pasión con los movimientos de Dios.

¿Quiénes se necesitan?

¿Quiénes se necesitan? ¿No parecería estratégico activar a toda la iglesia de todo el mundo para unirse a la fuerza de misión en estos tiempos y lugares oportunos? Cada creyente, cada iglesia y todos los grupos étnicos, de diferentes edades, experiencia y conocimiento, tienen su propia contribución distintiva.

Algunos irán para quedarse; otros irán por un plazo corto; otros dejarán su marca desde su hogar; y aún otros entrarán y saldrán, según sea necesario. Se necesita hacer coincidir el papel que sólo ellos pueden cumplir. Se trata de vivir *intencionalmente* nuestro llamado como creyentes a la misión de Dios.

Hemos sido creados *por* y *para* Dios y para los propósitos mayores de su gloria entre las naciones. Estamos vivos en esta generación, no en otra. En *este* mundo debemos borrar las líneas de nuestras vidas compartimentalizadas que limitan nuestra perspectiva y nuestro servicio cristiano a lo que hacemos en la iglesia. Debemos poner todos nuestros dones, habilidades, conocimiento, especializaciones, conexiones, influencia, relaciones, experiencias (buenas y malas), recursos, cargos de trabajo, oportunidades, y todo lo que somos, ante Dios. Él nos ha confiado todo eso como una mayordomía que ejercemos. Él quiere multiplicarlo todo, y lo hará. Dios desea...

- **Sus habilidades**. Sea la capacitación profesional o la experiencia de vida, usted tiene talentos y capacidades que se necesitan urgentemente.

- **Sus dones espirituales**. Cuando usted los ofrezca para bendecir a las naciones, se sorprenderá de cómo Dios los usa sobrenaturalmente.

- **Sus pasiones**. ¿Qué disfruta usted más? ¿Qué lo enoja? Las respuestas a estas preguntas pueden revelar sus pasiones más fuertes.

- **Sus experiencias.** Dios quiere lo bueno y lo malo. Muchas experiencias negativas han sido redimidas para los propósitos del reino. ¿Qué podría entregarle usted a Dios para que lo use?

- **Su experiencia cristiana.** ¿De qué forma podría querer usar Dios la información que usted ha acumulado por la enseñanza que ha recibido en su iglesia local?

- **Sus relaciones**. Involucrarse con vecinos, familiares, compañeros de trabajo, juntas directivas, equipos deportivos y aun empresas que usted frecuenta, puede crear un poderoso impacto para el reino.

- **Su profesión**. ¿Cómo puede su profesión, incluyendo las asociaciones de industria y profesionales, ser usada para bendecir a las naciones?

- **Su comunidad.** Su ciudad o centro urbano cercano tiene una alianza con un centro urbano de alguna parte del mundo. ¿Cómo podría usted involucrarse en esa asociación?

¿Qué se necesita para que Dios utilice toda nuestra capacidad para sus propósitos? Se necesita intencionalidad e iniciativa.

Intencionalidad

Usted no tiene que tener un título en misiones para conectarse con la obra de Dios en el mundo. Lo que necesita es un sentido creciente de que sus dones, pasiones y relaciones pueden abrir cosas increíbles para los propósitos de Dios. Dios ha hecho cosas asombrosas por medio de:

- **Un ingeniero** que vio cómo un subproducto agrícola se desperdiciaba en un país del sur. Reunió a otras personas de su industria en su país de origen para diseñar una forma de usar el desecho como recurso para fabricar un producto útil para la construcción, que dio trabajo sustentable a comunidades de granjeros completamente nuevas.

- **Un ministro de jóvenes** que fue motivado por medio de una misión de corto plazo y en pocos meses llevó a su iglesia a adoptar una etnia no alcanzada, vendió sus posesiones y se mudó con su familia para comenzar un negocio en una zona muy poco alcanzada del mundo.

- **Una joven mamá** con un bebé y un niño pequeño que desafió a su grupo de estudio bíblico femenino a aprender acerca de los problemas relacionados con el tráfico sexual. El grupo ha crecido hasta llegar a cuarenta mujeres que están recaudando fondos para la prevención y el rescate de niños de Asia.

- **Un profesor** que usó a sus estudiantes graduados para diseñar y desarrollar un puente colgante con materiales locales y dio capacidad y desarrollo comercial a una comunidad pobre en un país en desarrollo.

- **Un pastor retirado** con una pasión por el trabajo en madera que construyó y vendió tres mil pajareras para recaudar $85.000 dólares para capacitar a pastores y líderes nacionales de Europa Oriental.

- **Una maestra** que involucró a su escuela primaria para recaudar el dinero necesario para reconstruir una escuela para un país desgarrado por la guerra en Asia Central.

- **Un especialista en tecnología** que se ofreció intencionalmente para el puesto de enlace exterior en Asia y fundó iglesias mientras estuvo allí.

- **Un grupo pequeño** que adoptó a un pueblo no alcanzado, comprometiéndose a orar e ir en equipos de oración de corto plazo. Se encontraron con líderes nacionales que acordaron asociarse para alcanzar a este pueblo, y seis años después nació un movimiento de fundación de iglesias, de trescientas iglesias, que sigue creciendo.

- **Una adolescente** que vendió tarjetas de regalo de $20 dólares para el día de las madres a compañeros de clase y de su ministerio juvenil, recaudando fondos para micropréstamos para madres del tercer mundo, que buscan sostener a sus familias.

- **Un estudiante universitario de videografía** que filmó un documental conmovedor de niños de la calle aspirando pegamento en África. Además de los premios que recibió la película, la relación que estableció con las iglesias nacionales dio lugar al inicio de ministerios de niños de la calle y llevó a que sus propios padres adoptaran a dos chicos huérfanos.

- **Un pastor de iglesia** que catalizó a toda una comunidad en un país comunista preguntando cómo podrían ayudar a bendecir a su nación. La comunidad contribuyó a la construcción de infraestructura y, con el tiempo, a una escuela de capacitación teológica certificada, con la venia y ayuda del gobierno.

Iniciativa

Tal vez usted piense que no conoce a personas importantes como el profesor constructor de puentes o el influyente especialista en tecnología. Tal vez sea una mamá con un corazón por los niños; un estudiante universitario con sueños y una deuda educativa; un profesional que llega a la mitad de su vida y quiere dejar un legado; o un empresario con ideas creativas, frustrado por los obstáculos organizacionales que las mantienen ocultas. Permítanos ofrecerle alguna orientación para desafiarlo a cumplir el propósito de Dios en y para su vida:

Aprenda a escuchar. ¿Reconoce la voz de Dios en su vida? Él ha estado susurrando y gritándoles a sus seguidores desde el inicio del tiempo. Usted puede aprender a escuchar leyendo la Biblia con una lente misional. Pregúntese: «¿Qué me dice este pasaje acerca de Dios y sus propósitos?» en vez de preguntar «¿Cómo se aplica esto a mi vida?». Pase tiempo en silencio y escriba pensamientos, temas recurrentes, frustraciones y pasiones a medida que aparecen. A menudo éstos apuntan a cómo Dios quiere que usted participe con él.

Vea la obra de Dios. Observe el noticiero y considere cómo Dios puede estar abriendo puertas para que su iglesia declare las Buenas Nuevas en nuevos campos de cosecha. La cosecha está madura donde hay un vacío de liderazgo o de recursos sustentables, una destrucción por desastres naturales o guerra, y la migración de pueblos. Evalúe la experiencia y conocimiento, los recursos y las relaciones en su vida para ayudar a determinar dónde conectarse para la gloria de Dios.

Únase a Dios. Sí, puede ser así de sencillo. Dé un paso, actúe y lleve a alguien más con usted cuando lo haga. Siga creciendo en su conciencia de su propósito global. Vea cómo puede entregar usted su vida estratégicamente para cumplir lo que Dios está haciendo. Tal vez no sienta que entiende el gran panorama o una revelación profunda. En cambio, tal vez Dios le esté dando un simple impulso de su Espíritu. Actúe en consecuencia. A menudo su revelación llega en pasos sucesivos a medida que lo seguimos en obediencia.

Planifique. Piense todo el año. Use sus vacaciones para un propósito este año. Considere cómo pueden ser catalizados sus círculos de relaciones para una causa. Ore diligentemente por las necesidades del mundo como familia, creyendo que Dios actuará. Evalúe su nivel de actividad y deje un margen para que Dios «interrumpa» su vida con oportunidades y conversaciones.

Pregúnteles a otros. Sea directo e intencional en sus relaciones al invitar a otros a unirse a usted para servir a Dios. Pregúnteles a las personas qué sueñan hacer para Dios. Pídales a las personas que consideren unirse a usted en lo que se siente llevado a hacer. Analice seriamente cómo puede usted unirse a otros de su iglesia o cómo podría contribuir a la tarea de misión que se ha estado desarrollando durante muchos años. Las estrategias de Dios siempre nos llaman a trabajar en comunidad con otros.

Dios está pidiéndonos a *todos* que participemos con *todo* lo que tenemos en nuestras vidas. Los sueños de la tarea pueden parecer abrumadores, pero cuando llevamos intencionalmente nuestro pequeño almuerzo de pescados y pan a Jesús, él lo bendecirá, lo partirá y multiplicará su efecto para el bien de su reino.

Simplemente dispuesto

Casey Morgan

Estar dispuesto. Me he dado cuenta que a menudo todo depende de eso.

Cuando mi esposa y yo decidimos mudarnos a las junglas de concreto del este de Asia durante el verano de 2002, nuestra familia y amigos creyeron que nos habíamos vuelto locos o que nos habíamos convertido en una clase de «súper cristianos». Teníamos un hijo de dos años, otro de nueve meses y esperábamos nuestro tercer hijo para Navidad. Acabábamos de comprar nuestra primera casa, y éramos parte de un ministerio exitoso en Texas, donde habíamos crecido. Todo iba bien. ¿Por qué habríamos de hacer otra cosa? Sobre todo algo tan drástico.

La verdad es que no habíamos cambiado para nada. Nuestra perspectiva sí, y por eso sabíamos que nuestra vida nunca volvería a ser la misma.

Nuestra perspectiva cambió en el transcurso de cuarenta y ocho horas en el otoño del 2000, cuando asistimos a un seminario de «cristianos globales». Por primera vez, nos vimos cara a cara con el fundamento bíblico de misiones transculturales, el estado actual del mundo y lo que significa realmente revelar a Jesús a las naciones. Era la primera vez que alguien nos miraba a los ojos y nos preguntaba: «¿Qué parte de tu vida refleja el deseo de Dios, de ser conocido entre todas las etnias del mundo?». Hasta donde podíamos ver, ninguna.

Las siguientes semanas, meses y años sólo han sido una respuesta a lo que aprendimos durante ese tiempo. No había manera de ignorar esa nueva información. ¿Cómo podríamos marcharnos y continuar como si nada? Enfrentábamos decisiones importantes. Nuestra perspectiva mundial había cambiado y era claro que nuestra manera de vivir —aun donde vivíamos— iba a cambiar también.

Tenga en cuenta que ninguno de nosotros había participado en un viaje misionero transcultural. Honestamente, la idea de ir a algún lugar al otro lado del mundo era aterradora. Tratábamos de convencernos a nosotros mismos, de que la gente donde vivíamos también necesitaba a Jesús y que tal vez por eso deberíamos quedarnos. Sin embargo, al seguir escudriñando lo que Dios nos había mostrado, era evidente que podríamos impactar más a quienes vivían más alejados del evangelio. Así que decidimos ir. Fue entonces cuando todos pensaron que habíamos cambiado.

A menudo, la gente que nos rodeaba decía: «Ustedes tienen un llamado bien claro para servir en el extranjero. Yo nunca podría hacer eso». Mi esposa y yo no sabíamos qué decir. Sentíamos que éramos iguales a ellos. ¿Por qué de repente éramos tan distintos? Otros comentaban que éramos muy dedicados y aplaudían nuestro sacrificio personal, exaltándonos como si fuéramos algún tipo de gigante espiritual.

Casey Morgan y su familia han servido en el este de Asia durante seis años. Actualmente dirigen un ministerio que anima a los cristianos autóctonos a vivir una vida de discipulado cristiano mundial.

Artículo 130

el extranjero estaban registrados en instituciones Recientemente pude percibir exactamente qué es lo que nos separa de la innumerable cantidad de personas en casa. Estuvimos dispuestos.

Nunca tuvimos un llamado especial a «ir». No somos más espirituales que usted o la persona que se sienta a su lado en la iglesia. Simplemente estuvimos dispuestos. Eso es todo.

Si usted está leyendo esto, tal vez ya ha empezado a vivir un estilo de vida de discipulado cristiano global. ¡Gloria a Dios! Necesitamos personas que envíen, reciban y movilicen en casa. Pero si usted se siente satisfecho quedándose, sin nunca preguntarse: «¿Qué me detiene para ir a donde se encuentra el extremo más ancho de la brecha?» quizá termine preguntándose si la falta de

riesgo valió la pena.

Si está esperando el llamado misionero, entonces aquí está: «Venga, síganos».

Llevamos seis años viviendo en el este de Asia y hemos visto las caras detrás de las estadísticas que se nos presentaron durante ese fin de semana fundamental en el año 2000. Ésta es la realidad: miles de millones de gente y miles de etnias no tienen acceso a la vida de redención que Jesús ofrece. Usted lo tiene.

No escogeríamos ningún otro estilo de vida. La satisfacción de saber que hemos seguido a Dios a donde la necesidad estratégica es mayor, no se compara con ningún placer terrenal. ¿Se nos unirá?

¿Está usted dispuesto?

¿Todo o nada? *Greg Livingstone*

No hace mucho, abandonar el hogar para ir a vivir como misionero en Bagdad, Brunei o Bengasi, era una decisión «de por vida». No se podía dar marcha atrás. No era posible cambiar de idea. Era todo o nada. Una vez hecho el compromiso, era imposible retractarse.

Pero en 1963 sucedió lo impensable. El avión hizo posible las misiones de temporada. Uno podía ayudar a la causa por dos años, o uno, o incluso por un verano. (Algunos van por una semana, pero, lo siento, a eso no lo puedo llamar «misión».)

Personas francas que se interesan profundamente por los perdidos suelen confesar: «No tengo carga por los musulmanes». Por supuesto que no. ¿Cómo puede uno tener carga por gente que no conoce? Tendemos a entusiasmarnos con las personas con quienes comemos, intercambiamos experiencias y nos reímos. Es difícil identificarse con el corazón de Dios por personas a quienes nunca se les ha visto, si sólo se conoce la propia ciudad o la misma clase de personas. ¿Cómo sabrá usted si debe servir a gentes de Pakistán si nunca ha estado allí?

Creo que ésta es una buena pregunta. ¿Por qué no pasar tiempo entre los patanes, baluchis o gilgitis pidiéndole a Dios que le permita observar a la gente como él la ve?

Zambullirse en una etnia sin iglesia,

aunque sea sólo por un mes, puede conducir a la gran aventura de ser parte de lo que Dios está haciendo en su medio.

¿Soy yo el tipo?

Pero mientras usted prueba su resistencia contra las incomodidades, o se pregunta cómo alguien puede aliviar la pobreza generalizada, tenga cuidado de no hacerse preguntas equivocadas: «¿Parezco yo un misionero? ¿Tengo lo que hace falta para ser un fundador pionero de iglesias en los pueblos hindúes, musulmanes o budistas?». Mucha gente concluye: «Probablemente no; ni siquiera hablo de Jesús con los que no son cristianos en mi país. No creo que sea el tipo de misionero que hace falta».

Pero si sigue cuestionándose acerca de los dones que no tiene, o cuán débil es su visión o su carga, puede caer en la falsa dicotomía de «todo o nada». Si usted cree que debe estar dispuesto a vivir en la pobreza como la madre Teresa, o hacer proezas como un «Indiana Jones» evangélico, es probable que se descalifique a sí mismo. Así pues, no se pregunte si es usted un fundador pionero de iglesias. Más bien pregúntese: «¿En qué puedo ayudar a un equipo fundador de iglesias?». No «¿qué me falta?», sino «¿qué puedo aportar al equipo?».

Su fortaleza y nuestra debilida

¿Por qué le dijo Dios al gran misionero Saulo de Tarso: «Te basta con mi gracia pues mi poder se perfecciona en la debilidad»? ¡Porque el Señor siempre usa gente débil que aspira a ser usada por un Dios más que suficiente!

La historia de la misión versa en torn a gente débil, apenas competente, ¡que creyó que Quien los enviaba podía cumplir su propósito, incluso en individuos como ellos! Sólo hay dos clases de gente en el mundo: los débiles que se ponen a disposición de Dios, y lo débiles que no lo hacen.

¿Seguridad o importancia?

Son pocos los grandes logros que se har llevado a efecto únicamente por individuos. Grandes cosas se cumplen cuando la gente normal aúna lo que tiene con otros. Ensanche sus sueños para realizar proyectos tan grandes como Dios. Ore con algunos de sus amigos por los pueblos olvidados o ciudades ignoradas donde todavía no ha sucedido nada que dé honra y gloria a Jesucristo. Deje de lado sus pequeñas ambiciones. Busque la sabiduría de otro visionarios. Pídale a Dios que le muestre cómo puede usted participar en el inicio de un nuevo capítulo de la historia de u pueblo que aún no sabe nada de Jesús.

Greg ha dedicado más de cuarenta años a llevar el conocimiento de la salvación de Cristo a los pueblos musulmanes de Asia y África. Colaboró en la fundación de Operación Movilización y Frontiers, y también prestó servicio como director de los Ministerios al Mundo Árabe en los Estado Unidos. Greg es un entrenador que forma equipos para desplegar equipos pioneros de muchas nacionalidades en comunidades musulmanas.

Su viaje a las naciones:
Diez pasos para ayudarlo a llegar ahí

Steve Hoke y Guillermo Taylor

Steve Hoke es vicepresidente del desarrollo personal en Church Resource Ministries (CRM). Criado por padres misioneros en Japón, Steve es un activo movilizador y entrenador para las misiones. Ha dedicado más de cuarenta años a servir como pastor, profesor, misionero de corto plazo, director de capacitación y ejecutivo de misiones.

Guillermo Taylor fue criado en América Latina por padres misioneros. Estuvo diecisiete años en Guatemala, enseñando desarrollo de liderazgo mientras ayudaba a fundar una iglesia entre profesionales. Fue secretario ejecutivo de la Comisión de Misiones de la Alianza Evangélica Mundial entre 1985 y 2006. Actualmente viaja por todo el mundo como asesor de iglesias, misiones y escuelas de capacitación.

De *Send Me! Your Journey to the Nations*, 1999, Comisión de Misiones de la Alianza Evangélica Mundial. Usado con permiso de los autores.

La razón fundamental para desarrollar una «perspectiva» como cristiano mundial es ver el mundo como Dios lo ve. Pero una aguda perspectiva bíblica no es algo estático que uno posea. Uno no puede simplemente pararse en este elevado punto de observación como espectador, observando lo que Dios está haciendo alrededor el mundo. Ver lo que Dios ve y valorar lo que él valora, no es poca cosa. Esta clase de visión es tan certera y atractiva que tal vez la respuesta más peligrosa es no hacer nada. Tal visión de la misión de Dios prácticamente lo arroja a uno en medio de todo lo que él está haciendo por todo el mundo y en toda la historia.

Algunos de ustedes serán «los que van», los que tratan de salir cuanto antes, adoptando un papel más activo en la misión global. Y algunos serán «los que cultivan», hombres y mujeres comprometidos con servir y apoyar a los demás, a los que se desplazan hacia las fronteras. No importa cuál sea el papel que Dios ponga a su disposición, hay algunos pasos de acción a considerar.

Los siguientes diez pasos están ordenados en una secuencia lógica, pero no necesariamente fija, con la intención de ayudarlo a trazar un mapa (navegar, planificar y orar) de su viaje hacia el involucramiento activo con los pueblos del mundo. Sobre todo es una senda para quienes serán «los que van». Entonces, ¿qué utilidad tiene la lista que sigue para los que tienen dones para servir, a diferencia de «los que cultivan»? ¡Con mayor razón debería entender este proceso! Usted será llamado durante el resto de su vida a ayudar a enviar a muchos otros que servirán como misioneros en la línea de batalla.

En cada fase principal hay algunos pasos más pequeños. La secuencia exacta de los pasos no es el tema crítico. Sígalos en cualquier orden, pero asegúrese de mantenerlos todos en mente. Notará que algunos no son pasos que uno pueda lograr y luego dejar de hacer. En realidad son cursos de crecimiento y obediencia que usted deberá continuar toda su vida. El punto es introducirse en una senda de obediencia como si fuera un viaje prolongado. Sin duda, usted ya ha comenzado. No vacile en actuar osadamente para cumplir la visión que Dios le está dando. ¡Avance dando pasos resueltos a partir de este día!

Primera fase: Formación —Estirarse

1. Formación espiritual personal

Quién es usted —su carácter y formación espiritual como discípulo de Jesucristo— es esencial para el papel que jugará en las misiones. Sus primeros pasos necesarios son aclarar su compromiso básico, sus dones espirituales, su llamado, su carga por el ministerio y su pasión. Para contar con un fundamento sólido para la efectividad de largo plazo es esencial encontrar un mentor espiritual al inicio de este viaje.

2. Equipo de diseño de la vida del cuerpo: Descubrir la identidad de su ministerio

La formación espiritual tiene lugar principalmente en comunidades de fe, no aislándose. Las relaciones son vitales para su crecimiento espiritual. Conforman el centro de operaciones espiritual desde el cual usted se lanzará transculturalmente. Entender la visión única de su iglesia, cómo funciona la iglesia para las misiones, y encontrar su lugar y papel con sus dones, es crítico para su efectividad última para extender la iglesia hacia otras culturas. Hacer discípulos en su cultura local perfeccionará sus habilidades en el ministerio y ayudará a agudizar sus dones espirituales antes de servir en un entorno transcultural. Invertir en el apoyo de misioneros lo equipará mejor para el día cuando usted podría tener que requerir apoyo. De nuevo, buscar y someterse a fructíferos hombres y mujeres de Dios mayores en su iglesia local como mentores o «directores espirituales» lo alentará a lo largo de la senda del ministerio. Pídale a Dios que le dé esta clase de relaciones con personas mayores y más sabias.

3. Exposición a otras culturas

Crecer en una única cultura limita nuestra capacidad de entender a los demás, apreciar la diversidad y aprender otros idiomas. Francamente, ser monocultural es en verdad aburrido para el ciudadano global de hoy en una sociedad multicultural. Obtener alguna experiencia transcultural temprana, ya sea local o globalmente, exige ejercitar nuestros músculos mentales, físicos y espirituales, y nos ayuda a entender y aceptar a personas de otras culturas. Cientos de iglesias y agencias ofrecen viajes de exposición de una o dos semanas y experiencias de ministerio de corto plazo que duran de tres a seis meses. Sea exigente. Las mejores misiones de corto plazo no reemplazan la necesidad crítica de misioneros de largo plazo. Estudiar en otro país es otra forma útil de ganar créditos académicos mientras amplía su cosmovisión. Es, también, un valioso crisol para probar sus dones, sus pasiones, sus sueños y su

capacidad de trabajar en un plazo mayor.

4. Cuestiones básicas de estudios y educación

La preparación académica para un ministerio de corto o largo plazo necesita ser adaptada a su experiencia, sus habilidades y sus dones. ¿Qué pasos puede dar a esta altura que amplíen su cosmovisión y enriquezcan su trasfondo educativo básico? No todos tienen que tener títulos universitarios para ser usados por Dios, ¡pero no acorte sus estudios formales simplemente porque sospecha que a Dios se le está acortando el tiempo! La universidad no sólo amplía sus horizontes intelectuales, sino que también puede ser un curso intensivo para desarrollar relaciones y aprender a trabajar y vivir en comunidad.

Explore la posibilidad de estudiar en el exterior, en particular en zonas de acceso restringido, donde sólo se otorgan visas a estudiantes o personas que aprenden idiomas. De esta forma, sus estudios no se interpondrán en su educación sino que, en realidad, la completarán.

Segunda fase: Llegar ahí —Asociarse

5. Conectarse y cortejar a la iglesia o agencia

¿Qué grupo o equipo enviador es el más adecuado para usted como vehículo para el servicio? Su mejor trabajo no es un esfuerzo solitario. No se trata tanto de una elección de carrera para su satisfacción, sino de llevar mucho fruto. Injértese en un organismo vivo y fructífero de la vida eclesiástica, sea una iglesia o una comunidad de fe que pueda apoyar sus esfuerzos conjuntamente con una agencia de misión. ¿Qué clase de equipo necesita para que usted sea más efectivo y para ayudarlo a crecer más? ¿Qué clase de liderazgo de equipo necesita para mantenerse focalizado y efectivo? Muchos de los equipos más fuertes son intergeneracionales y multiculturales. Dado que el ministerio transcultural es un crisol intenso para el desarrollo del carácter, usted necesita asegurarse de haberse unido a un equipo maduro y solidario que esté comprometido con su crecimiento y desarrollo espiritual, social y ministerial de largo plazo.

¿Cuáles son las opciones? Hay miles de iglesias

y agencias fuertes, enviadoras de misiones, con un amplio arco de intereses ministeriales transculturales. Varían en tamaño, desde los que tienen miles de misioneros, hasta los que tienen sólo un puñado. Comience por opiniones de su iglesia local. Continúe con la agencia que mejor conozca. Investigue su teología, modelo de ministerio, visión, carácter y liderazgo. Considere su compromiso con el cuidado y el desarrollo de los misioneros. Cada agencia tiene una personalidad, y usted necesita descubrir su química y cultura organizacional antes de aterrizar en el extranjero. Hable con varias agencias hasta que encuentre algunas con las que usted sienta compatibilidad en los asuntos principales.

Algunas agencias están involucradas profundamente en la fundación de iglesias, mientras que otras sirven a la iglesia existente. Algunas apuntan a pueblos específicos, como los musulmanes o los budistas. Muchas tienen ministerios amplios y holísticos, desde asistencia social y desarrollo, hasta educación teológica.[1]

La iniciativa es su responsabilidad. Recuerde que Dios tiene un propósito distintivo para su vida, que incluye brindar dirección para llevarlo exactamente adonde él quiere que esté. Vale la pena buscar ese lugar en fe.

6. Búsqueda del papel y la tarea del ministerio

Al preguntarse acerca de diversos grupos de envío a misiones, se encontrará haciendo preguntas acerca de las personas, la ciudad o país de enfoque. Se encontrará preguntándose cómo podría usted cumplir papeles específicos en equipos de fundación de iglesias específicos u otros ministerios. ¿Dónde está la etnia de enfoque? ¿Quiénes son? ¿Cómo pueden usarse sus dones dentro de un entorno de equipo para alcanzarlos o edificar a la iglesia nacional? Una palabra de advertencia aquí acerca de buscar y explorar: buscar no significa «seleccionar lo que me gustaría hacer». De hecho, por lo general algunas de las mejores tareas son dadas por líderes mayores, maduros y con discernimiento. Las tareas iniciales suelen ser los momentos en los que uno descubre quién es realmente, y puede avanzar desde ese punto a fases subsiguientes de ministerio de mayor importancia.

La realidad es que casi todos nosotros hemos sido desviados divinamente de la trayectoria de carrera que nos habíamos propuesto. Los que han sido más fructíferos pueden hablar de asumir una tarea que no buscaron ni escogieron por su cuenta, pero a la cual se sometieron y, como resultado, encontraron que crecieron muchísimo. Por otra parte, a veces las vidas mejor vividas son las que estuvieron dedicadas a un pueblo o un lugar, soportando toda clase de circunstancias. Lo crítico es una exploración inicial de lo que Dios está haciendo y buscar descubrir su lugar en el plan de juego general de Dios. Cuando los dones y las tareas de Dios se vuelven claros, usted está listo para dar el paso de obediencia como un jugador de equipo comprometido.

7. Capacitación misionera práctica

Supongamos que usted ha completado su capacitación académica básica. Supongamos también que ha tenido una sólida capacitación práctica para el ministerio en su iglesia local. A esta altura probablemente haya pasado por lo menos un breve período en otra cultura, y tal vez tanto como dos años en una experiencia transcultural focalizada en el ministerio. Ha sido exigido, y como consecuencia se ha vuelto más fuerte.

Ahora es el momento de dilucidar qué clases de capacitación misionera práctica y/o capacitación avanzada va a necesitar. El tipo de papel misionero que usted cumplirá, junto con el continente, el país o los pueblos específicos entre los cuales Dios quiere que usted ministre, focalizarán grandemente los requisitos específicos. Requerirá tiempo y experiencia ministerial real desarrollar las competencias en tres dimensiones importantes: carácter y formación espiritual, formación ministerial (aptitudes) y conocimiento.

La preparación más adecuada para la fundación de iglesias en otra cultura es la participación y la responsabilidad significativa en un equipo, estableciendo una comunidad cristiana o fundando una iglesia en su lugar de origen. Comenzar estudios bíblicos evangelísticos, crear grupos celulares, levantar líderes de la cosecha y discipular a nuevos creyentes hasta la segunda y tercera generación son aptitudes críticas para la fundación de iglesias. Usted puede desarrollarse en su propia congregación, especialmente cuando lo hace en asociación con una agencia enviadora potencial.

Aprender el idioma y la cultura forman parte de la «capacitación básica» de un misionero. Una breve introducción al aprendizaje de idiomas y a la lingüística en su propio país puede ayudar a orientarlo para convertirse en un activo aprendiz de idiomas en el campo.

Tercera fase: Establecerse —Vincularse

8. Aprendizajes y pasantías

Los misioneros eficaces no surgen plenamente formados a partir sólo de su experiencia educativa. El ministerio sobre la marcha, ya sea en casa o en el campo, pone a prueba lo que ha aprendido, brinda modelos en el ministerio y le ayuda a desarrollar sus propios enfoques del ministerio. Una vez en el campo, un tiempo estructurado de entrenamiento al lado de un mentor es la mejor forma para que los nuevos misioneros aprendan a hacer las cosas y las reglas de juego en otra cultura. Los misioneros experimentados y los pastores nacionales son los mejores mentores para ayudarlo a una aculturación efectiva. No intente hacerlo solo. Póngase como aprendiz de un artesano o una artesana maestro para lograr un máximo aprendizaje del ministerio durante sus primeros años en el campo.

9. Aprendizaje de por vida: Sobre la marcha

Cuando los misioneros dejan de aprender, se mueren. Establecer un patrón de aprendizaje para toda la vida a principios de su carrera es esencial para terminar bien. Fijarse metas anuales de lectura, autoestudio y desarrollo personal en las áreas de formación espiritual, ministerial y estratégica cambiará su vida. ¡Rendir cuentas ante pares y mentores es una de las mejores formas de asegurarse de estar creciendo al máximo! Muchos se beneficiarán por medio de programas continuos de titulación, que actualizarán las habilidades y la viabilidad del ministerio. La clave es seguir creciendo consistentemente.

10. Terminar fuerte y bien

El peregrinaje de Dios es rico y vasto, y usted querrá terminar el viaje más enamorado de Jesús que cuando lo comenzó. Entender las claves para un desarrollo de toda la vida y saber cómo desarrollarse espiritualmente de manera intencional lo ayudará a volverse más fuerte mediante el servicio transcultural. No damos por sentado que el servicio de misión es, por obligación, un compromiso de toda la vida para usted en el mismo lugar.

A lo largo de la Escritura y la historia de la iglesia, la triste realidad es que pocos líderes terminan bien. Parte de la idea de «terminar bien» es volverse el tipo de persona que ayuda a otros a «comenzar bien». Convertirse en ejemplo y en mentor para otros puede establecerlos en un curso que superará los sueños más descabellados que usted haya tenido.

Sus próximos pasos

Dios está obrando en todo el mundo para completar el Gran Cuadro. Trazar el mapa de su viaje no se trata tanto de planear un crucero de vacaciones al Caribe como proponerse deliberadamente unirse a la política exterior de Dios. Se trata de dedicar tiempo para orar y planificar cómo participará activamente. Se trata de dar pasos intencionales hacia adelante, en vez de ser empujado de costado por sus pares y por la presión de la carrera. Se trata de pasar de las graderías al campo de juego, ya sea como uno que cultiva o como uno que va. Se trata de convertirnos en «esparcidores de gloria».[2]

Recuerde que su viaje será único. Trazar el mapa de su viaje será un proceso que cambiará su vida. Usted y las naciones se esperan mutuamente.

Notas

1. Investigue en la fuente principal de información de agencias estadounidenses y canadienses: la edición más reciente de *The Mission Handbook Canada and North American Protestant Ministries Overseas*.

2. Analice estos diez pasos con mayor detalle usando el cuaderno de ejercicios plenamente interactivo de donde se extrajo este artículo: *Send Me! Your Journey to the Nations*. Es para dos clases de personas: las que tienen un profundo deseo de servir a Dios transculturalmente (las que van) y las que quieren ayudarlas (las que cultivan). El cuaderno de ejercicios presenta un análisis más detallado de cada uno de los diez pasos mencionados en este artículo. Una sección de recursos selectos atrás de cuaderno brinda información adicional acerca de educación, capacitación misionera y cómo contactar a agencias misioneras.

El asombroso potencial misionero de las iglesias locales

George Miley

Dios está desatando el potencial misionero de su iglesia como en ningún tiempo pasado. Ahora más que nunca, él está convocando la hermosura asombrosa y la capacidad que ha depositado en su pueblo por todo el mundo.

La responsabilidad de la evangelización del mundo ha recaído largo tiempo sobre los hombros de unos cuantos. El que se proclame y se confíe en Jesús, y se le adore en todos los pueblos de la tierra, es una empresa compleja. Es un proceso que convoca la plena diversidad de dones espirituales y la experiencia práctica del pueblo de Dios. Invita a participar a todo creyente.

El mayor recurso de la iglesia local es su gente. Somos tesoros de Dios, reunidos en la comunidad de los redimidos. Y el potencial singular que Dios nos ha concedido a cada uno de nosotros se hace más eficiente cuando se mezcla y se expresa armónicamente con el singular potencial que Dios ha entregado a nuestros hermanos y hermanas.

Las iglesias locales contienen un amplio espectro de dones espirituales y experiencia vital repartidos entre el pueblo de Dios. Los dones de administración ordenan y favorecen la energía del visionario. Los dones de discernimiento protegen para no invertir imprudentemente fuerzas y recursos. La habilidad de pastorear y sanar libera a las personas para desplegar ministerios productivos. Los emprendedores, cuando sus capacidades se orientan a los objetivos del reino, crean iniciativas que son canales para la extensión del mismo. En realidad, toda la gama de experiencia vocacional es un vasto recurso del reino que ayuda a diseñar estrategias de entrada para los pueblos no alcanzados.

Algunas iglesias hacen importantes contribuciones a la misión, ya sea aportando recursos como familia denominacional de iglesias, o ya sea dedicando una porción de su presupuesto al apoyo de misioneros individuales. Cuentan con miembros que oran fielmente por los misioneros y los animan de todas las maneras posibles. Todo esto es maravilloso. Perfectamente aconsejable para muchas iglesias.

Pero otras comunidades de creyentes (iglesias) anhelan hacer más. Los datos que arroja el mundo inspiran grandes sueños. Cuando queda claro que la evangelización del mundo sólo se completará cuando se hagan nuevos esfuerzos por fundar iglesias en los pueblos no alcanzados; cuando se sabe que hay pueblos específicos que todavía están sin iglesia, algo prende en la imaginación de la gente deseosa de echar una mano y de participar más activamente en la misión. La gente se pregunta si puede hacer algo para ayudar a establecer iglesias todavía inexistentes. Y al volverse hacia Dios para pedirle que haga lo que sólo él puede hacer, descubre que sus pensamientos están concentrados en lo que *ellos* podrían hacer. Ansían expresar quiénes son en el proceso que los lleva a

George Miley sirvió veinte años con Operación Movilización: cinco en la India y quince como director general de los barcos de OM, LOGOS y DOULOS. En 1987 fundó la organización Antioch Network. Este equipo internacional de líderes se dedica a obras de reconciliación, adoración, oración y evangelismo, y capacita a la iglesia para proclamar el evangelio del reino y hacer discípulos entre las naciones.

cumplir la misión de Dios.

Con frecuencia este celo apostólico se expresa de forma tradicional. Pero a veces una iglesia entera reconoce que Dios le está confiando una parte específica de la tarea. Surge interés por una etnia particular y la necesidad de hacer lo que haga falta para establecer un movimiento de fundación de iglesias en esa etnia. Esta mentalidad estratégica puede impregnar a toda una congregación y apelar a un sentido corporativo que la impulse a dedicarse a una tarea.

Cuando se forma algo en la esperanza que Dios da, se convierte en una responsabilidad compartida por toda la iglesia. Este sentir de responsabilidad dispara la inversión. En vez de buscar un poco más de donantes, se ven iglesias llenas de copropietarios de la misión. Se contempla el resultado final y se aprecia su valor. Dios convoca a la creatividad y la sabiduría, sazonadas por el tiempo, de mucha gente con todo tipo de experiencia.

He visto iglesias locales aceptar asignaciones divinas para una etnia, un lugar, una ciudad, una lengua o una tribu. Como rasgo distintivo estas iglesias tienen más de una aspiración en la obra fructífera del misionero. El cuerpo de creyentes enarbola un sentido de confianza santa que Dios le ha concedido, una tarea santa que debe perseguir hasta su cumplimiento.

Hace años, una iglesia ubicada en un suburbio del norte de Atlanta sintió la llamada de Dios por los musulmanes de Bosnia. Pasó por un proceso de búsqueda de Dios sobre su participación en la misión. Se comprometió a jugar un papel estratégico para completar la evangelización del mundo. También se centró en la multiplicación de iglesias, tanto en casa como entre los no evangelizados. Además de establecer iglesias en Atlanta, aspiraba a desempeñar un papel activo en hacer lo propio en Bosnia. Esta labor parecía expresar la identidad que Dios les había inculcado.

Buscaron consejo de los líderes de misión de su denominación, de otras agencias misioneras, y de algunos líderes regionales del país. Delante del templo instalaron un rótulo que cristalizó el hecho de que, como comunidad de creyentes, se encontraban «camino a Sarajevo». Cuando estalló la guerra civil en 1992, la recibieron como una puerta que abría el Señor. Comenzaron a enviar equipos para vivir y ministrar en un campo lleno de refugiados que huían del ataque a la ciudad que era el objetivo de la iglesia. De esos equipos de obreros de temporada surgió un liderazgo piadoso y competente, y un equipo creciente y permanente de fundadores de iglesias, que colabora, en comunión y sumisión, con la naciente iglesia bosnia. El liderazgo nacional es testigo de que los obreros de esta iglesia son de los más eficaces y respetados en el país.

Dedicarse a la misión enfocada en una etnia es un proceso complejo. Cada iglesia es diferente. Cada etnia requiere un enfoque singular. No hay una fórmula estándar que indique cómo debe una iglesia desenvolver este esfuerzo. Hay docenas de maneras de hacerlo bien. Pero también se puede hacer mal.

Enfoque deficiente en una etnia

Aunque con la mejor de las intenciones, una iglesia puede hacer esto mal. He aquí algunos rasgos que una iglesia debe tratar de evitar:

1. Una actitud independiente

Las iglesias encierran un tremendo potencial como trampolines de lanzamiento de iniciativas del reino. Pero una motivación que dé a entender que nos podemos arreglar por nosotros mismos, o que no necesitamos a nadie más, es indigna del evangelio. Dios no se ocupa de bendecir a los espíritus independientes, que pueden estar arraigados en el orgullo y la ambición egoísta. Donde Dios actúa con poder, hay humildad, estima del otro como superior a uno mismo, y unidad.

2. No calcular el costo

Cualquier compromiso con el progreso del reino en una etnia no alcanzada será resistido por Satanás a cada paso. Ésta no es una actividad al azar, ni algo que se pueda emprender ligera o inadvertidamente. ¿Estamos listos para pagar el precio que nuestros sueños puedan costarnos? Si una iglesia se va a comprometer a fundar iglesias entre los no alcanzados, en especial si va a enviar algunos de sus miembros a realizar esta labor (y por tanto va a situarlos en un lugar espiritual, emocional y físicamente vulnerable), el liderazgo permanente de la iglesia deberá estar tan comprometido con la iniciativa como los que son enviados.

3. Una mentalidad a corto plazo

Los viajes misioneros a corto plazo, bien hechos, pueden rendir resultados maravillosos. Pueden dar a la gente un entendimiento mucho más profundo de la tarea que resta por hacer en las etnias no alcanzadas. Pueden prender la visión, despertar la oración y catalizar el compromiso con una participación duradera. Pero cualquier actividad de corto plazo alcanza mayor valor cuando existe, no por su propio beneficio, sino como parte integral de un proceso a largo plazo. Esto permite que el fruto de la misión a corto plazo sea evaluado, y lo bueno, preservado y canalizado. El esfuerzo misionero de una iglesia local fracasa inevitablemente cuando ésta empieza a creer que una etnia se puede alcanzar en un año o dos.

4. Falta de preparación

Una iglesia local puede ser un instrumento maravilloso de preparación informal en evangelismo, discipulado, servicio y formación de carácter, todo ello sumamente crucial en la fundación de iglesias. Jesús capacitó a sus discípulos en el contexto de la vida real, donde los principios que animan el caminar con Dios podían ser observados y transmitidos por medio del contacto vital e íntimo entre maestro y alumno. No obstante, ninguna iglesia tiene todos los recursos y experiencia necesarios para el campo de misión. El cuerpo de Cristo es más grande que cualquiera de nosotros. Las iglesias deben buscar la mejor combinación de capacitación misionera formal, informal y no formal para sus obreros, y esta búsqueda los conducirá finalmente a relacionarse con otros miembros de la comunidad de la Gran Comisión.

5. Falta del cuidado debido

Las iglesias locales sanas están ricamente dotadas con el potencial para cuidar de los suyos. Dentro de la comunidad hay personas que se sienten motivadas a pastorear, proteger, cuidar y sanar. Pero esta necesidad debe ser reconocida desde el principio, y han de diseñarse planes respecto a cómo se va a ofrecer atención a largo plazo. No se puede actuar a la ligera o ser ingenuo en este sentido.

Enfoque acertado en una etnia

He visto iglesias que han hecho esto bien. He aquí algunos rasgos destacados que se observan en esas iglesias:

1. Aprenden a orar

Las iglesias que triunfan en la misión han aprendido a esperar en el Señor. Han aprendido a esperar hasta oír de Dios lo que él tiene que decir y se han asegurado de su dirección. Estas iglesias programan tiempos largos de intercesión, y no sólo oran por los misioneros a quienes apoyan, sino, de manera intencional, por las etnias a las que pretenden alcanzar.

2. Compromiso a largo plazo

A menudo las iglesias que triunfan en la misión planifican décadas de servicio. Se comprometen a perseverar con un proyecto misionero hasta plantar un movimiento floreciente de iglesias, o hasta que Jesús regrese —lo que acontezca primero—. Esta planificación a largo plazo concede tiempo para hacer las cosas bien, para plantar sueños de futuro en las mentes de los niños y nuevas posibilidades para la jubilación en el corazón de las parejas de mediana edad. Proporciona tiempo para formar asociaciones estables con otras iglesias y agencias misioneras.

3. Hacerse responsable

Cuando todos los que componen una iglesia se hacen responsables de un proyecto misionero, tiene lugar una inversión a largo plazo de sus líderes y sus miembros. El esfuerzo misionero de corto plazo ya no es un hecho aislado. Cuando los miembros de la iglesia hacen un viaje de oración para visitar a la etnia que han adoptado, o pasar tiempo con los misioneros para animarlos, están invirtiendo en el futuro de su propia iglesia y en el de la obra misionera. Su visión se retroalimenta y la congregación entera se renueva.

4. Utilización de estructuras

Las congregaciones que perseveran en la fundación fructífera de iglesias hacen una de dos cosas en relación con la estructura. Forman una nueva estructura organizacional de misión, cuya raíz y tallo brotan de la vida compartida del cuerpo de creyentes. Tal estructura está vinculada con la iglesia por medio de relaciones, y sirve como espaciosa avenida de expresión de los dones espirituales y la experiencia vocacional de sus miembros. O bien la iglesia desarrolla una asociación esencial con una agencia misionera experimentada. En cualquier caso, una entidad organizada sirve de conducto para canalizar la visión, la energía y la capacidad del grupo.

La misión a los pueblos no alcanzados requiere estructuras apostólicas. Las iglesias locales son principalmente estructuras pastorales. La iglesia local está diseñada para sustentar a sus miembros. Se centra en proteger, continuar, evitar riesgos y llevar a sus miembros a la madurez espiritual. Este tipo de estructura recibe el nombre de «modalidad». La estructura apostólica ha sido concebida para llevar a cabo la misión de la extensión del reino. Se centra en la iniciación, planea asumir riesgos y persevera contra grandes contratiempos. Este tipo de estructura se suele llamar «sodalidad». Las modalidades pueden forjar asociaciones indispensables con las sodalidades. También pueden dar a luz nuevas sodalidades.

Una iglesia de Indiana preparó un equipo para fundar iglesias en una etnia musulmana de Asia Central. Para poder llevar a cabo su misión, formaron una estructura apostólica separada. Crearon una corporación 501(c)(3) con fines no lucrativos. El pastor principal y otros líderes de la iglesia formaron parte de la mesa directiva, que estaba presidida por un empresario, miembro de la congregación. También invitaron a servir en la junta a otras personas experimentadas en la misión que no eran miembros de la iglesia.

Esta organización les ha prestado buenos servicios. Ha provisto una base para servir a esa etnia con profesionales médicos y educativos. Le ha permitido a la iglesia acceder a recursos no generados por la congregación, y le ha dado acceso a recibir consejo de otros.

Un número creciente de iglesias locales y agencias misioneras establecidas están forjando asociaciones eficaces. Las agencias misioneras se están acercando a iglesias cuya visión está viva y les preguntan cómo pueden servirlas. Las iglesias identifican áreas en las que necesitan ayuda y acuden a la experiencia de las agencias. Con esmerada planificación y comunicación se redactan colaboraciones por escrito, e identifican las áreas de responsabilidad que recaerán en la iglesia y las que dependerán de la agencia. Cuando se hacen bien las cosas, todos salen ganando con esta especie de bella humildad y sumisión mutua en amor, en particular los pueblos no alcanzados. Y Cristo es honrado cuando su pueblo le sirve y se someten unos a otros en amor.

Por todo el mundo vemos surgir iniciativas de iglesias locales, enfocadas en alcanzar una etnia. Las iglesias indias están enviando a los suyos a otras partes de la India. Las iglesias de América Central están enviando equipos al Norte de África. Las iglesias de Minneapolis están enviando a los suyos a Asia Central. Son tiempos emocionantes.

Tenemos mucho que aprender unos de otros. Las iglesias pueden aprender mucho unas de otras y de las agencias misioneras que han trabajado transculturalmente, en algunos casos, por generaciones. Y, desde luego, las mismas agencias se pueden enriquecer profundamente al colaborar con las iglesias. Las agencias misioneras que abrazan un alto concepto de la iglesia local verán cómo se fortalecen sus propias iniciativas y se extiende su influencia para la gloria de nuestro Señor y el avance de su reino en toda la tierra.

Cortejando a la iglesia   *Larry Walker*

La película llamada «El señor de los caballos» se basa en la vida de un vaquero del estado de Montana, Estados Unidos que, al igual que su familia lo había hecho por generaciones, acorralaba caballos salvajes para después domarlos. Este proceso llevaba varios días y era una dolorosa experiencia tanto para el caballo como para el vaquero. Al continuar la historia el vaquero, en parte accidentalmente, descubre que los caballos son tan sociales, que si son separados de la manada se enferman. Esta aguda observación de la naturaleza básica del caballo lo guió a una técnica revolucionaria para domar caballos. Entraba en el corral con el caballo salvaje y lo ignoraba. Se quedaba lo más lejos posible sin hacer contacto visual. Lo sorprendente era que entre más ignoraba el vaquero al caballo, más se le acercaba el caballo. Debido a la naturaleza social del

permanecer en aislamiento. En aproximadamente una hora, el vaquero podía ensillar el caballo, montarlo y salir del corral. Podemos aprender algo de este vaquero de Montana.

He estado aprendiendo el arte de ejercer influencia en el alma de las iglesias. George Miley tiene razón al decir: «Para movilizar a la iglesia para la misión debemos honrarla, cortejándola con gentileza, y darle tiempo para procesar nuestros avances a fin de que llegue a sus propias conclusiones. Esto preparará el camino para que se dé enteramente a Cristo. Ella es su novia, no la nuestra».

Cortejar, sí, ¡eso es! La iglesia tiene suficientes críticos. Lo que necesita son miembros que la entiendan. La iglesia local necesita personas que inviertan tiempo y esfuerzo para entender su naturaleza y

trabajar con esa naturaleza para ayudarla a cumplir su propósito.

Éstos son algunos consejos sencillos para cortejar a la iglesia:

• La manera de Jesús es mediante la formación de ¡relaciones, relaciones y más relaciones!

• No sea crítico, juzgador o santurrón. ¡Sea siempre positivo!

• Enfóquese en su esfera de influencia y las personas clave.

• Sea ejemplo del cambio que desea ver en su iglesia e invite a otros.

• Aprenda de los ministerios más exitosos de la iglesia.

• Aprenda de otras iglesias, pero no las copie, adáptelo a su iglesia.

Larry Walker ha trabajado con Advancing Churches in Missions Commitment (ACMC, ahora parte de Pioneers) desde 1981, de la cual es director regional desde 1989.

Dele la bienvenida al mundo a su puerta

Douglas Shaw y Bob Norsworthy

El mismo Douglas Shaw, que una vez fue un estudiante internacional, ahora es el presidente de International Students, Inc. en Colorado Springs. Fue a los Estados Unidos desde Calcuta, India, para estudiar su posgrado, y continuó como asesor, productor y autor, hasta que le pidieron que dirigiera ISI en 2002.

Bob Norsworthy es director ejecutivo de la fundación Newman Family. Durante catorce años sirvió en el liderazgo de International Students Inc., en Colorado Springs. Sirvió como pastor y hombre de negocios antes de sus años de servicio con ISI.

Adaptado de *The World at Your Door* por Tom Phillips y Bob Norsworthy con W. Terry Whalin, 1997. Usado con permiso de Baker Book House, Grand Rapids, MI.

Aunque la Gran Comisión deja claro el deseo de Dios de que la iglesia vaya a las partes distantes del mundo a anunciar el evangelio, esto sólo cubre la mitad del plan de Dios para alcanzar a quienes no conocen a Cristo. A lo largo de los siglos, los cristianos han dejado pasar, o han estado a punto de dejar pasar, otra parte igual de importante en el plan de Dios: no sólo ir a partes distantes del mundo, sino también a alcanzar el mundo al que Dios los trajo. En sus primeras páginas el libro de los Hechos del Nuevo Testamento registra cómo hombres y mujeres se reunieron en Jerusalén, escucharon el evangelio y regresaron a sus países como embajadores de Cristo.

Hoy en los Estados Unidos, más de setecientos veintiséis mil de los mejores y más inteligentes estudiantes e investigadores del mundo, de muchas naciones, viven a minutos de una iglesia local. Muchos de estos futuros líderes regresarán a sus sociedades equipados con las habilidades para la competitiva carrera geoeconómica hacia el futuro. Otros permanecerán en los Estados Unidos sirviendo como líderes en campos de comercio o educación, uniéndose a un número aún mayor de residentes permanentes que ingresan a este país anualmente. Sólo en el 2006, la Oficina de Estadísticas de Migración reportó que más de un millón doscientos sesenta y seis mil inmigrantes entraron en los Estados Unidos como residentes permanentes legales. Esta cifra no incluye a los que entraron como obreros temporales o no autorizados. Aunque el número de estudiantes internacionales en los Estados Unidos bajó desde el ataque terrorista en Nueva York en el 2001, se ha estabilizado y empezó a aumentar de nuevo en los últimos años.

Estos estudiantes y recientes inmigrantes vienen a los Estados Unidos con metas y planes educacionales específicos, pero la mayoría de ellos no está al tanto del plan divino y personal de Dios. Cuando otros cristianos comprometidos y bondadosos se cruzan por su camino y les ofrecen amistad, estos estudiantes internacionales pueden aprender acerca del mejor amigo de todos, Jesucristo.

A menudo, los alumnos internacionales e inmigrantes recientes, sumergidos en una nueva cultura y lejos de su familia y amigos, experimentan un alto grado de soledad. Quizá se sientan fuera de lugar, perdidos, y ansiosos al tener que tratar con nuevas personas y situaciones. Hasta tareas relativamente sencillas, como encontrar alojamiento, un banco, o lugares de compras, los puede abrumar y confundir. Tener que enfrentar estos retos solos, podría hacerles sentir desánimo y descontento.

Beverly Watkins, en *The Chronicle of Higher Education*, declara: «Los Estados Unidos educan más estudiantes internacionales que cualquier otro país del mundo. Durante la preparación de este reporte casi una tercera parte de todos los alumnos en el mundo que estudian en

Artículo 133

el extranjero estaban registrados en instituciones estadounidenses». De acuerdo con Richard Krasno, del Instituto de Educación Internacional, aproximadamente 75% de estos alumnos y los de posgrado utilizan fondos de familiares u otros recursos que vienen de fuera de los Estados Unidos para sostenerse económicamente durante sus estudios. Estos datos nos muestran que estos estudiantes provienen de niveles altos de su sociedad. Pocas veces los misioneros tradicionales podrían conocer o impactar a estas personas en sus propios países, pero en los Estados Unidos estos futuros líderes viven entre nosotros. Estos jóvenes increíblemente amables, sensibles y agradecidos, no siempre entienden su potencial futuro de liderazgo. Se visten de mezclilla y zapatos deportivos para tratar de encajar entre sus compañeros, pero muestran respeto y vulnerabilidad. Lejos de la presión religiosa, política y familiar o de amistades, tienen una oportunidad única de buscar la verdad. Como cristianos tenemos el privilegio de alcanzar a estos estudiantes internacionales y a muchos otros inmigrantes para amarlos en el nombre de Jesús.

Recientemente, un voluntario cristiano llegó a conocer a varios estudiantes internacionales. Un día notó que uno de ellos no estaba. Al preguntar por el joven, los otros le dijeron: «Tuvo que regresar a su país porque lo están considerando como candidato para la presidencia».

El curso de la historia podría haber sido distinto si alrededor de 1920 bondadosos cristianos hubieran tratado de ser amigos de un solitario estudiante llamado Matsuoki, pero regresó a su país, y veinte años más tarde ayudó a planear el ataque a Pearl Harbor. En su diario, Matsuoki vincula su enojo hacia los Estados Unidos con sus experiencias durante el corto tiempo que vivió ahí.

Por fortuna, la experiencia de muchos alumnos internacionales es muy distinta. Un estudiante internacional hizo amistad con cristianos estadounidenses, y hoy es uno de los empresarios capitalistas más destacados del mundo, con una amplia influencia para Cristo, que ha compartido el evangelio con uno de los directores ejecutivos más poderos en el mundo de las computadoras. Otro alumno, que ahora es profesor en un país asiático, fue salvo mientras estudiaba en los Estados Unidos, ¡y actualmente es mentor, en estudios de posgrado, de tres hijos de cabezas de estado islámicos!

Otro ejemplo de la influencia positiva que un cristiano dedicado puede tener al alcanzar a un solo estudiante internacional viene de un clérigo islámico de los Estados Unidos preocupado porque Irán corría peligro de convertirse en una nación cristiana. Este mulá insistió en que un avivamiento cristiano estaba empezando a extenderse en Irán, y en que una de las principales fuerzas impulsoras de este movimiento era la creciente influencia de estudiantes internacionales que se habían convertido en cristianos mientras estudiaban en los Estados Unidos.

Establecer amistades con estudiantes internacionales o inmigrantes que están entre nosotros no requiere capacitación en un seminario. La bondad y hospitalidad cotidianas comunican con elocuencia. Al tejer relaciones aproveche las oportunidades de presentar respetuosamente el amor, las afirmaciones, y el llamado de Cristo. Puede responder a sus preguntas y ayudarlos a crecer en su entendimiento de la fe cristiana.

Al tratar de alcanzar a estudiantes internacionales e inmigrantes recientes con amor y el evangelio de Jesucristo, puede hacer una significativa contribución al plan de Dios para alcanzar al mundo. Muchos estudiantes internacionales regresan a sus países y reproducen su fe. A menudo inmigrantes recientes representan etnias que antes sólo podían ser alcanzados por medio de un misionero.

El mundo está a su puerta. Abra su vida y dele la bienvenida.

Preguntas de estudio

1. ¿Por qué alcanzar a estdiantes internacionales podría ser considerada una de las maneras más estratégicas para avanzar el evangelio?

2. ¿Cuáles factores hacen que los estudiantes internacionales sean más receptivos al evangelio mientras estudian en el extranjero?

¿Missio Dei o «missio yo»?

El uso de misiones de corto plazo para contribuir al cumplimiento del propósito global de Dios

Roger Peterson

Roger Peterson es el director ejecutivo de STEM International, una organización que trabaja para movilizar y aumentar la actividad misionera entre las iglesias de los Estados Unidos. STEM implementa y brinda capacitación para programas de misión transculturales de corto plazo. También es presidente de la Alliance for Excellence in Short-Term Mission (AESTM).

Si pudiésemos apuntar el telescopio espacial de Hubble de la NASA hacia la tierra, observaríamos un flujo constante de no menos de dos millones de personas que se desplazan alrededor del globo de Dios cada año en lo que se ha llegado a denominar «misiones de corto plazo» (MCP). En 2005 hubiésemos visto a 1,6 millones de miembros de iglesias de los Estados Unidos viajar *al exterior* en viajes de misión de corto plazo.[1] Entre 2005 y 2007, de medio millón a un millón de personas viajaron *dentro del país* cada año (sobre todo a barrios pobres y localidades rurales pobres, de indígenas de los Estados Unidos y afectados por el *huracán Katrina*).[2]

Durante estos mismos años, la lente de 2,39 metros del Hubble habría captado también a integrantes de los Kiwanis, de Clubes de leones, rotarios, grupos educativos, grupos de médicos, grupos de veterinarios, grupos deportivos, estaciones de radio, empresarios, abogados, músicos, actores, otras personas, otros grupos y organizaciones «seculares» —que tienen miembros cristianos— dirigiéndose a algún lugar, pero no contabilizados en los totales anteriores. También habrían aparecido, pero no dentro de los considerados anteriormente, las crecientes cantidades de integrantes de misiones de corto plazo de Australia, Singapur, Corea del Sur, Sudáfrica, Europa, América Latina y otros países notables.

Cuatro fotos de resolución media

Miremos con mayor detenimiento las MCP:

1.   Si consideramos sólo las MCP enviadas desde los Estados Unidos, las fotografías del Hubble muestran lo siguiente: antes del *huracán Katrina*, en 2005, casi un tercio de todas las MCP fueron internacionales, otro tercio fue dentro o cerca del país (a los Estados Unidos y Canadá) y el último tercio fue a México. Luego del *huracán Katrina*, aproximadamente un tercio fue internacional, una mitad fue dentro y cerca, y sólo un sexto fue a México.[3]

2.   Una segunda foto se centra en los pueblos no alcanzados; por lo menos cuatro de cada cinco integrantes de misiones de corto plazo se dirigen a etnias que cuentan con iglesias o han sido alcanzadas. Menos de uno de cada cinco se dirigen a los campos de las etnias no alcanzadas o no contactadas.[4]

3.   Una tercera foto muestra una estimación borrosa e intrigante; según algunas evaluaciones, algo así como a tres cuartos de todas las MCP «les fue mal», dejando sólo a una de cuatro a las que «les fue bien».[5]

4.   La fotografía número cuatro hace un acercamiento sobre la etiqueta de precio; se gastan alrededor de dos mil millones de dólares en MCP cada año, lo que hace que las evaluaciones acerca de cuán bien se realizan con respecto a los esfuerzos de largo plazo sean más importantes.

Artículo 134

Algunas preguntas de alta resolución

¿Ya forma usted parte de estas estadísticas? Si aún no ha jugado algún papel en una MCP, es probable que lo haga en los días por venir. Los cristianos de todo el mundo tendrán cada vez más oportunidades para servir en uno de tres papeles: *personas que envían*, los que apoyan y envían, *personas que van y son huéspedes*, las que van y se convierten en huéspedes en un contexto de misión, o *personas anfitrionas que reciben*, las personas y el contexto que reciben a los huéspedes de corto plazo. Las cifras enormes y las posibilidades aún mayores plantean preguntas importantes: ¿Pueden las MCP contribuir estratégicamente al propósito global de Dios? ¿Pueden las MCP producir un retorno sobre la inversión general en el reino? ¿Podemos aumentar el porcentaje de MCP a las que les vaya bien? ¿Pueden las MCP trabajar eficazmente dentro de etnias no alcanzadas o no contactadas?

Tal vez la foto del momento presente del Hubble no nos ayude a contestar una pregunta crítica: ¿Cómo pueden los esfuerzos de corto plazo hacer contribuciones de largo plazo al antiguo propósito global de Dios en curso? A veces el propósito de Dios, resumido por la expresión latina *missio Dei* o «misión de Dios», se ha estado desplegando por todo el mundo durante miles de años. El grado en el cual intentamos entender y contribuir sinceramente a lo que Dios ya ha estado haciendo será el grado en el cual nuestros integrantes de misiones de corto plazo trabajarán en sincronización con la *missio Dei,* en vez de mutar a la «missio yo» de las MCP a las que les va mal.

Definición de «misión de corto plazo»

Sólo una generación atrás, la mayoría de los misioneros consideraban a una misión de corto plazo como un compromiso de dos a cuatro años con un ministerio en el exterior. Hoy puede significar un viaje de fin de semana de un grupo juvenil que cruza una frontera o un esfuerzo de ministerio de un día de una clase de escuela dominical en un barrio pobre. Hace una generación, el término «misión de corto plazo» era definido por las agencias de misión tradicionales. Hoy el término «misión de corto plazo» está siendo definido de muchas formas, por lo general por las iglesias locales que las envían. En los Estados Unidos esto podría significar hasta trescientas cincuenta mil iglesias, cada una de las cuales crea su propia definición de lo que constituye una «misión de corto plazo». Sea que tengan razón o no, la misión de corto plazo está siendo definida de la forma que la necesiten los que usan el término.

Describir, más que definir las MCP, nos ayudará a evaluar y apuntar a tener mejores MCP. Tres

---

Las MCP se definen y evalúan mejor por cuán estrechamente nos alineamos con Dios mismo en el cumplimiento de su misión.

---

sencillas descripciones de MCP dice que son *rápidas, temporales* y *voluntarias*. En otras palabras, en contraste con los misioneros de plazos más largos o de carrera:

1. Por lo general los integrantes de MCP son movilizados y enviados *rápidamente* (no se requiere educación especializada y un año o dos de comisión);
2. Los integrantes de MCP van *temporalmente* (a menudo entre dos semanas y un mes);
3. En general los integrantes de MCP son *voluntarios* que donan su tiempo, y a menudo no son profesionales, ni en sus empleos ni en sus vocaciones.

El elemento faltante en esta descripción es lo que constituye «la misión» misma. Durante mucho tiempo, los líderes de las MCP han tendido a definir su misión en términos del servicio o la compasión activa que esperan realizar los integrantes de las MCP. Lo que mejor nos servirá a todos es ver que las MCP, como ocurre con cualquier clase de misión cristiana, se definen y evalúan mejor por cuán estrechamente se alinean con Dios mismo en el cumplimiento de su misión.

Tres factores que contribuyen a que a las MCP «les vaya mal»

Por fortuna, los factores más destacados que contribuyen a que a las MCP les vaya mal son enmendables. En cada uno de ellos, son los líderes de las MCP quienes tienen el papel principal en hacer los cambios necesarios. Tres errores habituales son:

1. No reconocer, entender y conectarse con la missio Dei, o el propósito global de Dios ya en curso. Sin una clara visión de una obra mayor que se está realizando y que ha requerido varias generaciones realizar, es fácil ver cómo la idea misma de la misión puede ser trivializada, como servir a otras personas necesitadas. Si bien esta clase de compasión es algo noble, demasiado a

---

Si el discipulado personal es la meta, lo que podrían haber sido momentos significativos en la *missio Dei* resultan ser más una «missio yo».

menudo los integrantes de las MCP se impresionan demasiado con lo que ellos tienen que ofrecer y lo que pueden lograr por su cuenta.

2. Planificar y actuar independientemente de las agencias de misión experimentadas y probadas por el tiempo e iglesias nacionales/locales. ¿Quiénes son los creyentes, iglesias o misioneros que continuarán la obra en los años venideros? Servir junto a estos siervos de Dios es la forma más fácil de participar en la reconocidamente grandiosa noción de la *missio Dei*. Por desgracia, a menudo muchas iglesias enviadoras, altamente energizadas y piadosas, no saben cómo coordinar sus esfuerzos bienintencionados con otras entidades enviadoras o con los asociados e iglesias de las localidades anfitrionas. A veces, sin conectarse de formas significativas con las misiones y las iglesias existentes, vuelven a casa sin siquiera darse cuenta de que pudieron haber sido una carga, o a veces dañinas, en situaciones sensibles. Las MCP pueden hacer muchas cosas y volver con historias interesantes, pero a veces sus esfuerzos inconexos se superponen y demuestran ser fútiles en vez de fructíferos. Por ejemplo, la iglesia de un pastor mexicano fue pintada seis veces en un verano... por seis diferentes equipos de corto plazo. El director de un orfanato en Brasil encontró que una MCP enviada por una iglesia había construido un muro de bloques de concreto, sencillo pero muy lindo, justo *en medio* del campo de fútbol de sus chicos, simplemente porque los líderes del viaje de misión de la iglesia les habían enseñado a sus jóvenes que las MCP construyen muros cuando van a «viajes de misión».

3. Usar las MCP como experiencias para promover el discipulado personal. A menudo uno escucha que se habla de las MCP como «*viajes* de misión de corto plazo» antes que «*misiones* de corto plazo». Ese cambio de vocabulario puede revelar que el principal valor para muchos líderes de las MCP no es tanto lograr la misión como explotar la experiencia para edificar a los participantes como discípulos en crecimiento. Si la meta declarada o no declarada es discipular a creyentes en vez de ayudar a discipular a las naciones, lo que podrían haber sido momentos significativos en la *missio Dei* resultan ser más una «missio yo». Por cierto, discipular a miembros de un equipo de corto plazo no es un mal subproducto de una MCP, pero no a costa de omitir la misión de Dios. Si lo único a lo que apuntan nuestras MCP es edificar a creyentes o alguna otra bendición personal, hemos puesto el carro delante del caballo, y en realidad lo único con lo que nos quedamos es un costoso desfase de horario.

Note que en cada uno de los tres factores no se trata de que a los integrantes de misiones de corto plazo les vaya mal, sino que muchas MCP han sido diseñadas y conducidas de formas que hacen que a las MCP les haya ido mal. Los líderes de las MCP son quienes más pueden hacer para asegurarse de que los esfuerzos de corto plazo se conecten sólidamente con lo que Dios ya está haciendo y, por lo tanto, contribuir significativamente al cumplimiento de su ancestral propósito global.

Tres factores que contribuyen a que a las MCP «les vaya bien»

Dios está en misión hoy, y *siempre* lo ha estado. Vemos que hay millones de personas que salen cada año en incontables oportunidades de MCP. ¿Qué se requiere para asegurarse de que nuestras MCP cooperen con lo que Dios *ya* ha estado haciendo?

1. Los líderes y los participantes de las MCP tienen que darse cuenta de que no están «iniciando» una misión. Cuando nuestras iglesias, grupos juveniles, escuelas o agencias reúnen un equipo y van a ayudar a alguien en algún lugar, por noble y aun medible que pueda ser esa ayuda, no estamos «iniciando» una misión. Dios siempre ha estado buscando activamente a cada nación y *ethne* alrededor del planeta. Ninguna tribu, lengua o nación ha estado exenta jamás. Los líderes de las MCP tienen la tarea de familiarizarse con lo que Dios *ya* ha estado haciendo en ese entorno y descubrir cómo unirse a Dios en hacer avanzar esa tarea. Para hacerlo, deberemos cultivar relaciones con experimentados profesionales en misiones de corto y largo plazo. Haremos bien en presentarnos constantemente ante Dios y preguntarle con humildad cómo podemos unirnos a él en la página de la historia de hoy.

2. Necesitamos arrepentirnos de nuestra actitud independiente, de que podemos hacerlo por nuestra propia cuenta. ¡Los estadounidenses debemos cuestionar ese espíritu de independencia innato! Subordinemos lo que nos gustaría hacer por nuestra propia cuenta en favor del plan global de Dios en curso. Busquemos a los experimentados líderes de agencias de misión con cicatrices de batallas que nos puedan ayudar a enmarcar a nuestras MCP alrededor de la *missio Dei*. Vinculemos a nuestras MCP con iglesias nacionales y agencias de misión que han estado enfrascadas en el trabajo en curso durante generaciones con una cultura y una etnia específicas.

3. Necesitamos dejar de crear «viajes de misión de corto plazo» y en cambio comenzar a participar en la verdadera «misión de corto plazo» que contribuye al cumplimiento del propósito global de Dios. Lo hacemos en parte rindiendo cuentas personalmente a la excelencia. Una herramienta que puede ser de ayuda son las *Normas de excelencia de los Estados Unidos en las misiones de corto plazo* (ver artículo del recuadro). Al adoptar estas siete normas, los líderes de misiones de corto plazo pueden someter su programa de MCP a una útil revisión de pares cada tres años. Pueden mejorar sus esfuerzos en las MCP por medio de indicadores de calidad focalizados en estar centrados en Dios, en asociaciones empoderadoras, diseño mutuo, administración integral, liderazgo calificado, capacitación adecuada y un seguimiento meticuloso.

Conclusiones en megapixeles

En los días por venir más cristianos que en cualquier otro momento de la historia se encontrarán frente a oportunidades de formar parte de esfuerzos de misión de corto plazo. Al liderar o participar en MCP —como personas que envían, como anfitriones o como personas que van— sea uno de los que visualizan misiones de corto plazo bien hechas, que contribuyen en gran manera al cumplimiento de los propósitos de Dios. Sea uno de los que aprenden ávidamente del trabajo en curso de Dios de quienes ya están viviendo en el contexto anfitrión. Sea uno de los que siguen buscando formas únicas en que los voluntarios externos puedan llevar la carga, servir y aprender de quienes están siguiendo el trabajo de largo plazo o traer una bendición única... ya sea alcanzando a los perdidos, vistiendo a los desnudos, sanando a los enfermos, construyendo edificios, enseñando una destreza útil, o llevando algún socorro a las personas que están oprimidas o dolidas. El Señor podrá abrir puertas que usted nunca habría imaginado. Elija introducirse en la Gran Historia de Dios, ¡y entonces se encontrará en la *missio Dei*!

Notas

1. Sociólogo de la Universidad de Princeton Robert Wuthnow (según comentario en una nota al pie en "GodSpace07" en *Mission Maker Magazine* 2007, Minneapolis MN: STEM Press, p. 13).

2. Estimaciones blandas (sin datos de apoyo definitivos) de discusiones entre el autor del artículo, Roger Peterson, y David Armstrong, director de servicios de agencias de Mission Data International y ShortTermMissions.com, basadas en las observaciones generalizadas de datos de Armstrong tomadas de trescientas agencias de misión no denominacionales; Peterson y Armstrong aplicaron estas observaciones a los previamente mencionados 1,6 millones de miembros de iglesias de los Estados Unidos que menciona Wuthnow que viajan *al exterior* en MCP, para determinar las estimaciones *en el país* de 0,5 a 1,0 millones.

3. Aproximaciones generalizadas de David Armstrong, director de servicios de agencias de Mission Data International and ShortTermMissions.com, basadas en datos tomados de trescientas agencias de misión no denominacionales.

4. Esta estimación de «menos de una de cada cinco» (o <20%) es una estimación blanda basada en observaciones subjetivas de Roger Peterson. Sin embargo, en línea con esta estimación blanda, Robert J. Priest, director del programa de doctorado en estudios interculturales de la Trinity Evangelical Divinity School, Chicago Illinois, informó recientemente que «sólo el 13% de los misioneros de corto plazo van a un país dentro de la Ventana 10/40» ("They See Everything, and Understand Nothing: Short-Term Mission and Service Learning," *Missiology: An International Review*, XXXVI:1, January 2008, p. 64).

5. Otra estimación blanda generalizada (sin datos de apoyo definitivos). Esta estimación fue propuesta al autor Roger Peterson en el año 2006 por Seth Barnes, director ejecutivo de Adventures in Missions. A Roger la estimación de Seth le pareció intuitivamente precisa. Desde entonces, Roger ha compartido esta estimación de 75/25 con misionólogos y otras personas relacionadas con las misiones, y es importante señalar que esta estimación blanda aún *no* ha sido cuestionada. Al parecer, la «industria de las misiones en general» está de acuerdo. Además, los términos «les fue mal» y «les fue bien» no son de hecho esencialmente cuantificables.

Normas de excelencia en las misiones de corto plazo

Reconocemos que muchas personas se ven afectadas por la participación en la misión de corto plazo —algunas de forma positiva, otras de forma negativa, y a otras tal vez no las conozcamos—. También reconocemos que en los «participantes» en misiones de corto plazo no sólo están incluidos los que van, sino también los que envían (3Jn 1:5-8) y los que reciben (Mt 10:40-42). También reconocemos que la misión de corto plazo no es un evento aislado, sino un proceso integrado en el tiempo que afecta a todos los que participan. Este proceso abarca aspectos previos al campo, en el campo y después del campo de misión.

Como obreros estadounidenses relacionados con la misión, deseamos fortalecer nuestra eficacia general en todo el mundo adoptando y entregándonos a estas siete normas de excelencia para la misión de corto plazo.

1. Enfoque en Dios

Una misión de corto plazo excelente busca primero la gloria de Dios y su reino, y se expresa por medio de:
- Propósito — Enfoque en la gloria de Dios y sus objetivos en todo el proceso de la misión de corto plazo (MCP)
- Vidas — Doctrina bíblica recta, oración persistente, y piedad en todos nuestros pensamientos, palabras y obras
- Métodos — Métodos bíblicos prudentes y culturalmente apropiados que dan fruto espiritual

2. Asociaciones fortificantes

Una excelente misión de corto plazo establece relaciones sanas, interdependientes e ininterrumpidas entre el socio emisor y el receptor, y se expresa por medio de:
- Enfoque principal en los receptores deseados
- Planes que benefician a todos los participantes
- Mutua confianza y rendición de cuentas

3. Proyecto conjunto

Una misión de corto plazo excelente proyecta conjuntamente cada campaña concreta para beneficio de todos los participantes, y se expresa por medio de:
- Métodos de campo y actividades alineadas con la estrategia a largo plazo de la colaboración o asociación
- Habilidad del misionero invitado para cumplir su parte del plan acordado
- Habilidad del anfitrión receptor para cumplir su parte del plan acordado

4. Administración comprehensiva

Una misión de corto plazo excelente exhibe integridad a través de una organización fiable y una buena administración para todos los participantes, y se expresa por medio de:
- Veracidad en la promoción, finanzas y presentación de resultados
- Gestión apropiada del riesgo
- Confección de programas de calidad y logística de apoyo

5. Liderazgo cualificado

Una misión de corto plazo excelente filtra, instruye y desarrolla liderazgo capaz para todos los participantes, y se expresa por medio de:
- Carácter — Liderazgo espiritualmente maduro
- Destrezas — Liderazgo preparado, competente, organizado y responsable
- Valores — Instruye y capacita al liderazgo

6. Instrucción adecuada

Una misión de corto plazo excelente prepara y equipa a todos los participantes para la campaña proyectada conjuntamente y se expresa por medio de:
- Instrucción bíblica, apropiada y oportuna
- Instrucción y capacitación continuada (previa al campo, en el campo y después del campo de misión)
- Instructores cualificados

7. Seguimiento minucioso

Una misión de corto plazo excelente garantiza una evaluación y un seguimiento adecuados para todos los participantes, y se expresa por medio de:
- Evaluación comprehensiva (antes del campo, en el campo y después del campo de misión)
- Preparación del reingreso al campo
- Seguimiento y evaluación después de volver del campo

Estas «Normas de excelencia» han sido detalladas por más de cuatrocientos líderes de misión de corto plazo congregados en varios centros públicos de Estados Unidos a lo largo de un periodo de tres años que acabó en 2003. Después de horas de discusión y oración, esos líderes compilaron estas directrices con la esperanza de contribuir a que las MCP se lleven a efecto bien. Entre los obreros de las MCP hubo líderes de las entidades emisoras, como iglesias, agencias y escuelas; facilitadores (en el campo de misión) de iglesias, agencias y otros grupos receptores; así como representantes de organizaciones no lucrativas que proporcionan servicios de apoyo a las MCP. Visite www.STMstandards.org, www.AESTM.org, www.FSTML.org.

Reimpreso con permiso de SOE —«U.S. Standards of Excellence in Short-Term Mission», compiladas con permiso de *Maximum Impact Short-Term Mission* (Peterson, Sneed, Aeschliman, Minneapolis MN: STEM Press, 2008, pp. 277–279). Visite www.STMstandards.org para más información.

Restaurando el papel de los negocios en la misión

Steve Rundle

Steve Rundle es profesor asociado de economía en la Biola University. Su enseñanza e investigación se enfocan en la intersección entre la economía internacional y la misión mundial. Escribió *Great Commission Companies: The Emerging Role of Business in Missions*, y ha sido cofundador de varias organizaciones enfocadas en ver prosperar los negocios de dueños cristianos en países menos desarrollados.

Adaptado de *Great Commission Companies* de Steve Rundle y Tom Steffen. Copyright 2003. Usado con permiso de InterVarsity Press, PO Box 1400, Downers Grove, IL 60515. ivpress.com. También de *Business as Mission*, 2006, William Carey Library. Grand Rapids, MI.

Un empleado es asaltado por una pandilla de matones. Por eso, Jeff, el fundador y director ejecutivo de la compañía, aprovecha la oportunidad para ayudar a su empleado, un creyente nuevo, a entender lo que significa amar a sus enemigos. Más tarde oran juntos para que Dios bendiga a los jóvenes que lo atacaron. Otro empresario llamado Patrick ayuda a un empleado musulmán a entender el concepto increíble y nada natural de la gracia. En otra ocasión, le explica por qué la compañía da un tercio de sus ingresos (por medio de un fondo operado por empleados) a agencias benéficas locales. Un hombre de negocios coreano, Jung-Hyuk, creyó que Dios quería que trasladase su compañía de Corea del Sur a la China. Cinco años después, un cuarto de sus dos mil empleados siguen a Cristo. Muchos aprovechan las clases de informática, inglés, coreano, nutrición, música y danza ofrecidas por la compañía; y algunos incluso reciben becas de la empresa para obtener entrenamiento pastoral formal.

Éstos son sólo algunos ejemplos de cómo los profesionales de los negocios están haciendo avanzar la causa de Cristo en partes menos alcanzadas del mundo. Dicho de otro modo, son ejemplos de cómo la globalización está uniendo los negocios y la misión.

Misión: El llamado de cada creyente

Cuando la mayoría de las personas piensan en la globalización, piensan en la disminución de las barreras políticas, sociales y económicas que una vez mantuvieron por largo tiempo separados a los países y a las culturas. Pero hay otra barrera que está cayendo, una conceptual, que ha estado causando un profundo efecto en cómo la iglesia entiende y cumple su propósito. Esta barrera es la «jerarquía espiritual y vocacional» la cual ha gobernado el modo de pensar de mucha gente en cuanto a su papel en el ministerio cristiano. Esta jerarquía trata algunas vocaciones como más honrosas y agradables a Dios que otras; por ejemplo, se percibe que los pastores hacen un trabajo más significativo a los ojos de Dios que los ingenieros, que la enfermería es una carrera más honorable que las ventas. Éste es el tipo de prioridades concebidas. Esta tan arraigada visión hace que los más sinceros en su compromiso con Cristo reciban un entrenamiento vocacional especial, cambien de carrera y entren en el «ministerio de tiempo completo».

El problema de esta forma de ver las cosas es que carece de respaldo bíblico. Como dice el teólogo R. Paul Stevens en su libro *The Other Six Days: Vocation, Work, and Ministry in Biblical Perspective (Los otros seis días: Vocación, trabajo y ministerio en la perspectiva bíblica)*, «La misión debe ser la ocupación y preocupación de todo el pueblo de Dios, no sólo de unos cuantos representantes escogidos o misioneros designados».[1]   Nuestros llamados y dones individuales pueden ser distintos, pero la misión sigue siendo el propósito central de *todo* el cuerpo de Cristo. La distinción que se ha percibido entre las vocaciones «buenas» y las «mejores», solamente ha servido para socavar la efectividad de la iglesia, pues muchos cristianos simplemente se resignan a vivir en un estatus de segunda clase, o lo que es peor, se separan completamente de cualquier participación en el ministerio. Para describir este desprendimiento, Ed Silvoso usa la analogía de un partido del mundial de fútbol:

> Un puñado de jugadores, todos con una necesidad desesperante de descanso, corren por el campo mientras que miles de espectadores... observan desde cómodos asientos. Los jugadores son los ministros, que ejercen casi toda la energía, y los espectadores representan al resto de la gente, cuya participación se reduce a un nivel secundario, limitándose a hacer la iniciativa económicamente factible.[2]

Los hombres y mujeres cristianos que trabajan en negocios quieren hacer más que sólo ver el juego de las misiones; quieren hacer más que simplemente distribuir dinero para que el juego sea económicamente viable; *quieren estar en el campo de juego.* Ya han servido en comités de iglesia, han reflejado a Cristo en sus lugares de trabajo, han participado en viajes misioneros de corto plazo, pero siguen recibiendo el mismo mensaje inconfundible que dice que, si quieren algo más, deben cambiar de carrera. Esto es difícil de tragar para gente que por naturaleza es creativa y llena de recursos y que, con toda sinceridad, disfrutan el reto de los negocios. Por fortuna, eso es algo que ya no tienen que tragarse porque hoy es, no solamente *posible*, sino *necesario* para la gente de negocios cristiana, y para sus compañías, involucrarse más en las misiones.

Mientras ocurre este cambio, grandes partes del mundo sufren, no tienen acceso al evangelio, y cada vez levantan más restricciones para los misioneros. Por otro lado, los negocios son bienvenidos casi en todo el mundo. Si están correctamente motivados y entrenados, los profesionales empresariales pueden producir un impacto económico, social, cultural y *espiritual*. En cuanto a esto último, los profesionales empresariales cristianos efectivos

Bendiciendo a Berabistán: Llevando a cabo la misión de manera distinta *Nicole Forcier*

Nuestro amigo bajó su vaso de té, se inclinó hacia mí y mi esposo, y nos urgió solemnemente: «Por favor, sean distintos. Vengan a empezar un buen negocio». Era uno de los primeros de su pueblo en seguir a Cristo y uno de los principales líderes de las iglesias que estaban empezando, por primera vez, después de muchos años de lucha en Berabistán. Continuó: «Son muchos los que han venido a fundar iglesias, pero no juegan ningún papel en nuestro país».

Esas palabras afirmaron lo que mi esposo, Jonathan, y yo, habíamos estado preparando por años: ir a Berabistán como negociantes, trabajar duro para que el nombre de Cristo fuera honrado allí y para que el pueblo berabistán fuera bendecido tanto espiritual como económicamente. Éramos fundadores de iglesias de corazón, pero en vez de simplemente buscar empleo para obtener visas para entrar en el país, esperábamos ser recibidos como negociantes emprendedores, que traían algo de valor para el pueblo de Berabistán.

Durante nuestros años de preparación, nuestra iglesia nos había dado un apoyo total. A menudo nuestros amigos se nos unían durante nuestras sesiones diarias de oración por Berabistán. Los ancianos de nuestra iglesia nos animaban. Sentíamos que Dios nos hablaba acerca de nuestra visión al finalizar el plan del negocio. Todo empezó a cobrar forma como empresarios enviados por Dios, en vez de ser sólo empresarios con una misión al margen. Todo tenía el sabor de Hechos 13.

Al acercarnos a la inauguración del negocio y pasar los primeros seis meses haciendo nuestra parte en el país, nos sentamos con líderes de nuestra iglesia para finalizar los detalles en cuanto a cómo conectar nuestro negocio con el programa de misiones de la iglesia, y cómo cumpliríamos algunas de las ideas de lo que deben hacer los misioneros. Al conversar, era evidente que trabajábamos con modelos radicalmente distintos de cómo gente de negocios podía hacer avanzar con eficacia el evangelio en lugares como Berabistán. Había dos grupos de problemas:

El control y la posesión

De acuerdo con nuestro plan de negocios, podíamos empezar con el capital que habíamos acumulado de forma independiente. Esto significaba que tanto el riesgo, como la ganancia, serían nuestra responsabilidad. No le estábamos pidiendo ningún apoyo financiero a la iglesia o a familias de la iglesia.

Para poder incluirnos en el programa de la iglesia como misioneros de buena fe, nuestros líderes nos dijeron que la iglesia debía

---

Nicole Forcier, junto con su esposo Jonathan, y sus dos niños pequeños, han servido en Berabistán durante cuatro años. Ella mantiene relaciones con muchos de los principales negociantes y las familias aristócratas en una ciudad de un millón de habitantes. Todos los nombres en este artículo han sido cambiados.

entienden que Dios los ha llamado a los negocios con un propósito, y que su trato con los empleados, clientes y proveedores no son distracciones del ministerio, sino oportunidades diseñadas por Dios y dadas por el Espíritu para cultivar relaciones y tener una influencia significativa en la vida de las personas. Reconocen que sirven a Dios, quien se preocupa profundamente de cada dimensión de las vidas de las personas, no sólo de su condición espiritual, y que el negocio juega un papel esencial en el plan completo y redentor de Dios.

Una idea nueva, pero no tan nueva

Usar los negocios como vehículo para las misiones y el ministerio no es algo nuevo. El apóstol Pablo, por ejemplo, trabajó de tiempo completo en hacer tiendas la mayor parte de su carrera misionera. Un estudio de sus cartas nos revela que él veía su trabajo diario como parte indispensable de su estrategia para fundar iglesias, y era tan importante como su predicación (en la siguiente sección se explica más este ejemplo). En la Edad Media los monjes cristianos integraron el trabajo y el ministerio trillando campos, limpiando bosques y

construyendo carreteras; al mismo tiempo que cuidaban de los enfermos, los huérfanos y los prisioneros, protegían a los pobres y enseñaban a los niños. Con el paso del tiempo se producía un efecto transformador; con la expansión de los pueblos y aldeas cerca de los monasterios, la sociedad de los alrededores incorporó mucha de la misma actividad social.[3] Incluso en épocas más recientes, como en el siglo XIX, muchos de los primeros protestantes, como los moravos, la Sociedad Misionera de Basilea, y Guillermo Carey, integraron los negocios y otras ocupaciones seculares dentro de sus estrategias misioneras.[4]

¿Por qué, entonces, parece tan nuevo y poco familiar todo esto? Al menos hay tres razones por las cuales la comunidad misionera de hoy en día se ha hecho reacia a trabajar de cerca con los negocios. La primera es que se tiene la creencia reciente y extendida de que el «trabajo» quita tiempo del «ministerio». Como dice Michael McLoughlin de JUCUM, la ironía de esto es que, una vez que la gente deja sus trabajos para involucrarse en el ministerio de tiempo completo, ¡se aíslan de la gente con la que alguna vez tuvieron contacto

---

tener, de alguna manera, posesión del negocio. Se mencionaron los requisitos y regulaciones del gobierno en cuanto a donaciones y organizaciones sin fines de lucro, pero no había soluciones obvias al complejo problema del control y posesión de la operación del negocio.

Sirviendo «de tiempo completo»

Planeamos abrir el negocio de inmediato, asignando una porción significativa de nuestros primeros años a un plan agresivo para aprender el idioma local como parte de nuestra interacción diaria con la gente. No habíamos planeado cerrar la empresa que teníamos en los Estados Unidos. Nuestro negocio actual en los Estados Unidos era parte clave de la credibilidad que deseábamos para establecernos como negociantes exitosos. De acuerdo con nuestro plan, debíamos permanecer en Berabistán la mayor parte del año, y volveríamos a casa dos o tres veces al año, aunque estaríamos en contacto constante con nuestros nuevos

empleados. Estábamos al tanto de algunas de las fortalezas y debilidades de nuestro plan.

La iglesia tenía la fuerte opinión de que debíamos ser obreros de tiempo completo para poder ser misioneros oficiales de la iglesia. Para lograrlo tendríamos que pasar los dos primeros años haciendo nada más que aprender el idioma. Después de eso, podíamos empezar el negocio. Desde nuestro punto de vista, no estaban pensando seriamente en qué sería lo mejor para que fuéramos de mayor influencia en Berabistán.

Tales tensiones nos condujeron a una devastadora separación de nuestra iglesia. Todavía la amamos y honramos, pero nos unimos a otra iglesia que tenía un entendimiento más flexible de cómo podía llevarse a cabo la obra misionera. Nos dolió, pero peor aún, nos entristeció ver a empresarios sentados en nuestras bancas, creyendo que no podían ser usados en la Gran Comisión. Muchos de ellos nunca encajarían como misioneros tradicionales.

Dar fruto

Seguimos. Nos mudamos a Berabistán con nuestra joven familia. Ha sido duro, con todas las dificultades burocráticas y espirituales que esperábamos. Pero el negocio empezó a prosperar después de algunos meses de nuestra llegada. Ha crecido rápidamente, dándonos gracia a los ojos de muchos líderes en Berabistán. Nuestro negocio ofrece servicios que nos pone en contacto con familias enteras. Muchas de las familias con las cuales tratamos son acaudaladas y de influencia.

Hemos tenido fieles empleados musulmanes que nos han ayudado a cimentar el negocio. Talentosos camaradas con experiencia, de nuestro país natal, han jugado un papel clave. Las relaciones han florecido. Algunos de nuestros amigos musulmanes han empezado a escuchar y ver el evangelio todos los días. Hemos empezado a ver fruto trabajando con creyentes nacionales. Ya hemos sido testigos de la transformación de los berabianos que se han convertido en seguidores de Jesús.

---

diario![5] En segundo lugar se tiene la creencia, relacionada con la anterior, de que un negocio puede servir a la sociedad o generar dinero, pero no ambas cosas. Se tiene la idea de que las actividades con un alto valor social o espiritual, como la educación, la salud y el trabajo humanitario, no son compatibles con lo lucrativo. La tercera razón por la que recientemente casi no se han combinado los negocios y las misiones es que, en algunos países, esto crea complicaciones tributarias. Obviamente, cualquier persona que esté pensando en unir la actividad lucrativa con la no lucrativa debe recibir consejo competente en cuanto a impuestos y leyes, pero quienes de una manera poco crítica tratan el enfoque no lucrativo como «la forma en que siempre se ha hecho», no conocen la historia misionera y se están privando de una herramienta muy eficaz para el ministerio.

Variaciones sobre un mismo tema

Hay varios términos usados para describir la integración de los negocios y el ministerio/la misión. Con frecuencia se usan como sinónimos, pero quienes observen con cuidado se darán cuenta de importantes diferencias que hacen que se deban tratar individualmente.[6]

- **Misionero bivocacional:** suele usarse para describir a cristianos individuales que encuentran empleo en un contexto multicultural, trabajando en escuelas, hospitales, negocios, etc. Este término no hace referencia específica a los negocios.

- **Ministerio en el mercado laboral:** se usa para hacer referencia a organizaciones no eclesiásticas que discipulan y entrenan a

Misioneros bivocacionales: Integrando el trabajo y el ministerio

Ruth E. Siemens

La iglesia necesita miles de profesionales cristianos para terminar de evangelizar al mundo: ingenieros, científicos, gente de negocios, trabajadores de asistencia sanitaria, atletas, agricultores, informáticos, especialistas de los medios de comunicación, y educadores de todo tipo: misioneros bivocacionales que integren el trabajo y el ministerio en el siglo XXI tal como lo hizo Pablo en el primer siglo.

¿Por qué trabajaba Pablo?

En las dos cartas breves de Pablo a los tesalonicenses dijo que trabajaba «día y noche»; es decir, turnos de mañana y de tarde-noche. En su búsqueda de trabajo y de casa en Corinto, Pablo encontró empleo y hospedaje con Priscila y Aquila, refugiados judíos de Roma, pues los tres tenían el mismo oficio (Hch 18:3). «Hacer tiendas» no era tejer; más bien ellos eran artesanos de productos hechos con pieles de animales, incluyendo tiendas. Pablo dio tres razones por las cuales trabajaba:

Credibilidad. Dice dos veces (1Co 9:12; 2Co 6:3ss) que trabaja para no poner «obstáculo» al evangelio y para que su mensaje y motivo no cause malas sospechas en los gentiles. Al sustentarse a sí mismo y no recibir ganancia monetaria, Pablo demostraba su genuinidad.

Identificación. La clase social y la educación de Pablo hicieron que se ganase el respeto de la clase alta dondequiera que iba. Para Pablo era más difícil identificarse con la clase trabajadora, por lo que trabajaba con sus manos para ganarse la vida (1Co 9:19ss). Tuvo que vestirse y vivir como ellos, pero sin fingir. Él y su equipo dependían por completo de su trabajo. ¿Por qué escogió un hombre educado como Pablo identificarse con los artesanos que estaban en un nivel bastante bajo de la escala social y económica? Porque la mayoría de las personas en el imperio romano venía de los niveles bajos; un gran número eran esclavos.

Demostración. Pablo escribe: «día y noche trabajamos arduamente y sin descanso para no ser una carga a ninguno de ustedes... para darles buen ejemplo» (2Ts 3:8-9). Pablo pone el ejemplo que establece un modelo para el evangelismo de los creyentes (1Ts 1:5-8). Los nuevos creyentes deben convertirse inmediatamente en evangelistas de tiempo completo, no pagados, en sus propios círculos sociales, contestando preguntas en cuanto a sus vidas transformadas y su nueva esperanza. Éstos no deberían precipitarse a alterar sus circunstancias hasta que se hayan ganado a sus familiares, amigos, vecinos y compañeros de trabajo (1Co 7:17-24).

¿Quién es un misionero bivocacional hoy en día?

Los misioneros bivocacionales son cristianos motivados por las misiones que se autosostienen con el trabajo secular al mismo tiempo que evangelizan en un entorno multicultural, tanto en su trabajo como en su tiempo libre. Pueden ser empresarios, profesionales asalariados, empleados, voluntarios con sus gastos pagados o cristianos en programas

La difunta Ruth E. Siemens sirvió durante veintiún años en Perú, Brasil, Portugal y España, como fundadora de organizaciones en las universidades para la International Fellowship of Evangelical Students (IFES). Durante los primeros seis años se sustentó por sí misma en escuelas binacionales seculares, uniendo el trabajo y el ministerio. Fundó Global Opportunities, una agencia que ayuda a dar orientación y que une ministros cristianos con oportunidades internacionales de trabajo.

cristianos profesionales de los negocios para que sean testigos más efectivos en sus lugares de trabajo. En la actualidad se usa más el término «ministerio en el lugar de trabajo», lo cual amplía el enfoque e incluye a todos los profesionales.

- **Negocios como misión (NCM):** se refiere a negocios (que suelen llamarse «compañías de la Gran Comisión» o «negocios del reino») creados y administrados con el propósito específico de extender la causa de Cristo en partes del mundo menos alcanzadas y/o menos desarrolladas.

- **Desarrollo cristiano por medio de microempresas:** busca ayudar a los más pobres del mundo a iniciar y dirigir negocios exitosos que honren a Dios, normalmente con la ayuda de pequeños préstamos.

El término «misionero bivocacional» es el que ha persistido por más tiempo. Se empezó a usar haciendo referencia al apóstol Pablo, pionero de las misiones cristianas que tenía por oficio hacer tiendas (Hch 18:3). Un estudio cuidadoso de estas cartas revela que trabajar no era un «mal necesario» para Pablo, ni tampoco una «tapadera», sino más bien una parte esencial de su estrategia misionera por varias razones. Predicar el evangelio de gratis (ver 1Co 9:12-18) añadía credibilidad a su mensaje (2Co 2:17; Tit 1:10-11), y servía como modelo ministerial para sus convertidos. «Al trabajar para ganarse la vida, Pablo mostraba un patrón de testimonio y ministerio laico para los cristianos

---

profesionales de intercambio, de investigación financiada, en prácticas o en programas de estudios en el extranjero. Pueden servir sin representar un costo grande a la iglesia, y a veces sin costo alguno.

Por otro lado, los misioneros regulares reciben apoyo de donantes por medio de una agencia misionera o iglesia. Aunque se valgan de sus habilidades como enfermeros o maestros, la gente suele verlos como trabajadores religiosos porque trabajan bajo los auspicios de instituciones cristianas.

En medio de estos dos excelentes modelos de ministerio existen los híbridos; todos ellos son válidos siempre y cuando sean abiertos y honestos. Algunos misioneros bivocacionales complementan un salario muy bajo con donativos modestos, y algunos misioneros aceptan trabajos de medio tiempo en una institución secular, tal como una escuela o universidad, para recibir apoyo adicional o para tener contacto con personas no creyentes. Las agencias misioneras trasladan temporalmente parte de su personal para mejorar la credibilidad de su organización. Algunas veces Dios guía a algunos cristianos a alternar el trabajo bivocacional con el apoyo mediante donativos.

Desafortunadamente, la mayoría de los cristianos que tienen trabajos en el extranjero no son misioneros bivocacionales, sino personas que en sus países de origen casi no se dedicaban al ministerio, o no lo hacían para nada, y cruzar un océano no cambió ese hecho. Son personas que asisten a una iglesia internacional con sus compatriotas, y son pocos los cristianos que viven en el extranjero que buscan evangelizar a los ciudadanos locales o a los trabajadores visitantes de otros países en el país donde se encuentran. Probablemente menos del uno por ciento son misioneros bivocacionales.

Todo mi tiempo le pertenece a Dios

Una idea falsa que existe en los círculos misioneros es que el trabajo secular de los misioneros bivocacionales no les deja tiempo ni fuerzas para el ministerio. A menudo los obreros cristianos me preguntan: «¿No se te hizo frustrante pasar tantas horas en un trabajo secular y tener tan poquito tiempo para Dios?». ¡Pero, yo pensaba que todo mi tiempo le pertenecía a Dios! Él me había llevado a una escuela secular bilingüe en Lima, Perú, y después a otra en Sao Paulo, Brasil, dándome un ministerio emocionante con maestros, estudiantes de escuela primaria y superior, así como con sus familias de las clases altas de Perú y Brasil. Además de ello, en las escuelas había enfermeras, personal de limpieza, conductores de autobuses y cocineros. Este ministerio se centraba en mi trabajo, pero se extendía a mi vida personal con la hospitalidad y los estudios bíblicos en casa.

Durante mi tiempo libre enseñaba y entrenaba en las iglesias locales, y también inicié grupos universitarios. El trabajo en el campus se convirtió en mi ministerio principal por treinta años, siendo pionera de movimientos estudiantiles en Perú, Brasil, y más tarde en Portugal y España, y entrenando estudiantes y trabajadores en muchos otros países. Mi ministerio era de tiempo completo tanto cuando tenía empleo de tiempo completo, como más tarde, cuando recibí apoyo de donantes, ¡pues yo integraba el trabajo y el testificar!

trabajadores normales» (informa Dave English de Global Opportunities). Pablo «convirtió el hacer discípulos en una norma a seguir por todo cristiano».[7] Trabajar hombro a hombro con los habitantes del lugar le dio oportunidades de modelar una buena ética de trabajo y un estilo de vida centrado en Cristo ante los que antes eran paganos (ver, por ejemplo, 2Ts 3:7-9; Ef 4:28-32; 1Co 4:12, 16).

Las misiones bivocacionales y los NCM se asemejan en que, como Pablo, su interés principal está en los no alcanzados (Ro 15:20). El ministerio en el mercado laboral y los NCM comparten la convicción de que un negocio bien llevado puede ser una influencia redentora en la sociedad. Éstos también creen apasionadamente en la doctrina del «sacerdocio de todos los creyentes»; es decir, animan a los hombres y mujeres de negocios a ver los negocios como su ministerio, y a sus empleados, compañeros de trabajo, proveedores y clientes, como su «rebaño». Corriendo el riesgo de simplificar demasiado sus diferencias, podríamos decir que el énfasis del ministerio en el mercado laboral trata con los vecinos cercanos, mientras que el enfoque principal de los NCM está en el ministerio multicultural.

Tal vez los NCM y el desarrollo por medio de microempresas (DM) suelen usarse como sinónimos. Después de todo, se razona, el DM tiene como meta ayudar a los negocios a prosperar en las partes más pobres y menos alcanzadas del mundo. Sin embargo, hay diferencias significativas que hacen que deban tratarse por separado. Por ejemplo: el DM se enfoca en ayudar a los *lugareños* a iniciar pequeños negocios, mientras que los NCM suelen abarcar negocios más grandes (a veces multinacionales), operados por una combinación de extranjeros y habitantes del lugar. El DM casi siempre se sustenta con donaciones caritativas y se lleva a cabo por medio de organizaciones sin fines de lucro, tales como Partners Worldwide y Opportunity International. Por otro lado, la mayoría de los que abogan por los NCM esperan que el negocio sea pagado por inversionistas privados.[8] De las cuatro categorías diferentes, DM es la que menos se enfoca en la movilización misionera.

Una de las preocupaciones que más se menciona (en círculos misioneros) en cuanto a la misión bivocacional y el NCM, es que el trabajo deja poco tiempo para el ministerio. Sin embargo, tal perspectiva pasa por alto la belleza y el poder del modelo de Pablo. ¿Qué mejor manera de entretejerse en la tela de la sociedad que trabajando junto a los habitantes del lugar, y servirles de manera genuina por medio de los negocios? Trabajar, especialmente bajo condiciones estresantes e inhóspitas, le permite a uno demostrar el valor del evangelio de maneras que hablan más fuerte que las palabras. Por supuesto, es más fácil decirlo que hacerlo, y hacerlo bien requiere entrenamiento, experiencia y responsabilidad, aspectos que ahora vamos a ver.

¿Espía, terrorista o misionero?

Un modelo que tiene poco mérito es la estrategia del «misionero clandestino». Éste simplemente usa un negocio como «tapadera» para las personas que, en realidad, tienen poco interés en los negocios, más que por su utilidad como estrategia para introducirse en países que prohíben la entrada a misioneros tradicionales. La meta es trabajar sólo lo suficiente para lograr una apariencia de legitimidad (al menos a sus propios ojos, pues sólo a unos cuantos pueden engañar tan fácilmente). Aunque algunas iglesias se han establecido de este modo, ahora muchos cristianos se dan cuenta de que este enfoque en el cual «el fin justifica los medios», en realidad tiene problemas serios de integridad, y es un mal testimonio.

Un negocio que no contribuye a la comunidad local, a la larga levanta sospechas. Los espías suelen usar seudonegocios como tapadera. A los extranjeros se les suele ver como posibles espías o subversivos, y en países que ya son hostiles a los misioneros cristianos no falta mucho para que esas compañías sean expulsadas del país. Eso es una lástima, pues muchos de esos mismos países están dispuestos a tolerar los negocios legítimos de dueños cristianos. Nos hemos dado cuenta de que los negocios del reino más efectivos son abiertos en cuanto a su fe, e incluso tienen la reputación de hacer trabajo evangelístico. ¿Qué hace que no sean perseguidos ni expulsados? El valor añadido. Sin excepción alguna, la «plataforma» más segura para los negocios es la empresa que genera ganancias, que crea puestos de trabajo y que paga impuestos.

Algunas preguntas sin resolver

Una de las cosas más notables de los NCM es cómo el Espíritu Santo está guiando a los empresarios cristianos a ver sus negocios y sus talentos como instrumentos para la misión global. Si bien en el pasado puede ser que hayan sido aconsejados para que dejaran sus negocios y fueran al seminario, hoy en día se sigue un curso diferente y se sigue la dirección del Espíritu Santo de maneras creativas y fascinantes. Mientras vale la pena celebrar esto, debemos ser conscientes de algunos posibles problemas.

Responsabilidad

Como alguien que se relaciona de manera asidua con la comunidad misionera y la de los negocios, puedo decir con confianza que *algunas de las cosas más emocionantes que están ocurriendo en el campo de los NCM se escapan del alcance de cualquier agencia misionera o iglesia.* Tal vez esto tenga muchas razones, pero podría dar algunos ejemplos generales. En primer lugar, cuando una persona de negocios con carrera ve una oportunidad, ya sea un nuevo mercado o una nueva oportunidad de ministerio, no está precondicionada para recibir consejo pastoral o de una agencia misionera. En segundo lugar, y peor aún, mucha gente de negocios ha aprendido a ser precavida y a no revelar demasiado de sus aspiraciones en el ministerio porque los profesionales del ministerio tienen la tendencia de intentar reclutarla para sus propios proyectos de preferencia.

La consecuencia desafortunada es que mucha gente de negocios sigue su propio curso sin el beneficio del entendimiento y la experiencia del movimiento misionero. Algo significativo se pierde cuando se margina a los profesionales del ministerio (lo que, irónicamente, es un problema a la inversa del problema anterior).

Los que vienen de trasfondos misioneros tradicionales suelen creer que la solución es que la gente de negocios entre en el mundo de las agencias misioneras; yo no estoy tan seguro de ello. Yo creo que hay necesidad de nuevos tipos de organizaciones misioneras, de organizaciones que ofrezcan muchos de los servicios de una agencia misionera, y también servicios con valor añadido específicamente para sus negocios. También ofrecerían una manera de rendir cuentas.

Entrenamiento

Otra necesidad crítica se encuentra en el área del entrenamiento. Hacer crecer un negocio con éxito es difícil incluso bajo las mejores condiciones; iniciar uno en un país extranjero y menos desarrollado es muchísimo más difícil. Y si a esto le añadimos el

reto de hacer negocios de modo que atraigan la atención de las personas hacia Cristo, no es de extrañar que algunos eruditos de las misiones expresen sus dudas en cuanto a los NCM y sus posibilidades de cumplir con sus expectativas.

Está claro que nuestros programas educativos todavía no han sido puestos en el nivel de las necesidades cambiantes. En la actualidad hay pocos programas de negocios cristianos que ofrezcan algún entrenamiento multicultural significativo.[9] Aun así hay cosas que pueden hacerse sin ayuda de instituciones educativas. Algunas investigaciones muestran que quienes tienen más posibilidades de éxito en un contexto de misión bivocacional o NCM son los que:

- Comprenden la esencia del mandato misionero que Dios le ha dado a su pueblo.

- Reconocen la relación esencial entre el éxito de su ministerio y el de su negocio.

- Se sienten cómodos al hablar con otros de su fe y los discipulan.

- Están activos en su iglesia local.

- Disfrutan relacionándose con personas de otras culturas y están dispuestos a experimentar con comida extranjera, establecer vínculos sociales con extranjeros, y no se rinden después de una situación vergonzosa o un fracaso en el inicio de su experiencia en un ambiente multicultural.

- Son intencionales en su aprendizaje del idioma, así como otras habilidades que puedan faltarles.

Estas habilidades, experiencias y actitudes no requieren una educación formal, y las iglesias locales pueden nutrirlas bien.

Tiempos emocionantes por delante

Cada vez se hace más obvio que el evangelio no puede llevarse a todo el mundo sólo sobre las espaldas de los profesionales de las misiones; y nunca debió ser así. Yo creo que Dios está usando las fuerzas de la globalización para volver a introducir a toda la iglesia y todos sus recursos en la misión. La división que parecía haber entre las profesiones sagradas y las mundanas, y que por tanto tiempo ha marginado a tantos cristianos, se está desvaneciendo a medida que los negocios de todos los tamaños se están viendo *obligados* a pensar de manera global en sus mercados y cadenas de provisión. Como consecuencia, se están creando nuevas oportunidades para las personas cristianas de negocios que desean tener un papel más inclusivo en la empresa misionera de la iglesia.

¿Es posible que la globalización consista en esto? Más que pedirles «pagar, orar y quitarse de er medio», las personas de negocios están siendo impulsadas al campo de juego, casi como ocurría durante el tiempo de la iglesia primitiva. Éstas son noticias emocionantes para los que se preocupan en llevar a cabo la Gran Comisión.

Notas

1.   Stevens, R. Paul, *The Other Six Days: Vocation, Work, and Ministry in Biblical Perspective* (Eerdmans, 1999), p. 208.

2.   Silvoso, Ed. *Anointed for Business* (Regal, 2002), p. 24.

3.   Edmund Oliver, *The Social Achievements of the Christian Church* (Board of Evangelism and Social Service of the United Church of Canada, 1930), pp. 67-68.

4.   Véase, por ejemplo, William Danker, *Profit for the Lord* (Grand Rapids: Eerdmans, 1971); y Vishal Mangalwadi y Ruth Mangalwadi, *The Legacy of William Carey* (Wheaton, IL: Good News Publishers, 1999).

5.   Michael McLoughlin, «Back to the Future of Missions: The Case for Marketplace Ministry», *Vocatio*, diciembre 2000, pp. 1-6.

6.   Para ver una discusión más detallada de las distinciones, vea C. Neal Johnson y Steve Rundle, «The Distinctives and Challenges of Business as Mission», en Steffen, Tom y Mike Barnett, eds., *Business as Mission: From Impoverished to Empowered*. (Pasadena, CA: William Carey Library, 2006), pp. 19-36.

7.   David English, «Paul's Secret: A 1st-Century Strategy for a 21st-Century World», *World Christian* 14, no. 3 (2001): 22-26.

8.   Vea una excepción a esta norma en: Patrick Lai, *Tentmaking: Business as Missions* (Waynesboro, GA: Authentic Media, 2005).

9.   Una excepción es el título en negocios internacionales ofrecido por la Universidad Biola, que incluye tres cursos en este tema. Hay que reconocer que no es mucho, pero es un buen comienzo. Al menos los estudiantes reciben una mejor idea de algo que no conocen, y eso es más de lo que conocen otros.

El pacto de Lausana

El Congreso Internacional sobre Evangelización Mundial en Lausana, Suiza (16 al 25 de julio de 1974), reunió a más de 4.000 participantes de más de 150 países, e incluyó evangelistas, misioneros, líderes de misiones, teólogos, pastores y líderes de iglesias nacionales. Un comité de redacción, liderado por John R. W. Stott, incorporó las ideas de los principales oradores y presentaciones de cientos de participantes. En el último día, Billy Graham, los líderes y los participantes, firmaron el documento en una emocionante ceremonia pública.

Para la década de 1980, prácticamente cada agencia de misión evangélica importante de Canadá y los Estados Unidos, y muchas de otros países, había ratificado el Pacto como reemplazo o complemento de su declaración de fe. De esta forma, las 15 apretadas secciones del Pacto difundieron rápidamente la esencia del énfasis de Lausana en la evangelización bíblica del mundo, y ayudaron a dar inicio a lo que posteriormente fue conocido como «el Movimiento de Lausana». Al respecto, un teólogo asiático escribió: «Tal vez la historia muestre que este Pacto es la confesión ecuménica más significativa sobre la evangelización que la iglesia haya emitido jamás».

Introducción

Nosotros, miembros de la iglesia de Jesucristo, de más de 150 naciones, participantes en el Congreso Internacional sobre la Evangelización Mundial en Lausana, alabamos a Dios por su gran salvación, y nos regocijamos en la comunión que nos ha dado con él, y entre nosotros. Estamos profundamente conmovidos por lo que Dios está haciendo en nuestros días, movidos a la penitencia por nuestros fracasos y desafiados por la tarea inconclusa de la evangelización. Creemos que el evangelio es la buena noticia de Dios para todo el mundo, y nos hemos propuesto, por su gracia, obedecer la comisión de Cristo de proclamarlo a cada persona y hacer discípulos de cada nación. Por lo tanto, deseamos afirmar nuestra fe y nuestra determinación, y hacer público nuestro pacto.

1. El propósito de Dios

Afirmamos nuestra creencia en el único y eterno Dios, Creador y Señor del mundo, Padre, Hijo y Espíritu Santo, que gobierna todas las cosas según el propósito de su voluntad. Él nos ha estado llamando a salir del mundo para ser su pueblo, y ha estado enviando a su pueblo de regreso al mundo para ser sus siervos y testigos, extender su reino, edificar el cuerpo de Cristo y glorificar su nombre. Confesamos, con vergüenza, que hemos negado frecuentemente nuestro llamado y hemos fallado en nuestra misión porque nos hemos conformado al mundo o nos hemos retirado de él. Pero nos regocijamos porque aun transportado en vasos de barro, el evangelio sigue siendo un tesoro precioso. Deseamos dedicarnos nuevamente a la tarea de dar a conocer ese tesoro bajo el poder del Espíritu Santo.

Is 40:28; Mt 28:19; Ef 1:11; Hch 15:14; Jn 17:6,18; Ef 4:12; Ro 12:2; 1Co 5:10; 2Co 4:7

2. La autoridad y el poder de la Biblia

Afirmamos la inspiración divina, veracidad y autoridad, tanto de las Escrituras del Antiguo como del Nuevo Testamento, en su totalidad, como la única Palabra escrita de Dios, sin error en todo lo que afirma, y como la única e infalible regla de fe y práctica. Afirmamos también el poder de la Palabra de Dios para lograr el propósito de salvación de Dios. El mensaje de la Biblia está dirigido a todos los hombres y mujeres. Porque la revelación de Dios en Cristo y en las Escrituras es inalterable. Por medio de ella el Espíritu Santo sigue hablándonos hoy. Él ilumina las mentes de quienes forman parte del pueblo de Dios en cada cultura, para que perciban su verdad de manera fresca a través de sus propios ojos, revelándole así a toda la iglesia cada vez más de la sabiduría multicolor de Dios.

2Ti 3:16; 2P 1:21; Is 55:11; Ro 1:16; 1Co 1:21; Jn 10:35; Mt 5:17-18; Jud 3; Ef 1:17-18; 3:10,18

3. El carácter único y universal de Cristo

Si bien hay una amplia diversidad de enfoques evangelísticos, afirmamos que hay un solo Salvador y un solo evangelio. Reconocemos que todas las personas tienen algún conocimiento de Dios por medio de su revelación general en la naturaleza, pero negamos que eso las pueda salvar, porque las personas suprimen la verdad por su injusticia. También rechazamos como despectivo para Cristo y el evangelio toda clase de sincretismo y diálogo que implique que Cristo habla por igual por medio de todas las religiones e ideologías. Jesucristo, al ser él mismo el único Dios-hombre que se entregó como el rescate único por los pecadores, es el único mediador entre Dios y las personas. No hay ningún otro nombre mediante el cual podamos ser salvos. Todos los hombres y mujeres perecen a causa de su pecado, pero Dios los ama a todos, y no desea que ninguno perezca, sino que todos se arrepientan. Pero quienes rechazan a Cristo repudian el gozo de la salvación y se condenan a una separación eterna de Dios. Proclamar a Jesús como «el Salvador del mundo» no significa afirmar que todas las personas son salvas de manera automática o a la larga, y mucho menos que todas las religiones ofrecen salvación en Cristo. Más bien significa proclamar el amor de Dios por un mundo de pecadores e invitar a todos a que respondan a él como Salvador y Señor en el compromiso personal y sincero del arrepentimiento y la fe. Jesucristo ha sido exaltado por encima de todo nombre; anhelamos el día en que toda rodilla se doblará ante él y toda lengua lo confesará como Señor.

Gá 1:6-9; Ro 1:18-32; 1Ti 2:5-6; Hch 4:12; Jn 3:16-19; 2P 3:9; 2Ts 1:7-9; Jn 4:42; Mt 11:28; Ef 1:20-21; Fil 2:9-11

4. Naturaleza de la evangelización

Evangelizar es difundir la buena noticia de que Jesucristo murió por nuestros pecados y fue levantado de los muertos, según las Escrituras, y que, como el Señor que reina, ofrece ahora el perdón de los pecados y el don liberador del Espíritu a cuantos se arrepienten y creen. Nuestra presencia cristiana en el mundo es indispensable para la evangelización, al igual que esa clase de diálogo cuyo propósito es escuchar con sensibilidad a fin de entender. Pero la evangelización misma es la proclamación del Cristo histórico y bíblico como Salvador y Señor, con el objetivo de persuadir a las personas para que acudan a él personalmente y se reconcilien así con Dios. Cuando hacemos la invitación del evangelio no tenemos ninguna libertad para ocultar el costo del discipulado. Jesús aún llama a todos los que desean seguirlo a negarse a sí mismos, a tomar su cruz y a identificarse con su nueva comunidad. Los resultados de la evangelización incluyen la obediencia a Cristo, la incorporación a su iglesia y un servicio responsable en el mundo.

1Co 15:3-4; Hch 2:32-39; Jn 20:21; 1Co 1:23; 2Co 4:5; 5:11,20; Lc 14:25-33; Mr 8:34; Hch 2:40,47; Mr 10:43-45

5. Responsabilidad social cristiana

Afirmamos que Dios es a la vez el creador y juez de todos. Por lo tanto, debemos compartir su preocupación por la justicia y la reconciliación en toda sociedad humana y porque hombres y mujeres sean libres de toda clase de opresión. Dado que hombres y mujeres están hechos a la imagen de Dios, cada persona, independientemente de su raza, religión, color, cultura, clase, sexo o edad, tiene una dignidad intrínseca por la cual debe ser respetada y servida, no explotada. Aquí también expresamos penitencia, tanto por nuestra negligencia, como por haber considerado en ocasiones la evangelización y la preocupación social como mutuamente excluyentes. Si bien la reconciliación con otras personas no es reconciliación con Dios, ni la acción social es evangelización, ni la liberación política es salvación, afirmamos, no obstante, que ambos, tanto la evangelización como el involucramiento sociopolítico, son parte de nuestro deber cristiano, porque ambos son expresiones necesarias de nuestras doctrinas de Dios y el hombre, nuestro amor por nuestro prójimo y nuestra obediencia a Jesucristo. El mensaje de salvación implica también un mensaje de juicio sobre toda forma de alienación, opresión y discriminación, y no debemos temer denunciar el mal y la injusticia donde existan. Cuando las personas reciben a Cristo, nacen de nuevo para su reino, y deben buscar no sólo exhibir, sino difundir la justicia de ese reino en medio de un mundo injusto. La salvación que afirmamos debe estar transformándonos en la totalidad de nuestras responsabilidades personales y sociales. La fe sin obras está muerta.

Hch 17:26,31; Gn 18:25; Sal 45:7; Is 1:17; Gn 1:26-27; Lv 19:18; Lc 6:27,35; Stg 3:9; Jn 3:3,5; Mt 5:20; 6:33; 2Co 3:18; Stg 2:14-26

6. La iglesia y la evangelización

Afirmamos que Cristo envía a su pueblo redimido al mundo como el Padre lo envió a él, y que esto requiere una similar penetración, profunda y costosa, al mundo. Necesitamos salir de nuestros guetos eclesiásticos y permear la sociedad no cristiana. En la misión de servicio sacrificado de la iglesia, la evangelización es prioritaria. La evangelización del mundo exige que toda la iglesia lleve todo el evangelio a todo el mundo. La iglesia está en el centro mismo del propósito cósmico de Dios y es el medio designado por él para difundir el evangelio. Pero una iglesia que predica la cruz debe estar marcada ella misma por la cruz. Se vuelve una piedra de tropiezo para la evangelización cuando traiciona el evangelio o carece de una fe viva en Dios, un amor genuino por las personas o una honestidad escrupulosa en todas las cosas, incluyendo la promoción y las finanzas. La iglesia es la comunidad del pueblo de Dios más que una institución, y no debe estar identificada con ninguna cultura específica, sistema social o político, o ideología humana.

Jn 17:18; 20:21; Mt 28:19-20; Hch 1:8; 20:27; Ef 1:9-10; 3:9-11; Gá 6:14,17; 2Co 6:3-4; 2Ti 2:19-21; Fil 1:27

7. Cooperación en la evangelización

Afirmamos que el propósito de Dios es la unidad visible de la iglesia en la verdad. La evangelización nos convoca también a la unidad, porque nuestra condición de ser uno fortalece nuestro testimonio, así como nuestra desunión socava nuestro evangelio de reconciliación. Sin embargo, reconocemos que la unidad organizacional puede asumir muchas formas, y no necesariamente promueve la evangelización. Pero quienes compartimos la misma fe bíblica debemos estar unidos estrechamente en la comunión, el trabajo y el testimonio. Confesamos que en ocasiones nuestro testimonio ha estado manchado por el individualismo pecaminoso y la duplicación innecesaria. Nos comprometemos a buscar una unidad más profunda en la verdad, la adoración, la santidad y la misión. Alentamos el desarrollo de la cooperación regional y funcional para la promoción de la misión de la iglesia, la planificación estratégica, el aliento mutuo y compartir nuestros recursos y experiencia.

Ef 4:3-4; Jn 17:21,23; Jn 13:35; Fil 1:27; Jn 17:11-23

8. Iglesias en colaboración evangelística

Nos alegramos porque ha amanecido una nueva era misionera. El papel dominante de las misiones de Occidente está desapareciendo rápidamente. Dios está levantando entre las iglesias más jóvenes un gran y nuevo recurso para la evangelización del mundo, demostrando así que la responsabilidad de evangelizar pertenece a todo el cuerpo de Cristo. Por lo tanto, todas las iglesias deben estar preguntándole a Dios y a sí mismas qué deberían estar haciendo, tanto para alcanzar su propia región, como para enviar misioneros a otras partes del mundo. La reevaluación de nuestra responsabilidad y papel misioneros debe ser continua. Así se desarrollará una creciente colaboración entre iglesias, y el carácter universal de la iglesia de Cristo será exhibido con mayor claridad. Agradecemos también a Dios por las agencias que trabajan en la traducción de la Biblia, la educación teológica, los medios de comunicación masiva, la literatura cristiana, la evangelización, las misiones, la renovación de la iglesia y otros campos especializados. Ellas también deben dedicarse a un autoexamen constante para evaluar su efectividad como parte de la misión de la iglesia.

Ro 1:8; Fil 1:5; 4:15; Hch 13:1-3; 1Ts 1:6-8

9. La urgencia de la tarea evangelística

Más de 2.700 millones de personas, que representan más de dos tercios de toda la humanidad, aún no han sido evangelizadas. Nos avergüenza que tantos hayan sido desatendidos; es un reproche constante para nosotros y para toda la iglesia. Hay ahora, sin embargo, en muchas partes del mundo, una receptividad sin precedentes al Señor Jesucristo. Estamos convencidos de que éste es el tiempo para que iglesias y agencias paraeclesiásticas oren fervientemente por la salvación de los no alcanzados y lancen nuevos esfuerzos para lograr la evangelización del mundo. A veces, a fin de facilitar el crecimiento de la iglesia nacional en autosuficiencia, y liberar recursos hacia áreas no evangelizadas, podrá ser necesaria una reducción de misioneros y dinero extranjeros en un país evangelizado. Los misioneros deberían fluir mucho más libremente desde y hacia cada uno de los seis continentes, en un espíritu de servicio humilde. La meta debe ser que, por todos los medios posibles y cuanto antes, cada persona tenga la oportunidad de escuchar, entender y recibir la buena noticia. No podemos esperar alcanzar esta meta sin sacrificio. Todos nosotros estamos conmocionados por la pobreza de millones de personas y nos perturban las injusticias que la causan. Quienes vivimos en condiciones de abundancia aceptamos nuestro deber de desarrollar un estilo de vida sencilla a fin de contribuir de manera más generosa, tanto en la asistencia como en la evangelización.

Mr 16:15; Jn 9:4; Mt 9:35-38; Is 58:6-7; Stg 2:1-9; 1Co 9:19-23; Stg 1:27; Mt 25:31-46; Hch 2:44-45; 4:34-35; Ro 9:1-3

10. Evangelización y cultura

El desarrollo de estrategias para la evangelización del mundo requiere métodos pioneros y creativos. Bajo Dios, el resultado será el surgimiento de iglesias profundamente arraigadas en Cristo y relacionadas de manera estrecha con su cultura. La cultura siempre debe ser probada y juzgada por las Escrituras. Debido a que los hombres y las mujeres son criaturas de Dios, parte de su cultura es rica en belleza y bondad. Sin embargo, debido a su condición de caídos, toda su cultura está contaminada de pecado, y parte de ella es demoníaca. El evangelio no presupone la superioridad de una cultura sobre otra, sino que evalúa a todas las culturas de acuerdo con sus propios criterios de verdad y rectitud, e insiste en los absolutos morales en cada cultura. Con demasiada frecuencia las misiones han exportado, junto con el evangelio, una cultura extraña, y a veces las iglesias han estado atadas, más a una cultura, que a las Escrituras. Los evangelistas de Cristo deben buscar, con humildad, vaciarse de todo, excepto de su autenticidad personal, a fin de convertirse en siervos de otros, y las iglesias deben buscar transformar y enriquecer la cultura, y todo para la gloria de Dios.

Mr 7:8-9,13; Gn 4:21-22; 1Co 9:19-23; Fil 2:5-7; 2Co 4:5

11. Educación y liderazgo

Confesamos que en ocasiones hemos buscado el crecimiento de la iglesia a costa de la profundidad de la iglesia, y que hemos divorciado la evangelización del crecimiento cristiano. Asimismo reconocemos que algunas de nuestras misiones han sido demasiado lentas en equipar y alentar a los líderes nacionales para que asuman sus responsabilidades legítimas. Pero estamos comprometidos con los principios autóctonos, y anhelamos que cada iglesia tenga líderes nacionales que manifiesten un estilo de liderazgo cristiano en términos de servicio y no de dominación. Reconocemos que existe una gran necesidad de mejorar la educación teológica, especialmente para líderes de iglesia. En cada nación y cultura debería haber un programa de capacitación efectiva para pastores y laicos en doctrina, discipulado, evangelización, crecimiento y servicio. Estos programas de capacitación no deben apoyarse en ninguna metodología estereotipada, sino que deben ser desarrollados por iniciativas locales creativas, de acuerdo con normas bíblicas.

Col 1:27-28; Hch 14:23; Tit 1:5,9; Mr 10:42-45; Ef 4:11-12

12. Conflicto espiritual

Creemos que estamos involucrados en una guerra espiritual constante con los principados y los poderes del mal, que buscan derribar a la iglesia y frustrar su tarea de evangelización del mundo. Estamos conscientes de nuestra necesidad de equiparnos con la armadura de Dios y de luchar esta batalla con las armas espirituales de la verdad y la oración, porque detectamos la actividad de nuestro enemigo, no sólo en falsas ideologías fuera de la iglesia, sino también dentro de ella, en evangelios falsos que distorsionan las Escrituras y ponen a personas en el lugar de Dios. Necesitamos una actitud de vigilancia y también de discernimiento para salvaguardar el evangelio bíblico. Reconocemos que nosotros mismos no somos inmunes a la mundanalidad del pensamiento y la acción; es decir, de la posibilidad de caer en el secularismo. Por ejemplo, si bien los estudios cuidadosos del crecimiento de la iglesia, tanto numérico como espiritual, son buenos y valiosos, a veces los hemos desestimado. En otras oportunidades, deseosos de asegurar una respuesta al evangelio, hemos transigido en nuestro mensaje, hemos manipulado a nuestros oyentes mediante técnicas de presión y nos hemos preocupado excesivamente por las estadísticas, y hasta hemos sido deshonestos en nuestro uso de ellas. Todo esto es mundano. La iglesia debe estar en el mundo, pero el mundo no debe estar en la iglesia.

Ef 6:12; 2Co 4:3-4; Ef 6:11,13-18; 2Co 10:3-5; 1Jn 2:18-26; 4:1-3; Gá 1:6-9; 2Co 2:17; 4:2; Jn 17:15

13. Libertad y persecución

Para todo gobierno Dios ha designado la tarea de asegurar condiciones seguras de paz, justicia y libertad en las que la iglesia pueda obedecer a Dios, servir al Señor Jesucristo y predicar el evangelio sin interferencia. Por lo tanto, oramos por los líderes de las naciones y los llamamos a garantizar la libertad de pensamiento y de conciencia, así como la libertad de practicar y propagar la religión de acuerdo con la voluntad de Dios según lo indica la Declaración Universal de los Derechos Humanos. Expresamos también nuestra profunda preocupación por todos los que han sido encarcelados injustamente, en especial por quienes están sufriendo a causa de su testimonio del Señor Jesús. Prometemos orar y trabajar por su libertad. Al mismo tiempo nos rehusamos a ser intimidados por su suerte. Con la ayuda de Dios nosotros también buscaremos pronunciarnos contra la injusticia y permanecer fieles al evangelio, sin importar el costo. No olvidamos las advertencias de Jesús en cuanto a que la persecución es inevitable.

1Ti 2:1-4; Col 3:24; Hch 4:19; 5:29; Heb 13:1-3; Lc 4:18; Gá 5:11; 6:12; Mt 5:10-12; Jn 15:18-21

14. El poder del Espíritu Santo

Creemos en el poder del Espíritu Santo. El Padre envió a su Espíritu para dar testimonio de su Hijo; y sin su testimonio, el nuestro es en vano. La convicción del pecado, la fe en Cristo, el nuevo nacimiento y el crecimiento cristiano, son todos su obra. Además, el Espíritu Santo es un Espíritu misionero; en consecuencia, la evangelización debería surgir espontáneamente de una iglesia llena del Espíritu. Una iglesia que no es misionera se contradice a sí misma y apaga el Espíritu. La evangelización de todo el mundo pasará a ser una posibilidad realista sólo cuando el Espíritu renueve a la iglesia en verdad y sabiduría, fe, santidad, amor y poder. Por lo tanto, llamamos a todos los cristianos a orar por una visitación tal del Espíritu soberano de Dios, que todo su fruto pueda aparecer en todo su pueblo y todos sus dones puedan enriquecer el cuerpo de Cristo. Sólo entonces toda la iglesia llegará a ser un instrumento apto en sus manos para que toda la tierra pueda oír su voz.

Hch 1:8; 1Co 2:4; Jn 15:26-27; 16:8-11; 1Co 12:3; Jn 3:6-8; 2Co 3:18; Jn 7:37-39; 1Ts 5:19; Sal 85:4-7; Gá 5:22-23; Ro 12:3-8; 1Co 12:4-31; Sal 67:1-3

15. La segunda venida de Cristo

Creemos que Jesucristo regresará de manera personal y visible, en poder y gloria, para consumar su salvación y su juicio. Esta promesa de su venida es un estímulo adicional para nuestra evangelización, porque recordamos sus palabras de que el evangelio debe ser predicado primero a todas las naciones. Creemos que el período intermedio entre la ascensión y el regreso de Cristo debe ser llenado con la misión del pueblo de Dios, que no tiene ninguna libertad de detenerse antes del fin. Recordamos también su advertencia de que surgirían falsos cristos y falsos profetas como precursores del anticristo final. Por lo tanto, rechazamos como un sueño orgulloso y autoconfiado la idea de que las personas puedan construir alguna vez una utopía en la tierra. Nuestra confianza cristiana es que Dios perfeccionará su reino, y esperamos con ansiosa anticipación ese día y el nuevo cielo y tierra, cuando la justicia morará y Dios reinará para siempre. Entretanto, nos volvemos a dedicar al servicio de Cristo y del pueblo, en sumisión gozosa a su autoridad sobre la totalidad de nuestras vidas.

Mr 14:62; Heb 9:28; Mr 13:10; Mt 28:20; Hch 1:8-11; Mr 13:21-23; 1Jn 2:18; 4:1-3; Lc 12:32; Ap 21:1-5; 2P 3:13; Mt 28:18

Conclusión

Por lo tanto, a la luz de esta fe y esta resolución nuestras, hacemos un pacto solemne con Dios y entre nosotros de orar, planificar y trabajar juntos para la evangelización de todo el mundo. Llamamos a otros a unirse a nosotros. ¡Dios nos ayude, por su gracia y para su gloria, a ser fieles a este pacto nuestro! ¡Amén, Aleluya!